Répertoire International des Sources Musicales

RÉPERTOIRE INTERNATIONAL DES SOURCES MUSICALES

Publié par la Société Internationale de Musicologie et l'Association Internationale des Bibliothèques Musicales

*

INTERNATIONALES QUELLENLEXIKON DER MUSIK

Herausgegeben von der Internationalen Gesellschaft für Musikwissenschaft und der Internationalen Vereinigung der Musikbibliotheken

*

INTERNATIONAL INVENTORY OF MUSICAL SOURCES

Published by the International Musicological Society and the International Association of Music Libraries

B VII

HANDSCHRIFTLICH ÜBERLIEFERTE

LAUTEN- UND GITARRENTABULATUREN

DES 15. BIS 18. JAHRHUNDERTS

BESCHREIBENDER KATALOG

VON

WOLFGANG BOETTICHER

G. HENLE VERLAG MÜNCHEN

Commission Internationale Mixte du RISM

Vladimir Fédorov (Président)

Kurt von Fischer (Vice-Président)

Harald Heckmann (Secrétaire)

Wolfgang Rehm (Trésorier)

Clemens von Gleich · Donald J. Grout · Paul Henry Lang

René B. M. Lenaerts · Søren Sørensen

Ouvrage préparé avec l'aide de l'UNESCO,
de la Ford Foundation,
de la Stiftung Volkswagenwerk,
et sous les auspices du Conseil International de la Philosophie
et des Sciences Humaines

Im G. Henle Verlag erscheinen alle Teile und Bände des RISM,
die geschlossene Quellengruppen umfassen.

Im Bärenreiter-Verlag erscheinen alle Teile und Bände des RISM,
die den alphabetischen Autorenkatalog umfassen.

Printed in Germany

ISBN 3-87328-012-4

INHALTSVERZEICHNIS
TABLE DES MATIERES · CONTENTS

Vorwort 9*
Préface 14*
Preface 20*

Verzeichnis der Fundorte nach Ländern 25*
Index des lieux de dècouverte par pays 25*
List of libraries according to countries 25*

Verzeichnis der verschollenen oder verbrannten Handschriften 33*
Index des manuscrits disparus ou brûlés 33*
List of MSS lost or destroyed by fire 33*

Abkürzungen 34*
Abréviations 34*
Abbreviations 34*

Bibliographie 37*
Bibliographie 37*
Bibliography 37*

Quellenkatalog 1
Catalogue des Sources 1
Catalogue of Sources 1

Anhang 374
Appendice 374
Appendix 374

VORWORT

Mit dem vorliegenden Band wird im Rahmen des *Internationalen Quellenlexikons der Musik* (RISM) zum ersten Mal ein beschreibender Katalog sämtlicher in Lauten- und Gitarrentabulatur überlieferten Handschriften geboten. Ein 1951 gefaßter Plan, auch sämtliche Drucke gleicher Aufzeichnungsart aufzunehmen (Individualdrucke und sog. Sammelwerke), durfte mit Fortschreiten der international geführten Arbeiten zur Neuauflage des *Quellenlexikons* R. Eitners verlassen werden. Frühzeitig war ferner klar, daß der (auch heute noch nicht annähernd überblickbare) Gesamtbestand der Handschriften in Tabulatur für Tasteninstrumente auszuklammern war. Bei der Konzentration auf das Korpus der Zupfinstrumente mußten aber die keineswegs vereinzelten Fälle einer Anwendung des Schriftsystems für Streichinstrumente eingeschlossen werden. In der Erwartung, eine Bibliographie zu einem approximativen Resultat gebracht zu haben, hat der Verfasser das Repertoire nunmehr auf 726 Handschriften, nachgewiesen in 204 Bibliotheken in 24 Ländern, fixiert.

Verschiedene Tabulatursysteme für den Lautentypus (deutsch, französisch, italienisch, spanisch, polnisch), im Gitarrenbereich noch zusätzliche Abbreviationen (Alfabeto, sog. Kurzschriften etc.) beherrschten fast ausschließlich das soziologisch vielfältig definierte geistliche und weltliche Repertoire, dessen *terminus post quem et ante quem* (15. bis 18. Jahrhundert) sich zweifelsfrei darbietet. Neben solistischen Sätzen (eingeschlossen solche für 2 bzw. 3, 4 Lauten, ohne Begleitsatz) war der intavolierte Part der unterschiedlich besetzten Ensemblesätze zu berücksichtigen, ferner der erhebliche Vorrat an Begleitsätzen in der solistischen Vokalpraxis, an intavolierten Beispielen in Traktaten; letztlich sind auch Stammbuchblätter erfaßt.

Neben der hohen Dispersion der Instrumente (Laute, Theorbe, Chitarone, Colascione, Hamburger Cithrinchen, Citter, Mandora, Vihuela, Mandoline, Angelica, Gitarre etc., sodann Lyra da braccio, da gamba) war der Status der Überlieferung solcher Handschriften, die, vielfach aus privater Sphäre kommend, sich an entlegenen Orten und außerhalb öffentlicher Sammlungen erhalten haben, eine weitere Erschwernis. Wenn R. Eitner im 1898 abgefaßten Vorwort seines *Quellenlexikons* diesen Tabulaturenbestand nicht unter den Objekten, die ihm vorerst keine Kontrolle ermöglichten, erwähnt, so war ihm doch bewußt, daß hier ein noch unerschlossenes Terrain zu vermuten sei, was sein Versuch, im Artikel „*Lautenbücher in handschriftlichen Sammelwerken*" (VI, S. 81f.) von 26 Fundorten zu berichten, zu Genüge zeigt. In gleichermaßen denkwürdiger Weise hat J. Wolf nach paläographischem Indiz in seinem *Handbuch der Notationskunde* II (1919) eine „*Auswahl*" von Handschriften, nach ihren Systemen geordnet, vorgeführt, die – wenn auch keineswegs immer auf Autopsie gegründet und fehlerfrei – bis heute die wichtigste Arbeitsbasis geblieben ist. Der Verfasser war bemüht, mit seinem *Quellenkritischen Anhang* zu einer stilistischen und spieltechnischen Problemen gewidmeten Untersuchung (*Studien zur solistischen Lautenpraxis...*, Berlin 1943, S. 320–395), den Horizont zu erweitern (der Anhang wurde unverändert nachgedruckt als *Bibliographie des sources de la musique pour luth*, ed. C. N. R. S., Paris 1956, S. 1–69). An anderem Ort hat er – als erste Nachkriegsübersicht – Ergänzungen geboten: Artikel *Gitarre* MGG V, S. 108ff. (1956) und Artikel *Laute* ibid. VIII, S. 356 ff. (1960) neben mehreren Personenartikeln am gleichen Ort. Damit war etwa zwei Drittel des jetzigen Bestands (wenn auch nur in einem anhangsweisen Register) in Erfahrung gebracht.

Mit Übertragung des vol. VII der *systematischen* Reihe B des RISM (1959), dem Erwägungen mit H. Albrecht (†) 1954–1957 vorausgegangen waren, konnte der Verfasser einen seit 1935 planmäßig aufgebauten Apparat einbringen. Dennoch verblieben zwei gravierende Probleme, abgesehen von der Dispersion des Materials: 1. Ein Mikrofilmarchiv (das zur Konkordanzermittlung und meist auch für editorische Vorhaben der Spielpraxis ausreicht) bleibt als einzige Quelle eines Beschreibenden Katalogs unzulässig, da ein Protokoll über Papierbeschaffenheit, Faszikel, Zählung der mit Tabulatur beschrifteten Seiten, Einband, Schreibertinte etc. nur in Autopsie möglich ist. Insofern mußten zur Deskription sämtliche Fundorte aufgesucht werden, wobei der Verfasser in den Magazinen noch eine beträchtliche Zahl weiterer Handschriften ans Licht zog (da den Katalogmitteln gerade bei Tabulaturen selbst in größeren Bibliotheken oft Grenzen gesetzt sind). Der Verfasser glaubt versichern zu können, daß er die Objekte, sofern nicht im Sonderfall durch Stern oder einen anderen einschränkenden Vermerk gekennzeichnet, „in der Hand gehabt" und – nur in wenigen Ausnahmen über Fernleihe begünstigt – am Fundort untersucht hat. 2. Im Gegensatz zu den von der *Commission mixte* angeregten bibliographischen Forschungen, vgl. Reihe A I, *Einzeldrucke vor 1800*, Band 1, Einleitung..., S. 29*–34*, mußte der Verfasser seinen Ehrgeiz daran setzen, ohne die üblichen nationalen Gremien und eine *Internationale Zentralredaktion*, die bereits beim Aufbau der Reihe B, vol. I, 1 (1960) gleichermaßen behilflich war, das Repertoire zu durchforsten. Insbesondere schied eine Korrespondenz mit Fachgenossen (die dann die Deskription einer Handschrift hätten verantworten müssen) aus. Es sei an das Vorwort F. Blumes zu RISM A I, S. 10* (datiert 1970) erinnert, in dem deutlich umrissen ist, was der „*einzelne Spezialforscher... in vielen (nicht allen) Fällen*", auch unter Hinweis auf den hier vorgelegten Katalog, noch übersehen kann. Tatsächlich erreichte das Volumen diese Individualgrenze, zumal im gleichen Arbeitsgang auch ein *Dépouillement* (bei einer Gesamtzahl von ca. 18000 Sätzen) zu bewältigen war. Das letztere soll gesondert erscheinen und zwar reduziert, d. h. als ein alphabetisches Register der in jeder Handschrift auftretenden Satzbezeichnungen und Komponisten- bzw. Intavolatorennamen, womit auf relativ engem Raum mit strenger lexikographischer Ökonomie dem wissenschaftlichen Benutzer über eine Deskription hinaus ein Eindringen in das musikalische Material ermöglicht wird. Selbstverständlich entfallen in beiden Teilen Konkordanzbestimmungen, überhaupt *interpretierende* Zusätze, die nur im Aspekt kleiner Handschriftengruppen katalogmäßig (d. h. vollständig) darstellbar sind. Ich verweise auf meinen Beitrag „*Über Stand und Aufgaben der Erforschung der Tabulaturen für Zupf- und Streichinstrumente*", in Fs. K. G. Fellerer, Köln 1973, S. 50ff.

Die Deskription stellt Tabulaturart (mit Linienanzahl) und geschätztes (und gegebenenfalls eingezeichnetes) Datum an die Spitze. Nach Gesamtblattzahl (getrennt von älteren Vorsatz-, Nachsatzblättern) werden die mit Tabulatur beschrifteten Seiten exakt fixiert. Zahl und Provenienz der Schreiber, Heftungsmerkmale, Angaben zum möglichen Tabulaturverlust (beschriftete Falze), zum Einband mit eventuellen Besitzvermerken, zur ungefähren Blattgröße (Höhe × Breite), zu originaler Foliierung, Paginierung und defekten Reihen schließen sich an. Grundsätzlich sind ältere Signaturen und Vorbesitzer ermittelt, meist unter Konsultation der örtlichen Eingangsbücher (Acquisitions-Nummern). Eine verbindliche Aufrechnung aller Sätze einer Handschrift, auch unterteilt nach Gattungen, unbezeichneten oder anonymen Einzelgliedern, bereits seit R. Eitners *Musik-Sammelwerken* (1877) zur ersten Information nützlich, ist bei intavolierten Handschriften infolge schwankender Abgrenzung der Satzteile, der Fragmente, mit wünschenswerter Präzision nicht möglich. Der quantitative Überblick ist durch Zahl der intavolierten Seiten (neben freibleibenden oder nur liniierten) sichergestellt. Auch würde ein Register sämtlicher zugrundeliegender Stimmungen den bibliographischen Ansatz (gegenüber einem Lauten-Lexikon) verfehlen, zumal bereits vortreffliche Spezialstudien nach Auswahlprinzip erreichbar sind (vgl. Literatur). Die abschließende Bemerkung in Klammern nennt als Provisorium, ohne Teil 2 vorzugreifen, nur die Gattungen bezeichneter Sätze. Der Absatz *Literatur* schließt auch kurze Quellenzitate ein (eine erschöpfende Bibliographie, insbesondere der praktischen Ausgaben ist nicht Aufgabe dieses Katalogs). Das Siglen-Verzeichnis führt 1159 Titel. Die erwähnte Publikation des Verfassers 1943 ist nur in ihrem Anhang, nicht Haupttext, zitiert.

Bei dem großen Bearbeitungszeitraum mußte in mehreren datierten *Nachschriften* dem veränderten Zustand einer Handschrift Rechnung getragen werden. Die Schreibweise der Bibliotheken und ihrer Orte erfolgt in ihrer Landessprache (abgesehen von einigen verschollenen Beständen). Bei Blattzählung gilt, sofern *r* und *v* nicht erscheinen, die Vorder- und Rückseite. Auf interne Probleme der Katalogisierung hat der Verfasser als Leiter der Sektion „*Lautenmusik*“ des Kongresses Ges. f. Musikforschung Köln 1958 (Kongr.-Ber. Kassel-Basel 1960, S. 329f.) und in seinem „*Bericht*“ in Mf XI, 1958, S. 214 hingewiesen, desgleichen in seinem Beitrag „*Die älteren Lautentabulaturen und das Problem ihrer Klassifizierung*“, in Kongr.-Ber. Bonn 1970, Kassel-Basel 1971, S. 345ff. Zur Entlastung dieses Vorworts sei ferner auf die dankenswerten Darlegungen J. Jacquots, *The International Catalogue of the music for the lute and kindred instruments*, in Hinrichsen's Eleventh Music Book, London-New York, S. 214ff. und auf die von demselben angeregte Diskussion *Catalogue International des Sources*, vgl. Le Luth et sa Musique, colloque Neuilly-sur-Seine 10.–14. 9. 1957, Éditions du C.N.R.S., Paris 1958, S. 319–342, ferner in Acta musicol. XXX (1958), S. 89ff., aufmerksam gemacht.

Die Katalogreihe persönlicher Drucke mußte in vernünftiger Konzentration sich auf die tatsächlich vorhandenen Objekte abgrenzen (Beschluß Ljubljana 1967). Daß die Einzelforschung die Fixierung verschollener, aber sicher erweislicher Objekte anstreben muß, hat der Verfasser in einem Individualfall nicht umgehen dürfen (*Orlando di Lasso und seine Zeit* I, 1959, S. 729ff.). Abgesehen von der Anlage des Bandes B VIII, 1 *Das deutsche Kirchenlied*, in dem grundsätzlich „*nicht nachweisbare Drucke*“ aufgenommen sind (Vorwort, S. 11*), bleiben bei diesem Handschriftenkatalog folgende Gruppen unabweisbar: 1. seit 1944–1945 verschollen (mit Angabe des Auslagerungsortes und des Datums der Autopsie durch den Verfasser), 2. Besitzer zur Zeit nicht nachgewiesen, 3. 1943–1945 verbrannt, 4. bereits im 19. Jahrhundert verloren gegangen, aber hinreichend im Schrifttum belegt. Objekte zu 1, 3 (z. B. ehemals Berlin, Danzig, Dresden, Hamburg, Königsberg, Sorau) hat der Verfasser noch 1936–1942 exzerpiert. 1. kann nicht als endgültig verloren eliminiert werden. Lexikographisch erscheinen diese Objekte im Haupttext und beanspruchen keinen eingeschränkten Quellenwert.

Dieser Band B VII, 1, den F. Blume bereits im November 1958 in seinem Vorwort zu RISM B I, 1 (1960), S. 20 als *Quellen der Lautenmusik* angekündigt, hat, da das parallele *Dépouillement* von gleicher Hand zu bewältigen war, erst 18 Jahre später sein Ziel erreicht. Vor 40 Jahren begonnen, stellten in der ersten Phase meine Lehrer J. Wolf und G. Schünemann ihre persönlichen Aufzeichnungen zur Verfügung, ein unschätzbares Material zur Beurteilung des Vorkriegsbestands. Die Namen weiterer Fachgenossen, auf deren Hilfe sich der Verfasser in seiner Publikation 1943 (S. VIII, datiert November 1943) berufen durfte, seien dankbar in Erinnerung gebracht: K. Ph. Bernet Kempers, Amsterdam, Ch. v. d. Borren, Brüssel, Z. Jachimecki, Krakau, A. Chybiński, Lemberg, F. Vatielli, Bologna, A. Nelson, Uppsala, G. Carlquist, Lund, C. Lunn, Kopenhagen, D. v. Bartha, Budapest, Hochw. Abt A. J. Kozyza, Raigern, J.-G. Prod'homme und P. Brunold, Paris, M. Burckhardt, Basel, E. Schenk, Wien, H. Haßbargen, Danzig, E. Dinsch, Königsberg. Seit 1948 fortsetzend, hat der Verfasser bei ungezählten Auslandsaufenthalten von einem sehr großen Personenkreis Unterstützung erfahren, den aufzurufen er sich, gemäß Bestimmung der *Commission mixte*, versagt. Genannt seien lediglich in Frankreich Comtesse G. de Chambure (†), V. Fédorov, J. Jacquot, F. Lesure, N. Bridgman, S. Wallon, M. Rollin; in England Sir J. Westrup (†), F.W. Sternfeld, H.F. Redlich (†), A. Hyatt King, Th. Dart (†), O.W. Neighbour, D. Lumsden, D. Poulton; in Norwegen O.M. Sandvik, Ø. Gaukstadt; in Schweden Å. Davidson, J.O. Rudén, E. Emsheimer; in Dänemark H. Glahn, J.P. Larsen; in der ČSSR J. Racek, F. Muzik, J. Tichota, Z. Nováček, J. Pohanka (†), T. Strakova, J.V. Sykora (†); in Italien Cl. Sartori, F. Ghisi (†), B. Disertori, E. Zanetti, G. Barblan; in der Schweiz M. Staehelin, L. Bianconi, A. Geering; in der UdSSR G. Keldysch, I. Belza; in Ungarn B. Szabolcsi; in der DDR W. Reich, F. Schedelich, H. Chr. Wolff, H. Besseler (†), P. Krause, K.-H. Köhler; in Polen Z. Lissa, J.M. Chomiński, B. Kocowski, M. Perz, Z. Stęszewska, H. Feicht (†), K. Hławicka, K. Wilkowska-Chomińska, P. Poźniak; in Holland F.R. Noske, M.H. Charbon; in Belgien R.B.M. Lenaerts, H. Huys, A. v. d. Linden; in Spanien J.C. Llorens, H. Anglès (†); in Jugoslavien D. Cvetko, K. Kos; in Österreich L. Nowak, J. Klima, H. Federhofer (jetzt Mainz), R. Flotzinger, F. Grasberger, O. Wessely; in den USA G. Reese (†), W. Rubsamen (†), W. Kirkendale (jetzt Rom), K. Speer, D. Heartz, O.A. Albrecht, J.B. Holland, Th.E. Binkley, L.H. Moe, mein Göttinger Promovent W.W. Newcomb, R. Watanabe, S.T. Sommer, V.H. Duckles, H. Spiwacke. Für die zahlreichen Besitzer privater Sammlungen, die vertrauensvoll Zugang ermöglichten, seien stellvertretend nur erwähnt: C. Dolmetsch, Haslemere, R. Spencer, Woodford Green, J. Harwood, Harrow, The Lord of Downshire, The Lord Tollemache, Helmingham Hall, The Earl of Crawford and Belcarres, Colinsburgh, J. Nydahl (†), Stockholm und die unvergessene, so hilfreiche Kollegin Comtesse G. de Chambure, Paris. Dem Verleger Dr. Dr. G. Henle (in Verbindung mit seinen Verlagsleitern F.J. Schaefer und M. Bente), nicht zuletzt aber meinem verehrten Lehrer F. Blume (†) schulde ich tiefempfundenen Dank für Zuspruch und Förderung.

Göttingen, Januar 1978 WOLFGANG BOETTICHER

PRÉFACE

Le présent volume fournit pour la première fois, dans le cadre du RISM, un catalogue descriptif de tous les manuscrits conservés en tablature de luth et de guitare. Un projet établi en 1951 et visant à insérer également l'ensemble des éditions de même nature (éditions individuelles et ouvrages collectifs) a été finalement abandonné à mesure qu'avançait, au niveau international, le travail relatif à la nouvelle édition du *Quellenlexikon* de R. Eitner. Il s'est en outre avéré très tôt qu'il fallait laisser de côté l'ensemble (encore bien loin d'être entièrement inventorié) des manuscrits pour instruments à clavier en tablature. Malgré cette concentration sur les instruments à cordes pincées, il fallait toutefois inclure les cas, en fin de compte assez fréquents, où il y a emploi du système d'écriture des instruments à cordes frottées. Espérant avoir atteint un résultat bibliographique approximatif, l'auteur a finalement fixé le répertoire à 726 manuscrits provenant de 204 bibliothèques et de 24 pays différents.

Le répertoire profane et sacré, d'une grande diversité sociologique et dont le terminus post quem et ante quem (15ème au 18ème siècle) est sans équivoque, est presque exclusivement constitué de divers systèmes de tablature de luth (types allemand, français, italien, espagnol, polonais) ainsi que, en ce qui concerne la guitare, d'un certain nombre d'autres signes abréviatifs (alphabet, notations sténographiques, etc.). Outre les partitions pour soliste (y compris celles pour 2, 3 ou 4 luths sans accompagnement), il fallait également tenir compte des partitions pour ensembles divers en tablature, de la grande quantité de parties d'accompagnement relatives à la littérature vocale pour soliste, des exemples de tablatures cités dans les traités et, en dernier lieu également, des extraits de livres d'or.

Une difficulté supplémentaire résidait, à côté de la grande dispersion instrumentale (luth, théorbe, chitarrone, colachon, cistre hambourgeois, cithare, mandore, vihuela, mandoline, angélique, guitare, etc., de même que viole de bras, viole de gambe), dans la tradition de tels manuscrits qui, provenant souvent de la sphère privée, se sont conservés dans des endroits isolés et en dehors des collections publiques. Si R. Eitner ne mentionne pas dans la préface, rédigée en 1898, de son *Quellenlexikon* ces manuscrits en tablature comme faisant partie des objets échappant provisoirement à tout contrôle, il était cependant parfaitement conscient du fait qu'il s'agissait probablement là d'un domaine encore loin d'être défriché, ce qui apparaît d'ailleurs de façon suffisamment explicite dans l'essai tenté par Eitner, dans l'article «*Lautenbücher in handschriftlichen Sammelwerken*» (VI, p. 81 et suiv.), de décrire 26 lieux de découverte. J. Wolf a, de façon tout aussi notable, présenté dans son *Handbuch der Notationskunde* II (1919), selon une méthode paléographique, un «choix» de manuscrits classés en fonction de leur système d'écriture. Ce travail reste, en dépit de ses imperfections et du fait qu'il est loin de toujours se fonder sur l'examen personnel, la documentation de base la plus importante que l'on possède jusqu'à ce jour. L'auteur s'est efforcé d'élargir l'horizon en ajoutant une annexe critique – *Quellenkritischer Anhang* – à une étude consacrée aux problèmes stylistiques et techniques (*Studien zur solistischen Lautenpraxis*...), Berlin, 1943, p. 320 à 395. Cette annexe a été rééditée telle quelle par le C.N.R.S., Paris 1956, sous le titre de *Bibliographie des sources de la musique* (p. 1 à 69). L'auteur a en outre apporté des compléments – la première vue synoptique d'après-guerre – dans deux articles publiés, à côté d'un certain nombre d'autres relatifs à des personnes, dans «Musik in Geschichte und Gegenwart»: *Gitarre*, MGG V, p. 108 et suiv. (1956) et *Laute*, ibid. VIII, p. 356 et suiv. (1960). Environ deux tiers de la collection actuelle étaient ainsi recensés (il est vrai, seulement sous forme de registre en annexe).

Avec le volume VII de la série systématique B du RISM (1959), qu' avaient précédé de 1954 à 1957 des études avec H. Albrecht (†), l'auteur a pu livrer un apparat critique rassemblé méthodiquement depuis 1935. Il subsistait cependant, abstraction faite de la dispersion des manuscrits, deux problèmes majeurs: 1° Un catalogue descriptif ne peut avoir pour seule source des archives conservées sous forme de microfilms (qui suffisent pour l'établissement des concordances et, dans la plupart des cas, pour l'édition des textes à des fins pratiques), étant donné que seul l'examen personnel permet la constitution d'un rapport sur la qualité du papier, le fascicule, le dénombrement des pages écrites en tablature, la reliure, l'encre utilisée, etc. La description a par suite nécessité la visite de tous les lieux où des manuscrits avaient été découverts, et l'auteur a encore à cette occasion exhumé des réserves un nombre considérable d'autres manuscrits (même dans les bibliothèques importantes en effet, il arrive souvent que, en particulier pour ce qui est des tablatures, les catalogues soient loin d'être complets). L'auteur se croit en droit d'affirmer que, sauf dans quelques cas particuliers où les manuscrits cités sont affectés d'un astérisque ou accompagnés d'une annotation restrictive, il les a tous «tenus personnellement en main» et, excepté quelques rares cas de prêt, examinés sur place. 2° Contrairement à ce qui se passe pour les recherches bibliographiques dépendant de la Commission mixte – cf. série A I, *Einzeldrucke vor 1800*, vol. I, Introduction, p. 41* à 46* –, l'auteur s'est vu obligé de défricher le répertoire sans l'aide des habituelles sociétés nationales ni d'une *Rédaction Centrale Internationale* telle que celle qui avait déjà apporté son concours à la réalision de la série B, vol. I, 1 (1958). Toute correspondance avec des spécialistes (qui auraient alors endossé la responsabilité de la description des manuscrits) était en particulier exclue. Nous rappelons à cet égard la préface écrite par F. Blume pour le RISM A I, p. 24* (datée de 1970), dans laquelle les limites sont clairement définies de ce que peut encore embrasser du regard le «*chercheur individuel... dans de nombreux cas* (*pas tous*)», avec référence également au catalogue présenté ici. Le volume a effectivement atteint cette limite individuelle, et ce d'autant plus qu'il y avait à effectuer parallèlement un long travail de dépouillement (étant donné un nombre total d'env. 18.000 mouvements). Ce dépouillement apparaît sous forme réduite, à savoir sous la forme d'un registre alphabétique des intitulés de mouvement se présentant dans chaque manuscrit ainsi que des noms des compositeurs ou des auteurs de la tablature; un tel registre, d'un encombrement relativement réduit et conçu selon une stricte économie lexicographique, permet à l'utilisateur spécialisé de pénétrer, au-delà d'une simple description, dans la matière musicale proprement dite. Il va sans dire que les deux parties laissent de côté les analyses de concordance, les remarques «interprétatives» en général, qui ne peuvent se cataloguer (donc être exhaustives) que dans l'optique de petits groupes de manuscrits. Je renvoie à ce sujet à l'article «*Über Stand und Aufgaben der Erforschung der Tabulaturen für Zupf- und Streichinstrumente*» que j'ai publié dans Festschrift K. G. Fellerer, Cologne, 1973, p. 50 et suiv.

La description définit en premier le type de tablature (y compris le nombre de lignes) et indique la date probable (le cas échéant, la date inscrite). Vient ensuite le nombre total de feuillets (indiqué séparément des anciennes gardes), puis la détermination exacte des pages en tablature. La description se poursuit avec le nombre et la provenance des copistes, les caractéristiques de couture, les indications relatives à une éventuelle perte de tablature (onglets comportant des inscriptions), à la reliure et à ses éventuelles mentions de propriété, au format approximatif du feuillet (hauteur × largeur), au foliotage d'origine, à la pagination et aux séries ratées. Les anciennes cotes et les propriétaires initiaux ont été systématiquement déterminés, le plus souvent par consultation des registres d'entrée locaux (numéros d'acquisition). Par suite de la délimitation incertaine des mouvements, des fragments, il n'est pas possible pour les manuscrits en tablature de dénombrer avec la précision souhaitable tous les mouvements d'un manuscrit en les subdivisant également selon les genres, les morceaux séparés non intitulés ou anonymes. On sait en effet, depuis les *Musik-Sammelwerke* de R. Eitner (1877), qu'un tel dénombrement accompagné d'un classement est utile aux fins de première information. L'aperçu quantitatif est assuré par l'indication du nombre des pages en tablature (à côté des pages vierges ou seulement réglées). De même, un registre de tous les accords à la base des manuscrits recensés n'aurait pas servi les visées bibliographiques de l'ouvrage (par opposition à un dictionnaire du luth), d'autant plus qu'on dispose déjà (cf. bibliographie) d'excellents ouvrages spécialisés conçus selon un principe de sélection. La remarque finale entre parenthèses indique seulement à titre provisoire, sans anticipation de la deuxième partie, les genres des mouvements spécifiés. La «Bibliographie» inclut également de brèves citations de sources (il n'est pas du ressort de ce catalogue de donner une bibliographie exhaustive, en particulier des éditions réalisées pour la pratique). Le répertoire des sigles comporte 1159 titres. La publication ci-avant mentionnée de l'auteur en 1943 est seulement citée en ce qui concerne son annexe et non pour son texte principal.

Etant donné la longue période de temps nécessaire à la réalisation du travail, il a fallu tenir compte dans plusieurs addenda datés des modifications intervenues pour les manuscrits. La graphie des noms des bibliothèques et de leur lieu d'implantation est donnée dans la langue du pays (à l'exception de quelques manuscrits disparus). Lorsque les lettres *r* et *v* n'apparaissent pas, le foliotage est toujours donné dans l'ordre recto/verso. L'auteur a attiré à plusieurs reprises l'attention sur les problèmes internes de l'établissement des catalogues: Lors du Congrès de la GfMf, à Cologne, en 1958, en sa qualité de président de la section «Musique de luth» (Compte-rendu du Congrès, Kassel–Basel, 1960, p. 329 et suiv.); dans son «exposé» publié dans Mf IX, 1958, p. 214, ainsi que dans l'article «*Die älteren Lautentabulaturen und das Problem ihrer Klassifizierung*», publié dans le Compte-rendu du Congrès, Bonn, 1970, Kassel–Basel, 1971, p. 345 et suiv. A décharge de la présente préface, nous citerons également le remarquable apport de J. Jacquot, «*The International Catalogue of the music for the lute and kindred instruments*», publié dans Hinrichsen's Eleventh Music Book, Londres–New York, p. 214 et suiv., ainsi que la discussion «*Catalogue International des Sources*» inspirée par le même J. Jacquot (cf. Le Luth et sa Musique, colloque de Neuilly-sur-Seine, du 10 au 14 septembre 1957, Éditions du C.N.R.S., Paris 1958, p. 319 à 342, en outre Acta Musicol. XXX [1958], p. 89 et suiv.). La série des publications personnelles devait nécessairement se limiter, selon une concentration raisonnable, aux objets effectivement présents (Résolution de Ljubljana, 1967). Etant donné que la recherche individuelle doit avoir pour fin la détermination des objets disparus mais dont l'existence est vérifiable sans équivoque, l'auteur n'a pas pu, dans un cas particulier, passer outre (*Orlando di Lasso und seine Zeit* I, 1959, p. 729 et suiv.). Indépendamment de la conception du volume B VIII, 1, *Das deutsche Kirchenlied* dans lequel sont inclus par définition les «*publications non vérifiables*» (préface, page 15*), les groupes suivants ne peuvent être récusés dans le présent catalogue: 1° manuscrits disparus depuis 1944–1945 (avec indication du lieu de dépôt et de la date d'examen personnel par l'auteur; 2° manuscrits dont les propriétaires ne sont pas encore retrouvés; 3° manuscrits brûlés entre 1943 et 1945; manuscrits perdus dès le 19ème siècle mais suffisamment documentés dans la littérature. L'auteur a analysé de 1936 à 1942 les objets définis en 1° et 3° (p. ex. autrefois à Berlin, Dantzig, Dresde, Hambourg, Kœnigsberg, Sorau). Les manuscrits de 1° ne peuvent être éliminés comme étant définitivement perdus. Il apparaissent du point de vue lexicographique dans le texte principal et sont en droit de conserver leur pleine valeur de sources.

Ce volume B VII, 1, déjà annoncé par F. Blume en tant que «*Sources de la musique de luth*» dans la préface du RISM B I, 1 (1960), p. 19 – datée de novembre 1958 –, n'a atteint que 18 ans plus tard son but dans la mesure où l'auteur avait également à réaliser simultanément le dépouillement parallèle. Ayant commencé le travail il y a 40 ans, l'auteur a pu disposer dans la première phase des notes personnelles de ses professeurs, J. Wolf et G. Schünemann, c'est-à-dire d'une documentation inestimable pour l'appréciation des manuscrits répertoriés avant la guerre. L'auteur rappelle également avec reconnaissance les noms d'autres confrères, de l'aide desquels il a pu se réclamer dans sa publication de l'année 1943 (p. VIII, datée de novembre 1943): K. Ph. Bernet Kempers, Amsterdam, Ch. v. d. Borren, Bruxelles, Z. Jachimecki, Cracovie, A. Chybiński, Lemberg, F. Vatielli, Bologne, A. Nelson, Uppsala, G. Carlquist, Lund, C. Lunn, Copenhague, D. v. Bartha, Budapest, prieur A.J. Kozyza, Raigern, J.-G. Prod'homme et P. Brunold, Paris, M. Burckhardt, Bâle, E. Schenk, Vienne, H. Haßbargen, Dantzig, E. Dinsch, Kœnigsberg. Au cours de ses innombrables séjours à l'étranger, l'auteur a pu, depuis 1948, bénéficier en permanence de l'appui d'un très grand nombre de personnes, qu'il s'interdit toutefois de désigner nommément, conformément à une décision de la Commission mixte. Nous citerons seulement, en France, la Comtesse G. de Chambure (†), V. Fédorov, J. Jacquot, F. Lesure, N. Bridgman, S. Wallon, M. Rollin; en Angleterre, Sir J. Westrup (†), F.W. Sternfeld, H.F. Redlich (†), A. Hyatt King, Th. Dart (†), O.W. Neighbour, D. Lumsden, D. Poulton; en Norvège, O. M. Sandvik (†), Ø. Gaukstad; en Suède, Å. Davidson, J.O. Rudén, E. Emsheimer; au Danemark, H. Glahn, J.P. Larsen; en Tchécoslovaquie, J. Racek, F. Muzik, J. Tichota, Z. Nováček, J. Pohanka (†), T. Strakova, J.V. Sykora (†); en Italie, Cl. Sartori, F. Ghisi (†), B. Disertori, E. Zanetti, G. Barblan; en Suisse, M. Staehelin, L. Bianconi, A. Geering; en U.R.S.S., G. Keldysch, I. Belza; en Hongrie, B. Szabolcsi; en R.D.A., W. Reich, F. Schedelich, H. Chr. Wolff, H. Besseler (†), P. Krause, K.-H. Köhler; en Pologne, Z. Lissa, J.M. Chomiński, B. Kocowski, M. Perz, Z. Stęszewska, H. Feicht (†), K. Hławicka, K. Wilkowska-Chomińska, P. Poźniak; aux Pays-Bas, F.R. Noske, M.H. Charbon; en Belgique, R.B.M. Lenaerts, H. Huys, A. v. d. Linden; en Espagne, J.C. Llorens, H. Anglès (†); en Yougoslavie, D. Cvetko, K. Kos; en Autriche, L. Nowak, J. Klima, H. Federhofer (maintenant à Mayence), R. Flotzinger, F. Grasberger, O. Wessely; aux U.S.A., G. Reese (†), W. Rubsamen (†), W. Kirkendale (maintenant à Rome), K. Speer, D. Heartz, O.A. Albrecht, J.B. Holland, The E. Binkley, L.H. Moe, mon étudiant de l'université de Göttingen, W.W. Newcomb, R. Watanabe, S.T. Sommer, V.H. Duckles,

H. Spiwacke. A titre représentatif des nombreux propriétaires de collections privées qui lui ont témoigné leur confiance en lui donnant accès à leur collection, l'auteur se doit également de citer les personnes suivantes: C. Dolmetsch, Haslemere, R. Spencer, Woodford Green, J. Harwood, Harrow, The Lord of Downshire, The Lord Tollemache, Helmingham Hall, The Earl of Crawford and Belcarres, Colinsburgh, J. Nydahl (†), Stockholm, ainsi que l'inoubliable et si serviable collègue, la Comtesse G. de Chambure, Paris. J'exprime enfin mes remerciements les plus sincères à mon éditeur, le Dr Dr G. Henle (ainsi qu'à ses directeurs, MM. F.J. Schaefer et M. Bente), et, à titre posthume, à mon vénéré maître F. Blume (†), pour leur soutien et leurs encouragements.

Göttingen, janvier 1978 — Wolfgang Boetticher

PREFACE

The present volume offers for the first time within the scope of RISM a descriptive catalogue of all manuscripts handed down in lute and guitar tablature. A plan conceived in 1951 for cataloguing in addition to manuscripts, all prints in this type of notation, was abandoned in view of the progress of work carried out internationally on the new edition of R. Eitner's *Quellen-lexikon*. Furthermore, it soon became evident that the entire corpus of manu-scripts in tablature for keyboard instruments (which even today is not nearly possible to survey) would have to be excluded. In focusing on the genre, plucked stringed instruments, however, it was also necessary to include those not infrequent cases where the system of notation for bowed stringed instru-ments was applied. In expectation of having reached an approximate biblio-graphical conclusion, the author set the inventory at 726 manuscripts, traced from 204 libraries in 24 countries.

Various systems of tablature for lute-type instruments (German, French, Italian, Spanish, Polish) and additional abbreviatory systems (alfabeto, so-called shorthand types, etc.) for the guitar family virtually dominated the sociologically diverse sacred and secular repertory of a period which can definitely be dated from the 15th to the 18th centuries. In addition to solo compositions (including those for 2, 3, or 4 lutes without accompaniment), the intabulated part of variously voiced ensemble compositions had to be taken into consideration, as did the sizable body of compositions for accompaniment in the solo voice practice and intabulated examples in treatises. Finally, sheets from albums were also included.

Besides the great diversity of instruments (lute, theorbo, chitarrone, co-lascione, Hamburger citarino, cittern, mandora, vihuela, mandolin, angelica, guitar, etc., as well as lyra da braccio, da gamba), the manner in which manuscripts were handed down often presented an additional difficulty, since many are privately owned, kept in remote locations and non-official collec-tions. Although R. Eitner did not mention this body of tablature as being among the items he was unable to examine in his foreword of 1898 to the *Quellenlexikon*, he was undoubtedly aware that there was still much unbroken ground here. This supposition is evident enough in his attempt to report on findings in 26 locations in the article "*Lautenbücher in handschriftlichen Sammelwerken*" (VI, p. 81f). In equally notable fashion, J. Wolf presented a "collection" of manuscripts in his *Handbuch der Notationskunde* (1919), which, using paleographical evidence, categorizes the inventory according to system of notation. Although not always based on personal examination and by no means entirely free from error, this handbook has remained the most important working basis to date.

With his *Quellenkritischer Anhang* to a study dedicated to stylistic and technical problems of performance (*Studien zur solistischen Lautenpraxis...* ["Studies on Solo Lute Practice..."], Berlin 1943, pp. 320–395), the author attempted to broaden the horizons. (The supplement was reprinted unchanged as *Bibliographie des sources de la musique pour luth*, ed. C.N.R.S., Paris 1956, pp. 1–69.) Elsewhere, he offered supplementary information as a first postwar survey in his articles "*Gitarre*" in MGG V, p. 108ff (1956) and "*Laute*" ibid. VIII, p. 356ff (1960), along with several articles on individuals, printed in the same publication. With the above works, about two-thirds of the present inventory (even though only in a supplementary index) became known.

Upon being given the task of preparing Vol. VII of the *systematic* series B of RISM (1959), which was preceded by discussions with H. Albrecht (†) during 1954–1957, the author was able to introduce an apparatus systematically built up since 1935. Aside from the dispersion of the material, two major problems remained. 1. A microfilm archive (adequate for comparative research and also, in general, for editorial projects on performance practice) remains inadmissible as the only source for a Descriptive Catalogue, since a record of the nature of the paper, facsimiles, enumeration of pages written in tablature, binding, ink, etc., is only possible by personal examination. To compile these descriptions, all the localities had to be visited, whereby the author brought to light a considerable number of further manuscripts in the repositories (since the catalogue resources are often limited, even in larger libraries, especially for tablatures). The author can assure that he has had the objects "in his hands", except in those special cases indicated by an asterisk or another restricting notation, and – with only a few exceptions, where a loan from a remote location was granted – has examined them in their locality. 2. Contrary to the bibliographical research methods initiated by the Joint Commission, cf. Series A I *Einzeldrucke vor 1800*, Vol. 1, Introduction, pp. 35*–40*, the author saw himself compelled to sift through the repertory without the usual national panels and an "International Editorial Center", both of which had been helpful in such matters during the construction of Series B, Vol. I, 1 (1960). In particular, a correspondence with colleagues (who would then have had to take the responsibility for the description of a manuscript) was eliminated. I refer to F. Blume's preface to RISM A I, p. 17*–18* (dated 1970) which clearly outlines what the "*individual special researcher... in many – though not all – cases,*" can still survey, even that which concerns the catalogue submitted here. In fact, the volume reached this individual limit, especially since a dépouillement (with a total of about

18.000 pieces) also had to be accomplished simultaneously. The latter is to appear separately in reduced form as an alphabetic index of the composition designations and composers' or intabulators' names which appear in each manuscript. This system will enable the scholar to penetrate beyond a mere description into the musical material while confining each entry to the relatively narrow space consonant with strict lexicographical economy. Of course, comparative designations are left out in both sections – expecially with regard to "interpretive" additions, which can only be presented in a catalogued fashion (i. e. complete) within the scope of small groups of manuscripts. I refer to my contribution, "*Über Stand und Aufgaben der Erforschung der Tabulaturen für Zupf- und Streichinstrumente*" ("On the State and Tasks of the Research on the Tablatures for Plucked and Bowed Stringed Instruments"), in Festschrift K. G. Fellerer, Cologne 1973, p. 50ff.

Heading the descriptions are the type of tablature (with number of lines) and estimated (or, where given, the entered) date. The pages notated in tablature are established exactly according to the total number of sheets (aside from the older end-papers). Included are the number and origin of the copyists, binding characteristics, as well as particulars on possible tablature loss (lettered, inscripted folds), on the cover – with any possible indications of ownership –, on the approximate size of the sheet (length and width), and on the original foliation, pagination, and defective series. In principle, older catalogue numbers and former owners have been ascertained, mostly in consultation with the local entry books (acquisition numbers).

Due to the uncertain division of the composition sections and of the fragments from one another, it is not possible to account for the compositions in a manuscript with the desired precision. This is true even when the compositions are subdivided into genres, unmarked or anonymous single sections, a method useful for first information on intabulated manuscripts since R. Eitner's *Musik-Sammelwerke*, 1877. The quantitative survey is guaranteed through the number of intabulated (as well as blank or only lined) pages. An index of all the basic tunings would also fall short of the bibliographical approach (vis-a-vis a lute encyclopedia) chiefly because excellent special studies following the anthology principle are already available (cf. literature). The closing parenthetical note lists provisionally, without anticipating Section 2, only the types of marked compositions. The "Literature" paragraph also includes short source quotations. (An exhaustive bibliography, especially of the practical editions, is not the task of this catalogue.) The *Siglen-Verzeichnis* ("Sigla Index") lists 1159 titles. The author's publication of 1943 mentioned above is cited only in the Supplement, not in the main text.

Due to the large time span needed for preparation, the changed status of a manuscript had to be taken into consideration in several dated postcripts. The names of the libraries and their locations are given in the language of the respective country (aside from a few lost inventories). Both front and back sides are considered in counting the sheets, as long as *r* (recto) and *v* (verso) do not appear. The author referred to internal problems of cataloguing in his capacity as chairman of the "*Lute Music*" section of the Congress of the GfMf, Cologne 1958 (Congr. Report, Kassel–Basel 1960, p. 329f), and in his "Report" in Mf XI, 1958, p. 214. He also discussed this matter in his report, "*Die älteren Lautentabulaturen und das Problem ihrer Klassifizierung*" in the Report of the International Congress of the GfMf, Kassel–Basel 1971, p. 345ff. As an aid to this preface, attention is drawn to the noteworthy remarks in J. Jacquot's *The International Catalogue of Music for the Lute and Kindred Instruments*, in Hinrichsen's Eleventh Music Book, London–New York, p. 214ff. Also worthy of mention is the discussion *Catalogue International des Sources*, cf. "Le Luth et sa Musique", colloque Neuilly-sur-Seine September 10–14, 1957, Éditions du C.N.R.S., Paris 1958, pp. 319–342, and in Acta musicol. XXX 1958, p. 89ff, stimulated by Jacquot.

The catalogue series of individual prints had to be limited in rational concentration to those objects actually available (Ljubljana decision 1967). In one instance (*Orlando di Lasso und seine Zeit I*, 1959, p. 729ff), the author was compelled to apply the principle that individual research must strive to determine lost, but definitely verifiable objects. Aside from the conception of Volume B VIII, 1, *Das deutsche Kirchenlied*, which contains essentially "*unverifiable prints*" (foreword, p. 13*), the following groups had to be included in this catalogue of manuscripts: 1. Those lost since 1944–45 (with information on the last place of storage and date of the author's personal inspection); 2. Those whose owners cannot be traced at the moment; 3. Those burned 1943–45; 4. Those already lost in the 19th century, but well enough verified in the literature. The author had already excerpted objects in categories 1 and 3 (for example, formerly in Berlin, Danzig, Dresden, Hamburg, Königsberg and Sorau) from 1936–1942. Those in Category 1 cannot be eliminated as definitely lost. These objects appear in the main text of the *Inventory* and are not limited in their source value.

This Volume B VII, 1, already announced in F. Blume's Preface to RISM B I, 1 (1960), p. 27, dated November 1958, as "*Sources of Lute Music*", did not achieve its aim until 18 years later, since the parallel dépouillements had to be accomplished by the same author. In the first phase, begun 40 years ago, the author's teachers J. Wolf and G. Schünemann made their personal records available, invaluable material for the evaluation of the prewar inventory. The names of other specialists in the field whom the author could call upon for assistance in his 1943 publication (p. VIII, dated November 1943), are recalled with gratitude: K. Ph. Bernet Kempers, Amsterdam, Ch. v. d. Borren, Brussels, Z. Jachimecki, Krakow, A. Chybiński, Lemberg, F. Vatielli, Bologna, A. Nelson, Uppsala, G. Carlquist, Lund, C. Lunn, Copenhagen, D. v. Bartha, Budapest, His Reverence the Abbot A. J. Kozyza, Raigern, J. G. Prod'homme and P. Brunold, Paris, M. Burckhardt, Basel, E. Schenk, Wien, H. Hassbargen, Danzig, E. Dinsch, Königsberg.

In the continuation of his work since 1948, during innumerable foreign stays, the author received support from a very large circle of persons, whom he may not mention in agreement with the regulations of the Joint Commission. Named are only the following: In France, Comtesse G. de Chambure (†), V. Fédorov, J. Jacquot, F. Lesure, N. Bridgman, S. Wallon, M. Rollin; in England, Sir J. Westrup (†), F.W. Sternfeld, H.F. Redlich (†), A. Hyatt King, Th. Dart (†), O.W. Neighbour, D. Lumsden, D. Poulton; in Norway, O.M. Sandvik (†), Ø. Gaukstad; in Sweden, Å. Davidson, J.O. Rudén, E. Emsheimer; in Denmark, H. Glahn, J.P. Larsen; in Czechoslovakia, J. Racek, F. Muzik, J. Tichota, Z. Nováček, J. Pohanka (†), T. Strakova, J.V. Sykora (†); in Italy, Cl. Sartori, F. Ghisi (†), B. Disertori, E. Zanetti, B. Barblan; in Switzerland, M. Staehelin, L. Bianconi, A. Geering; in the USSR, G. Keldysh, I. Belza; in Hungary, B. Szabolcsi; in the GDR, W. Reich, F. Schedelich, H. Chr. Wolff, H. Besseler (†), P. Krause, K.-H. Köhler; in Poland, Z. Lissa, J.M. Chomiński, B. Kocowski, M. Perz, Z. Stęszewska, H. Feicht (†), K. Hławicka, K. Wilkowska-Chomińska, P. Poźniak; in Holland, F.R. Noske, M.H. Charbon; in Belgium, R.B.M. Lenaerts, H. Huys, A. v. d. Linden; in Spain, J.C. Llorens, H. Anglés (†); in Yugoslavia, D. Cvetko, K. Kos; in Austria, L. Nowak, J. Klima, H. Federhofer (now Mainz), R. Flotzinger, F. Grasberger, O. Wessely; in the USA, G. Reese (†), W. Rubsamen (†), W. Kirkendale (now Rome), K. Speer, D. Heartz, O.A. Albrecht, J.B. Holland, Th. E. Binkley, L.H. Moe, my doctoral candidate in Göttingen W.W. Newcomb, R. Watanabe, S.T. Sommer, V.H. Duckles, H. Spiwacke. For the numerous owners of private collections who trustfully made access possible, only the following are mentioned as representatives: C. Dolmetsch, Haslemere, R. Spencer, Woodford Green, J. Harwood, Harrow, The Lord of Downshire, The Lord Tollemache, Helmingham Hall, The Earl of Crawford and Belcarres, Colinsburgh, J. Nydahl (†), Stockholm, and my unforgotten, immeasurably helpful colleague Comtesse G. de Chambure, Paris. The publisher Dr. Dr. Henle (in association with his directors F.J. Schaefer and M. Bente), and, not least, my revered teacher, F. Blume (†), I owe heartfelt thanks for help and encouragement.

Göttingen, January 1978 WOLFGANG BOETTICHER

VERZEICHNIS DER FUNDORTE NACH LÄNDERN

A – AUSTRIA (ÖSTERREICH)

GÖTTWEIG, Benediktinerstift, Musikarchiv 127
GRAZ, Steiermärkisches Landesarchiv 128
INNSBRUCK, Landesregierungsarchiv 135
KLAGENFURT, Kärntener Landesarchiv, Abteilung Geschichtsverein für Kärnten, im Landesmuseum 141
KLOSTERNEUBURG, Bibliothek des Augustiner-Chorherrenstifts 142
KREMSMÜNSTER, Benediktinerstift (Regenterei) 155
LINZ, Bundesstaatliche Studienbibliothek 171
MELK, Stifts-Archiv 374
SALZBURG, Universitätsbibliothek 315
SEITENSTETTEN, Stiftsbibliothek 319
WIEN, Bibliothek der Gesellschaft der Musikfreunde 359, 374
– Österreichische Nationalbibliothek, Handschriftenabteilung 358
– Österreichische Nationalbibliothek, Musiksammlung 351
– Privat-Archiv Graf Harrach (in Österr. Staatsarchiv, Allgemeines Verwaltungsarchiv) 374
– siehe auch Verzeichnis S. 33*

B – BELGIQUE

BRUXELLES, Bibliothèque du Conservatoire Royal de Musique 53
– Bibliothèque Royale Albert Ier, Département de la Musique 57

CH – CONFOEDERATIO HELVETICA (SCHWEIZ)

BASEL, Öffentliche Bibliothek der Universität, Musiksammlung 12
BERN, Eidgenössisches Staatsarchiv 45
SAMEDAN, Bibliothek der Fundaziun Planta 316
ZÜRICH, Zentral-Bibliothek, Handschriftenabteilung 372

CS – ČESKOSLOVENSKO

BRATISLAVA (Preßburg), Katedra hudebnej vedy a výchovy (Bibliothek des Musikwissenschaftlichen Instituts der Universität), 1953 überführt aus Rajhrad (Raigern), Bibl. des Benediktiner-Konvents 49

– s. auch Levoča
BRNO (Brünn), Oddělení Hudebně Historické Moravského Musea (Musikhistorische Abteilung des Mährischen Museums) 49
– Státní archiv (Staatsarchiv) 52
– Universitní Knihovna (Universitätsbibliothek) 52
– siehe auch Mikulov
– siehe auch Verzeichnis S. 33*
KROMĚŘÍŽ (Kremsier), Zámecká Knihovna (Bibliothek des ehem. Schlosses) 161
LEVOČA (Leutschau), Archiv der Evangelischen Kirche vorübergehend (1970) aufbewahrt in Bratislava, Bibl. des Musikwissenschaftlichen Seminars der Universität 170
MĚLNÍK, Archiv der Hauptkirche 206
MIKULOV (Nikolsburg), Bibliothek des ehem. Schlosses der Fürstin von Dietrichstein in vorübergehender Aufbewahrung (1970) in Brno (Brünn), Státní archiv (Staatsarchiv) 209
MORAVSKE BEROUN (Mährisch Beraun), Privatbesitz. Nicht zugänglich. Aufnahme des Herausgebers 1965 213
OLOMOUC (Olmütz), Universitní Knihovna (Universitätsbibliothek) 249
PODĚBRADY, Oblastní Muzeum Jana Hellicha (Kreismuseum Jan Hellichs) 285
PRAHA (Prag), Knihovna J. Dobrovského (Privatbibliothek J. Dobrovsky) 286
– Státní Archív (Hauptstaatsarchiv) 286
– Národní Muzeum, Hudební Oddělení (National-Museum, Musikabteilung) 287
– Státní Knihovna ČSSR, Universitní Knihovna (Staats- und Universitätsbibliothek 291
ROUDNICE (Raudnitz), siehe Verzeichnis S. 33*
VESELÍ n. M., Archiv der Hauptkirche, vorübergehend aufbewahrt in Brünn (Universitätsbibliothek) 341

D-brd – BUNDESREPUBLIK DEUTSCHLAND

AMBERG, Staats- und Stadtarchiv 5
AUGSBURG, Staats- und Stadtbibliothek 7
BERLIN, Staatsbibliothek, Preußischer Kulturbesitz (West-Berlin) bis 1945 Berlin, Preußische Staatsbibliothek, Handschriftenabteilung 17
– Staatsbibliothek, Preußischer Kulturbesitz (West-Berlin) bis 1945 Berlin, Preußische Staatsbibliothek, Musikabteilung 19
20, 22, 26, 28, 29, 30, 32, 35, 37, 39
– siehe auch Verzeichnis S. 33*
DARMSTADT, Hessisches Staatsarchiv 83
– siehe auch Verzeichnis S. 33*
DONAUESCHINGEN, Fürstl. Fürstenbergische Hofbibliothek 87
FREISING, Dom-Bibliothek (Fonds Weyarn, Augustiner Chorherrenstift) 374
GÖTTINGEN, Niedersächsische Staats- und Universitätsbibliothek 126, 374

HAMBURG, Staats- und Universitätsbibliothek 129
– siehe auch Verzeichnis S. 33*
KARLSRUHE, Badische Landesbibliothek 136
KASSEL, Murhard'sche Bibliothek der Stadt und Landesbibliothek 136
KÖLN, Historisches Archiv der Stadt (Gereons-Kloster 12) 149
– Kölnisches Stadt-Museum (im Zeughaus) 150
– Universitäts- und Stadtbibliothek 151
LÜBECK, siehe Verzeichnis S. 33*
LÜNEBURG, Ratsbücherei und Stadtarchiv 197
MAINZ, Privatbibliothek Prof. Hellmuth Federhofer 204
METTEN, Archiv der Benediktiner-Abtei 207
MÜNCHEN, Bayerische Staatsbibliothek, Musiksammlung 214, 374
– Universitätsbibliothek, Handschriftenabteilung 226
NÜRNBERG, Germanisches National-Museum, Bibliothek 244
– Stadt-Bibliothek, Handschriften-Abteilung 248
REGENSBURG, Proske'sche Musikbibliothek 298
TUTZING, Musikantiquariat Hans Schneider 334
WOLFENBÜTTEL, Herzog-August-Bibliothek, Handschriftenabteilung . . 361
– Niedersächsisches Staatsarchiv 365

D-ddr – DEUTSCHE DEMOKRATISCHE REPUBLIK

BAUTZEN, Stadt- und Kreisbibliothek 15
BERLIN, Deutsche Staatsbibliothek, Musikabteilung (DDR) bis 1945
Berlin, Preußische Staatsbibliothek, Musikabteilung 18
– siehe auch Verzeichnis S. 33*
DRESDEN, Sächsische Landesbibliothek, Musikabteilung 88, 374
– Sächsische Landesbibliothek, Handschriftenabteilung 94
– siehe auch Verzeichnis S. 33*
LEIPZIG, Musikbibliothek der Stadt 163
– siehe auch Verzeichnis S. 33*
ROSTOCK, Universitätsbibliothek 307
SCHWERIN, Mecklenburgische Landesbibliothek (Wissenschaftliche Allgemeinbibliothek) 318
WEIMAR, Thüringische Landesbibliothek 351
ZWICKAU, Ratsschulbibliothek 373

DK – DANMARK

KØBENHAVN, Det Kongelige Bibliotek, Musikafdelningen 143

E – ESPAÑA

MADRID, Biblioteca Nacional, Musikabteilung (sección de música) 201
– ibid., Handschriftenabteilung (sección de manoscritos) 204

EIR – EIRE (IRELAND)

DUBLIN, Archbishop Marsh's Library 97
DUBLIN, Trinity College Library 96

F – FRANCE

AIX-EN-PROVENCE, Bibliothèque municipale (Bibliothèque Méjanes) 3
BESANÇON, Bibliothèque Municipale 46
NEUILLY-SUR-SEINE, Privatbibliothek Geneviève Thibault (Comtesse de Chambure) 227
PARIS, Bibliothèque du Centre National de la Recherche Scientifique .. 279
– Bibliothèque Mazarine 278
– Bibliothèque Nationale, Département de la Musique 259
– Bibliothèque Sainte-Geneviève (Bibliothèque Centrale de l'Université) 275
STRASBOURG, Bibliothèque de l'Institut de Musicologie de l'Université .. 329
– Bibliothèque Nationale et Universitaire 329
VALENCIENNES, Bibliothèque Municipale 337
VESOUL, siehe Verzeichnis S. 33*

GB – GREAT BRITAIN

ABERYSTWYTH (Cards), Llyfryell Genedlaethol Cymru (National Library of Wales) 3
BEDFORD, Library of Bedfordshire Archeological Society in the Archives of the County Record Committee of the Bedfordshire County Council 15
BELCARRES (Colinsburgh, Fife), Privatbibliothek Earl of Crawford and Belcarres 16
CAMBRIDGE, Fitzwilliam Museum, Library 68
– King's College, Library 71
– University Library 72
– University Library, Hengrave Hall Deposit 134
– Trinity College, Library 97
DUNDEE, Public Library 97
EDINBURGH, The National Library of Scotland 101
– The National Library of Scotland, Department The Advocate's Library 98
– University Library 105
ETWALL HALL (Derbyshire), siehe Verzeichnis S. 33*
GLASGOW, University Library 126
HARROW (Middlesex), Privat-Bibliothek Jan Harwood (Salisbury Road 53). [The National Trust, in care of Jan Harwood.] 130
HASLEMERE (Surrey), Privatbibliothek Dr. Carl Dolmetsch (Cécile Dolmetsch-Ward, Nathalie Dolmetsch-Carley), vordem Dr. Arnold Dolmetsch († 1940) 131

HELMINGHAM HALL (East Suffolk, bei Stowmarket), Privatbibl. Lord Tollemache 133
HENGRAVE HALL (Bury St. Edmunds), Privatbibliothek John Wood .. 134
LLANGOLLEN (New Wales), Privatbibliothek Gwynn Williams Esq. .. 171
LONDON, British Museum (British Library), Music Division 172
– Royal College of Music, Library 194
– Lambeth Palace, Library 374
MANCHESTER, Dr. Henry Watson Library of the Corporation of Manchester (City Library) 206
NEWBATTLE (bei Edinburgh), Library of College 232
NEWCASTLE, University Library 233
NORWICH, Privatbibl. Captain Anthony Hamond 242
NOTTINGHAM, University Library 243
OXFORD, Bodleian Library 251
– Christ Church, Library 258
READING, Library of the Berkshire County Record Office. Leihgabe von The Lord und The Marquess of Downshire. (Nicht öffentlich zugänglich.) 298
RIPON (Yorkshire), The Library of the Cathedral 300
STANFORD HALL (Rugby), siehe Verzeichnis S. 33*
TENBURY WELLS, Worcestershire, St. Michael's College Library 330
WILLEY PARK (Shrewsbury, Shropshire), Privatbibliothek Lord [Welde-] Forester 361
WOODFORD GREEN (Essex), Privatbibliothek Robert Spencer 366

H – MAGYAROSZÁG (HONGRIE)

BUDAPEST, Országos Széchényi Könyvtár (Bibl. nationale Széchényi) .. 374
– Orszszéchényi Könyvtár 374

I – ITALIA

BASSANO und VICENZA, siehe Verzeichnis S. 33*
BOLOGNA, Civico Museo Bibliografico Musicale (Bibl. d. Conservatorio Mus. G.B. Martini) 48
FIRENZE, Biblioteca del Conservatorio Statale di Musica „Luigi Cherubini“ 117
– Biblioteca Nazionale Centrale 107
– Biblioteca Riccardiana 118
GENOVA, Biblioteca Universitaria 124
LUCCA, Biblioteca Governativa 195
MODENA, Archivio di Stato 209
– Biblioteca Estense 212, 374
PERUGIA, Archivio di Stato 279
– Biblioteca Comunale „Augusta Perusia“ 280

PESARO, Biblioteca Musicale Statale del Conservatorio di Musica G. Rossini 281
– Biblioteca Oliveriana 283
ROMA, Biblioteca Apostolica Vaticana 305
– Biblioteca Musicale Governativa del Conservatorio di Musica „Santa Cecilia" 306
TORINO, Biblioteca Nazionale Universitaria 331
TRENTO, Biblioteca Comunale 333
VENEZIA, Biblioteca Nazionale (Marciana) 338
VERONA, Biblioteca Civica 339
– Biblioteca della Società Accademia Filarmonica 340
VICENZA, siehe Bassano

J – JAPAN (NIPPON)

TOKYO, Musashino College of Music, Library; Nerima-ku 331

MEX – MEXICO

MEXICO CITY, Biblioteca Nacional (Departemento de los manoscritos), Handschriftenabteilung 208
– Privatbibliothek Dr. Gabriel Saldívar 208

N – NORGE

OSLO, Universitetsbiblioteket, Handskriftsavdelningen 250

NL – NEDERLAND

AMSTERDAM, Toonkunst-Bibliotheek 6
DEN HAAG, Gemeentemuseum (Museum der Städt. Gemeinde), Muziekafdeling 83
– Koninklijke Bibliotheek 86
LEIDEN, Rijksuniversiteitsbibliotheek 161

PL – POLSKA

BAD WARMBRUNN (ehemals), siehe Verzeichnis S. 33*
GDANSK, siehe Verzeichnis S. 33* unter Danzig
LUBLIN, Biblioteka Publiczna Im. H. Łopacińskiego 195
TORUŃ (Thorn), Biblioteka Wojewódzka Książnica Miejska Im. M. Kopernika (Stadtbibliothek), Handschriftenabteilung 333
WARSZAWA (Warschau), Biblioteka Narodowa 374
– Biblioteka Uniwersytecka 369
– siehe auch Verzeichnis S. 33*

WROCŁAW (Breslau), Biblioteka Uniwersytecka 369, 374
– Diözesanarchiv (Domkapitel) 367
– Diözesan-Archiv (Dom-Archiv) bis 1943 Hirschberg in Schlesien (seit 1945: Jelenia Góra, Woiwodschaft Wrocław), Bibliothek der Katholischen Pfarrkirche 370
ZARY, siehe Verzeichnis S. 33* unter Sorau

RA – ARGENTINIEN

BUENOS AIRES, Biblioteca Nacional 67

S – SVERIGE

LUND, Universitetsbiblioteket, Handskriftsavdelningen 198
NORRKÖPING, Stadsbiblioteket 239
STOCKHOLM, Kungl. Musikaliska Akademiens Biblioteket 327
– Kungliga Biblioteket Handskriftsavdelningen, Musiksamlingen 325
– Musikhistoriska Museet 327
– Riksarkivet 328
– Stiftelsen Musikkulturens Främjande 329
SKARA, Stifts- och Landsbiblioteket, Handskriftsamlingen 320
SKOKLOSTER, Slotts Biblioteket 322
UPPSALA, Universitetsbiblioteket, Handskriftsavdelningen, Musiksamlingen 335

SU – SOJUZ SOVETSKIH SOCIALISTICESKIH RESPUBLIK (UNION DES RÉPUBLIQUES SOCIALISTES SOVIÉTIQUES)

KALININGRAD, siehe Verzeichnis S. 33* unter Königsberg
LWÓW (Lemberg), Gosudarstvennyj universitet imeni Ivana Franko. Naučnaja biblioteka (Universitätsbibliothek) 200
MOSKVA, Gosudarstvennyj central'nyj muzej muzykal'noj kul'tury im. M. I. Glinki (Bibliothek des M. I. Glinka Museums) 213

USA – UNITED STATES OF AMERICA

ANN ARBOR, Mich., The University of Michigan Library, Department of Rare Books and Special Collections 7
BLOOMINGTON, Ind., Privatbibliothek Paul Nettl 47
CAMBRIDGE, Mass., The Houghton Library, Harvard University 78
CHICAGO, Ill., The Newberry Library, Special Collections 79
LOS ANGELES, Cal., The William Andrews Clark Memorial Library 194
NEW HAVEN, Conn., Yale University, Library, Osborn Collection (Beinecke Rare Book Library) 234
– ibid., John Herrick Jackson Music Library 235

New York, N.Y., Pierpont Morgan Library 235
– The Public Library, Music Division (Library and Museum of the Performing Arts, Lincoln Center) 236
Oakland, Cal., The Library of Mill's College 249
Pittsburgh, Pa., Privatbibliothek Prof. Theodore M. Finney 284
Rochester, N.Y., The University Library, Department Sibley Music Library (Eastman School of Music) 300
San Francisco, Cal., Frank V. de Bellis Collection of the California State University and Colleges 317
San Marino, Cal., The Henry E. Huntington Library, Art Gallery and Botanical Gardens; Manuscripts Department 318
Washington, D.C., Folger Shakespeare Library 344
– The Library of Congress, Music Division 345

YU – Yugoslavija

Škofja Loka (Bischoflack), Kapucinski Samostan (Kapuziner-Kloster) 322
Zagreb (Agram), Bibliothek der Jugoslawischen (ehem. Kroatischen) Akademie der Wissenschaften und Künste 371

*

Anhang. Handschriften ohne Fundort 374
Jüngste Zugänge 374

VERZEICHNIS DER VERSCHOLLENEN ODER VERBRANNTEN HANDSCHRIFTEN NACH FUNDORTEN IN ALPHABETISCHER REIHENFOLGE

BAD WARMBRUNN ehemals, Freistandesherrliche Bibliothek des Grafen von Schaffgottsch ... 343
BASSANO und VICENZA ehemals, Privatbibliothek Oscar Chilesotti (bis 1916) 14
BERLIN ehemals, Antiquariat Leo Liepmannssohn ... 40
– Bibliothek der Staatlichen Hochschule für Musik ... 40
– Preußische Staatsbibliothek, Musikabteilung ... 19
22, 24, 26, 29, 31, 32, 33, 35, 38, 39
– Privatbibliothek Dr. Werner Wolffheim ... 43
BRNO (Brünn) ehemals, Státni Archiv. Früher Brünn, Bibliothek des Augustiner Konvents ... 52
DANZIG (Gdansk) ehemals, Stadtbibliothek ... 81
DARMSTADT ehemals, Hessische Landesbibliothek ... 82
DRESDEN ehemals, Sächsische Landesbibliothek, Musikabteilung ... 87
– Sächsische Landesbibliothek, Handschriftenabteilung ... 94
ETWALL HALL (Derbyshire) ehemals, Bibliothek eines ungenannten Adligen ... 106
HAMBURG ehemals, Staats- und Universitätsbibliothek ... 130
KÖNIGSBERG (Kaliningrad) ehemals, Geheimes Staatsarchiv ... 151
– Staats- und Universitätsbibliothek ... 152
– Stadtbibliothek ... 154
LEIPZIG ehemals, Antiquariat C. G. Boerner ... 170
– Privatbibliothek Prof. H. Springer ... 170
LÜBECK ehemals, Bibliothek der Hansestadt ... 196
– Privatbibliothek Prof. C. Stiehl ... 196
ROUDNICE (Raudnitz) ehemals, Bibliothek des Fürsten Lobkowitz ... 315
SORAU (Zary) ehemals, Bibliothek der Marienkirche Unsere Lieben Frauen ... 323
STANFORD HALL (Rugby) ehemals, Privatbibliothek Lord Braye ... 325
VESOUL ehemals, Bibliothèque Municipale ... 342
WARSZAWA (Warschau) ehemals, Privatbibliothek Aleksander Poliński ... 344
WIEN ehemals, Privatbibliothek Prof. Max Kalbeck ... 360
– Privatbibliothek Graf Wilczek ... 360
ANHANG. Handschriften ohne Fundort ... 374

ABKÜRZUNGEN
ABBRÉVIATIONS · ABBREVIATIONS

a.a.O.	am angegebenen Ort; au lieu indiqué; as previously indicated
AfMf	*Archiv für Musikforschung*
AfMw	*Archiv für Musikwissenschaft*
AMl	*Acta musicologica*
Anm.	Anmerkung; annotation; footnote
Art.	Artikel; article; article
Bc.	Basso continuo
Bd.	Band; volume; volume
belg.	belgisch; belge; Belgian
Bl., Bll.	Blatt, Blätter; feuillet, feuillets; leaf, leaves
Bln.	Berlin
Cod.	Codex
dän.	dänisch; danois; Danish
dat., Dat.	datiert, Datum; daté, date; dated, Date
Diss.	Dissertation; thèse de doctorat; thesis
dt.	deutsch; allemand; German
ed.	editit, editio
ehem.	ehemals; autrefois; formerly
engl.	englisch; anglais; English
f.	folio (nach Seitenangaben: folgende, ff. folgende) folio (après indication de page: et suivante, ff. et suivantes) folio (after page numbers: following page, ff. following pages)
fol.	folio (Angabe der Gesamtzahl der Blätter) folio (indication du nombre total des feuillets) folio (total number of pages)
fasz.	fascicules; fascicule; fasciculus
frz.	französisch; français; French
geistl.	geistlich; sacré, religieux; sacred
gew. Notenschr.	gewöhnliche Notenschrift; notation musicale habituelle; normal notation
Git.	Gitarre; guitare; guitar

Hs., hs.	Handschrift, handschriftlich; manuscrit; manuscript
ibid.	ibidem;
ital.	italienisch; italien; Italian
Jg.	Jahrgang; année; year
JAMS	*Journal oft the American Musicological Society*
Kat.	Katalog; catalogue; catalog
lat.	lateinisch; latin; Latin
li.	links; à gauche; left
Lin.	Linie(n); ligne(s); line(s)
Lpz.	Leipzig
Lt.	Laute; luth; lute
Mf	*Die Musikforschung*
MfM	*Monatshefte für Musikgeschichte*
MGG	*Die Musik in Geschichte und Gegenwart*
ML	*Music and Letters*
MQ	*Musical Quarterly*
Ms., Mss.	Manuskript(e); manuscrit(s); manuscript(s)
maschr.	maschinenschriftlich; tapé à la machine; type-written
niederl.	niederländisch; néerlandais; Dutch
norweg.	norwegisch; norvégien; Norwegian
Nr., Nrn.	Nummer(n); numéro(s); number(s)
österr.	österreichisch; autrichien; Austrian
Par.	Paris
poln.	polnisch; polonais; Polish
re.	rechts; à droite; right
Rev. de musicol.	*Revue de musicologie*
RMI	*Rivista Musicale Italiana*
S.	Seite(n); page(s); page(s)
s. a.	sine anno
schott.	schottisch; écossais; Scottish
schwed.	schwedisch; suédois; Swedish
schweizer.	schweizerisch; suisse; Swiss
Sign.	Signatur; cote; shelfmark
SIMG	*Sammelbände der internationalen Musikgesellschaft*
Sp.	Spalte; colonne; column
span.	spanisch; espagnol; Spanish
s. o.	siehe oben; cf. ci-dessus; see above
s. u.	siehe unten; cf. ci-dessous; see below
Syst.	System; système; staff
Tab.	Tabulatur; tablature; tablature
tschech.	tschechoslowakisch; tchécoslovaque; Czech

u. a.	unter anderem; entre autres; among others
unbeschr.	unbeschrieben; sans inscription; blank
ung.	ungarisch; hongrois; Hungarian
v.	von; de (par); of (from, by)
vgl.	vergleiche; cf.; cf.
vol.	volumen; volume, tome; volume
weltl.	weltlich; profane; secular
ZfMw	*Zeitschrift für Musikwissenschaft*
ZIMG	*Zeitschrift der Internationalen Musikgesellschaft*

BIBLIOGRAPHIE

Im folgenden Verzeichnis sind nur die mehrfach zitierten, mit den nachstehenden Abkürzungen versehenen Werke aufgeführt.

L'index suivant ne contient que les travaux qui, sous les sigles indiqués ci-dessous, sont cités plus d'une fois dans ce volume.

The following list contains only the works which are quoted, in abbreviated form, more than once in this volume.

ABBOTT = T.K. Abbott, *Catalogue of the Manuscripts in the Library of Trinity College Dublin*, Dublin 1900

ADLER = G. Adler, *Musikalische Werke der Kaiser* II, Wien 1893, Einleitung

ALANDER = B. Alander, *Musiken i Lund under 1700–talet*, in: Svensk Tidskrift för Musikforskning XXI, Stockholm, 1939, S. 128ff.

ALBANÈSXVI = U. Albanès, *Catalogue général des manuscrits des bibliothèques publiques de France, Départements, Tome XVI, Aix*, Paris 1894

ANDRESEN = L. Andresen, *Des Petrus Fabricius Leben, in:* Die Heimat IXL, 1929, S. 268ff.

ANDREWS = H. Andrews, *Catalogue of the King's Music Library*, Part II *(Miscellaneous Manuscripts)*, London 1929

ANGLÈSE = H. Anglès, *La música española desde la edad media hasta nuestros dias. Catálogo de la exposición histórica celebrada en commemoración del primer centenario del nacimento del maestro F. Pedrell*, Barcelona 1941

ANGLÈSF = H. Anglès, *Dades desconegudes sobbre M. de Fuenllana*, in Revista Musical Catalana XXXIII, Barcelona 1936

ANGLÈSM = H. Anglès, *Música en España*, Madrid 1944

ANGLÈS-SUBIRÁ = H. Anglès, J. Subirá, *Catálogo musical de la Biblioteca Nacional de Madrid* I, *Manoscritos*, Barcelona 1946

ANONYMB = Anonym, *Besprechung* von C. MacClintock, The Bottegari Lutebook . . ., in: The Musical Times CVII, London 1966, S. 704

ANONYMBE = Anonym, *Catalogue des livres imprimés de la Bibliothèque de Besançon*, Sciences et Arts I, Besançon 1875

ANONYMBRF = Anonym, *Inventario e stima della libreria Riccardi, manoscritti e edizioni del secolo XV*, Florenz 1810

ANONYMK = Anonym, *Mittheilungen aus dem Geschichtsverein*, in: Carinthia, Zeitschrift für Vaterlandskunde, Belehrung und Unterhaltung . . . LIV, Klagenfurt 1864, S. 295f.

ANONYMM = Anonym, *Lautenstücke*, in: Blätter der Sackpfeife, Hannover s. a., Heft 16 [1932], Heft 31 [1933]

ANONYMO = Anonym, *Catalogue of Music belonging to Oxford Bodleian Library*, hs., Oxford 1854, Signatur: R. 13.59, y und R. 13.76.

ANONYMR = *Jacob Reys, Sämtliche Lautenstücke*, ed. Anonym, in: Blätter der Sackpfeife, Hannover s. a., Heft 35 [1934]

ANONYMS = Anonym, *Besprechung* von Kamiński, in: Ruch Muzyczny XIII, 12, Warschau 1969, S. 18

ANONYMSTR = Anonym [Beschreibung des verlorenen Ms. Gordon-Straloch, ohne Überschrift; vgl. Kopie unter Edinburgh, Nat. Libr. of Scotland, Ms. Adv. 5. 2.18], in: The Gentleman's Magazine, London Februar 1823, vol. XCIII, part I, S. 122ff.

ANONYMTH = Anonym, *Ein Liederbuch von Thysius*, in: MfM XVIII 1886, Nr. 4, XIX 1887, Nr. 1

ANONYMWS = Anonym, *Sätze aus dem handschriftlichen Lautenbuch des Philipp Hainhofer*, in: Lose Blätter der Musikantengilde, Wolfenbüttel s. a., Heft 12, 41, 65, 78, 79, 82, 88, 95 [1924–1930]

APEL = W. Apel, *Early spanish music for lute and Keyboard instruments*, in: MQ XX, 1934, S. 289ff.

ARKWRIGHT = G.E.P. Arkwright, *Catalogue of Music in the Library of Christ Church Oxford* II, Oxford 1923

AZHDERIAN = H.W. Azhderian, *Reference works in music and music literature in five music libraries of Los Angeles county*, Los Angeles, Calif. 1953, Univ. of Southern California

BACHA = E. Bacha, *Une suite pour luth de Bach*, in: Le Guide Musical LIX, Paris 1913, S. 6f.

BAL = J. Bal, *M. de Fuenllana and the transcription of spanish lute music*, in: AMl XI, 1939, S. 16ff.

BARONCI = G. Baronci, *Catalogo delle manoscritte della Biblioteca Vaticana, sezione musicale ...* [Ms.], Rom, Bibl. Apostolica Vaticana [1930]

BARONCIB = G. Baronci, *Inventario dei codici Barberianini musicali ..., Biblioteca Vaticana, Ottobre 1931 – Giugno 1932 ...* [Ms.], Bibl. Apostolica Vaticana, Rom, Sala Barberini, Signatur 381

BAYER = E. Bayer, *Thomas Robinson, ein englischer Lautenist um 1600*, Phil. Diss. maschr. Wien 1963, Bd. I–IV

BECHERINI = B. Becherini, *Catalogo dei manoscritti musicali della Biblioteca Nazionale di Firenze*, Kassel-Florenz 1959

BECKM = *Thomas Morley, The First Book of Consort Lessons*, ed. S. Beck, London-New York 1959, Einleitung

BECKER = H. Becker, *Besprechung* von WolffB, in: Mf XIII, 1960, S. 211ff.

BECKMANN = G. Beckmann, *Die Entwicklung des deutschen Violinspiels im 17. Jahrhundert*, Phil. Diss. Berlin 1916, Leipzig 1918

BEECHEY = G. Beechey, *Christopher Lowther's lute book*, in: The Galpin Society Journal XXIV, Edinburgh 1971, Juli-Heft, S. 51ff.

BELFRAGE = E. Belfrage, *1600-tal psalm. Litteraturhistoriska studier*, Lund 1968

BELLIS COLLECTION = *The Frank V. de Bellis Collection in the library of San Francisco State College*, San Francisco 1964

BELLOW = *Renaissance and Baroque, a collection of XVI and XVII century compositions, originally written for the guitar, selected, transcribed from the tablature*, ed. A. Bellow, New York s.a. [1964–1968]

BENGTSSON = I. Bengtsson, *J.H. Roman och hans instrumentalmusik*, Uppsala 1955

BENKÖ = D. Benkö, *A Hungarian lute manuscript*, in: Journal of the Lute Society of America V, New York 1972, S. 104ff.

BENKÖJ = D. Benkö, *Jannequin-Bakfark, Un gay bergier*, in: Studia Musicologica XIV, Nr. 1–4, Budapest 1972, S. 215ff.

BEQUEST = A. Bequest, *Cambridge Univ. Catalogue of the collection with some biographical notes*, Cambridge 1945 [Vervielfältigungs-Druck]

BINKLEY = Th. Binkley, *Le luth et sa technique*, in: Le luth et sa musique, ed. J. Jacquot, Paris 1958 (=Éditions du C.N.R.S.), S. 25ff.

BIRKNER = G. Birkner, *La tablature de luth de Charles, duc de Croy et d'Archot (1560–1612)*, in: Rev. de Musicol. XLIX, 1963, S. 18ff.

BISCHOFF = H. Bischoff, *Alte Stücke und Weisen für doppelchörige Laute*, Berlin-München-Wien s. a. [1924] (= Spielmusik für Gitarre XI)

BISCHOFF-ZIRNBAUER = H. Bischoff und A. Zirnbauer, *Lieder und Tänze für die Laute (Songs and Dances for the Lute) ca. 1540* [Ms. München 1512], Mainz-London s. a. [1937], Edition Schott 3694, Einleitung.

BLAŽEK = V. Blažek, *Bohemica v lobkovském zámeckém archivu v Roudnici n.L.*, Prag 1936

BLOCH = S. Bloch, *A remarkable Elizabethan lute manuscript in the British Museum*, in: The Guitar Review XV, New York 1953, S. 9

BLOCHC = S. Bloch, *Besprechung* von ChiesaM, in: The Guitar Review XXXVIII, New York 1973, S. 32f.

BLOCHP = S. Bloch, *Besprechung* von PoultonDO, in: The Guitar Review XXXVII, New York 1972, S. 23ff.

BLUM = F. Blum, *Besprechung* von Hambraeus, in Notes XXI, 1–2, 1963/1964, S. 133

BÖHME = F.M. BÖHME, *Geschichte des Tanzes in Deutschland* I, II, Leipzig 1886

BOETTICHERB = W. Boetticher, *Bericht über die Tagung zum Studium der älteren Lautenpraxis ..., Paris 10.–14. 9. 1957*, in: Mf XI, 1958, S. 214

BOETTICHERBA = W. Boetticher, *Ernst Gottlieb Baron*, in: MGG I (1949–51), S. 1338ff.

BOETTICHERBE = W. Boetticher, *Jean-Baptiste Besardus*, in: MGG I (1949–51), S. 1815ff.

BOETTICHERBL = W. Boetticher, *Lauten- und Gitarrentabulaturen, Bericht*, in: Kongr. Ber. Ges. f. Mf. (Köln 1958), Kassel-Basel 1960, S. 329f.

BOETTICHERDL = W. Boetticher, *Albert Dlugoraj*, in: MGG III (1954), S. 616f.

BOETTICHERDRU = W. Boetticher, *Benedictus de Drusina*, in: MGG III (1954), S. 831f.

BOETTICHERFA = W. Boetticher, *Adam Falkenhagen*, in: MGG III (1954), S. 1744ff.

BOETTICHERG = W. Boetticher, Art. *Gitarre*, in: MGG V (1956), S. 108ff.

BOETTICHERGA = W. Boetticher, *Anthoine Gallot*, in: MGG IV (1955), S. 1328f.

BOETTICHERGE = W. Boetticher, *Hans Gerle*, in: MGG IV (1955), S. 1802ff.

BOETTICHERGO = W. Boetticher, *Giacomo Gorzanis*, in: MGG V (1956), S. 534f.

BOETTICHERHA = W. Boetticher, *Emanuel Hadrianus* (Adriaensen), in: MGG V (1956), S. 1223f.

BOETTICHERHE = W. Boetticher, *Wolff Heckel*, in: MGG VI (1957), S. 14ff.

BOETTICHERHO = W. Boetticher (mit D. Lumsden und H. F. Redlich), *Anthony Holborne*, in: MGG VI (1957), S. 611ff.

BOETTICHERHOV = W. Boetticher, *Joachim van den Hove*, in: MGG VI (1957), S. 789f.

BOETTICHERJO = W. Boetticher (mit D. Lumsden), *Robert Johnson*, in: MGG VII (1958), S. 134f.

BOETTICHERKA = W. Boetticher (mit F. Giegling), *Johannes Hieronymus Kapsberger*, in: MGG VII (1958), S. 674ff.

BOETTICHERKRE = W. Boetticher, *Jakob Kremberg*, in: MGG VII (1958), S. 1748ff.

BOETTICHERL = W. Boetticher, *Studien zur solistischen Lautenpraxis des 16. und 17. Jahrhunderts*, Phil. Hab. Schr. Berlin 1943, mit Quellennachweis S. 320–395, dieser unverändert nachgedruckt als: *Bibliographie des sources de la musique pour luth*, Ed. du C. N. R. S., Paris 1956, S. 1–69. Seitenzahlen in [ ] beziehen sich auf den Nachdruck 1956

BOETTICHERLA = W. Boetticher, Art. *Laute*, in: MGG VIII (1960), S. 356ff.

BOETTICHERLG = *O. di Lasso. Gesamtausgabe, Neue Folge*, Bd. I, ed. W. Boetticher, *Lat. Motetten, franz. Chansons und ital. Madrigale aus wiederaufgefundenen Drukken 1557–1579*, Kassel–Basel 1956, Einleitung S. IIIff.

BOETTICHERLOS = W. Boetticher, *Jan Antonín Graf Losy von Lozimtál*, in: MGG VIII (1960), S. 1214ff.

BOETTICHERLT = W. Boetticher, *Die älteren Lautentabulaturen und das Problem ihrer Klassifizierung*, in: Kongr. Ber. Ges. f. Mf. (Bonn 1970), Kassel–Basel 1971, S. 345ff.

BOETTICHERLZ = W. Boetticher, *Orlando di Lasso und seine Zeit* I, Kassel–Basel 1959

BOETTICHERN = W. Boetticher, *Besprechung* von H. Neemann, Lautenmusik des 17. und 18. Jahrhunderts . . ., in: Die Musik XXXV, Berlin 1943, S. 56f.

BOETTICHERNE = W. Boetticher, *New Lasso Studies*, in: Fs. Gustave Reese (Aspects of medieval and Renaissance music), New York 1966, S. 17ff.

BOETTICHERP = W. Boetticher, *Zum Parodieproblem . . .*, in: Kongr.-Ber. IMG XI New York 1961, Bd. I, Kassel–Basel 1963, S. 216ff.

BOETTICHERPO = W. Boetticher, *Discussion* [Polnische Tänze und Namen in Lautentabulaturen], in: Le luth et sa musique, ed. J. Jacquot, Paris 1958 (= Éditions du C. N. R. S.), S. 207f.

BOETTICHERPOL = W. Boetticher (mit N. Bridgman), *Jacób (Jakub) Polak*, in: MGG VI (1957), S. 1607f.

BOETTICHERS = W. Boetticher, *Über Stand und Aufgaben der Erforschung der Tabulaturen für Zupf- und Streichinstrumente*, in: Fs. K.G. Fellerer zum 70. Geburtstag (Musicae Scientiae Collectanea), Köln 1973, S. 50ff.

BOETTICHERT = W. Boetticher, *Les œuvres de Roland de Lassus mises en tablature de luth*, in: Le luth et sa musique, ed. J. Jacquot, Paris 1958 (= Éditions du C.N.R.S.), S. 143ff.

BOETTICHERVP = W. Boetticher, *On vulgar music and poetry found in unexplored minor sources of eighteenth-century lute tablatures*, in: Fs. Karl Geiringer, London 1969, S. 76ff.

BOETTICHERW = W. Boetticher, *Aus Orlando di Lassos Wirkungskreis. Neue archivalische Studien zur Münchener Musikgeschichte* (= Veröffentlichung der Gesellschaft für Bayerische Musikgeschichte), Kassel–Basel 1963

BOETTICHERWL = W. Boetticher, *Weitere Beiträge zur Lasso-Forschung*, in: Fs. René Bernard Lenaerts (= Musicologica Lovaniensia I), Löwen 1969, S. 61ff.

BOHEMAN-HENNERBERG = F. Boheman-C.F. Hennerberg, *Katalog över Kungliga Musikaliska Akademiens Bibliotek* I, II, Stockholm 1905, 1910

BOHN = E. Bohn, *Die musikalischen Handschriften des 16. und 17. Jahrhunderts in der Stadtbibliothek zu Breslau*, Breslau 1890

BOLTEB = J. Bolte, *Das Lieder-Buch des Petrus Fabricius (Ms. Kopenhagen Thott 4° 841)*, in: Jahrbuch des Vereins für niederdeutsche Sprachforschung XIII, Bremen 1887, S. 55ff.

BOLTEF = J. Bolte, *Aus dem Liederbuche des Petrus Fabricius*, in: Alemannia, Zeitschrift für Sprache, Litteratur und Volkskunde XVII, Bonn 1889, S. 248ff.

BOLTET = J. Bolte, *Zur Geschichte des Tanzes* [Besprechung von F.M. Böhne, Geschichte des Tanzes in Deutschland I, II, 1886], in: Alemannia, Zeitschrift für Sprache, Litteratur und Volkskunde XVIII, Bonn 1890, S. 74ff.

BONACCORSI = A. Bonaccorsi, *Catalogo con notizie biografiche delle musiche dei maestri luccesi esistenti nelle biblioteche di Lucca*, in: Coll. Hist. Mus. II, Florenz 1957, S. 73ff.

BONFILS = J.-B. Bonfils, *Clém. de Bourges et N. de la Grotte: Fantaisies (pour orgue); Ch. Racquet: Œuvres complètes (pour orgue); Denis Gaultier: Tombeau de Mr. Racquette, pour luth (transcrit pour orgue)*, Paris s. a. [1960] (= Éditions musicales de la Schola Cantorum, L'organiste liturgique, Nr. 29–30), Einleitung

BONFILS-WALLON = J.-B. Bonfils, S. Wallon, *Les Préclassiques français (Supplément), La Barre, Anonymes. Les œuvres pour clavier, ed. J. Bonfils, transcription des pièces de luth par S. Wallon*, Paris s. a. [1960] (= Éditions musicales de la Schola Cantorum)

BOTTENHEIM = M. Bottenheim, *Catalogus von de Biblioteek der Vereeniging voor Nederlandsche Muziekgeschiedenis*, Amsterdam 1919

BRANZOLI = G. Branzoli, *Ricerche sullo studio del liuto*, Rom 1889

BRENETL = M. Brenet, *Notes sur l'histoire du luth en France*, in: RMI V, 1898, S. 637ff. und VI, 1899, S. 1ff. (separat Turin 1899)

BRENETT = M. Brenet, *Les tombeaux en musique*, in: La Revue Musicale II, Paris 1903, S. 568ff., 631ff.

BRENETV = M. Brenet, *Notice sur deux manuscrits de musique de luth de la Bibliothèque de Vesoul*, in: Revue d'histoire et de critique musicale I, Paris 1901, Heft 11/12, S. 439ff. und II, Paris 1902, Heft 1, S. 15ff.

BRETT = Ph. Brett, *Word setting in the songs of Byrd*, in: Proceedings of the Royal Musical Association, Session XCVIII (1971–72), S. 47ff.

BRIDGMAN = N. Bridgmann, *Un manuscrit italien du début du XVIe siècle à la Bibl. Nationale (Dépt. de la musique, Rés. Vm⁷ 676)*, in: Annales Musicologiques I, Paris 1953, S. 190ff.

BRONDI = M.-R. Brondi, *Il liuto e la chitarra, ricerche storiche sulla loro origine e sul loro sviluppo*, Turin 1926 (auch in: RMI XXXII, 1925, S. 161ff., 317ff. und XXXIII, 1926, S. 181ff.)

BRONSON = B.H. Bronson, *Besprechung* von DaviesC, in: Notes XXIV, 4, New York 1968, Juni-Heft, S. 707f.

BROWN = *Alexander Agricola, Si je fais bien ou mal aussi*, ed. H.M. Brown, London–Oxford s. a. [1974]

BROWNB = H. M. Brown, *Besprechung* von Stephens, in: JAMS XIX, 1966, S. 100ff.

BROWNI = P.A. Brown, *Influences on early lute songs of John Dowland*, in: Musicology in Australia III, Sidney 1968–1969, S. 21ff.

BRUGERA = H. D. Bruger, *Alte Lautenkunst aus drei Jahrhunderten*, Heft I, II, Berlin 1923

BRUGERAL = H. D. Bruger, *Alte Lautenmusik, in*: Simrock-Jahrbuch I, Berlin 1928, S. 130ff.

BRUGERB = H.D. Bruger, *Bachs Verhältnis zur Laute und Lautenmusik*, in: Die Laute IV, Berlin 1920/1921, Heft 1, 2

BRUGERBL = H.D. Bruger, *J. S. Bachs Kompositionen für die Laute*, Wolfenbüttel 1921, 3. Aufl. 1923 (= Denkmäler alter Lautenkunst, ed. F. Jöde, Bd. I), Einleitung

BRUGERD = H.D. Bruger, *Ausgewählte Solostücke des Lautenisten John Dowland*, Berlin 1923, Einleitung

BRUGERH = H.D. Bruger, *Joseph Haydn, Quartett D-Dur für obligate Laute, Violine, Viola und Violoncello*, Wolfenbüttel 1924, Einleitung

BRUGERL = H.D. Bruger, *Schule des Lautenspiels für die gewöhnliche Laute, Baßlaute, doppelchörige und theorbierte Laute*, Heft 1—4, Wolfenbüttel 1924

BRUGERP = H.D. Bruger, *Probleme der deutschen Lautenmusik des 18. Jahrhunderts*, in: Kongr. Ber. IMG Leipzig 1925, Leipzig 1926, S. 237ff.

BRUGERZ = H.D. Bruger, *Zwei- und dreistimmige Solostücke für die Laute*, Wolfenbüttel 1927, Einleitung

BUCHNERL = A. Buchner, *Lute music from Prague*, in: The Guitar Review XXVII, New York 1963, Oktober-Heft

BUCHNERT = A. Buchner, *Hudební sbírka Emiliána Troldy*, in: Sborník Národního muzea v Praze, Bd. VII A, Prag 1954, Nr. 11, S. 17ff.

BUETENS I = *The first book of tablature, for lute, guitar, opharion etc.*, ed. St. Buetens, *designed by Kenneth LaBarre*, New York 1964 (= Instrumenta Antiqua Publications)

BUETENS II = *Lute Recercars . . ., in lute tablature and guitar transcription . . .*, ed. St. Buetens, Menlo Park (California) 1968 (= Instrumenta Antiqua Publications)

BUETENSM = St. Buetens, *Method of the Renaissance Lute*, Menlo Park (California) s. a. [1969], Vorwort

BUGGERT = R.W. Buggert, *Transcription problems in the lute tablature books of Alberto de Ripa*, in: Municipal University of Wichita Studies, vol. XXXIV, The Univ. of Wichita Bulletin, Bd. XXXI, Heft 3, Wichita 1956

BUGGERTM = R.W. Buggert, *Alberto da Ripa, lutenist and composer*, Phil. Diss. maschr. Univ. of Michigan 1957

BUNTEN = A. Bunten, *Some old Scottish lute music*, in: Scottish Musical Magazine III, Edinburgh 1922, S. 185ff.

BURLAS-FIŠER-HOŘEJŠ = Burlas, Fišer, Hořejš, *Hudba na slovensku v XVII. storočí*, Bratislava 1955 (= Slovenská Akadémia Vied, Sekcia Spoločenských Vied, red. Zd. Nováček)

BYLER = A. Byler, *Italian Currents in the popular music of England in the sexteenth century*, Phil. Diss. maschr. Univ. Chicago 1952

CAPELLI = A. Capelli, *Scelta di curiosità letteraria*, Bologna 1868

CASEY = W.S. Casey, *Printed English lute instruction books 1568—1610*, in: Dissertation Abstracts, University Ann Arbor (Michigan), Jahrgang XXI, August 1960, S. 349f. (Phil. Diss. maschr. Univ. of Michigan)

CASTENDIECK = M. Castendieck, *England's Musical Poet Thomas Campion*, London 1938

CATALOGUE FRANCE = *Catalogue général des Manuscrits des bibliothèques publiques de France*, Paris 1878ff.

ČERNUŠÁK = G. Černušák, *Přehledný dějepis hudby* I, Brünn 1946

ČERNUŠÁKD = G. Černušák, *Dějiny evropské hudby*, Prag 1972

CHABANEAU = C. Chabaneau, *Parnasse provençal*, in: Revue des langues romanes, tome XXXII, Paris 1888, S. 226ff.

CHAPPELLC = W. Chappell, *A collection of National English Airs*, London 1838–1840

CHAPPELLP = W. Chappell, *Old English Popular Music*, ed. H.E. Wooldridge, I, II, London 1893

CHARNASSÉ = H. Charnassé, *Sur la transcription des recueils de cistre édités par A. Le Roy et R. Ballard (1564–1565)*, in: Rev. de Musicol. XLIX, 1963, S. 184ff.

CHARNASSÉG = H. Charnassé, *Sur l'accord de la guitare*, in: Recherches sur la musique française classique VII, Paris 1967, S. 25ff.

CHARNASSÉM = H. Charnassé, *À propos d'un récent article sur "la Méthode pour la guitare de Luis Briceño"*, in: Rev. de Musicol. LII, Paris 1966, S. 204ff.

CHARNASSÉ-DUCASSE = H. Charnassé und H. Ducasse, *De l'emploi de l'ordinateur*

pour la transcription des tablatures, in: Rev. de Musicol. LVII, Paris 1971, S. 107ff.
CHIESAL = R. Chiesa, *Storia della letteratura del liuto e della chitarra*, in: Il Fronimo, rivista trimestrale di chitarra e liuto I, Mailand 1972, Okt.-Heft, S. 21ff.
CHIESAM = *Francesco da Milano, Opere complete per liuto I, Composizioni originali, trascrizione in notazione moderna di R. Ch.*, Mailand s. a. [1971], Quellenbericht
CHIESAT = R. Chiesa, *Besprechung* von Tonazzi, in: Il Fronimo, rivista trimestrala di chirarra e liuto I, Mailand 1972, Okt.-Heft, S. 35f.
CHIESAW = *Silvius Leopold Weiß, Intavolatura di liuto . . . conforme all' originale del British Museum*, I, II, ed. R. Chiesa, Mailand s. a. [1968], Vorwort, Quellenbericht
CHILESOTTIA = O. Chilesotti, *Airs de court (secolo XVI) dal Thesaurus Harmonicus di J.B. Besard*, Mailand s. a. (= Biblioteca di rarità musicali VII), Einleitung
CHILESOTTIC = O. Chilesotti, *Canzonette del XVImo secolo ad una voce con accompagnamento di pianoforte riconstruite della intavolatura di liuto*, in: Revue d'histoire et de critique musicale I, Paris 1901, S. 124ff.
CHILESOTTICM = O. Chilesotti, *Claudio Merulo nelle intavolature di liuto*, in: Numero unico Claudio Merulo, Parma 1904, Juni-Heft
CHILESOTTICS = O. Chilesotti, *Canzonette del Seicento con la chitarra*, in: RMI XVI, 1909, S. 847ff.
CHILESOTTID = O. Chilesotti, *Danze del secolo XVI trascritte . . .*, Mailand s. a. (= Biblioteca di rarità musicali I), Einleitung
CHILESOTTIF = O. Chilesotti, *Francesco Corbetta, guitarrista*, in: Gazzetta musicale di Milano XLIV, Mailand 1888, S. 386ff.
CHILESOTTIFM = O. Chilesotti, *Francesco da Milano liutista della prima metà del secolo XVIo*, in: SIMG IV, 1902/1903, S. 382ff.
CHILESOTTIG = O. Chilesotti, *Il primo libro di liuto di Vincenzo Galilei*, in: RMI XV, 1908, S. 753ff.
CHILESOTTIGF = O. Chilesotti, *La chitarra francese: Appunti*, in: RMI XIV, 1907, S. 791ff.
CHILESOTTIGG = O. Chilesotti, *Giacomo Gorzanis, liutista del '500*, in: RMI XXI, 1914, S. 86ff.
CHILESOTTIH = O. Chilesotti, *Capricci armonici sopra la chitarra spagnola del Conte Ludovico Roncalli 1692*, Rom 1881, Einleitung
CHILESOTTIHN = O. Chilesotti, *Di Hans Newsidler e di un' antica intavolatura tedesca di liuto*, in: RMI I, 1894, S. 48ff.
CHILESOTTIHV = O. Chilesotti, *Horatio Vecchi, Arie*, Mailand 1892, Einleitung
CHILESOTTII = O. Chilesotti, *Intavolature di chitarra, Appunti*, in: Le Chronache Musicali I, Rom 1900, S. 17ff.
CHILESOTTIK = O. Chilesotti, *Les chansons françaises du XVIe siècle en Italie (transcrites pour le luth)*, in: La Revue Musicale II, Paris 1902, S. 63ff., 202ff.
CHILESOTTIL = O. Chilesotti, *Da un codice «Lautenbuch» del cinquecento. Trascrizioni in notazione moderna*, Leipzig-Brüssel s. a. [Vorwort datiert 1890]. Neudruck Bologna s. a. [1969] (= Bibliotheca Bononiensis, sezione IV, Nr. 31)
CHILESOTTILS = O. Chilesotti, *Lautenspieler des XVI. Jahrhunderts . . .*, Leipzig 1891 [ist deutsche Übersetzung von ChilesottiL]
CHILESOTTIM = O. Chilesotti, *Musica del passato, da intavolature antiche*, Mailand 1915 (= Biblioteca di rarità musicali VIII), Einleitung
CHILESOTTIMV = O. Chilesotti, *Madrigali, Villanelle ed Arie di danza del '500, dalle opere di J.-B. Besard*, Mailand 1915 (= Biblioteca di rarità musicali IX), Einleitung
CHILESOTTIN = O. Chilesotti, *Note circa alcuni liutisti italiani della prima metà del cinquecento*, in: RMI IX, 1902, S. 36ff. (separat Turin 1902)
CHILESOTTIP = O. Chilesotti, *Un po' di musica del passato*, in: RMI XIX, 1912, S. 858ff.; Notenanhang und Faksimile S. 864–881 (separat Turin 1912)
CHILESOTTIPF = O. Chilesotti, *Perino Fiorentino, liutista del secolo XVI*, in: Rivista Fiorentina, Florenz 1908, September-Heft
CHILESOTTIR = O. Chilesotti, *La rocca e'l fuso*, in: RMI XIX, 1912, S. 363ff.
CHILESOTTIRV = O. Chilesotti, *Notes sur le gitarriste Robert de Visée*, in: SIMG VIII, 1906/1907, S. 62ff.
CHILESOTTIS = O. Chilesotti, *„Susanne un jour" per liuto*, in: Gazetta musicale di Milano XXXIII, Mailand 1895

CHILESOTTISM = O. Chilesotti, *Saggio sulla melodia popolare del Cinquecento*, Mailand 1888

CHILESOTTIST = O. Chilesotti, *Studie sulla chitarra e altri scritti (ristampa anastatica)*, Mailand 1974

CHILESOTTIT = O. Chilesotti, *Trascrizioni da un codice . . .*, in: Atti del congresso internationale di science storiche VIII [Rom 1903], Rom 1905

CHILESOTTIV = O. Chilesotti, *Villanella a tre voci dal „Thesaurus harmonicus" di G.-B. Besardo (1603)*, in: Fs. Hugo Riemann, Leipzig 1919, S. 287f.

CHOMIŃSKI-LISSA = J.M. Chomiński, Z. Lissa, *Music of the Polish Renaissance*, Warschau 1955

CHYBIŃSKIBM = A. Chybiński, *Bakfark*, in: Mysl Muzyczna, Kattowitz 1918, S. 7ff.

CHYBIŃSKIBP = A. Chybiński, *Bakfark*, in: Przeglad Muzyczny, Warschau 1918, Heft IV, S. 1ff.

CHYBIŃSKYL = A. Chybińsky, *Lutnia, lutniści i tańce w poezji polskiej XVII wieku*, in: Śpiewak, Kattowitz 1927, Nr. 11–12; 1928, Nr. 1–2

CHYBIŃSKIS = A. Chybiński, *Słownik muzyków dawnej Polski*, Krakau 1949

COHEN = A. Cohen, *Besprechung* von Hambraeus, in: JAMS XVI, 3, 1963, S. 399ff.

COMBARIEU = J. Combarieu, *Bergamasco pour le luth . . ., tiré du „Thesaurus Harmonicus"*, in: Congrès Internationale d'histoire de la musique, Paris 1901, S. 185ff.

CORTE-ALBERTV = *Robert de Visée, Lautensuite*, ed. N. Corte und H. Albert, Leipzig 1921 (= Spielmusik für Gitarre und Laute)

CORTÉS = N.A. Cortés, *Diego Pisador, indice de documentos útiles al la biografía*, in: Boletin de la Biblioteca Menéndez y Pelayo III, s. l. [Santander] 1921, S. 356 ff.

COWLING = E. Cowling, *A manuscript collection of Viola da Gamba music*, in: Journal of the Viola da Gamba Society of America I, New York 1964, S. 16ff.

CRISWICK = *Elizabethan and Jacobean songs for voice and guitar, ed. M. C.*, London 1972, Einleitung, Quellenbericht

CSIKI = J. Csiki, *Bakfark*, in: Magyar Könyvszemle, Budapest 1905, S. 116ff.

CUTTSB = J.P. Cutts, *British Museum Additional MS. 31432, William Lawes' Writing for the Theatre and the Court*, in: The Library, V. Serie, vol. VII, Nr. 4, London 1952, Dezember-Heft, S. 225ff.

CUTTSC = J. P. Cutts, *Robert Johnson and the Court Masque*, in: ML XLI, 1960, S. 111ff.

CUTTSD = J.P. Cutts, *Songs vnto the Violl and Lute, Drexel Ms. 4175*, in: Musica Disciplina XVI, Rom 1962, S. 73ff.

CUTTSJ = J. P. Cutts, *Jacobean Masque and Stage Music*, in: ML XXXV, London 1954, S. 185ff.

CUTTSRJ = J. P. Cutts, *Robert Johnson: King's musician in His Majesty's Public Entertainment*, in: ML XXXVI, London 1955, S. 110ff.

CUTTSS = J.B. Cutts, *A Bodleian song-book: Don. C. 57*, in: ML XXXIV, 1953, S. 192ff.

CUTTSSO = J.P. Cutts, *A hitherto unpublished setting of a Shakespeare song*, in: Shakespeare Survey IX, London 1956, S. 86ff.

CUTTST = J.P. Cutts, *Two Jacobean Theatre songs*, in: ML XXXIII, 4, 1952, Okt.-Heft, S. 333f.

CUTTSU = J.P. Cutts, *Seventeenth-century songs and lyrics in Edinburgh University Library Music Manuscript Dc. 1. 69*, in: Musica Disciplina XIII, Rom 1959, S. 169ff.

CUTTSW = J.P. Cutts, *The original music for Middleton's The Witch, and for Macbeth*, in: Shakespeare Quarterly VII, 1956, 2, S. 203ff.

CVETKOZ = D. Cvetko, *Zgodovina glasbe na Slovenskem* I, Ljubljana 1958

CYR = M. Cyr, *Song accompaniments for Lyra Viol and Lute*, in: Journal of the Lute Society of America IV, New York 1971, S. 43ff.

DANNER = P. Danner, *Before Petrucci: The lute in the fifteenth-century*, in: Journal of the Lute Society of America V, New York 1972, S. 4ff.

DANNERC = P. Danner, *Dd. 4. 23, or English cittern music revisited*, in: Journal of the Lute Society of America III, New York 1970, S. 1ff.

DANNERG = P. Danner, *Bibliography of Guitar tablatures 1546–1764*, in: Journal of the Lute Society of America IV, New York 1971, S. 21ff.

DARDO = G. Dardo, *Contributo alla storia del liuto in Italia: Johannes Maria Alamus e Giovanni Maria da Crema*, in: Quaderni dello Rassegna Musicale, Turin 1965, Nr. III, S. 143ff.

DARTC = Th. Dart, *The Cittern and its English Music*, in: The Galpin Society Journal I, Edinburgh 1948, März-Heft, S. 46ff.

DARTCC = Th. Dart, *English Cittern Music (supplementary notes)*, in: The Galpin Society Journal VI, Edinburgh 1953, Juli-Heft, S. 112ff.

DARTCL = Th. Dart, *Morley's Consort Lessons of 1599*, in: Proceedings of the Royal Musical Association, Session LXXIV, London 1947 [November], S. 1ff.

DARTD = Th. Dart, Art. *Dowland*, in: MGG III (1954), S. 717ff.

DARTES = *English School of Lutenist Songwriters, revised and edited by Th. Dart*, Series I, vol. 1–17; Series II, vol. 1–20, London 1967ff.

DARTGA = Th. Dart, *The Golden Age of English Lute music*, Beiheft zur gleichnam. Schallplatte R. C. A. Victor Recording LD 2560, s. a. [1968], Quellenbericht

DARTH = Th. Dart, *Lord Herbert of Cherbury's Book*, in: ML XXXVIII, 1957, S. 136ff.

DARTHH = Separatdruck von DartH, S. 1–16, hier ergänzend mit vollständigem Dépouillement als Anhang S. 14–16 *("List of contents of Lord Herbert of Cherbury's Lute-Book")*

DARTI = Th. Dart, *The instruments in the Ashmolean Museum*, in: The Galpin Society Journal VII, Edinburgh 1954, S. 7ff.

DARTJ = Th. Dart, *Jacobean consort music*, in: Proceedings of the Royal Musical Association, Session LXXXI, London 1954–1955, S. 70ff.

DARTM = Th. Dart, *Simone Molinaro's lutebook of 1559*, in: ML XXVIII, 1947, S. 258ff.

DARTMB = Th. Dart, *La méthode de luth de Miss Mary Burwell*, in: Le luth et sa musique, ed. J. Jacquot, Paris 1958 (= Éditions du C.N.R.S.), S. 121ff.

DARTMBI = Th. Dart, *Miss Mary Burwell's instruction book for the lute*, in: The Galpin Society Journal XI, Edinburgh 1958, Mai-Heft, S. 3ff.

DARTN = Th. Dart, *Besprechung* von NewcombS, in: JAMS XX, 3, 1967, S. 493f.

DARTO = Th. Dart, *Ornament signs in Jacobean music for lute and viol*, in: The Galpin Society Journal XIV, Edinburgh 1961, März-Heft, S. 30ff.

DARTP = Th. Dart, *La Pandore*, in: Le luth et sa musique, ed. J. Jacquot, Paris 1958 (= Éditions du C.N.R.S.), S. 225ff.

DARTRH = Th. Dart, *Robert ap Huw's manuscript of Welsh harp music (ca. 1613)*, in: The Galpin Society Journal XXI, London 1968, März-Heft, S. 52ff.

DARTV = Th. Dart, *New sources of Virginal music*, in: ML XXXV, 2, 1954, S. 93ff.

DART-COATES = Th. Dart und W. Coates, *Jacobean Consort Music*, Einleitung zu *Musica Britannica* (s. d.), Bd. IX

DAUNEY = W. Dauney, *The Ancient melodies of Scotland*, Edinburgh 1838

DAVID = H. David, *An Italian Tablature Lesson of the Renaissance* [nicht veröffentlichter Vortrag im Annual Meeting of the American Musicological Society, Boston 27. 12. 1958]

DAVIESC = *The works of Thomas Campion . . .*, ed. W.R. Davies, New York 1967

DEHN-EITNER = S.W. Dehn, R. Eitner, *Katalog der in der Kgl. Ritterakademie zu Liegnitz befindlichen gedruckten und handschriftlichen Musikalien*, in: MfM I, 1869

DEVOTO = D. Devoto, *Poésie et musique dans l'œuvre des vihuelistas, notes méthodologiques*, in: Annales Musicologiques IV, Paris 1956, S. 85ff.

DEVOTOA = D. Devoto, *À propos de la Sarabande*, in: Rev. de Musicol. XLVII, Paris 1961, S. 113ff.

DEVOTOE = D. Devoto, *Encore sur la «Sarabande»*, in: Rev. de Musicol. L, Paris 1964, S. 175ff.

DEVOTOS = D. Devoto, *La folle Sarabande*, in: Rev. de Musicol. XLVI, Paris 1960, S. 3ff., 145ff.

DEVOTOZ = D. Devoto, *De la Zarabanda à la Sarabande*, in: Recherches sur la musique française classique VI, Paris 1966, S. 27ff.

DIECKMANN = J. Dieckmann, *Die in deutscher Lautentabulatur überlieferten Tänze des 16. Jahrhunderts*, Phil. Diss. Leipzig 1930, Kassel 1931

DIEM = N. Diem, *Beiträge zur Geschichte der schottischen Musik im XVII. Jahrhundert*, Zürich-Leipzig 1919 (Phil. Diss.)

DISERTORIB = B. Disertori, *Franciscus Bossinensis, 20 Recercari da sonar nel lauto dall' unicum di Brera (libro II, Petrucci, Fossombone 1511)*..., Mailand 1954, Einleitung

DISERTORIC = B. Disertori, *Michele Carrara, Intavolatura du liuto 1585*, Florenz s. a. [1956] (= Historiae Musicae Cultures Biblioteca VIII), Einleitung

DISERTORIF = B. Disertori, *Le Frottole per canto e liuto intabulate da Francesco Bossinensis*, Mailand 1964 (= Istituzioni e Monumenti dell'arte musicale Italiana III, Nuova Serie), Einleitung

DISERTORIR = B. Disertori, *Remarques sur l'évolution du luth en Italie au XVe siècle et au XVIe*, in: Le luth et sa musique, ed. J. Jacquot, Paris 1958 (= Éditions du C.N.R.S.), S. 19ff.

DISERTORIS = B. Disertori, *Le liuto soprano*, in: Le luth et sa musique, ed. J. Jacquot, Paris 1958 (= Éditions du C.N.R.S.), S. 231ff.

D.L. = D. L., *Besprechung* von D.E.R. Stephens, The Wickhambrook Lute Manuscript..., in: ML VL, 1964, Nr. III, S. 290

DODGEE = J. Dodge, *Lutenist and Lute music in England*, in: Euterpe, Book VII, London 1907

DODGEL = J. Dodge, *Lute music of the XVIth and XVIIth centuries, in*: Proceedings of the Royal Musical Association, Session XXXIV, Leeds 1907/1908, S. 123ff.

DODGELM = J. Dodge, *Lautenmusik des 16. und 17. Jahrhunderts*, in: Der Gitarre-Freund XXVIII, München 1929, Heft 1/2, 7/8

DODGEO = J. Dodge, *Ornamentation as indicated by songs in lute tablature*, in: SIMG IX, 1907/1908, S. 318ff.

DÖRING = A. Döring, *Zur Geschichte der Musik in Preußen*, 1852, S. 191

DOLMETSCHA = Arnold Dolmetsch, *An Analysis of the Harmonies and Poems of the Bardic Music*, in: The Consort III, London 1934, Juni-Heft, S. 7ff.

DOLMETSCHD = Mabel Dolmetsch, *Dances of England and France from 1450 to 1600*, London 1949

DOLMETSCHV = N. Dolmetsch, *The Viola da Gamba, its origin and history, its technique and musical resources*, London 1962

DOMOKOS = P.P. Domokos, *Der Moriskentanz in Europa und in der ungarischen Tradition*, in: Studia Musicologica X, Budapest 1968, S. 229ff.

DONINGTON = R. Donington, *James Talbot's manuscript (Christ Church Library Music Manuscript 1187)*, in: The Galpin Society Journal III, Edinburgh 1950, S. 24ff.

DONINGTONI = R. Donington, *The interpretation of early music*, London 1963

DORFMÜLLERA = K. Dorfmüller, *La tablature de luth allemande et les problèmes d'édition*, in: Le luth et sa musique, ed. J. Jacquot, Paris 1958 (= Éditions du C.N.R.S.), S. 245ff.

DORFMÜLLERB = K. Dorfmüller, *Besprechung* von RadkeA, in: Mf XXIII, 1970, S. 382f.

DORFMÜLLERS = K. Dorfmüller, *Studien zur Lautenmusik des 16. Jahrhunderts*, Tutzing 1968 [Phil. Diss. München 1962] (= Münchener Veröffentlichungen zur Musikgeschichte XI)

DRUX-NIEMÖLLER = H. Drux und K.W. Niemöller, *Musikalische Widmungen aus dem Jahre 1578 im Stammbuch des Kölners Gerhard Pilgrum*, in: Mitteilungen der Arbeitsgemeinschaft für Rheinische Musikgeschichte e. V. IV, Nr. 12 [Juli 1958], Köln 1958, S. 13ff.

DUCK = L.W. Duck, *The public provision of music for choirs and orchestras*, in: Hinrichsen 1959 XI, S. 53ff.

DUCKLES = V. Duckles, *The "Curious" Art of John Wilson (1595–1674): An introduction to his songs and lute music*, in: JAMS VII, 1954, S. 93ff.

DUCKLESF = V. Duckles, *Florid embellishment in English song of the late 16th and early 17th centuries*, in: Annales Musicologiques V, Paris 1957, S. 329ff.

DUCKLESL = V. Duckles, Art. *William Lawes*, in: MGG VIII, 1960, S. 395ff.

DUCKLEST = V. Duckles, *Reply* [Erwiderung auf CuttsT], in: ML XXXIV, 1, 1953, Jan.-Heft, S. 88f.

DUFOURQ = N. Dufourq, *F. Campion, Pièces pour le luth traduites de la tablature par L. Baille, traduites pour grand orgue par*

J. Alain, Préface de N. Dufourq, Paris s. a. [1952] (= Éditions musicales de la Schola Cantorum; Orgue et Liturgie Nr. 13), Einleitung

DUFOURCQA = N. Dufourcq, *Autour de Moulinié. Notes biographiques sur les associations de Violinistes au XVIIe siècle*, in: Recherches sur la musique française classique IV, Paris 1964, S. 69ff.

DUPRÉ = D. Dupré, *John Dowland, Six Songs with guitar accompaniment, arranged from the lute tablature by D. D.*, London s. a. [1950] (= Edition Schott 10328)

EARLY MUSIC = *Early Music in Facsimile*, Nebenreihe zu Reproductions (s. d.), Bd. II, Leeds 1974, Boethius Press

EARLY SCOTTISH KEYBOARD MUSIC = *Early Scottish Keyboard Music, transcribed and edited by K. Elliott, Ten pieces by W. Kinloch, D. Burnett and others, together with a short selection of Scots airs for cittern and for violin*, London s. a. [1958], Quellenbericht

ECORCHEVILLEC = J. Ecorcheville, *Catalogue du fonds de musique ancienne de la Bibliothèque Nationale*, I–VIII, Paris 1910–1914

ECORCHEVILLEL = J. Ecorcheville, *Le luth et sa musique*, in: SIMG IX, 1907/1908, S. 245ff.

ECORCHEVILLELS = J. Ecorcheville, *Le luth et sa musique; Supplément musical pour le luth et sa musique*, in: Bulletin français de la Société Internationale de Musique (Section de Paris) IV, Paris 1908, Heft 2, S. 131ff.; 149ff.

EDWARDS = W.A. Edwards, *The Walsingham Consort books*, in: ML LV, 2, 1974, April-Heft, S. 209ff.

EDWARDSP = W.A. Edwards, *The Performance of Ensemble Music in Elizabethan England*, in: Proceedings of the Royal Musical Association, Session XCVII, London 1971, S. 113ff.

EINSTEIND = A. Einstein, *Galilei and the instructive Duo*, in: ML XVIII, 1937, S. 360ff.

EINSTEING = A. Einstein, *Zur deutschen Literatur für Viola da Gamba im 16. und 17. Jahrhundert*, Leipzig 1905 [Phil. Diss. Berlin 1903] (= Publ. der IMG, Beiheft II, 1)

EINSTEINR = A. Einstein, *Ancora sull' „aria di Ruggiero“*, in: RMI XLI, 1937, S. 163ff.

EINSTEINS = A. Einstein, *Chr. G. Scheidlers Sonate für Gitarre und Geige op. 21*, in: ZfMw XIV, 1931/1932, S. 7f.

EITNERC = R. Eitner, *Besprechung* von ChilesottiL, in MfM XXII, 1890, S. 225

EITNERE = R. Eitner, *Ein wenig bekanntes Lautenwerk*, in: MfM XXI, 1889, S. 9ff.

EITNERF = R. Eitner, *Besprechung* von BolteB, in: MfM XXI, 1889

EITNERH = R. Eitner, *Joachim van den Hoves Lautenbuch von 1601*, in: MfM VIII, 1876, S. 68ff.

EITNERL = R. Eitner, *Besprechung* von ChilesottiLS, in: MfM XXIII, 1891, S. 26f.

EITNERQL = R. Eitner, *Biographisch-bibliographisches Quellen-Lexikon* I–X, Leipzig 1899–1904

EITNER-KADE = R. Eitner, O. Kade, *Katalog der Musik-Sammlung der Kgl. Öffentlichen Bibliothek zu Dresden*, in: Beilage zu MfM XXI, 1889–XXII, 1890, separat Leipzig 1890

ELLIOTT = K. Elliott, *Early Scottish keyboard music..., together with a short selection of scots Airs for cittern and for violin*, London 1958, Einleitung

ELLIOTTE = K. Elliott, *Robert Edward's Commonplace Book and Scots musical history*, in: Scottish Studies V, Edinburgh 1961, S. 50ff.

ELLIOTTT = K. Elliott, *Scottish music of the early reformed church*, in: Transactions of the Scottish Ecclesiological Society XV, part 2, Edinburgh 1961, S. 19ff.

ENGEL = E. Engel, *Die Instrumentalformen in der Lautenmusik des 16. Jahrhunderts*, Phil. Diss. Berlin 1915, Selbstverlag Berlin 1915

ENGELM = C. Engel, *Division of Music, Report*, in: Report of the Librarian of Congress, XVIIth set, Washington 1931, S. 197ff.

ENGELN = C. Engel, *Division of Music, Report*, in: Report of the Librarian of Congress, XVIIIth set, Washington 1932, S. 156ff.

ENGELR = C. Engel, *Recent accessions to the Music Collection of the Library of Congress*, in: AMl V, 1933, S. 14ff.

ENGELKE = B. Engelke, *Das Lautenbuch des Petrus Fabricius*, in: Die Heimat IXL, 1929, S. 265f.

ENGLÄNDER = R. Engländer, *Zu J. G. Naumanns Duo für Laute und Glasharmonika*, in: Mf XI, 1958, S. 199

ENGLÄNDERD = R. Engländer, *Die Dresdner Instrumentalmusik in der Zeit der Wiener Klassik*, Upsala 1956 (= Acta Universitatis Upsaliensis 1956, 5)

EPPSTEIN = H. Eppstein, *Besprechung* von GombosiB, in: Svensk Tidskrift för Musikforskning L, Stockholm 1968, S. 148f.

ERHARD = A. Erhard, *Zur Lyra-Viol-Musik*, in: Mf XXVII (1974), S. 80ff.

ERK-BÖHME = L. Erk, F.M. Böhme, *Deutscher Liederhort* I, Leipzig 1894

ERLEBACH = R. Erlebach, *William Lawes and his string music*, in: Proceedings of the Royal Musical Association, Session IC, London 1932–1933, S. 103ff.

ESCUDERO = J. Castro Escudero, *La méthode pour la guitare de Luis Briceño*, in: Rev. de Musicol. LI, 1965, S. 131ff.

FACHKATALOG = Anonym, *Fach-Katalog der Musikhistorischen Abtheilung von Deutschland und Oesterreich-Ungarn . . .*, Wien 1892

FALK = M. Falk, *Die Lauten-Bücher des N. Vallet*, in: Schweizerische Musikzeitung VIII CX, 1958, S. 148ff.

FALKENSTEIN = K. Falkenstein, *Beschreibung der Kgl. Öffentlichen Bibliothek zu Dresden*, Dresden 1839

FANOA = F. Fano, *Alcuni chiarimenti su Vincenzo Galilei*, in: La Rassegna Musicale X, Mailand 1937

FANOC = F. Fano, *La Camerata Fiorentina, Vincenzo Galilei*, in: Istituzioni e Monumenti dell'arte musicale Italiana IV, Mailand 1934, Einleitung

FARMER = H.G. Farmer, *A History of Music in Scotland*, Edinburgh-London 1947

FAYE-BOND = C. U. Faye, W. H. Bond, *Supplement of the census of Medieval and Renaissance manuscripts of the United States and Canada*, New York 1962

FEDERHOFER = H. Federhofer, *Eine Angelica- und Gitarrentabulatur aus der zweiten Hälfte des 17. Jahrhunderts*, in: Fs. W. Wiora, Kassel-Basel 1967, S. 313ff.

FEDERHOFERM = H. Federhofer, *Der Chopinschüler Carl Mikuli in Rom und Graz*, in: Deutsches Jahrbuch für Musikwissenschaft, für 1965, Leipzig 1966, S. 82ff.

FEDERMANN = M. Federmann, *Die Königsberger Hofkapelle zur Zeit Herzog Albrechts*, Phil. Diss. maschr. Königsberg 1931; als *Musik und Musikpflege zur Zeit Herzog Albrechts. Zur Geschichte der Königsberger Hofkapelle in den Jahren 1525–1578*, Kassel 1932 (= Königsberger Studien zur Musikwissenschaft XIV)

FEICHT = H. Feicht, *Muzyka staropolska*, Warschau 1966

FELLERER = K.G. Fellerer, *Beiträge zur Musikgeschichte Freisings . . .*, Phil. Diss. München 1925, Freising 1926

FELLOWESB = E. H. Fellowes, *William Byrd, Collected works* I–XX, London 1936–1950

FELLOWESD = E.H. Fellowes, *The songs of John Dowland*, in: Proceedings of the Royal Musical Association, Session LVI, Edinburgh 1929/1930

FELLOWESL = E.H. Fellowes, *The English school of lutenist song-writers I–XXXII*, London 1920ff.; in Revision ed. Th. Dart 1959ff.

FELLOWESM = E.H. Fellowes, *The English Madrigal School* I–XXXVI, London 1913–1924

FELLOWESMC = E.H. Fellowes, *The English Madrigal Composers*, Oxford 1921, 2/1948

FELLOWEST = E.H. Fellowes, *The Catalogue of the manuscripts in the Library of Saint Michael's College Tenbury*, Paris 1934 (= Éditions de L'oiseau Lyre)

FERGUSON = H. Ferguson, *Bach's Lauten Werck*, in: ML XLVIII, 1967, Nr. III, S. 259ff.

FISCHER = W. Fischer, *Lauten- und Klaviermusik mit Streicherbegleitung*, in: Zeitschrift der Arbeitsgemeinschaft zur Pflege und Förderung des Gitarrspieles I, Wien 1922, Heft 5, S. 23ff.

FISKAA = H. M. Fiskaa, *Filigranologi*, Oslo 1986 (= Bibliotek og Forskening XVII), S. 64ff.

FITZGIBBON = H.M. FitzGibbon, *The lute books of Ballet and Dallis*, in: ML XI, 1930, S. 71ff.

FLEISCHER = O. Fleischer, *Denis Gaultier*, in: VfMw II, 1886, S. 1ff.

FLORA = F. Flora, *Alexandri Piccinini, Opera intavolatvra di livto e di chitarrone, Libro Primo, nella trascrizione di M. Caffag-*

ni, con presentazione di F. F. I, II, Bologna 1962 (= I Maestri del Livto, Collana di testi per liuto di maestri Bolognesi, Università di Bologna, Sezione Musicologia), Einleitung

FLOTZINGERB = R. Flotzinger, *Rochus Berhandtzky und Wolff Jacob Lauffensteiner, zum Leben und Schaffen zweier Lautenisten in kur-bayerischen Diensten*, in: StMw XXVII, Wien 1966, S. 200 ff.

FLOTZINGERG = R. Flotzinger, *Die Gagliarda Italjana*, in: AMl IXL (1967), S. 92 ff.

FLOTZINGERH = R. Flotzinger, *Ein unbekanntes Lautenbuch eines Herren von Hallwil*, in: Heimatkunde aus dem Seetal, Seengen am Hallwiler See (Schweiz), 1963/1965, S. 1 ff.

FLOTZINGERK = R. Flotzinger, *Die Lautentabulaturen des Stiftes Kremsmünster, Thematischer Katalog* [Phil. Diss. Wien 1964], Wien 1965 (= Tabulae Musicae Austriacae II)

FLOTZINGERKI = R. Flotzinger, *Besprechung* von Kirkendale, in: Mf XXVI (1973), S. 272 ff.

FLOTZINGERL = R. Flotzinger, *Die Lautentabulaturen des Stiftes Kremsmünster, mit musikgeschichtlicher Auswertung der Handschriften L 64 und L 84 sowie des Thematischen Kataloges des Gesamtbestandes*, Phil. Diss. maschr. Wien 1964

FLOTZINGERT = R. Flotzinger, *Das Lautenbüchlein des Jacob Thurner*, ed. R.F., Graz 1971 (= Musik Alter Meister, Heft XXVII), Einleitung und Quellenbericht, S. V ff.

FLÜGEL = E. Flügel, *Liedersammlungen des XVI. Jahrhunderts besonders aus der Zeit Heinrichs VIII.*, in: Anglia XII, 1889, S. 223 ff.

FOJKIK = K. Fojkik, *Musik, Tanz und Gesang in den tschechischen Urkunden des 16. Jahrhunderts*, in: Studia Musicologica XIII, Budapest 1971, S. 215 ff.

FORD = W.K. Ford, *The Oxford Music School in the late 17th century*, in: JAMS XVII, 1964, S. 198 ff.

FORSTER = L. Forster, *Four poems by Opitz*, in: Neuphilologische Mitteilungen ... XXXVIII, Bonn 1937, S. 82 ff.

FORTUNE = N. Fortune, *Philip Rosseter and his songs*, in: The Lute Society Journal VII, London 1965, S. 7 ff.

FOX = Ch. Warren Fox, *An early duet for recorder and lute*, in: The Guitar Review IX, New York 1949, S. 24 f.

FRATI = L. Frati, *Liutisti e liutai a Bologna*, in: RMI XXVI, 1919, S. 94 ff.

FRYKLUNDB = D. Fryklund, *Bidrag till gitarristiken*, in: Svensk Tidskrift för Musikforskning XIII, Stockholm 1931, S. 73 ff.

FRYKLUNDC = D. Fryklund, *Colascione och colascionister*, in: Svensk Tidskrift för Musikforskning XVIII, Stockholm 1936, S. 88 ff.

FRYKLUNDS = D. Fryklund, *Studier över Lyragitarren*, in: Svensk Tidskrift för Musikforskning IX, Stockholm 1927, S. 17 ff.

FULLER MAITLAND-MANN = J.A. Fuller Maitland, A.H. Mann, *Catalogue of the Music in the Fitzwilliam Museum, Cambridge*, London 1893

GAETHGENS = W.Th. Gaethgens, *Die alten Musikalien der Universitäts-Bibliothek und die Kirchenmusik in Alt-Rostock*, in Beiträge zur Geschichte der Stadt Rostock XXII, Rostock 1941

GÁL = H. Gál, *Catalogue of Manuscripts, Printed Music and Books on Music up to 1850 in the Library of the Music Department at the University of Edinburgh*, Edinburgh-London 1941

GARNSEY = S. Garnsey, *The use of handplucked instruments in the continuo body: Nicola Matteis*, in: ML VIIL, 2, 1966, S. 135 ff.

GARROS-WALLON = M. Garros, S. Wallon, *Catalogue du fonds musical de la Bibliothèque Sainte-Geneviève de Paris (Manuscrits et Imprimés)*, Kassel 1967 (= Veröffentlichungen der Internationalen Vereinigung der Musikbibliotheken und der Internationalen Gesellschaft für Musikwissenschaft; Catalogus Musicus IV)

GASPARI = G. Gaspari, *Catalogo della Biblioteca del Liceo Musicale di Bologna* I–V, Bologna 1890–1905

GASPERINI = G. Gasperini, *Noterelle su due liutisti al servizio di casa Farnese: Santino Garsi e Andrea Falconieri napoletano*, in: Archivio storico per le provincie Parmensi, N.R., XXII, Parma 1923

GEERING-ALTWEGG = A. Geering, W. Altwegg, *Ludwig Senfl, Instrumental-Carmina aus handschriftlichen und gedruckten Quel-*

len . . ., Lieder in Bearbeitungen für Geigen, Orgel und Laute von Kleber, Sicher, Judenkunig, Gerle, H. und M. Newsidler, Heckel, Ochsenkuhn, Ammerbach, Waissel und Paix, Wolfenbüttel 1960, Einleitung

GeiringerB = K. Geiringer, *Besprechung* von The Galpin Society Journal, Number 1 (March 1948), in: JAMS II, 1949, S. 58ff.

GeiringerG = K. Geiringer, *Der Instrumentenname Guiterne und die mittelalterlichen Bezeichnungen der Gitarre, Mandola und des Colascione*, in: AfMw VI, 1923/1924, S. 104ff.

GeiringerL = K. Geiringer, *Vorgeschichte und Geschichte der europäischen Laute*, in: ZfMw X, 1927/1928, S. 560ff.

Geldner = F. Geldner, *Die Portrait- und Wappensupralibros Herzog Albrechts V. v. Bayern*, in: Gutenberg-Jahrbuch 1958, S. 298ff.

Gentili = A. Gentili, *La raccolta di rarità musicale ‚Mauro Foà' alla Biblioteca Nazionale di Torino*, in: Accademie e Biblioteche d'Italia I, Turin 1927, S. 36ff.

GentiliC = A. Gentili, *Le collezioni Foà e Giordano della Biblioteca Nazionale di Torino*, in: Accademie e Biblioteche d'Italia XXXII, 6, Turin 1964, S. 405ff.

GerwigA = W. Gerwig, *Aus einer Notenhandschrift des 16. Jahrhunderts*, Berlin-Lichterfelde s. a. [1960] (= Der Lautenist, Alte und Neue Musik für das Solospiel, Heft 2), Einleitung

GerwigF = W. Gerwig, *Aus einem französischen Tabulaturbuch für die 5chörige Gitarre . . .*, Berlin-Lichterfelde s. a. [1962] (= Der Lautenist, Heft 3 und 4), Einleitung

GerwigH = W. Gerwig, *Aus dem Tabulaturbuch des Christophorus Herholder (1602)*, Berlin-Lichterfelde s. a. [1963] (= Der Lautenist, Heft 5), Einleitung

GerwigR = W. Gerwig, *Esaias Reusner, Sämtliche Suiten für die Laute, eingeleitet von F. Blume*, Wolfenbüttel-Berlin 1928, Einleitung

Ghisi = F. Ghisi, *Alcune canzoni a ballo del primo Cinquecento*, in: Fs. Hans Engel, Mainz 1964, S. 125ff.

GhisiK = F. Ghisi, *Besprechung* von Kirkendale, in: Riv. Ital. di Musicol. VII, 1972, S. 145ff.

GiesbertB = F. J. Giesbert, *Bach und die Laute*, in: Mf. XXV (1972), S. 485ff.

GiesbertK = J.F. Giesbert, *Klassiker des Lautenspiels I: Fantasien und Tänze aus der Blütezeit der Lautenmusik*, Bonn 1925, Einleitung

GiesbertL = F.J. Giesbert, *Lautenbuch. Liure pour le lut. Köln, 18. Jahrhundert. Nach einer Handschrift der Kölner Stadtbibliothek*, Mainz s. a. [1965], Edition Schott Nr. 5425

GiesbertP = *Pierre Phalèse, Flandrisches Gitarrenbuch (1570), aus der Tabulatur übertragen und bearbeitet v. F.J. Giesbert*, Mainz s. a. [1969] (= Gitarren-Archiv Nr. 230, 236), Vorwort

GillB = D. Gill, *The sources of English solo Bandora music*, in: The Lute Society Journal IV, London 1962, S. 23ff.

GillD = D. Gill, *Descriptions of the Bandora, Penorcon and Orpharion from Praetorius, William Barley, Trichet manuscripts and Talbot manuscript*, in: The Lute Society Journal II, London 1960, S. 39f.

GillG = D. Gill, *James Talbot's manuscript (Christ Church Library Music Ms. 1187) V* [= Fortsetzung], in: The Galpin Society Journal XV, Edinburgh 1962, März-Heft S. 60ff.

GillM = D. Gill, *The lute and Musick's Monument*, in: The Galpin Society Journal III, Edinburgh 1950, März-Heft, S. 9ff.

GillL = D. Gill, *The Elizabethan lute*, in: The Galpin Society Journal XII, Edinburgh 1959, Mai-Heft, S. 60ff.

GillO = D. Gill, *The Opharion and Bandora*, in: The Galpin Society Journal XIII, Edinburgh 1960, Juli-Heft, S. 14ff.

Giraud = Y. Giraud, *Deux livres de tablature inconnus de Francesco da Milano*, in: Rev. de Musicol. LV, 1969, S. 216ff.

GombosiB = O. Gombosi, *Bakfark Bálint élete és müvei* [Der Lautenist Bakfark, Leben und Werke], *1507–1576*, Budapest 1935 (= Musicologia Hungarica II); neue Ausgabe, mit einem Vorwort von Z. Falvy, Kassel-Basel 1967 (= Musicologia Hungarica, Neue Folge I)

GombosiC = O. Gombosi, *Compositione de Meser Vincenzo Capirola, Lute Book*, Neuilly-sur-Seine 1955 (= Publications de la Société de Musique d'Autrefois I)

GOMBOSICC = O. Gombosi, *Ad vocem cithara, citharista*, in: AMl IX, 1937, S. 55ff.

GOMBOSIF = O. Gombosi, *The cultural and folkoristic background of the "Folia"*, in: Papers of the American Musicological Society XXVI, New York 1940, S. 88ff.

GOMBOSIFF = O. Gombosi, *Folia*, in: MGG IV (1955), S. 479ff.

GOMBOSIG = O. Gombosi, *Zur Frühgeschichte der Folia*, in: AMl VIII, 1936, S. 119ff.

GOMBOSIH = O. Gombosi, *Der Hoftanz*, in: AMl VII, 1935, S. 50ff.

GOMBOSIL = O. Gombosi, *Eine deutsche Lautentabulatur*, in: Ungarische Jahrbücher III, Berlin 1923, S. 401ff.

GOMBOSIM = O. Gombosi, *À la recherche de la forme dans la musique de la renaissance: Francesco da Milano*, in: La musique instrumentale de la renaissance, ed. J. Jacquot (= Éditions du C.N.R.S.), Paris 1955, S. 165ff.

GOMBOSIP = O. Gombosi, *Czarna Krowa*, in: Muzyka, Warschau 1929, Notenbeilage

GOMBOSIS = O. Gombosi, *Bemerkungen zur Lautentabulatur-Frage*, in: ZfMw XVI (1934–35), S. 497f.

GOTTWALD = C. Gottwald, *Die Musikhandschriften der Universitätsbibliothek München, beschrieben von C. G.*, Wiesbaden 1968 (= Die Handschriften der Universitätsbibliothek München, ed. G. Schott, Bd. II)

GRAHAM = S. Graham, *Songs of Scotland I–III*, Edinburgh 1848–1849

GREBE = M.E. Grebe, *Modality in the Spanish vihuela music of the sixteenth-century and its incidence in Latin-America music*, in: Annuario Musical XXXII, 1972, S. 109ff.

GREERACM = A. Greer, *Alison, Campion, Morley et al., Twenty Songs from Printed Sources*, London 1969 (= The English Lute-Songs, ser. II, Nr. 21), Einleitung

GREERC = D. Greer, *Campion the musician*, in: The Lute Society Journal IX, London 1967, S. 7ff.

GREERCC = D. Greer, *Two bookes of ayres. T. Campion*, Menston 1967

GREERM = D. Greer, *The lute songs of Thomas Morley*, in: The Lute Society Journal VIII, London 1966, S. 25ff., 105ff.

GREERP = D. Greer, *The Part-Songs of the English lutenists*, in: Proceedings of the Royal Musical Association, Session XCIV, Birmingham 1967–68, S. 97ff.

GREERTC = D.C. Greer, *Besprechung* von DaviesC, in: ML LI, 2, 1970, April-Heft, S. 169f.

GÜNTHER = O. Günther, *Die musikalischen Handschriften der Stadtbibliothek und der in ihrer Verwaltung befindlichen Kirchenbibliotheken von St. Katharinen und St. Johann in Danzig*, Danzig 1911 (= Katalog der Handschriften der Danziger Stadtbibliothek IV)

GULLINOC = G. Gullino, *Giovanni Maria da Crema, Intavolatura di liuto, libro I . . .*, Florenz 1955, Einleitung

GULLINOG = G. Gullino, *G.-B. dalla Gostena, Intabolatura di liuto . . .*, Florenz 1949, Einleitung

GULLINOM = G. Gullino, *Simone Molinaro Genovese, Intavolatura di liuto, libro I*, Florenz 1940, Einleitung

GULLINOR = G. Gullino, *G.-M. Radino, Intavolatura di Liuto*, Florenz 1949, Einleitung

GURLITT = W. Gurlitt, *Ein Beitrag zur Biographie des Lautenisten E. Reussner*, in: SIMG XIV, 1912/1913, S. 49f.

HAAS = R. Haas, *Die Tabulaturbücher für Laute und Gitarre in der Musiksammlung an der National-Bibliothek in Wien*, in: Zeitschrift für die Gitarre V, Wien 1926, S. 34ff., 55ff.

HÄFNER = W.E. Häfner, *Die Lautenstücke des Denis Gaultier*, Phil. Diss. Freiburg Br. 1938, Endingen-Kaiserstuhl 1939

HALBIG = H. Halbig, *Eine handschriftliche Lautentabulatur des Giacomo Gorzanis*, in: Fs. Theodor Kroyer, Regensburg 1934, S. 102ff.

HALLIWELL = J.O. Halliwell, *The manuscript rarities of the university of Cambridge*, London 1841

HAMBRAEUS = B. Hambraeus, *Codex carminum gallicorum, une étude sur le volume Musique vocale du manuscrit 87 de la Bibliothèque de l'université d'Upsala*, Uppsala 1961 (= Studia Musicologica Upsaliensia VI)

HAMBURGERA = P. Hamburger, *Die Fantasien in E. Adriaensens „Pratum musi-*

cum" (1600), in: ZfMw XII, 1929/1930, S. 148ff.

HAMBURGERK = P. Hamburger, *Ein handschriftliches Klavierbuch aus der ersten Hälfte des 17. Jahrhunderts*, in: ZfMw XIII, 1930/1931, S. 133ff.

HAMBURGERP = P. Hamburger, *Über die Instrumentalstücke in dem Lautenbuch des Petrus Fabricius*, in: Festskrift Jens Peter Larsen ..., Kopenhagen 1972, S. 35ff.

HAMBURGERR = P. Hamburger, *Eine Gagliarda von Cypriano de Rore?*, in: ZfMw XI, 1928/1929, S. 444ff.

HARASZTIB = E. Haraszti, *P. Bono, luthiste de Mathias Corvin*, in: Rev. de Musicol. XXXI, 1949, S. 73ff.

HARASZTIG = E. Haraszti, *Un grand luthiste du XVIe siècle: Val. Bakfark*, in: Rev. de Musicol. XIII, 1929, S. 159ff.

HARMANN = R.A. Harmann, Art. *Thomas Morley*, in: MGG IX, 1961, S. 589ff.

HARDING = G.M. Radino, *Il libro I d'intavolatura di balli d'Arpicordo (Ven. 1592)*, ed. R. Harding, Cambridge 1949, Einleitung

HARWOODC = J. Harwood, *The origins of the Cambridge lute manuscripts*, in: The Lute Society Journal V, London 1963, S. 32ff.

HARWOODGG = J. Harwood, *Besprechung* von Tonazzi, in: The Musical Times CXVII, 1976, Nr. 1602, August-Heft, S. 655

HARWOODH = J. Harwood, *Besprechung* von KanazawaH I and II, in: Early Music, ed. J. M. Thomson, III, 2, London 1975, S. 165ff.

HARWOODM = J. Harwood, *John Maynard and the XII Wonders of the World*, in: The Lute Society Journal IV, London 1962, S. 16ff.

HARWOODR = J. Harwood, *Rosseter's lessons for consort of 1609*, in: The Lute Society Journal VII, London 1965, S. 15ff.

HARWOODS = J. Harwood, *Besprechung* von F.W. Sternfeld, Music in Shakespearean tragedy, in: The Lute Society Journal V, London 1963, S. 53ff.

HARWOODT = J. Harwood, *Ten easy pieces for the lute*, Cambridge s. a. [1962] (= The Cambridge Lute Series I), Vorwort

HAUK = I. Hauk, *Besprechung* von GombosiB, in: Musik und Gesellschaft XVIII, Berlin 1968, S. 495f.

HAUSCHILD = P. Hauschild, *Leipziger Musikhandschriften*, in: MGG VIII (1960), S. 574ff.

HAYES = G. Hayes, *Music in the Boteler Muniments*, in: The Galpin Society Journal VIII, Edinburgh 1955, März-Heft, S. 43ff.

HEARTZA = D. Heartz, *Pierre Attaignant, Préludes, Chansons and Dances for lute ..., Étude, Tablature et Transcription ...*, Neuilly-sur-Seine 1964 (= Publications de la Société de Musique d'Autrefois, Textes Musicaux II), Einleitung

HEARTZAB = D. Heartz, *A new Attaignant book and the beginnings of French music printing*, in: JAMS XIV, 1961, S. 9ff.

HEARTZE = D. Heartz, *An Elizabethan tutor for the Guitar*, in: The Galpin Society Journal XVI, Edinburgh 1963, Mai-Heft, S. 3ff.

HEARTZH = D. Heartz, *Hoftanz and Basse danse*, in: JAMS XIX, 1966, S. 13ff.

HEARTZI = D. Heartz, *Les premières „Instructions" pour le luth (jusque vers 1550)*, in: Le luth et sa musique, ed. J. Jacquot, Paris 1958 (= Éditions du C.N.R.S.), S. 77ff.

HEARTZM = D. Heartz, *Mary Magdalen, lutenist*, in: Journal of the Lute Society of America V, New York 1972, S. 52ff.

HEARTZL = D. Heartz [mit A. Souris, R. de Morcouit, J. Jacquot], *Adriaen Le Roy, Premier Livre de tablature de luth (1551)*, Paris 1960 (= Éditions du C.N.R.S.)

HEARTZP = D. Heartz, *Parisian music publishing under Henry II: a propos of four recently discovered Guitar books*, in: MQ XLVI, 1960, Nr. 4, S. 448ff.

HEARTZR = D. Heartz [mit P. Jansen], *Adriaen Le Roy, Fantaisies et Danses extraites de „A briefe and easye instruction" (1568)*, Paris 1962 (= Éditions du C.N.R.S.)

HECK = T.F. Heck, *The birth of the classic guitar*, Phil. Diss. maschr. Yale Univ. 1970 [University Microfilms, High Wycombe, Bucks, England, Nr. 71–6249], Dissertation Abstracts 31:6648 A, Juni 1971

HECKR = T. F. Heck, *The role of Italy in the early history of classic guitar*, in: The Guitar Review XXXIV, New York 1971, Winter-Heft, S. 7ff.

HECKMANNDMA = H. Heckmann, *Deutsches Musikgeschichtliches Archiv Kassel, Katalog der Filmsammlung, zusammenge-*

stellt und bearbeitet von H.H., I ff., Kassel-Basel, 1955ff. Heft 1–6; Bd. II ibid. 1976, Heft 7–12 (ab Heft 10 ed. J. Kindermann, s. d.)

HEINEMANN = O. v. Heinemann, *Die Augusteischen Handschriften, Codex Guelferbytanus 11. 11. Augusteus 2° bis 32.6 Augusteus 2°*, Frankfurt am Main 1966 (= Kataloge der Herzog-August-Bibliothek Wolfenbüttel, Die Alte Reihe, Nachdruck der Ausgabe 1884—1913, Bd. V der Augusteischen Handschriften)

HELFERT = V. Helfert, *Hudební barok na Českých zámcích*, Prag 1916

HENNERBERG = C.F. Hennerberg, *Kungliga Musikaliska Akademiens Bibliotek*, in: Nordisk Tidskrift för Bok- och Biblioteksväsen, Stockholm 1927, separat Stockholm 1927

HENNING = U. Henning-Supper, *Treasures of the Dolmetsch library unveiled*, in: The Consort, Annual Journal of the Dolmetsch Foundation, London 1970, Nr. XXVI, S. 433ff.

HEUKELS-GAUKSTAD = W. Heukels, *Peter Bangs notebok, det eldste verdslige musikkmanuskript i Norge* [mit einer vorangehenden quellenkundlichen Notiz von Ø. Gaukstad], in: Norsk Musikkgranskning, Meddelser fra Norsk samfund for Musikkgramskning Norsk Musikksamlings Venner, Årbok 1962–1971, ed. Ø. Gaukstad und O. M. Sandvik, Oslo 1972, S. 11ff.

HINRICHSEN 1947–1948, IV–V = *Hinrichsen's Musical Year Book, volume IV–V, 1947–1948*, ed. M. Hinrichsen, London s. a. [1949]

HINRICHSEN 1959, XI = *Hinrichsen's Eleventh Music Book, Libraries and Instruments. Papers read at the Joint Congress, Cambridge 1959 of the International Association of Music Libraries and the Galpin Society . . .*, London-New York 1961

HŁAWICZKAH = K. Hławiczka, *Ze studiów nad historią Poloneza*, in: Muzyka, Kwartalnik poświęcony historii i teorii muzyki IX, Warschau 1965, Nr. II, S. 33ff.

HŁAWICZKAP = K. Hławiczka, *Grundriß einer Geschichte der Polonaise bis zum Anfang des 19. Jahrhunderts*, in: Svensk Tidskrift för Musikforskning XL, Uppsala 1968, S. 51ff.

HÖLLWÖGER = F. Höllwöger, *Das Ausseer Land*, Bad Aussee 1956, S. 195

HOLLANDLM = J.B. Holland, *An 18th century lute manuscript in the New York Public Library*, in: New York Public Library Bulletin LXVIII, New York 1964, S. 415ff.

HOLLANDN = J.B. Holland, *Notes on a Lute Manuscript in the Pierpont Morgan Library*, in: AMl XXXIV, 1962, S. 191ff.

HOLLANDS = J.B. Holland, *The Pierpont Morgan lute manuscript, a stylistic survey*, in: AMl XXXVI, 1964, S. 1ff.

HONEGGER = M. Honegger, *La tablature de D. Pisador et le problème des altérations au XVIe siècle*, in Rev. de Musicol. LIX, 1973, S. 38ff., 191ff., LX, 1974, S. 3ff.

HORSLEY = I. Horsley, *The sixteenth-century variation and Baroque Counterpoint*, in: Musica Disciplina XIV, Rom 1960, S. 159ff.

HORSLEYV = I. Horsley, *The Variation before 1580*, Phil. Diss. maschr. Radcliffe College 1954

HUDSONC = R. Hudson, *Chordal aspects of the Italian dance style 1500–1650*, in: Journal of the Lute Society of America III, New York 1970, S. 35ff.

HUDSOND = R. Hudson, *The development of Italian keyboard variations on the Passacaglia and Ciaccona from guitar music in the 17th century*, Phil. Diss. maschr. Univ. of California, Los Angeles 1967 (Ann Arbor, University Microfilms Nr. 68–219)

HUDSONF = R. Hudson, *The Folia melodies*, in: AMl XLV (1973), I, S. 98ff.

HUDSONFD = R. Hudson, *The Folia dance and the Folia formula in 17th century guitar music*, in: Musica Disciplina XXV, Rom 1971, S. 199ff.

HUDSONG = R. Hudson, *The concept of mode in Italian guitar music during the first half of the 17th century*, in: AMl XLII (1970), S. 163ff.

HUDSONP = R. Hudson, *Further remarks on the passacaglia and ciaccona*, in: JAMS XXIII, 2, 1970, S. 302ff.

HUDSONR = R. Hudson, *The Ripresa, the Ritornello and the Passacaglia*, in: JAMS XXIV (1971), S. 364ff.

HUDSONW = F. Hudson, *Robert White and his contempories early Elizabethan music and drama*, in: Fs. Ernst Hermann Meyer, Leipzig 1973, S. 163ff.

HUDSONZ = R. Hudson, *The Zarabanda and Zarabanda Francese in Italian guitar music of the early 17th century*, in: Musica Disciplina XXIV, Rom 1970, S. 125ff.

HUDSONZZ = R. Hudson, *The Folia, Fedele, and Falsobordone*, in: MQ LVIII, 1972, S. 398ff.

HUEMER = G. Huemer, *Die Musikpflege im Stifte Kremsmünster*, Wels 1877

HUGHES = C.W. Hughes, *An Elizabethan self-instructor for the lute*, in: The Guitar Review IX, New York 1949, S. 29ff.

HUGHESM = C.W. Hughes, *The music for unaccompanied Bass Viol*, in: ML XXV, 1944, S. 149ff.

HUGHES-HUGHES = A. Hughes-Hughes, *Catalogue of manuscript music in the British Museum*, vol. I *(Sacred Vocal Music)*, vol. II *(Secular Vocal Music)*, vol. III *(Instrumental Music and Treatises)*, London 1906–1909 [reprint 1967]

HUNT = Chr. Hunt, *Scottish ballads and music in the Robert White Collection in the University Library, Newcastle-upon-Tyne*, in: The Bibliotheck V, Glasgow 1968, Nr. IV, S. 138ff.

HUNTD = E. Hunt, *Robert Dowland, Varietie of lute-lessons . . .*, London 1957 (= Schott's series of early lute music, Bd. I), Einleitung

HUSK = W.H. Husk, *Catalogue of the Library of the Sacred Harmonic Society*, London 1872

HUYS = B. Huys, *De Grégoire le Grand a Stockhausen, 12 siècles de notation musicale, catalogue de l'éxposition rédigé . . .*, Brüssel 1966

ISRAËL = C. Israël, *Übersichtlicher Katalog der Musikalien der Ständischen Landesbibliothek zu Cassel*, *in*: Zeitschrift des Vereins für Hessische Geschichte und Landeskunde, Neue Folge, Supplement VII, Kassel 1881

JACHIMECKI = Z. Jachimecki, *Wpływy włoskie w muzyce Polskiej* [Teil I (1540–1640)], Krakau 1911, Kapitel *Lutniści: Wojciech Długoraj, Diomedes Cato, Jacób Pólak*, S. 120ff.

JACQUOTD = J. Jacquot, *Adr. Le Roy, Fantaisies et danses (pour luth), édition et transcription par P. Jansen, étude des concordances par D. Heartz, introduction par J.J.*, Paris 1962 (= Le Chœur des Muses, Serie Les luthistes), Einleitung

JACQUOTL = J. Jacquot, *The International Catalogue of music for the lute and kindred instruments*, in: Hinrichsen 1959, XI, S. 214ff.

JACQUOTLM = J. Jacquot, *Le luth et sa musique, colloque international des sciences humaines, organisé par le C. N. R. S.*, in: Rev. de Musicol. IXL, 1957, S. 215ff.

JACQUOTM = J. Jacquot, *„Musicks's Monument" de Thomas Mace (1676) et l'évolution du goût musical en Angleterre*, in: Rev. de Musicol. XXXIV, 1952, S. 21ff.

JACQUOTMA = J. Jacquot, *Thomas Mace et la vie musicale de son temps*, in: Fs. Ernst Hermann Meyer, Leipzig 1973, S. 215ff.

JACQUOTML = J. Jacquot, *La musique pour luth*, in: Kongr. Ber. IGMW XI New York 1961, Bd. I, Kassel-Basel 1963, S. 75ff.; Diskussion ibid. Bd. II, Kassel-Basel 1963, S. 72ff.

JACQUOTO = J. Jacquot, *Le luth et sa musique, vers une organisation internationale des recherches*, in: AMl XXX, 1958, S. 89ff.

JACQUOTR = J. Jacquot, *Adr. Le Roy, Premier livre de tablature de luth (1551), édition et transcription par A. Souris et R. de Morcourt, introduction historique par J.J., étude de concordances par D. Heartz*, Paris 1959 (= Le Chœur des Muses, Serie Les luthistes), Einleitung

JAMES = M.R. James, *Catalogue of Western Manuscripts in the Library of Trinity College Cambridge* I ff., Cambridge 1901–1904

JANSSON = J.F. Jansson, *Katalog öfver Musikalier m.m. tillhörande Skara högre allmänna läroverk*, Höstterminen 1882

JEFFERY = B. Jeffery, *Instrumentation in the music of Anthony Holborne*, in: The Galpin Society Journal XIX, Edinburgh 1966, April-Heft, S. 20ff.

JEFFERYA = B. Jeffery, *The lute music of Robert Johnson*, in: Early Music, ed. J. M. Thomson, II, 2, London 1974, S. 105ff.

JEFFERYB = B. Jeffery, *Besprechung* von SpencerB, in: The Consort, Godalming 1976, Nr. 32, S. 202

JEFFERYE = *Elizabethan popular music for the lute, selected, transcribed . . .*, ed. B.

Jeffery, London–Oxford s. a. [1968], Quellenbericht (= Music for the Lute, book 1)

JEFFERYL = B. Jeffery, *The Lute Music of Anthony Holborne*, in: Proceedings of the Royal Musical Association, Session XCIII, Birmingham 1966/1967, S. 25ff.

JEFFERYO = *Five pieces by Anthony Holborne, transcribed ... by B. Jeffery*, London s. a. [1970], Quellenbericht (= Oxford Guitar Music)

JEFFERYOH = B. Jeffery, *Anthony Holborne*, in Musica Disciplina XXII, Rom 1968, S. 162ff.

JEFFERYP = *Francis Pilkington, complete works for solo lute, Book III, edited and transcribed ..., B. Jeffery*, London-Oxford s. a. [1970], Quellenbericht (= Music for the Lute, book 3)

JEFFERYS = B. Jeffery, *Besprechung* von SpinkJ, in: The Lute Society Journal III, London 1961, S. 36ff.

JEPPESEN = K. Jeppesen, *Die mehrstimmige italienische Laude um 1500*, Leipzig-Kopenhagen 1935

JÖDEL = *Losy von Losinthal, Suite in a-moll ..., für die Laute bearbeitet*, in: Die Musikantengilde III, Wolfenbüttel 1922–1923

JOHNSON = J. Johnson, *The Scots Musical Museum consisting of upwards of six hundred songs ...* [1. Auflage Edinburgh 1787–1803], Bd. II. im Nachdruck ed. David Laing, London 1839

JONES = E. H. Jones, *The Theorbo and continuo practice in the early English Baroque*, in: The Galpin Society Journal XXIV, Edinburgh 1972, Juli-Heft, S. 67ff.

JUNG = H.R. Jung, *Johann Georg Conradi, 2. Teil*, in: Beiträge zur Musikwissenschaft XIV, Berlin 1972, I, S. 1ff.

KADE = O. Kade, *Die Musikalien-Sammlung des Großherzoglich-Mecklenburg-Schweriner Fürstenhauses aus den letzten zwei Jahrhunderten* I, II, Wismar 1893, 1899.

KÄMPER = D. Kämper, *Studien zur instrumentalen Ensemblemusik des 16. Jahrhunderts*, Phil. Diss. Köln 1967, Köln 1970 (= Analecta Musicologica X)

KAHL = W. Kahl, *Die alten Musikalien der Kölner Universitäts- und Stadtbibliothek*, in: Jahrbuch des kölnischen Geschichtsvereins XXVII, Köln 1953, S. 74ff.

KAISER = Ł. Kaiser, *V. Bakfark ...*, Phil. Diss. maschr. Wien 1907

KAMIŃSKI = W. Kamiński, *Sztuka Lutnicza w Polsce*, Krakau 1968, Polskie Wydawnictwo Muzyczne

KANAZAWAH I = M. Kanazawa, *The complete works of A. Holborne*, ed. by M. K., vol. I: *Music for Lute and Bandora*, in: Harvard Publications in Music I, Cambridge (Mass.) 1967

KANAZAWAH II = M. Kanazawa, *The complete works of A. Holborne*, ed. by M. K., vol. II: *Music for Cittern*, in: Harvard Publications in Music V, Cambridge (Mass.) 1973

KATALOG BOERNER (1913) = Anonym, *Katalog einer wertvollen Bibliothek von Musikbüchern des XV. bis XVIII. Jahrhunderts, Versteigerung ... durch C. G. Bœrner*, Leipzig 1913

KATALOG BOERNER (1914) = Anonym, *Musikbücher aus der Sammlung Wagener, Lagerkatalog Nr. XXVII C. G. Bœrner*, Leipzig s. a. [1914]

KATALOG BORGHESE = Anonym, *Catalogue des livres composant la Bibliothèque de S. E. Don Paolo Borghese*, Rom 1892 [Versteigerung Rom 16. 5.–7. 6. 1892]

KATALOG CAMBRIDGE = Anonym, *A Catalogue of the manuscripts preserved in the library of the university of Cambridge* I, Cambridge 1856; IV, Cambridge 1861

KATALOG COUSSEMAKER = Anonym, *Catalogue de la bibliothèque de Ch. E. H. de Coussemaker*, Brüssel 1857

KATALOG EDINBURGH = Anonym, *National Library of Scotland, Catalogue of manuscripts acquired since 1925*, I, Edinburgh 1938

KATALOG FÉTIS = Anonym, *Catalogue de la Bibliothèque de F. J. Fétis, acquise par l'État Belge*, Paris 1877

KATALOG FLORENZ RICC = Anonym, *Inventario e stima della Libreria Riccardi*, Florenz 1810

KATALOG FRANCE GENEVIÈVE = Anonym, *Catalogue général des manuscrits ... de France, Paris, Bibliothèque Sainte-Geneviève* II, Paris 1896

KATALOG GENUA = *Catalogo delle opere musicali ...*, ed. Associazione dei musicologi

Italiani, *Città di Genova, Bibl. universitaria*, Parma s. a. [1916]

KATALOG HAAS 2 = Anonym, *Antiquariats-Katalog Otto Haas Nr. 2*, London [1936]

KATALOG HAAS 6 = Anonym, *Antiquariats-Katalog Otto Haas Nr. 6*, London s. a.

KATALOG HAAS 233 = Anonym, *Antiquariats-Katalog Otto Haas Nr. 233*, London s. a.

KATALOG HAMBURG = Anonym, *Katalog der Stadtbibliothek Hamburg* [Ms. um 1890], *Musik, Abteilung ND, Nrn. 3171–3859*, Hamburg, Staats- und Univ.-Bibl.

KATALOG LANDAU I, II = Anonym, *Catalogue des livres, manuscrits, et imprimés composant la bibliothèque de M. Horace de Landau* I, II, Florenz 1885, 1890

KATALOG LANDAU-SOTHEBY = Anonym, *Catalogue of very important illuminated manuscripts and printed books . . . formerly by Baron Horace de Landau . . .*, London 1948 [= *Antiquariats*-Katalog Sotheby & Co. London]

KATALOG LANDAU-SOTHEBY 1949 = *Catalogue of the renowned library of the late Baron Horace de Landau . . ., The second portion: The celebrated musical collection . . .*, London 1949 [= *Antiquariats*-Katalog Sotheby & Co.; London, ohne Numerierung]

KATALOG LIEPMANNSSOHN 137 = Anonym, *Antiquariats-Katalog Leo Liepmannssohn Nr. CXXXVII*, Berlin s. a. [1899]

KATALOG LIEPMANNSSOHN 149 = Anonym, *Antiquariats-Katalog Leo Liepmannssohn Nr. CIL*, Berlin s. a. [1901]

KATALOG LIEPMANNSSOHN 157 = Anonym, *Antiquariats-Katalog Leo Liepmannssohn Nr. CLVII*, Berlin s. a. [1905]

KATALOG LIEPMANNSSOHN 175 = Anonym, *Antiquariats-Katalog Leo Liepmannssohn Nr. CLXXV*, Berlin s. a. [1908]

KATALOG LIEPMANNSSOHN 211 = Anonym, *Antiquariats-Katalog Leo Liepmannssohn Nr. CCXI*, Berlin s. a. [1927]

KATALOG LIEPMANNSSOHN 221 = Anonym, *Antiquariats-Katalog Leo Liepmannssohn Nr. CCXXI*, Berlin s. a. [1929]

KATALOG LIEPMANNSSOHN 223 = Anonym, *Antiquariats-Katalog Leo Liepmannssohn Nr. CCXXIII*, Berlin s. a. [1930]

KATALOG LIEPMANNSSOHN 237 = Anonym, *Antiquariats-Katalog Leo Liepmannssohn* Nr. *CCXXXVII*, Berlin s. a. [1931]

KATALOG LOBKOWITZ = Anonym, *Stand-Repertorium der Hochfürstlich Lobkowitz'-schen Schloß-Bibliothek zu Raudnitz, Saal II* [Manuskript, datiert 1894, 1895], Prag, Universitäts-Bibliothek, Kasten Raudnitz

KATALOG LONDONBM, N.ACQU. 1911–1915 = Anonym, *British Museum, Catalogue of Additions of the Manuscripts 1911–1915*, London 1925

KATALOG LONDONBM, N.ACQU. 1916–1920 = Anonym, *British Museum, Catalogue of Additions to the Manuscripts 1916–1920*, London 1933

KATALOG LONDONBM, N.ACQU. 1926–1930 = Anonym, *British Museum, Catalogue of Additions to the Manuscripts 1926–1930*, London 1959

KATALOG LONDONRC = W. Barclay Squire, *Catalogue of Manuscripts of the Royal College of Music* II, *Nr. 1052–4105* [maschr. Kopie im Brit. Museum, London, Vorwort datiert 1927]

KATALOG MAGGS BROTHERS 913 = Anonym, *Antiquariats-Katalog Maggs Brothers Ltd. Nr. 913*, London 1968 (W. C. 1, Berkeley Square 50)

KATALOG MODENA = *Catalogo delle opere musicali . . .*, ed. Associazione dei musicologi Italiani, *Città di Modena, Bibl. Estense*, Parma 1924

KATALOG OLSCHKI = Anonym, *Catalogo Leo Olschki*, Florenz 1904

KATALOG QUARITSCH (1919) = Anonym, *Antiquariats-Katalog Quaritsch*, London 1919

KATALOG ROBINSON = Anonym, *Antiquariats-Katalog William H. Robinson Ltd. (Pall Mall Booksellers) Nr. LXXXII*, London s. a. [1951]

KATALOG RIMBAULT = Anonym, *Auction Catalogue of the Library of Edward Francis Rimbault*, s. l. 1877

KATALOG SCHNEIDER 49 = Anonym, *Antiquariats-Katalog Hans Schneider Nr. 49*, Tutzing s. a. [1951]

KATALOG SCHNEIDER 54 = Anonym, *Antiquariats-Katalog Hans Schneider Nr. 54*, Tutzing s. a. [1952]

KATALOG SCHNEIDER 76 = Anonym, *Antiquariats-Katalog Hans Schneider Nr. 76*, Tutzing s. a. [1955]

Katalog Schneider 128 = Anonym, *Katalog Nr. 128, Musikalische Seltenheiten, Musikantiquariat Hans Schneider*, Tutzing s. a. [1968]

Katalog Spiez = Anonym, *Katalog über den Bestand der v. Erlach'schen Bibliothek und Archive im Schloß Spiez, Kanton Bern . . .*, Bern 1875

Katalog Sotheby (1930) = Anonym, *Antiquariats-Katalog Sotheby*, London 1930 (2.–4. Juni)

Katalog Sotheby (1936) = Anonym, *Antiquariats-Katalog Sotheby (Catalogue of valuable printed books, Third Day's Sale, Wednesday, July 29th)*, London 1936

Katalog Sotheby (Braye) = Anonym, *Catalogue of books, letters; documents . . ., a musical manuscript . . ., the property of . . . Lord Braye, sold by . . . Sotheby & Co. 23rd of June 1952*, London 1952

Katalog Venedig = *Catalogo delle opere musicali . . .*, ed. Associazione dei musicologi Italiani, *Città di Venezia, R. Bibl. di San Marco . . .*, Parma 1940–1942

Katalog Verona = *Catalogo delle opere musicali . . .*, ed. Associazione dei musicologi Italiani, Serie XIV, Anno 1935/1936, *Città di Verona, Biblioteca dell' Accademia Filarmonica*, ed. G. Turrini, Parma s. a. [1935]

Katalog Wolffheim = Anonym, *Versteigerung der Musikbibliothek des Herrn Dr. Werner Wolffheim*, I, II, Berlin 1928, 1929

Keith = R. Keith, *The guitar cult in the courts of Louis XIV and Charles II*, in: JAMS XII, 1959, S. 96ff. (*on January 14, 1959, at a meeting of the Greater Washington Chapter*).

KeithR = R. Keith, *La Guitare Royale, a study of the career and compositions of Francesco Corbetta*, in: Recherches sur la musique française classique VI, Paris 1966, S. 73ff.

Kellner = A. Kellner, *Musikgeschichte des Stiftes Kremsmünster*, Kassel-Basel 1956

KellnerL = A. Kellner, *Benedikt Lechler. Seine Tätigkeit als Komponist und Leiter der Stiftsmusik von Kremsmünster*, Phil. Diss. maschr. Wien 1931

Kerman = J. Kerman, *Elizabethan anthologies of Italian madrigals*, in: JAMS IV, 1951, S. 122ff.

KindermannDMA = J. Kindermann, *Deutsches Musikgeschichtliches Archiv Kassel, Katalog der Filmsammlung . . .* II, Heft 10 ff., Kassel-Basel 1974–1976; III, Heft 1ff., ibid. 1977

Kidson = F. Kidson, Art. *Scottish National Music*, in: Grove's Dictionary, 4. Auflage, Bd. IV, London 1928, S. 701ff.

Kinkeldey = O. Kinkeldey, *Thomas Robinson's „Schoole of Musicke“*, in: Bulletin of the American Musicological Society, New York 1936

Kinney = Gordon J. Kinney, *The musical literature for unaccompanied Violoncello*, Phil. Diss. maschr. Univ. Florida State 1962

KinskyH = G. Kinsky, *Musikhistorisches Museum von Wilhelm Heyer in Cöln. Katalog, Teil IV: Musik-Autographen*, Köln 1916

KinskyP = G. Kinsky, *Alessandro Piccinini und sein Arciliuto*, in: AMl X, 1938, S. 103f.

KinskyV = G. Kinsky, *Versteigerung von Musikbüchern, Praktischer Musik und Musiker-Autographen des 16. bis 18. Jahrhunderts aus dem Nachlaß des Herrn Kommerzienrates W. Heyer in Köln . . . (9. 5., 10. 5. 1927)*, Berlin s. a. [1927]

Kirkendale = W. Kirkendale, *L'Aria di Fiorenza id est Il Ballo del Grand Duca*, Florenz 1972

KirkendaleF = W. Kirkendale, *Franceschina, Girometta, and their companions in a madrigal a diversi linguaggi by L. Marenzio and O. Vecchi*, in: AMl XLIV, 2, 1972, S. 181ff.

Kirsch = E. Kirsch, *Die Bibliothek des Musikalischen Instituts bei der Universität Breslau*, Breslau 1922

KlimaA = J. Klima, *Ausgewählte Werke aus der Ausseer Gitarretabulatur des 18. Jahrhunderts*, Graz 1958 (= Musik Alter Meister, Heft X), Einleitung

KlimaD = J. Klima, *Das Stammbuch und Lautenbuch des Johann David Kellner . . .*, Maria-Enzersdorf 1976 (Wiener Lautenarchiv)

KlimaG = J. Klima, *Die Lautenhandschriften der Benediktinerabtei Göttweig N. Ö.*, Maria-Enzersdorf 1975 (als Ms. gedruckt)

KlimaK = J. Klima, *Fünf Partiten aus einem Kärntner Lautenbuch*, ed. J. K., Graz

1965 (= Musik Alter Meister, Heft XVI), Einleitung

KlimaKK = J. Klima, *Karl Kohaut, der letzte Lautenist*, in: Österreichische Musikzeitschrift XXVI, Wien 1971, März–Heft, S. 141ff.

KlimaKW = J. Klima, *Silvius Leopold Weiß, 1686–1750. Kompositionen für die Laute. Quellen- und Themenverzeichnis als Ergänzung zur Arbeit Hans Neemanns . . .*, Maria-Enzersdorf bei Wien 1975 (Wiener Lautenarchiv)

KlimaL = J. Klima, *Die Paysanne in den Österreichischen Lautentabulaturen*, in: Jahrbuch des Österreichischen Volksliedwerkes X, Wien 1961, S. 102ff.

KlimaÖ = J. Klima, *Lautentabulaturen in Niederösterreich*, in: Kulturberichte aus Niederösterreich, Beilage der Amtlichen Nachrichten der Niederösterreichischen Landesregierung, Wien 1958, Folge I, 15. Januar, S. 4

KlimaS = J. Klima, *Die Lautenhandschrift des Benediktinerstiftes Seitenstetten N. Ö.*, Maria-Enzersdorf 1974 (als Ms. gedruckt)

KlimaT = J. Klima, *Die Tänze des Nicolaus Schmall von Lebendorf (1613)*, in: Österreichische Musikzeitschrift XXI, Wien 1966, September-Heft, S. 460f.

KlimaV = J. Klima, *Tabulaturen als Quelle der Volksmusik alter Zeiten*, in: Journal of the International Folk Music Society XIII, Wien 1961, S. 32f.

Klima-RadkeW = J. Klima – H. Radke, Art. *Johann Georg Weichenberger (Weichenperger)*, in: MGG XIV (1968), S. 367f.

Klima-RadkeWW = J. Klima – H. Radke, Art. *Weiß*, in: MGG XIV, S. 437ff.

Klöckner = D. Klöckner, *Das Florilegium des Adrian Denss (Köln 1594). Ein Beitrag zur Geschichte der Lautenmusik am Ende des 16. Jahrhunderts*, Phil. Diss. Univ. Köln 1970, Köln 1970 (= Beiträge zur Rheinischen Musikgeschichte LXXXX)

Koch = K.-P. Koch, *Der polnische Tanz in deutschen Sammlungen des sechzehnten und siebzehnten Jahrhunderts, ein Beitrag zu den deutsch-polnischen Musikbeziehungen*, Phil. Diss. maschr. Univ. Halle 1970

KochP = K.-P. Koch, *Polnisch-deutsche Musikbeziehungen im 16. und 17. Jahrhundert*, in: Beiträge zur Musikwissenschaft XV, 4, Berlin 1973, S. 223ff.

KoczirzAR = A. Koczirz, *Studien zur alten Lautenmusik, Altspanische Romanzen*, in: Die Gitarre III, Berlin 1921/1922, S. 73ff.

KoczirzBL = A. Koczirz, *Böhmische Lautenkunst um 1720*, in: Alt-Prager Almanach, ed. P. Nettl, Prag 1926, S. 88ff.

KoczirzG = A. Koczirz, *Bemerkungen zur Gitarristik*, in: ZIMG VII, 1905/1906, S. 355ff.

KoczirzGE = A. Koczirz, *Jakob Kremberg: „Musicalische Gemüths-Ergötzung oder Arien“*, in: Die Gitarre III, Berlin 1921/1922, S. 35ff.

KoczirzGF = A. Koczirz, *Zur Geschichte der Gitarre in Frankreich von 1500 bis 1750*, in: Zeitschrift der Arbeitsgemeinschaft zur Pflege und Förderung des Gitarre-Spiels I, Wien 1921/1922, Heft 5, S. 3ff., Heft 6, S. 3ff.

KoczirzGL = A. Koczirz, *Eine Gitarre- und Lautenhandschrift aus der zweiten Hälfte des 17. Jahrunderts*, in: AfMw VIII, 1926, S. 433ff.

KoczirzGM = A. Koczirz, *Die Gitarre im deutschen Musikleben um 1700*, in: Muse des Saitenspiels XVI, Bad Honnef 1934, S. 65ff.

KoczirzJk = A. Koczirz, *Der Lautenist Hans Judenkünig*, in: SIMG VI, 1904/1905, S. 237ff.

KoczirzK = A. Koczirz, *Klosterneuburger Lautenbücher*, in: Musica Divina I, Wien-Leipzig 1913, August/September-Heft, S. 176ff.

KoczirzM = A. Koczirz, *Zur Geschichte der Mandor-Laute*, in: Die Gitarre II, Berlin 1920/1921, S. 21ff.

KoczirzMB = A. Koczirz, *Die Fantasien des Melchior de Barberis für die siebensaitige Gitarre (1549)*, in: ZfMw IV, 1921/1922, S. 11ff.

KoczirzN = A. Koczirz, *Über die Notwendigkeit eines einheitlichen, wissenschaftlichen und instrumentaltechnischen Forderungen entsprechenden Systems in der Übertragung von Lautentabulaturen*, in: Kongr. Ber. IMG III, Wien-Leipzig 1909, S. 222ff.

KoczirzOC = A. Koczirz, *Eine Gitarren-Tabulatur des kaiserlichen Theorbisten Orazio Clementi*, in: Fs. Lionel de la Laurencie, Paris 1933, S. 107ff.

KoczirzOL = A. Koczirz, *Die Gitarre-Kompositionen in Miguel de Fuenllana's „Orphénica Lyra" (1554)*, in: AfMw IV, 1923, S. 241ff.

KoczirzÖ = A. Koczirz, *Österreichische Lautenmusik zwischen 1650 und 1720*, in: StMw V, Wien 1918, S. 49ff.

KoczirzÖl = A. Koczirz, *Österreichische Lautenmusik im XVI. Jahrhundert*, Wien 1911 = DTÖ XVIII, 2 (Bd. 37), Einleitung

KoczirzÖLL = A. Koczirz, *Österreichische Lautenmusik zwischen 1650 und 1720*, Wien 1918 = DTÖ XXV, 2 (Bd. 50), Einleitung

KoczirzRL = A. Koczirz, *Eine Titelauflage aus dem Jahre 1697 von Esaias Reußner's „Erfreuliche Lauten-Lust"*, in: ZfMw VIII, 1925/1926, S. 636ff.

KoczirzS = A. Koczirz, *Gaspar Sanz' „Unterweisung in der Musik der spanischen Gitarre" (1674)*, in: Die Gitarre I, Berlin 1919/1920, S. 121ff.

KoczirzSL = A. Koczirz, *Studien zur alten Lautenmusik*, in: Die Gitarre III, Berlin 1921/1922, S. 8ff.

KoczirzT = A. Koczirz, *W. Tappert's Sang und Klang aus alter Zeit*, in: ZIMG VIII, 1907, S. 228ff.

KoczirzÜ = A. Koczirz, *Überblick über die spanische Gitarristik im 16. Jahrhundert*, in: Zeitschrift der Arbeitsgemeinschaft zur Pflege und Förderung des Gitarre-Spiels I, Wien 1921/1922, Heft 3, S. 2ff.

KoczirzV = A. Koczirz, *Verschollene neudeutsche Lautenisten (Weichmann, Pasch, de Bronikowsky, Raschke)*, in: AfMw III, 1921, S. 270ff.

KoczirzW = A. Koczirz, *Zur Geschichte der Gitarre in Wien*, in: Musikbuch aus Österreich IV, Wien 1907, S. 11ff.

KoczirzWG = A. Koczirz, *Die Wiener Gitarristik vor Giuliani*, in: Die Gitarre II, Berlin 1920/1921, S. 71ff., 81ff., 93ff.

KoczirzWL = A. Koczirz, *Wiener Lautenmusik im 18. Jahrhundert* = Das Erbe deutscher Musik, Reihe II: Landschaftsdenkmale, Alpen- und Donau-Reichsgaue I, Wien-Leipzig 1942, Einleitung, Kritischer Bericht

Koczirz-Nettl = A. Koczirz, *Böhmische Lautenmusik*, in: Beiträge zur Böhmischen und Mährischen Musikgeschichte, ed. P. Nettl, Brünn 1922, S. 11ff.

Koczirz-Nowak = A. Koczirz, L. Nowak, *Das deutsche Gesellschafts-Lied in Österreich von 1480 bis 1550* = DTÖ XXXVII, 2 (Bd. 72), Wien 1930, Quellenbericht S. 78ff.

Köchel = L. Ritter v. Köchel, *Die kaiserliche Hof-Musikkapelle in Wien ...*, Wien 1869

Körte = O. Körte, *Laute und Lautenmusik bis zur Mitte des 16. Jahrhunderts, unter besonderer Berücksichtigung der deutschen Lautentabulatur*, Phil. Diss. Berlin, Berlin 1901 (= Publ. IMG, Beih. I,3)

Kohler = Ch. Kohler, *Catalogue des manuscrits de la Bibliothèque Sainte-Geneviève* II, Paris 1896

KoletschkaE = K. Koletschka, *Esaias Reußner der Jüngere und seine Bedeutung für die Lautenmusik des 17. Jahrhunderts*, Phil. Diss. maschr. Wien 1926 [Auszug in: StMw XV, Wien 1928, S. 3ff.]

KoletschkaR = K. Koletschka, *Esaias Reussner Vater und Sohn, und ihre Choralbearbeitung für die Laute, eine Parallele*, in: Fs. Adolph Koczirz, Wien s. a. [1930], S. 14ff.

Kolhase = Th. Kolhase, *J.S. Bachs Kompositionen für Lauteninstrumente. Krit. Edition mit Untersuchungen zur Überlieferung, Besetzung und Spieltechnik*, Phil. Diss. Univ. Tübingen 1972 (erscheint als Bd. V/10 in: Johann Sebastian Bach, Neue Ausgabe sämtlicher Werke)

Kopp = A. Kopp, *Die Liederhandschrift des Petrus Fabricius*, in: Archiv für das Studium der neueren Sprachen und Literaturen CXVII (N.S. XVII), 1906, S. 241ff.

KosackA = H.P. Kosack, *Die Lautentabulaturen im Stammbuch des Burggrafen Achatius von Dohna*, in: Altpreußische Beiträge, Königsberg 1933, S. 37ff.

KosackL = H. P. Kosack, *Geschichte der Laute und Lautenmusik in Preußen*, Phil. Diss. Königsberg 1934, Kassel 1935 (= Königsberger Studien zur Musikwissenschaft XVII)

Kossmann = F. Kossmann, *Die Melodie des „Wilhelmus von Nassouwe" in den Lautentabulaturen des XVII. Jahrhunderts*, in: AfMw V, 1923, S. 327ff.

Kouba = J. Kouba, *Německé vlivy v české písni 16. století (Die deutschen Einflüsse im tschechischen Liede des 16. Jh.)*, in: Miscellanea Musicologica, Universita Karlova XXVII–XXVIII, Prag 1975, S. 117ff.

KRABBE = W. Krabbe, *Das Liederbuch des Johann Heck*, in: AfMw IV, 1922, S. 420ff.

KRAUSE = P. Krause, *Handschriften der Werke J. S. Bachs in der Musikbibliothek der Stadt Leipzig*, Leipzig 1964 (= Bibliographische Veröffentlichungen der Musikbibliothek der Stadt Leipzig, Bd. III)

KROLLMANN = Chr. Krollmann, *Das älteste Preußische Stammbuch*, in: Altpreußische Beiträge, Königsberg 1933, S. 34ff.

KRZYŻANOWSKI = J. Krzyżanowski, *Tańce z połowy XVI wieku*, in: Pamiętnik Literacki XXXV, Lwów (Lemberg) 1938, S. 28ff.

LA BARRE = K. La Barre (Hg.), *The First Book of Tablature*. New York 1964 (= Instrumenta Antiqua Publications)

LACHÈVRE = F. Lachèvre, *Un joueur de luth et compositeur de cours princières, auteur dramatique et poète, Charles de Lespine, Parisien . . .*, Paris 1935

LANDM = J.P.N. Land, *Zur Berichtigung*, in: MfM XX, 1888, S. 54 [datiert: Leyden, Februar 1887]

LANDTh = J.P.N. Land, *Het Luitbœk van Thysius*, Amsterdam 1889

LANDR = J.P.N. Land, *Het luitbœck van Thysius*, verkürzter Vorausdruck in: Tijdschr. der Vereeniging voor Noord-Nederlandsche Muziekgeschiedenis, Teil I–III, Amsterdam 1888

LAURENCIEB = L. de la Laurencie, *Un maître de luth au XVIIe siècle: Jehan Basset*, in: La Revue Musicale IV, Paris 1923, Juli-Heft, S. 225ff.

LAURENCIEBF = L. de la Laurencie, *Les luthistes Ch. Bocquet, A. Francisque et J.-B. Bésard*, in: Rev. de Musicol. X, 1926, S. 69ff., 126ff.

LAURENCIEBL = L. de la Laurencie, *Besprechung* von L.-M. Brondi, Il liuto . . ., in: Rev. de Musicol. XI, 1927, S. 51f.

LAURENCIEC = L. de la Laurencie, *Chansons au luth et Airs de cour français au XVIe siècle*, Paris 1934 (= Publications de la Société Française de Musicologie), Einleitung

LAURENCIEE = L. de la Laurencie, *Essai de chronologie de quelques ouvrages de luth de l'école française du dixseptième siècle*, in: Bulletin de la Société Française de Musicologie III, 1919, Dezember-Heft, S. 227ff.

LAURENCIEG = L. de la Laurencie, *Le luthiste Jacques Gaultier*, in: La Revue Musicale V, Paris 1924, Januar-Heft, S. 32ff.

LAURENCIEL = L. de la Laurencie, *Quelques luthistes français du XVIIe siècle*, in: Rev. de Musicol. VII, 1923, S. 145ff.

LAURENCIELL = L. de la Laurencie, *Les luthistes*, Paris 1928 (= Musiciens célèbres)

LAURENCIE-MAIRY = L. de la Laurencie, A. Mairy, *Le luth*, in: Encyclopédie de la musique II, ed. Lavignac, Paris 1927, S. 1972ff.

LEFKOFF = G. Lefkoff, *Five sixteenth century Venetian Lute Books*, Phil. Diss. Univ. of Washington 1960 (Catholic University of America Press)

LEFKOWITZ = M. Lefkowitz, *William Lawes*, London 1960

LEJEUNE = J. Lejeune, *The Lyra-Viol: An instrument or a technique?*, in: The Consort, Annual Journal of the Dolmetsch Foundation, London 1975, Nr. XXXI, S. 125ff.

LEJEUNEV = J. Lejeune, *La Lyra-viol en Angleterre (1601–1682)*, *Mémoire de Licence* [Lizenziatenschrift] maschr. Univ. Lüttich 1973, I–III

LENAERTS = R. Lenaerts, *Improvisation auf der Orgel und der Laute in den Niederlanden (16. und 17. Jahrhundert)*, in: Kongr. Ber. Ges. f. Mf. (Köln 1958), Kassel-Basel 1959, S. 177ff.

LENDLE = W. Lendle, *Besprechung* von JefferyP, in: Mf XXVI, 4 (1973), S. 544f.

LESUREA = F. Lesure, *Anthologie de la chanson parisienne au XVIe siècle, réunie par F. L., avec la collaboration de N. Bridgman, I. Cazeaux, M. Levin, K. J. Levy et D. P. Walker*, Monaco 1952, Einleitung

LESUREC = F. Lesure, *G. Morlaye, Psaumes de P. Certon réduits pour chant et luth*, Paris 1957 (= Édition du C. N. R. S.), Einleitung

LESUREG = F. Lesure, *La guitare en France au XVIe siècle*, in: Musica Disciplina IV, Rom 1950, S. 187ff.

LESUREM = *Manuscrit Milleran, tablature de luth française, c. 1690 (Bibliothèque Nationale, Paris, Rés. 823), introduction de F. Lesure*, Genf 1976 (Minkoff Reprint), Einleitung, Quellenbericht

LESUREO = F. Lesure, *Les orchestres populaires à Paris vers la fin du XVIe siècle*, in: Rev. de Musicol. XXXVI, Paris 1954, S. 39ff.

LESURER = F. Lesure, *Recherches sur les luthistes parisiens à l'époque de Louis XIII*, in: Le luth et sa musique, ed. J. Jacquot, Paris 1958 (= Éditions du C.N.R.S.), S. 209ff.

LESURET = F. Lesure, *Trois instrumentistes français*, in: Rev. de Musicol. XXXVII, 1955, S. 186ff.

LESURETA = F. Lesure, *The Angélique in 1653*, in: The Galpin Society Journal VI, Edinburgh 1953, Juli-Heft, S. 111ff.

LESURETR = F. Lesure, *Le traité des instruments de musique de Pierre Trichet*, in: Annales Musicologiques III, Paris 1955, S. 283ff. und IV, Paris 1956, S. 175ff.

LESURE-MORCOURT = F. Lesure, R. de Morcourt, *G. P. Paladino et son „Premier livre" de luth (1560)*, in: Rev. de Musicol. XLII, 1958, S. 170ff.

LEVY = Kenneth Levy, *‚Susanne un jour'*, *the history of a 16th century chanson*, in: Annales Musicologiques I, Paris 1953, S. 375ff.

LINDGRENA = A. Lindgren, *En lutebok fr. 1500-talet*, in: Svensk Musiktidning XVI, Stockholm 1882, S. 465ff.

LINDGREND = A. Lindgren, *Dans och lutspel i forna dagar*, in: Svensk Musiktidning XXIV, Stockholm 1890, S. 147ff.

LINDGRENL = A. Lindgren, *Ein Lautenbuch aus dem 16. Jahrhundert*, in: MfM XIV, 1882, S. 121f.

LINDGRENM = J. Lindgren, *Ein Lautenbuch von Mouton*, in: MfM XXIII, 1891, S. 4ff.

LINTON = M. Linton, *Music in Scottish Libraries*, in: Hinrichsen 1959, XI, S. 88ff.

LOBAUGH = H.B. Lobaugh, *Three German Lute Books*, Phil. Diss. maschr. Univ. Rochester (Eastman School of Music) 1966, Dissertation Abstracts 29: 1244 A, Oktober 1968

LOBAUGHD = H. B. Lobaugh, *Adrian Denss' Florilegium (1594)*, in: Journal of the Lute Society of America III, New York 1970, S. 13ff.

LONGA = M. Long, *Airs without g-string (Alfonso Ferrabosco and the Lyra Viol)*, in: Musicology II, Journal of the Musicological Society of Australia, Sidney University 1965/1967, S. 62f.

LONGB = *Daniel Bacheler, selected works for lute, edited and transcribed . . .*, M. Long, London-Oxford s.a. [1972], Einleitung und Themat. Katalog (S. 46–50)

LÜCK = R. Lück, *Ein Beitrag zur Geschichte des Colascione und seiner süddeutschen Tondenkmäler im 18. Jahrhundert*, Phil. Diss. maschr. Erlangen 1954

LÜCKC = R. Lück, *Zwei unbekannte Baß-lauten-Instrumente: der italienische Colascione und der deutsche Calichon*, in: Neue Zeitschrift für Musik CXXVI, Mainz 1965, S. 10ff.

LÜCKG = R. Lück, *Zur Geschichte der Baß-lauten-Instrumente: Colascione und Calichon*, in: Deutsches Jahrbuch für Musikwissenschaft I, Leipzig 1960, S. 67ff.

LUMSDENA = D. Lumsden, *An anthology of English lute music (16th century), selected, transcribed and edited by D.L., with a foreword by Th. Dart*, London 1954 (= Schott's series of early lute music II, Edition Schott Nr. 10311), Einleitung [publiziert als vol. III von LumsdenE]

LUMSDENB = D. Lumsden, *William Byrd, Compositions for the lute, transcribed and edited by D. L.*, London s. a. [1956] (= Schott's series of early lute music III, Edition Schott Nr. 10312), Einleitung

LUMSDENC = D. Lumsden, *Un catalogue international des sources de la musique pour luth, les leçons d'une étude des sources anglaises*, in: *Le luth et sa musique*, ed. J. Jacquot, Paris 1958 (= Éditions du C.N. R.S.), S. 297ff.

LUMSDENE = D. Lumsden, *The sources of English lute music (1540–1620)* I, II, Phil. Diss. maschr. Cambridge 1956/1957 [vorgelegt Sept. 1955]; Univ.-Libr. Cambridge, Sign. PH. D. 3087, 3088

LUMSDENEL = D. Lumsden, *English lute music 1540–1620, an introduction*, in: Proceedings of the Royal Musical Association, Session LXXXIII, London 1956/1957, S. 1ff.

LUMSDENEM = D. Lumsden, *The lute and its English music*, in: Listener XLIX, London 1953, April-Heft, S. 578ff.

LUMSDENL = D. Lumsden, *The lute in England*, in: The Score VIII, London 1953, September-Heft, S. 36ff.

LUMSDENM = D. Lumsden, *Besprechung* von MacClintockB, in: ML XLVIII, 2, 1967, S. 170

LUMSDENQ = D. Lumsden, *De quelques éléments étrangers dans la musique anglaise pour le luth*, in: La musique instrumentale de la Renaissance, Paris 1955 (= Éditions du C.N.R.S.), S. 197ff.

LUMSDENR = D. Lumsden, *Thomas Robinson, The Schoole of Musicke (1603), édition et transcription*, Paris 1970 (= Édition du C.N.R.S., Collection Le Cœur des Muses, Corpus des Luthistes Français), Quellenbericht

LUMSDENS = D. Lumsden, *The sources of English lute music (1540–1620)*, in: The Galpin Society Journal VI, Edinburgh 1953, Juli-Heft, S. 14ff.

LUNDSTEDT = B. Lundstedt, *Katalog öfver Finspongs Bibliotek*, Stockholm 1883

LUNELLIM = R. Lunelli, *La musica nel Trentino dal XV al XVIII secolo*, Trento (Trient) 1967

LUNELLIT = R. Lunelli, *Un manoscritto di musica per liuto della Comunale di Trento*, in: Studi Trentini di Scienze storiche XV, Trento (Trient) 1934, Heft III, S. 287ff.; separat Trento 1934

LYONS = D. B. Lyons, *Nathanael Diesel, guitar tutor to a Royal lady*, in: Journal of the Lute Society of America VIII, New York 1975, S. 80ff.

LYONSD = D. B. Lyons, *The Guitar Music of Nathanael Diesel, lutenist to the Royal Danish Court, 1736–1744*, MA-Thesis (maschr.) California State University, Northridge 1975

MACCLINTOCKA = C. MacClintock, *Two lute intabulations of Wert's „Cara la vita"*, in: Fs. Willi Apel, Bloomington 1968, S. 93ff.

MACCLINTOCKB = C. MacClintock, *The Bottegari lutebook, Arie e Canzoni di Cosimo Bottegari, written in 1574, edited by C. M.*, Wellesy (Mass.) 1965 (= The Wellesy Edition Nr. VIII)

MACCLINTOCKC = C. MacClintock, *A Court Musician's Songbook: Modena MS C 311*, in: JAMS IX, 1956, 3, S. 177ff.

MACCLINTOCKK = C. MacClintock, *Besprechung* von Kämper, in: JAMS XXVI, 1973, Nr. 1, S. 161ff.

MACCLINTOCKL = C. MacClintock, *Lucca Ms.774, a 16th-century lutebook* [Bericht über Vortrag, gehalten in Lawrence (Kansas) 1. 5. 1960, in einem Meeting of the Midwestern Chapter], in: JAMS XII, 1959, Nr. 2/3, S. 264

MACCLINTOCKN = C. MacClintock, *Notes on four sixteenth-century Tuscan lutebooks*, in: Journal of the Lute Society of America IV, New York 1971, S. 1ff. (mit Faksimile)

MACHABEY = A. Machabey, *Les origines de la Chaconne et de la Passacaille*, in: Rev. de Musicol. XXVIII, Paris 1946, S. 1ff.

MADAN-CRASTER = F. Madan und H.H.E. Craster, *Summary Catalogue of Western Manuscripts in the Bodleian Library at Oxford*, II ff., Oxford 1922ff.

MAFFON = F. Maffon, *Madrygał i Greghesca na chór a cappella, Fantazja na Lutnię*, Krakau 1970, Einleitung (mit Faksimile) (= Źródla do historii muzyki Polskiej XX)

MAGNI-DUFFLOCQ = E. Magni-Dufflocq, *Storia del liuto*, Mailand 1931

MAIER = J.J. Maier, *Die musikalischen Handschriften der Kgl. Hof- und Staatsbibliothek in München I, Die Handschriften bis zum Ende des XVII. Jahrhunderts*, München 1879 (= Cat. codicum manu scriptorum Bibl. Regiae Monacensis VIII, 1)

MAIERT = E. Maier, *Die handschriftlich überlieferten Tabulaturen für Lauteninstrumente des 17. und 18. Jahrhunderts aus dem Bestand der Österreichischen National-Bibliothek mit dem Wiener Lautenbuch des Jacques de Saint-Luc*, Phil. Diss. maschr. Univ. Wien 1973, *Die Lautentabulaturhandschriften ...*, Wien 1974 (= Tabulae Musicae Austriacae VII). Nach Druckfassung zitiert

MALECEKB = A.R. Malecek, *Anton Rotta, eine biographische Skizze*, in: Fs. Adolph Koczirz, Wien s. a. [1930], S. 20ff.

MALECEKR = A.R. Malecek, *Der Paduaner Lautenmeister Antonio Rotta (ca. 1495–1548)*, Phil. Diss. maschr. Wien 1930

MANGEART = J. Mangeart, *Catalogue* ... de *la Bibliothèque de Valenciennes*, Paris 1860

MANTUANIC = J. Mantuani, *Codicorum musicorum pars I, II (= Tabulae codicum manu scriptorum praeter Graecos et Orientales in Bibliotheca Palatina Vindobonensi asservatorum IX, X)*, Wien 1897, 1899

MANTUANIP = J. Mantuani, *Pasijonska procesija v Loki*, Ljubljana 1917 [Separatdruck aus Zeitschrift Carniola VII,3 und VIII, 1–2, Ljubljana 1916 und 1917]

MARKOWSKA = E. Markowska, *Forma Galiardy*, in: Muzyka XVI, 4, Warschau 1971, S. 73ff.

MARKOWSKAF = E. Markowska, *Faktura tanecnej muzyki lutniowej*, in: Muzyka XV, 1, Warschau 1970, S. 31ff.

MARTELL = J. Martell, *Zur Geschichte der Laute*, in: Der Lautenspieler II, Hamburg 1926, S. 1ff.

MARTINEZ-GÖLLNER = M.L. Martinez-Göllner, *Die Augsburger Bibliothek Herwart und ihre Lautentabulaturen* . . ., in: Fontes Artis Musicae XVI, Kassel 1969, Heft 1/2, S. 29ff.

MARXA = H.J. Marx, *Der Tabulatur-Codex des Basler Humanisten Bonifacius Amerbach*, in: Fs. Leo Schrade, Köln 1963, S. 50ff.

MARXB = H.J. Marx, *Tabulaturen des 16. Jahrhunderts, Teil I, Die Tabulaturen aus dem Besitz des Basler Humanisten Bonifacius Amerbach, Übertragungen und Kritischer Bericht*, Basel 1967 (= Schweizerische Musikdenkmäler VI)

MASON = W.E. Mason, *The lute music of Silvius Leopold Weiß* I, II, Phil. Diss. maschr. Univ. Chapel Hill (North Carolina) 1949

MATHEW = A.G. Mathew, *An old lute book*, in: The Musical Times XC, London 1949, Juni-Heft, Nr. 1276, S. 189ff.

MAYER = M. Mayer, *Placidus von Camerlohers Kirchenmusik und Bühnenwerke*, in: Jahrbuch für Altbayerische Kirchengeschichte XXIII, ed. Deutinger, München 1964, S. 156ff.

MAYERK = H. Mayer, *Besprechung* von KanazawaH, I, II, in: Notes XXV, 3, New York 1969, März-Heft, S. 577f.

MAZUR = *Z muzyki Polskiego Renesansu; transcrycje utworów Lutniów na Gitarę*, ed. T. Mazur, Krakau s. a. [1969], Einleitung

MAZZATINTI = G. Mazzatinti, *Inventari dei manoscritti delle biblioteche d'Italia V, Perugia, Biblioteca comunale*, Rom s. a., S. 56ff.

MCGRADY = R.J. McGrady, *Thomas Morley's First Book of Ayres*, in: The Music Review XXXIII, London 1972, S. 171ff.

MEIER = M. Meier, *Das Liederbuch des Ludwig Iselin*, Phil. Diss. Basel 1912, Basel 1913

MERIANK = W. Merian, *Die Tabulaturen des Organisten Hans Kotter*, Phil. Diss. Basel 1915, Leipzig 1916

MERIANT = W. Merian, *Der Tanz in den deutschen Tabulaturbüchern*, Leipzig 1927

MEYEN = F. Meyen, *Bremer Beiträger am Collegium Carolinum in Braunschweig*, in: BraunschweigerWerkstücke XXVI, Braunschweig 1962, S. 59ff.

MEYERF = K. Meyer, *Katalog der Internationalen Ausstellung Musik im Leben der Völker, Frankfurt am Main 11. Juni–28. August 1927*, Frankfurt M. s. a. [1927]

MEYERSch = Cl. Meyer, *Die Musikaliensammlung in der Mecklenburgischen Landesbibliothek Schwerin*, in: Monatshefte für Mecklenburg XIV, Schwerin 1938, S. 495ff.

MEYLAN = R. Meylan, *La technique de transcription au luth de Francesco Spinacino*, in: Schweizer Beiträge zur Musikwissenschaft I, Basel 1972, S. 83ff.

MIGOT = G. Migot, *F. Campion, Vingt pièces de son livre de tablature de guitare, transcrites en notation moderne par L. Baille, Préface de G. Migot*, Paris 1933, Einleitung

MIXTER = K.E. Mixter, *Two Italian lute Tablatures of 1536*, maschr. Diplomarbeit (MA) Univ. Chicago 1951

MOEB = L. Moe, *Le problème des barres de mesure, étude sur la transcription de la musique de danse des tablatures de luth du XVIe siècle*, in: Le luth et sa musique, ed. J. Jacquot, Paris 1958 (= Éditions du C.N. R.S.), S. 259ff.

MOED = L. Moe, *Dance music in printed Italian lute tablatures (1507–1611)* I, II, Phil. Diss. maschr. Harvard Univ. (Mass.) 1956

MOEF = L. Moe, *Folia*, in: Harvard Dictionary of Music, ed. W. Apel, 2. Aufl. Cambridge (Mass.) 1969, S. 322f.

MÖNKEMEYER = H. Mönkemeyer, *Die Tabulatur. Ausgewählte Werke in ihrer Originalnotation mit Übertragungen für Laute (oder ein Tasteninstrument) und Gitarre*, Heft I–XIV, Hofheim am Taunus 1965–1970, Einleitungen

MONDOLFO = A. Mondolfo, *La biblioteca Landau-Finaly*, in: Studi di bibliografia in memoria di L. de Gregori, Rom 1949, S. 265ff.

MORCOURTA = R. de Morcourt, *Œuvres d'Adrian Le Roy, Pseaumes, Tiers livre 1552, Instruction 1574, Édition et transcription*, Paris 1963 (= Éditions du C.N.R.S.), Einleitung

MORCOURTB = R. de Morcourt, *Le livre de tablature de luth de Domenico Bianchini (1546)*, in: La musique instrumentale de la renaissance, Paris 1955 (= Éditions du C.N.R.S.), S. 177ff.

MORCOURTBB = R. de Morcourt, *Domenico Bianchini, Intabolatura de lauto, libro I, transcription ... pour guitare et pour luth, avec notes critiques*, Hyères 1954, Einleitung

MORCOURTP = R. de Morcourt, *Adr. Le Roy et les pseaumes pour luth*, in: Annales Musicologiques III, Paris 1955, S. 179ff.

MORCOURTR = R. de Morcourt, A. Souris, *Premier livre de tablature de luth (1551), Adrian Le Roy*, Paris 1960 (= Éditions du C.N.R.S.)

MORPHYE = G. de Morphy, *Les luthistes espagnols du XVIe siècle. Die spanischen Lautenmeister des 16. Jahrhunderts. Mit 5 Tafeln und einem Vorwort von F. A. Gevaert* [frz. revidiert von Ch. Malherbe, dt. übersetzt von H. Riemann] I, II, Leipzig 1902

MORPHYS = G. de Morphy, *Spanische Lautenisten des 16. Jahrhunderts*, in: ZIMG III, 1902/1903, S. 496ff.

MORPURGO = R. Morpurgo, *I manoscritti della R. Biblioteca Riccardiana* I, Rom 1893, 1900

MORROW = M. Morrow, *16th century ensemble Viol music*, in: Early Music, ed. J. M. Thomson, II, 3, London 1974, S. 160ff.

MOSER = A. Moser (und H.J. Moser), *Geschichte des Violinspiels*, Berlin 1923

MOT = G.J. Mot, *Un musicien carcassonnais sous Louis XIII: Étienne Moulinié*, in: Bulletin de la société d'Études scientifiques de l'Aude LVII, Carcassonne 1956, S. 87ff.

MUELLER = J. Mueller, *Die musikalischen Schätze der Kgl. und Univ.-Bibliothek zu Königsberg in Pr., aus dem Nachlaß Fr. Aug. Gottholt*, Königsberg 1870

MÜLLER-BLATTAU = J.M. Müller-Blattau, *Die musikalischen Schätze der Staats- und Univ.-Bibliothek zu Königsberg in Preußen*, in: ZfMw VI 1923/1924, S. 215ff.

MUMFORD = I. L. Mumford, *Musical settings to the pœms of Sir Thomas Wyatt*, in: ML XXXVII, 1956, Oktober-Heft, S. 315ff.

MUÑOZ = R. Muñoz, *Historia de la guitarra*, Buenos Aires 1933

MURPHY = R.M.Murphy, *Fantaisie et Recercare dans les premières tablatures de luth du XVIe siècle*, in: Le luth et sa musique, ed. J. Jacquot, Paris 1958 (= Éditions du C.N. R.S.), S. 127ff.

MURPHYG = S. Murphy, *Seventeenth-century Guitar music: Notes on Rasgueado performance*, in: The Galpin Society Journal XXI, Edinburgh 1968, March, S. 24ff.

MURPHYT = S. Murphy, *The tuning of the five-course guitar*, in: The Galpin Society Journal XXIII, Edinburgh 1970, August-Heft, S. 49ff.

MUSICA BRITANNICA IX = *Musica Britannica, a national edition of music* IX, *Jacobean Consort Music*, edd. Th. Dart, W. Coates, London 1955

MUSICA BRITANNICA XV = *Musica Britannica, a national edition of music* XV, *Music of Scotland 1500–1700*, ed. K. Elliott (und H.M. Shire), London 1957; 2., verbesserte Auflage ibid. 1962 (nach letzterer zitiert)

MUSICA BRITANNICA XXII = *Musica Britannica, a national edition of music* XXII, *Consort Songs*, ed. Ph. Brett, London 1967

MUSIC FOR THE LUTE I = *Music for the lute (general editor: D. Lumsden)* I, *Elizabethan Popular Music*, ed. B. Jeffery, London s. a. [1966]

MUSIC FOR THE LUTE II = *Music for the lute (general editor: D. Lumsden)* II, *Francis Cutting, Selected Works*, ed. M. Long, London s. a. [1968]

NEEMANNA = H. Neemann, *Alte Meister der Laute*, Heft 1ff., Wolfenbüttel 1921ff., Einleitungen

NEEMANNAS = H. Neemann, *Alte Lautenschulen*, in: Die Gitarre VII, Berlin 1926, S. 8f.

NEEMANNB = H. Neemann, *Die Lautenkompositionen Bachs*, in: Bach-Jahrbuch XXVIII, Leipzig 1931, S. 72ff.

NEEMANND = H. Neemann, *J. F. Daube, Trio in d-moll für Laute, Flöte (Violine)*

und Klavier nach einer alten Handschrift bearbeitet und herausgegeben, Berlin-Lichterfelde s. a. [1927] (= Alte Haus- und Kammermusik mit Laute; Verlags-Nr. 1737)

NEEMANNDL = H. Neemann, *Die doppelchörige Laute*, Berlin-Fredersdorf s. a. [1932], Einleitung

NEEMANNF = H. Neemann, *Die Lautenfamilie Weiß*, in: AfMw IV, 1939, S. 157ff.

NEEMANNK = H. Neemann, *Laute- und Gitarrehandschriften in Kopenhagen*, in: AMl IV, 1932, S. 121ff.

NEEMANNL = H. Neemann, *Lautenmusik des 17. und 18. Jahrhunderts* = Das Erbe deutscher Musik, Reihe I: Abteilung Orgel/Klavier/Laute XII, 2, Braunschweig 1939, Einleitung, Kritischer Bericht

NEEMANNLK = H. Neemann, *Der Lautenkreis* I, Berlin-Fredersdorf s. a. [1932], Einleitung

NEEMANNLT = H. Neemann, *Laute und Theorbe als Generalbaßinstrumente im 17. und 18. Jahrhundert*, in: ZfMw XVI, 1934, S. 527ff.

NEEMANNM = H. Neemann, *Philipp Martin, ein vergessener Lautenist...*, in: ZfMw IX, 1927, S. 545ff.

NEEMANNR = *Friedrich Wilhelm Rust, Sonate in d-moll für Laute und Violine*, ed. H. Neemann, Berlin-Lichterfelde 1926 (= Alte Haus- und Kammermusik mit Laute)

NEEMANNS = H. Neemann, *Von der alten Laute und ihrem Spiel*, in: Deutsche Musikkultur I, Kassel 1936, S. 147ff.

NEEMANNSP = H. Neemann, *Die Spieltechnik der alten Lautenmeister*, in: Die Gitarre VI, Berlin 1924/1925, S. 21f.

NEEMANNW = H. Neemann, *Die Lautenhandschriften von Sylvius Leopold Weiß in der Bibliothek Dr. Werner Wolffheim, Berlin-Grunewald*, in: ZfMw X, 1928, S. 396ff.

NEEMANNZ = H. Neemann, *Zur Bibliographie der Lauten-Kompositionen von S. L. Weiß*, in: Der Neue Pflug III, Wien 1928, Beilage „Musik im Haus" VII, S. 75f.

NELSON = E.F. Nelson, *An introductory study of the English three-part string Fancy*, Phil. Diss. maschr. Univ. Cornell 1960

NERI = A. Neri, *Studi bibliografici e letterari*, Genua 1890

NESS = A.J. Ness, *The complete works of Francesco da Milano, edited by A. J. N.*, I, II, Cambridge (Mass.) 1970, 1971 (= Harvard Publications in Music III, IV)

NETTLB = P. Nettl. *Die Bergamaska*, in: ZfMw V (1922–23), S. 291ff.

NETTLBE = P. Nettl, *Beitrag zur Geschichte der Tanzmusik im 17. Jahrhundert*, in: ZfMw IV, 1922, S. 257ff.

NETTLM = P. Nettl, *Musicalia der Fürstlich Lobkowitz'schen Bibliothek in Raudnitz*, in: Musik-Barock, Beiträge zur böhmischen und mährischen Musikgeschichte, Brünn 1927, S. 60ff.

NETTLÖ = P. Nettl, *Ein österreichisch-böhmisches Manuskript volkstümlicher Barockmusik*, in: Mf V, 1952, S. 171ff.

NETTLR = P. Nettl, *Musicalia der Fürstlich Lobkowitz'schen Bibliothek in Raudnitz*, in: Mitteilungen des Vereins für die Geschichte der Deutschen in Böhmen LVIII, Prag 1919, S. 88ff.

NETTLV = P. Nettl, *Zur Vorgeschichte der süddeutschen Tänze*, in: Bulletin de la Société „Union Musicologique" III, Paris 1923

NEWCOMBB = W.W. Newcomb, *William Barley's „A new booke of tabliture" (1596), an edition and study of the earliest printed English lute book*, MA-Thesis University of Indiana, Bloomington (Indiana) 1960

NEWCOMBL = W.W. Newcomb, *Studien zur englischen Lautenpraxis im elisabethanischen Zeitalter, Beiträge zur Kenntnis des spezifischen Instrumentalstils zwischen Spätrenaissance und Frühmonodie*, Phil. Diss. Göttingen 1966, Kassel-Basel 1968

NEWCOMBS = W.W. Newcomb, *Lute music of Shakespeare's time*, MA-Thesis in ergänzter Form [vgl. NewcombB], University Park (Pa.) 1966 (= Pennsylvania Music Series)

NEWMAN = J.E. Newman, *Fr. Canova da Milano, a lutenist of the sixteenth century*, Phil. Diss. maschr. New York Univ. 1942

NEWMANG = J. E. Newman, *A gentleman's lute book: The tablature of Gabriello Fallamero*, in: Current Musicology, Columbia University New York, 1965, S. 175ff.

NEWTON = R. Newton, *English lute music of the Golden Age*, *in*: Proceedings of the Royal Musical Association, Session LXV, Leeds 1939, S. 63ff.

NEWTONE = R. Newton, *English Duets for two lutes*, in: The Lute Society Journal I, London 1958, S. 7ff.

NICKEL = H. Nickel, *Beitrag zur Entwicklung der Gitarre in Europa*, Haimhausen 1972

NOACKD = Elisabeth Noack, *Musikgeschichte Darmstadts vom Mittelalter bis zur Goethezeit*, Mainz 1967 (= Beiträge zur Mittelrheinischen Musikgeschichte VIII)

NOACKS = Friedrich Noack, *Die Tabulaturen der Hessischen Landesbibliothek zu Darmstadt*, in: Schweizerische Musikforschende Gesellschaft, Bericht . . ., 26.–29. 9. 1924, Leipzig 1925, S. 276ff.

NOACKT = Friedrich Noack, *Die Tabulaturen der Hessischen Landesbibliothek zu Darmstadt*, in: Kongr.-Ber. IMG Basel 1924, Leipzig 1925, S. 276ff.

NOBLE = J. Noble, *Le repertoire instrumental anglais (1550–1585)*, in: La musique instrumentale de la renaissance, Paris 1955 (= Éditions du C.N.R.S.)

NORDSTROM = L. Nordstrom, *The Cambridge consort books*, in: Journal of the Lute Society of America V, New York 1972, S. 70ff.

NORLINDB = T. Norlind, *Vor 1700 gedruckte Musikalien in den schwedischen Bibliotheken*, in: SIMG IX, 1907/1908, S. 198ff.

NORLINDE = T. Norlind, *Die englische Lautenmusik zur Zeit Shakespeares*, in: Kongr.-Ber. IMG 1911, London 1912, S. 331, englische Fassung in: ZIMG XIII, 1911/1912, S. 75f.

NORLINDS = T. Norlind, *Musikgeschichte Schwedens*, in: SIMG I, 1899/1900, S. 183ff.

NORLINDSL = T. Norlind, *Den Svenska lutan*, in: Svensk Tidskrift för Musikforskning XVII, Stockholm 1935, S. 5ff.

NORLINDTII = T. Norlind, *Från Tyska kyrkans glansdagar* II, Stockholm 1944 (= Bilder ur Svenska musikens historia III)

NORLINDTIII = T. Norlind, *Från Tyska kyrkans glansdagar* III, Stockholm 1945 (= Bilder ur Svenska musikens historia IV)

NOSKEE = F.R. Noske, *Early versions of the Dutch national anthem*, in: Fontes Artis Musicae XIII, Kassel-Basel 1966, S. 87ff.

NOSKEL = F.R. Noske, *Luitcomposities van Jan Pieterszoon Sweelinck*, in: Orgaan der Koninklijke Nederlandsche Toonkunstenaars-Vereeniging (KNTV) XII, Amsterdam 1957, S. 46ff.

NOSKER = F. Noske, *Remarques sur les luthistes des Pays-Bas (1580–1620)*, in: Le luth et sa musique, ed. J. Jacquot, Paris 1958 (= Éditions du C.N.R.S.), S. 179ff.

NOSKES = *J. P. Sweelinck, Opera Omnia, editio altera . . .* I, *The Instrumental Works*, ed. G. Leonhardt, A. Annegarn, F. Noske, Amsterdam 1968, Einleitung S. XXff. *(Sources)*

NOWAK = L. Nowak, *Paul Hofhaymers „Nach willen dein" in den Lautentabulaturen des 16. Jahrhunderts, ein Vergleich*, in: Fs. Adolph Koczirz, Wien s. a. [1930], S. 25ff.

OBOUSSIER = Ph. Oboussier, *Turpin's book of lute songs*, in: ML XXXIV, 1953, S. 145ff.

OCHS = G. Ochs, *Barth. Pękiel, Vierzig Stücke für Laute*, Krakau 1960 [deutsche Ausgabe] (= Polskie Wydawnictwo Muzyczne)

OCHSP = *Bartłomiej Pękiel, 40 utworów na lutnię lub gitarę w stroju . . .*, Warschau s. a. [1960], Vorwort von Z.M. Szweykowski

OLDHAM = G. Oldham, *„La Furstenberg" and Purcell*, in: Recherches sur la musique française classique III, Paris 1963, S. 39ff.

OLSHAUSEN = U. Olshausen, *Das Lautenbegleitete Sololied in England um 1600, mit einem Register der unveröffentlichten Lieder*, Phil. Diss. Frankfurt a. M. 1963

OPIEŃSKID = H. Opieński, *Dawne tańce Polskie z XVI i XVII wieku*, Warschau 1911, Einleitung

OPIEŃSKI = H. Opieński, *Objaśnienia do dodatku nutowego „Dawne tańce polskie"*, in: Kwartalnik Muzyczny I, Warschau 1911–1913, S. 108ff., Heft 1

OPIEŃSKIQ = H. Opieński, *Quelques considérations sur l'origine des ricercari pour luth*, in: Fs. Lionel de la Laurencie, Paris 1933, S. 39ff.

OPIEŃSKIR = H. Opieński, *Jacob Polonais et Jacobus Reys*, in: Fs. Hugo Riemann, Leipzig 1909, S. 349ff.

OPIEŃSKIT = H. Opieński, *Tzese Cistow luthisty Bekwarka*, in: Kwartalnik Muzyczny XII, Warschau 1930, Nr. 6/7

OPIEŃSKIVB = H. Opieński, *Valentin Greff-Bekwark*, Phil. Diss. maschr. Leipzig 1914

ORTNER = O. Ortner, *Adrian Willaerts Lautenbearbeitungen von Madrigalen des Philippe Verdelot*, Phil. Diss. maschr. Wien 1939

OSOSTOWICZ = A. Osostowicz, *Nieznany sześciogłosowy motet i utwory organowe Diomedesa Catona z tabulatury toruńskiej*, in Muzyka IV, 3, Warschau 1959, S. 45ff.
OSTHOFF = H. Osthoff, *Der Lautenist Santino Garsi da Parma, ein Beitrag zur Geschichte der oberitalienischen Lautenmusik am Ausgang der Spätrenaissance*, Phil. Diss. Berlin 1922, Leipzig 1926 (= Sammlung musikwissenschaftlicher Einzeldarstellungen, Heft VI)

PÄFFKEN = P. Päffken, *Die Stellung Hans Newsidlers in der Lautenmusik des 16. Jahrhunderts*, Phil. Diss. maschr. Köln 1970
PALISCA = Cl. V. Palisca, *Vincenzo Galilei's arrangements for voice and lute*, in: Fs. Dragan Plamenac (Essais in Musicology), Pittsburgh s. a. [1969], S. 207ff.
PALISKAG = Cl. V. Paliska, *Vincenzo Galilei and some links between 'Pseudomonody' and monody*, in: MQ XLVI, 1960, S. 350ff.
PALISKAGA = Cl. V. Paliska, Art. *Galilei*, in: MGG IV (1955), S. 1265ff.
PANUM = H. Panum, *Die Laute und die Lautenmusik des 16.–18. Jahrhunderts*, in: ZIMG II, 1900/1901, S. 292f.
PAOLONE = E. Paolone, *Codici Musicali della Biblioteca Oliveriana e della Biblioteca del R. Conservatorio di Musica di Pesaro*, in: RMI XLVI, 1942, S. 186ff.
PAUMGARTNER = B. Paumgartner, *F. Conti*, in: MGG II (1952), S. 1640f.
PAYNE = E. J. Payne, *The Viola da Gamba*, in: Proceedings of the Royal Musical Association, Session IV, Leeds 1889, S. 91ff.
PAZDRO = W. Pazdro, *O transkrypcjach muzyki lutniowej*, in: Ruch Muzyczny XVI, Warschau 1972, S. 16f.
PEART = D. Peart, *Alfonso Ferrabosco and the Lyra Viol*, in: Musicology II, Journal of the Musicological Society of Australia, Sidney University 1965/1967, S. 13ff.
PELLANDA-WEBER = A. Pellanda-Weber, *Die Lautentabulatur des Ludwig Iselin, eine kritische Übertragung der Lautentabulatur Basel U. B. Ms. F. IX. 23*, Phil. Diss. maschr. Univ. Fribourg/Schweiz 1972
PEREGRINUS = J. Peregrinus, *Geschichte der Salzburgischen Domsängerknaben*, Salzburg 1889
PETSCHAUER = R. Petschauer, *Three spagnolettas from the Bentivoglio manuscript*, in: The Guitar Review XXXII, New York 1969, S. 4ff.
PFUDEL = E. Pfudel, *Die Musik-Handschriften der Kgl. Ritterakademie zu Liegnitz*, in: Beilage MfM XVIII, 1886 und XXI, 1889
PICKEN = L. Picken, *The origin of the short lute*, in: The Galpin Society Journal VIII, Edinburgh 1955, März-Heft, S. 32ff.
PIDOUX = P. Pidoux, *Les pseaumes d'Antoine de Mornable, Guillaume Morlaye et Pierre Certon (1546, 1554, 1555)*, in: Annales Musicologiques V, Paris 1957, S. 179ff.
PIERCE = J. Pierce, *Hans Gerle, sixteenth-century lutenist and pedagogue*, Phil. Diss. maschr. Univ. of North Carolina, Chapel Hill 1973
PLAMENAC = D. Plamenac, *An unknown violin tablature of the early 17th century*, in: Papers of the American Musicological Society, Annual Meeting Minneapolis, Minnesota 1941, New York 1946, S. 144ff.
PLAMENACM = D. Plamenac, *Music Libraries in the Eastern Europe (Part III)*, in: Music Library Association Notes, 1962, Sept.-Heft
PLOCEK = V. Plocek, *Zur Problematik der ältesten tschechischen Tanzkompositionen*, in: Studia Musicologica XIII, Budapest 1971, S. 241ff.
PODOLSKI = M. Podolski, *À la recherche d'une méthode de transcription formelle des tablatures de luth*, in: Le luth et sa musique, ed. J. Jacquot, Paris 1958 (= Éditions du C.N.R.S.), S. 277 ff.
POHANKAD = J. Pohanka, *Dějiny české hudby v příkladech*, Prag 1958
POHANKAJ = J. Pohanka, *Jan Antonín Losy, Pièces de guitare*, Prag 1958 (= Musica Antiqua Bohemica XXXVIII), Einleitung
POHANKAL = J. Pohanka, *Loutnové tabulatury z Rajhradského kláštera*, in: Časopis Moravského Musea (Acta Musei Moraviae) XL, Brünn 1955, S. 193ff.
POHANKAO = J. Pohanka, *O nejstarších českých skladbách pro loutnu*, in: Hudební Rozhledy VIII, Prag 1955, S. 245ff.
POHANKAT = J. Pohanka, *Lidové tance z pozůstalosti Kristiána Hirschmentzla*, in: Radostná Země X, Opava (Troppau) 1960, H. 4, S. 105ff.

POHLMANN = E. Pohlmann, *Laute, Theorbe, Chitarrone. Die Lauteninstrumente, ihre Musik und Literatur von 1500 bis zur Gegenwart*, Lilienthal-Bremen 1968, Archiv Deutsche Musikpflege (4. Aufl. ibid. 1976, Eres-Edition)

POLIŃSKI = A. Poliński, *Dzieje muzyki polskiej w zarysie*, Lemberg 1907

PORTER = W.V. Porter, *Besprechung* von MacClintockB, in: JAMS XX, 1, 1967, S. 126ff.

POULTONA = D. Poulton, *Letter to the editor: „My Lady Hunsdon's Puffe"*, in: The Musical Times CV, London 1964, Juli-Heft, S. 518f.

POULTONB = *English Ballad tunes, for the lute, transcribed and edited . . .*, D. Poulton, Cambridge s. a. [1965], Gamut Publications (= The Cambridge Lute Series, Nr. 2)

POULTONC = D. Poulton, *John Dowland's 'Can She Excuse My Wrongs' – B flat or natural?*, in: The Lute Society Journal IX, London 1967, S. 41ff.

POULTONCh = D. Poulton, *Checklist of recently discovered English Lute manuscripts*, in: Early Music, ed. J. M. Thomson, III, 2, London 1975, April-Heft, S. 124ff.

POULTOND = D. Poulton, *The lute music of John Dowland*, in: The Consort VIII, London 1951, Juni-Heft, S. 10ff.

POULTONDO = D. Poulton, *John Dowland, his life and works*, London 1972 (Univ. of California Press 1971)

POULTONDS = D. Poulton, *Was John Dowland a singer?*, in: The Lute Society Journal VII, London 1965, S. 32ff.

POULTONDT = D. Poulton, *Lute stringing in the light of surviving tablatures*, in: The Lute Society Journal VI, London 1964, S. 14ff.

POULTONE = D. Poulton, *Letter to the editor: John Dowland*, in: The Musical Times CV, London 1964, April, S. 275f.

POULTONGR = D. Poulton, *Graces of play in Renaissance lute music*, in: Early Music, ed. J.M. Thomson, III, 2, London 1975, April-Heft, S. 107f.

POULTONH = D. Poulton, *Tobias Hume, Aires . . .* [Faksimile], ed. F.W. Sternfeld, Oxford 1969, Einleitung

POULTONI = D. Poulton, *An Introduction to lute playing*, London 1961

POULTONPB = D. Poulton, *Besprechung* von Edit. *Pièces de luth composées par M: Jacques Bittner 1682* (London 1974), in: Early Music IV, Oxford 1976, Juli-Heft, S. 331

POULTONS = D. Poulton, *John Dowland's songs and their instrumental forms*, in: Monthly Musical Record LXXXI, London 1951

POULTONT = D. Poulton, *La technique du jeu du luth en France et en Angleterre*, in: Le luth et sa musique, ed. J. Jacquot, Paris 1958 (= Éditions du C.N.R.S.), S. 107ff.

POULTONSP = D. Poulton, *Notes of the Spanisch Pavan*, in: The Lute Society Journal III, London 1961, S. 5ff.

POULTON-LAM = *The collected lute music of John Dowland, ed. D. Poulton, B. Lam*, London 1974

POŹNIAKC = P. Poźniak, *Diomedes Cato, Preludia, fantazje, tańce i madrygały na lutnię*, Warschau s. a. [1967] (= Wydawnictwo Dawnej Muzyki Polskiej XXIV), Einleitung

POŹNIAKCC = P. Poźniak, *Diomedes Cato, Preludia, fantazja, tańce i madrygały na lutnię* II, Warschau s. a. [1973] (= Wydawnictwo Dawnej Muzyki Polskiej LXVII), Einleitung

POŹNIAKCH = P. Poźniak, *Utwory Polskich lutnistów w rękopisie Tabulaturze lorda Herberta of Cherbury*, in: Z dziejów Muzyki Polskiej XV, Warschau–Krakau [Bydgoszcz] 1971, S. 27ff.

POŹNIAKD = P. Poźniak, *W. Długoray, Fantazje i wilanele na lutnię*, Warschau s. a. [1966] (= Wydawnictwo Dawnej Muzyki Polskiej XXIII), Einleitung

POŹNIAKG = *Giovanni Francesco Maffon, madrygał i Greghesca, na chór a capella. Fantazja na lutnię, przygotował do wydania . . .*, ed P. Poźniak, Krakau s. a. [1970] (= Źródła do historii muzyki Polskiej, zeszyt XX)

POŹNIAKP = P. Poźniak, *Jac. Polak, Preludia, fantazje i tańce na lutnię*, Warschau s. a. [1965] (= Wydawnictwo Dawnej Muzyki Polskiej XXII), Einleitung

POŹNIAKW = P. Poźniak, *Wersja kameralna i lutniowa jednej z Fantazji Diomedesa Catona*, in: Muzyka XIII, 2, Warschau 1968

POŹNIAKZ = P. Poźniak, *Z problematyki transkrypcij muzyki lutniowej*, in: Muzyka XII, Warschau 1967, Nr. 2, S. 3ff.
PRICE = D. C. Price, *Gilbert Talbot, seventh Earl of Shrewsbury: an Elizabethan Courtier and his music*, in: ML LVII, 1976, April-Heft, S. 144ff.
PRICEC = C. A. Price, *An organizationel peculiarity of Lord Herbert of Cherbury's Lute book*, in: The Lute Society Journal IX, London 1969, S. 46 ff.
PROD'HOMME = J.-G. Prod'homme, *Guillaume Morlaye, éditeur d'Albert de Ripe, luthiste et bourgeois de Paris*, in: Rev. de Musicol. IX, 1925, S. 157ff.
PRUNIÈRES = H. Prunières, *Documents pour servir à la biographie des luthistes R. Ballard et F. Pinel*, in: SIMG XV, 1914, S. 587ff.
PRUSIKK = K. Prusik, *Kompositionen des Lautenisten Sylvius Leopold Weiß*, Phil. Diss. maschr. Wien 1924
PRUSIKS = K. Prusik, *Die Sarabande in den Solopartien des Lautenisten Sylvius Leopold Weiß (1686–1750) nach den Tabulaturen der Wiener Nationalbibliothek*, in: Fs. Adolph Koczirz, Wien s. a. [1930], S. 36ff.
PRYNNE = M. Prynne, *James Talbot's manuscript (Christ Church Library Music Ms. 1187)* [Fortsetzung] IV, in: The Galpin Society Journal XIV, Edinburgh 1961, März-Heft, S. 52ff.
PRYNNEL = M. Prynne, *Lute and lute music, in*: The Guitar Review XXVII, New York 1963, Oktober-Heft, S. 9ff.
PUDELKOB = W. Pudelko, *Aus dem Baltischen Lautenbuch 1740 . . .*, Kassel 1933 (= Spielstücke für Blockflöten, Geigen, Lauten oder andere Instrumente, Heft IX), Einleitung
PUDELKOM = W. Pudelko, *Meisterwerke alter Lautenkunst*, Heft Iff., Augsburg 1925ff., Einleitungen
PUJOLG = E. Pujol, *La guitare*, in: Encyclopédie de la musique II, 3, ed. Lavignac, Paris 1927, S. 1997ff.
PUJOLH = E. Pujol, *Hispaniae Citharae ars viva, Antologia de musica selecta para guitarra transcrita de la tablatura antigua . . .*, Mainz 1955 (= Gitarre-Archiv Schott, Nr. 176), Einleitung
PUJOLM = E. Pujol, *A. Mudarra, Tres libros de música en cifra para vihuela (Sevilla 1546), transcriptión y estudio*, Barcelona 1949 (= Monumentos de la Música Española, Bd. VII, ed. Consejo Superior de Investigaciones Cientificas, Instituto Español de Musicología), Kapitel I: *La Vihuela e la música instrumental del siglo XVI*
PUJOLN = E. Pujol, *L. de Narváez, Los seys libros del Delphin de música de cifra para tañer vihuela (Valladolid 1538), transcriptión y estudio*, Barcelona 1945 (= Monumentos de la Música Española, Bd. III, ed. Consejo Superior des Investigaciones Cientificas, Instituto Español de Musicología), Prefacio S. 5ff.
PUJOLR = E. Pujol, *Les ressources instrumentales et leur rôle dans la musique pour vihuela et pour guitare au XVIe et au XVIIe siècle*, in: La musique instrumentale de la renaissance, Paris 1955 (= Éditions du C.N.R.S.) S. 205ff.
PUJOLS = E. Pujol, *Significatión de Joan Carlos Amat (1572–1642) en la historia de la guitarra*, in: Annuario Musical V, Barcelona-Madrid 1950, 125ff.
PUJOLV = E. Pujol, *Robert de Visée: Sarabande, Menuet, Passacaile en mi mineur pour guitare; Petite suite en ré mineur pour guitare; Suite en sol mineur pour guitare; Le tombeau de F. Corbetta pour guitare*, Paris 1957, 1955, 1955, 1957 (= Bibl. de musique ancienne et moderne pour guitare, Nr. 1050, 1007, 1027, 1051), Einleitungen
PULVER = J. Pulver, *The Viols in England*, in: Proceedings of the Royal Musical Association, Session XLVII, London 1920, S. 41ff.
PULVERF = J. Pulver, *Folies d'Espagne*, in: The Monthly Musical Record L, London 1920, S. 32ff.

QUADT = A. Quadt, *Lautenmusik aus der Renaissance*, 1., *Nach Tabulaturen herausgegeben*, Leipzig-Wien s. a., Vorwort datiert 1967, Anhang („*Quellenverzeichnis*")
QUADTB = *E.G. Baron, Fantasie für die Laute. E.G. Baron, 12 Menuetten . . .*, ed. A. Quadt, Leipzig 1969, Vorwort
QUITTARD = H. Quittard, *Anthoine Francisque, „Trésor d'Orphée" 1600*, Paris 1907

RACEK = J. Racek, *Česká hudba*, Prag 1958
RADECKE = E. Radecke, *Das deutsche weltliche Lied in der Lautenmusik des 16. Jahr-*

hunderts, in: VfMw VII, 1891, S. 285ff. (Phil. Diss. Berlin 1891)

RadkeA = H. Radke, *Ausgewählte Stücke aus einer Angelica- und Gitarrentubalatur aus der zweiten Hälfte des 17. Jahrhunderts*, Graz 1967 (= Musik Alter Meister XVII)

RadkeAD = H. Radke, *Besprechung* von HeartzA, in: Mf XX (1967), S. 112ff.

RadkeB = A. Radke, *War J. S. Bach Lautenspieler?* in: Fs. Hans Engel, Kassel-Basel 1964, S. 281ff.

RadkeBA = H. Radke, *Besprechung* von A. Souris-S. Spycket-M. Rollin, Robert Ballard, Premier livre (1611), Paris 1963, in: Mf XVIII (1965), S. 234f.

RadkeBB = H. Radke, *Besprechung* von A. Souris-S. Spycket-J. Veyrier-M. Rollin, Robert Ballard, Deuxième livre (1614), Paris 1964, in: Mf XX (1967), S. 111f.

RadkeBQ = H. Radke, *Besprechung* von RollinBC, in: Mf XXVII (1974), S. 503f.

RadkeC = H. Radke, *Diomedes Cato*, in: MGG XV Supplement (1973), S. 1381f.

RadkeCB = H. Radke, *Besprechung* von MacClintockB, in: Mf XXI (1968), S. 135f.

RadkeCH = H. Radke, *Zu R. Chiesas Ausgabe der Lautenkompositionen von Francesco da Milano*, in: Mf XXVI (1973), S. 77ff.

RadkeD = H. Radke, *Besprechung* von RollinD, in: Mf XXI (1968), S. 136ff.

RadkeE = H. Radke, *Bemerkungen zu den Lautenisten Ennemond Jacques und Pierre Gaultier*, in: Österreichische Musikzeitschrift XVII, Wien 1962, Oktober-Heft, S. 482ff.

RadkeEZ = H. Radke, *Theorbierte Laute (liuto attiorbato) und Erzlaute (archiliuto)*, in: Mf XXV (1972), S. 481ff.

RadkeG = H. Radke, *Besprechung* von RollinG, in: Mf XXII (1969), S. 141ff.

RadkeGL = H. Radke, *Bemerkungen zur Lautenistenfamilie Gallot*, in: Mf XIII, 1960, S. 51ff.

RadkeK = H. Radke, *Besprechung* von Klöckner, in: Mf XXVI (1973), S. 273ff.

RadkeL = H. Radke, *Beiträge zur Erforschung der Lautentabulaturen des 16.–18. Jahrhunderts*, in: Mf XVI (1963), S. 34ff.

RadkeLA = H. Radke, *Wolff Jacob Lauffensteiner. Zwei Präludien und fünf Partien für Laute*, Graz 1973 (= Musik Alter Meister XXX), Einleitung S. Vff.

RadkeLT = H. Radke, *Wodurch unterscheiden sich Laute und Theorbe?* in: AMl XXXVII (1965), S. 73ff.

RadkeP = H. Radke, *Zum Problem der Lautentabulatur-Übertragung*, in: AMl XLIII (1971), S. 94ff.

RadkeR = H. Radke, *Antonio Rotta*, in: MGG XI (1963), S. 995f.

RadkeRM = H. Radke, *Besprechung* von RollinM, in Mf XXVI (1973), S. 413f.

RadkeSl = H. Radke, *Studien zur Lautenmusik*, in: Mf XXIII (1970), S. 65ff.

RadkeSt = H. Radke, *Rudolf Straube*, in: MGG XII (1965), S. 1445ff.

RadkeStr = H. Radke, *Strobel, Valentin (II)*, in: MGG XII (1965), S. 1610

RadkeT = H. Radke, *Besprechung* von RollinC, in: Mf XXIV (1971), S. 113f.

RadkeTh = H. Radke, *Johan Thysius*, in: MGG XIII (1966), S. 382f.

RadkeThu = H. Radke, *Besprechung* von FlotzingerT, in: Mf XXVII (1974), S. 273f.

RadkeV = H. Radke, *Besprechung* von RollinV, in: Mf XXVI (1973), S. 414ff.

RadkeVa = H. Radke, *Nicolas Vallet*, in: MGG XIII (1966), S. 1243f.

RadkeVi = H. Radke, *Jérôme Vignon*, in: MGG XIII (1966), S. 1620

RadkeW = H. Radke, *Johann Georg Weichenberger, 7 Praeludien, 3 Partiten und eine Fantasie für Laute*, Graz 1970 (= Musik Alter Meister XXV/XXVI), Einleitung

RadkeWa = H. Radke, *Matthaeus Waissel*, in: MGG XIV (1968), S. 138f.

RadkeWe = H. Radke, *Hans Jakob Wecker*, in: MGG XIV (1968), S. 351f.

RadkeWy = H. Radke, *Rudolf Wyssenbach*, in: MGG XIV (1968), S. 920ff.

Radke-Disertori = H. Radke-B. Disertori, *Francesco Spinacino*, in: MGG XII (1965), S. 1046ff.

Ramertówna = cf. auch Szczepańska

RamertównaL = M. Ramertówna [-Szczepańska], [Alte Meister der Laute], in: Kwartalnik Muzyczny IV, Warschau 1928, S. 16ff.

RamertównaP = M. Ramertówna [-Szczepańska], *Przyczynek do historii polskiej muzyki lutniowej w XVII wieku* [Beiträge zur Geschichte der polnischen Lautenmusik im 17. Jahrhundert], Phil. Diss. maschr. Lemberg 1938

RASMUSSEN = K. Rasmussen, *Nathanael Diesels guitarkompositioner*, in: Dansk Aarbog for Musikforskning III, Kopenhagen 1963, S. 27ff.

RASTALL = *The Turpyn Book of Lute Songs. King's College, Cambridge, Rowe Ms 2 made in facsimile by L. Hewitt, with an introduction by R. Rastall*, Leeds 1974 (= Early Music in Facsimile II)

RATTAY = C. Rattay, *Die Ostracher Liederhandschrift*, Halle 1911

RAVE = W. J. Rave, *Some manuscripts of french lute music 1630–1700, an introductory study*, University Microfilm, Ann Arbor, Michigan 33: 5769 A – 70 A (April 1973)

REESEF = G. Reese, *An early seventeenth-century Italian lute manuscript at San Francisco*, in: Fs. Dragan Plamenac (Essais in Musicology), Pittsburgh s. a. [1969], S. 253ff.

REESEO = G. Reese, *The origin of the English In Nomine*, in: JAMS II, New York 1949, S. 7ff.

REESER = G. Reese, *Music in the Renaissance*, New York 1954

REICH = W. Reich, *Wertvolle Erwerbung*, in: Sächsische Landesbibliothek, Neuerwerbungen und Nachrichten, Dresden 1970, Mai-Heft, S. 34

REICHW = *Silvius Leopold Weiß, 34 Suiten für Laute solo, Faksimiledruck nach der hs. Tabulatur Mus. 2841 – V – 1 der Sächsischen Landesbibliothek Dresden, mit quellenkundlichen Bemerkungen von W. Reich*, Leipzig 1977

REICHERT = G. Reichert, *Giacomo Gorzanis' Intabolatura di liuto (1567) als Dur- und Molltonartenzyklus*, in: Fs. Karl Gustav Fellerer, Regensburg 1962, S. 428ff.

REICHERTP = G. Reichert, *Der Passamezzo*, in: Kongr.-Ber. Lüneburg 1950, Kassel-Basel 1951

REIMANN = M. Reimann, *Denis Gaultier*, in: MGG IV (1955), S. 1471ff.

REIMANND = M. Reimann, *Zur Entwicklungsgeschichte des Double, ein Beitrag zur Geschichte der Variation*, in: Mf V, 1952, S. 317ff.

REIMANNF = M. Reimann, *Zur Deutung des Begriffs Fantasia*, in: AfMw X, 1953, S. 253ff.

REIMANNI = M. Reimann, *Materialien zu einer Definition der Intrade*, in: Mf X, 1957, S. 337ff.

REISS = J. Reiss, *Asprilio Pacelli – Diomedes Cato, dwie pieśni wielogłosowe na cześć św. Stanisława*, Krakau 1929

RENAULT = *Œuvres de Julien Belin, édition, transcription, étude critique par M. Renault*, Paris 1976 (Édition du C.N.R.S., Collection Le Cœur des Muses, Corpus des Luthistes Français), Quellenbericht

RENIER = G. Renier, *Besprechung* von L. Valdrighi, Il libro di canto e liuto di Cosimo Bottegari . . ., Florenz 1891, in: Giornale storico della letteratura Italiana IX, Rom-Turin-Florenz 1892, S. 420ff.

REPRODUCTIONS = *Reproductions of Early Music*, General Editor R. Rastall, reproduced under the direction of L. Hewitt for Boethius Press, with an introductory study by R. Spencer, I–IV, Leeds 1973–1975

RICHARDS = J.M. Richards, *A study of music for Bass Viol written in England in the seventeenth century*, B.A. (Litt.) Thesis, maschr. Sommerville, Univ. Oxford 1960

RICHARDSON = B. Richardson, *New light on Dowland's continental movements*, in: Monthly Musical Record XC, London 1960, S. 3ff.

RICHTER = J. Richter, *Katalog der Musik-Sammlung auf der Universitäts-Bibliothek in Basel . . .*, Leipzig 1892

RICHTERT, R. Richter, *Tonalitätsvorrat der Elisabethanischen Liedkanzone; eine tonale und harmonische Analyse der englischen 'ballets' und 'canconets' um 1600*, Phil. Diss. maschr. Leipzig 1967

RIEMANN = H. Riemann, *Das Lautenwerk des Miguel de Fuenllana 1554*, in: MfM XXVII, 1895, S. 81ff.

RIEMANNR = H. Riemann, *Ein wenig bekanntes Lautenwerk*, in: MfM XXI, 1889, S. 10ff.

RIMBAULT = E.F. Rimbault, *Little Book of Songs and Ballads*, London 1851

RIMBAULTB = E.F. Rimbault, *A bibliographical account of the musical and poetical works published in England during the 16th and 17th centuries under the titles of madrigals, ballets, ayres etc.*, London 1847

RISCHEL = A. Rischel, *Zur Geschichte der Gitarre in Dänemark*, in: Die Gitarre XII, Berlin 1930, S. 8ff.

ROBERTS = J. Roberts, *Some notes on the music of the Vihuelists*, in: The Lute Society Journal VII, London 1965, S. 24ff.

ROLLAND = R. Rolland, *Histoire de l'opéra en Europe avant Lully et Scarlatti*, Paris 1904

ROLLANDM = G.H. Rolland, *The music collection in the Mitchell Library* [Glasgow], in: Hinrichsen 1959, XI, S. 95ff.

ROLLINB = *Œuvres pour luth seul de J.-B. Besard, édition et transcription par A. Souris, étude biographique . . . par M. Rollin*, Paris 1969 (= Édition du C.N.R.S., Collection Le Cœur des Muses, Corpus des Luthistes Français), Quellenbericht

ROLLINBC = *Œuvres des Bocquet, édition et transcription par A. Souris, étude biographique et appareil critique par M. Rollin*, Paris s. a. [1972] (= Édition du C.N.R.S., Collection Le Cœur des Muses, Corpus des Luthistes Français), Quellenbericht

ROLLINC = *Œuvres de Chancy, Bouvier, Belleville, Dubuisson, Chevalier, édition et transcription par A. Souris, introduction historique et étude des concordances par M. Rollin*, Paris 1967 (= Édition du C.N.R.S., Collection Le Cœur des Muses, Corpus des Luthistes Français), Quellenbericht

ROLLIND = *Œuvres du Dufaut, édition et transcription par A. Souris, introduction historique et étude des concordances par M. Rollin*, Paris 1965 (= Édition du C.N.R.S., Collection Le Cœur des Muses, Corpus des Luthistes Français), Quellenbericht

ROLLING = *Œuvres du Vieux Gaultier, édition et transcription par A. Souris, introduction historique et étude des concordances par M. Rollin*, Paris 1966 (= Édition du C.N. R.S., Collection Le Cœur des Muses, Corpus des Luthistes Français), Quellenbericht

ROLLINM = *Œuvres de René Mesangeau, édition et transcription par A. Souris, étude biographique et appareil critique par M. Rollin*, Paris s. a. [1971] (= Édition du C.N.R.S., Collection Le Cœur des Muses, Corpus des Luthistes Français), Quellenbericht

ROLLINMO = M. Rollin, *La suite pour luth dans l'œuvre de Charles Mouton*, in: La Revue Musicale; Numéro spécial 226, Paris 1955, S. 76ff.

ROLLINN = M. Rollin, *À propos d'un manuscrit de luth écrit en Normandie (Ms. Bibl. nat. Paris Rés. Vm⁷ 370)*, in: La Musique et les Musiciens en Normandie, Mélanges . . ., Rouen 1957 (= Études Normandes LXXXIII), S. 11ff.

ROLLINT = M. Rollin, *Les tombeaux de R. de Visée*, in: Bulletin de la société d'études du XVIIe siècle, Paris 1957, Heft 18/19, S. 45ff.

ROLLINTT = M. Rollin, *Le tombeau chez les luthistes Denys Gautier, Jacques Gallot, Charles Mouton*, in: Bulletin de la société d'études du XVIIe siècle, Paris 1954, Heft 21/22, S. 463ff.

ROLLINV = *Œuvres de Nicolas Vallet pour luth seul . . ., édition et transcription par A. Souris, étude biographique . . . par M. Rollin*, Paris 1970 (= Édition du C.N.R.S., Collection Le Cœur des Muses, Corpus des Luthistes Français), Quellenbericht

ROLLIN-SOURIS-SPYCKET = *Robert Ballard, Premier Livre 1611*, ed. M. Rollin, A. Souris, S. Spycket, Paris 1963 (= Édition du C.N.R.S.), Quellenberichte

ROOLEY = A. Rooley, *John Dowland and English lute music*, in: Early Music, ed. J. M. Thomson, III, 2, London 1975, April-Heft, S. 115ff.

ROOLEYS = A. Rooley, *Besprechung* von Reproductions II (1974), in: Early Music III, 2, London 1975, S. 163f.

ROTH = F.W.E. Roth, *Musik-Handschriften der Darmstädter Hofbibliothek (Schluß)*, in: MfM XX, 1888, S. 82ff.

ROTTNER = L.R. Rottner, *The intabulation practices of Vincenzo Capirola with special emphasis on Musica Ficta*, Phil. Diss. maschr. Univ. of Hartford 1967

ROUARD = E. Rouard, *Catalogue des manuscrits de la Bibliothèque Méjanes*, s. l. et s. d. [Aix-en-Provence ca. 1868]

RUBSAMEN = W.H. Rubsamen, *The earliest french lute tablature*, in: JAMS XXI, 1968, S. 286ff.

RUBSAMENN = W. Rubsamen, *Unusual music holdings of libraries on the West Coast*, in: NotesX, New York 1953, Second Series, Sept.-Heft, S. 546ff.

RUDÉNB = J.O. Rudén, *Per Brahes Visbok, ett bidrag till studiet av det tidiga 1600-talets lutmusik*, Våren 1962 [als Ms. vervielfältigt, Seminar-Arbeit]

RUDÉNM = J.O. Rudén, *Meddelanden och aktstycken, ett nyfunnet komplement till*

Dübensamlingen, in: Svensk Tidskrift för Musikforskning XLVII, Stockholm 1965, S. 51ff.

RudénN = J. O. Rudén, *Besprechung* von Ness, in: Svensk Tidskrift för Musikforskning LIV, Stockholm 1972, S. 139f.

RudénT = J.O. Rudén, *Tabulaturer for luta och gitarr i Svenska bibliotek och samlingar, en översikt*, Phil. Diplom-Arbeit maschr. Universität Uppsala 1966

Ruff-Wilson = L.M. Ruff und D.A. Wilson, *The madrigal, the lute song, and Elizabethan politics*, in: Past and Present XLIV, New York 1969, August-Heft, S. 3ff.

Russell = J.F. Russell, *Manchester: Henry Watson Music Library*, in: Hinrichsen 1947–1948, IV–V, S. 248ff.

Sabol = A. Sabol, *A score for „Lovers Made Men", a masque by Ben Jonson*, Brown University Press 1962

Saint-Foix = G. de Saint-Foix, *Un fonds inconnu de compositions pour mandoline (XVIIIe siècle)*, in: Rev. de Musicol. XVII, 1933, S. 129ff.

Sainz de la Maza = R. Sainz de la Maza, *Música de laud, vihuela y guitarra del Renascimiento al Barroco; Discurso de Recepción en la Real Academia de Belles Artes de San Fernando y cartestación de D. José Subirá Puig*, Madrid 1958

Salmen = W. Salmen, *Besprechung* von SzabolcsiT, in: Mf XXVI (1973), S. 144f.

Sappler = P. Sappler, *Das Königsteiner Liederbuch, Ms. germ. qu. 719 Berlin, herausgegeben von P. S.*, München 1970 (= Münchener Texte und Untersuchungen zur deutschen Literatur des Mittelalters XXIX)

Sartori = C. Sartori, *A little known Petrucci publication: the second book of lute tablatures by Francesco Bossinensis*, in: MQ XXXIV, 1948, S. 234ff.

Saviotti = A. Saviotti, *Di un codice musicale del secolo XVI*, in: Giornale storico della letteratura Italiana XIV, Rom-Florenz-Turin 1889, S. 234ff.

SaviottiD = A. Saviotti, *Di un codice del secolo XVI, aggiunte e correzioni*, in: Giornale storico della letteratura Italiana XIX, Rom-Florenz-Turin 1892, S. 446ff.

Scheit = K. Scheit, *S.L. Weiß, Tombeau sur la mort de Mr. le Comte d'Logy arrivée 1721, aus der Lautentabulatur übertragen . . .*, Wien 1951, Einleitung

ScheitA = *Partita C-Dur (Anonymus ca. 1750), nach einer anonymen Tabulatur für die 5chörige Gitarre (Handschrift um 1750)*, ed. K. Scheit, Wien 1966 (Universal-Edition *Nr. 14424*, Musik für Gitarre)

ScheitB = *Tänze und Weisen aus dem Barock*, ed. K. Scheit, Wien s. a. [1960] (Universal-Edition *Nr. 13069*, Musik für Gitarre)

ScheitC = K. Scheit, *Ce que nous enseignent les Traités de Luth des environs de 1600*, in: Le luth et sa musique, ed. J. Jacquot, Paris 1958 (= Éditions du C. N. R. S.), S. 93ff.

ScheitT = *Tänze aus der Renaissance*, ed. K. Scheit, Wien s. a. [1960] (Universal-Edition *Nr. 13070*, Musik für Gitarre)

ScheitV = *Robert de Visée, Suite h-moll*, ed. K. Scheit, Wien 1973 (Universal-Edition *Nr. 14449*, Musik für Gitarre)

ScheitW = *S. L. Weiß, Sonate d-moll*, ed. K. Scheit, Wien 1974 (Universal-Edition *Nr. 14421*, Musik für Gitarre)

SchenkE = E. Schenk, *Englische Schauspielmusiken in Österreichischer Tabulatur-Überlieferung*, in: Sborník prací filosofické fakulty Brněnské University XIV, Brünn 1965, S. 253ff.

SchenkP = E. Schenk, *G.A. Paganelli, sein Leben und seine Werke, nebst Beiträgen zur Musikgeschichte Bayreuths*, Phil. Diss. München 1925, München 1928

Scheureck = C.A. Scheureck, *Catalogus manuscriptorum Bibliothecae Electoralis*, Dresden 1755, Ms. in der Sächs. Landesbibl. Dresden

Scheurleer = D.F. Scheurleer, *Catalogus* der Muziekbibliotheek van D. F. Scheurleer . . ., I–III, den Haag 1893–1910, Neue Ausg. 1923–1925

Schletterer = H.M. Schletterer, *Katalog der in der Kreis- und Stadtbibliothek . . . zu Augsburg befindlichen Musikwerke*, in: Beilage zu MfM X, 1878 und XI, 1879

SchmidtP = H.L. Schmidt, *The first printed books: Fr. Spinacino's Intabolature de Lauto . . ., transcription and commentary*, Phil. Diss. maschr. Univ. North Carolina,

Chapel Hill 1969, Dissertation Abstracts 30: 3977 A, März 1970

SCHMIEDER = W. Schmieder, *Thematisch-systematisches Verzeichnis der Werke J. S. Bachs*, Leipzig 1961

SCHMITZ = E. Schmitz, *Über Gitarren-Tabulaturen*, in: MfM XXXV, 1903, S. 133ff.

SCHNEIDER = M. Schneider, *Eine unbekannte Lautentabulatur aus den Jahren 1537–1544*, in: Fs. Johannes Wolf, Berlin 1929, S. 176ff.

SCHNORR V. CAROLSFELD = F. Schnorr v. Carolsfeld, *Katalog der Handschriften der Kgl. Öffentlichen Bibliothek zu Dresden* I, Leipzig 1882; II, ibid. 1883

SCHNÜRL = K. Schnürl, *Wiener Lautenmusik im 18. Jahrhundert, veröffentlicht von K. Sch. mit Materialien von A. Koczirz und J. Klima*, = DTÖ Bd. LXXXIV, Graz-Wien 1966, Vorbericht S. I–VIII und Quellenverzeichnis

SCHOLZ = W. Scholz, *Beiträge zur Musikgeschichte der Stadt Liegnitz von ihren Anfängen bis etwa zum Jahre 1800*, Phil. Diss. Breslau 1940, Breslau 1941

SCHOTT = H. Schott, *Besprechung* von Kirkendale, in: Early Music II, London 1974, Juli-Heft, S. 183f.

SCHRADE = L. Schrade, *Eine Gagliarda von Cyprian de Rore?* in: AfMw VIII, 1926, S. 385f.

SCHRADEP = L. Schrade, *Das Problem der Lautentabulatur-Übertragung*, in: ZfMw XIV (1931–32), S. 357ff.

SCHUBIGER = A. Schubiger, *System der Lauten. Aus einem Manuscript vom Jahre 1532 (mit Abbildung)*, in: MfM VIII, 1876, S. 6f.

SCHULZE = H.-J. Schulze, *Wer intavolierte J. S. Bachs Lautenkompositionen?* in: Mf XIX 1966, S. 32ff.

SCHULZEB = *Johann Sebastian Bach, Drei Lautenkompositionen in zeitgenössischer Tabulatur, Faksimile, mit einer Einführung von H.-J. Schulze*, Leipzig 1975

SCHULZEW = H.-J. Schulze, *Ein unbekannter Brief von Silvius Leopold Weiß*, in: Mf XXI (1968), S. 203ff.

SFORZA = G. Sforza, *Poesie musicali del secolo XVI*, in: Giornale storico della letteratura Italiana IV, Rom-Turin-Florenz 1886, S. 312f.

SHIPLEY = R. Shipley, *Six Tudor songs, transposed from the lute tablature for guitar . . .*, London s. a. (Schott) [1951]

SHIREE = H.M. Shire, *Robert Edward's Commonplace Book and Scots literary tradition*, in: Scottish Studies V, Edinburgh 1961, S. 43ff.

SHIRES = H.M. Shire, *Song, dance and poetry of the court of Scotland under King James VI, musical illustrations of Courtsong edited by K. Elliott*, Cambridge 1969

SIMONL = A. Simon, *Die Lautenmusikbestände der Königlichen Bibliothek in Berlin*, in: III. Kongr.-Ber. IMG, Wien 1909

SIMONP = A. Simon, *Polnische Elemente in der deutschen Musik bis zur Zeit der Wiener Klassiker*, Phil. Diss. Berlin 1915, Zürich 1916

SIMPSON = Cl. M. Simpson, *The British Broadside Ballad and its music*, Rutgers University Press New Brunswick (New Jersey) 1966

SIMPSONB = A. Simpson, *Besprechung* von Reproductions I (1973), in: Early Music, ed. J. M. Thomson, III, 2, London 1975, S. 165

SIMPSONT = A. Simpson, *Besprechung* von Reproductions II (1974), in: Early Music, ed. J. M. Thomson, III, 2, London 1975, S. 161f.

ŠÍP = L. Šíp, *Zur Geschichte der tschechischen und slowakischen Musik, II. Teil, Slowakische Musik*, Prag 1959

ŠIŠKOWÁ = I. Šiškowá, *Levočská lutnová tabulatura Okolitsányi Zsedényi*, Diplom-Arbeit maschr. Universität Bratislava 1966

SLIMK = H.C. Slim, *The keyboard Ricercar and Fantasia in Italy c. 1500–1550 with reference to parallel forms in European lute music of the same period*, I, II, Phil. Diss. maschr. Harvard Univ. 1961

SLIMM = H.C. Slim, *Francesco da Milano (1497–1543/44), a bio- bibliographical study I, II*, in: Musica Disciplina XVIII, Rom 1964, S. 63ff. und XIX, Rom 1965, S. 109ff.

SLIMN = H. C. Slim, *Musica Nova* (ed.), Chicago 1964, The University of Chicago Press (= Monuments of Renaissance Music, Bd. I), Einleitung S. IIIff.

SMITH = J. Stafford Smith, *Musica Antiqua* I, II, London 1812

SOMMERG = H. Sommer, *Laute und Gitarre*, Stuttgart 1922

SOMMERL = H. Sommer, *Lautentraktate des 16. und 17. Jahrhunderts im Rahmen der deutschen und französischen Lautentabulatur*, Phil. Diss. maschr. Berlin 1923

SORBELLI = A. Sorbelli, *Inventori dei manoscritti delle biblioteche d'Italia* XLV, Forlì s. a. [1930]

SOURIS = A. Souris, *Tablature et syntaxe, remarques sur le problème de la transcription des tablatures de luth*, in: Le luth et sa musique, ed. J. Jacquot, Paris 1958 (= Éditions du C.N.R.S.), S. 285ff.

SOURIS - MORCOURT - JACQUOT - HEARTZ = *Oeuvres d'Adrian Le Roy, Premier livre de tablature de luth 1551, introduction historique par J. Jacquot, étude des concordances par D. Heartz . . .*, Paris 1959 (= Éditions du C.N.R.S., Collection Le Chœur des Muses, Les Luthistes Français)

SOUTHGATE = T.L. Southgate, *The instruments with sympathetic strings*, in: Proceedings of the Royal Musical Association, Session XLII, London 1916, S. 40ff.

SPARMANN = G. Sparmann, *Esaias Reusner und die Lautensuite*, Phil. Diss. maschr. Berlin 1926

SPECTORW = *Robert White, the instrumental music*, ed. I. Spector, Madison, Wisconsin s. a. [1972]

SPENCERL = R. Spencer, *The Weld lutebook, in*: The Lute Society Journal I, London 1960, Nr. VI, S. 121f.

SPENCERB = *The Burwell Lute Tutor, reproduced under the direction of L. Hewitt, with an introductory study of R. Spencer*, Leeds 1974 (= Reproductions I)

SPENCERM = *The Mynshall Lute Book, reproduced under the direction of L. Hewitt, with an introductory study by R. Spencer*, Leeds 1975 (= Reproductions III)

SPENCERS = *The Sampson Lute Book (formerly known as the Tollemache Lute Manuscript), reproduced under the direction of L. Hewitt, with an introductory study by R. Spencer*, Leeds 1974 (= Reproductions II)

SPENCERT = R. Spencer, *The Tollemache lute manuscript*, in: The Lute Society Journal VII, London 1965, S. 38f.

SPENCERTh = R. Spencer, *Three English lute manuscripts*, in: Early Music, ed. J. M. Thomson, III, 2, London 1975, April-Heft, S. 119ff.

SPENCERV = R. Spencer, *Elizabethan Duets for two guitars*, London 1973, Krit. Bericht

SPENCERW = R. Spencer, *The Weld lutebook*, in: Musical Times C, London 1959, Dezember-Heft, S. 661ff.

SPIESSENS = G. Spiessens, *Emanuel Adriaenssen et son Pratum Musicum*, in: AMl XXXVI, 1964, S. 142ff.

SPIESSENSA = *E. Adriaensen, Luitmuziek, een keuze van fantazieen, dansen, liederen en madrigalen . . .*, ed. G. Spiessens, Antwerpen 1966, Vorwort (= Monumenta Musicae Belgicae X)

SPINKF = *A. Ferrabosco II, Manuscript songs, transcr. and ed. J. Sp.*, London 1966 (= The English school of lutenist songwriters, rev. Th. Dart, The English lutesongs, Serie II, Bd. IXX), Quellenbericht

SPINKG = J. Spink, *Another Gaultier Affair*, in: ML XLV, 1964, S. 46, Okt.-Heft

SPINKGME = *Th. Greaves, G. Mason, J. Earsden, Songs (1604) and Ayres (1618), transcr. and ed. J. Sp.*, London 1962 (= The English school of lutenist song-writers, rev. Th. Dart, The English lute-songs, Serie II, Bd. XVIII), Quellenbericht

SPINKJ = *Robert Johnson, Ayres, Songs and Dialogues, transcribed . . .*, ed. J. Spink, London 1961 (= The English school of lutenist song-writers, rev. Th. Dart, The English lute-songs, Serie II, Bd. XVII), Quellenbericht

SPOHR = H. Spohr, *Studien zur italienischen Tanzkomposition um 1600*, Phil. Diss. maschr. Freiburg Br. 1956

SPRAGUE SMITH = C. Sprague Smith, *Religious music and the lute*, in: The Guitar Review IX, New York 1949, S. 31ff.

STAAK = P. van der Staak, *Four Royal dances (16th century), transcribed from the German lute tablature at the Amsterdam University Library*, Amsterdam 1957, Einleitung

STAEHELIN = M. Staehelin, *Notierte Militärmusik des 16. Jahrhunderts, unbekannte Quellenzeugnisse*, in: Neue Züricher Zeitung, 30. 7. 1976, Fernausg. 175, Beibl. Literatur und Kunst, S. 28

STENZL = J. Stenzl, *Un' intavolatura tedesca sconosciuta della prima metà del cinquecento*, in: L'Organo, Rivista di cultura organaria e organistica X, Mailand 1972, S. 51ff.

STEPHENS = D.E.R. Stephens, *The Wickhambrook lute manuscript*, New Haven (Conn.) 1963 (= Collegium Musicum Series IV), Editorial remarks, S. 113ff.

STERNFELDB = F.W. Sternfeld, *Music and ballads*, in: Shakespeare Survey XVII, 1964, S. 214ff.

STERNFELDL = F.W. Sternfeld, *Lasso's music for Shakespeare's „Samingo"*, in: Shakespeare Quarterly IX, London 1958, S. 105ff.

STERNFELDM = F.W. Sternfeld, *Music in Shakespearean tragedy*, London 1963 (= Studies in the History of Music, ed. E. Wellesz)

STERNFELDN = F.W. Sternfeld, *Besprechung* von Ness, in: ML LII, 3, 1971, Juli-Heft, S. 337ff.

STERNFELDR = F.W. Sternfeld, *Recent research of lute music*, in: ML XXXIX, 1958, S. 139

STERNFELDS = F.W. Sternfeld, *The sources of lute music*, in: Renaissance News II, London 1958, S. 253f.

STERNFELDV = F. W. Sternfeld, *Vautrollier's printing of Lasso's Recueil du Mellange (London: 1570)*, in: Annales Musicologiques V, Paris 1957, S. 199ff.

STĘSZEWSKADZ = Z. Stęszewska, *Polonica muzyczne w Ms. J. 307m (Drezno) i Ms. Kat. 39 (Zwickau)*, in: Muzyka XIV, 4, Warschau 1969, S. 83ff.

STĘSZEWSKALI = Z. Stęszewska, *Tańce polskie z tabulatur lutniowych I*, Warschau 1962 (= Źródła do historii muzyki polskiej II), Quellenbericht S. I–XV

STĘSZEWSKALII = Z. Stęszewska, *Tańce polskie z tabulatur lutniowych II*, Warschau 1966 (= Źródła do historii muzyki polskiej IX), Quellenbericht S. I–XII

STĘSZEWSKAM = Z. Stęszewska, *Muzyka taneczna jako źródło badań międzynarodowych Kontaktów Kulturalnych na przykładzie Polski i Francji*, in: Muzyka XVII, 2, Warschau 1972, S. 39ff.

STĘSZEWSKAP, *Tańce włoskie w Polsce i tańce Polskie we Włoszech w XVI–XVII wieku*, in: Muzyka XV, 1, Warschau 1970, S. 15ff.

STĘSZEWSKAT = Z. Stęszewska, *Tańce polskie z tabulatury Gdańskiej (I poł XVII wieku) na lutnię, drugie wydanie*, Warschau s. a. [1964] (= Polskie Wydanictwo Muzyczne Dawnej Muzyki XXX), Quellenbericht S. IIff.
[Es handelt sich um die II. Auflage von SzczepańskaPE bzw. Ochs, mit neuem Kommentar]

STĘSZEWSKATP = Z. Stęszewska, *Tańce polskie, Wykaz źródeł obcych*, in: Z dziejów polskiej kultury muzycznej I, Krakau 1958, S. 307ff.

STĘSZEWSKAV = Z. Stęszewska, [Vortrag über polnische Lautentabulaturen, ungedruckt; Gesamtpolnischer Musikwissenschaftlicher Kongreß Warschau Februar 1971]

STĘSZEWSKAZ = Z. Stęszewska, *Z zagadnień staropolskiej muzyki tanecznej* [Probleme der altpolnischen Tanzmusik], in: Z dziejów polskiej kultury muzycznej I, Krakau 1958, S. 54ff.

STEVENS = D. Stevens, *German lute-songs of the early sixteenth century, in*: Fs. Heinrich Besseler, Leipzig 1961, S. 253ff.

STEVENSE = D. Stevens, *Musique et poésie au XVIe siècle*, in: La musique instrumentale de la renaissance, ed. J. Jacquot, Paris 1956 (= Édition du C.N.R.S.), S. 124ff.

STEVENSEP = J. Stevens, *Music and poetry in the early Tudor court*, London 1961

STEVENSL = J. Stevens, *Early Tudor Songbooks*, Phil. Diss. maschr. Cambridge 1948; Univ. Library Cambridge, Signatur 2315–2317 (3 vol.)

STEVENSM = D. Stevens, *The Mulliner Book*, (= Musica Britannica, Bd. I), London 1951

STEVENSMM = D. Stevens, *The Mulliner Book: A commentary*, London s. a. [1952]

STEVENST = D. Stevens, *„John Taverner"*, in: Fs. Dragan Plamenac (Essais in Musicology), Pittsburgh s. a. [1969], S. 33f.

STEVENSON = R. Stevenson, *Sixteenth and seventeenth century resources in Mexico*, in: Fontes Artis Musicae I, Kassel 1954, S. 69ff., II, 1955, S. 10ff.

STEVENSONM = R. Stevenson, *Music in Mexico*, New York 1952

STRIZICH = R.W. Strizich, *Robert de Visée, Oeuvres complètes*, Paris 1969 (= Le pupitre Nr. XV), Quellenbericht

SUNDERMANNJ = *Robert Johnson, complete works for the solo lute*, ed. A. Sundermann,

London–Oxford s. a. [1972], Quellenbericht (= Music for the Lute, book 4)
SUPPAN = W. Suppan, *Das musikalische Leben in Aussee vom 13. bis zum Ausgang des 19. Jahrhunderts*, in: Blätter für Heimatkunde, herausgegeben vom Historischen Verein für Steiermark XXXV, Graz 1961, S. 86ff.
SUPPANL = W. Suppan, *Steirisches Musiklexikon*, Graz 1962
SUPPANT = W. Suppan, *Grundriß einer Geschichte des Tanzes in der Steiermark*, in: Zeitschrift des Historischen Vereines für Steiermark LIV, Graz 1963, S. 91ff.
SUPPER = U. Supper-Henning, *Catalogue of the Dolmetsch Library, compiled by U.S.-H.*, Manuskript im Besitz der Verfasserin [Vorwort datiert 1967]
SUTTON = J. Sutton, *The music of J.-B. Besards' Novus Partus 1617*, in: JAMS XIX (1966), S. 182ff.
SUTTONB = J. Sutton, *Besprechung* von C. MacClintock, The Bottegari lute book . . ., in: Notes XXV, New York 1969, März-Heft, S. 579ff.
SUTTONC = J. Sutton, *Besprechung* von W.S. Casey, Printed English lute instruction books . . ., in: Current Music VII, 1965, S. 202
SUTTONL = J. Sutton, *The lute instructions of J.-B. Besard*, in: MQ LI, 1965, S. 345ff.
SZABOLCSI = B. Szabolcsi, *Népzene es történelem*, Budapest 1954
SZABOLCSIT = B. Szabolcsi, *Tanzmusik aus Ungarn im 16. und 17. Jahrhundert*, Kassel-Basel-Paris-London 1970 (= Musicologia Hungarica, Neue Folge IV)
SZCZEPAŃSKA = cf. auch Ramertówna
SZCZEPAŃSKAC = M. Szczepańska, *Diomedes Cato . . ., Preludia, Fantazje, tańce i madrigały na lutnię . . .*, Krakau 1953 (= Wydawnictwo dawnej muzyki Polskiej XXIV, Einleitung
SZCZEPAŃSKAD = M. Szczepańska, *Wojciech Długoraj . . ., Fantazje i wilanele na lutnię*, Krakau 1953, Einleitung
SZCZEPAŃSKAK = M. Szczepańska, *Nieznana Krakowska tabulatura lutniowa z drugiej połowy XVI stulecia* [Eine unbekannte Krakauer Lautentabulatur aus der 2. Hälfte des 16. Jahrhunderts], in: Fs. Adolf Chybiński, Krakau 1950, S. 198ff.
SZCZEPAŃSKAP = M. Szczepańska, *Jakub Polak . . ., Preludia, Fantazje i tańce na lutnię*, Krakau 1951 (= Wydawictwo dawnej muzyki Polskiej XXII), Einleitung
SZCZEPAŃSKAPE = M. Szczepańska, *Barth. Pekiel, Forty Pieces for Lute, transcibed and edited from 17th-century manuscript*, Krakau, 1956 (= Editions of Early Polish Music XXX). Englische Ausgabe. [vgl. Ochs (1960) und StęszewskaT (1964)]
SZULC = Zd. Szulc, *Lutnicy polscy od XVI wieku do czasów najnowszych oraz ich karteczki rozpoznawcze, zbiór materiałów do słownika lutników polskich* [Polnische Geigen- und Lautenmacher vom 16. Jahrhundert bis zur Gegenwart . . .], in: Fs. Adolph Chybiński, Krakau 1950, S. 354ff.
SZWARCÓWNA = W. Szwarcówna, *Katalog rękopisów Biblioteki Publicznej im. H. Łopacińskiego w Lublinie*, Cz. [Teil] *III*, Lublin 1964, S. 89f.
SZWEYKOWSKI = Z.M. Szweykowski, *Muzyka w dawnym Krakówie*, Krakau 1964

TABULAEVI = *Tabvlae codicvm manv scriptorvm . . . in bibliotheca Palatina Vindobonensi asservatorvm* . . . VI, *cod. 9001–11500*, Wien 1873
TALLIÁN = T. Tallián, *Besprechung* von Kirkendale, in: Studia Musicologica XVI, 4, Budapest 1974, S. 284ff.
TAPPERTB = W. Tappert, *S. Bach's Kompositionen für die Laute*, in: Die Redenden Künste VI, Leipzig 1900, S. 36ff., separat Leipzig 1900
TAPPERTG = W. Tappert, *Zur Geschichte der Gitarre*, in: MfM XIV, 1882, S. 77ff.
TAPPERTH = W. Tappert, *Philipp Hainhofer's Lautenbücher . . .*, in: MfM XVII, 1885, S. 29ff.
TAPPERTHG = W. Tappert, *Die Lautenbücher des Hans Gerle 1553*, in: MfM XVIII, 1886, S. 101f.
TAPPERTL = W. Tappert, *Zur Geschichte der französischen Lautentabulatur*, in: AmZ XIII, Leipzig 1886
TAPPERTM = W. Tappert, *Die Minuita – kein Menuett!* in: MfM XXXIII, 1901, S. 93ff.
TAPPERTS = W. Tappert, *Sang und Klang aus alter Zeit, hundert Lautenstücke*, Berlin 1906

TappertW = W. Tappert, *Was wollen wir auf den Abendt thuen*, in: Der Guitarrefreund, Musikbeilage zu Jahrgang 1905/1906, München 1906, S. 2ff., mit 1 Faksimile

TessierE = A. Tessier, *Ennemond Gaultier, Sieur de Nève (env. 1575–17 décembre 1651)*, in: Fs. Lionel de la Laurencie, Paris 1933, S. 97ff.

TessierG = A. Tessier, *Gaultier, La Rhétorique des Dieux et autres pièces de luth de Denis Gaultier, par A. T., réproduction en fac-simile phototypique avec une préface historique, des notes du transcripteur et l'étude du manuscrit par Jean Cordey*, Paris 1932 (= Publications de la société française de musicologie, Serie I, Bd. VI)

TessierGG = A. Tessier, *Denis Gaultier, La Rhétorique des Dieux et autres pièces de luth de D. Gaultier, transcrites par A. T.*, Paris 1932/1933 (= Publications de la société française de musicologie, Serie I, Bd. VII), Quellenbericht

TessierS = A. Tessier, *Quelques sources de l'école française de luth au XVIIe siècle*, in: Kongr.-Ber. IMG I Lüttich 1930, Nashdon Abbey s. a. [1931], S. 217ff.

Thibault = G. Thibault, *Un manuscrit italien pour luth des premières années du XVIe siècle*, in: Le luth et sa musique, ed. J. Jacquot, Paris 1958 (= Éditions du C.N.R.S.), S. 43ff.

ThibaultC = G. Thibault, *Les collections privées de livres et d'instruments de musique d'autrefois et d'aujourd'hui*, in: Hinrichsen 1959, XI, S. 131ff.

Thomas = B.W. Thomas, *The lute-books of Giulio Cesare Barbetta, a polyphonic transcription of the composer's complete works and an analysis of the fourteen fantasias*, vol. I–III, University Microfilm, Ann Arbor, Michigan 34: 5236 A (Februar 1974). Phil. Diss. maschr. North Texas State Univ. 1973

TichotaA = J. Tichota, *Die Aria tempore adventus producenta und einige Zusammenhänge (ein Beitrag zum Studium des Lautenspiels in Böhmen)*, in: Miscellanea Musicologica, Universita Karlova XXI–XXIII, Prag 1970, S. 153ff.

TichotaD = J. Tichota, *Deutsche Lieder in Prager Lautentabulaturen des beginnenden 17. Jahrhunderts*, in: Miscellanea Musicologica, Universita Karlova XX, Prag 1967, S. 63ff.

TichotaFl = J. Tichota, *Francouská loutnová hudba v Čechách* (Französische Lautenmusik in Böhmen), in: Miscellanea Musicologica, Universita Karlova XXV–XXVI, Prag 1973–74, S. 7–83, m. Notenbeisp.

TichotaI = J. Tichota, *Intabulace písní a vokálních skladeb v pražských loutnových tabulaturách z poč. 17. století*, Phil. Diss. maschr. Prag 1968

TichotaII = J. Tichota, *Intabulationen und tschechischer Gemeinschaftsgesang an der Wende des 16. Jahrhunderts*, in: Colloquium Musica Bohemica et Europaea, ed. R. Pečman (Brünn 1970), Brünn 1972, S. 63ff.

TichotaK = J. Tichota, *Česka Kytarova literatura*, in: Hudební Rozhledy XXIV, 3, Prag 1971, S. 106f.

TichotaL = J. Tichota, *Loutnové tabulatury na území ČSSR*, Phil. Diplom-Arbeit maschr. Univ. Prag 1965

TichotaS = J. Tichota, *Loutnová tabulatura psaná Mikulášem Šmalem z Lebendorfu*, Prag 1969 (= Editio Cimelia Bohemica VIII), S. 5ff. In Kommission Wilhelmshaven 1972 [mit vollständigem Faksimile des Ms. Prag, Univ. Bibl. XXIII. F. 174 in einem Sonderband, ohne Titel]

TichotaT = J. Tichota, *Tabulatury pro loutnu a příbuzné nástroje na území ČSSR*, in: Acta Universitatis Carolinae, Phil. et Hist., Prag 1965, Nr. 2, S. 139ff.

TichotaV = J. Tichota, *Vzácýn hudební dokument z počátku XVIII. stol.* [Ein kostbares Musikdokument aus dem beginnenden 18. Jahrhundert], in: Polabí V–VI, Prag 1964, S. 73ff.

Tirabassi = A. Tirabassi, *Catalogue des manuscrits musicaux de la bibliothèque royale de Belgique*. Unveröffentlichtes Ms. in Brüssel, Bibl. royale, Signatur III, 835

Tischer-Burchard = G. Tischer, K. Burchard, *Aus einer alten Bibliothek*, in: SIMG II, 1901, S. 158ff.

Tischer-BurchardS = G. Tischer, K. Burchard, *Musikalienkatalog der Hauptkirche Sorau N./L., hergestellt von G. T. und K. B.*, Leipzig 1902 (= Beih. MfM XXXIV, Nr. 2–4), auch sep. s. a. et l.

Tischler = H. Tischler, *The earliest lute tablature?*, in: JAMS XXVII, 1974, S. 100ff.

Tonazzi = B. Tonazzi, *Liuto, Vihuela, Chitarra e strumenti similari nelle loro intavolature, con cenni sulle loro letterature*, Ancona 1970

TonazziL = *Libro de intabolatura di liuto by Giacomo Gorzanis; transcription in modern notation and biographical study by B. T.*, Mailand-London-Mainz (Suvini Zerboni/Schott) s. a. [1976], Einleitung

Torner = E.M. Torner, *Colección de vihuelistas españoles del siglo XVI, Estudio y transcriptión de las obras originales, Narváez, „El Delphin de Musica", 1538*, I, II, Madrid 1923, Einleitung

Tourris = *Guitar music of the 16th, 17th, and 18th centuries, transcription and fingering . . .*, ed. J. de Tourris, New York s. a. [1970], Einleitung

TraficanteL = F. Traficante, *Lyra Viol tunings: „All ways have been tryed to do it"*, in: AMl XLII (1970), S. 183ff.

TraficanteM = F. Traficante, *Music for the Lyra Viol: The Printed Sources*, in: The Lute Society Journal VIII, London 1966, S. 7ff.

TraficanteV = F. Traficante, *The Mansella Lyra Viol tablature*, Phil. Diss. maschr. Univ. Pittsburgh 1965 (Teil I = S. 1–256, Teil II = Faksimile des Ms. Pittsburgh, Privatbibl. Th. F. Finney S. 1–40, ferner Übertragung in gew. Notenschrift). University Microfilm Ann Arbor, Michigan and University Microfilms Limited High Wycombe (England)

Trend = J.B. Trend, *Luis Milan and the vihuelistas*, Oxford 1925

Trolda = E. Trolda, *Kostelní archiv Mělnický*, in: Hudební Revue IX, Prag 1916, Nr. V, S. 17ff.

TschernitscheggG = E. Tschernitschegg, *Die großen und kleinen Geigen in der deutschen Musiktheorie und -Praxis in der Zeit von 1500 bis 1620 und die Geigentabulaturen des Germanischen Museums zu Nürnberg*, Phil. Diss. maschr. Wien 1930

TschernitscheggV = E. Tschernitschegg, *Zu den Violintabulaturen im Germanischen Museum zu Nürnberg*, in: Fs. Adolph Koczirz, Wien s. a. [1930], S. 38ff.

Turnbull = H. Turnbull, *The origin of the long-necked lute*, in: The Galpin Society Journal XXV, Edinburgh 1972, S. 58ff.

TurnbullG = H. Turnbull, *The guitar from the Renaissance to the present day*, New York 1974

TurriniA = G. Turrini, *L'Accademia filarmonica di Verona dalla fondazione (maggio 1543) al 1600 e il suo patrimonio musicale antico*, Verona 1941

TurriniC = G. Turrini, *Catalogo descrettivo dei manoscritti musicali antichi della società accademia filamonica di Verona*, Verona 1937 (= Atti dell' Accademia di Agricoltura, Scienze e Lettere di Verona, Serie V, Volume XV, Anno 1937), separat Verona s.a. [1937]

Tyler = J. Tyler, *The Renaissance Guitar 1500–1650*, in: Early Music III, London 1975, Okt.-Heft, S. 341ff.

TylerC = J. Tyler, *A checklist for the cittern*, in: Early Music II, London 1974, Jan.-Heft, S. 25ff.

Vaccaro = J.-M.M. Vaccaro, *Les Fantaisies pour luth d'Albert de Rippe*, Phil. Diss. maschr. Univ. Tours 1968, Paris 1969 (= Éditions du C.N.R.S.)

VaccaroF = *À propos de deux éditions critiques de l'œuvre de Francesco da Milano*, in: Rev. de Musicol. LVIII, 1972, S. 176ff.

VaccaroR = *Oeuvres d'Albert pe Rippe, III, Chansons (deuxième partie) Danses, édition, transcription et étude critique par I.-M. Vaccaro*, Paris s. a. [1975] (= Édition du C. N. R. S., Collection Le Coeur des Muses, Corpus des Luthistes Francais)

Valdrighi = L. Valdrighi, *Il libro di canto e liuto di Cosimo Bottegari*, Florenz 1891, Einleitung (= Biblioteca Grassoccia, raccolta di curiosità letteraria inedite o rari)

VáňaD = F. Váňa, *Dixovy skladby z rajhradského rukopisu*, in: Sborník prací Pedagogického institutu v Gottwaldově IV, Prag 1965, S. 161–177

VáňaN = F. Váňa, *Notační principy loutnových památek v českých zemích*, I, II, Phil. Diss. maschr. Univ. Brünn 1965 [das vervielfältigte Exemplar ist bezeichnet: Gottwaldow 1965]

Vatielli = F. Vatielli, *L'ultimo liutista*, in: RMI XLII, 1938, S. 469ff.

VAUGHT = R. Vaught, *The Fancies of Alfonso Ferrabosco II*, Phil. Diss. maschr. Univ. Stanford 1959

V. D. STRAETEN = E. van der Straeten, *La musique aux Pays-Bas avant le XIXe siècle* I ff., Brüssel 1867 ff.

VERCHALYB = A. Verchaly, *G. Bataille et son œuvre personelle pour chant et luth*, in: Rev. de Musicol. XXVI, 1947, S. 1 ff.

VERCHALYC = A. Verchaly, *Chansons et airs de cour . . .*, Paris 1954, Einleitung

VERCHALYD = A. Verchaly, *Desportes et la musique*, in: Annales Musicologiques II, Paris 1954, S. 271 ff.

VERCHALYG = A. Verchaly, *Un précurseur de Lully: Pierre Guédron*, in: Bulletin de la société d'études du XVIIe siècle, Paris 1954, S. 395 ff.

VERCHALYI = A. Verchaly, *Les airs italiens mis en tablature de luth dans les recueils français du début du XVIIe siècle*, in: Rev. de Musicol. XXXV, 1953, S. 45 ff.

VERCHALYJB = A. Verchaly, J. Boyer, *Airs de cour pour voix et luth (1603–1643), transcription avec une introduction et des commentaires*, Paris 1961 (= Publications de la société française de musicologie, Serie I, Bd. XVI), Einleitung

VERCHALYO = A. Verchaly, *La tablature dans les recueils français pour chant et luth (1603–1643)*, in: Le luth et sa musique, ed. J. Jacquot, Paris 1958 (= Éditions du C.N.R.S.), S. 155 ff.

VERCHALYP = A. Verchaly, *Poésie et Air de cour en France avant 1620*, in: Musique et Poésie aux XVIe siècle, Paris 1954 (= Édition du C.N.R.S.), S. 67 ff.

VERCHALY-JUIF = A. Verchaly, *Le livre de vers du luth, manuscrit d'Aix-en-Provence, Préface de P. Juif*, Aix-en-Provence s. a. [1958] (= La Pensée Universitaire), Einleitung und Quellenbericht

VERCHALY-LESURE = A. Verchaly, F. Lesure, *Documents inédits relatifs au luthiste Gabriel Bataille*, in: Rev. de Musicol. XXIX, 1947, S. 72 ff.

VITERBO = E. Viterbo, *Ms. Pesaro Bibl. Oliveriana 1144*, in: Inventari dei Manoscritti delle Biblioteche d'Italia XLV, Florenz 1930, S. 62 ff.

VOGELW = E. Vogel, *Die Handschriften nebst älteren Druckwerken der Musikabteilung der Herzogl. Bibliothek zu Wolfenbüttel (= Die Handschriften der Herzogl. Bibliothek zu Wolfenbüttel, achte Abteilung)*, Wolfenbüttel 1890

VOGLA = E. Vogl, *Die Angelica und ihre Musik*, in: Hudební Věda, Akademia Nakladatelstvi Československe Akademie Ved XI, Prag 1974, Nr. 4, S. 356 ff.

VOGLB = E. Vogl, *Zur Biographie Losys*, in: Mf XIV, 1961, S. 189 ff.

VOGLC = E. Vogl, *Loutnová hudba v Čechách*, in: Časopis Národního Muzea CXXXIII, Prag 1964, Heft 1, S. 11 ff.

VOGLD = E. Vogl, *Aureus Dix und Antoni Eckstein, zwei Prager Lautenisten*, in: Mf XVII, 1964, S. 41 ff.

VOGLI = E. Vogl, *Der Lautenist P. Iwan Jelinek, das Ende der böhmischen Lautenkunst*, in: Mf XXII, 1969, S. 53 ff.

VOGLK = E. Vogl, *Eine Kirchenmusik mit Lautenbegleitung in Böhmen*, in: Hudební Věda, Akademia Nakladatelstvi Československe Akademie Ved IX, 1, Prag 1972, S. 42 ff.

VOGLL = E. Vogl, *Lautenisten der böhmischen Spätrenaissance*, in: Mf XVIII, 1965, S. 281 ff.

VOGLP = E. Vogl, *Páter Ivan Jelinek – poslední český loutnista*, in: Hudební věda, Prag 1967, Heft IV, S. 693 ff.

VOGLZ = E. Vogl, *Ze života čtyř českých loutnistů*, in: Zprávy Bertramky, ed. Muzeum Národní, Prag 1967, S. 1 ff.

VOLKMANN = H. Volkmann, *Sylvius Leopold Weiß, der letzte große Lautenist*, in: Die Musik VI, Berlin 1907, S. 273 ff.

VOLLHARDT = R. Vollhardt, *Bibliographie der Musik-Werke in der Ratsschulbibliothek zu Zwickau*, in: Beilage zu MfM XXV, 1893–XXVII, 1896, separat Leipzig 1896

WAKELING = R. Wakeling, *An interesting music collection*, in: ML XXVI, 1945, Juli-Heft

WALKER = D.P. Walker, *The influence of musique mesurée à l'antique particularly on the Airs de cour of the early seventeenth century*, in: Musica Disciplina II, Rom 1948, S. 141 ff.

WALKERA = *Alte Meister des 17. Jahrhunderts*, ed. L. Walker, Wien s. a. [1960] (= Musik für die Gitarre)

WardA = J.M. Ward, *Additions to the inventory of TCD Ms. D. 3. 30/I*, in: The Lute Society Journal XII, London 1970, S. 43ff.

WardB = J. Ward, *The use of barrowed material in sexteenth-century instrumental music*, in: JAMS V, 1952, S. 88ff.

WardF = J. Ward, *The Folia*, in: Kongr. Ber. IGM V Utrecht 1952, Amsterdam 1953, S. 415ff.

WardD = J. Ward, *The „Dolful Domps"*, in: JAMS IV, 1951, S. 111ff.

WardH = J. Ward, *Le problème des hauteurs dans la musique pour luth et vihuela au XVIe siècle*, in: Le luth et sa musique, ed. J. Jacquot, Paris 1958 (Éditions du C.N.R.S.), S. 171ff.

WardHD = J. Ward, *„Music for A Handefull of pleasant delites"*, in: JAMS X (1957), S. 151ff.

WardJ = J. Ward, *Joan qd John and other fragments at Western reserve University*, in: Fs. G. Reese (Aspects of Medieval and Renaissance Music), New York 1966, S. 832ff.

WardL = J. Ward, *The lute in 16th-century Spain*, in: The Guitar Review IX, New York 1949, S. 27ff.

WardM = J. Ward, *The lute music of Ms. Royal Appendix 58*, in: Fs. Otto Kinkeldey = JAMS XIII, 1960, S. 117ff.

WardP = J. Ward, *Parody Technique in 16th-century instrumental music*, in: The Commonwealth of Music, ed. G. Reese und R. Brandel, New York 1964, S. 216ff.

WardSB = J. Ward, *Apropos The British Broadside Ballad and its music*, in: JAMS XX (1967), S. 28ff.

WardSM = J. Ward, *Besprechung* von Simpson, in: JAMS XX (1967), S. 131ff.

WardT = J.M. Ward, *The fourth Dublin lute book*, in: The lute Society Journal XI, London 1969, S. 28ff. (mit Faksimiles)

WardTD = J. Ward, *The lute books of Trinity College, Dublin*, in: The Lute Society Journal IX, London 1967, S. 17ff. und X, London 1968, S. 15ff.

WardV = J. Ward, *The Dublin Virginal Manuscript, edition*, Wellesley 1954 (= The Wellesley Edition III), Einleitung [2. rev. Auflage ibid. 1964]

WardVM = J. Ward, *The Vihuela da mano and its music (1536–1576)*, Phil. Diss. maschr. New York Univ. 1953, University Microfilms, High Wycombe, Bucks, England, Nr. 71–28669

WardW = J.M. Ward, *Barley's songs without words*, in: The Lute Society Journal XII, London 1970, S. 5ff. (mit Faksimiles)

Wardroper = J. Wardroper, *Love and drollery*, London 1969

WarlockA = P. Warlock, *The English Ayre*, Oxford 1926

WarlockB = P. Warlock, *Gabriel Bataille, Airs de différents autheurs, mis en tablature de luth*, Paris, Oxford 1926

WarlockJB = P. Warlock, *J. Boyer, french ayres from Gabriel Bataille's Airs de différents autheurs, 1608–1618, transcribed for voice and piano*, Oxford s. a. [1927] (= The Oxford Choral Songs from the old Masters), Einleitung

WarlockL = P. Warlock, *The lute music of John Dowland*, London 1928

WarlockT = P. Warlock, *John Dowland, Lachrimae or Seven Tears . . .*, London-Oxford 1928, Einleitung

Warlock-Wilson = P. Warlock und Ph. Wilson, *English Ayres Elizabethan and Jacobean* I, II, 2. Auflage London 1927, 1931

Warren = E.B. Warren, *R. Fairfax, Magnificats and Motets . . ., Missa . . ., lute transcription, edited by E.B. W.*, New York 1964, American Institute of Musicology (= Corpus Mensurabilis Musicae XVII, R. Fairfax, Collected Works II), Einleitung

Weckerlin = J.B. Weckerlin, *Bibliothèque du conservatoire national de musique et de déclamation Paris, Catalogue bibliographique . . .*, Paris 1885

Weigand = G. A. Weigand, *Besprechung* von KanazawaH II, in: The Galpin Society Journal XXVIII, Edinburgh 1975, April-Heft, S. 139ff.

WeigandC = G. A. Weigand, *The cittern repertoire*, in: Early Music I, London 1973, April-Heft, S. 81ff.

Welter = F. Welter, *Katalog der Musikalien der Ratsbücherei Lüneburg*, Lippstadt 1950

Wendland = J. Wendland, *„Madre non mi far Monaca": The biography of a Renaissance folksong*, in: AMl XLVIII, 1976, S. 185ff.

WESSELY = O. Wessely, *Ein Musiklexikon von François Le Cocq*, in: Fs. Hans Albrecht, Kassel 1962, S. 101 ff.

WESTRUP = J.A. Westrup, *Besprechung* von E.H. Fellowes, William Byrd, in: MQ XXXV, 1949, S. 487 ff.

WIENANDT = E.A. Wienandt, *Perino Fiorentino and his lute pieces*, in: JAMS VIII, 1955, S. 2 ff.

WIENANDTK = E.A. Wienandt, *David Kellner's „Lautenstücke"*, in: JAMS X, 1957, S. 29 ff.

WIENANDTM = E.A. Wienandt, *Musical style in the lute compositions of Francesco da Milano (1498–1543)*, I, II, Phil. Diss. maschr. Iowa Univ. 1951

WILKOWSKA-CHOMIŃSKA = K. Wilkowska-Chomińska, *À la recherche de la musique pour luth, Expériences polonaises*, in: Le luth et sa musique, ed. J. Jacquot, Paris 1958 (= Éditions du C.N.R.S.), S. 193 ff.

WILKOWSKA-CHOMIŃSKAT = K. Wilkowska-Chomińska, *Twórczość Mikołaja z Krakowa*, Krakau s. a. [1966] (= Monumenta Musica in Polonia, Serie A, Band II), Einleitung S. II ff.

WILLETSH = P.J. Willets, *Handlist of music manuscripts acquired 1908–1967*, London 1970

WILLETSM = J. Willets, *A neglected source of Monody and Madrigal*, in: ML XLIII, 1962, Oktober-Heft, S. 329 ff.

WILLETSN = J. Willets, *Autographs of Angelo Notari*, in: ML L, 1969, Januar-Heft, S. 124 ff.

WILLSHERS = H.M. Willsher, *Scottish National Music*, in: Grove's Dictionary of Music and Musicians, 4. Aufl. London 1940, *Supplementary Volume*, S. 581 ff.

WILLSHERW = H.M. Willsher, *Wighton Collection of National Music*, in: The Review of the activities of the Dundee Public Libraries, Literature, Science, Art (= Dundee Public Libraries, Museum and Art Galleries), Dundee 1948, July, Nr. 2, S. 12 ff. (fortlaufende Paginierung S. 28 ff.)

WINIARSKI = S. Winiarski, *Rękopis nr. 1985 Biblioteki im. H. Lopacińskiego w Lublinie*, in: Muzyka XVI, Warschau 1971, S. 87 ff.

WINTERNITZ = E. Winternitz, *Notes on archlutes*, in: The Guitar Review IX, New York 1949, S. 1 ff.

WINTERNITZG = E. Winternitz, *The guitar*, in: The Guitar Review XXXII, New York 1969, S. 13 f.

WINTERNITZH = E. Winternitz, *The evolution of the Baroque Orchestra*, in: Metropolitan Museum of Art Bulletin, New York 1954, Mai-Heft, S. 17 ff.

WINTERNITZK = E. Winternitz, *The survival of the Kithara and the evolution of the Cittern, a study in morphology*, in: Hinrichsen 1959, XI, S. 209 ff. [auch in: Journal of The Warburg and Courtauld Institute, London 1961]

WINTERNITZTH = E. Winternitz, *Theorbe*, in: MGG XIII (1966), S. 323 ff.

WITOSZYNSKY = L. Witoszynsky, *Vihuela und Gitarre im Spiegel neuer Literatur*, in: Österr. Musikzeitschrift XXX, Wien 1975, April-Heft, S. 186 ff.

WOLFG = J. Wolf, *Über Gitarren-Tabulaturen*, in: Kongr. Ber. IMG London 1911, Leipzig 1912, S. 354 ff.

WOLFH II = J. Wolf, *Handbuch der Notationskunde* II, Leipzig 1919

WOLFI = J. Wolf, *Heinrich Isaac, Weltliche Werke* = [DTÖ XIV, 1 und] XVI, 1, Wien [1907], 1909

WOLFL = J. Wolf, *Ein Lautenkodex der Staatsbibliothek Berlin*, in: Fs. Adolph Koczirz, Wien s. a. [1930], S. 46 ff.

WOLFN = J. Wolf, *Neuerwerbungen der Musik-Abteilung der Preuß. Staatsbibliothek Berlin 1928–1931*, in: AMl III, 1931, S. 123 ff.

WOLFS = J. Wolf, *Musikalische Schrifttafeln für den Unterricht in der Notationskunde*, Heft 1–10, Leipzig 1922, 1923

WOLFFB = H.Chr. Wolff, *Die Barockoper in Hamburg (1678–1738)*, Bd. I, II, Wolfenbüttel 1957

WOLFFG = Chr. Wolff, *Ein Gelehrten-Stammbuch aus dem 18. Jahrhundert mit Einträgen von G.Ph. Telemann, S.L. Weiß und anderen Musikern*, in: Mf XXVI, 2 (1973), S. 217 ff.

WOODFILL = W.L. Woodfill, *Musicians in English Society from Elizabeth to Charles I*, Princeton 1953

WOOLDRIDGE vgl. ChapellP

WORTMANN = T. Wortmann, *Philipp Franz Le Sage de Richée und sein Cabinett der Lauten*, Phil. Diss. maschr. Wien 1919

WOTQUENNEC = A. Wotquenne, *Catalogue de la Bibliothèque du Conservatoire royal de Musique de Bruxelles* I–IV, Brüssel 1898–1912

WOTQUENNEN = A. Wotquenne, *Notice sur le manuscrit 704 (ancien 8750) de la Bibliothèque du Conservatoire*, in: L'Annuaire du Conservatoire de Musique de Bruxelles XXIV, Brüssel 1900, S. 178 ff.

WOTQUENNEP = A. Wotquenne, *Étude sur l'Hortus Musarum de Pierre Phalèse*, in: Revue des Bibliothèques et Archives de Belgique I, Renaix 1903, S. 65ff.

YONG = K.H. Yong, *Besprechung* von SpiessensA, in: Tijdschrift van de Vereniging voor Nederlandsche Muziekgeschiedenis XXI, 2, Amsterdam 1969, S. 119f.

YONGA = K. H. Yong, *A new source of Prelude 1 in Attaingnant's Tres Breve et Familiere Introduction*, in: Tijdschrift van de Vereniging voor Nederlandsche Muziekgeschiedenis XXI, 4, Amsterdam 1970, S. 211ff.

YONGB = K. H. Yong, *Bijdragen tot de studie der luitmuziek*, maschr. Utrecht 1968 [eine Veröffentlichung ist YongA, S. 220, Anm. * angekündigt]

YONGN = K. H. Yong, *Nederlandsche luitmuziek uit de 17e eeuw*, Nijmwegen s. a. [1976] (Vita Nuova Muziekhandel)

ZIEGLER = B. Ziegler, *Placidus von Camerloher (1718–1782), des altbayerischen Komponisten Leben und Werke*, Phil. Diss. München 1916, München 1919

ZINGELH = H.J. Zingel, *Harfe und Harfenspiel vom Beginn des 16. bis ins zweite Drittel des 18. Jahrhunderts*, Phil. Diss. Halle 1931, Halle 1932

ZINGELHH = H. J. Zingel, *Die europäische Harfe* I–VII, in: MGG V (1956), S. 1544ff.

ZINGELZ = H.J. Zingel, *Zupfinstrumente des Continuo*, in: ZfMw XVII, 1935, S. 306ff.

ZUTHH = J. Zuth, *Handbuch der Laute und Gitarre*, Wien 1926

ZUTHK = J. Zuth, *Kaiser Joseph's I. Aria für die Laute*, in: Zeitschrift für die Gitarre V, Wien 1926, S. 105ff.

ZUTHL = J. Zuth, *Graf Logi, Ausgewählte Gitarren-Stücke*, Wien 1919, Einleitung

ZUTHM = J. Zuth, *Die Mandolin-Handschriften in der Bibliothek der Gesellschaft der Musikfreunde Wien*, in: ZfMw XIV, 1931/1932, S. 89ff.

NACHTRAG

AMOS = C. N. Amos, *Lute practice and lutenists in Germany between 1500 and 1750*, Dissertation Abstracts, Section A, 36: 1884 A–5 A, Oktober 1975, University Microfilms, Ann Arbor (Michigan)

ROOLEY = A. Rooley, *The lute solos and duets of John Danyel*, in: The Lute Society Journal XIII, London 1971, S. 46ff.

ROOLEY-TYLER = A. Rooley, J. Tyler, *The lute consort, music for three, four and five lutes together: a survey and an check-list of sources*, in: The Lute Society Journal XIV, London 1972, S. 23ff.

STHAEHELINQ = M. Staehelin, *Neue Quellen zur mehrstimmigen Musik des 15. und 16. Jahrhunderts in der Schweiz*, in: Schweizer Beiträge zur Musikwissenschaft III, Basel 1978, S. 67ff.

STĘSZEWSKAK = Z. Stęszewska, *Konkordancje 'Polskich' melodii tanesznych w źrodłach od XVI do XVIII wieku*, in: Muzyka XI, Warschau 1966, S. 94ff.

STEVENSONG = R. Stevenson, *Un olvidado manual mexicano de guitarra de 1776*, in: Heterofonia, Revista Musical Bimestral VIII, Mexico City 1975, Nr. 44, S. 14ff., Nr. 45, S. 5ff.

QUELLENKATALOG
CATALOGUE DES SOURCES
CATALOGUE OF SOURCES

ABERYSTWYTH (Cards), Llyfryell Genedlaethol Cymru (National Library of Wales)

Ms. 27. Sogenanntes Brogyntyn-Ms.

Frz. Lt. Tab. 6 Lin. Ende des 16. Jh.

68 fol. Unbeschrieben f. 5–7r, 17–63r. 8°-obl. Für 6chörige Laute. F. 3v engl. Texte (Liebeslieder). Tab.-Teil f. 4v, 7v–16, 63v–68. Einige Sätze für Ensemble. Wahrscheinlich nur 1 Schreiber. Dunkelbrauner Lederband der Zeit. (Freie Instrumentalsätze, Tänze, engl. Liedsätze, frz. Chanson, lat. Motette.)

Literatur: LumsdenE I, S. 159; Edwards, S. 210; GreerM, S. 105; SternfeldM, Faksimile nach S. 120; KanazawaH, S. 11.

AIX-EN-PROVENCE, Bibliothèque Municipale (Bibliothèque Méjanes)

Ms. Rés. 17. Ältere Signatur (Vorsatzbl. Ir): *147 (203) – R. 312* (diese Signatur bei Verchaly-Juif, Tessier, Albanès und Rouard, s. Literatur); alte Signatur (Buchrücken, bedruckter Zettel): *203*, ferner (Buchrücken, 2. Zettel, Tinte): *17* (kopfstehend).

Ital. Lt. Tab. 6 Lin. um 1585–1620 und Frz. Lt. Tab. 6 Lin. um 1660–1675.

141 fol., zuzüglich 5 Vorsatzbll. (f. I–IVr, Vv leer), 5 Nachsatzbll. (f. Ir, v, Vv leer; die beschrifteten Seiten sind der orig. Index, s. u.). 31,5×21,5 cm. F. 54 in etwas kleinerem Format. Orig. Foliierung *I–XXX* (= f. 1–30), f. 27 abweichend mit arab. Ziffer foliiert; richtig anschließend f. 31–98 (als *31–98*), sodann f. 99–141 (als *100–142*). Die orig. Foliierung bestimmt daher das ganze Volumen, nur ist 1 Bl. vor f. 99 in jüngerer Zeit herausgerissen (Falz macht Tab.-Verlust wahrscheinlich), daher springt die Foliierung von *98* auf *100* (bei Rouard, Albanès, Verchaly-Juif übersehen, diese zählen daher mit Vorsatzbll. 147 fol., auch die jüngere Bleistift-Foliierung ist nicht exakt). Unbeschrieben jeweils die Rückseite f. 1v–17v, 20v–60v, 62v–96v, 118v–141v (leer); f. 25r, 36r, 40r, 116r, 119r–141r (in letzterem Bereich jeweils die Vorderseite) (nur Lin.). Tab.-Teile: I. Ital. Lt. Tab. 6 Lin. (Ziffern schwarz, die Lin. – mit Ausnahmen von f. 34r, 35r [grün] und ab f. 54r [schwarz] – sind braun) f. 1r, 2r, 3r, 4r, 5r, 6r, 7r, 8r, 9r, 10r, 11r, 12r, 13r, 14r, 15r, 17r, 18, 19, 20r, 21r, 22r, 23r, 24r, 26r, 27r, 28r, 29r, 30r, 31r, 32r, 33r, 34r, 35r, 37r, 38r, 39r, 41r, 42r,

43r, 44r, 45r, 46r, 47r, 48r, 49r, 50r, 51r, 52r, 53r, 54r, 55r, 56r, 57r, 58r, 59r, 60r, 61r, 62r, 63r, 64r, 65r, 66r, 67r, 68r, 69r, 70r, 71r, 72r, 73r, 74r, 75r, 76r, 77r, 78r, 79r, 80r, 81r, 82r, 83r, 84r, 85r, 86r, 87r, 88r, 89r, 90r, 91r, 92r, 93r, 94r, 95; für 6-, vereinzelt auch 7chörige Laute. – II. Frz. Lt. Tab. 6 Lin. (Buchstaben schwarz, Lin. – mit Ausnahme von f. 16r [braun] – schwarz) f. 16r, 97–115; für 10-, vereinzelt auch 11chörige Laute (bis „4"). Streichungen in Tab.: f. 100r, 115v etc. Gew. Notenschrift: f. 116v, 117r, 118r (einstimmig, Violinschlüssel, unbezeichnete Tänze). Sonstige literar. Aufzeichnungen: f. 117v (nicht zu Tab. gehörig). Alle Seiten zeigen breite Lin. (Tinte) als Rahmen, z. T. durchgeätzt, so daß die Ränder defekt (kein Tab.-Verlust). Der Intavolator schloß wohl mit f. 115r ab, da nur noch Bll. mit leerem 6-Lin.-System oder in gew. Notenschrift folgen. Das Ms. befand sich wahrscheinlich von Anfang der Niederschrift an im Besitz des Marquis de Méjanes. Etwas später, wohl vom dritten Besitzer, dürfte der Titel entworfen sein (Vorsatzbl. IVv, Tinte, stark verblaßt): *LIVRE / DES / VERS DV / LV̂T*. Vorsatzbl. Vr (Schönschrift, Tinte, weniger verblaßt): *A QVIEN MI SAETA HIERE / DVLCE MVERTE ES LA Q*[UE] *MVERTE*. Auf der gleichen Seite in den 4 Ecken Tintenzeichnungen (Engel, Säulen, in der Mitte ein vielfach gewundenes Band, in diesem: *Initivm sapientiae timor Domini*). – Der Marquis de Méjanes, Jean-Baptiste Piquet (* Arles 1729, † Paris 1786, seit 1776 Erster Konsul von Aix) vermachte seine Bibliothek der Stadt Aix schon zu Lebzeiten. Tab.-Teil I umfaßt 95 Liedsätze, hiervon sind (durchtextiert) 90 frz., 4 ital., 1 provençalisch, durchweg aus dem höfischen Repertoire der Airs des Cour aus dem Ende vom 2. Drittel des 16. Jh. (*bergerettes*, *grivoises*, *airs de cour galants*, dazwischen auch eine Psalmvertonung), alle strophisch textiert (Quatrains, Sixtains, Octains); dieses Repertoire, dem auch einige nichthöfische frz. Volkslieder (*chansons populaires*) angehören, wurde z. T. von einem provençalischen Schreiber festgehalten, worauf die mangelhafte frz. Rechtschreibung hindeutet. In diesem Tab.-Teil durchweg Begleitsätze, die Gesangsstimme ist integriert (keine besondere Gesangsstimme in gew. Notenschrift, wie TessierS, S. 218 angibt). Nachweis der frz. Incipits durch Verchaly in Verchaly-Juif, S. III–X in frz. Drucken ca. 1576– ca. 1615, demnach Aufzeichnung ca. 1585–1620. Mehrere Sätze in einer 2., abweichenden Bearbeitung (*d'un autre ton*), die möglicherweise erst nach 1600 aufgezeichnet sind. Tab.-Teil I mindestens 3 Schreiber (mehrmals verschiedene Schriften auf derselben Seite). Tab.-Teil II nur 1 Schreiber, frz. Provenienz. I in Stimmung *Viel ton*; II in Stimmung *Accord nouveau*. Tab.-Teil II wohl erst 1660–1675. I zeigt am unteren Seitenrand einige Tab.-Sätze ohne Text (einzeilig, sehr einfache, dünnstimmige Tanzsätze, analog 1 bzw. 2 untextierte Tab.-Zeilen f. 18v, 19v). Besitzvermerk: *Reynaud* (f. 1r, 16r, 26r, 11v), sowie *Reynaud 1599* (f. 26r). Über diesen ist nichts näheres bekannt (die Angaben Rouards, S. 98 sind nicht zutreffend). In Tab.-Teil I lat. und frz. Sprüche (Schönschrift): *Patientia vincit malicia; Omnia cum tempore*; *Le loyer svit le labevr; Si fortune me tour-*

mente, Sperence me contente; etc. F. 67r span. Gedicht (Quatrain, Schönschrift): *Muerto soy preso de amores* ... F. 97r Stimmregeln in frz. Lt. Tab. (insgesamt 4, übereinstimmend bis „*4*": *Accord du nouueau Becarre; Accord du Becarre enrumé; Accord du vieux Bemol simple*). Weitere Beispiele für die Stimmung (*accord*) f. 103r, 110r, 115v (bis „*4*"). In Tab.-Teil II vermerkt: *ton commun; commun; com.* u. ä., ferner: *sur le nouueau Becarre.* F. 115v: ... *au ton des Archanges*, nachfolgend Tab.-Beispiel *Accord des Archanges* (bis „*4*"). In Tab.-Teil I finden sich am unteren Seitenrand in sorgfältiger Zeichnung unter den Strophen Monogramme (große Buchstaben, diese durchweg in Ligatur), es sind: f. 36r *Q.S.H.*, f. 38r *D.C.A.*, f. 44r *S.O.XX*, f. 49r *A.V.D.*, f. 51r *A.H.E.*, f. 53r *C.V.D.*, f. 77r *V.O.P.A.*, weitere Monogramme f. 81r, 83r, 86r, 88r, 90r. Sie sind keineswegs auf Komponisten (Intavolatoren) bezüglich. Nachsatzbl. f. II–Vr orig. Index, nur Tab.-Teil I betreffend (bis f. 95r verzeichnend, alfabetisch). Hellblauer Lederband der Zeit, reiche Goldpressung auf Vorder- und Rückdeckel (Mitte Rosette, die das Wort *Lente* umschließt, außen an der Rosette die Initialen *C.R.*), Goldschnitt. Vorderdeckel z. Zt. vom Einband abgebrochen, letzterer unversehrt; Wurmschaden. Buchrücken Zettel aufgeklebt, Anfang des 17. Jh., Tinte, stark verblaßt: *LIVRE / DES / VERS . DV / LVT.* (Freie Instrumentalsätze, Tänze, frz., provenç., ital., span. Liedsätze.)

Literatur: Verchaly-Juif, Einleitung, S. 9–16, im Anhang 3 Faksimiles von f. 10r, 27r und Vorsatzbl. Vr (diese Edition betrifft nur den Tab.-Teil I, also den älteren, in ital. Lt. Tab.); BoetticherL, S. 364 [41] (*Ms. Aix ohne Signatur*); TessierS, S. 217 (nur Beschreibung des II. Teiles der Hs.); Rouard, S. 98 (als *Nr. 142*); Chabaneau, S. 226 (Übertragung von 1 Satz mit provenç. Text); AlbanèsXVI, S. 86f.; RollinG, S. XVII.

AMBERG, Staats- und Stadtarchiv

Ms. 39. Früher Amberg, Bibl. des Salesianer-Klosters.

Frz. Lt. Tab. 6 Lin. für Gallichon. Um 1730–1740.

114 fol. Unbeschrieben f. 89r, 101r. 11,4×16,3 cm. Papier nach 1700 mit Wasserzeichen des Wappens von Kaufbeuren, unbeschnittenes Bütten. Einheitlich jede Seite mit 4 Systemen Tab. F. 1–2r Erläuterung der *Bindt oder Griff*, der Stimmung und der Verzierungszeichen. Insgesamt 191 unnumerierte Sätze. Ausschließlich Tab. Für 6saitiges Gallichon. 3 Schreiber: A f. 1–28, 29v–56, 65–114; B f. 29r; C f. 57–64. Pappeinband der Zeit, mit buntem Deckpapier überklebt. Vorderdeckel außen herzförmig verschnörkeltes Etikett mit eingebranntem Titel: *FUNDAMENTA der Gallichon.* Vorder- und Rückdeckel des Einbands wurde durch später aufgeklebte Papiere noch verstärkt. Aus dem Salesianer-Kloster Amberg, von dessen Besitz bei der Säkularisation 14. 8. 1804 2 Calichon-Instrumente versteigert wurden (in dem Kloster lebten nordital. Nonnen). (Freie Instrumentalsätze, Tänze, Arien, frz. Chanson, dt. Liedsätze.)

Literatur: Lück, S. 82ff.; LückC, S. 10 Faksimile von f. 1r; BoetticherVP, S. 76ff.; HudsonW, S. 174.

AMSTERDAM, TOONKUNST-BIBLIOTHEEK

Ms. 208. A. 27. Früher Bibliothek der Vereeniging voor Nord-Nederlandsche Muziek Geschiedenis, bzw. Bibliothek der Maatschappij tot Bevordering der Toonkunst, Signatur V. B. 13. Vordem Privatbibl. Land (s.u.).

Dt. Lt. Tab. Um 1580.

79 fol. Unbeschrieben f. 32v–33, 79v (leer); f. 78v, 79r (nur Umrandungen für die Tab.-Systeme). 30×19 cm. Tab.-Teil: f. 1–32r, 34–78r. Für 6chörige Laute. Braune Umrandungsstriche der Tab.-Systeme. Die erste Zeile des Incipits in roten Kapitälchen Schönschrift. Braune, orig. Satznumerierung f. 1r *XLVII* – f. 31v *C*, f. 34 *I* – f. 77v *C* (beide Reihen lückenlos). Da die Numerierung des ersten Teiles mit *XLVII* ansetzt, dürfte ein erheblicher Teil vom Anfang des Ms. in Verlust geraten sein, mindestens die Nrn. *I–XLVI*, was 35–45 Bll. entspricht. Von dem wohl erst in jüngerer Zeit verlorenen Teil ist eine Pauszeichnung (Tinte) der Nr. *I* = *Praeambv̈lv̈m Wolffgang Heckels* zwischen f. 30 und 31 eingefalzt, demzufolge war der verlorene Teil vom gleichen Schreiber notiert. 1 Schreiber. Die Niederschrift ist in ihrer sehr sauberen Anlage konstant und dürfte in kürzerem Zeitraum erfolgt sein. Als Druckvorlagen sind u. a. festgehalten: V. Bacfarc (1564), M. Waissel (1573), W. Heckel (1562). Neuerer Halblederband mit Beschriftung auf Buchrücken: *Manuscript in deutscher Lauten-Tabulatur. Ende 16. Jahrh.* – Beiliegend 3 Bll. hs. Erläuterungen von J.P.N. Land, datiert Leiden, 24. Mai 1882. (Freie Instrumentalsätze, Tänze, dt., niederdt. Liedsätze, frz. Chansons, ital. Madrigale, lat. Motetten.)

Literatur: WolfH II, S. 71; BoetticherL, S. 346 f. [25] (*Ms. Am 13*); Bottenheim, S. 222 (*Luitboek in Duitsche Tabulatuur*); Dieckmann, S. 107; KosackL, S. 67; Staak, Einleitung; BoetticherDru, S. 832; BoetticherHe, S. 14; GombosiG, S. 121.

Ms. ohne Signatur. 1970 erworben aus Antiquariat H. Schneider, Tutzing.

Frz. Lt. Tab. 6 Lin. Um 1660–1680.

49 fol., zuzüglich 1 Vorsatz- und 2 Nachsatzbll. (leer). 1 Bl. nach dem Vorsatzbl. ist herausgeschnitten (Falz). Unbeschrieben f. 4r, 5v–9r, 15v–18r, 20v–24r, 28v, 29r, 30r, 31v, 32r, 33v–38r, 40v–48 (nur Lin.). 14,3×20,3 cm. Tab.-Teil: f. 1–3, 4v, 5r, 9v–15r, 18v–20r, 24v–28r, 29v, 30v, 31r, 32v, 33r, 38v–40r, 49. Vorgedruckte Lin. mit Rahmen in Kupferstich (Ornament), ohne Angabe der Offizin. Für 11chörige und (nur Schreiber B) 10chörige Laute. *Acord*-Angaben, auch Hinweise für Umstimmung. Korrekturen (u. a. starke Rasuren f. 11r); z. T. über den vorgedruckten Rahmen hinaus notiert. Vermerk f. 48v am Schluß: *autre fin*. 2 Schreiber (Nebenschreiber B nur f. 49r, wohl spätere Eintragung, ca. 1580). Mittelbrauner Lederband der Zeit mit Goldpressung auf Deckeln und Buchrücken, Goldschnitt. Innendeckel mit orig. bunt marmoriert bedrucktem Papier beklebt. (Freie Instrumentalsätze, Tänze.)

Literatur: Fehlend.

ANN ARBOR, THE UNIVERSITY OF MICHIGAN LIBRARY, DEPARTMENT OF RARE BOOKS AND SPECIAL COLLECTIONS

Ms. M. 2. 1. T12. Erworben 18. 10. 1949 aus Antiquariat Sotheby, London. Früher Privatbibliothek Horace de Landau, Florenz.

Dt. Lt. Tab. Um 1615–1630; Datierung 1620.

173 fol. Unbeschrieben f. 50v–60r, 70v–75r (nur Lin.); f. 19v, 60v–70r, 75v–173 (leer). 13,8×18,5 cm. Tab.-Teil: f. 1–19r, 20–50r. Für 5- und 6chörige Laute. Datierung: f. 43r unten bei Satzende eines *Agnus Dei FINIS: / ANNO 1620* (Schreiber B). Vorderdeckel innen 2 dt. Sprüche (9 Zeilen), ca. 1620: *Wan man thut Zusamen klauben 6. Pörten mit / ihren Tauben 6. Componisten mit ihren stugkhen, 6. / Organisten mit ihren Musikhen, Vnd thuet sie legen auff / einen Karren, so fahren ...*; und: *Fuga mit der gerechten gemach, so kompt / die linckhe auch bald hernach mache Concordantia Vnd ...* Darunter, flüchtig, Besitzervermerk: *Bern.* Rückdeckel innen von des letzteren Hand: *Questo Libro e conseruato da me / Fabricio Bern per la Sua / antichità 1744.* Von gleicher Hand f. 173v, quer: *Conseruo questo Lib*[ro]. 62 Sätze (alle bezeichnet). Angaben der Stimmzahl des Vokalmodells (*à 3, à 4*), bei *Praeambulum, Fantasia* und *Fuga* Angabe des Kirchentons. 2 Schreiber (sorgfältig); A = f. 1–19r, B = f. 20–50r (dunklere Tinte), beide dt. Provenienz. Pergamentband der Zeit mit reicher Blindpressung (auch auf Buchrücken); Vorder- und Rückdeckel figürliche Leisten mit eingepreßten Medaillons (Caesar, Cicero, Ovid, Virgil, zu diesen vgl. Haebler, *Rollen- und Plattenstempel* I, S. 406, hiernach *Hans Schoeniger*, Leipzig zuzuweisen). Im mittleren Quadrat oben: *P. C. B*; unten: *1.5.5.6.* Die Schreiber benutzten augenscheinlich ein Volumen, das ca. 60 Jahre nicht beschriftet worden war. Heftung locker, aber unversehrt. (Freie Instrumentalsätze, Tänze, dt. und ital. Liedsätze, lat. Motetten bzw. Messenteile.)

Literatur: Fehlend. Hinweis Katalog Landau I, *Nr. 286*; Katalog Landau-Sotheby 1948, S. 149 (als *Nr. 408*).

AUGSBURG, STAATS- UND STADTBIBLIOTHEK

Ms. Tonkunst Schl.[etterer] 290. Alte Signatur (f. 1r): *20* neben Stempel: *Eigenthum der Stadt Augsburg.* Vorderdeckel innen Tintenvermerk: *Geschenk des Hrn. Schletterer an die Stadtbibl.*

Frz. Lt. Tab. 6 Lin. für Mandora (wahlweise). Ohne Alfabeto. Um 1740–1750.

158 fol., zuzüglich je 1 Vorsatz- und Nachsatzbl. (leer). Unbeschrieben f. 46v–48r, 52–61, 72v–73, 92–101, 110v–114, 115v–123r, 158. Der jüngere Vermerk auf dem Vorsatzbl. Ir *168 Bl.* ist falsch. 18,3×24,8 cm. Ausschließlich Tab. Für 6saitige Laute bzw. Mandora. Vermerke in Bleistift (alt) f. 15v, 16v: *gut.* 1 Schreiber. Jüngerer Pappband mit Schild auf dem Buchrücken:

Lautentabulatur, dieselbe Angabe Vorsatzbl. Ir. (Freie Instrumentalsätze, Tänze, Arien, frz. Chansons, dt. Liedsätze.)

Literatur: BoetticherL, S. 363 [45] (*Ms. Au 2*); Schletterer, S. 109 (*Nachträge und Berichtigungen, Nr. 457*).

Ms. Tonkunst Schl.[etterer] 509. Alte Signatur (Vorsatzbl. Ir, Bleistift): *Musik. B. No. 30.* Geführt in Katalog Schletterer (s. unten) als *Nr. 43.*

Frz. Lt. Tab. 6 Lin. für Mandora. Um 1740–1750.

96 fol., zuzüglich je 2 Vorsatz- und Nachsatzbll. (leer). Unbeschrieben f. 1v; f. 24v–33, 49–65, 74v–89 (nur Lin. mit Seitenrahmen), f. 1r, 2v (nur Seitenrahmen). 9,9 × 14,2 cm. Titel: f. 2r Schönschrift, rot *Divertissement / Mandour.* Traktat: f. 90–93r, Überschrift *Regulae Universales Mandorae*, dt., mit roter und brauner Tinte; insgesamt 7 Regeln, am Schluß: *Stim*[m]*ung der Mandour* mit 3 intavolierten Beispielen; in dem Traktat noch Abschnitte: *Von dem Vorschlag, Von dem Außzug, Von den Trillen* etc. Ausschließlich Tab., mit bräunlicher Tinte, abweichend in roter Tinte: Satztitel, Taktbezeichnung, Schlußstriche, Satznumerierung (s. unten), Seitenrahmen, originale Paginierung (*1–188*, f. 3–96 betreffend). Orig. Numerierung, mehrfach ansetzend, dazwischen unnumerierte Sätze: *I–XXIII, I–XXX, I–XVII.* Für 6saitige Mandora. Korrekturen (Bleistift) f. 16r, 31v etc., Ergänzungen (Bleistift) f. 25r etc. 2 Schreiber: A bis f. 19v Schönschrift, dann flüchtiger. Dunkelbrauner Lederband der Zeit, Deckel mit Blindpressung, auf Buchrücken rötliches Schild aufgeklebt mit originaler Beschriftung: *MANTO.* (Freie Instrumentalsätze, Tänze, Arien, dt. Liedsätze, lat. Incipit.)

Literatur: WolfH II, S. 123; BoetticherL, S. 372 [48] (*Ms. Au 45*); Schletterer, S. 12 (*Nr. 43*).

Ms. Tonkunst 2° fasc. III, Nr. 1–56. Zur abweichenden alten Numerierung, vgl. unten.

Frz. Lt. Tab. 6 Lin. Um 1745–1770, Datierungen 1759, 1765.

56 Faszikel, die durch die Sign. innerhalb der Bezeichnung Faszikel III als Nr. 1–56 dargestellt sind. Für 13chörige Laute (*6*), Fasz. 51 abweichend für 11chörige Laute (*4*). Mit Ausnahme von Fasz. 11, 47, 51, 53, 54, 55, 56 handelt es sich jeweils um originale hellblaue Umschläge, auf denen außen einheitlich die alte Numerierung gemäß *Catalogue* (s. unten) meist mit Angabe der Tonart in einem quadratischen Rahmen in Tinte notiert ist, zusammen mit einem musikalischen Incipit von ca. 2 Takten in Tab. (in einigen Fällen fehlend), der genauen Bezeichnung des Werkes und Angabe der Besetzung, schließlich (rechts unten) dem Namen des Komponisten. Hauptformat der Umschläge und Notenbll. 30 × 23 cm, in einigen Fällen 23 × 30 cm. Fasz. 1 ist ein originaler Thematischer Katalog der auf den Umschlägen erscheinenden intavolierten

Incipits, mit Angabe der alten Numerierung der Faszikel. Demgemäß entsprechen die Fasz. in neuer und alter Numerierung (neu = alt):

2 = 1	*3* = 2	*4* = 4	*5* = 5	*6* = 8	*7* = 9
8 = 11	*9* = 16	*10* = 17	*11* = 19	*12* = 21	*13* = 22
14 = 26	*15* = 27	*16* = 28	*17* = 30	*18* = 31	*19* = 32
20 = 33	*21* = 36	*22* = 38	*23* = 43	*24* = 45	*25* = 46
26 = 47	*27* = 51	*28* = 52	*29* = 56	*30* = 57	*31* = 59
32 = 61	*33* = 62	*34* = 63	*35* = 64	*36* = 65	*37* = 66
38 = 67	*39* = 68	*40* = 69	*41* = 70	*42* = 73	*43* = 74
44 = 78	*45* = 80	*46* = 86			

Von den insgesamt 86 im originalen *Catalogue* vorgesehenen Nummern blieben mithin frei (nur Nr. und leeres Lin.-System): Nr. 3, 6, 10, 12–15, 18, 20, 23–25, 34, 35, 37, 39–42, 44, 48–50, 53–55, 58, 60, 71, 72, 75–77, 79, 81–85. Nur Fasz. 7 und 29 nach alter Numerierung sind mit Titeln geführt: 7 = *Solo A Dur Amoroso*, Komponist: *Hagen*; 29 = *Solo B. Dur. Andantino.* Komponist: *Hagen*. Beide Faszikel fehlen heute und sind in der neueren Numerierung nicht enthalten. Die übrigen Faszikel alter Numerierung, die der *Catalogue* ohne nähere Angaben verzeichnet (insgesamt 39), dürften zur Zeit der Katalogisierung (um 1770) nicht existiert haben. Die Fasz. neue Nr. *47–56* erscheinen nicht im *Catalogue*, sie zeigen daher auf ihrem Umschlag, sofern er erhalten ist (Nr. *48–50*, *52*), keine alte Numerierung; Fasz. *51*, *53–55* haben jüngeren Umschlag, Fasz. *47* und *56* einen modernen Umschlag. Wahrscheinlich sind Fasz. *47–56* außerhalb der alten Reihe um 1770–1780 dem Konvolut beigegeben worden, entstammen aber einem ähnlichen Repertoire. Übersicht nach neuer Zählung (Blattzahl, ohne die teils inkompletten Stimmen in gew. Notenschrift). Einige dieser Titel verzeichnen Komponistennamen auf dem Umschlag bzw. f. 1r des Notenteils (Fasz.-Nr. in Klammern): *B.J. Hagen [Hagen]* (2, 4, 8, 12, 15, 16, 20, 21, 22, 25, 26, 27, 29, 31, 39, 40, 42, 43, 44, 46), *Locatelli trad: di B.J. Hagen* (45), *Durant* (38), *Kohaut* (3, 10, 23, 24, 33, 34), *Toeschi* (41), *Lauffensteiner* (5), *Kühnel* (28), *Weiß* (7), *Silvio Weiß* (19), *Falkenhagen [Falckenhagen]* (6, 32, 37, 50), *Pfeiffer* (9), *Baron Sigism: di Seckendorff* (11), *Sollnitz* (13), *Kleinknecht* (14, 18). Die nur im Tab.-Teil geführten Namen vgl. Bd. 2.

Faszikel 2: 4 fol. 8 beschriebene Seiten. Titel: *Concerto per il liuto a 5. stromenti duoi Violini, Viola e Violoncello.* Datiert *20. 1. 1759.*

Faszikel 3: 4 fol. Unbeschrieben f. 1r, 4v. Titel: *Concerto per il Liuto, Violino Primo, Violino Secundo e Violoncello.*

Faszikel 4: 4 fol. Unbeschrieben f. 1r, 4v. Titel: *Pastorella. Sonata à 3. Liuto, Violino e Violoncello.*

Faszikel 5: 2 Teile: 5 fol. Unbeschrieben f. 1r, 5v; 4 fol. Unbeschrieben f. 1r. Titel: *Sonata à Liuto Primo e Secundo où Violino, Viol. di Gamba et Violoncello.*

Faszikel 6: 3 fol. Unbeschrieben f. 1v, 2v, 3v. Titel: *Fuga*, nur auf dem Umschlag.

Faszikel 7: 3 fol. Unbeschrieben f. 1v, 2v, 3v. Titel: *Ciaconna.*

Faszikel 8: 4 fol. Unbeschrieben f. 1r, 4v. Titel: *Sonata a 3. Liuto, Violino e Violoncello.*

Faszikel 9: 4 fol. 8 beschriebene Seiten. Titel: *Concerto per il Liuto col due Violini, Viola e Basso.*

Faszikel 10: 4 fol. Unbeschrieben f. 1r, 4v. Titel: *Divertimento per il Liuto obligato, due Violini è Basso.*

Faszikel 11: 4 fol. Unbeschrieben f. 4v. Titel: *Quartetto per il Liuto obligato, Violino, Viola è Violoncello.*

Faszikel 12: 4 fol. Unbeschrieben f. 1r, 4v. Titel: *Sonata a 3. Liuto, Violino & Violoncello.*

Faszikel 13: 4 fol. Unbeschrieben f. 1r. Titel: *Sonata a 3. Liuto, Violino o Viol. di Gamba & Violoncello.*

Faszikel 14: 6 fol. Unbeschrieben f. 1r, 5v–6. Titel: *Sonata à Liuto Solo.*

Faszikel 15: 4. fol. Unbeschrieben f. 1r, 4v. Titel: *Sonata à Liuto Solo.*

Faszikel 16: 4 fol. Unbeschrieben f. 1r. Titel: *Sonata a Liuto Solo.*

Faszikel 17: 2 fol. 4 beschriebene Seiten. Ohne Titel. Zufolge *Catalogue: Solo con Variazioni.*

Faszikel 18: 6 fol. 12 beschriebene Seiten. Titel: *Concerto à 5 per Liuto, Violino Primo, Violino Secundo, Viola e Basso.*

Faszikel 19: 4 fol. 8 beschriebene Seiten. Titel: *Concerto à 5 per il Liuto, con duoi Violini, Viola e Violoncello.*

Faszikel 20: 4 fol. Unbeschrieben f. 1r, 4v. Titel: *Sonata a 3. Liuto, Violino e Violoncello.*

Faszikel 21: 2 Teile: je 4 fol. Unbeschrieben f. 1r, 4v. Titel: fehlend. Es handelt sich um eine Sonata a 3 für 2 Lauten und 1 Violine. Überschrift Teil 1: *Duetto. Liuto 1mo.*

Faszikel 22: 4 fol. Unbeschrieben f. 1r, 4v. Titel: *Sonata a Liuto Solo.*

Faszikel 23: 5 fol. Unbeschrieben f. 5v. Titel: *Divertimento. Sonata à 3. Liuto, Viola obligato e Violoncello.*

Faszikel 24: 4 fol. Unbeschrieben f. 1r, 4v. Titel: *Sonata à Liuto Solo.*

Faszikel 25: 4 fol. Unbeschrieben f. 1r, 4v. Titel: *Sonata à Liuto Solo.*

Faszikel 26: 4 fol. 8 beschriebene Seiten. Titel: *Concerto a 5 stromenti. Liuto, Violino 1mo, Violino 2do, Viola e Violoncello.*

Faszikel 27: 4 fol. Unbeschrieben f. 1r, 4v. Titel: *Sonata a Liuto Solo.*

Faszikel 28: 4 fol. Unbeschrieben f. 1r. Titel: fehlend. Der *Catalogue* verzeichnet: *Allegro* und: *Solo*, ferner als Incipit des 1. Satzes der Reihe: *Allemande.*

Faszikel 29: 4 fol. Unbeschrieben f. 1r, 4v. Titel: *Sonata a 3. Liuto, Violino e Violoncello.*

Faszikel 30: 8 fol. Unbeschrieben f. 1r, 8v. Titel: fehlend auf dem Umschlag. Im Notenteil: *Concerto per il Liuto.* Zufolge *Catalogue: Concerto.*

Faszikel 31: 4 fol. Unbeschrieben f. 1r, 4v. Titel: *Sonata à Liuto Solo.*

Faszikel 32: 4 fol. 8 beschriebene Seiten. Titel: *Concerto à 5. Liuto, Violino Primo, Violino Secundo, Viola e Violoncello.*

Faszikel 33: 4 fol. 8 beschriebene Seiten. Titel: *Concerto per il Liuto, due Violini e Violoncello.*

Faszikel 34: 4 fol. Unbeschrieben f. 4v. Titel: *Concerto per il Liuto, Violino Primo, Violino Secundo e Violoncello.*

Faszikel 35: 4 fol. Unbeschrieben f. 1r, 4v. Titel: *Sonata a 3. Liuto, Violino e Violoncello.*

Faszikel 36: 4 fol. 8 beschriebene Seiten. Titel: fehlend. Im Notenteil f. 1r: *SONATA a 3.* Zufolge *Catalogue*: *Trio F. Dur Allegro moderato.*

Faszikel 37: 2 Teile: je 4 fol. Unbeschrieben f. 1r, 4. Titel: *Duetto.* Überschriften: *Duetto. Liuto 1mo; Duetto. Liuto 2do.*

Faszikel 38: 2 fol. Unbeschrieben f. 2v. Titel: *Carillon.* F. 1r: *Liuto. / Solo. ex. F. dur.*

Faszikel 39: 4 fol. Unbeschrieben f. 1r, 4v. Titel: *Sonata à Liuto Solo.*

Faszikel 40: 3 fol. Unbeschrieben f. 1r. Titel: *Sonatina per il Liuto.* F. 1v: *Comp: di B.J.H. d: 24. Xbr: 1765.*

Faszikel 41: 7 fol. Unbeschrieben f. 1r, 7v. Titel: *Concerto per il Liuto obligato con due Corni, due Flauti, due Violini, Viola è Violoncello.*

Faszikel 42: 4 fol. Unbeschrieben f. 1r, 4v. Titel: *Sonata a Liuto Solo.*

Faszikel 43: 4 fol. Unbeschrieben f. 1r, 4v. Titel: fehlend. Überschrift: *Liuto Solo.*

Faszikel 44: 4 fol. Unbeschrieben f. 1r, 4v. Titel: *Sonata à Liuto con Violino.*

Faszikel 45: 4 fol. Unbeschrieben f. 1r, 4v. Titel: *Variazioni per il Liuto.*

Faszikel 46: 4 fol. Unbeschrieben f. 1r, 4v. Titel: fehlend. Überschrift: *Liuto Solo.*

Faszikel 47: 4 fol. Unbeschrieben f. 4v. Titel: nur f. 1r *Sonata à 3. Liuto, Traverso e Violoncello.*

Faszikel 48: 2 fol. Unbeschrieben f. 1r. Titel: fehlend.

Faszikel 49: 4 fol. 8 beschriebene Seiten. Titel: *Quartetto a Liuto obligato Violino Viola e Basso.*

Faszikel 50: 6 fol. Unbeschrieben f. 1r. Titel: fehlend.

Faszikel 51: 10 fol. Unbeschrieben f. 10v. Titel: *Preludio / Nel quale Sono contenuti tutti / i Tuoni Musicali.*

Faszikel 52: 10 fol. Unbeschrieben f. 1r, 6r, 10v. Titel: fehlend.

Faszikel 53: 4 fol. 8 beschriebene Seiten. Titel: fehlend. Überschrift: *Liuto.*

Faszikel 54: 2 fol. 4 beschriebene Seiten. Titel: fehlend. Überschrift: *Divertimento.*

Faszikel 55: 2 fol. 4 beschriebene Seiten. Titel: fehlend. Überschrift: *Liuto*, und: *Concertino.*

Faszikel 56: 40 fol. Unbeschrieben f. 1r, 8v, 10v, 14r, 16r, 17v, 18r, 19v, 20r, 37v, 40v. Mehrere Schreiber. Teile mit abweichendem Format: 26×21 cm. und 26×22 cm. Titel: fehlend.
(Freie Instrumentalsätze, Tänze, Arien, ital., frz., dt., engl. Liedsätze.)

Literatur: WolfH II, S. 102 (ohne Sign., als *Lautenbuch des 17. Jh.* [*Gautier*], auf Fasz. *52* bezüglich); BoetticherL, S. 379 [54] (*Ms. Au III*); Schletterer fehlend; KoczirzWL, Krit. Ber. nach S. 94 (zu Fasz. 23, 24); EitnerQL IV, S. 177, VII, S. 87 etc. Zu den Sätzen J. Haydns vgl. MGG V, S. 1890 und BrugerH, Einleitung. Zu Fasz. 52: RollinG, S. XVII; BoetticherFa, S. 1744; Klima-RadkeWW, S. 437.

BASEL, Öffentliche Bibliothek der Universität, Musiksammlung

Ms. F. IX. 23

Dt. Lt. Tab. Um 1575; Datierung 24. 11. 1575.

40 fol. Unbeschrieben f. 1v–2, 5v, 25v–40. 15,5×20,5 cm. Titel: f. 1r *Liber Ludouici Iselin et amicorum. / IN VIA VIRTVTI NVLLA / EST VIA.* F. 3r–5r Traktat; Tab.-Teil: f. 6–25r. Überschriften des Traktats (rote Tinte, z. T. mit schwarzer Tinte nachgezogen): *So man vff der lauten lernen will, so wirtt erstlich angezeigett, wie man sich mitt der rechten hand / vnden bey dem sternen halten solle* (Textbeginn des Abschnitts: *Erstlich, setze den kleinen finger . . .*); *Nachmols wirtt angezeigett, wie man sich mitt der lincken hand oben vff dem kragen halten, vnd applicirn solle; Von der Proportz* (mit 2 intavolierten Griffbeispielen); *Wie man sich in die mensura richten, vnd die selbe verstehn soll; Wie man den lauttenkragenn mitt seiner thabulatur beschriben soll* (hierzu f. 4r eine Zeichnung des Lt.-Kragens mit 6 Chören, 8 Bünden, Benennung der Saiten und eingezeichneten Siglen der Tab.); *Wie man die lauten richten, oder stim*[m]*en soll; Noch werden sexerley zeychen in der tabulatur angeZeigt, vnd wie die selben zu erken*[n]*en sindt; Wie man die lauten soll mit seiten beZiehen; Wie man die seiten soll lernen erkennen vnd vsschlagen; Wie man soll die bünd machenn.* Datierung am Schluß des Traktats: f. 5r *Finis heist ein endt / Des*

frewen sich mine hendt / Ist das nitt wol geschriben / So hab ich doch min zeit vertribenn. / A[nn]*o part salutiferi millesimo, quingentesimo, septuagesimo quinto. / Die Nouembris uigesimo / quarto.* Der Notenteil entstammt offenkundig der gleichen Zeit und gehört zu dem theoretischen Teil des Ms. Für 6chörige Laute. Ergänzungen: f. 16r (1 Tab.-Takt). 1 Schreiber (identisch mit demjenigen des Traktats und mit dem Schreiber von Ms. Basel F. X. 11). Pergamentband der Zeit, als Einband diente ein älteres, schwarz literar. beschriftetes Pergament, dessen unbeschriftete Seite das Äußere des Vorder- und Rückdeckels wurde, deren Inneres wurde orig. mit leerem Papier überklebt. Keine Beschriftung nach dem Einband. Stümpfe von 2 Bandschließen. Orig. Bandheftung unversehrt. (Freie Instrumentalsätze, Tänze, ital. Madrigale, frz. Chansons, dt. Liedsätze.)

Literatur: WolfH II, S. 49; BoetticherL, S. 346 [24] (*Ms. Ba 23*); Richter, S. 80f.; BolteT, S. 74ff.; BolteF, S. 248ff. (kurze Erwähnungen); Pellanda-Weber, S. 4ff.

Ms. F. IX. 53

Frz. Lt. Tab. 6 Lin. 3. Viertel des 17. Jh.

65 fol., zuzüglich je 1 orig. Vorsatz- und Nachsatzbl. (leer), das letztere zur Zeit lose inliegend. Unbeschrieben f. 10v, 15v, 33v, 34r, 50v, 51r, 58v, 59r, 61r. Nach f. 37 ist 1 Bl. herausgerissen (Falz erhalten). 15×19,5 cm. Vorgedruckte Lin., ohne Angabe der Offizin. F. 60v, 64r (untere 2 Systeme), 64v-65 kopfstehende Beschriftung, dabei f. 65v nur flüchtiges Fragment eines unbezeichneten Satzes. Ausschließlich Tab. Überwiegend für 10chörige Laute (*///a*), Nebenschreiber B vereinzelt für 11chörige Laute (*4*) f. 30v. Streichungen f. 5v, 7r, 9v etc. Mindestens 3 Schreiber (1 Hauptschreiber). Pergamentband der Zeit; Vorder-, Rückdeckel und Buchrücken mit reicher Schwarzpressung. Goldschnitt mit Muster. Stümpfe von 2 grünen Seidenschließen. Orig. Lederbandheftung unversehrt. (Freie Instrumentalsätze, Tänze, frz. Chansons.)

Literatur: WolfH II, S. 102; BoetticherL, S. 356 [34] (*Ms. Ba 53*); EitnerQL IV, S. 177, Art. *Denis Gaultier*; Richter, S. 96 (falsch „*für Harfe*"); MerianK, S. 59f., RollinD, S. XVI; RollinG, S. XVII; RollinV, S. XXI; RadkeG, S. 141; RollinM, S. XXV.

Ms. F. IX. 56

Frz. Lt. Tab. 6 Lin. Ende des 1. Viertels des 16. Jh., möglicherweise bereits 1520–1521.

2 fol. Unbeschrieben f. 2v. Unbeschnittenes Bütten. F. 2 ist durch ein unterhalb aufgeklebtes, jüngeres Bl. doppelstark (s. u.). 30×22 cm. Es handelt sich um den Rest eines verlorenen Faszikels. Lin. flüchtig, ohne Rastral. Tab.-Teil f. 1–2r. Für 6chörige Laute. Korrektur: f. 1r. 1 Schreiber. Das aufgeklebte Verstärkungspapier von f. 2 zeigt das Wasserzeichen *N.H.*, das zufolge MarxB,

S. 109, Anm. 31 auf Niklaus Heusler (1586–1613 und 1613–1626 als Papiermacher in Basel ausgewiesen) deutet. Demgemäß wäre eine Restauration des Ms. um die Wende des 16.–17. Jh. erfolgt. Schreiber ist Bonifacius Amerbach (über diesen vgl. MarxB, S. 111), der die Sätze wahrscheinlich während seines Aufenthaltes in Avignon zwischen Mai 1520 und Mai 1521 aufzeichnete. Orig. Einband fehlt (neuerer Karton, Halbleinenband). (Freie Instrumentalsätze, frz. Chansons.)

Literatur: WolfH II, S. 102; BoetticherL, S. 356 [34] (*Ms. Ba 56*); Richter, S. 42 (falsch als „*Lieder für Harfe* [*?*]"); MerianK, S. 59; MarxA, S. 50ff.; MarxB, S. 99ff. (*Übertragungen*), S. 109 (*Krit. Bericht*), S. 129 (*Anmerkungen*), S. 111; KindermannDMA, *Nr. 2/2341.*

Ms. F. X. 11

Dt. Lt. Tab. Um 1570–1575

23 fol. Unbeschrieben f. 1v–3r; f. 23 (nur Lin. als Umrahmung der Tab.-Systeme). 9,5×14,5 cm. Titel: f. 1r *VSVS FACIT ARTEM. / VSVS MAGISTER OPTIMUS. / Anno Salutis . . .* (das untere rechte 2/3 des Blattes ist herausgerissen, daher nicht mehr lesbar). F. 3v–4v (obere Hälfte) Traktat; Tab.-Teil: f. 4v (untere Hälfte) – 22. Überschriften des Traktats: *Wie man zwo lauten zem*[m]*en stellen*; *stellen* ist unterstrichen, darüber von gleicher Hand: *stim*[m]*en soll* (Textbeginn des Abschnitts: *Zum Ersten, stell die quint seitten vff der kleinen lauten . . .*); *Wie ma*[n] *die lauten überziechen soll mitt seiten*; *Wie man die bindt machen soll; Wie man 3. lauten zem*[m]*en stim*[m]*en soll, Disca*[n]*t, Tenor vnd den Baß; Wie man die lauten soll lernen richten* (am Schluß mit intavoliertem Beispiel). Am Rand dt., lat. Sprüche von gleicher Hand. Für 6chörige Laute. Streichungen: f. 11r (auch von Spruchtexten am Rand f. 7v, 8r). 1 Schreiber (identisch mit demjenigen des Traktats und mit dem Schreiber von Ms. Basel F. IX. 23). Pergamentband der Zeit, als Einband diente ein älteres schwarz literar. beschriftetes, mit blauen und roten Zeichen für den Satzbeginn versehenes Pergament, Beschriftung außen. – Neuere Numerierung der Sätze (*Proportio, Nachdantz* nicht mitzählend): 1–40. (Freie Instrumentalsätze, Tänze, ital. Madrigal, dt. Liedsätze, lat. Motetten.)

Literatur: WolfH II, S. 49; BoetticherL, S. 345 [24] (*Ms. Ba 11*); Richter, S. 78 ff.; BolteT, S. 74ff; BolteF, S. 248ff. (kurze Erwähnungen); HeckmannDMA IV, S. 113, *Nr. 1/1688.*

BASSANO und VICENZA, PRIVATBIBLIOTHEK OSCAR CHILESOTTI bis 1916. Gegenwärtiger Aufbewahrungsort nicht nachgewiesen

* Ms. ohne Signatur.

Ital. Lt. Tab. 6 Lin. Ende des 16. Jh.

121 fol. Orig. Paginierung *1–242* (korrekt). 8°. Tab.-Teil f. 1r, 2r, 3v. 7, 10v–15r, 16v, 17v–21r, 31v–36, 40v–43r, 45–46r, 52v–59r, 66v–70r, 72, 76v,

79v–91, 94–98r, 107–116, 119–121r. Überwiegend für 6chörige, vereinzelt auch für 7chörige Laute. Literarische Beigaben (ital. Sprüche, Liebesgedichte) am Rand. 1 Schreiber: wohl dt. Herkunft, in Italien lebend. Lederband der Zeit. (Freie Instrumentalsätze, Tänze, frz. Chanson, ital. Madrigale, dt. Liedsätze.)

Literatur: WolfH II, S. 70; BoetticherL, S. 348 [26] (*Ms. Ba V*); ChilesottiL, S. VII–IX und Notentext, Faksimile von p. 176, 177 S. XI; EitnerC, S. 225; SzabolcsiT, S. 13ff.; Klima-RadkeWW, S. 437; RadkeC, S. 1382.

BAUTZEN, STADT- UND KREISBIBLIOTHEK

Druck 13. 4°. 85.

Handschriftlicher Anhang in Druck J.-B. Besardus, *Thesaurus Harmonicus . . .*, Köln 1603.

Frz. Lt. Tab. 6 Lin. Um 1605–1620.

44 fol., hiervon f. 44 zur Hälfte an Rückdeckel innen aufgeklebt. Unbeschrieben f. 4, 5, 10v, 12v–15, 28v–30, 33v–34, 35v (nur Lin.). F. 44v (aufgeklebt) ist leer. Neuere Paginierung des Anhangs. Der beschriftete Faszikel hat mit dem Druck übereinstimmendes Format: 31,5 × 19,8 cm. Tab.-Teil: f. 1–3, 6–10r, 11–12r, 16–28r, 31–33r, 35r, 36–43. Lin. durchweg ohne Rastral. F. 44r 2 Tabellen: die erste setzt 7 Lin. (statt 6 Lin. des Notenteils) voraus und rechnet mit 13 Bünden (*a* bis *o*), zugleich sind die Töne in gew. Notenschrift angegeben. Als Stimmung gilt *F B d f c' e' g'* oder *A C e g c' e' g'*. Eine zweite Tabelle unterhalb erörtert nur 12 Bünde (*a* bis *n*) und folgt der Stimmung *C D G A d g h e' a'* in einem abweichenden System von 9 Lin. Für 7chörige Laute. Streichungen. Originaler Besitzvermerk auf dem Titelblatt des Drucks: *Sum ex libris Joannis / Caspari Straminej Otto, / villani emptus &c / Argentinae A*[nn]*o 1608*. 1 Schreiber (flüchtig). Als Einband diente für den Druck eine alte Pergamenths. mit literar. Text (rote und schwarze Buchstaben), die originale Heftung ist unversehrt. (Freie Instrumentalsätze, Tänze, frz. Chanson, ital. Madrigal, dt. Liedsätze, lat. Motette.)

Literatur: Fehlend. Hinweis PoźniakCC, Einleitung S. 9, Anm. 21. RollinBC, S. XVII.

BEDFORD, LIBRARY OF BEDFORDSHIRE ARCHEOLOGICAL SOCIETY IN THE ARCHIVES OF THE COUNTY RECORD COMMITTEE OF THE BEDFORDSHIRE COUNTY COUNCIL

Ms. D.D.TW. 1174. Bis 1960 Signatur: *D.D.TW. 7/2*.

Frz. Lt. Tab. 4 Lin. für Cittern. Um 1650–1655. Sog. Ms. Sir William Boteler or Butler of Biddenham (Bedfordshire).

49 fol. Unbeschrieben f. 1v, 3v, 4v, 5v, 6v, 7v, 8v, 9v, 10v–11, 12v, 13v, 14v, 20v, 21v, 22v, 25v, 27v, 28v–41, 42v, 43r, 46r, 48r, 49. Vor f. 1 sind mindestens 8 Bll. herausgerissen, Tab.-Verlust wahrscheinlich (s.u.). Schluß des Volumens unversehrt. 13,5 × 20 cm. Tab.-Teil: f. 1r, 2–3r, 4r, 5r, 6r, 7r, 8r,

9r, 10r, 12r, 13r, 14r, 15–20r, 21r, 22r, 23–25r, 26–27r, 28r, 42r, 43v–45, 46v, 47v, 48v. Für 4saitige Cittern. Fingersatz: 1 Punkt. F. 42r nur kurzes Fragment eines Satzes, der f. 10r und 46v vollständig notiert ist. F. 43v–45, 46v, 47v, 48v Beschriftung kopfstehend (rückwärts). Vereinzelt *finis*-Vermerke. F. 49v zweimal (Tinte): *Tho: ffarmer*, daneben Federproben etc., auch: *march on march on my merie mery mates to uenus* . . ., und: *Tomy most loueing*. Orig. Index Rückdeckel innen, an rechtem und linkem Seitenrand (Schreiber des Tab.-Teils). Dieser Index vermerkt korrekt, daß einzelne Sätze in zwei abweichenden Versionen notiert auftreten (*2 wayes* bzw. *another way*), ferner führt er fünf Sätze auf, die nicht im Ms. enthalten sind und die auf Tab.-Verlust schließen lassen (vgl. Bd. 2). Ein auf der gleichen Seite, mittlerer Streifen, von fremder Hand aufgezeichneter Index (hellere Tinte) führt überwiegend andere Satztitel auf und dürfte nicht auf das überlieferte Volumen bezüglich sein. Vor f. 47 ist in jüngerer Zeit 1 Bl. herausgeschnitten (Falz). Das Ms. ist mit anderen Objekten aus dem Nachlaß des Sir William Boteler or Butler of Biddenham (Bedfordshire) überliefert, dessen Name aber in der Tab. nicht genannt ist; Boteler verstarb 1656 und ist wahrscheinlich der Schreiber. Pergamentband der Zeit, stark zerrieben. Vorderdeckel innen Federproben (*man* etc.), Rückdeckel innen: *Eliza Barker* (Schönschrift, vertikal). (Freie Instrumentalsätze, Tänze, engl. bzw. schott. Liedsätze.)

Literatur: DartCC, S. 113; Hayes, S. 43ff.; WardSB, S. 28ff.

BELCARRES (Colinsburgh, Fife), PRIVATBIBLIOTHEK EARL OF CRAWFORD AND BELCARRES

Ms. ohne Signatur. Alter Familienbesitz. Das Ms. ist nicht öffentlich zugänglich. Vom Verf. 1975 mit Erlaubnis des Besitzers aufgenommen. Zur Zeit kurzfristig Deposit in Manchester, John Rylands University Library.

Frz. Lt. Tab. 6 Lin. Um 1660–1675.

133 fol. Unbeschrieben f. 1r (nur Lin., Satzbezeichnung); f. 76v–108r, 111v–133 (leer). 20,5×30,5 cm. Tab.-Teil: f. 1v–76r, 108v–111r. Für 11chörige Laute (bis „4“). Korrekturen: f. 21v, 27r, 38v, 63v etc. Zahlreiche Angaben zur Stimmung: *The old way; The new way; The new way . . . not so good as m*[y] *daughters way; John Morisons way; My daughters way; Jean Mores way; Jean Burette way; David grieves way; The 2^d way by David Grieve; John Reds way; Mr. Lesslies way; Mr. Gallots way; Mr.* [Master] *Becks way; Master Macklachlands way* [auch: *McLaughlans way*]; statt *way* auch: *fashion*. Diese Bezeichnungen bei Satztiteln vor dem Komponistennamen. Bei *Minuett: with the 9th string lowed half a note*. Vermerke mehrmals. Ferner: *The 4 notes between the double barrs are to be played, till the 2^d time the first measure be played and then are not repeated; the last division of this tune comes in, at the mark, and the last excepting one end the air*. Zusätze am Satzschluß: *with any division; worth*

nothing; reight marked; wrong marked. Fast alle Sätze sorgfältig bezeichnet, überwiegend engl. Komponisten (am stärksten vertreten: *Mr. Beck*), aber auch *Monsieur Gallot, Mercure, Mouton, Gautier.* Die Stimmungsangaben in Tab.: *The highest tuneing of the lute;* und: *The flatt tuneing of the lute* decken sich mit dem Tab.-Teil. Fingersatz: 1, 2 Pkte. (spärlich). Neuere Paginierung (Bleist.). Unterer Rand Wasserschaden. F. 1 oberhalb abgebröckelt. Kein Tab.-Verlust der überlieferten 2 Faszikel (vollständige Sätze). 1 Schreiber. Dunkelbrauner Lederband der Zeit, Rest von 1 Metallschließe, Goldpressung. (Freie Instrumentalsätze, Tänze, engl., schott., frz. Liedsätze.)

Literatur: Fehlend. Kurzer Hinweis ShireS, Quellenverzeichnis S. 265 und Musica Britannica XV (2/1967), Quellenverzeichnis S. 201.

BERLIN, STAATSBIBLIOTHEK, PREUSSISCHER KULTURBESITZ (West-Berlin) bis 1945 BERLIN, Preußische Staatsbibliothek, *Handschriftenabteilung*

Ms. germ. qu. 719 (abgekürzt: Mgq 719). Ältere Signatur (Vorderdeckel innen): *28279* (= Akzessions-Nr. der ehem. Preuß. Staatsbibl. Berlin); Buchrücken: *Ms. Germ. 4° 719* und: *Ms. Germ. Quart. 719.* F. 1v und 200v Stempel der Staatsbibl. Berlin. Erworben von Clemens Brentano (erwähnt in dessen Briefen seit 1802, 1805), sodann in den Besitz von Jacob und Wilhelm Grimm übergegangen (von diesen erwähnt 1807, später erworben), endlich bis 1847 in Besitz des Bibliophilen Meusebach, 1850: Kgl. Preuß. Bibl. Berlin. 1942–1951 nach Marburg (Lahn) ausgelagert. Sog. *Königsteiner Liederbuch.* – Die Signatur (Vorderdeckel innen) *Z.8016* betr. wohl Bibl. Meusebach.

Dt. Lt. Tab., einstimmige Melodieaufzeichnung. Um 1470–1473. Älteste hs. Lt. Tab. Datierung außerhalb Tab.-Teil: 1464, 1469.

203 fol. Bestehend aus 6 selbständigen Faszikeln (abweichendes Papier, wechselnde Schreiber), zusammengebunden bald nach 1474–1476. Wasserzeichen verbürgen 1468–1474 (Burgund, Piemont, Vogesen, Oberrhein, Perpignan, Montpellier, Westschweiz). Insgesamt 17 Lagen. Schriftspiegel stark schwankend, spärlicher Bildschmuck. Neuere Foliierung (leere Bll. mitzählend). Um 1820 ältere Bleist.-Paginierung *1–9*, *1–67*. 20×14,5 cm. Tab.-Teil: f. 142v = Nr. *82* (8 Zeilen); f. 164v = Nr. *133* (3 Zeilen); f. 165r = Nr. *134* (4 Zeilen); f. 165v = Nr. *135* (4 Zeilen); f. 166r = Nr. *137* (1 Zeile). 1st. Aufzeichnung, ohne Textunterlegung, einer Liedstrophe folgend, wohl instrumentales Nachspiel (Zwischenspiel). Der Codex, ein bedeutendes westmitteldeutsches Liederbuch, enthält 169 Liedaufzeichnungen. Zufolge A. Bach (*Eine Minneallegorie Erhard Wameshafts* [Waneshafts?], *verfaßt um 1470 in Königstein im Taunus*, in: Nassauische Annalen LXXVIII, 1957, S. 272ff.) ist die Sprache mittelrheinisch (Frankfurt, Mainz), in den Liedertexten sind genannt: Verwandte des Grafen von Eppstein-Königstein, ferner die Burg

Hattstein bei Oberreifenberg nördl. Königstein (Taunus). Zahlreiche Federproben ohne Bezug auf Tab.-Teil. Nach Taglied Nr. *6* Datierung *1464* (zu früh), nach dem einzigen historischen Lied des Ms. = Nr. *141: 1469* (ebenfalls zu früh für die Niederschrift). Tab.-Teil 1 Schreiber. Orig. Holzdeckel mit dunkelbraunem Leder überzogen, Messingbeschläge (die 2 Schließen fehlen). Einband mit Rosette, Ranke in kleinem Rechteck mit halben Blüten an den Schmalseiten etc. Buchrücken (Leder) ist jünger, Goldprägung jünger: *Lieder und Gedichte sec XVI.* Die Lagen sind an 5 Bünden befestigt. (Einstimmige Instrumentalmelodien als Zwischen- oder Nachspiel).

Literatur: Fehlend. Hinweis TischlerE, S. 100f. Zur literarhistorischen Bedeutung des Ms.: Sappler, S. 3ff., 28ff., Bibliographie S. 403ff.; zum Tab.-Teil S. 325, Anm. 3, 4; Faksimile einer Melodieaufzeichnung (Schluß von Lied Nr. *135* = f. 165v) S. 41, Blattangaben abweichend.

BERLIN, Deutsche Staatsbibliothek, Musikabteilung (DDR)
bis 1945 BERLIN, Preußische Staatsbibliothek, *Musikabteilung*

Mus. ms. autogr. Hove 1. Erworben 1932.

Frz. Lt. Tab. 6 Lin. Um 1615, Datierung 1615.

178 fol. Neuere Foliierung in Bleistift. Unbeschrieben f. 1v–2, 176–178; f. 51r, 81v–158r, 167v–168 (nur Lin.). 6,6 × 19,3 cm. Der Tab.-Teil beginnt f. 3r. Für 7- und 8chörige Laute. F. 158v–167r, 169r–175 sind vom Bandende aus, kopfstehend beschrieben. Mehrere Beischriften zur Dedikation: f. 71r *In Honore del Signor Adamo – / Leenaerts, Padrono mio;* f. 10v *Gemaeckt ter Eeren mynen goeden Vrient S.^r / Adam Leenaerts, In Leyden, door Joachim Vanden / Hove;* f. 60v bei einer Galliarde *A. Leenaerts;* auch mit Datierungen: f. 37r *Schreuen ter Eeren mynen / Goeden vrient, Adam Leenaerts – / In Leyden den 17. Jan: An^o. 1615 / Joachim vanden Hove;* f. 58v *Het droenich Afscheyt tusschen / S^r. Adam Leenaerts ende Joachim Vanden / Hove, Jn Leyden, den 2. Augusti / An^o. 1615.* Weitere Datierung: f. 44r *Joachim Vanden Hove / Extempore Fecit / An^o. 1615 14– 7.–*, analog f. 45r. F. 1r lat. Spruch. 1 Schreiber: Joachim van den Hove. Pergamentband der Zeit mit unversehrter Lederstreifenheftung. (Freie Instrumentalsätze, Tänze, ital. Madrigale, frz. Chansons, niederld. Liedsätze.)

Literatur: BoetticherL, S. 355 [33] (*Ms. Be Hove*); Katalog Liepmannssohn, Berlin 1930, S. 45 (*Nr. 223*) und in weiteren Katalogen des Antiquars; BoetticherLZ I, S. 821; BoetticherHov, S. 789; jüngst KindermannDMA III, *Nr. 3/428.*

Mus. ms. autogr. Rust 53. Alter Bestand aus dem Nachlaß Friedrich Wilhelm Rust, Berlin.

Frz. Lt. Tab. 6 Lin. Datierung 1791.

10 fol. Unbeschrieben f. 10v. 12,5 × 16,5 cm. Titel: f. 1r *Tre Sonate / per il / Liuto / con / Violino obligato / composte / da / Federico Guiglielmo Rust. / Nell'*

anno 1791. Der Faszikel ist überschrieben: *Liuto*. Ausschließlich Tab. Für 13chörige Laute. Korrekturen. Beiliegend zugehörige Stimmen in gew. Notenschrift. 1 Schreiber: Friedrich Wilhelm Rust. Jüngerer Leinenband mit Goldpressung. Inliegend handschriftliche Vermerke von Erich Prieger und W. Rust (dieser: „*Copist*", nicht autogr.). (Freie Instrumentalsätze, Tänze, Arien.)

Literatur: WolfH II, S. 102 (ohne Sign. des Autogr.).

BERLIN, Staatsbibliothek, Preussischer Kulturbesitz (West-Berlin)
bis 1945 BERLIN, Preußische Staatsbibliothek, *Musikabteilung*

Mus. ms. 11834, Faszikel 1,3,5,7,9.

Frz. Lt. Tab. 6 Lin. Um 1770.

5 Faszikel, jeweils bestehend aus dem intavolierten Lauten-Part und den zugehörigen Einzelstimmen. Blattzahl der intavolierten Teile, in Klammern Gesamtblattzahl: Fasz. 1 = fol. 6, 11 beschriebene Seiten (12), Fasz. 3 = fol. 6, 12 beschr. Seiten (16), Fasz. 5 = fol. 8, 15 beschr. Seiten (14), Fasz. 7 = fol. 6, 11 beschr. Seiten (12), Fasz. 9 = fol. 6, 11 beschr. Seiten (14). Hauptformat 24×31 cm. Titel der Faszikel einheitlich *Concerto per il Liuto Concertato* . . ., mit folgenden wechselnden Besetzungsangaben: *Due Violini & Violoncello* (Fasz. 1,5,7), *Due Violini, Viola & Violoncello* (Fasz. 3), *Due Violini, Viola e Basso* (Fasz. 9). Nur Fasz. 1,3,5,7 tragen den Zusatz *del Sigr[e] Carlo Kohaut*. Der Lauten-Part ist jeweils *Liuto concertato* überschrieben. Für 13chörige Laute. 1 Schreiber. Einband fehlt. (Freie Instrumentalsätze, Tänze.)

Literatur: WolfH II, S. 102 (ohne Sign.); BoetticherL, S. 381 [56] (*Ms. Be Ko I*); KoczirzWL, S. 94; Schnürl, S. 111f.

ehemals BERLIN, Preussische Staatsbibliothek, Musikabteilung
seit 1945 verschollen (Auslagerungsort Fürstenstein)
Aufnahme des Herausgebers 1940

Mus. ms. 12019. Sign. der zugehörigen nichtintavolierten Stimmen: Mus. ms. 12019, 1–2. Aus Nachlaß Bernhard Klein, Berlin.

Frz. Lt. Tab. 6 Lin. Um 1770.

26 fol., der intavolierte Faszikel umfaßt 6 fol., alle Seiten mit Tab. beschrieben. 23,4×34,6 cm. Titel: f. 1r *Concerto C. ♯. a 5. / Liuto concertato / Violino Primo / Violino Secondo / Viola / con / Violoncello / composto / da / Giovanni Lod: Krebs*. Für 13chörige Laute. 1 Schreiber. Ohne Einband. (Freie Instrumentalsätze.)

Literatur: WolfH II, S. 102; BoetticherL, S. 380 [55] (*Ms. Be 12019* bzw. *Ms. Be Kr*); NeemannF, S. 157ff.; Schulze, S. 36, Anm. 25.

BERLIN, Staatsbibliothek, Preussischer Kulturbesitz (West-Berlin) bis 1945 BERLIN, Preußische Staatsbibliothek, *Musikabteilung*

Mus. ms. 12020. Aus Nachlaß Bernhard Klein, Berlin.

Frz. Lt. Tab. 6 Lin. Um 1770.

6 fol. (ausschließlich der Stimmen in gew. Notenschrift). 23,3×36,2 cm. Tab.-Teil: f. 1–6. Titel: f. 1r *Concerto F. ♯. / a 5. / Liuto concertato / Violino Primo / Violino Secondo / Viola / con / Violoncello / composto / da / Giovanni Lod: Krebs.* Für 13chörige Laute. 1 Schreiber. Ohne Einband. (Freie Instrumentalsätze.)

Literatur: WolfH II, S. 102; BoetticherL, S. 380 [55] (*Ms. Be 12020* bzw. *Ms. Be Kr*).

———

Mus. ms. 12021. Aus Nachlaß Berhard Klein, Berlin.

Frz. Lt. Tab. 6 Lin. Um 1770.

6 fol. Unbeschrieben f. 6v (nur Lin.). 23,3×34,6 cm. Die zugehörigen Stimmen in gew. Notenschrift fehlen. Titel: f. 1r *Concerto / à 5. / Liuto concertato. / Violino Primo. / Violino Secondo. / Viola / con / Violoncello. / composto / da / Giovanni Lod: Krebs.* Ausschließlich Tab. Für 12chörige Laute. Korrekturen, Ergänzungen. 1 Schreiber. Ohne Einband. (Freie Instrumentalsätze.)

Literatur: Fehlend.

———

Mus. ms. 12165.

Frz. Lt. Tab. 6 Lin. Mitte des 18. Jh.

4 fol. (ausschließlich der Stimmen in gew. Notenschrift). Hauptformat 22×31 cm. Tab.-Teil: f. 1–4r. Titel: f. 1r *F: Dur / Sonata a 3. / Liuto / Violino / e / Violoncello / del Sigr. Kropffgans.* Für 12chörige Laute. 1 Schreiber. Neuerer Besitzvermerk von W. Tappert (Berlin, 8. 6. 1889). Pappband der Zeit. (Freie Instrumentalsätze, Tänze.)

Literatur: WolfH II, S. 102; BoetticherL, S. 380 [55] (*Ms. Be 12165*).

———

Mus. ms. $\frac{15976}{5}$. Erworben 1908. Aus Privatbibliothek W. Tappert, Berlin.

Frz. Lt. Tab. 6 Lin. Um 1780–1790.

2 fol. 3 mit Tab. beschriebene Seiten. 28,8×21,6 cm. Titel: f. 1r *Wie ein Hirt sein Volck zu weiden / von Cappelmeister / Naumann.* F. 2v 4 Zeilen in gew. Notenschrift. Der Faszikel bezieht sich dem Titel zufolge auf Sätze für Harmonika und Laute, 2 Violinen, Baß und Laute sowie auf Solo für Laute; vorhanden ist nur der Lauten-Part. Für 12chörige Laute. 1 Schreiber. Ohne Einband. (Freier Instrumentalsatz, Tanz.)

Literatur: WolfH II, S. 102 (unter unrichtiger Sign. *Mus. ms. 15948*); BoetticherL, S. 382 (*Ms. Be 15976*). 1 Faksimile in MGG IX (1961), Tafel *Nr. 73*, Art. J. G. Naumann, S. 1288ff. (R. Engländer); Engländer, S. 199; EngländerD, S. 57 und Anhang.

Mus. ms. 18380.

Handschriftlicher Anhang und Eintragungen auf den nicht bedruckten Rückseiten in Druck E. Reusner, *Neue Lauten-Früchte*, s. l. 1676.

Frz. Lt. Tab. 6 Lin. Um 1676–1679.

32 fol. (einschließlich Druck). 20 beschriebene Seiten. 18,7×29,5 cm. Tab.-Teil: f. 3v, 8v, 9v, 15v, 20v, 21v, 22v, 23v, 24v, 25v, 26v, 27v, 28v, 29v, 30v, 31v; f. 32 ist beiderseits beschrieben, f. 4r Ergänzungen im Druck. Für 12chörige Laute. Beischrift im Drucktitel: *Ex Rore Salus / Neue Lauten-Früchte, / . . .* F. 21v Vermerk: *2. bladt Zuvor / stehen noch 2. arien / in diesem thon. / G: Moll;* f. 32v *Hier Zu Allem: et Gigue / von Duffaut, die andere stehen d*[ie] *bl.*[ätter] *Zuvor.* Überschrift mit Besetzungsangaben: f. 20v *Suitte G: Moll ordin:,* f. 24v *Suitte Cum Spinet, Violino, Cont: Violdigb: et 2: Testud:, D Dur. Gigue Cum Violdig:* etc. 1 Schreiber (Autograph E. Reusner). (Freie Instrumentalsätze, Tänze, Aria.)

Literatur: WolfH II, S. 102 (ohne Sign.); BoetticherL, S. 365 [42] (*Ms. Be 18380*); NeemannL, *Quellenbericht*; K. Dorfmüller, Art. *E. Reusner*, in: MGG XI, Sp. 332; WolfN, S. 123 (ohne Sign.); NeemannM, S. 551, Anm. 1. Jüngst KindermannDMA III, *Nr. 3/339.*

Mus. ms. 19767.

Frz. Lt. Tab. 6 Lin. Letztes Viertel des 18. Jh.

2 fol. 4 mit Tab. beschriebene Seiten. 30,1×20,7 cm. Titel: f. 1r *Theme de Mozart varie par Scheidler.* Für 13chörige Laute. 1 Schreiber. Ohne Einband. (Freie Instrumentalsätze.)

Literatur: WolfH II, S. 103 (unter *Mus. ms. 19765*, analog EitnerQL VII, S. 479); BoetticherL, S. 382 [57] (*Ms. Be 19765*).

Mus. ms. 30415. Erworben 1929.

Frz. Git. Tab. 5 Lin. für Mandora bzw. Quinterne. Um 1780.

64 fol. Unbeschrieben f. 3v–5r, 6v, 7r, 8v, 9r, 10v, 11r, 12v, 13r, 14v, 15r, 16v, 17r, 18v, 19r, 20v, 21r, 22v, 23r, 24v, 25r, 26v, 27r, 28v, 29r, 30v, 31r, 32v, 33r, 34v, 35r, 36v, 37r, 38v, 39r, 40v, 41r, 42v, 43r, 44v, 45r, 46v, 47r, 48v, 49r, 50v, 51r, 52v, 53r, 54v, 55r, 56v, 57r, 58v, 59r, 60v, 61r, 62v, 63r, 64v. 24,6×18,9 cm. Für 5saitige Mandora bzw. Quinterne. 1 Schreiber. Neuer Halblederband, Rücken neue Goldpressung: *Chansons des XVIII. Jh. zur Laute Ms.* (Freie Instrumentalsätze, Airs, frz. Chansons.)

Literatur: Fehlend.

ehemals BERLIN, Preussische Staatsbibliothek, Musikabteilung
seit 1945 verschollen (Auslagerungsort Fürstenstein)
Aufnahme des Herausgebers 1940

Mus. ms. 40032. Alte Signatur: *Ms. Z 32.*

Ital. Lt. Tab. 6 (und 7) Lin. Ende des 16. Jh. bzw. um 1585. Nachträge bis 1625.

159 fol. Orig. Paginierung *1–404*, demnach wurden 43 fol. entfernt: f. 10–15, 17, 20, 21, 24, 49, 50, 55, 56, 67–70, 74, 79, 81, 83, 86, 95–98, 138, 143, 146–152, 154, 159, 164, 165, 170, 175, 178, 179 der alten Zählung. F. 152 alter Zählung untere Hälfte abgerissen. 307 beschriebene Seiten. 34,6×24,4 cm. Für 7- und vereinzelt 8chörige Laute. Mindestens 3 Schreiber. F. 159v Eintragung Anfang des 17. Jh.: *In dieses Buechlein sein hundertundneunundsechzig Stücken. Darunter sein zwey die sein eingehängt und mit . . . Tabulatur. Der 1. Tag März 1626* (wohl Vermerk des Lautenisten, der den Band besass). Vereinzelt ist eine 7. Lin. hs. oberhalb des Systems ergänzt worden (f. 117v, etc.), wohl erst um 1625. Neuerer Pappband. (Freie Instrumentalsätze, Tänze, ital. Madrigale, frz. Chansons, lat. Motetten, u. a. *Orlando di Lassos.*)

Literatur: WolfH II, S. 58, 70 (unter alter Sign.); BoetticherL, S. 349f. [28] (*Ms. Be 40032*); Osthoff, S. 41ff.; SlimM, 1965, S. 120; EitnerQL IV, S. 48; J. Wolf, *Musikalische Schrifttafeln . . .*, Bückeburg–Leipzig 1922 II, f. 18 Faksimile von f. 38v des Ms.; RadkeCB, S. 136.

BERLIN, Staatsbibliothek, Preussischer Kulturbesitz (West-Berlin)
bis 1945 BERLIN, Preußische Staatsbibliothek, *Musikabteilung*

Mus. ms. 40068. Alte Signatur: *Z 68.*

Frz. Lt. Tab. 6 Lin. und Ital. Lt. Tab. 6 Lin. 3. Viertel des 17. Jh., Datierungen 1656, 1674.

82 fol. Unbeschrieben f. 15r, 35–44, 82. Vor f. 14 ist seit langem 1 Blatt herausgerissen. 17,1×24,3 cm. Neuere Foliierung mit Bleistift. Besitzvermerk: f. 1r *Ex lib: Christ: Francisci Co: à Wolchenstein et Rodnegg In Collegio / Parmensi A: 1.6.5.6.*, eingeschrieben in Kupferstich: Abbildung einer liegenden Laute, links aufgeschlagen ein Buch mit frz. Lt. Tab. und den Sätzen *Ballet* und *Auff mein gesang*. F. 81r Datierung in flüchtiger Beischrift: *20. Xber A. 1674.* Papier mit vorgedruckten Lin. ohne Angabe der Offizin. Hauptteil in frz. Tab., f. 3v–4, 5v–14r; 45–50 in ital. Tab. Frz. Tab. für 11-, 12- und 13chörige Laute, ital. Tab. überwiegend für 11chörige Laute. Mindestens 4 Schreiber, überwiegend Tinte, f. 18r Bleistift. F. 54r am Rand lat. Spruch. Dunkelbrauner Lederband der Zeit, Vorder-, Rückdeckel sowie Rücken mit reicher Goldpressung. (Freie Instrumentalsätze, Tänze, Aria, frz. Chansons, ital. Madrigale, dt. Liedsätze.)

Literatur: WolfH II, S. 102 (unter unrichtiger Sign. *Ms. 40048*); WolfH II, S. 70 (unter alter Sign.); BoetticherL, S. 362 [40] (*Ms. Be 40068*); TessierGG, S. 35; RollinD, S. XVI; RollinG, S. XVII; HeckmannDMA V, S. 145, *Nr. 1/2139;* RadkeL, S. 41 f.; RadkeLT, S. 73; RadkeP, S. 101.

Mus. ms. 40085. Alte Signatur *Z 85*. Früher Bibliothek des Kardinals Zondondari, Rom.

Ital. Git. Tab. nur Alfabeto mit 1 Lin.; Ital. Git. Tab. 5 Lin. mit Alfabeto; Ital. Git. Tab. nur Alfabeto ohne Lin. Ende des 16. Jh.

63 fol. Unbeschrieben f. 1v–4, 6v, 7v, 8v, 9v, 10v, 26–27r, 30v, 49v, 57r, 58r, 59v–62v, 63v. Neuere Foliierung, Bleistift. 12,1 × 19,6 cm. Tab.-Teile: f. 11–16r, 17–20r, 21v–25 ital. Git. Tab. mit *Alfabeto* in großen Buchstaben und 1 Lin. mit den *golpes*, f. 16v. nur Lin. ohne Tab.-Zeichen; f. 20v, 21r, 55r (3 Fragmente) in ital. Git. Tab. mit *Alfabeto* in großen Buchstaben und System von 5 Lin. mit Ziffern für das *punteado*-Spiel; f. 27v–29, 31–37, 38v–44, 45v–48r, 50, 53r ital. Git. Tab. mit *Alfabeto* in großen und kleinen Buchstaben ohne Lin. und ohne *golpes*, Tab.-Zeichen über, vereinzelt auch unter den vollständigen Textzeilen oder am Blattrand, untermischt mit wenigen Notierungen mit 1 Lin. und *golpes*. F. 49r Beispiel einer Kombination der ital. Git. Tab. im System von 5 Lin. mit einer darunter aufgezeichneten Tab., die nur 1 Lin. mit golpes aufweist. Für 5saitige Gitarre. Alte Zeichnungen in Bleistift, Rötel und Tinte: f. 5r, 5v, 6r, 7r, 8r, 9r, 10r, 51v, 52v, 53v, 54v, 55v, 56r, 56v, 57v, 58v, 59r, 63r. Ital. Gedichte ohne Tab. f. 28, 51r, 52r. Signum einiger Bleistift- und Rötelzeichnungen: *D.M.F.* F. 1r neuere Eintragung unter Hinweis auf den Katalog Zondondari, s. unten. Die Datierung f. 52 *1761* geht auf einen früheren Besitzer zurück. F. 50, in kleinerem Format und eingeklebt, ist zum alten Faszikel gehörig. 1 Schreiber. Heller Pergamentband der Zeit. (Freie Instrumentalsätze, Tänze, ital. Madrigale.)

Literatur: WolfH II, S. 202 (unter alter Sign.), ibid. S. 186–187, 190–191 Faksimile; BoetticherL, S. 350 [28] (*Ms. Be 40085*); Anonym, *Catalogue de la Bibliothèque du Cardinal Zondondari*, Paris 1844, S. 35 (*Nr. 302*); HeckmannDMA IV, S. 113, *Nr. 1/1693.*

Mus. ms. 40141.

Frz. Lt. Tab. 6 Lin. für 6- und 7chörige Laute.; frz. Lt. Tab. 5 oder 6 Lin. für nur 4 chörige Laute oder Cister; dt. Lt. Tab. – 1 Viertel des 17. Jh., Datierungen 1607, 1615, Nachträge bis 1625 möglich.

255 fol. einschließlich altem Vorsatzblatt. Orig. Foliierung in Tinte *1–264*, ohne Vorsatzblatt, 8 Blätter fehlend; neuere Bleistift-Foliierung 1–255. Unbeschrieben f. 1v, 2v, 3v, 4v, 5r, 6v–8r, 9v–14r, 15v–24, 29–32, 37–40, 45–48, 53–56, 61–64, 69–72, 77, 78, 84–87, 92–95, 100–102, 107, 114–117, 122–125, 130–133, 138–141, 146–149, 154–157, 162–165, 170–173, 178–181, 185–188, 191r, 193v–225r, 227–240r, 241v–246r, 247–248r, 254v, 255; 83, 108r, 110, 111, 113v, 118–121, 127–129, 134–137, 142–145, 150–151r, 153, 158–161, 166–169, 175v–177, 182–184r (nur Lin.). 15,8 × 18,3 cm. Besitzvermerk: f. 1r unter einem lat. und dt. Spruch *Johannis Naucleri T. Hols. / sum ab a*[nn]*o* *1615. / 12. Aug.* Beginn des Tab.-Teils f. 15r. Frz. Lt. Tab. 6 Lin. in roter

Tinte, stark verblaßt, auch schwarz, im Hauptteil des Ms. Daneben vereinzelt in anderer Notation: f. 151v, 152 frz. Lt. Tab. 5 oder 6 Lin. schwarz, nur die oberen 4 Lin. mit Beschriftung, daher für 4chörige Laute oder Cister; f. 191v–193r, 225v, 226, 240v, 241r, 246v, 248v und ein Fragment (Satzschluß) 254r dt. Lt. Tab. in schwarzer Tinte. Unter den Sätzen im frz. System zu 6 Lin. wird vereinzelt ein 7. Chor verlangt f. 49, 51v etc. Traktat: f. 249v–253 mit Überschrift *Ein grundtliche*[r] *Bericht von / der Applicationn*, hierbei wird die 7- und 8chörige Laute vorausgesetzt, mit intavolierten Beispielen. F. 251r *Vonn der Applicationn der Lincken handt Inn Colloraturen.* Zahlreiche lat. und dt. Gedichte, Sprüche, Rätsel, unter anderem zum Lobe der Laute. F. 3r *Wiltu schlahn die Lauten behend, / Schneid ab die Nägel, wasch die hendt, / Dazu langsam Zu schlan ube dich, / Befleiß dich Zu schlan deutlich, / Greiff der Lauten woll ins maul, / Sie soll nicht klingen träg noch faul. / Auch mustu den tactum observiren, / Wiltu schonen Mägdlein hofieren.* Alter Index: f. 249 mit Überschrift *Register von wegen die stücke wo si Zue / finden sein*, er betrifft nur den Teil f. 15–51 und ist lückenhaft, bestätigt aber die im Notenteil genannten Komponistennamen. Im Tab. Teil fehlen Daten. Korrekturen, z. T. von anderer Hand: f. 50r etc. Mindestens 4 Schreiber, stark unterschiedliche Sorgfalt, der Teil in dt. Lt. Tab. teilweise Schönschrift. Pergamentband der Zeit mit reicher Goldpressung, Vorderdeckel eingepreßt: *E S R M* und *1607*; Goldschnitt mit Musterung. Inliegend briefliche Mitteilungen, die Sätze englischer Provenienz betreffend, von Richard Newton (22. 5. 1937) und Diana Poulton (2. 8. 1961). Sogenannter *Codex Nauclerus.* (Freie Instrumentalsätze Tänze, ital. Madrigale, dt. Liedsätze, lat. Motette.)

Literatur: WolfH II, S. 49, 145; BoetticherL, S. 354 [31f.] (*Ms. Be 40141*), Notenbeispiele S. 431, 432, 434, 438; Dieckmann, S. 91; SimonL, S. 214 (*Nauderus*); TappertS, Einleitung (*Naucleros*); Anonym, in MfM XXI, Berlin 1889, S. 40, unter „Mittheilungen" (*Johannis Nauderi*-Cod.), HeckmannDMA IV, S. 113, *Nr. 1/1694.* Jüngst TylerC, S. 25ff.

ehemals BERLIN, Preussische Staatsbibliothek, Musikabteilung

seit 1945 verschollen (Auslagerungsort Fürstenstein)

Aufnahme des Herausgebers 1939

Mus. ms. 40142. Erworben 1890. Geschenk des Freiherrn von Dörnberg, Kassel.

Frz. Git. Tab. 5 Lin. Um 1652.

34 fol. 55 mit Tab. beschriebene Seiten. 16,9×21,6 cm. Datierung: f. 1v *1652.* Papier mit 5 vorgedruckten Lin. aus der Offizin Robert Ballard, Paris. Für 5saitige Gitarre. Buch des Hessen-Kasselischen Gesandten in Paris, Freiherrn Johann Caspar von Döremberg. Heller Pergamentband der Zeit. (Freie Instrumentalsätze, Tänze.)

Literatur: WolfH II, S. 209, ein Beispiel S. 204f. (mit unrichtiger Datierung *1625*); BoetticherL, S. 360 [37] (*Ms. Be 40142*).

---

seit 1945 verschollen (Auslagerungsort Fürstenstein)
Aufnahme des Herausgebers 1940.

Mus. ms. 40143. Erworben 1896.

Frz. Lt. Tab. 6 Lin. Datierungen 1594 bis 1603.

100 fol. 189 beschriebene Seiten. 15,2 × 20,2 cm. Tab.-Teil für Laute: f. 20–65, 92v–98r, 99v. Für 8chörige Laute. Der übrige Teil in ital. Orgel-Tab. mit frz., ital., dt. Tänzen, frz. Incipits; f. 73v–91r 3stimmige Canzonetten (S.A.B.) und f. 99v frz. Chanson (nur S.) in gew. Notenschrift. Mehrere Datierungen, auch in dem nicht für Laute intavolierten Teil des Ms., die früheste 21. 9. 1594, die späteste 26. 12. 1603. Die *1594* datierten Sätze sind *Coloniae Mr. Salomon* gezeichnet. Im Tab.-Teil für Laute mindestens 2 Schreiber. Dunkelbrauner Lederband der Zeit. (Freie Instrumentalsätze, Tänze, ital. Madrigale, frz. Chansons, dt. und niederld. Liedsätze.)

Literatur: WolfH II, S. 102; BoetticherL, S. 351 [29] (*Ms. Be 40143*), S. 435, 438 sind 2 Sätze [*Praeludium* von *Richard Anglus natione* (von f. 20v) und *Chorea Anglica* von *Richard Anglus* (von f. 27v)] mitgeteilt; RollinB, S. XXI.

---

seit 1945 verschollen (Auslagerungsort Fürstenstein)
Aufnahme des Herausgebers 1941

Mus. ms. 40145.

Ital. Cister Tab. 4 Lin. Um 1765–1770, Datierung 1765.

99 fol. 191 mit Tab. beschriebene Seiten. 14,3 × 23,5 cm. Jüngerer Besitzvermerk Vorderdeckel innen: *Posessor Jean Adelmann. 1765. nunc Andreas Ruff 1800. 26. Febr.* Titel: f. 1r *Evangelisches Choral-Buch, worinnen die wahre Melodien (so, wie sie nicht allein in Nürnberg, sondern auch an andern Orten gesungen werden) zu finden sind, auch nach den bequemsten Tönen eingerichtet und vom Clavier in eine dreizehnchörichte Zither übersetzt. J. W. Bunsold.* Im Anhang ein alfabetischer Index, übereinstimmend mit dem Notenteil des Ms. Traktat: *Anleitung wie man die Mandorina auf eine leichte Art stimmet.* Für 13chörige Cister. 1 Schreiber. Schwarzer Lederband der Zeit, Vorder- und Rückdeckel mit Goldpressung, Vorderdeckel: *J. A. 1765.* (Freie Instrumentalsätze, dt. Liedsätze.)

Literatur: WolfH II, S. 132, 143f.

---

seit 1945 verschollen (Auslagerungsort Fürstenstein)
Aufnahme des Herausgebers 1941

Mus. ms. 40146. Früher Privatbibliothek Marschall, Bremen.

Frz. Git. Tab. 6 Lin. für Mandora. Um 1770.

52 fol. 102 mit Tab. beschriebene Seiten. 17,6 × 21,2 cm. Titel: f. 1v *Divertimenti à Mandora et Violino solo*, f. 42v *Divertimenti XXX Mandora e Violino*

solo in gusto moderno de Manheim. Für 7saitige Mandora. Der Violin-Part fehlt. 1 Schreiber. Pappband der Zeit. (Freie Instrumentalstücke, Tänze, dt. Liedsätze.)

Literatur: WolfH II, S. 123 (ohne Sign.); BoetticherL, S. 381 [56] (*Ms. Be 40146*).

BERLIN, Staatsbibliothek, Preussischer Kulturbesitz (West-Berlin)
bis 1945 BERLIN, Preußische Staatsbibliothek, *Musikabteilung*

Mus. ms. 40149. Erworben 1908. Früher Privatbibliothek W. Tappert, Berlin.

Frz. Lt. Tab. 6 Lin. Um 1680–1690, Datierungen 1684, 1686.

55 fol., zuzüglich 1 altes Nachsatzbl. Unbeschrieben f. 5r, 12r, 14v, 15r. Neuere Paginierung in Bleistift 1–109. 9,1 × 19,9 cm. Papier mit vorgedruckten Lin., ohne Angabe der Offizin. Ausschließlich Tab. Für 11chörige Laute. Korrekturen f. 36v. Ortsangaben und Datierungen: f. 8r *Compose a Rodenegg l*[e] *4 Giuni 1684*; f. 27v *Gigue par Madamoiselle Cilerle De Kirchperg 1684;* f. 32v *Minuet Compose par moy le 17 Janvier 1686*; f. 33r *Minuet Compose par moy le 24 . . . 1686*; f. 34r *Par M. Comte De Taxio 1686*, analog f. 35r. 3 Schreiber: A f. 1–39r, 43v–46r, 48v–55v; B f. 39v–42r; C f. 46v–48r. Dunkelbrauner, stark abgenutzter Lederband der Zeit, Deckel mit Blindpressung am Rand. Vorderdeckel innen Notizen von der Hand W. Tapperts, datiert Berlin 28. 5. 1873, die Herkunft des Ms. betreffend (Graf von Wolckenstein und Rodenegg). (Freie Instrumentalsätze, Tänze, Airs.)

Literatur: WolfH II, S. 102; BoetticherL, S. 366 [43] (*Ms. Be 40149*); RollinD, S. XVI.

ehemals BERLIN, Preussische Staatsbibliothek, Musikabteilung
seit 1945 verschollen (Auslagerungsort Fürstenstein)
Aufnahme des Herausgebers 1941

Mus. ms. 40150. Erworben 1908. Früher Privatbibliothek Wilhelm Tappert, Berlin.

Frz. Lt. Tab. 6 Lin. Ende des 18. Jh.

46 fol. 30 mit Tab. beschriebene Seiten. 14,8 × 22,1 cm. Für 13chörige Laute. 1 Schreiber. Ohne Einband. (Freie Instrumentalsätze, Tänze, dt. Liedsätze.)

Literatur: WolfH II, S. 102; BoetticherL, S. 382 [57] (*Ms. Be 40150*).

———

seit 1945 verschollen (Auslagerungsort Fürstenstein)
Aufnahme des Herausgebers 1942

Mus. ms. 40151.

Frz. Lt. Tab. 6 Lin. Mitte des 18. Jh., Datierung 1740, 1742.

135 fol. 229 mit Tab. beschriebene Seiten. 15,6 × 20,5 cm. Titel: f. 1v *Canzoni divote tradotti nell' Liuto da me J.M. Sciurus 1742.* Für 13chörige Laute.

Einige Sätze in gew. Notenschrift (unter anderem f. 108v *Englische Quadrille*). 1 Schreiber. Dunkelbrauner Lederband der Zeit, Vorderdeckel mit Goldpressung: *C.A.A.Pr. D.A.*, darunter *1740*. (Dt. Liedsätze.)

Literatur: WolfH II, S. 91, 102; BoetticherL, S. 381 [56] (*Ms. Be 40151*).

----

seit 1945 verschollen (Auslagerungsort Fürstenstein)
Aufnahme des Herausgebers 1940

Mus. ms. 40152.

Frz. Lt. Tab. 6 Lin. Mitte des 17. Jh., Datierung 1656.

1 fol. 2 mit Tab. beschriebene Seiten. 8,5×23,6 cm. Für 11chörige Laute. Titel und Besitzvermerk: f. 1r *Ex libr*[is] *Christ. Francisci Co. à Wolckenstein et Rodnegg In Collegio Parmensi A.*[nno] *1656*. Fragment eines Lautenbuchs des Christian Franz Grafen von Wolckenstein und Rodenegg. 1 Schreiber. Ohne Einband. (Tänze.)

Literatur: WolfH II, S. 102; BoetticherL, S. 362 [40] (*Ms. Be 40152*).

----

seit 1945 verschollen (Auslagerungsort Fürstenstein)
Aufnahme des Herausgebers 1942

Mus. ms. 40153.

Frz. Lt. Tab. 6 Lin. Um 1621–1625, Datierung 1620, 1621.

82 fol. 130 mit Tab. beschriebene Seiten. 23,5×18,2 cm. Für 13chörige Laute. Widmung des Schreibers: f. 1v *di me Donino Garsi Al mio Carissimo Sig. Stanislao Casimiro Rudomina Dusiacki;* datiert Padua 1. Februar 1621. F. 1–14 orig. Numerierung der Sätze. Besitz- und Widmungsvermerk: f. 82v *Al mio Carissimo Sig.*[r] *Stanislao Casimiro Rudomina Dusiacki.* – Vorsatzbl IIr oben Datierung: *Anno 1620 a Padova*, darunter: *Stanislaw Rudomina*, am unteren Rand Entwurf eines Index, der einige Sätze anführt, die im Notenteil fehlen (vgl. Bd. 2). Mehrere Bll. sind seit langem herausgetrennt (Falze sichtbar). F. 59v am Schluß eines Balletto: *Balletto di me Donino Garsi fatto per il S. Duca di Mantua*, analoger Vermerk f. 70v. Demnach ist Donino Garsi Hauptschreiber des Codex, ein Nebenschreiber ist seit Datierung f. 15v fixiert: *a di primo di febraio 1621 Ascanio Garsi.* Dusiacki ist Besitzer des Codex nach Donino Garsi und war wohl des letzteren Schüler. Als weiterer Besitzer ist 82v im Entwurf eines Widmungstextes (undatiert) Annibalo Malaspina genannt. 3 Schreiber, ital. Herkunft. Weicher Pergamentband der Zeit, ohne Aufschrift. (Freie Instrumentalsätze, Tänze, Aria, ital. Madrigale, ital.-dt. Liedsätze.)

Literatur: WolfH II, S. 102 (unter unrichtiger Sign. *Ms. 40159*); BoetticherL, S. 355 [34] (*Ms. Be 40153*); Osthoff, S. 54ff.; HławiczkaP, S. 122f.

---

seit 1945 verschollen (Auslagerungsort Fürstenstein)
Aufnahme des Herausgebers 1938

Mus. ms. 40154.

Dt. Lt. Tab. Um 1540–1550.

38 fol., großenteils lose. 76 mit Tab. beschriebene Seiten. 14,5×21.4 cm. Für 5- und 6chörige Laute. Starker Zerfall des Papiers infolge Feuchtigkeit. Einige Blätter scharf am Rand beschnitten. 1 Schreiber, Tinte unterschiedlich verblaßt. Ohne Einband. (Freie Instrumentalsätze, Tänze, ital. Madrigale, frz. Chansons, dt. Liedsätze, lat. Motetten.)

Literatur: WolfH II, S. 49; BoetticherL, S. 342 [21] (*Ms. Be 40154*); SommerL, S. 37; Dieckmann, S. 92.

---

seit 1945 verschollen (Auslagerungsort Fürstenstein)
Aufnahme des Herausgebers 1941

Mus. ms. 40159. Erworben 1908. Früher Privatbibliothek Wilhelm Tappert, Berlin.

Frz. Lt. Tab. 6 Lin. Um 1660.

22 fol. 42 mit Tab. beschriebene Seiten. 15,3×19,9 cm. Für 11chörige Laute. 2 Schreiber: A f. 1–18, B f. 19–21. Neuerer Einband. (Freie Instrumentalsätze, Tänze, dt. Liedsätze.)

Literatur: WolfH II, S. 102 (unrichtig auf Mus. ms. 40151 bezogen); BoetticherL, S. 381 [56] (*Ms. Be 40159*).

BERLIN, Staatsbibliothek, Preussischer Kulturbesitz (West-Berlin)
bis 1945 BERLIN, Preußische Staatsbibliothek, *Musikabteilung*

Mus. ms. 40160. Erworben 1890. Früher Privatbibliothek Freiherr von Dörnberg, Kassel.

Frz. Git. Tab. 5 Lin. Um 1620–1640.

1 fol. Unbeschrieben f. 1v. 21,6×17,3 cm. Das Blatt ist an einen Faszikel angeheftet, der 33 fol. umfaßt: Papier mit vorgedruckten 5 Lin. aus der Offizin Robert Ballard, Paris, mit Kupferstich als Frontispiz, Aufzeichnung in gew. Notenschrift, Sätze frz. Herkunft. Das angeheftete Blatt, am rechten Rand defekt, ist ausschließlich mit frz. Git. Tab. beschriftet, Lin. ohne Rastral. Für 5saitige Gitarre. Ohne *Alfabeto*. 1 Schreiber, nicht identisch mit dem Schreiber des nichtintavolierten Teils des Ms. Dunkelbrauner Lederband der Zeit. (Nur 1 intavolierter, unbezeichneter Satz.)

Literatur: BoetticherL, S. 359 [37] (*Ms. Be 40160*); RollinV, S. XXII; KindermannDMA, *Nr. 2/1892.*

ehemals BERLIN, Preussische Staatsbibliothek, Musikabteilung
seit 1945 verschollen (Auslagerungsort Fürstenstein)
Aufnahme des Herausgebers 1940

Mus. ms. 40161. Erworben 1908. Früher Privatbibliothek Wilhelm Tappert, Berlin.

Dt. Lt. Tab. Um 1580.

1 fol. 2 mit Tab. beschriebene Seiten. 30,4×26,6 cm. Fragment eines Lautenbuchs, das nicht näher bekannt ist. Für 6chörige Laute. 1 Schreiber. Ohne Einband. (Tänze, dt. Liedsätze.)

Literatur: WolfH II, S. 49; BoetticherL, S. 344 [22] (*Ms. Be 40161*); Dieckmann, S. 91.

———

seit 1945 verschollen (Auslagerungsort Fürstenstein)
Aufnahme des Herausgebers 1942

Mus. ms. 40163.

Git. Tab. ohne Lin.-System, nur Alfabeto. Um 1660.

56 fol. 106 mit Tab. beschriebene Seiten. 16,7×22,5 cm. Nur Alfabeto (kleine Buchstaben) als Begleitsatz zu 3stimmigen Vokalkompositionen, die in gew. Notenschrift in Chorbuch-Anordnung aufgezeichnet sind, Alfabeto über den beiden tieferen Stimmen. 1 Schreiber. Pappband der Zeit. (ital. Madrigale, span. Liedsätze.)

Literatur: WolfH II, S. 215 (ohne Sign., unter der Eingangs-Nr. *Ms. acc. 4118*).

BERLIN, Staatsbibliothek, Preussischer Kulturbesitz (West-Berlin)
bis 1945 BERLIN, Preußische Staatsbibliothek, *Musikabteilung*

Mus. ms. 40165.
Moderne Kopie eines nicht mehr erreichbaren Ms. gleicher Signatur, zu diesem vgl. im Folgenden.

Frz. Lt. Tab. und (vereinzelt) Ital. Lt. Tab. 6 Lin. Um 1630–1645.

Abschrift von der Hand Wilhelm Tapperts, Berlin, um 1895. Überschrieben: *Französische Lautentabulatur Manuscript aus der ersten Hälfte des 17. Jahrh. Überwiegend Tänze enthaltend. Gesehen bei Liepmannssohn, Berlin . . . Novbr. 1895.* Tappert kopierte nur einen Teil des Ms., demnach:
284 fol. Einzelne Blätter am Anfang und Schluß fehlend.

Literatur: Fehlend.

ehemals BERLIN, Preussische Staatsbibliothek, Musikabteilung
seit 1945 verschollen (Auslagerungsort Fürstenstein)
Aufnahme des Herausgebers 1939

Mus. ms. 40165. Erworben 1929.

Frz. Lt. Tab. 6 Lin. und (vereinzelt) ital. Lt. Tab. 6 Lin. Um 1640–1650.

284 fol. Zahlreiche Seiten unbeschrieben. 23 × 16 cm. Tab.-Teil mit 69 Sätzen in frz. und 2 Sätzen in ital. Lt. Tab. Für 9-, 10chörige Laute. 1 Satz ist in ital. Lt. Tab. begonnen und in frz. Lt. Tab. fortgesetzt. Stimmungsangaben: 1 *Volta* mit Vermerk: *sine quinta*, ferner: *a corde avallee*. Mindestens 4 Schreiber. Schweinslederband der Zeit. (Freie Instrumentalsätze, Tänze, ital. Madrigale, frz. Chanson.)

Literatur: BoetticherL, S. 384 [58] (*Ms. Be 40165*); Katalog Liepmannssohn Nr. 137, Berlin 1899, S. 46 (*Nr. 260*); RollinV, S. XXI.

BERLIN, STAATSBIBLIOTHEK, PREUSSISCHER KULTURBESITZ (West-Berlin) bis 1945 BERLIN, Preußische Staatsbibliothek, *Musikabteilung*

Mus. ms. 40179. Erworben 1908. Früher Privatbibliothek W. Tappert, Berlin.

Frz. Git. Tab. 5 Lin. Um 1680–1690.

73 fol. Unbeschrieben f. 16v–20r, 30r, 33r, 35r, 37r, 39–41r, 51r, 54v–57r, 68v–71. Neuere Paginierung der alt beschriebenen Seiten mit Blaustift. 22 zusätzliche, moderne Blätter sind um 1895 an verschiedenen Orten eingeklebt worden, mit handschriftlichen Erläuterungen und Übertragungen von W. Tappert (die ältesten sind *31. 3.* [18]*80* datiert), zuzüglich ein Vorsatzblatt mit weiteren Eintragungen W. Tapperts. 19,8 × 15,1 cm. Titel: f. 1v *Fundamenta*. Ausschließlich Tab. Für 5saitige Gitarre bzw. Mandora. Korrekturen, von abweichender Hand Ergänzungen von Tab.-Zeichen mit Rötel. Überwiegend Tinte, einiges (f. 15r etc.) Bleistift. F. 58v überschrieben: *Bandour* [= Mandora]. Traktat: f. 31r einige Angaben wie *wan d*[er] *Vorschlag . . . steht, so greifft man umb ein punct niederer*, mit intavolierten Beispielen. 1 Schreiber. Pappband der Zeit (Freie Instrumentalsätze, Tänze, Arien, dt. Liedsätze.)

Literatur: WolfH II, S. 102 (als Lt. Tab. geführt); BoetticherL, S. 367 [43] (*Ms. Be 40179*); TappertS, S. 110, 113 zwei Beispiele; KindermannDMA, *Nr. 2/1893*.

——

Mus. ms. 40226. Erworben 1908. Früher Privatbibliothek W. Tappert, Berlin.

Frz. Lt. Tab. 6 Lin. Ende des 17. Jh.

1 fol. 2 mit Tab. beschriebene Seiten. 16,7 × 31,5 cm. Fragment eines Lautenbuchs: Schluß eines Satzes im 6/8 und Anfang eines bezeichneten Satzes im 3/4. Für 6chörige Laute. 1 Schreiber. Beiliegend eine handschriftliche Übertragung von W. Tappert. (Nur 1 bezeichneter Satz: Tanz mit ital. Incipit.)

Literatur: WolfH II, S. 102; BoetticherL, S. 367 [43] (*Ms. Be 40226*).

BERLIN, Deutsche Staatsbibliothek, Musikabteilung (DDR)
bis 1945 BERLIN, Preußische Staatsbibliothek, *Musikabteilung*

Mus. ms. 40264. Alter Bestand. Alte Signatur und Besitzstempel Vorderdeckel innen und 1. Vorsatzbl.: *Schoenberg 20052.*

Frz. Lt. Tab. 6 Lin. Mitte des 17. Jh.

99 fol., zuzüglich 3 alte Vorsatzbll. Neuere Paginierung in Bleistift 1–198. Unbeschrieben f. 17v, 18r, 28v, 31r, 14,9×19,6 cm. Tab.-Teil: auf allen beschriebenen Seiten. Erster Besitzvermerk: Vorsatzbl. Ir *VIRGINIA RENATA VON GEHEMA*, Initiale mit Blütenmuster verziert. Papier mit vorgedruckten roten Lin., ohne Angabe der Offizin. Für 11chörige Laute (*4*), vereinzelt auch für 12chörige (*5*) und 13- bis 14chörige Laute (abweichende Bezifferung *11* und *12*). Korrekturen f. 79r. Mehrmals Tilgung von Tab.-Takten, f. 83r Vermerk: *in diesem lied muß man 2 tackt auß einem machen.* 1 Schreiber, stark unterschiedliche Tinte. Pergamentband mit originaler Lederstreifenheftung der Zeit, als Einband diente eine ältere Pergamenthandschrift mit Choralnoten. (Freie Instrumentalsätze, Tänze, Arien, dt. Liedsätze, lat. Motette.)

Literatur: WolfH II, S. 102; BoetticherL, S. 362 [39] (*Ms. Be 40264*), S. 429f. 2 *Sarabanden* als Beispiel des forte-piano-Wechsels, S. 438 ein hierzugehöriges *Nachlewffel*; TessierGG, S. 35; StęszewskaL II, S. 31ff.; SimonP, S. 14f.; HławiczkaP, S. 62, 66ff., 88ff.; HeckmannDMA IV, S. 113, *Nr. 1/1696*; FlotzingerG, S. 95f. Jüngst Hinweis KochP, S. 226.

ehemals BERLIN, Preussische Staatsbibliothek, Musikabteilung

seit 1945 verschollen (Auslagerungsort Fürstenstein)
Aufnahme des Herausgebers 1940

Mus. ms. 40267. Erworben 1908. Früher Privatbibliothek Carl Stiehl, Lübeck.

Frz. Lt. Tab. 5 Lin. für Hamburger Cithrinchen und Gitarre. Um 1700.

138 fol. 68 mit Tab. beschriebene Seiten. 9,5×20,3 cm. Für Hamburger Cithrinchen (*c e g h e'*), einige Sätze im Mittelteil des Ms. sind auch für 5saitige Gitarre bzw. Mandora bestimmt (*A d g h e'*). 1 Schreiber. Dunkelbrauner Lederband der Zeit. (Freie Instrumentalsätze, Tänze, dt. Liedsätze.)

Literatur: WolfH II, S. 140f., 146, 205; BoetticherL, S. 366 [43] (*Ms. Be 40267*); GombosiG, S. 121.

BERLIN, Staatsbibliothek, Preussischer Kulturbesitz, Musikabteilung (West-Berlin)

Mus. ms. 40275. Erworben 1913. Früher Privatbibliothek Hermann Dunger, Dresden.

Frz. Lt. Tab. für Laute und für Hamburger Cithrinchen. 6 Lin. Um 1679–1685, Datierungen 1679, 1680.

77 fol. 150 beschriebene Seiten. 16,7×20,1 cm. Sogenanntes Liederbuch Heck. Titel: f. 1r *Cantiones hae sunt descriptae / à / me Johanne Heckio / Anno 1679*

et 168[0] / *Anno 1679 . . .*, mit flüchtiger Beischrift: *Bauren das sind lose le*[ute ?]. Das Liederbuch ist durchweg in gew. Notenschrift aufgezeichnet. Tab. erscheint an den freien Stellen des Codex: f. 50r, 51r, 65v, 66v, 75v, dabei f. 75v in der freien rechten Spalte, kopfstehend. Diese intavolierten Teile stehen nicht mit den übrigen Sätzen des Codex in Beziehung, sind nicht von dem alten Index f. 76r–77r berücksichtigt und dürften eine um wenige Jahre jüngere Eintragung von fremder Hand sein, doch bleibt nicht ausgeschlossen, daß der älteste intavolierte Beitrag unmittelbar an die für den Codex verbindliche Datierung 1679—1680 anschließt. Für 11chörige Laute und für 7saitiges Hamburger Cithrinchen (*E G H d fis h d'*). Mindestens 2 Schreiber des Tab.-Teils. Neuer Einband, Rücken eingepreßt: *Liederhandschr. des Johann Heck 1679.* (Dt. Liedsätze.)

Literatur: Fehlend. – Zum Nichtintavolierten Teil des Ms.: Erk-Böhme I, S. XX; Rattay, S. 8; Krabbe, S. 420 ff.

———

Mus. ms. 40346.

Frz. Lt. Tab. 6 Lin. Um 1760–1770.

2 fol. Unbeschrieben f. 1r, 2v (nur Lin.). 34,1 × 21,2 cm. Wohl mittlerer Teil eines größeren, nicht mehr vorhandenen Faszikels. Für 12chörige Laute. Überschrift: *4.* Beschriftung über die Faltung hinweg. 1 Schreiber. Neuer Pappeinband. (Mittelteil eines unbezeichneten Satzes.)

Literatur: BoetticherL, S. 382 [57] (*Ms. Be 40346*).

ehemals BERLIN, PREUSSISCHE STAATSBIBLIOTHEK, MUSIKABTEILUNG
seit 1945 verschollen (Auslagerungsort Fürstenstein)
Aufnahme des Herausgebers 1940

Mus. ms. 40583. Erworben 1926.

Dt. Lt. Tab. Um 1580–1600.

13 fol. Unbeschrieben f. 7r, 11v. 31,4 × 19,8 cm. Ausschließlich Tab. Für 6chörige Laute. An den Rändern lat., dt. Sprichworte, Sentenzen. 1 Schreiber. Ohne Einband. (Freie Instrumentalsätze, Tänze, ital. Madrigale, dt. Liedsätze, lat. Motetten.)

Literatur: BoetticherL, S. 344 [23] (*Ms. Be 40583*); BoetticherLZ I, S. 823.

BERLIN, STAATSBIBLIOTHEK, PREUSSISCHER KULTURBESITZ (West-Berlin)
bis 1945 BERLIN, Preußische Staatsbibliothek, *Musikabteilung*

Mus. ms. 40588. Erworben 1926.

Dt. Lt. Tab. Mitte des 16. Jh.; Datierung 1552.

43 fol. Unbeschrieben f. 43r. 11 × 16 cm. Tab.-Teil. f. 3r–40v. Orig. Paginierung dieses Tab.-Teils *1–76*. Orig. Index (alfabetisch) f. 41r–42v, in Schreibart

unterschiedlich (gleiche Hand). Zufolge der Seitenzahlen des Index ist das Ms. vollständig überliefert. Titel: f. 1r *TABVLATVR / VF DIE LVTEN / All ding muß ein übung han, / Also auch das Luteñ schlan, / Luten schlahn ist eine kunst, / Werr nit vil brucht lernts vmsunst, / Anno D*[omi]*ni 1552 / am 30 Decemb.* F. 1v. Zeichnung eines Lautenkragens mit den Tab.-Zeichen auf 6 Chören, überschr.: *Kragen der Luten / mit den bůchstaben.* Darunter: *Wilt die luten in abzug richten, / so richt das* $\hat{1}$ *zu dem 2. wen*[n] */ sy vorhin recht gricht ist.* Fortsetzung des Traktats f. 2r mit Überschr.: *Richtung der Lauten* (Beginn des Abschnitts: *Zum ersten* ...); *Anzeygung der Mensur* (Beginn des Abschnitts: *diß ist ein schlag* ...). Dt. Sprüche: f. 3r am unteren Rand *Wilttu ein fertige hand überkhon / must offt anfahn, dich nitt ver- / drießen lan*; weitere, nicht auf die Laute bezogene Sprüche f. 14r, 18r, 25r; f. 43v *Allso hat Gott die welt geliebet, d*[a]*ß er / sein eingeborene*[n] *Sohn* ... (4 Zeilen). F. 7r 3 Strophen ohne Tab. Ein auf f. 43 folgendes Bl. ist herausgerissen (Falz erhalten), es enthielt zufolge Index keine Tab. Für 6chörige Laute (*A d g h e' a'*). Streichungen: f. 25r. 1 Schreiber, süddt. oder schweizer. Herkunft. Pergamentband der Zeit, als Einband diente ein Missale-Ms. aus dem Ende des 14. Jh. mit Strichneumen ohne Lin., schwarz. Orig. Heftung unversehrt. (Freie Instrumentalsätze, Tänze, frz. Chanson, dt. Liedsätze, lat. Motette.)

Literatur: WolfL, S. 46ff.; DorfmüllerS, S. 41f.; Heckmann DMA IV, S. 113, *Nr. 1/1697*; Stenzl, S. 76, Anm. 109; Staehelin, S. 28 (ohne Sign.).

ehemals BERLIN, Preussische Staatsbibliothek, Musikabteilung
seit 1945 verschollen (Auslagerungsort Fürstenstein)
Aufnahme des Herausgebers 1940

Mus. ms. 40591. Erworben 1927. Früher Privatbibl. Wilhelm Heyer, Köln (bis 1927) und Privatbibl. des Fürsten Paolo Borghese, Rom (bis 1892).

Ital. Lt. Tab. 6 Lin. und ital. Mandora- (Angelica-) Tab. 6 Lin. Der Teil für Lt. Ende des 16. Jh., der Teil für Mandora (Angelica) Anfang des 17. Jh.

62 fol. Unbeschrieben f. 9–11r, 12–13r, 14–23, 31v–61r. 35,2×23,8 cm. Tab.-Teile: für 11chörige Laute ($\underline{B}$ *C D E F G c f a d' g'*) f. 1–8, 11v, 13v; für 7chörige Mandora (*F G c f a d' g'*) f. 24–31r, 61v–62. 2 Schreiber: A f. 1–8, 11v, 13v, B Rest des Ms., etwas später. Lin. vorgedruckt, ohne Angabe der Offizin. Dünner Pergamentband der Zeit, Vorderdeckel innen Namenszug des Besitzers: *Stefano Pignatellj*, dieser ist möglicherweise mit Schreiber A identisch. (Freie Instrumentalsätze, Tänze, Arien, frz. Chansons, ital. Madrigale.)

Literatur: BoetticherL, S. 351 [29] (*Ms. Be 40591*); Katalog Borghese, Rom 1892, S. 592, 600 (*Nr. 4206, 4231*); KinskyH IV, S. 15f. (*Nr. 16*); Katalog Liepmannssohn 211, S. 42. – Zu Stefano Pignatelli, Abbate d'Orselle vgl. H. Volkmann, *Emanuel d'Astorga*, Leipzig, 1911 I, S. 89.

---

seit 1945 verschollen (Auslagerungsort Fürstenstein)
Aufnahme des Herausgebers 1939

Mus. ms. 40593. Erworben 1930.

Frz. Lt. Tab. 6 Lin. Um 1700.

44 fol. 32 beschriebene Seiten. 16,8×23,6 cm. Tab.-Teil: f. 4–10, 15, 19–28, 32–39r. Für 11chörige Laute. Mit *Du But, Gumprecht, Gautier.* 1 Schreiber. Mittelbrauner Lederband der Zeit. (Freie Instrumentalsätze, Tänze.)

Literatur: Fehlend. Hinweis RadkeG, S. 141.

---

seit 1945 verschollen (Auslagerungsort Fürstenstein)
Aufnahme des Herausgebers 1941

Mus. ms. 40598. Erworben 1929. Früher Privatbibl. Dr. Werner Wolffheim, Berlin-Grunewald (*Nr. 46*).

Dt. Lt. Tab. Um 1575. Datierung nur Fragment, wohl 1572.

156 fol. 232 mit Tab. beschriebene Seiten. Unbeschrieben f. 91v, 92r, 105v, 106r, 131r. 1 Vorsatzbl. Zwischen f. 3 und 4 ist 1 Bl. in älterer Zeit entfernt. 28,7×20,2 cm. Für 6-, vereinzelt für 7chörige Laute. F. 1v–3v Traktat mit Grifftabelle. F. 4r Beginn der intavolierten Sätze, diese sind orig. numeriert in 2 Reihen: *1–21* und ab f. 35v *1–93* (hierbei sind Nr. *72* und *77* ausgelassen). F. 123r Vermerk: *Hec feci Schweiden.* 2 Faszikel: 1 enthält 26 *Fantasien*, 2 insgesamt 91 überwiegend bezeichnete Sätze verschiedener Gattung (f. 1–34, 35–150). F. 80v Datierung: *15. 2. . . .*, Fragment, wohl *1572.* Papier aus Frankfurt um 1544–1569 nachgewiesen (Briquet). Der 1. Faszikel dürfte am Anfang unvollständig sein, da seine Satzreihe mit dem Schluß eines Satzes beginnt. F. 1r geistliche Verse, dsgl. auf freien Rändern weiterer Bll. (dt., lat.). Mindestens 3 Schreiber, möglicherweise schweizer. und ostdt. Herkunft. Schreibermonogramme *MWS* und *WMS* (vgl. unter Intavolatoren, Bd. 2). Dunkelbrauner Lederband der Zeit. Innenseite Rückdeckel Zeichnung des Lautenkragens. Zum Einband wurde Papier verwendet, das Urkunden aufgezeichnet zeigt, die *anno 1569* datiert sind. Die neuere Foliierung (1–155) ist fehlerhaft und zählt f. 106 doppelt. Insgesamt 119 Sätze, davon 20 bezeichnete Tänze. (Freie Instrumentalsätze, Tänze, frz. Chansons, ital. Madrigale, dt. Liedsätze, lat. Motetten, niederld., poln., ungar. Incipits.)

Literatur: WolfH II, S. 49 (als *Tabulatur Nauclerus-Bacfarc*); BoetticherL, S. 346 [25] (*Ms. Be 40598*); Dieckmann, S. 91f.; GombosiB, S. 23 ff., 35, 71ff.; GombosiL, S. 402ff.; Katalog Liepmannssohn 175, S. 55 (*Nr. 196*); Katalog Wolffheim II, S. 29 f. (*Nr. 46*), 1 Abb. in Tafel-Band III, Nr. 8 (von f. 23v); BoetticherLZ I, S. 826; WolfN, S. 123 (ohne Sign.); Schubiger, S. 6f. (abweichende Lesung der Datierung, mit Auszug aus dem Traktat „*Wilt di Luten im Abzug richten . . .*" und Abb. des Lautenkragens in Kopie); OpieńskiT, S. 23; GombosiP, S. 12; Szweykowski, S. 308f.

BERLIN, STAATSBIBLIOTHEK, PREUSSISCHER KULTURBESITZ (West-Berlin)
bis 1945 BERLIN, Preußische Staatsbibliothek, *Musikabteilung*

Mus. ms. 40600. Erworben 1930. Bis 1929 Privatbibliothek Dr. Werner Wolffheim, Berlin-Grunewald (*Nr. 55*).

Frz. Lt. Tab. 6 Lin. Ende des 17. Jh.

63 fol. Neuere Foliierung in Bleistift. Unbeschrieben f. 12r, 20v, 21r, 24v, 25r, 36v–39r. Je 1 freies orig. Vorsatz- und Nachsatzbl. 9,2×14,1 cm. F. 1r Übersicht der Tab.-Buchstaben, übereinstimmend mit dem Notenteil. Grifftabellen f. 12r–14r. Papier mit vorgedruckten Lin., ohne Angabe der Offizin. Ausschließlich Tab. Für 10- und 11chörige Laute. 2 Schreiber: B nur f. 12v–14r. Pergamentband der Zeit, die obere Schicht des Pergaments ist auf den Deckeln ca. zur Hälfte abgelöst, Stumpf einer Lederschließe; Buchrücken mit Aufschrift der Zeit, Tinte, stark verblaßt: *Pour le luth.* (Freie Instrumentalsätze, Tänze.)

Literatur: BoetticherL, S. 364 [41] (*Ms. Wo 55*); Katalog Liepmannssohn 175, S. 55 (*Nr. 194*); Katalog Wolffheim II, S. 34 (*Nr. 55*); HeckmannDMA, *Nr. 2/1408;* RadkeG, S. 141.

——

Mus. ms. 40601. Erworben 1930. Bis 1929 Privatbibliothek Dr. Werner Wolffheim, Berlin-Grunewald (*Nr. 56*).

Frz. Lt. Tab. 6 Lin. Um 1675–1690.

205 fol., zuzüglich je 1 altes Vorsatz- und Rückbl. Unbeschrieben f. 5, 13, 33v–37r,41v , 42v–46, 59r, 65v, 82v–85, 103–104r, 118v–120, 130v–132r, 133v, 138v–142v, 147v, 149v, 171v–172, 205v. 20,4×15,8 cm. Ausschließlich Tab. Für 11chörige Laute. Titel: f. 1r in Schönschrift *Erfreuliche / LautenLust.* Gedichtbeigaben: f. 2r *Das Buch an dem Leser*, f. 3r *Lauten Lob / M: Ernst Stockmans P:L:C.* Papier mit vorgedr. Lin., ohne Angabe der Offizin. 1 Schreiber. Dunkelbrauner Lederband der Zeit, starker Wurmfraß, Vorder- und Rückdeckel mit Goldpressung: Randleisten, in der Mitte Rosette. (Freie Instrumentalsätze, Tänze, frz. Chansons.)

Literatur: WolfH II, S. 103 (die genannten *Gautier de Vienne* und *A.C. Hültz* entfallen); BoetticherL, S. 367 [43] (*Ms. Be R*); Katalog Wolffheim II, S. 34f. (*Nr. 56*); KoletschkaE, S. 49ff.; RollinD, S. XVI; RollinG, S. XVII; HeckmannDMA, *Nr. 2/1409;* RadkeG, S. 141; RadkeL, S. 42.

ehemals BERLIN, PREUSSISCHE STAATSBIBLIOTHEK, MUSIKABTEILUNG
seit 1945 verschollen (Auslagerungsort Fürstenstein)
Aufnahme des Herausgebers 1942

Mus. ms. 40620. Erworben 1928.

Frz. Lt. Tab. 6 Lin. Anfang des 18. Jh., Datierung 1701.

150 fol. 36 mit Tab. beschriebene Seiten. 11,4×17,3 cm. Ausschließlich Tab. Für 11chörige Laute. Datierung: f. 141r *componirt den 22 8bris 1701.* Minde-

stens 2 Schreiber, einer bezeichnet *Piectele* (s. Bd. 2), als *mon tres cher maistre*, f. 24r. Einband der Zeit. (Freie Instrumentalsätze, Tänze.)

Literatur: BoetticherL, S. 369 [46] (*Ms. Be 40620*); Schnürl, S. 109.

----

seit 1945 verschollen (Auslagerungsort Fürstenstein)
Aufnahme des Herausgebers 1940

Mus. ms. 40622. Erworben 1931.

Frz. Lt. Tab. 5 Lin. für Hamburger Cithrinchen. Um 1664–1685, Nachschriften wahrscheinlich erst Ende des 17. Jh., Datierungen 1664, 1680 [1688 ?].

89 fol. 150 mit Tab. beschriebene Seiten. 14,8 × 20,2 cm. Datierungen: f. 1r *Im Nahmen der heiligen Dreifaltigkeit. In Hamburgh a*[nn]*º 1664;* f. 5r *Soli Deo Gloria. Hamburg den 24. Septembʳ Anno 1680* [1688 ?]. F. 2–4r Orgel-Tab. mit Datierung *1664*. Traktat über Mensur und Grifftabelle für Hamburger Cithrinchen: f. 87v–88r, unter anderem über Griffe, *so guth vndt wohl klingen*. Der Hauptteil des Ms. ist für Hamburger Cithrinchen intavoliert. Alte Numerierung der Sätze: *1–158*, anschließend 3 unnumerierte Sätze. Für 5saitiges Instrument (*c e g h e'* und *f a c' e' a'*). F. 86r–68v rückwärts beschriftet in gew. Notenschrift: Choralmelodien und -sätze. F. 87r–86v rückwärts beschriftet alter Index zu den vorgenannten Chorälen. Nachschriften einiger *Arien* (s. Bd. 2) möglicherweise erst 1690–1700. Mehrere Schreiber. Pappband der Zeit. (Freie Instrumentalsätze, Tänze, Arien, dt. Liedsätze.)

Literatur: BoetticherL, S. 364f. [41f.] (*Ms. Be 40622*); WolfN, S. 123 (ohne Sign.).

----

seit 1945 verschollen (Auslagerungsort Fürstenstein)
Aufnahme des Herausgebers 1942

Mus. ms. 40625. Erworben 1928.

Frz. Lt. Tab. 6 Lin. Ende des 17. Jh.

29 fol. 55 mit Tab. beschriebene Seiten. 15,1 × 20,1 cm. Ausschließlich Tab. Für 11chörige Laute. Genannt sind *B. de W.* und *Du But.* 1 Schreiber. Pappband der Zeit. (Freie Instrumentalsätze, Tänze.)

Literatur: BoetticherL, S. 366 [43] (*Ms. Be 40625*); WolfN, S. 123 (ohne Sign.).

----

seit 1945 verschollen (Auslagerungsort Fürstenstein)
Aufnahme des Herausgebers 1940

Mus. ms. 40626. Erworben 1929.

Frz. Git. Tab. 5 Lin. und frz. Lt. Tab. 6 Lin. Um 1658–1670, Datierung 1658.

68 fol. 116 mit Tab. beschriebene Seiten. 10,1 × 14,2 cm. Datierung: f. 33r *Le 17 Juin 1658* [bei einem *Prelude*]. F. 1–22r für Gitarre (*G c f a d'*), f. 32–68

für Laute (*A d f a d' f'*). Mindestens 3 Schreiber. Stark abgenutzter, dunkelbrauner Lederband der Zeit, Vorderdeckel mit Einpressung: *Pour la Guitarre et pour le Luthe.* (Freie Instrumentalsätze, Tänze.)

Literatur: BoetticherL, S. 359 [37] (*Ms. Be 40626*); TessierGG, S. 35 (unter der Eingangs-Nr. *Ms. 1929–1346*); Katalog Liepmannssohn 56, S. 76 (*Nr. 364*); WolfN, S. 123 (ohne Sign.); RollinD, S. XVI; RollinG, S. XVII; RadkeG, S. 141.

BERLIN, STAATSBIBLIOTHEK, PREUSSISCHER KULTURBESITZ (West-Berlin) bis 1945 BERLIN, Preußische Staatsbibliothek, *Musikabteilung*

Mus. ms. 40627. Erworben 1929. Bis 1929 Privatbibliothek Dr. Werner Wolffheim, Berlin-Grunewald (*Nr. 57*).

Frz. Lt. Tab. 6 Lin. Ende des 17. Jh., Datierungen 1694, 1695.

160 fol. Neuere Foliierung in Bleistift 1–159. Unbeschrieben f. 66r, 115r, 126v, 128r, 141v (nur Lin.). 7,2×19,5 cm. Für 11chörige Laute. Zahlreiche Korrekturen. Datierungen: f. 84v *Parthia initiantibus multùm per utilis: descripta / â p*[at]*re Bernardino Zwixtmeyer Altovadi Profeßo / Anno D*[omi]*ni 1695;* f. 85r *Die 1a Jan: in Sem:* [inario] *S.* [ancti] *B.* [enedicti] *Pragi.* Vorderdeckel eingepreßt: · *F · B · C · AB · Z · S · O · C · / A P · / 1694,* Rückdeckel: *R · P · I · R · D · R · S · O · C · AR · P·.,* darüber: *I ·.* Vorderdeckel innen: *Viva fui in Sylvis, occisa dura seculi: / Dum vixi tacui: mortua dulce cano;* darunter: *Daß ist mein Bitt, vergüß mein / nicht;* daneben: *BZ. Die 1a Jan: Ao 1695.* 3 Schreiber: C nur f. 74–75r. Fast schwarzer Lederband der Zeit mit intakter Messingschließe, Vorder- und Rückdeckel mit Goldpressung. Rücken erneuert, Goldschnitt. (Freie Instrumentalsätze, Tänze, Arien, ital. Incipits, dt. Liedsätze.)

Literatur: BoetticherL, S. 369 f. [46] (*Ms. Be 40627*); Katalog Wolffheim II, S. 35 (*Nr. 57*); Katalog Liepmannssohn 56 (*Nr. 137*); WolfN, S. 123 (ohne Sign.); HeckmannDMA V, S. 145, *Nr. 1/2141*; BoetticherLos, S. 1220.

Mus. ms. 40631. Erworben 1933.

Frz. Git. Tab. 5 Lin. Ohne Alfabeto. Ende des 17. Jh.

20 fol. Neuere Foliierung in Bleistift. Unbeschrieben f. 5v–20r. 17,4×23,1 cm. Ausschließlich Tab. Für 5saitige Gitarre (*G c f a d'*). Korrekturen: f. 4r, Überklebungen: f. 3r. Papier mit vorgedruckten Lin., ohne Angabe der Offizin. 1 Schreiber, sehr flüchtige Notierung, teilweise in Kurzschriftform. Neuer Einband mit Pergamentrücken. (Freie Instrumentalsätze.)

Literatur: BoetticherL, S. 370 [46] (*Ms. Be 40631*); HeckmannDMA IV, S. 113, *Nr. 1/1699.*

Mus. ms. 40632. Erworben 1932.

Dt. Lt. Tab. Um 1565–1570.

55 fol., zuzüglich je 1 neueres Vorsatz- und Nachsatzbl. Unbeschrieben f.

1–3, 25v, 26r, 28r, 50r, 54v. 21,1 × 15,4 cm. Ausschließlich Tab. Für 6chörige Laute. Traktat: f. 55r *Also soltu die Lautten Ziehen vnnd Richt*[en], f. 47v Übertragungsbeispiele aus Stimmen in gew. Notenschrift mit verschiedenen Schlüsseln in dt. Lt. Tab., f. 48r *Folgen hernach etliche defelein Zum aussetz*[en] / *Die erst dafel*, folgende Beispiele mit den Überschriften: *Discant, Tenor Alt, Bassus*, sodann *Die ander tafell, Die drit dafel* etc. bis *Sibent tafel*, f. 49v. 2 Schreiber: sorgfältig, stark unterschiedliche Tinte. Dunkelbrauner Lederband der Zeit, Vorder- und Rückdeckel reiche Blindpressung, an den Rändern restauriert. Vorderdeckel mit eingepreßtem Supralibros: Wappen, darin klein *1528* und *H.S.* (das Datum ist nicht verbindlich für das Alter des Ms.). Rücken modern, aufgepreßt: *Deutsche Lautentabulatur um 1575.* (Freie Instrumentalsätze, frz. Chansons, ital. Madrigale, dt. und niederld. Liedsätze, lat. Motetten.)

Literatur: BoetticherL, S. 346 [24] (*Ms. Be 40632*); DorfmüllerS, S. 16, 26, 30, 56; BoetticherLZ I, S. 820; SlimM 1964, S. 63ff., 1965, S. 126; HeckmannDMA IV, S. 113, *Nr. 1/1700.*

ehemals BERLIN, Preussische Staatsbibliothek, Musikabteilung
seit 1945 verschollen (Auslagerungsort Fürstenstein)
Aufnahme des Herausgebers 1939

Mus. ms. 40633. Erworben 1932. Früher Privatbibliothek Dr. Werner Wolffheim, Berlin-Grunewald (*Nr. 66*).

Frz. Lt. Tab. 6 Lin. Mitte des 18. Jh., Datierung 1753.

45 fol. 80 mit Tab. beschriebene Seiten. 15,9 × 20,1 cm. Ausschließlich Tab. Für 11- und 13chörige Laute. Datierung: f. 38v 26. März 1753 bei *G d*[ur] *Menuet di R*[aschke]. Einige Sätze am Ende des Ms. mit Bleistift; mit Tinte nachgezogen. 1 Schreiber. Pappband der Zeit, Vorderdeckel Initiale *A.* (Freie Instrumentalsätze, Tänze.)

Literatur: WolfH II, S. 103 (ohne Sign.); BoetticherL, S. 376 [52] (*Ms. Be 40633*); Katalog Wolffheim II, S. 38 (*Nr. 66*); Katalog Liepmannssohn 223; KoczirzV, S. 270ff.; RadkeW, S. VI; RadkeG, S. 141; RadkeGL, S. 55; Klima-RadkeW, S. 367.

—

seit 1945 verschollen (Auslagerungsort Fürstenstein)
Aufnahme des Herausgebers 1942

Mus. ms. 40637. Erworben 1931.

Frz. Lt. Tab. 6 Lin. Um 1700.

6 fol. 8 mit Tab. beschriebene Seiten. 21,3 × 16,4 cm. Ausschließlich Tab. Für 11chörige Laute. Die obere Hälfte der Seiten ist jeweils kopfstehend beschriftet: Sätze für zwei Lauten. 1 Schreiber. Ohne Einband. (Freie Instrumentalsätze, Tänze.)

Literatur: BoetticherL, S. 369 [46] (*Ms. Be 40637*).

---

seit 1945 verschollen (Auslagerungsort Fürstenstein)
Aufnahme des Herausgebers 1941

Mus. ms. 40641 Erworben 1932.

Frz. Lt. Tab. 6 Lin. Um 1700.

30 fol. 26 mit Tab. beschriebene Seiten. 23,4×18,5 cm. Ausschließlich Tab. Für 9chörige Laute. 1 Schreiber. Pergamentband der Zeit, Vorderdeckel innen ein Aquarell. (Freie Instrumentalsätze, Tänze.)

Literatur: BoetticherL, S. 370 [46] (*Ms. Be 40641*).

BERLIN, STAATSBIBLIOTHEK, PREUSSISCHER KULTURBESITZ (West-Berlin)
bis 1945 BERLIN, Preußische Staatsbibliothek, *Musikabteilung*

Mus. ms. 40642. Erworben 1935. Bis 1929 Privatbibliothek Dr. Werner Wolffheim, Berlin-Grunewald (*Nr. 67*).

Frz. Lt. Tab. 6 Lin. Mitte des 18. Jh.

10 fol. Unbeschrieben f. 10v. Unterschiedliche Formate in 8° und 4°. Ausschließlich Tab. Für 13chörige Laute. Titel: f. 1r *Geistliche Lieder von Herrn Deckert, auf die Laute gesetzet.* 1 Schreiber. Pappband der Zeit. (Dt. Liedsätze.)

Literatur: BoetticherL, S. 383 [58] (*Ms. Be 40642*); Katalog Wolffheim II, S. 38f. (*Nr. 67*); Katalog Liepmannssohn 237, S. 82 (*Nr. 965*); 1 Faksimile in J. Wolf, *Musikalische Schrifttafeln für den Unterricht in der Notationskunde*, Berlin 1922–1923, *Tafel Nr. 27*. Jüngst KindermannDMA III, *Nr. 3/232*.

ehemals BERLIN, PREUSSISCHE STAATSBIBLIOTHEK, MUSIKABTEILUNG
seit 1945 verschollen (Auslagerungsort Fürstenstein)
Aufnahme des Herausgebers 1940

Mus. ant. pract. J. 150.
Handschriftlicher Anhang an Druck B. Jobin, *Das Erste Buch Newerleßner Fleißiger . . . Lautenstück*, Straßburg 1572.

Dt. Lt. Tab. Um 1580.

4 fol. 8 mit Tab. beschriebene Seiten. Ausschließlich Tab. Für 6chörige Laute. 1 Schreiber. (Freie Instrumentalsätze, Tänze.)

Literatur: BoetticherL, S. 347 [25] (*Hs. Anh. Be Job.*).

---

seit 1945 verschollen (Auslagerungsort Fürstenstein)
Aufnahme des Herausgebers 1940.

Mus. ant. pract. O. 60.
Handschriftlicher Anhang an Druck S. Ochsenkun, *Tabulaturbuch . . .*, Heidelberg 1562.

Dt. Lt. Tab. Um 1580.

4 fol. 8 beschriebene Seiten. Ausschließlich Tab. Für 6chörige Laute. Der Vermerk f. 1r *Geseng auff das Clavir abgesetzt* widerspricht der Tab.-Art des Anhangs. 1 Schreiber. (Dt. Liedsätze, lat. Motetten.)

Literatur: BoetticherLZ I, S. 824.

———

seit 1945 verschollen (Auslagerungsort Fürstenstein)
Aufnahme des Herausgebers 1940

Mus. ant. pract. W. 510.
Handschriftlicher Anhang an Druck R. Wyssenbach, *Tabulaturbuch vff die Lutten*, Zürich 1550.

Dt. und Frz. Lt. Tab. Um 1560–1570.

38 fol. Unbeschrieben f. 1–8. Tab.-Teil: f. 9–38. Für 5- und 6chörige Laute. 1 Schreiber. (Freie Instrumentalsätze, Tänze, ital. Madrigale, dt. Liedsätze, lat. Motetten.)

Literatur: WolfH II, S. 49 (unrichtige Sign. *W. 10*); BoetticherL, S. 350 f. [29] (*Hs. Anh. Be W*); Dieckmann, S. 89; BoetticherHE, S. 14; RadkeWY, S. 921.

ehemals BERLIN, BIBLIOTHEK DER STAATLICHEN HOCHSCHULE FÜR MUSIK
Seit 1945 verschollen

* Ms. 5102. Sogenanntes Ms. Grässe.

Dt. Lt. Tab. Ende des 16. Jh.

107 fol. Jüngere Paginierung. 91 beschriebene Seiten. Unbeschrieben f. 91v–102 (leer). 4°. Für 6chörige Laute. Einband datiert: *1588*. Mindestens 3 Schreiber. Lederband der Zeit. (Freie Instrumentalsätze, Tänze, dt. Liedsätze, lat. Motetten.)

Literatur: WolfH II, S. 50, in der Tabelle S. 40 abweichend *1584* datiert; BoetticherL, S. 350 [28] (*Ms. Be 5102*); Fachkatalog, S. 157, *Nr. 84* (Raum XI, Pult IX); SzabolcsiT, S. 12ff.; RadkeC, S. 1382.

ehemals BERLIN, ANTIQUARIAT LEO LIEPMANNSSOHN
gegenwärtiger Besitzer nicht nachgewiesen

* Ms. Katalog 137, Nr. 262.

Frz. Lt. Tab. 6 Lin. Für Baß-Viola, wahlweise Laute. Um 1630–1650.

20 fol. 40 beschriebene Seiten. 4-obl. 1 Schreiber (engl. Provenienz). Brauner Lederband der Zeit. (Freie Instrumentalsätze. Tänze, engl. Liedbearbeitungen.)

Literatur: Katalog Liepmannssohn 137 (Februar 1899), S. 29, *Nr. 262.*

---

gegenwärtiger Besitzer nicht nachgewiesen

* Ms. Katalog 137, Nr. 263.

Ital. Lt. Tab. 6 Lin. 3. Viertel des 17. Jh.

53 fol. 105 beschriebene Seiten. kl.-8°-obl. Für 14chörige Laute. Es handelt sich um einen Traktat mit intavolierten Beispielen. Überschr.: *1° Introductioni a note con terza maggiore, e con terza minore e terza naturale. 2° Abbellimenti sopra note di cadenze risolute ... 3° Passeggi sopra note con accompagnamenti et a note di cadenze. 4° Accompagnamenti sopra qual si uoglia note con ogni accidenti et in quante forme, modi e maniere possino trouarsi.* 1 Schreiber. Brauner Lederband der Zeit. (Unbezeichnete Sätze als Beispiel eines ausgesetzten Basso continuo mit Verzierungen.)

Literatur: Katalog Liepmannssohn 137 (Februar 1899), S. 29f., *Nr. 263.*

---

gegenwärtiger Besitzer nicht nachgewiesen

* Ms. Katalog 167, Nr. 1050.

Frz. Git. Tab. 6 Lin. Mit Alfabeto. Anfang des 18. Jh.

182 fol. Fast alle Seiten mit Tab. beschrieben. 37×26 cm. Titel: *Recueil d'airs de guitare* (Goldpressung auf Deckel). Am Ende des Volumens Index, der 518 Sätze aufführt. Für 5saitige Gitarre. 1 Schreiber (sorgfältig). Brauner Lederband der Zeit. (Freie Instrumentalsätze, Tänze.)

Literatur: Katalog Liepmannssohn 137 (Februar 1899), S. 29, *Nr. 261*; Katalog ibid. 149 (1901), S. 15 f., *Nr. 128*; Katalog ibid. 157 (s. a.), S. 54, *Nr. 786*; Katalog ibid. 167 (s.a.), S. 57, *Nr. 1050.*

---

gegenwärtiger Besitzer nicht nachgewiesen

* Ms. Katalog 221, Nr. 843.

Frz. Lt. Tab. 5 Lin. Für Viola da Gamba, wahlweise Laute. Um 1660–1670; Datierung 1666.

46 fol. 80 beschriebene Seiten. kl.-qu.-4°. Tab.-Teil: nur 3 Bll. = f. 21–23 (6 beschriebene Seiten). Datierung: f. 1v *Le premier jour de septembre 1666.* Es handelt sich um mehrere Faszikel in gew. Notenschrift, f. 1–20 Suiten für Viola da Gamba (Stimmung *D G c e a d'*, auch für den Tab.-Teil verbindlich), f. 24–29 Sätze für Flöte (?), f. 30–41 technische Übungen für Blasinstrument. F. 42 Hinweise auf die Technik des Gambenspiels. Dunkelbrauner Lederband der Zeit. (Freie Instrumentalsätze, Tänze.)

Literatur: Katalog Liepmannssohn 221 (s. a.), S. 138f., *Nr. 843.*

—

gegenwärtiger Besitzer nicht nachgewiesen

* Ms. Katalog 221, Nr. 844.

Frz. Git. Tab. 5 Lin. Mitte des 18. Jh.

41 fol. 72 beschriebene Seiten. qu.-4°. Tab.-Teil: 9 Seiten, enthaltend 9 frz. Chansons, hiervon 3 Sätze mit Singst. in gew. Notenschrift. Überwiegend Aufzeichnung in gew. Notenschrift (26 frz. Chansons, 1 *Air nouveau*, 1 *Courante nouvelle* für 1 Singst., ferner f. 1v und die letzten 12 Seiten des Ms. Gesangsübungen). Lose beiliegend 2 Einzel- und 2 Doppelbll. mit zugehörigen Diskant- und Baßstimmen. (Frz. Chansons.)

Literatur: Katalog Liepmannssohn 221 (s. a.), S. 139, *Nr. 844.*

—

gegenwärtiger Besitzer nicht nachgewiesen

* Ms. Katalog 221, Nr. 846.

Frz. Lt. Tab. 6 Lin. Erste Hälfte des 17. Jh.

63 fol. 112 beschriebene Seiten. kl.-qu.-8°. Für 11chörige Laute. Zu Beginn des Tab.-Teils Angabe der Stimmung (*A d f a d' f'*). Mehrere Schreiber. Jüngerer Pappband. (Unbezeichnete Sätze.)

Literatur: Katalog Liepmannssohn 221 (s. a.), S. 139, *Nr. 846.*

—

gegenwärtiger Besitzer nicht nachgewiesen

* Ms. Katalog 221, Nr. 847.

Frz. Lt. Tab. 6 Lin. Ende des 17. Jh.

19 fol. 32 beschriebene Seiten. kl.-qu.-4°. Die ersten 10 Sätze sind *Du But* zugeschrieben, es folgen Sätze von *Gautier* und *Gumprecht.* Mindestens 2 Schreiber (A = die ersten 10 Sätze). Dunkelbrauner Lederband der Zeit. (Freie Instrumentalsätze, Tänze.)

Literatur: Katalog Liepmannssohn 221 (s. a.), S. 139, *Nr. 847.*

—

gegenwärtiger Besitzer nicht nachgewiesen

* Ms. Katalog 223, Nr. 67.

Dt. Lt. Tab. Ende des 16. Jh.

2 fol. Unbeschrieben f. 1r, 2v. qu.-4°. 2 intavolierte Sätze, der erste Fragment. F. 2v links oben: *F.K.* 1 Schreiber. Starker alter Wasserschaden, Flecke, Löcher. Ohne Einband. (Unbezeichnete Sätze.)

Literatur: Katalog Liepmannssohn 223 (s. a.), S. 146, *Nr. 67.*

———

gegenwärtiger Besitzer nicht nachgewiesen

* Ms. Katalog 237, Nr. 963.

Ital. Git. Tab. 5 Lin. mit Alfabeto und Frz. Lt. Tab. 6 Lin. 2. Hälfte des 17. Jh.

? fol. 35 beschriebene Seiten. kl.-qu.-4°. Tab.-Teile: I. ital. Git. Tab. 5 Lin. mit Alfabeto f. 1–7 und der letzte Satz des Volumens; II. frz. Lt. Tab. 6 Lin. die letzten 10 Bll. Neuer Einband. (Unbezeichnete Sätze.)

Literatur: Katalog Liepmannssohn 221 (s. a.), S. 139, *Nr. 845*; Katalog ibid. 223 (s. a.); Katalog ibid. 237 (s. a.), S. 82, *Nr. 963* [hier Beschreibung des Ms.].

ehemals BERLIN-Grunewald, Privatbibliothek Dr. Werner Wolffheim
gegenwärtiger Besitzer nicht nachgewiesen

* Ms. Wolffheim Nr. 53. 1929 versteigert.

Frz. Lt. Tab. 6 Lin. Anfang des 18. Jh.

40 fol. Unbeschrieben f. 40v. 14×17 cm. Ausschließlich Tab. Für 11chörige Laute. 1 Schreiber. Brauner Lederband der Zeit. (Freie Instrumentalsätze, Tänze, Arien, frz. und dt. Incipits.)

Literatur: BoetticherL, S. 364 [41] (*Ms. Wo 53*); Katalog Liepmannssohn 56; Katalog Wolffheim II, S. 33 (*Nr. 53*).

———

gegenwärtiger Besitzer nicht nachgewiesen

* Ms. Wolffheim Nr. 62. 1929 versteigert.

Frz. Git. Tab. 5 Lin. Letztes Viertel des 17. Jh.

1 fol. 2 mit Tab. beschriebene Seiten. 23×19 cm. Für 5saitige Gitarre. 1 Schreiber. Ohne Einband. (Freie Instrumentalsätze, Tänze, Arien.)

Literatur: BoetticherL, S. 369 [45] (*Ms. Wo 62*); Katalog Wolffheim II, S. 36 (*Nr. 62*).

———

gegenwärtiger Besitzer nicht nachgewiesen.

* Ms. Wolffheim Nr. 64. 1929 versteigert.

Frz. Lt. Tab. 6 Lin. Um 1720–1740.

32 fol. 64 mit Tab. beschriebene Seiten. 9,5×14,5 cm. Für 11chörige Laute. 1 Schreiber. Dunkelbrauner Schweinslederband der Zeit. (Freie Instrumentalsätze, Tänze, Arien, frz. Incipits.)

Literatur: BoetticherL, S. 374 [50] (*Ms. Wo 64*); Katalog Liepmannssohn 175, S. 55 (*Nr. 195*); Katalog Wolffheim II, S. 37 (*Nr. 64*).

---

gegenwärtiger Besitzer nicht nachgewiesen

* Ms. Wolffheim Nr. 73. 1929 versteigert.

Frz. Lt. Tab. 6 Lin. Ende des 17. Jh.

10 fol. Unbeschrieben f. 10v. 19×16 cm. Ausschließlich Tab. Für 13chörige Laute. Titel: f. 1r *Kühnel. Ouvertura a 3: Luthe, Violino e Basso.* 1 Schreiber. Ohne Einband. (Freie Instrumentalsätze, Tänze.)

Literatur: BoetticherL, S. 380 [55] (*Ms. Wo 73*); Katalog Woffheim II, S. 41 (*Nr. 73*).

---

gegenwärtiger Besitzer nicht nachgewiesen

* Ms. Wolffheim Nr. 74. 1929 versteigert.

Frz. Lt. Tab. 6 Lin. Ende des 17. Jh.

8 fol. Unbeschrieben f. 8v. 19×16 cm. Ausschließlich Tab. Überwiegend für 11chörige Laute. Titel: f. 1r *Kühnel. Ouvertura a 3: Luthe, Violino et Basso.* 2 Schreiber: B hat vereinzelt den Satz für die 13chörige Laute erweitert. Ohne Einband. (Freie Instrumentalsätze, Tänze.)

Literatur: BoetticherL, S. 380 [55] (*Ms. Wo 74*); Katalog Wolffheim II, S. 41 (*Nr. 74*).

---

gegenwärtiger Besitzer nicht nachgewiesen

* Ms. Wolffheim Nr. 75. 1929 versteigert.

Frz. Lt. Tab. 6 Lin. Ende des 17. Jh.

4 fol. Unbeschrieben f. 4v. 19×16 cm. Ausschließlich Tab. Für 11chörige Laute. Titel: f. 1r *Kühnel. Ouverture à 2 Luth e Flauto.* 1 Schreiber. Ohne Einband. (Freie Instrumentalsätze, Tänze.)

Literatur: BoetticherL, S. 377 [53] (*Ms. Wo 75*); Katalog Wolffheim II, S. 41 (*Nr. 75*).

---

gegenwärtiger Besitzer nicht nachgewiesen

* Ms. Wolffheim Nr. 76. 1929 versteigert.

Frz. Lt. Tab. 6 Lin. Ende des 17. Jh.

8 fol. 8 mit Tab. beschriebene Seiten. 19×16 cm. Ausschließlich Tab. Überwiegend für 11chörige, vereinzelt für 13chörige Laute. Titel: f. 1r *Kühnel. Sonata a 3: Luth, Viol.*[ino] *e Basso.* 1 Schreiber. Ohne Einband. (Freie Instrumentalsätze, Tänze, Air.)

Literatur: BoetticherL, S. 377 [53] (*Ms. Wo 76*); Katalog Wolffheim II, S. 41 (*Nr. 76*).

---

gegenwärtiger Besitzer nicht nachgewiesen

* Ms. Wolffheim Nr. 77. 1929 versteigert.

Frz. Lt. Tab. 6 Lin. Ende des 17. Jh.

7 fol. 14 mit Tab. beschriebene Seiten. 19×16 cm. Für 13chörige Laute. Titel: f. 1r *Kühnel. Concerto a 3: Luthe, Viol.*[ino] *e Basso.* 1 Schreiber. Ohne Einband. (Nur unbezeichnete Sätze.)

Literatur: BoetticherL, S. 377 [53] (*Ms. Wo 77*); Katalog Wolffheim II, S. 41 (*Nr. 77*).

———

gegenwärtiger Besitzer nicht nachgewiesen

* Ms. Wolffheim Nr. 78. 1929 versteigert.

Frz. Lt. Tab. 6 Lin. 1. Viertel des 18. Jh.

33 fol. Unbeschrieben f. 33v. 17×15 cm. Ausschließlich Tab. Für 13chörige Laute. Titel: f. 1r *Schotte. 6 Concerti a 3: Luthe, Viola da Gamba e Cembalo.* 1 Schreiber. Ohne Einband. (Nur unbezeichnete Sätze.)

Literatur: WolfH II, S. 103; BoetticherL, S. 382 [57] (*Ms. Wo 78*); Katalog Wolffheim II, S. 41 (*Nr. 78*); KoczirzV, S. 271f.

BERN, Eidgenössisches Staatsarchiv

Ms. Spiezer Archiv Nr. 123. Ältere Signatur (Rückdeckel, aufgeklebter Zettel, rote Tinte): 77 (ist die laufende Nr. im Katalog Spiez, s. u.).

Frz. Lt. Tab. 6 Lin. Um 1630–1645.

68 fol., 2 vorangehende Bll. herausgerissen (Falze ohne literar. oder Tab.-Reste), desgleichen 1 Bl. vor f. 59. 21×15,3 cm. Tab.-Teil: f. 59, 60v–68. Fast alle Seiten sind literar. beschriftet (auch im Tab.-Teil f. 59r, 59v). Unbeschrieben f. 57v–58, 60r (nur Lin.). Lin. ohne Rastral, flüchtig. Für 10chörige Laute (bis *///a*). 1 Schreiber des Tab.-Teils. Es handelt sich um ein sehr eng beschriftetes Heft (frz.), in dessen Schlußteil, kopfstehend, die Tab. erscheint. F. 1r Titel *Recueil general de touts les Estats / Empires et principautés du / monde.* Derselbe Titel erweitert als Überschrift des literar. Teils f. 2r. Rückdeckel innen (also vor Beginn des Tab.-Teils, kopfstehend): *Amiens*, ferner erneut: *amiens* und *Amie*[ns]. Als Schriftprobe zweimal untereinander: *At Regina graui iamdudum saucia cura.* Streichung: f. 67v (1 System), Korrekturen: f. 66v. Vereinzelt *fin*-Vermerke. F. 63r in einem Tab.-System irrtümlich eine 7. Lin. unterhalb, diese gestrichen. Aus dem ehem. Spiezer Schloßarchiv des Herrn v. Erlach. Einzeichnung der Tab. in einem Bericht über Länder und deren Bräuche; kein Tab.-Verlust am Ende des Volumens. Schloß Spiez wurde Frühjahr 1798 geplündert (Anordnung des Ministers Mengand, der hoffte, damit das Archiv des Geheimen Rats zu erfassen). Der Rest, in „*6 müttige Säcke verpackt*", wurde der Munizipalität Bern übergeben. Diese gab den Teil wieder an Gabriel Albrecht v. Erlach zurück, der als Geisel nach Straßburg geführt worden war. (Vgl. Akten des Kantons Oberland, IV, Finanzen, Nr. 1, Brief des G.A. v. Erlach vom 16. 12. 1798.) September 1875 erfolgte Versteigerung der Spiezer Schloßbibl. Über Schloß Spiez vgl. A. Jahn, *Chronik oder geschichtliche . . . Beschreibung des Kantons Bern alten Theils*, Bern–Zürich

1857, S. 643, dort auch Näheres über die Familie Frhr. v. Erlach, der wohl der Schreiber der Tab. angehörte. Die Eintragung f. 65v *M.*[ein] *Ehrevester* und f. 66r *demnach* unten am Seitenrand ist nicht Satzbezeichnung. Orig. Pergamentband (es wurde eine spätmittelalterl. Hs. verwendet). 4 Lederschnüren als Schließen unversehrt. Heftung nicht beeinträchtigt. (Tänze, frz. Liedsätze.)

Literatur: Fehlend. Erwähnt in Katalog Spiez, S. 79, *Nr. 77*, in Rubrik „*Unteres Archiv*", darin: „*Schublade VIII*".

BESANÇON, Bibliothèque municipale

Druck Signatur 247, 975.

Handschriftliche Eintragung in Druck P. Phalèse, *Des Chansons reduictz . . .*, Löwen 1545.

Frz. Lt. Tab. 5 Lin. Um 1550–1555.

Es handelt sich um eine Eintragung auf f. 32r des Drucks (orig. pag. Iv des Drucks). Insgesamt 11 Tab.-Takte, 1 abgeschlossener Satz. Für 6chörige Laute. 1 Schreiber, der das im Druck freigebliebene 2. und 3. System benutzt hat. Auf dem Vorsatzbl. (in etwas kleinerem Format) f. Ir des Drucks finden sich lat. und frz. Sprüche mit Datum: *1553*. Es dürfte sich um den gleichen Schreiber handeln, der wohl Besitzer des Drucks war. Seine Hand verrät auch die Beschriftung des Rückdeckels außen: *Si deus pro nobis . . .* Orig. Pergamentband der Zeit. (Keine Satzbezeichnung.)

Literatur: Fehlend.

—

Ms. 279152 Rés. musique. Genannt Ms. Vaudry de Saizenay, Nr. I. Alte Signatur (Buchrücken, Zettel): *3132*.

Frz. Lt. Tab. 6 Lin. für Laute und Theorbe. Um 1700. Datierung *1699*.

190 fol., zuzüglich je 8 Vorsatz- und Nachsatzbll. (von letzteren f. I, V–VIII leer). Orig. Paginierung *1–424*. Es fehlen orig. Pag. 17/18, 34/35, 161/162, 179/180, 197/198, 215/216, 233/234, 269/270, 283/284, 301/302, 319/320, 337/338, 355/356, 373/374, 399/400, doch bleibt, was ein Vergleich mit den Indices bestätigt, ein Tab.-Verlust fraglich. Unbeschrieben Vorsatzbl. VI–VIII, f. 14v–16, 30v, 31r, 37v–40, 47, 48, 50r, 62–64, 71v–72, 79v–80, 87v–88, 106v–112, 116–120, 122v–126, 134, 139–142, 145–150, 155–158, 161–166, 173–178, 189–190 (nur Lin., Rastral). 21,5 × 29 cm. Tab.-Teile: I. für 11- bis 12chör. Lt. f. 1–96, 182–189r; II. für 13- bis 14chör. Theorbe f. 46r, 97–181. Vermerk f. 46r: „*Les deux pièces de Theorbe cy dessus ont estez mises icy par erreur parmy les pièces de Lut, et se trouvent parmy les pièces de theorbe à page 295 cy après*". Ordnung der Sätze nach Tonarten, sodann nach Gattungen; analoge Ordnung in den Indices: I. Vorsatzblatt IIr–Vv „*Table des pieces de Luth contenües en ce Livre*", II. Nachsatzbl. IIr–IVv „*Table des pieces de Theorbe contenües en ce livre*". Besitzvermerk: Vorsatzbl. Iv *Ex Libris Joan.*

Steph. de Saizenay. / Parisijs. 1699. / Ce livre est marqué par la lettre A. dans la table Generale de mes pièces de Luth. Mehrfach Namenszug *De Saizenay* (f. 1r etc., auch bei *Accord*-Angaben). „*Mon maitre*" vom Schreiber bei *Mr. Jacquesson* (f. IIr), *Mr. de Visée* (f. IIr) hinzugefügt. Angaben des Modells, z. B. *Transposée du théorbe*, oder: *j'ay transposée du théorbe*, bzw. auch *transp.* [osée] *de la guitarre;* auch im Index wird auf solche Übertragungen verwiesen. Alte Korrekturen: f. 5r etc., Streichung *Gavotte* in: *Gigue.* Fingersatz re. und li. Hd. f. 12v–14r, 129v, 130r, namentlich f. 1r, 96v, 98v. Schreiber (auch der Indices) ist Jean-Étienne (Joh. Steph.) Vaudry de Saizenay, wie Ms. 279153 Rés. musique. Mittelbrauner, stark abgenutzter Lederband der Zeit, Rücken mit Goldpressung und altem Schild in Leder mit Goldpressung: *PIECES DE LVT / ET DE THEORBE.* (Freie Instrumentalsätze, Tänze, Airs, frz. Chansons.)

Literatur: TessierGG, S. 35 (als *Ms. de 1699*, ohne Unterscheidung von *Ms. 279152* und *Ms. 279153*); RollinD, S. XVI; RollinG, S. XVII; HeckmannDMA *VII*, S. 32, *Nr. 2/534*; HollandS, S. 4, Anm. 15; LaurencieBF, S. 132; RadkeD, S. 137.

Ms. 279153 Rés. musique. Genannt Ms. Vaudry de Saizenay, Nr. II. Alte Signatur (Buchrücken, Zettel): *3132.*

Frz. Lt. Tab. 6 Lin. Um 1700. Datierung *1699.*

71 fol., zuzüglich je 1 altes Vorsatzbl. und Nachsatzbl. (leer). Orig. Paginierung *1–142.* Unbeschrieben f. 13–15r, 19v, 20r, 21v–24r, 27r, 30v, 31r, 32–34r, 36–38r, 46v, 47r, 49r, 56–57r, 12,3 × 24,5 cm. Ausschließlich Tab. Für 14chörige Laute. Vorderdeckel innen Aufschrift: *J'ay commencé Le 4.*[e] *Aoust. 1699. d*[e] *Saizenay. / Ce livre est marqué par la lettre C. dans la table generale de mes pieces de Luth.* F. 70v–71v orig. Index: *Table des pieces contenues dans ce livre . . .* Ordnung nach Tonarten (gegenüber dem Notenteil), mit korrekter Angabe der Seitenzahlen, Komponistennamen mit Notenteil übereinstimmend. Korrekturen f. 18r. Hinweise auf Vorlage (f. 1r: „*Le même, page 1*[ère] *de mon gros livre*" u. ä.). F. 24v 1 Satz gestr. und mit Varianten neu notiert, 1 Schreiber. Dunkelbrauner Lederband der Zeit, Deckelkanten und Rücken mit Goldpressung. (Freie Instrumentalsätze, Tänze.)

Literatur: WolfH II fehlend. TessierGG, S. 35 (als *Ms. de 1699*); BoetticherL, S. 363 [45] (*Ms. Bes.*); RollinD, S. XVI; RollinG, S. XVII; HeckmannDMA VII, S. 32, *Nr. 2/535*; AnonymBE, S. 283 (alte Sign.); BoetticherLos, S. 1220; RollinN, S. 11ff., 16; RadkeG, S. 141. RollinM, S. XXVI.

BLOOMINGTON (Indiana), Privatbibliothek Prof. Paul Nettl

Ms. ohne Signatur.

Frz. Git. Tab. 5 Lin. ohne Alfabeto für Gitarre und für Mandora. Um 1770–1780.

43 fol. 86 mit Tab. beschriebene Seiten. F. 1–16 für 5chörige Mandora oder Gitarre, 38 Sätze. F. 31–43 ausschließlich für 5chörige Mandora, kopfstehend

und rückwärts beschriftet, 48 Sätze, in originaler Numerierung (bei 13 Sätzen fehlend, die Nummern *5–7* sind, da 1 Blatt nachträglich entfernt, nach alter Zählung nicht vorhanden, die originale Nummer *33* bezieht sich irrtümlich auf 2 Sätze). Mindestens 2 Schreiber. Pergamentband der Zeit (beschriftet), Stümpfe von 2 Lederriemen zum Verschließen. (Freie Instrumentalsätze, Tänze, frz. Chansons, dt. Liedsätze.)

Literatur: KoczirzGL, S. 433ff.; TichotaT, S. 145 (*Nachtrag Nr. 12*); Klima-RadkeWW, S. 437.

BOLOGNA, Civico Museo Bibliografico Musicale (Bibl. d. Conservatorio Mus. G.B. Martini)

Ms. V. 280. Früher Privatbibl. Prof. Francesco Vatielli († 1946 Portogruaro).

Ital. Git. Tab. Alfabeto mit und ohne Golpes, z.T. kombiniert mit Ital. Git. Tab. 5 Lin. Um 1614–1617, 1625; datiert 1614.

56 fol., zuzüglich 1 Nachsatzbl. (f. Ir leer). Unbeschrieben f. 1v, 41, 54 (leer). 16×22 cm. Titel: f. 1r *Libro De sonate diuer- / se Alla Chitarra / spagnola / Ih s ·· 1614 ·· Fra / Questo libro è del signor / S. Pig* [gestrichen] *Martinozzini* [die Endsilbe *ni* später angefügt als Diminutivum, aus dem *r* in Martinozzini ist mit roter Tinte später ein *y* eingeschrieben] / *P. J.*[b9] [= Jacobus] *P. / scripsit* (rote und schwarze Buchstaben, Schönschrift). Orig. Foliierung *1–48* (entspricht f. 2–49, mithin der Tab.-Teil unversehrt, 1 Bl., vor f. 9 herausgetrennt, zeigt leeren Falz und dürfte schon vor der Niederschrift gefehlt haben, was auch der orig. Index bestätigt). Ziffern *49–55* jüngere Foliierung (entspricht f. 50–56). Tab.-Teile: I. Alfabeto (gr. und kl. Buchstaben) mit Golpes auf 1 Lin., ohne Textierung f. 2v–29r, 31v–40; II. Alfabeto (gr. und kl. Buchstaben) über (nicht in) 5-Lin.-System, Golpes mit 1 Sonderlinie oberhalb, im 5-Lin.-System Ital. Lt. Tab., ohne Textierung f. 29v–31r; III. Alfabeto (nur kl. Buchstaben, rote Tinte) über Textierung, kein Lin.-System, einige Golpes am Ende der Textstrophe rot, davor 1 Zeichen des Alfabeto (instrumentale Nachspiele betreffend) f. 42r, 43r, 44r, 47r, 48r, 50v, 51v, 52v, 53v. Für 5saitige Gitarre. Tab.-Teil III ist *Villanelle* überschrieben (betrifft f. 42r bis Ende). F. 55r: *La Tauola delle Cose / contenute in / questo libro / 1614 / Del signor Lelio / Martinozzi.* (rote und schwarze Tinte, diese Doppelfarbigkeit wie im Titel f. 1r, s. o.). Orig. Index f. 55v–56, Bll. in orig. Zählung (s.o.) *1–39*, also nur die Tab.-Teile I und II erfassend. Nachsatzbl. Iv zwei Eintragungen, nicht zur Tab. gehörig, diese datiert: *11. Aprile 1617* und: *20 di Giugno 1617*; Rückdeckel innen (stark verblaßt): *A di 8 Luglio 1557 / fu trasportato il corpo di S.P. ...* F. 2r Übersicht des Alfabeto (gr. und kl. Buchstaben in ungeordneter Reihe, gr. Buchstaben nur *A*, *B*, *K*, *L*, *P*; Buchstaben rote Tinte, Auflösung der Akkorde in Lt. Tab. 5 Lin.), darunter: *Petrus Jacobus Pedruel / scripsit Romae / 1614.* Überschrift: *Le Chia- / ue ord*[in][e] */ de la Chita- / rra sp / agnuola.* Satzbezeichnungen rot. F. 43r am Rand: *Laus Deo semper.*

Vorderdeckel innen drei Mal Tinte, vertikal: *Sonate.* 1 Schreiber (der sich am Beginn des Volumens nennende *Petrus Jacobus Pedruel,* Rom. Besitzer: *Lelio Martinozzi* (die erwähnte Entstellung des Namens um 1625). Pergamentband der Zeit, untere Ecke abgebrochen; Heftung unversehrt. Vorderdeckel außen (Tinte) Subtraktionen. Tab.-Teil III möglicherweise einige Jahre jünger (1620). (Freie Instrumentalsätze, Tänze, ital. Liedsätze.)

Literatur: Fehlend.

Ms. Anhang AA/346. An Druck P. Millioni, *Prima scielta de Villanelle,* Rom 1627.

Ital Git. Tab. 6 Lin. Mit Alfabeto. 2. Viertel des 17. Jh.

8 fol. des Anhangs. Unbeschrieben f. 2–8. 10,6×16,2 cm. Für 5saitige Gitarre. 1 Schreiber. Der Druck führt im Gegensatz zum hs. Anhang kein *Alfabeto.* (Tänze, Aria.)

Literatur: Fehlend.

BRATISLAVA (Preßburg), KATEDRA HUDEBNEJ VEDY A VÝCHOVY (Bibliothek des Musikwissenschaftlichen Instituts der Universität), 1953 überführt aus RAJHRAD (Raigern), Bibl. des Benediktiner-Konvents

Ms. zur Zeit ohne Sign. Früher Raigern (s. u.), Sign. *4. a.*

Frz. Lt. Tab. 6 Lin. Um 1720.

16 fol. Alle Seiten beschrieben. Jüngere Paginierung (Tinte). 20×30 cm. Tab.-Teil: f. 1–16. Für 11chörige Laute. Titel: f. 1r *Lauthen Concert / Von / Johann Georg Weichenberger / Jn Wienn.* 1 Schreiber. Kartoneinband der Zeit mit bunt marmoriert bedrucktem Papier beklebt, Buchrücken mit Pergament verstärkt. – Die zugehörigen Stimmhefte sind erhalten: Sign. 4. b. = 9 fol. Titelbl. *VIOLINO*; Sign. 4. c. = 7 fol. Titelbl. *Basso.* (Freie Instrumentalsätze, Tänze.)

Literatur: WolfH II, S. 105; Fachkatalog, S. 160 (*Raum XI, Pult X, Nr. 108*); KoczirzÖ, S. 49ff.; KoczirzÖLL, S. 60; TichotaT, S. 141 (*Nr. 16*); Eitner QL X, S. 202 (Art. *J.G. Weichenberger*); Klima-RadkeW, S. 367.

BRNO (Brünn), ODDĚLENÍ HUDEBNĚ HISTORICKÉ MORAVSKÉHO MUSEA (Musikhistorische Abteilung des Mährischen Museums)

Ms. Inv. 745 / A. 371. Früher Raigern (Rajhrad), Bibliothek des Benediktiner-Konvents, Sign. *5. a.* (Vorderdeckel, innen).

Frz. Lt. Tab. 6 Lin. Anfang des 18. Jh.

59 fol. Neuere Bleistift-Paginierung 1–118. 118 mit Tab. beschriebene Seiten. 21,7×31,5 cm. Für 9- bis 11chörige Laute. 2 Schreiber. Dunkelbrauner Lederband der Zeit mit schwarzer Deckel- und Rückenpressung. Auf Vorderdeckel

innen eingeklebt: *Musicalien Bibliothek des Stiftes Raigern 5. a.* (Freie Instrumentalsätze, Tänze, Airs.)

Literatur: Fachkatalog, S. 160 (*Raum XI, Pult X, Nr. 109*); BoetticherL, S. 374 [50] (*Ms. Brü 371*); TichotaT, S. 141 (*Nr. 17*); PohankaL, S. 202ff., 1 Faksimile nach S. 200; VáňaN II, S. 70f., Schnürl, S. 110; RadkeW, S. VI; Klima-RadkeW, S. 367.

——

Ms. Inv. 746 / A. 372. Früher Raigern (Rajhrad), Bibliothek des Benediktiner-Konvents, Sign. *4*.

Frz. Lt. Tab. 6 Lin. Anfang des 18. Jh.

30 fol., zuzüglich 1 Vorsatzbl. 60 mit Tab. beschriebene Seiten. Neuere Paginierung 1–61. 42,2×36,2 cm. Für 11chörige Laute. 1 Schreiber. Dunkelbrauner Lederband der Zeit. (Freie Instrumentalsätze, Tänze, Aria und Air.)

Literatur: TichotaT, S. 142 (*Nr. 24*); PohankaL, S. 202 ff., 1 Faksimile nach S. 200; VoglC, S. 17; VoglD, S. 41ff.; VoglZ, S. 1ff.; VáňaN II, S. 75f.

——

Ms. Inv. 4081 / A. 3329. Früher Raigern (Rajhrad), Bibliothek des Benediktiner-Konvents, Sign. *3*. (Vorderdeckel, innen).

Frz. Lt. Tab. 6 Lin. für Angelica. Anfang des 18. Jh.

113 fol. Unbeschrieben f. 81v, 83–86 (nur Lin.); f. 87–113 (leer). Neuere Bleistift-Paginierung des Tab.-Teils 1–172. 9,6×20,1 cm. Für 16saitige Angelica (*C, E, F, G, A, H, c, d, e, f, g, a, h, c', d', e'*, bis *4, 5, 6*). Orig. Numerierung der Sätze. Mehrere Schreiber. Dunkelbrauner Lederband der Zeit, Deckel und Rücken mit einfacher schwarzer Pressung. Auf Vorderdeckel innen eingeklebt: *Musicalien Bibliothek des Stiftes Raigern 3.* (Freie Instrumentalsätze, Tänze, frz. Chansons, dt. Liedsätze.)

Literatur: TichotaT, S. 144 (*Nr. 36b*); PohankaD, S. 67; PohankaL, S. 209f., 2 Faksimiles nach S. 200; VoglC, S. 17; VoglZ, S. 1f.; VáňaN II, S. 89f.

——

Ms. Inv. 4081 / A. 13.268. Früher Raigern (Rajhrad), Bibliothek des Benediktiner-Konvents, Sign. *2*.

Frz. Lt. Tab. 6 Lin. Um 1713–1725, Datierung 1713.

55 fol. Unbeschrieben f. 1v, 36r, 39–55; f. 38v (nur Lin.). Neuere Foliierung. 11,5×20 cm. Ausschließlich Tab. Für 11chörige Laute. Streichungen: f. 11r, 20r, 26r, etc. F. 28v, 29r kopfstehende Beschriftung (rückwärts). Orig. Numerierung der Sätze: *1–48*, dann aussetzend. F. 1r Besitzvermerk: *Casimirus Wenceslaus / Comes à Verdenberg / et Namischt. / Anno 1713*; mit Wappen. 3 Schreiber. Dunkelbrauner Lederband der Zeit, Deckel und Rücken mit reicher schwarzer Pressung. (Freie Instrumentalsätze, Tänze.)

Literatur: WolfH II, S. 105 (ohne Sign., unter *Lautenbuch des Casimir Comes Werdenberg et Namischt von 1713*); BoetticherL, S. 375 [50] (*Ms. Ra W*); TichotaT, S. 142 (*Nr. 30*); Adler,

Vorwort und S. 272; Helfert, S. 93f.; KoczirzBL, S. 94; KoczirzÖ, S. 60, 69f.; PohankaL, S. 207ff., 2 Faksimiles nach S. 200; VoglC, S. 18; VáňaN II, S. 78f.; ZuthK, S. 105ff; Klima-RadkeW, S. 367.

Ms. Inv. 4081 / A. 20.545. Die Hs. galt bis 1966 als verschollen.

Frz. Lt. Tab. 5 Lin. für Mandora bzw. Laute. Mitte des 18. Jh.

27 fol. Ein vorangehendes Titelbl. ist (wohl seit langem) herausgerissen. Unbeschrieben f. 11v, 22–27 (nur Lin.). 17,8×29,5 cm. Tab.-Teil: f. 1–11r, 12–21. Für 5–8saitige Mandora, Laute. Überschrift bei Tab.-Beginn: f. 1r *Mandora*. Es handelt sich um 2 Faszikel: I = f. 1, 2 mit Arien in röm. Numerierung, Kombination der Tab. mit 1 darunterliegenden System in gew. Notenschrift und fortlaufender Textierung; II = f. 3–11r, 12–21 mit Sätzen ohne gew. Notenschrift und ohne Textierung, mit arab. Numerierung *1–10*, *1–5*, *1–9*, *1–8*, *1–35*, *1–10*, f. 17v ist *Nr. 28* fälschlich doppelt gezählt, mehrere Sätze (f. 6r, 10v) ohne Numerierung. Faszikel I und II haben abweichendes Papier. Korrekturen, Streichungen f. 8v etc., Rasuren f. 1v, 17r. 1 Schreiber (in Fasz. I Schönschrift). Pergamentband der Zeit, stark nachgedunkelt, ohne Beschriftung. Orig. Heftung unversehrt. (Freie Instrumentalsätze, Tänze, dt. Liedsätze.)

Literatur: Fehlend.

Ms. Inv. 4081 / A. 27.750 (seit 1949). Früher Raigern (Rajhrad), Bibliothek des Benediktiner-Konvents, Sign. *O.g. 3.*; seit 1945 Univ.-Bibl. Brünn

Frz. Lt. Tab. 5 Lin. für Mandora. Anfang des 18. Jh.

101 fol. Unbeschrieben f. 66, 68v–69, 74v–74, 84v–101r. Orig. Foliierung *1–82*. 17,4×22,5 cm. Ausschließlich Tab. Für 5saitige Mandora. Beginn des Notenteils f. 5r. Traktat: f. 1r *Fundamenta Mandorae*, mit Erläuterung von *Einfall*, *Mordent*, *Triller*, *Singer*. F. 1v *Regulae pro Mandora*, 6 Regeln mit intavolierten Beispielen. F. 3r–4 *VerZaichnus der Buchstaben* mit mehreren Spielanweisungen. 1 Schreiber. Dunkelbrauner Pappband der Zeit mit Lederrücken. (Freie Instrumentalsätze, Tänze, Aria, dt. Liedsätze.)

Literatur: TichotaT, S. 144 (*Nr. 49*); PohankaD, S. 125, VáňaN II, S. 97f.

Ms. D 189. Früher Brünn, Bibliothek des Augustiner-Konvents.

Frz. Git. Tab. 6 Lin. mit Alfabeto für Mandora, bzw. Colascione, Gitarre. Anfang des 18. Jh.

137 fol. Alle Seiten beschrieben. Neuere Bleistift-Paginierung 101–198. 15,6×21,3 cm. Tab.-Teil: f. 51–99. Für 5- und 6saitige Mandora, bzw. Colascione, Gitarre. Unter den Stimmangaben erscheint auch der *Accord* für die 6saitige Viola da Gamba. Mehrere Schreiber. Dunkelbrauner Lederband der

Zeit mit 2 Messingschließen, Deckel und Rücken unbeschriftet. (Freie Instrumentalsätze, Tänze, Aria, dt. Liedsätze.)

Literatur: TichotaT, S. 144 (*Nr. 36c*); PohankaD, S. 78f.; PohankaL, S. 211; PohankaJ, S. IV, VoglC, S. 16; VoglZ, S. 1f.

BRNO (Brünn), Státní Archív (Staatsarchiv)

Ms. Kart. 296. E. 6. k. 139. Früher Raigern (Rajhrad), Bibliothek des Benediktiner-Konvents, Sign. *O. g. 6.*

Frz. Lt. Tab. 5 Lin. für Mandora. Anfang des 18. Jh.

79 fol. Unbeschrieben f. 50v. Orig. Paginierung *1–99*, anschließend neuere Paginierung 1–56. 9,5×16,5 cm. Ausschließlich Tab. Für 5saitige Mandora. Zu Beginn das Akrostichon: f. 1v *Charo / Sar Can Dro De ReIChenaV Donat / Ita / a Mato Sar Can Dro ReIChenaV / Legat sVVs*. F. 1v: *Die Mandora ist fürwahr ein Trösterin / der Hertzen, ein Linderung der Schmarzen, / ein angenehme Braut, doch ist sie auch ein Bilt der Eytlkeit, dann / wann man uns liblich druckt, springt / ihr die Beste saith.* Überschrift: f. 1v *Mandora*. Besitzer- oder Schreibervermerk am Ende: f. 79v *Jossef hn* und *fin*[is]. Mindestens 2 Schreiber. Dunkelbrauner Lederband der Zeit, Deckel mit einfacher Pressung. (Freie Instrumentalsätze, Tänze.)

Literatur: TichotaT, S. 144 (*Nr. 51*); PohankaL, S. 203; VáňaN II, S. 93f.

ehemals BRNO (Brünn), Státní Archív. Früher Brünn, Bibl. des Augustiner Konvents.

Zur Zeit nicht feststellbar (1966, 1968).

* Ms. ohne Signatur

Frz. Git. Tab. 4 Lin. für Chitarrone. Mitte des 18. Jh.

34 fol. 68 mit Tab. beschriebene Seiten. 12,5×18,3 cm. Für 12saitige Chitarrone. Stimmung: *C D E F G A H c d a d' f'*. Bezeichnung der tieferen Saiten außerhalb des Lin.-Systems *5–12*. 2 Schreiber. Dunkelrötlicher Lederband der Zeit. (Freie Instrumentalsätze, Tänze, Aria.)

Literatur: TichotaT, S. 142 (*Nr. 32*); PohankaL, S. 211; VoglZ, S. 1ff.

BRNO (Brünn), Universitní Knihovna (Universitätsbibliothek)

Ms. Ch. 103. Früher Wessely (Veselí), Bibliothek des Schlosses, Sign. *IV. D. 25, I. Reihe.* Alte Sign.: *D.VIII.37* (Buchrücken).

Frz. Lt. Tab. 6 Lin. Anfang des 18. Jh.

64 fol. Unbeschrieben f. 25, 30r, 31–64, ab f. 32 nur Lin. Neuere Bleistift-Foliierung 1–31. 9,3×17,2 cm. Ausschließlich Tab. Für 11chörige Laute. Korrekturen, z. T. mit Rasuren: f. 15, ferner zahlreiche Ergänzungen. Orig. Numerierung der Sätze: *1–38*. 1 Schreiber. Dunkelbrauner Lederband der

Zeit, Deckel mit reichverziertem Rahmen in Goldpressung, Buchrücken im 18. Jh. mit weißer Farbe überstrichen. (Freie Instrumentalsätze, Tänze, Aria.)

Literatur: TichotaT, S. 142 (*Nr. 27*); VáňaN II, S. 107f.

BRUXELLES, Bibliothèque du Conservatoire Royal de Musique

Ms. Littera F. No. 704 w. Alte Signatur zufolge WotquenneN: *8750*, nicht mehr am Einband erhalten. Der gleichen Quelle zufolge um 1890 in Florenz erworben, ohne Angabe des Vorbesitzers.

Ital. Lt. Tab. 6 Lin. Um 1620–1630.

121 fol., zuzüglich 3 fol., die zwischen dem neuern und alten Rückdeckel verheftet worden sind, hiervon ist f. 3 leer. Unbeschrieben f. 1r, 121v. 3 neuere Nachsatzbll. (leer). 27×21,3 cm. Tab.-Teil: f. 2v–4r, 5v–7r, 15v–16, 18v, 19r, 21r, 23v–26r, 30v, 31v, 32v, 33v, 34v, 36v, 36v, 38v, 39v, 40v, 41v, 42v, 43v, 44v, 45v, 46v, 47v, 48v, 50v, 52v, 53v, 54v, 55r, 56v, 57v, 58v, 59v–61r, 75v, 95v, 96v, 97v, 99v, 101v, 106v, 117v, 118v. Für 8- bis 9chörige Laute. Es fehlt an selbständigen intavolierten Sätzen, durchweg erscheint der Tab.-Teil in Verbindung mit Aufzeichnung in gew. Notenschrift zu 2 Systemen (1stimmiger Gesangspart und unbezifferte Baßstimme, jeweils über der Tab.). In mehreren Fällen fehlt der intavolierte Begleitsatz (nur Lin.). Vereinzelt gibt die Tab. ein rein instrumentales Nachspiel an, während die Aufzeichnung in gew. Notenschrift vorher abschließt. Neuere Numerierung aller Sätze (auch der nicht mit Tab. versehenen) mit roter Tinte durch A. Wotquenne um 1890: *1–140*. Die orig. Paginierung zählt nur die beschriebenen Seiten: *1–240*, hiernach ist der Codex unversehrt geblieben. 1 Schreiber des Tab.-Teils, flüchtig (nicht identisch mit dem Schreiber der nichtintavolierten Teile, den auch abweichende Tinte verrät). Orig. Index auf den zwischen den beiden Rückdeckeln verhefteten f. 1, 2. Jüngerer Halblederband, außen neueres Lederschild: *MUSICHE DI VARI AUTORI*. Innen der originale Pergamentband, dessen Rücken mit dem neuen Einband verloren ging. Orig. Vorderdeckel außen ital. Gedichte, innen ganzseitiges Buntbild mit Gold (brennende Holzscheite auf einem Opferstein), mit ital. Gedichten (*L'ardenti . . .*, etc.). Originaler Rückdeckel analog außen beschriftet, innen ganzseitiges Buntbild (Adler erfaßt ein Lamm auf einem Berggipfel). (Ital. Arien.)

Literatur: WolfH II, S. 70 (doppelt geführt, zugleich unter alter Sign. für die Bibl. royale angezeigt); BoetticherL, S. 351 [29] (*Ms. Br 704*); WotquenneC I, S. 134 (*Nr. 704*); WotquenneN, S. 178ff. mit 1 Faksimile; Rolland, S. 75, 77, Anm. 2; F. Ghisi, Art. *J. Corsi*, in: MGG II, S. 1697.

Ms. Littera S, No. 5615. Alter Bestand.

Frz. Git. Tab. 5 Lin. Ohne Alfabeto. Um 1729–1730 (Datierung 1729, 1730).

74 fol., zuzüglich 2 Vorsatz- und 1 Nachsatzbl. (leer). Keine neuere Foliierung. Unbeschrieben f. 1v, 2r (leer); f. 74v–75 (nur Rahmen). 29×23 cm. Tab.-Teil:

f. 9–69. Der Tab.-Teil ist orig. paginiert *1–122*. Für 5saitige Gitarre. Kein Alfabeto. Titel: f. 1r *RECUEIL / DES PIECES DE GUITARRE / composées / par Mr FRANCOIS LE COCQ / Musicien Jubilaire / de la Chapelle Royale / A BRUXELLES. / & presentées par l'Auteur en 1729 / A MONSIEUR / DE CASTILLION / PREVOT DE S.^SE PHARAILDE &c / A / GAND* [braun/rot]; kunstvoll gezeichneter Rahmen mit brauner Tinte. F. 2v Kupferstich (Castillion, wie Ms. Brüssel, Bibl. royale *II, 5551*). F. 3–8 Traktat über das Spiel auf der Gitarre, Schönschrift, beginnend: „*S'il est vrai que la Guitarre soit le Cithara de l'Ecriture sainte, ainsi, . . .*" Die Abschnitte sind überschr. (rot): *Préface, Principes de la Guitarre, De Touches, Des Chordes, De Notes, et de leur valeur, Du Point, De la Mesure, Observations sur le mouvement des croches, Remarques sur la Mesure, Explication des marques et des signes de la Tablature De la Guitarre, Acords De la Guitarre avec les Notes de Musique, Toutes les lettres de la Guitarre et toutes les Notes, Alphabet Italienne et Francoise* [mit intavolierten Beispielen: *+*, *A* bis *Q* und $\overset{+}{Q}$, doppelt sind ferner geführt *M*, $\overset{+}{M}$, *N*, $\overset{+}{N}$, dieses Alfabeto nur im theoretischen Teil des Ms.], *Maniere de faire les Tremblemens sur toutes sortes de Tons tant b.mol que b quarre*. Der Tab.-Teil ist überschr.: f. 9r *RECUEIL / DES PIECES DE GUITARRE / Composées par m.^r / FRANCOIS LE COCQ / Musicien jubilaire de la Chapelle Royale, / A Bruxelles. / je Louairai Dieu Mon Crea- / teur sur La Guitarre / 1730;* f. 49v *Recueil / Des pieces de Guitarre, / De meilleurs Maîtres / Du siècle / Dixseptieme.* F. 70 orig. Index: *Table Des Airs / Contenus dans ces Recueils. F.* 71r: *Abregé Alphabetique / des noms des Airs et des termes / de Musique*. F. 9–49r (orig. pag. *1–81*) Sätze von le Cocq, f. 49v–69 (orig. pag. *82–122*) Sätze von anderen Komponisten, dabei ist das Datum der Vorlage z. T. vermerkt: bei *N. Derosier* f. 54r etc. *anno 1691*, bei *Robert Devisée* f. 55r etc. *anno 1682*, bei *Michel Perez de Zavala* f. 60r *1690*. Hinweis zum Fingersatz: f. 18r unten *Les chiffres rouges designent ici les doigts, dont on se doit servir pour toucher les lettres, qui en sont marquées*. 1 Schreiber, Schönschrift (Castillion, vgl. Ms. Brüssel, Bibl. royale *II, 5551*). Mittelbrauner Lederband, Deckel und Buchrücken mit reicher Goldpressung, Deckel Supralibros (wie vorgenanntes Ms.). Buchrücken: *RECUEIL DE GUITARE*. Restauriert, mit modernen Vorsatzbll. Je 1 orig. Schmutzbl. mit bunt marmoriert bedrucktem Papier beklebt.

Literatur: Fehlend. Das Ms. ist bei WolfH II, S. 104, 218, sowie EitnerQL VI, S. 103, ZuthH, S. 175 als *Druck 1727* angezeigt. Hinweis WotquenneC II, S. 262 ff., Wessely, S. 101ff. (zum angeschlossenen *Abregé Alphabetique*, mit dessen Wiedergabe und einem Vergleich mit Brossard, Dictionnaire de Musique, Paris 1703, Amsterdam s.a.).

Ms. Littera S. No. 5616. Zweite moderne Signatur: *F. A.* [= fond ancien] *VI. 10.* Die erstere Sign. ist die laufende Nr. des Katalogs A.Wotquenne, s.u.

Frz. Lt. Tab. 6 Lin. Um 1680–1690.

72 fol., zusätzlich je 3 Vorsatz- und Nachsatzbll. (leer). Unbeschrieben f. 52r,

62r (nur Lin.). Ältere Bleistift-Foliierung *1–72*. 12,8×9,2 cm. Ausschließlich Tab. Für 11chörige Laute. Streichungen: f. 27r, 50r, 64r; Ergänzungen von gleicher Hand: f. 35r etc., von abweichender Hand mit dunklerer Tinte (meist Taktstriche und rhythmische Zeichen, jünger?): f. 7v, 8r etc. Papier mit vorgedruckten 5 Lin., ohne Angabe der Offizin; eine 6. Lin. ist hs. (Tinte) ergänzt. Mindestens 3 Schreiber, stark unterschiedliche Tintenfärbung und wechselnde Sorgfalt der Niederschrift. Rotbräunlicher Lederband der Zeit, Deckel und Buchrücken mit reicher Goldpressung, Goldschnitt. (Freie Instrumentalsätze, Tänze.)

Literatur: WolfH II, S. 103; BoetticherL, S. 359 [37] (*Ms. Br 5616*); WotquenneC II, S. 264 (*Nr. 5616*) mit 1 Faksimile; TessierGG, S. 35; RollinG, S. XVII; LaurencieL, S. 145ff.; RollinD, S. XVI.

Ms. Littera S. No. 5619.

Frz. Lt. Tab. 5 und 6 Lin. für Mandora. Anfang des 18. Jh., und um 1720?

120 fol., zuzüglich 1 Vorsatzbl. (leer). Unbeschrieben f. 1v; f. 6r, 103r (nur Lin.). 25,2×20,2 cm. Ausschließlich Tab. Titel: f. 1r *MANDORA*. Papier mit gepreßtem Rand, jedoch ohne gedruckte Lin. Überwiegend 5 Lin., vereinzelt ist (alt) hs. eine 6. Lin. ergänzt (dunklere Tinte), aber auch im 5-Lin.-System erscheinen Tab.-Zeichen mit kurzer Hilfslin., die eine von 5 auf 6 Chöre erweiterte Mandora voraussetzen. Stimmung: *A d g c' e' a'*. Die Zuweisung bei WolfH II, S. 124 und Wotquenne II, S. 264 (4chörige Mandoline) ist unrichtig. Mehrere Sätze sind orig. angestrichen bzw. angekreuzt. 2 Schreiber: möglicherweise sind beide identisch, Schrift B betrifft die Nrn. *166–181* originaler Zählung und verrät bei dunklerer Tinte und flüchtigerer Hand eine größere Zeitdifferenz. Originale Numerierung der Sätze (ohne die Alternativteile, wie z. B. *Trio*): *1–198*. Nach Nr. *158* Bleistiftskizze der Zeit: 3 Takte eines Satzanfangs. Brauner Lederband der Zeit, stark abgeschabt und wurmstichig, Buchrücken mit Schwarzpressung. Vorderdeckel außen mit aufgeklebtem alten Etikett (defekt), lesbar: *MANDO / RA / ex / ....G*: Deckel innen mit buntbedrucktem Papier beklebt. (Freie Instrumentalsätze, Tänze, Aria.)

Literatur: WolfH II, S. 124; WotquenneC II, S. 264 (*Nr. 5619*).

Ms. Littera S. No. 5620. Zweite moderne Signatur (zu dieser vgl. unter Ms. 5616): *F. A. VI. 60.*

Frz. Lt. Tab. 6 Lin. 2. Viertel des 18. Jh., Datierung 1740.

170 fol., zuzüglich je 1 Vorsatz- und Nachsatzbl. (leer). Unbeschrieben f. 1r, 117v–168. 13,2×20,3 cm. Ausschließlich Tab. Für 13chörige Laute. F. 169, 170 originaler alfabetischer Index in Schönschrift. Orig. Numerierung der Sätze (ohne die zweiten, dritten etc. Bearbeitungen mitzuzählen): *1–164*.

1 Schreiber, einschließlich Index. Hellbrauner Pergamentband der Zeit, Deckel und Buchrücken mit reicher Goldpressung, fast nur noch blind erhalten. Vorderdeckel außen eingepreßt: *A. F. L.* und *1740*, mit Ornamenten. Deckel innen mit bunt bedrucktem Papier (Blumenmuster) beklebt. Goldschnitt. (Dt. Liedsätze.)

Literatur: BoetticherL, S. 357 [35] (*Ms. Br 5620*); WotquenneC II, S. 265 (*Nr. 5620*, mit Abbildung des Vorderdeckels außen).

Ms. Littera S. No. 5622. Zweite moderne Signatur (zu dieser vgl. unter Ms. 5616): *F. A. VI. 6.*

Ital. Git. Tab. 4 Lin., ohne Alfabeto, für Cister. Mitte des 18. Jh.

91 fol., zuzüglich 1 beschriftetes Vorsatzbl. Unbeschrieben f. 51v, 52r. 9,6 × 16,3 cm. Tab.-Teil: f. 1–46. Für 4chörige Cister (*g c' e' g'*). Oberste Lin. = oberste Saite (abweichend von der ital. Git. Tab.). Reste von Siegellack auf Vorder- und Rückdeckel innen, sowie f. 51v, 52r, die ursprünglich aneinandergeklebt waren. Besitzvermerk: Vorsatzbl. Iv *Johanna Friederica / Heppe / veuve Antoine Laget.* F. 47–51r, 52v–91 ohne Tab., dt. geistliche und weltliche Gedichte, in Strophen, numeriert. 1 Schreiber, Tab. und literarischer Teil gemeinsam. Pappband der Zeit, Deckelecken und Buchrücken Pergament; Deckel mit bunt bedrucktem Papier (Blumenmuster rot/schwarz) beklebt. (Tänze, dt. Liedsätze.)

Literatur: WotquenneC II, S. 265 (*Nr. 5622*, mit Faksimile von *Du o Schönstes Kind*, unter unrichtiger Angabe der Tab.-Art); BoetticherVP, S. 76ff.

Ms. Littera S. No. 15.132. Früher Privatbibl. Geheimrat Wagener, Marburg (zufolge Stempel f. 53v).

Frz. Lt. Tab. 6 Lin. für Laute und für Gallichon. Um 1720–1735.

2 Faszikel. 1 = 49 fol. Orig. Foliierung *1—45* und *50–53*. Unbeschrieben f. 1r, 18r, 29r, 32r, 50r (nur Lin. bzw. literarische Aufzeichnungen); f. 53v (leer). Beschnitten. 24,1 × 34,9 cm. 2 = 4 fol. Orig. Foliierung *46–49*. 8 beschriebene Seiten. Unbeschnitten. 23,2 × 30,8 cm. Tab. für 3 verschiedene Instrumente: I. für 1 und z. T. für 2 12chörige Lauten f. 1–45; II. für 2 11chörige Lauten f. 50–53; III. für 2 6chörige (-saitige) Gallichons (*c d g c' e' a'*) f. 46–49. Überschriften: f. 46 r *Gallichona jma;* f. 47r *Gallichona 2da*; f. 11v *Liutto jmo*, analog f. 15v; f. 20v *Liutto 2do.* F. 51r, 52r, 53r sind kopfstehend beschriftet (als Part der 2. Laute). Fasz. 2 ist verheftet: f. 46, 49 betreffen Gallichon I, f. 47, 48 Gallichon II. F. 50r jüngere Eintragung: *Duette / für / Zwei / Lauten;* Titel von gleicher Hand, Schönschrift, f. 1r: *Lauten- / Stücke. / Anonym. / Dresden / München / 1730* ? Korrekturen, z. T. mit Rasuren von gleicher Hand: f. 33r, 34r, 38r, 45r etc. 1 Schreiber gemeinsam für Faszikel 1 und 2, jedoch in Tinte,

Schriftgröße und daher wahrscheinlich auch in Zeitlage abweichend. Jüngerer Halbleinenband, Buchrücken mit neuer Goldpressung: *Weiß. Lauten-Stücke. Dresden München 1730.* Je 1 bunt bedrucktes und je 1 leeres Vorsatz- und Nachsatzbl. ist nicht zu den originalen Faszikeln gehörig. (Freie Instrumentalsätze, Tänze, Aria.)

Literatur: WolfH II, S. 125 (mit ? unter *Callichon*, wohl auf Fasz. 2 bezüglich); WotquenneC IV, S. 308 (*Nr. 15132*); NeemannW, S. 396; NeemannL, S. 118; Lück, S. 12f. (nur verzeichnet, war nicht zugänglich).

—

Ms. Littera S. No. 16.662. Zweite moderne Signatur (zu dieser vgl. unter Ms. 5616): *F. A. VI. 67.*

Ital. Git. Tab. 6 Lin. ohne Alfabeto. Um 1612, Datierung 1612.

28 fol. Unbeschrieben f. 3–27r (nur Lin.). 16,7×23,4 cm. Für 6saitige Mandora, vereinzelt (Hilfslin., bis 3. Bund) für 7saitige Mandora. 2 Schreiber: A f. 1, 2; B f. 27v–28, beide ital. Provenienz. Ehemals weißer, jetzt stark vergilbter Pappband der Zeit, Vorderdeckel ca. ein Viertel rechts herausgeschnitten. Rückdeckel innen originaler Besitzvermerk mit Datierung: *Ad 18to Giungo 1612 m.e Carlo.* (Freie Instrumentalsätze, Tänze, ital. Madrigal.)

Literatur: WotquenneC IV, S. 480 (*Nr. 16662*, unrichtig als Lauten-Tab. geführt).

—

Ms. Littera S. No. 16.663. Zweite moderne Signatur (zu dieser vgl. unter Ms. 5616): *F. A. VI. 68.*

Ital. Git. Tab. 6 Lin. ohne Alfabeto. Um 1620–1635.

56 fol. Unbeschrieben f. 19v, 20v–56. 16,4×22,1 cm. Für 6saitige Mandora, vereinzelt (Hilfslin., bis 3. Bund) für 7saitige Laute. 2 Schreiber: A f. 1–19r; B f. 20r, beide ital. Provenienz; Schreiber A flüchtig notierend. Überschrift f. 7r. . . . . . . *Citarra.* Pergamentband der Zeit, Vorderdeckel stark defekt (rechte obere Hälfte zu ca. einem Drittel herausgerissen), Rückdeckel wurmstichig; Einband stark fleckig gebräunt. (Tänze, ital. Madrigale.)

Literatur: WotquenneC IV, S. 480 (*Nr. 16663*, unrichtig als Lauten-Tab. geführt).

BRUXELLES, Bibliothèque Royale de Belgique Albert Ier, *Département de la Musique*

Ms. Cabinet des manuscrits, fonds général II, 275. Ältere Signatur: *Littera S. II, 275* (Vorderdeckel innen). Früher Privatbibl. Ch. E. H. de Coussemaker, Sign. *Nr. 1058* (bis April 1877).

Ital. Lt. Tab. 6 Lin. Ende des 16. Jh.; Datierung: 1590.

106 fol. 212 beschriebene Seiten. Orig. Foliierung *1–100* (nur die mit Tab. beschriebenen Bll.), neuere Bleistift-Foliierung fortsetzend *101–103.* 17,2×

23,2 cm. Tab.-Teil f. 4–103. Für 6chörige Laute. Korrekturen, z. T. mit Rasuren: f. 12r etc. Besitzvermerk: f. 1r *Questo libro è di Raffaelo Caualcanti*, mit gezeichnetem, figürlichen Rahmen (2 Lauten, 1 Gamba, 1 Viola da braccio). Datierung: f. 1r *di Raffaelo Caualcanti ad di 20*[?] *di Gennaio 1590*. F. 1v Zeichnung der Guidonischen Hand und Übersicht der gebräuchlichen *Mutazione*. F. 2r hierzu weitere Beispiele in gew. Notenschrift mit verschiedenen Schlüsselsystemen. F. 2v Index: *Arie Da Cantare*, f. 3r und 3v fortsetzend mit Überschrift: *MaDrigali e naPoljtane*. F. 104r Hauptindex, überschrieben: *Questo libro e di Raffaelo Caualca'ti e se uenissi in mano di persona sia / contentto rendorllo se uuole, se nòtengalo per se cioè col Rendelo al detto Pa / drone / TAVOLA DE TENORI*. Der fortsetzende Index zeigt die Überschriften: f. 105r *COntra Punti*, *f.* 105v *Contra Punti e Baletti*, f. 106r *Baletti e saltarelli*, f. 106v *Galghardi Di Santino e ricerche e Fantassie* (führt bis Ende f. 106v). Möglich bleibt die Ausführung einzelner Sätze auf der 6saitigen Mandora, f. 7r Vermerk: *a piccato col guilio*. Einzelne Abschnitte mit Überschriften, s. a. *Contra Punti e Balletti*. Mindestens 2 Schreiber: A ist Hauptschreiber von ca. 3/4 des Volumens, ab f. 14 flüchtiger, von ihm stammt auch der sorgfältige Index f. 2v–3 und f. 104–106, der die Angaben des Notenteils mehrmals ergänzt und auch ortographisch besser fixiert. Dunkelgrüner Plüschband der Zeit mit Blumenmuster, in guter Erhaltung, in modernem Schutzkarton. Vorderdeckel innen alte Tintenzeichnung, in deren Umriß ausgeschnitten und aufgeklebt. Je 1 Vorsatz- und Nachsatzbl. (leer). (Freie Instrumentalsätze, Tänze, Aria, ital. Madrigale und Arien.)

Literatur: WolfH II, S. 70; BoetticherL, S. 349 [27] (*Ms. Br 275*); Huys, S. 68ff. (*Nr. 45*); Katalog Coussemaker, S. 57 (*Nr. 1058*); Tirabassi, S. 489f.; Tirabassi, hs. Übertragungen aus Ms. II, 275, in: Ms. Bruxelles, Bibl. royale III, 572; SlimM 1965, S. 125; Osthoff, S. 34ff., 51ff.; HeckmannDMA, *Nr. 2/1415*.

Ms. II. 276. Früher Privatbibl. E. de Coussemaker (Exlibris Vorderdeckel innen, ohne Sign.).

Frz. Lt. Tab. 6 Lin. Um 1670–1680.

120 fol., zuzüglich je 1 Schmutzbl. am Anfang und Schluß (bunt marmoriert bedruckt, ferner 3 Vorsatzbll. und 4 Nachsatzbll. (leer). Neuere Foliierung (Tinte), das Titelbl. und die Vorsatzbll. mitzählend, zwischen f. 114 und 115 ist 1 Bl. übersehen. Unbeschrieben f. 1, 10v, 11r, 12v, 13r, 21r, 45r, 55r, 66v–73r, 88v, 89r, 91v–93r, 98–103r, 108r, 111v–113r, 115r, 120v (nur Lin.). F. 10v, 11r sind *Allem.* und *Pinelle* im Rahmen geschrieben, eine Tab. des Satzes fehlt aber, analog f. 45r nur Satzbezeichnung *Prelude*. 14×21 cm. Tab.-Teil: f. 2–10r, 11v, 12r, 13v–20, 21v–44, 45v–54, 55v–66r, 73v–88r, 89v–91r, 93v–97, 103v–107, 108v–111r, 113v–114, 115v–120r. Für 11chörige Laute (*4* und *////a*). Vorgedr. Lin., Titelkupfer (Lautenspielerin), in untere Randleiste eingelassen: *A Paris chéz Bonnard rue S.*[t] *Iacques*. Das gleiche

Titelkupfer am Bandende eingeklebt, dort vorderseitig, vorn rückseitig. Tonartbezeichnung: f. 10r etc., f. 45r *En c Sol Vt B quarre*, f. 89v *Ton de la cheure. Accord*-Angaben mehrmals, f. 106v *accord La 8.e haussée*. Streichungen: f. 118v. Am Rand ergänzte Takte: f. 5v, 64r. 2 Schreiber (ziemlich zu gleichen Teilen am Ms. beteiligt, ohne wesentliche Zeitdifferenz). Dunkelbrauner Lederband der Zeit mit reicher Goldpressung auf Deckeln und Buchrücken, Goldschnitt. Vorder- und Rückdeckel gepreßte Initialen: *PAR* (in Ligatur). (Freie Instrumentalsätze, Tänze.)

Literatur: Fehlend. Anzeige Huis, S. 77, *Nr. 50*.

Ms. II. 2801. Erworben 1901 aus Privatbibl. R.P. Kieckens, Brüssel. Vorheriger Besitz unbekannt. Alte Sign. (orig. Pergament-Umschlagrest, oben links, Tinte): *No 79*.

Frz. Lt. Tab. 5 Lin. Mitte des 16. Jh.

84 fol. Neuere Foliierung (Bleistift), den orig. Umschlag mitzählend. Fast alle Seiten beschrieben. Hauptformat 14,5 × 20 cm, einzelne Bll. in kleinerem Format. Es handelt sich um eine Sammlung von frz., ital., niederdt. (niederl.), lat. Gedichten, überwiegend Liebeslyrik. Intavolierte Sätze, zu den Texten gehörig, sind am Anfang des Ms. aufgezeichnet, sodann nur noch einmal an späterem Ort, daher Tab.-Teil: f. 7, 8, 9v, 10v, 11r, 67. F. 11v ist eine Zeile Lin. freigeblieben. Bis f. 11r handelt es sich um Chansons ohne Incipit oder Satztitel besonderer Art (lediglich: *chanson*), f. 67r erscheint *Passamezo*, f. 67v *Qui passa*, ebenfalls als *chanson*. F. 7r 4 Tab.-Takte mit Angabe der Stimmung, mit Überschr.: *Dit is de stellynghe vande Luyte*. Für 6chörige Laute. 1 Schreiber (an dem textlichen Teil sind mehrere andere Schreiber beteiligt). F. 79r unten nach frz. Spruch: *1617* (fremde Hand, für den Tab.-Teil ist diese Datierung unverbindlich). Moderner Lederband, Restauration. Rest des alten Pergament-Umschlags ist zur Hälfte erhalten. (Freie Instrumentalsätze, Tänze, frz. Chansons, ital. Madrigal.)

Literatur: Fehlend.

Ms. II. 4086. Früher Privatbibl. Fétis, Nr. 2911.

Frz. Lt. Tab. 6 Lin. Anfang des letzten Drittels des 18. Jh.

Insgesamt 12 Faszikel, die ein- und mehrteilig sind (z. T. lose Bll.). Gesamtformate: A 31 × 23,5 cm; B 23,5 × 31 cm. Einband fehlt. Der vorliegende Katalog folgt der neueren Foliierung (Tinte), da diese alle Bll. fortlaufend zählt und damit den Gesamtbestand des Volumens mit seinen losen Faszikeln fixiert. Es muß bemerkt werden, daß diese Foliierung verschiedentlich die Reihenfolge des Tab.-Teils und der Stimmen in gew. Notenschrift innerhalb eines Faszikels willkürlich bestimmt hat.

Faszikel I: f. 1–8. Format A. Tab.-Teil: f. 1v, 6–8r. Titel: f. 1r *B. dur / TRIO / per il / Liuto Obligato. / Violino / & Violoncello / del / Sig. Carlo Kohaut.* F. 1v überschrieben: *Liuto Obligato.* Für 12chörige Laute 1 Schreiber. F. 2–5 die zugehörigen Stimmen in gew. Notenschrift.

Faszikel II: f. 9–14. Format B. Tab.-Teil: f. 10v–14r. Titel: f. 9r *D. dur. / TRIO / à / Liuto Obligato. / Viola / & Violoncello / del / Sig^{re} Carlo Kohaut / à Vienne.* F. 10v überschr.: *Liuto Obligato.* Für 13chörige Laute. 1 Schreiber (wie Fasz. I). Keine zugeh. Stimmen in gew. Notenschrift.

Faszikel III: f. 15–24. Format A. Tab.-Teil: f. 15v–19. Titel: f. 15r *Dis. dur / TRIETTO / â / Liuto Obligato / Violino / & Violoncello / del / Sig^{e} Carlo Kohaut.* F. 15v überschr.: *Liuto Obligato.* Für 12chörige Laute. 1 Schreiber (wie Fasz. 1). F. 20–24 zugeh. Stimmen in gew. Notenschrift.

Faszikel IV: f. 25–32. Format A. Tab.-Teil: f. 25v–27, 32r. Titel: f. 25r *F. dur / TRIETTO / à / Liuto Obligato / Violino / & Violoncello / del / Sig^{re} Carlo Kohaut.* F. 25v überschr.: *Liuto Obligato.* Für 13chörige Laute. 1 Schreiber (wie Fasz. I). F. 28–31 zugeh. Stimmen in gew. Notenschrift.

Faszikel V: f. 33–42. Format A. Tab.-Teil: f. 33v–36, 41r. Titel: f. 33r *F. dur / TRIETTO / â / Liuto Obligato / Violino / & / Violoncello / del / Sig^{e} Carlo Kohaut.* F. 33v überschr.: *Liuto Obligato.* Für 13chörige Laute. 1 Schreiber (wie Fasz. I). F. 37–40 zugeh. Stimmen in gew. Notenschrift.

Faszikel VI: f. 43–53. Format B. Tab.-Teil: f. 43v–46. Titel: f. 43r *B. dur / Divertimento / â / Liuto Obligato / Violino. 1. / Violino. 2. / et / Violoncello / del / Sig^{re} Carlo Kohaut / à Vienna.* Für 13chörige Laute. 1 Schreiber (von übrigen Faszikeln abweichend). Korrekturen (Bleistift) f. 44r, in Tinte f. 46v. Das im Titel genannte *Divertimento* f. 43v–45r.

F. 45v–46 schließt ein nur durch Überschr. bezeichnetes *Concerto G. b.* an, das nur in den zugeh. Stimmen (nicht im Tab.-Teil) *Adamo Falckenhagen* zugewiesen ist. Das *Concerto* mit Vorschriften *arpeg. Arp. duplicato, tutti* etc. F. 47–53 zugeh. Stimmen in gew. Notenschrift nur für das *Concerto.*

Faszikel VII: f. 54–61. Format A. Tab.-Teil: f. 55, 56, 61r. Titel: f. 54r *A. dur / TRIETTO / per il / Liuto Obligato / Violino / & / Violoncello / del / Sig^{e} Carlo Kohaut.* F. 55r überschr.: *Liuto Obligato.* Für 13chörige Laute. 1 Schreiber (wie Fasz. I). F. 57–60 zugeh. Stimmen in gew. Notenschrift.

Faszikel VIII: f. 62–67. Format A. Tab.-Teil: f. 62v–63, 66–67r. Titel: f. 62r *G. moll / Douetto / â / Liuto Obligato / con / Violino / dal / Sig^{r} Paulo Carlo Durant.* F. 62v überschr.: *Liuto obligato.* Für 13chörige Laute. 1 Schreiber (wie Fasz. I). F. 64, 65 zugeh. Stimmen in gew. Notenschrift.

Faszikel IX: f. 68–77. Format B. Tab.-Teil: f. 68v–71. Titel: f. 68r *F. dur / CONCERTO / â / Liuto Concertato / Violino primo / Violino secondo / Viola / & / Basso / del / Sig^{re} Paulo Carlo Durant.* F. 68v überschr.: *Liuto Concertato* und *Concerto.* 13chörige Laute. 1 Schreiber (wie Fasz. I). F. 72–77 zugeh. Stimmen in gew. Notenschrift.

Faszikel X: f. 78–85. Format A. Tab.-Teil: f. 78–85. Titel: f. 78r *A moll / SONATA / per il / Liuto Solo / del Paulo Carlo Durant.* F. 78v überschr.: *Liuto Solo.* Für 13chörige Laute. 1 Schreiber (wie Fasz. I).

Faszikel XI: f. 86–111. Format B. Tab.-Teil: f. 86v–90. Titel: f. 86r *C. Dur / CONCERTO / â / Liuto Obligato / Cembalo Obligato / Violoncello Obligato / Violino Primo / Violino Secondo / Viola / et / Violono / del / Sig^re Carlo Paolo Durant.* F. 86v überschr.: *Liuto Obligato.* Für 13chörige Laute. 1 Schreiber (wie Fasz. I). F. 91–111 zugeh. Stimmen in gew. Notenschrift.

Faszikel XII: f. 112–117. Format B. Tab.-Teil: f. 112v–115r. Titel: f. 112r *G. moll / Divertimento â / Liuto Obligato / ê / Violino. / del / Sig^re Paulo Carlo Durant.* Keine Überschr. Für 13chörige Laute. 1 Schreiber (wie Fasz. I). Angaben zur Umstimmung f. 113r. F. 116, 117 zugeh. Stimmen in gew. Notenschrift.

(Freie Instrumentalsätze, Tänze.)

Literatur: WolfH II, S. 103; BoetticherL, S. 379 [54] (*Ms. Br II – 4086*); Katalog Fétis, S. 353, *Nr. 2911;* KoczirzWL, S. 94.

———

Ms. II. 4087. Früher Privatbibl. Fétis, Nr. 2912.

Frz. Lt. Tab. 6 Lin. Anfang des letzten Drittels des 18. Jh.

Insgesamt 10 Faszikel. Gesamtformate: A 32,5×21 cm; B 23×31,5 cm. Einband fehlt. Keine neuere Foliierung (vgl. Ms. II. 4086). Fasz. V, VI enthalten nur die zugeh. Stimmen in gew. Notenschrift für Fasz. VII (s. u.).

Faszikel I: 6 fol. Unbeschrieben f. 6v. Format A. Tab.-Teil: f. 1v–6r. Titel: f. 1r *Sonata / à / Liuto Solo / composta / del / Sgre: Baron / B Dur* [es folgt das intavolierte Incipit und der *Accord*] *LA V G.* Für 12chörige Laute. 1 Schreiber. Orig. blauer Karton als Umschlag.

Faszikel II: 6 fol. Unbeschrieben f. 6v. Format, Schreiber, Umschlag wie Fasz. I. Tab.-Teil: f. 1v–6r. Titel: f. 1r *Sonata / à / Luito Solo / Dis ♯* [es folgt Incipit, *Accord* wie Fasz. I] *L A V G.* Für 12chörige Laute. Auf Umschlag älterer Vermerk (Tinte): *vermuthlich von Baron.*

Faszikel III: 6 fol. Unbeschrieben f. 4v. Format, Schreiber, Umschlag wie Fasz. I. Tab.-Teil: f. 1v–4r Titel: f. 1r *Duetto / à / Liuto, / e / Traverso / dal / Sgre: Baron. / G dur.* [es folgt Incipit, *Accord* wie Fasz. I] *L A V G.* Für 14chörige Laute. F. 5, 6 zugehörige Stimmen in gew. Notenschrift.

Faszikel IV: 2 fol. Unbeschrieben f. 1r, 2v. Format B. Tab.-Teil: f. 1v, 2r. F. 1v überschrieben: *Fantasia.* Nur 1 Satz. Für 12chörige Laute. 1 Schreiber.

Faszikel VII: 4 fol. Alle Seiten beschrieben. Format B. Tab.-Teil: f. 1v–4. Titel: f. 1r *C ♮ / Concerto / â / Liuto obligato / Violino e Basso / del / Sig^r Baro.*

Für 13chörige Laute. Korrekturen: f. 4v. 1 Schreiber. Fasz. V und VI enthalten die zugeh. Stimmen in gew. Notenschrift.

Faszikel VIII: 4 fol. Unbeschrieben f. 4v. Format, Schreiber wie Fasz. VII. Tab.-Teil: f. 1v–4r. Titel: f. 1r *F.* ♮ / *Liuto Solo / del / Sigr. Baron.* Für 13chörige Laute.

Faszikel IX: 8 fol. Unbeschrieben f. 1r. Abweichendes Format 31×23,5 cm. Tab.-Teil: f. 1v–8. F. 1v überschr.: *Liuto Solo*, desgleichen Umschlag außen (ohne Titel), darunter: *B* (wohl *Baron*). Für 12chörige Laute. 1 Schreiber. Das Ms. enthält 4 vollständige Suiten, an deren Ende jeweils *IL FINE* vermerkt ist. Orig. blauer Karton als Umschlag.

Faszikel X: 8 fol. Alle Seiten beschrieben. Format, Schreiber wie Fasz. IX. Tab.-Teil: f. 1r–8. Titel: f. 1r *Liuto / Solo / B* (wohl analog Fasz. IX *Baron*). Für 12chörige Laute. Ein Umschlag (vgl. Fasz. IX) fehlt. Das Ms. enthält analog vorgenanntem Fasz. 4 vollständige Suiten, an deren Ende jeweils *IL FINE* vermerkt ist.

(Freie Instrumentalsätze, Tänze, Airs.)

Literatur: WolfH II, S. 103 (ohne Sign.); BoetticherL, S. 375 [51] (*Ms. Br II – 4087*); Katalog Fétis, S. 353, *Nr. 2912;* NeemannM, S. 552 f. (mit Beisp. aus „*Concerto 1*" und „*2*" von Baron).

Ms. II. 4088. Früher Privatbibl. Fétis, Nr. 2913.

Frz. Lt. Tab. 6 Lin. 3. Drittel des 18. Jh.

Insgesamt 9 Faszikel, die ein- und mehrteilig sind. Kein Gesamtformat. Einband fehlt. Der vorliegende Katalog legt eine Reihenfolge der Faszikel fest, da diese nicht hinreichend durch eine ältere, authentische Ordnung geboten ist. Eine neuere durchlaufende Foliierung fehlt (vgl. Ms. II. 4086).

Faszikel I: 6 fol. Unbeschrieben f. 6v. 32×23,5 cm. Tab.-Teil: f. 1v–6r. Titel: f. 1r *C. dur. / CASSATJONA. / per il / Liuto Obligato. / Violino / & / Violoncello / del / Sig. Giuseppe Haydn / â Vienne.* F. 1v überschrieben: *Liuto Obligato.* 1 Schreiber. Für 13chörige Laute. Beiliegend 2 Fasz. Stimmen (*Violino* 2 fol., *Violoncello* 2 fol.) in gew. Notenschrift.

Faszikel II: 6 fol. Unbeschrieben f. 6v, 23×32 cm. Tab.-Teil: f. 1v–6r. Titel: f. 1r *II Divertimenti / per il Liuto Obligato / Violino / & / Violoncello / del / Sig. Giovanni Kropffganß.* F. 1v überschr.: *Liuto Obligato*, weitere Überschr.: f. 1v *Divertimento 1.*^{mo}, f. 3v *Divertimento II.*^{do}. Für 12chörige Laute. 1 Schreiber (wie Fasz. I). Beiliegend 1 Fasz. Stimmen (*Violino* und *Basso* zusammen, 6 fol.) in gew. Notenschrift.

Faszikel III: 6 fol. Unbeschrieben f. 6v (leer); f. 1v, 2r (nur Lin.). 32×20,5 cm. Tab.-Teil: f. 2v–6r. Titel: f. 1r *TRIO / a / Liuto Concertato / del / Sig. Kropfgans. / deß eigener Hand* [die letzten 5 Worte mit Rötel orig. unterstrichen].

Für 13chörige Laute. *Acord*-Angaben. 1 Schreiber (Autograph Kropfgans). Stimmen in gew. Notenschrift fehlen.

Faszikel IV: 4 fol. Unbeschrieben f. 4v. 31,5×23 cm. Tab.-Teil: f. 1v–4r. Titel: f. 1r *Liuto Obligato*, desgl. überschr. f. 1v. Der Fasz. der zugeh. Stimmen in gew. Notenschrift (8 fol., komplett) zeigt f. 1r den Titel: *D. dur.* / *PARTI-TA* / *â* / *Liuto Obligato* / *Viola d'Amore.* / *Violino* / *Due Corni* / *et Basso* / *del* / *Sig. Neruda.* / Für 13chörige Laute. 1 Schreiber (wie Fasz. I).

Faszikel V: 8 fol. Unbeschrieben f. 8v (leer); f. 7r (nur Lin.). 22,5×31 cm. Tab.-Teil: f. 1v–6, 7v, 8r. Titel: f. 1r *Due* / *SONATE* / *à* / *Liuto Concertato* / *Violino* / *con* / *Violoncello* / *del Sigre* / *Giov. Kropffganß*. Für 13chörige Laute. Korrekturen f. 3r. Mehrfach *Piano-*, *forte*-Vorschrift. 1 Schreiber (wie Fasz. I). Beiliegend 1 Fasz. Stimmen (6 fol., komplett) in gew. Notenschrift. Abweichend von den übrigen Fasz.: Goldschnitt.

Faszikel VI: 6 fol. Alle Seiten beschrieben. 23,5×31 cm. Tab.-Teil: f. 1v–6. Titel: f. 1r *C. dur.* / *SONATA* / *â Liuto Obligato* / *con* / *Violino et Violoncello* / *del* / *Sigre Giovanni Kropffganß*, F. 1v überschr.: *Liuto Obligato*. Für 13chörige Laute. Mehrfach *piano-* und *forte*-Vorschrift. 1 Schreiber (wie Fasz. I). Auf die „*Sonata*“, die mit „*Finale allegro*“ abschließt, folgen noch 3 Sätze (*Allegretto*, *Arioso*, *Polaca*), die auch nicht einem zweiten Sonatentitel zugeordnet sind. Die orig. Fadenheftung ist unversehrt. Beiliegend 1 Fasz. Stimmen (2 fol. inkomplett) in gew. Notenschrift.

Faszikel VII: 8 fol. Unbeschrieben f. 1r. 26,5×30 cm. Tab.-Teil: f. 1v–8. Titel: auf Umschlag *Concerti. III.* / *â* / *Liutho Obligato* / *con* / *Violino* / *&* / *Violoncello* / *del Sigre Giovanni Kropffganss*. F. 1v überschr.: *Liutho Concertato*. Für 13chörige Laute. *p*- und *pp*-Vorschriften. 1 Schreiber (wie Fasz. I). Orig. blauer Karton als Umschlag. Beiliegend 1 Fasz. Stimmen (7 fol.) in gew. Notenschrift.

Faszikel VIII: 6 fol. Unbeschrieben f. 6v. 32×21 cm. Tab.-Teil: f. 1v–3, 6r. Titel: f. 1r *Sonatine.* / *pour le* / *Divertissement.* / *à* / *Liuto.* / *con.* / *Violino.* / *è* / *Basso* / *dal* / *Giou. Kropffganß*. Für 13chörige Laute. 1 Schreiber (von übrigen Faszikeln abweichend). Die zugeh. Stimmen in gew. Notenschrift sind im gleichen Fasz., f. 4, 5, enthalten.

Faszikel IX. 4 fol. Unbeschrieben f. 4v. 32×22,5 cm. Tab.-Teil: f. 1v–4r. Titel: f. 1r *C. dur* / *TRIETTO* / *â* / *Liuto Obligato* / *Violino* / *&* / *Violoncello* / *del* / *Sig. Giovani Kropffganss*. F. 1v überschr.: *Liuto Obligato*. Für 12chörige Laute. F. 1r mit aufgedrucktem ornamentalen Rahmen. *P.*- und *f.*-Vorschriften. 1 Schreiber (wie Fasz. I). Orig. Umschlag aus weißem Papier mit aufgedrucktem (von f. 1r abweichendem) ornamentalen Rahmen. Orig. Heftung mit grünem Seidenband. Zugeh. Stimmen in gew. Notenschrift fehlen.
(Freie Instrumentalsätze, Tänze.)

Literatur: WolfH II, S. 103; BoetticherL, S. 380 [55] (*Ms. Br II – 4088*); Katalog Fétis, S. 354, *Nr. 2913*; NeemannM, S. 554f. (mit Beisp. aus „*Divertimento 2*“ von *Kropffgans*).

Ms. II. 4089. Früher Privatbibl. Fétis, Nr. 2914.

Frz. Lt. Tab. 6 Lin. Um 1715–1730, Teile Mitte des 18. Jh.

Insgesamt 14 Faszikel, die ein- und mehrteilig sind. Kein Gesamtformat. Der vorliegende Katalog legt eine Reihenfolge der Faszikel fest, da diese nicht hinreichend durch eine ältere, authentische Ordnung geboten ist. Eine neuere durchlaufende Foliierung fehlt (vgl. Ms. 4086).

Faszikel I: 12 fol. Unbeschrieben f. 2v, 4v, 6v, 12v. 32×21 cm. Tab.-Teil: f. 7v–12r. Titel: f. 7r *Concerto / à 4. / Liuto, / Traverso, / Viola di Gamba, / o / Basso. / del / Sgre: Meussel / G mol. /* [es folgt das intavolierte Incipit und der *Accord*] *LAVG.* Für 12chörige Laute. 1 Schreiber. Orig. blauer Papier-Umschlag mit unversehrter Heftung (gelbes Seidenband) und Aufschrift: *Concerto / G mol.* Die zugehörigen Stimmen in gew. Notenschrift sind im gleichen Fasz., f. 1–2, 3–4r enthalten.

Faszikel II: 6 fol. Unbeschrieben f. 6v. Format, Ausstattung mit blauem Umschlag, Schreiber wie Fasz. I. Tab.-Teil: f. 1v–6r. Titel: f. 1r *Concerto / à 4, / Liuto / Viola di Gamba. / Hautbois overo Violino, / e / Violoncello. / composto del / Sgre. Meussel. G mol.* [es folgt wie in Fasz. I Incipit, *Accord*] *L A V G.* Umschlag beschr.: *Concerto / G mol.* Für 12chörige Laute. *Forte-*, *piano-*, *Solo-*, *tutti-*Vorschriften mit roter Tinte. Beiliegend 3 Fasz. zugehörigen Stimmen in gew. Notenschrift.

Faszikel III: 6 fol. Unbeschrieben f. 6v. 22×31 cm. Tab.-Teil: f. 2r–3. Titel: f. 1r *CONCERTO / à / Liutho / Viola di Gamba. / con / Basso / par / Kühnell.* Für 12chörige Laute. 1 Schreiber (abweichend von Fasz. I, II). Die zugeh. Stimmen in gew. Notenschrift sind im gleichen Fasz., f. 1v, 4–6r enthalten.

Faszikel IV: 4 fol. Unbeschrieben f. 3r, 4v. Format, Schreiber wie Fasz. III. Tab.-Teil: f. 1v–2, 3v, 4r. Titel: f. 1r *F* ♮ */ CONCERTO / â / Liuto obligato / & / Viol di Gamba / & / Violono / del Sig*r *Kuehnel.* Für 13chörige Laute. Zugeh. Stimmen fehlen.

Faszikel V: 5 fol. Alle Seiten beschrieben. Format, Schreiber wie Fasz. III. Tab.-Teil: f. 2, 3. Titel: f. 1r *Concerto. / à / Liuto / Viola di Gamba / et / Basso / Sig*re */ Kühnell.* Für 13chörige Laute. Die zugeh. Stimmen in gew. Notenschrift sind im gleichen Fasz., f. 1v, 4, 5 enthalten.

Faszikel VI: 4 fol. Unbeschrieben f. 4v. 23×31 cm. Tab.-Teil: f. 1v–4r. Titel: f. 1r *C* ♮ */ Concerto / al Liuto / Violino / & Basso* [*Basso* ist orig. ausgestrichen] */ dal / Sig*re *Blohm.* 1 Schreiber (wie Fasz. III). Für 11chörige Laute. Beiliegend 1 Fasz. Stimmen (2 fol.), „*Violino*“ überschr., in gew. Notenschrift. Goldschnitt aller Bll.

Faszikel VII: 4 fol. Unbeschrieben f. 4v. 31×24 cm. Tab.-Teil: f. 1v–4r. Titel: f. 1r *F. dur / GALANTERIE / per il / Liuto Solo / del / Sig*re *Blohm.* F. 1v überschr.: *Liuto Solo.* Für 12chörige Laute. 1 Schreiber (wie Fasz. III).

Faszikel VIII: 6 fol. Unbeschrieben f. 1v, 6. 30×23 cm. Tab.-Teil: f. 2–5. Titel: f. 1r *D. dur / Trietto / â / Liuto Obligato / Violino & Basso. / del / Sig*[r] *Pichler*. Titel in gemaltem Rahmen (grau, rot). F. 2r überschr.: *Liuto Obligato*. Für 13chörige Laute. 1 Schreiber (abweichend von den übrigen Fasz., zitterige Hand eines wohl alten Spielers). Stimmen in gew. Notenschrift fehlen.

Faszikel IX: 4 fol. Unbeschrieben f. 4v. 31×23,5 cm. Tab.-Teil: f. 1v–4r. Titel: f. 1r *D. moll / PARTIE / per il / Liuto Solo / del / Sig*[re] *Blohm*. Für 12chörige Laute. *Piano-*, *forte-*Vorschriften. 1 Schreiber (wie Fasz. III).

Faszikel X: 6 fol. Unbeschrieben f. 1r, 6. 20,5×26 cm. Tab.-Teil: f. 1v–5. F. 1v überschr.: *Concerto D. dur*. F. 4v überschr.: *Partie. D. dur*. Für 11chörige Laute. Es handelt sich um je 1 *Concerto* und *Partie*. Anonym (Titelbl. ist leer). 1 Schreiber (abweichend von übrigen Faszikeln). Stimmen in gew. Notenschrift fehlen. Goldschnitt aller Bll.

Faszikel XI: 4 fol. Alle Seiten beschrieben. 33×22,5 cm. Tab.-Teil: f. 1v–4. Titel: f. 1r *A. dur. GALANTERIE / â / Liuto Solo / del / Sig*[re] *Bleditsch. / è Vienne*. Titel in gemaltem Rahmen. F. 1v überschr.: *Liuto Solo*. Für 13chörige Laute. 1 Schreiber (wie Fasz. III). Papier-Umschlag der Zeit mit blau gedrucktem Rahmen, Aufschrift orig. (Bleistift): *Bleditsch / A dur*.

Faszikel XII: 4 fol. Alle Seiten beschrieben. Format, Schreiber, Ausstattung des Titelbl. 1r mit gedrucktem Rahmen wie Fasz. XI. Tab.-Teil: f. 1v–4. Titel: f. 1r *D. moll / Galanterie / â / Liuto Solo. / del / Sig*[re] *Blohm / è Vienne*. F. 1v überschr.: *Liuto Solo*. Für 11chörige Laute. Papier-Umschlag wie Fasz. XI, jedoch aus rotem (nicht weißem) Papier, Aufschrift orig. (Bleistift): *Blohm / D moll*. 1 Schreiber.

Faszikel XIII, a und b: a) 4 fol. Unbeschrieben f. 4v. 23,5×23,5 cm (quadratisch beschnittenes Papier). Tab.-Teil: f. 1v–4r. Titel: f. 1r *Concerto / â / Due Liuti Obligati / & / Basso / Corigniani*. F. 1v überschr.: *Liuto 1*. Abweichend ist f. 3v eine Strecke von 6 Tab.-Takten rot intavoliert, mit Beischrift: *Liuto 2*. Für 12chörige Laute. 1 Schreiber. – b) 4 fol. Unbeschrieben f. 1r, 4v. Format, Tab.-Teil, Schreiber wie Teil a). F. 1v überschr.: *Liuto 2*. Für 12chörige Laute. Teil a) und b) enthalten den Satz für *Liuto obligato I* und *II*. Beiliegend 1 Fasz. (2 fol.) zugeh. Stimmen („*Basso*") in gew. Notenschrift.

Faszikel XIV: 6 fol. Unbeschrieben f. 6v. 31,5×20,3 cm. Tab.-Teil: f. 1v–6r. Titel: f. 1r *Concerto / à IV. / Liuto, / Violino I*[mo] */ Violino II*[do] */ e / Violoncello / composto / di Sgr= Laufensteiner. / G. mol.* / Für 13chörige Laute. 1 Schreiber (abweichend von übrigen Fasz., sorgfältig). Beiliegend 3 Fasz. (2+2+2 fol.) zugeh. Stimmen („*Violino I*", „*II*", „*Violoncello*") in gew. Notenschrift.

(Freie Instrumentalsätze, Tänze.)

Literatur: WolfH II, S. 104 (ohne Signatur, unter Kühnel); BoetticherL, S. 380 [55] (unter alter Sign. geführt: *Ms. Br 2914*); Katalog Fétis, S. 354, *Nr. 2914;* FlotzingerB, S. 222 (nur zu Fasz. *XIV*).

Ms. II. 5551. D. Alter Besitz. Eine ältere Sign. ist nicht erhalten (Etikettenrest auf dem Buchrücken).

Frz. Git. Tab. 5 Lin. Ohne Alfabeto. Um 1730–1740.

48 fol. Orig. Paginierung *1–96* (korrekt). Zuzüglich 6 Vorsatzbll. (f. I, II, VIr leer), 1 Nachsatzbl. (leer). Je 1 Schmutzbl., einseitig mit orig. bunt marmoriert bedrucktem Papier beklebt. Alle Seiten beschrieben. 20,5 × 15,5 cm. Tab.-Teil: f. 1–48. Für 5chörige Gitarre. Titel: Vorsatzbl. IVr *RECUEIL / DES PIECES DE GUITARRE / Composées / par Mr FRANCOIS LE COCQ / Musicien Jubilaire / De la Chapelle Royale / A BRUXELLES, / Et de differens autres / Excellens Maitres: / écrites pour son usage / PAR I·B·L·DE CASTILLION / PREVÔT DE S.te PHARAILDE, / Vicaire General De Monseigr l'Eveque / De Gand.* Unten im Rahmen: *je / Louerai Dieu / Mon Createur / sur la guitarre.* Vorsatzbl. IIIv Kupferstich (Harfenspielender König David, „*Dominiquin pinx.*", mit Gedicht und Angabe der Offizin: *A Paris chez les freres Poilly ruë S. Jacq' a la belle Image*). Vorsatzbl. VIv Kupferstich (Portrait, gez. *F. Pilsen ad vivum Pinx. et Sculp. 1739*, darstellend . . .*D*[omi]*no J. Bap. Lud.co De Castillion I.V.L. insig. Eccl. Coll. S. Pharaildis Gand* . . .). Vorsatzbl. 4v–5 *Préface*, beginnend: *J'ai trouvé les pieces de Guitarre de Monsieur Francois de Cocq d'une composition si noble, du moins si fort de mon goût, que malgré toutes mes occupations J'aie taché de trouver le loisir de copier moy-même dans un Juste volume un grand nombre que cet excellent auteur m'avoit gratieusement presenté* . . . Dieser Text, bei EitnerQL VI, S. 103 irrig als Dedikation eines Druckes angezeigt, ist bei E. van der Straeten, *La musique aux Pays-Bas*, Brüssel 1888, VIII, S. 523 f. wiedergegeben. Castillion bemerkt, er habe Sätze von le Cocq kopiert, die vor der Schwester des Königs Charles VI. großen Gefallen gefunden hätten. Einige Sätze "*d'autres maitres qui ont excellés au siecle dernier*" habe er noch angeschlossen, über allem aber stehe „*ce Cocq de Bruxelles, qui chante Victoire*". Als Siglen für die weiteren Komponisten teilt er mit: 𝔏 = *Le Cocq*, ₵ = *Francois Corbet*, 𝔏 = *Lelio*, 𝔓 = *Perez de ZaVala*, ℜ = *Robert devisée* [de Visée], *N*D = *Nicolas Derosiers*, 𝔅 = *Jean Baptiste Granata*. Diese Siglen sind im Ornament der Satzschlüsse klein eingelassen. *Préface* sowie Tab.-Teil in Schönschrift; Satztitel und Schlußornament rot, Lin. und Tab.-Zeichen braun. *Forte-*, *piano*-Vorschriften, *da capo* etc. 1 Schreiber (J.B.L. de Castillion). Dunkelbrauner Lederband der Zeit, Goldpressung auf Buchrücken (Supralibros wie Ms. Brüssel Cons.Royal *S, 5615*). (Freie Instrumentalsätze, Tänze, Airs.)

Literatur: Fehlend. Hinweis v. d. Straeten VIII, S. 523f.

Ms. III. 1037. Erworben 1970 aus Antiquariat H. Schneider-Tutzing, vgl. Lit. Bis Mai 1945 Bibl. des Verfassers (Kriegsverlust).

Frz. Lt. Tab. 6 Lin. Um 1669 (?) bzw. 1677–1680; Datierungen 1669 (?) 1677, 1680.

74 fol., zuzüglich je 1 (erst in jüngerer Zeit an den Deckeln festgeklebtes) Vorsatz- und Nachsatzbl. Unbeschrieben f. 14v, 15r, 27–73r [f. 72 nur 2 Zeichen in gew. Notenschrift], 74v (nur Lin.). Vor f. 35 sind 2 Bll. vor langer Zeit herausgeschnitten (Falze), der Tab.-Teil ist davon nicht betroffen. Neuere Foliierung, das Titelbl. mitzählend (Bleistift). 2 Bll. sind vor langer Zeit am Schluß herausgerissen (2 fast zerstörte Falze), von einem ebenfalls schon vor Langem herausgerissenen 1. Schmutzbl. am Schluß (mit der gleichen bunten Marmorierung wie das erhaltene 2. Schmutzbl.) ist ein sehr kurzer Falz noch sichtbar. Weitere Blattverluste dürften seit langer Zeit nicht eingetreten sein, was die unversehrte Heftung bestätigt. Infolge jüngsten Wasserschadens (nach 1944) ist das letzte Bl. (f. 74) am rechten Rand der Innenseite des Rückdeckels festgeklebt gewesen und dann (Spuren übertragenen Papiers) gewaltsam getrennt worden. 14,5×23 cm. Für 10chörige, z. T. auch für 11chörige Laute. Tab.-Teil: f. 1, 2v–14r, 15v–17r, 73v, 74r. Vorgedr. Lin., mit Titelbl. in Kupferstich (Lautenspielerin, im Rahmen unten eingelassen: *A Paris chez Bonnard rue S.ᵗ Iacques*, Rückseite frei). Orig. Numerierung des Satzes im unteren Rahmen f. 1r: *n.° 1.* Tonartbezeichnung: *sur L'A de la sixᵉ* F. 17v–26 (am Schluß des eigentlichen Tab.-Teils) gew. Notenschrift lat. geistl. Melodien, durchtextiert, von fremder, wohl etwas späterer Hand. Datierungen im Tab.-Teil: f. 2v *Le 27 aoust 1669* (Jahreszahl nicht ganz sicher lesbar), f. 9r *26.ᵉ apuril 1677*, im Titelkupfer (mit Tinte fast gänzlich ausgestrichen) . . .*1680.* F. 2r und an anderen Orten Gekritzel (Tinte). Mehrere Satzbezeichnungen und Komponistennamen im oberen Rahmenteil sind vor langer Zeit fast bis zur Unkenntlichkeit wegrasiert worden. Rotfarbige Ausmalung des Rahmenkupfers (stark nachgedunkelt): f. 1–7r. 1 Schreiber. Dunkelbrauner Lederband der Zeit, mit Goldpressung auf Deckeln und Buchrücken, ohne Initiale. Goldschnitt. Der Lederband hat am Vorderdeckel außen (unten rechts) Wasserschaden erlitten, der bis 1944 nicht bestand. Orig. Heftung unversehrt. (Freie Instrumentalsätze, Tänze.)

Literatur: Fehlend. Anzeige bei BoetticherL, S. 365 [42] (*Ms. Be V*); Beispiele in Übertragung ibid. S. 435 („*Prélude de Mouton aus dem Jahre 1669, fol. 2r*"), S. 440 („*Menuet de Gaultier le jeune*"); Katalog Schneider 128, S. 22–24 (*Nr. 24*), 1 Faksimile S. 23.

BUENOS AIRES, Biblioteca Nacional

* Ms. 236. R.

Frz. Lt. Tab. 6 Lin. Um 1715–1730. Datierung 1720.

Das Ms., das unter den Komponisten *Silvius Leopold Weiß* und *Kalliwoda* führt, war dem Verfasser in Autopsie noch nicht zugänglich. Zufolge Mikrofilm ausschließlich Lt. Tab., wohl in Prag geschrieben. Für 11chörige Laute. Über 110 Sätze, überwiegend anonym. Eine 7sätzige Suite ist überschr.: *Petit Partie de l'Anée 1720 a l'honneur de L. C. J. de M.*, mit Komponistennamen

C.A. Kalivoda. Nach Auskunft der Bibl. 122 beschr. Seiten, 25 unbeschr. Bll. 14×30 cm. Erworben 1941. Dunkelbrauner Lederband der Zeit, Goldpressung auf Deckeln.

Literatur: Fehlend. Mikrofilm im Besitz des Verf.

CAMBRIDGE, Fitzwilliam Museum, Library

Ms. Mus. 688. Eingangs-Nr. *MU 7–1949.* Bis 1949 Privatbibl. des Earl of Lonsdale, einem Nachkommen des Christopher Lowther. Ältere Signatur (Vorderdeckel innen und Schilder auf Buchrücken): *31. H. 28.*

Frz. Lt. Tab. 6 Lin. Um 1637. Sog. Christopher Lowther Lute Book.

192 fol., zuzüglich 3 Vorsatzbll. (I–IIr, IIIr leer), ein vorangehendes Vorsatzbl. ist bis auf 1/8 abgerissen, und 3 Nachsatzbll. (I, II, IIIv leer), ein folgendes Nachsatzbl. analog abgerissen. Unbeschrieben f. 2v–31, 40v–41, 43–61, 62v–163r, 172v, 173v, 176–191 (nur Lin., z. T. mit den im folgenden genannten Überschriften). Lin. vorgedruckt, ohne Angabe der Offizin. 10×15,2 cm. Tab.-Teil: f. 1–2r, 32–40r, 42, 62r, 163v–172r, 173r, 174, 175, 192. Für 9- bis 11chörige Laute. Keine Aufzeichnung in gew. Notenschrift. Moderne Foliierung (fehlerhafte Zählung, 2 Bll. getrennt in Bandmitte übersehen). Orig. Paginierung (Tinte): *1–369* (= f. 2r–187v), mehrfach ist nur jede 2. Seite bezeichnet, pag. 315 ist irrtümlich zweimal aufgeführt; der lückenlosen Zählung zufolge ist nicht mit Tab.-Verlust zu rechnen. F. 192r Einstimmangabe in Tab. für 11chörige Laute, analog f. 192v, mit Vermerk: *stimme* (11chörig), darüber analog (10chörig), verbunden mit Erläuterungen der rhythmischen Werte mit dt. Bezeichnung: *gantz, halb, vierdtirl, achtdirl, sestern schlach.* Anschließend von gleicher Hand engl. Erklärung des punctum additionis. Alle Aufzeichnungen f. 192r, v kopfstehend. Eine gleiche Erklärung der rhythmischen Werte (dt.) auf dem Vorsatzbl. Iv. Vereinzelt *fin*[is]-Vermerk. Fingersatz: 1, 2 Striche, 1–4 Punkte. F. 1r Hauptakkorde mit Fingersatz, überschr.: *Fundamenta Testudinis,* es folgen Bezeichnungen der Chöre der Laute (bis 11. Chor). Schreiber gibt Vermerk Vorsatzbl. IIIv: *Aetatis mei / 26 1/2 ann: 1637: Friday 15 September I begune to learne / on the Lute at Hamburgk the money is to owe / the: 15: October and soe on Jn order J pay my Lute / Mr:* [freigelassen] *dutchman a doller an a halfe / each month before hande, he is to come to me dayly / from 7: of ye clocke till nighte (or from: 3: till 4. in the / after noone if not on showe dayes) / ⁝ 1637 ⁝ Christopher Lowther.* Sir Chr. Lowther war ein Bruder des Großvaters von Sir John Lowther, des späteren Viscount Lonsdale (1655–1700). Vermerke: f. 174r *the next Tune is the same with / this beinge twisce over;* f. 175v *to opossite the fingers:.* Einzelne Teile des Ms. haben Überschriften erhalten, ohne daß jedoch eine Eintragung von intavolierten Sätzen gefolgt ist, sie lauten: f. 2r *English Psalms the choyseste,* mit Vermerk: *The 23rd: psalme: vizt: accordinge to ye English tune / THE Lord is onely my Supporte / the newest way that is;* f. 12r *Calueniste French Psalmes;* f. 22r *Luthe-*

ran French Psalmes; f. 52r *Melancolicke English Tunes;* f. 80r *Scotch Melancholicke Tunes;* f. 91r *Scotch merry Tunes;* f. 102r *Irish melancholy Tunes;* f. 107r *Irish Merry Tunes;* f. 112r *Italian melancholicke Tunes;* f. 117r *Italian merry tunes;* f. 127r *Spanish melancolycke Tunes;* f. 132r *Spanish merry Tunes;* f. 137r *French Melancholicke Tunes;* f. 147r *French merry tunes;* f. 163r *Dutch and Flemish melancolicke Tunes.* Lediglich bei folgenden Überschriften schließen Eintragungen in Tab. an: f. 32r *Leutheran Dutch Psalmes;* f. 42r *Calveniste Duch Psalmes;* f. 62r *English merry Tunes;* f. 173r *Dutch and Flemish merry Tunes.* Die genannte Überschrift f. 163r wurde nicht beachtet, es schließen f. 163v Tanzsätze anderer Provenienz an. Der Schreiber Chr. Lowther hat offenbar seinen breit angelegten Plan nicht weiter verfolgt und dann am Ende des Volumens freie weltl. Sätze noch eingetragen. Wahrscheinlich wurde die Niederschrift schon im gleichen Jahr 1637 abgeschlossen, als der Vater L.s verstarb, was den Schreiber nötigte, von Hamburg in seine Heimat zurückzukehren. Aus seiner späteren Korrespondenz ist bekannt, daß er mit der Befestigung von Whitehaven beauftragt war, um einer Landung der Parlamentarischen Streitkräfte vorzubeugen. 1639 wurde er Sheriff of Cumberland, 1642 Baronet. Die Wirren des Bürgerkriegs dürften es ausgeschlossen haben, daß Chr. Lowther sich nach 1637 seiner Tab. widmete. Nachsatzbl. IIIr quer (Tinte): *Mascarado:* (keine Tab.). 1 Schreiber (Christopher Lowther, engl. und dt.). Stark nachgedunkelter Pergamentband der Zeit. Stümpfe von 2 seitlichen Seiden-Schließen. Heftung unversehrt. (Freie Instrumentalsätze, Tänze, dt. Liedsätze.

Literatur: Mathew, S. 189ff.; PoultonDT, S. 16ff.

Ms. Mus. 689. Eingangs-Nr. *MU 3 – 1956.* Erworben 1956 aus Antiquariat Sotheby, London (Eintragung Vorsatzbl. Iv). Früher im Besitz von Edward Jones, Harfenist und Antiquar unter King George IV.

Frz. Lt. Tab. 6 Lin. Um 1608–1640. Datierungen 1626, 1627, 1628, 1639, 1640. Sog. Lord Herbert of Cherbury Lute Book.

94 fol., zuzüglich je 2 Vorsatzbll. (Ir, IIr leer) und Nachsatzbll. (Ir, II leer). Unbeschrieben f. 51v, 83r, 91–94 (nur Lin.). 33,3 × 22 cm. Tab.-Teil: f. 1–51r, 52–82, 83v–90. Für 10chörige Laute, vereinzelt ist ein 11. Chor vorausgesetzt (f. 90r, 90v, spätere Eintragung), mehrere Sätze sind nur für 9 Chöre disponiert. Lin. gedruckt ohne Angabe der Offizin. Korrekturen, Streichungen, Rasuren: f. 4r, 15v, 26r, 43r, 53r, 56v, 57r, 79r etc. Ergänzungen: f. 33r etc. Gew. Notenschrift: f. 36r (Altschlüssel, Oberstimme, untextiert, auf Tab. bezogen). Besitz- und Schreibervermerk: Vorsatzbl. IIv *The Lutebooke of Edward Lord Herbert / of Cherbury and Castle Island, containing / diverse selected Lessons of excellent Authors / in severall Cuntreys. Wherin also are some / few of my owne Composition / E. Herbert.* Lord Herbert (* 3. 3. 1582, † 1648) hinterließ eine Autobiographie (ed. Horace Walpole 1764), derzufolge er ein vortrefflicher

Sänger und Lautenspieler war; er besuchte Paris 1608–1609. 1600 wurde er, nachdem er 1596 als *gentleman-commoner* in die Univ. Oxford eintrat, bei Hof zugelassen. 1619 als Botschafter an den frz. Hof berufen, erhielt er bereits 1624 seine Entlassung und wurde nach Irland verbannt. Seit 1610 hatte er Reisen nach Holland, Deutschland und Italien unternommen und das kontinentale Repertoire kennen gelernt. Graphische Indizien (Ergänzungen mit abweichender, meist braunerer Tinte) sowie das Repertoire selbst lassen vermuten, daß sich die Niederschrift auf längere Zeit erstreckte (hierauf deuten auch persönliche Vermerke am Satzende nach einer Rückkehr: f. 31r, 44r *En me reuenant*). Der Hauptteil wurde wohl 1624–1628 im irländischen Exil notiert. Tab.-Verlust unwahrscheinlich. *finis*-Vermerke. Bei Komp.-Angaben: *del medesimo; du mesme*. Literar. Eintragung Herberts: f. 1r (Rand, wohl aus späterer Zeit des Exils) *Diligitur nemo nisi cui fortuna secunda est* [Ovid, Eleg.]; Nachsatzbl. Iv *Virtus laudatur et alget / Fortuna*[m] *reverenter habe quicunq*[ue] *repente / Dives ab exili progrediere loco* [Juvenal und Ausonius]. Namenszeichnung: *EH* und *H*, z. T. mit Datierung: f. 13v *Pavan of / my owne composition 3 / martij / 1626 / Herbert;* f. 78r *Courante / of my owne / composition / at Montgo- / mery Castle / Aug. 10. / 1628. / Herbert;* f. 79r *H. / Pavan of / my owne / composition / 3 Martij / 16. .* [2 Ziffern rasiert]; ibid. *Pavan of the Composition / of mee Edward Lord Herbert / 1627, 3to Martij; die scilicet / natalitio;* f. 90r *Pavan of the Composition / of mee Herbert of Cherbury and Castle Island. / 1640;* f. 90v *A Pauan composed / by mee Herbert of Cherbury and Castle Jsland; / 1639.* Keine Eintragungen von fremder Hand. Dunkelbrauner Lederband der Zeit, Goldpressung auf Deckeln (Rahmen, Palm-Ornament in Mitte) und Buchrücken. Goldschnitt. Papier frz. Provenienz (Troyes), auch die Bindung und Deckelpressung verrät frz. Arbeit (ca. 1608). (Freie Instrumentalsätze, Tänze, frz., ital. Liedsätze.)

Literatur: LumsdenE I, S. 293ff. (noch als *Ms. Sotheby geführt*); DartH, S. 136ff.; DartHH, S. 14–16; RollinC, S. XXI; RollinG, S. XVII; RollinV, S. XXII; NewcombL, S. 132; NoskeS, S. XXf. (4 Faksimiles S. XLVI–XLVIII = *Nr. 4–7*, von f. 66r, 37v, 68v); PoultonDT, S. 16ff; Jeffery, S. 30f.; RadkeB, S. 234; PoźniakW, S. 79ff.; PoźniakCH, S. 27ff.; PoźniakCC, S. 82; RadkeBB, S. 111.

Ms. Mus. 727. Eingangs-Nr. *MU 4 – 1958.* Bis Mai 1958 Privatbibl. Prof. J.B. Trend-Cambridge. Dieser erwarb das Ms. Febr. 1928 aus Antiquariat Maggs Brothers (London). Ältere Signatur (Vorsatzbl. Ir und Vorderdeckel innen, Bleistift): *32. F. 42* und (Rückdeckel innen, Bleistift): *G. 244.*

Ital. Lt. Tab. 5 Lin. für Gitarre. Ohne Alfabeto. Ende des 17. Jh.

110 fol., zuzüglich 9 Vorsatzbll. (Iv, VIIv, VIIIv–IX leer; IIr, IIIv, VI–VIIr nur hs. Seitenrahmen, Tinte); 2 Nachsatzbll. (Iv-II leer). Unbeschrieben f. 60v, 80v, 90v (nur Lin.). 17,5×12 cm. Tab.-Teil: f. 1–32r, 33–37r, 38–40r, 41–51r, 52, 53v–56r, 57–60r, 61, 62v–77r, 78–80r, 81–82r, 83–85, 86v–89,

91–98r, 99–102r, 103–105r, 106, 107, 108v–110. Für 5saitige Gitarre. Rhythmische Zeichen über dem System. Kein Alfabeto. Durchweg Begleitsatz zu 1 Singstimme (diese im System darüber, gew. Notenschrift), alle Sätze durchtextiert. Tab. ist jeweils überschrieben: *Acomp*[agna]*to*. Kein Tab.-Verlust. Literar. Eintragungen: f. 32v, 37v, 40v, 51v, 53r, 56v, 62r, 77v, 82v, 86r, 90r, 98v, 102v, 105v, 108r (als fortsetzende Strophen, numeriert, zur Tab. gehörig). Besitzeintragungen: Vorsatzbl. Ir *Joseph martin / y Banez* [* Madrid 1619, † ibid. 1699, span. Tenorist, Komponist, Git.-Accompagnements zu Liedern]; Vorsatzbl. IIv *Me regaló este manuscrito / el teñor D. Fran.co Vhagon, / en Madrid, Mayo de 1884. Fran.co / A. Barbieri*. Von Barbieri (gez.: B.) ibid. Eintragung: *Este Fray Martin era organista / mayor de la Catedral de Cuenca / en el año 1695*. Vorsatzbl. VIIIr erneut: *Joseph Martín Banez / Salvedo lo rosa / Como Siete puntas, / dea gu dos puñales*. Vorsatzbl. IIIr *Este Libro es de D. Migl / Martín Musico de su / Majestad, en el qual se / induyen Los tonos sigtes= / escritos por Fr. Martín / Garcia de Lague reli / giosso de La Sanma Tri / nidad y horganista in / signe de dicho Combnos & compuestos por D.n / Joseph Marin=* [sic, bricht ab]. Orig. Index: Vorsatzbl. IV–V, überschr. *Tabla*, er erfaßt das ganze Volumen, mit orig. Bl.-Zahl, vollständig. Am Schluß des Index: *Finis Coronat / opus / Scriptum est ab / Antonio de Epila*. Nachsatzbl. Ir 3 Strophen span. Text, nicht zur Tab. gehörig. Sätze durchweg mit Angaben *de 4° tono* u. ä. Orig. Foliierung *1–110* (vollständig). 1 Schreiber (identisch mit demjenigen des nichtintavolierten Teils). Fast schwarzer Lederband der Zeit, Blindpressung, Schnitt rot gespritzt. Starker Wurmschaden. Heftung unversehrt. (Span. Liedsätze.)

Literatur: Fehlend.

CAMBRIDGE, KING'S COLLEGE, LIBRARY

Ms. The Rowe Music Library Nr. 2. Bis 1939 Privatbibl. Lord J. M. Keyes.

Frz. Lt. Tab. 6 Lin. Um 1610–1615. Sog. Ms. Turpyn.

21 fol., zuzüglich 1 Nachsatzbl. (Iv leer). Unbeschrieben f. 1r, 3r, 7r, 11r, 17–21 (nur Lin.). Vor f. 16 ist 1 Bl. herausgetrennt (unbeschr. Falz), kein Tab.-Verlust. 30,5×20 cm. Tab.-Teil: f. 1v–2, 3v–4, 5v–6, 7v–10, 11v–14, 15v–16. Frz. Lt. Tab. 6 Lin. überwiegend für 8chörige Laute, f. 6v, 10v, 11v, 14v für 9chörige, f. 16v für 7chörige Laute. Durchweg Begleitsätze in Tab., das obere System gew. Notenschrift (Singstimme mit Durchtextierung), f. 16v ist zusätzlich noch 1 Gambenstimme in gew. Notenschrift eingezeichnet. Rhythmische Zeichen mit und ohne Köpfe. Fingersatz: 1, 2 Punkte. Insgesamt 13 Sätze, ohne Satzbezeichnungen, Durchtextierung z. T. abweichend in Schönschrift. Literar. Eintragungen (folgende Strophen, zur Tab. gehörig): f. 5r, 15r. Auf Nachsatzbl. Federproben und Blumenornament (Ir, Tinte). Neuere Foliierung (Bleistift). 1 Hauptschreiber; Nebenschreiber B f. 16v (wahrschein-

lich einige Jahre später aufzeichnend). Heller Pergamentband der Zeit. Vorderdeckel innen (Tinte) *francis Turpyn* (fünfmal gleicher Namenszug, z. T. als Federprobe), ferner *dorothy* (dreimal) und *F. Limbeth* (einmal). Rückdeckel außen (Tinte) *Francis* (mehrmals), *Turpin*, ferner (stark verblaßt) *Elizabeth Turpin*. Orig. Heftung unversehrt. (Engl. Liedsätze.)

Literatur: Oboussier, S. 145ff.; GreerM, S. 27, 105. Faksimile in Early Music II (1974), Bespr. durch SimpsonT, S. 161f. Jüngst Rastall, Einleitung.

CAMBRIDGE, TRINITY COLLEGE, LIBRARY

Ms. O. 16. 2.

Frz. Lt. Tab. 6 Lin. Für Laute und vereinzelt wahlweise für Lyra Viol. Um 1620, 1630–1635.

76 fol. Außerhalb des Tab.-Teils mehrere Seiten unbeschrieben. 28×13 cm. Tab.-Teil: f. 1v–3r, 57r, 60v–70r, 71–76. Ab f. 57r Beschriftung kopfstehend (rückwärts). Für 10- bis 12chörige Laute, vereinzelt (f. 76 etc.) für 7chörige Laute bzw. Bandora. F. 2r *a rule to tune* bis 5. Chor, Übersicht der Bünde bis *k* (*l*, *n* gestrichen). F. 57r *Tuning for the lute* bis 11. Chor. Fingersatz, z. T. exakt 1–4 Punkte (f. 2v, 3r, 60v–63r). Gew. Notenschr. f. 4r, 7v, 8r, 59v. Nach f. 76 fehlen mehrere Bll. Beigegeben ein Verzeichnis der Members des *Trinity-College Cambridge*, der *Mayors of Cambridge* etc. (16.–18. Jh.). Unterscheidung von Komponist und Intavolator: f. 66v bei *A pavin* ist vermerkt: *M*r*. Robert Taylor: ye devisions sett by M*r*. Tho*[mas] *Greaves*. 2 Schreiber. Brauner Lederband der Zeit in guter Erhaltung, orig. Heftung unversehrt. (Freie Instrumentalsätze, Tänze.)

Literatur: LumsdenE I, S. 157, 229ff.; Newton, S. 65; James, S. 58; NewcombL, S. 131; WardSB, S. 28ff.; LumsdenS, S. 20.

CAMBRIDGE, UNIVERSITY LIBRARY

Ms. Dd. 2. 11.

Frz. Lt. Tab. 6 Lin. für Laute und für Bandora. Um 1595, Nachträge Anfang des 17. Jh.

101 fol. Unbeschrieben f. 7r (nur Lin.). Orig. Tinten-Foliierung *1*ff. am Rand überwiegend nicht mehr sichtbar (abgebröckelt). Neuere Bleist.-Foliierung *1–101* (korrekt). Die Bll. 15, 76, 78 nach alter Zählung sind in neuerer Zeit herausgetrennt. Zuzüglich je 1 altes Vorsatz- und Nachsatzbl. (beschrieben). 35,2×22 cm. Vorsatzbl. Ir: *Musica mentis medicina maestae* und weitere lat. Sprüche. F. 1r: *Musica / Vinco, flecto, rego, cantu dulcedine plectro / Dira, cruenta, feros, tantara monstra viros / Languentes relevo, morituros excito, maestos / Erigo, pallentes murio, vinco Deos*. Nachsatzbl. Ir engl. Verse, beginnend *Marke this lesson / serue God euer*. Tab.-Teile: für 6chörige Laute f. 1–6, 7v–14, 16–75, 77, 79–101; für 6saitige Bandora f. 3v, 4r, 13r, 14v, 26–28, 31r,

32–33r, 34v–38r, 44r, 52, 56v, 57r, 62r, 64–66r, 67r, 69, 70, 82, 83v, 84, 85v, 101v. Für ensemble-Satz f. 33v, 34r, 86r. 1 Schreiber: abweichende Tintenfärbung, möglicherweise Nachträge von gleicher Hand Anfang des 17. Jh. (beide Schriftarten und Tinten f. 24r etc.). Keine Daten; zur Zeitbestimmung ist zu beachten, daß Edward Pierce noch *Regiae Capellae* genannt ist (nur bis 1600), während F. Pilkington noch nicht *Bacheler of Musick* heißt, wohl aber John Dowland. Mithin ist der Hauptteil des Ms. kurz vor 1600 geschrieben. Das Repertoire umfaßt ca. 313 überwiegend bezeichnete Sätze. Neuerer Halblederband, Buchrücken mit neuerer Goldpressung: *LUTE BOOK*. Eingeheftet am Schluß 2 Bll. mit Hinweisen von der Hand E.W. Naylors, datiert August 1907; über vorgefundene Blattlagen orientiert ein ebenfalls eingehefteter Bericht des Restaurators und Binders A. Baldrey, datiert Jan. 1918. (Freie Instrumentalsätze, Tänze, engl. Liedsätze, frz. Satzbezeichnungen und Chansons, lat. Motetten.)

Literatur: Lumsden E I, S. 181 ff.; Newton, S. 63 ff.; BoetticherLZ I, S. 823; WardD, S. 111 ff.; SlimM 1965, S. 125; RollinV, S. XXI; Katalog Cambridge I, S. 42, *Nr. 43*; Halliwell, S. 8; Music for the lute I, S. 33 (Faksimile), ibid II, S. 49 (Faksimile); GillB, S. 23 ff.; HarwoodC, S. 32 ff.; PoultonDT, S. 16 ff.; Jeffery, S. 26; PoultonA, S. 518; PoultonE, S. 275; GillL, S. 60; LumsdenS, S. 20; ChiesaM, S. XLI; Stephens, S. 116, Anm. 8; Edwards, S. 210; WardJ, S. 855, Anm. 45; BoetticherHo, S. 612; LumsdenA, S. 61; JefferyO, S. 5; SternfeldM, S. 183 f.; LumsdenR, S. XXXV; JefferyH, S. 160.

———

Ms. Dd. 3. 18.

Frz. Lt. Tab. 5 Lin. und 6 Lin. Um 1595.

73 fol., zuzüglich je 1 Orig. Vorsatz- und Nachsatzbl. (leer). Unbeschrieben f. 36r, 49v–52r, 63v–71r (nur Lin.). 20,8×28 cm. Für 5- und 6chörige Laute. Orig. Foliierung (Tinte) *1–62*, dann aussetzend, neuere Bleist.-Foliierung (korrekt). F. 59r Übersicht der rhythmischen Zeichen. F. 73r alter Index: *Lessons in this Book: / Trebles* (unvollständig, inexakt, mit Folio-Angaben). Alle Blätter sind am Rand stark abgebröckelt, in neuerer Zeit restauriert. Tab.-Teil: f. 1–72r. F. 72v Aufzeichnung in gew. Notenschrift. Tab. überwiegend mit 6 Lin., nur f. 60v–72r 5 Lin., in diesem Abschnitt ist f. 62r bei dem drittuntersten System von dem gleichen Schreiber unterhalb ein Lin.-Paar hinzugefügt, doch blieb hiervon die untere Lin. unbenutzt. Mehrere Sätze verweisen neben der Lt.-Tab. auf Mitwirkung eines Ensembles: f. 1–18r, 20r, 21v–24r, 27r, 29, 33–35, 40–46r, 47v, 49r, 53r, 57r, 59–63r. 1 Schreiber. Halblederband des frühen 18. Jh., auf Buchrücken in Goldpressung die Sign. Vorderdeckel innen Exlibris: *Academiae Cantabrigiensis / Liber*. (Freie Instrumentalsätze, Tänze, frz. Satzbezeichnung und Chansons, ital. Madrigale, engl. Liedsätze.)

Literatur: LumsdenE I, S. 196 ff.; Newton, S. 64 ff.; Katalog Cambridge I, S. 77, *Nr. 105*; Halliwell, S. 14; GillB, S. 24; HarwoodC, S. 32 ff.; PoultonDT, S. 16 ff.; NewcombL, S. 131; Stephens, S. 116, Anm. 8; Edwards, S. 210; BoetticherHo, S. 612; LumsdenA, S. 61.

Ms. Dd. 4. 22.

Frz. Lt. Tab. 6 Lin. Um 1600, Nachträge wahrscheinlich bis um 1615.

28 fol. Unbeschrieben f. 4r, 12v–27r (nur Lin.). 26,3 × 18,8 cm. F. 7r, 7v–11r rhythmische Zeichen, f. 28v Erläuterungen der Notenzeichen und Schlüssel (gew. Notenschrift). F. 27v, 28r Virginalsätze in gew. Notenschrift, kopfstehend (wie f. 28v), es handelt sich um 1 *Preludium* und 1 kurzen unbezeichneten Tanz, hierüber vgl. DartV, S. 45ff. Tab.-Teil: f. 2, 3, 4v–12r; f. 1r, 1v nur jeweils kurzes Fragment. Für 7chörige Laute (f. 2–3), sonst vereinzelt bis 10. Chor fortschreitend (f. 11r). Wahrscheinlich nur 1 Schreiber: f. 1–4 sauber, dann mit breiterer Feder flüchtiger, rötlichere Tinte f. 7r untere Hälfte; die 2. Schrift ist uneinheitlich, z. T. zitterig und vielleicht ein Nachtrag des älteren Schreibers. Neuer Halblederband, Vorderdeckel innen: 1962. Vermerk auf neuem Vorsatzbl. Ir: *Formerly bound with Dd. 4. 21.* Das Ms. Dd. 4. 21 ist ein medizinischer Traktat (lat., frz., datiert *1654*, ohne Bezug auf die Lt.-Tab.). (Freie Instrumentalsätze, Tänze, engl. Liedsatz.)

Literatur: LumsdenE I, S. 202f.; Newton, S. 64f.; RollinV, S. XXI. – Zum Teil für Virginal DartV, S. 93ff.; Katalog Cambridge I, S. 227, *Nr. 197*; Halliwell, S. 31, HarwoodC, S. 32ff.; LumsdenS, S. 20; NewcombL, S. 131; JefferyJ, S. 108.

Ms. Dd. 4. 23

Frz. Citter-Tab. 4 Lin. und Ital. Lt. Tab. 6 Lin. Anfang des 17. Jh.

36 fol., zuzüglich je 2 neuere Vorsatzbll. (leer). Neuere Foliierung *1–35*, hiernach ist f. 14 des originalen Bestands in neuerer Zeit entfernt worden. Unbeschrieben f. 36v; f. 30v, 34v–36r (nur Lin.). 20 × 27,5 cm. Tab.-Teile: für Citter 4 Lin. (*b d' f' g'*) nach frz. Buchstaben-System f. 1–28r, 31–34r; für Laute 6 Lin. nach ital. Ziffern-System f. 28v–30r, 6chörig, kopfstehend, rückwärts beschriftet, abweichender Schreiber. Mindestens 3 Schreiber, Zeitlage der Niederschrift um 10–15 Jahre schwankend. Neuerer Halblederband mit Sign. in Goldpressung auf dem Buchrücken. Inliegend neuere Notiz über Kollation. (Freie Instrumentalsätze, Tänze, ital. Madrigal, frz. Chanson, engl. Liedsätze, lat. Motette.)

Literatur: DartC, S. 55ff., 68 (Sep.-Druck S. 10ff., 18); Katalog Cambridge I, S. 228, *Nr. 198*; Halliwell, S. 31; GillB, S. 24; HarwoodC, S. 32ff.; NewcombL, S. 131; DannerC, S. 1ff.; WeigandC, S. 81f.

Ms. Dd. 5. 20. Mit Ms. Dd. 5. 21 zusammengebunden.

Frz. Lt. Tab. 6 Lin. für Viola da Gamba. Um 1610–1630.

49 fol. Unbeschrieben f. 12v, 27r, 30–31r, 36r, 37v–43r, 46v–48r (nur Lin.); f. 1r, 31v–35, 48v–49 (leer). F. 47–49 vertikal in der Mitte abgeschnitten, kein

Tab.-Verlust. Neuere Paginierung (Bleistift) mit abweichender Zählung, da bei neuerer Bindung die urspr. Bll. 15–50 zwischen die Bll. 8 und 9 geheftet wurden. Angaben des Verfassers nach dem gegenwärtigen Stand des Ms. ca. 21,5 × 26,5 cm. Tab.-Teil: f. 13–20r, 28, 29. Frz. Lt. Tab. 6 Lin. Für 6chörige Laute bzw. Bandora (oder *Lyra Violl* entsprechender Saitenzahl). Vermerke: *2 pte*, oder: *for 2 pte.* F. 13v: *Lyra* bei Satzbeginn. Einige Sätze mithin für 2 Lyren (Lauten) bestimmt. Vor f. 28 ist 1 Bl. herausgeschnitten (Falz mit Schriftresten), Tab.-Verlust wahrscheinlich. F. 1v Überschrift: *For the Bass Vyall.* Gew. Notenschrift f. 2–12r, 20v–26, 27v, 36v, 37r, 43v–46r, hierbei handelt es sich um Freie Instrumentalsätze, Tänze, engl. Liedsätze, *French Kings Mask* etc. für Viola da Gamba in Baßschlüssel, gleiche Zeitlage und ähnliches Repertoire wie Tab.-Teil. F. 1v orig. Index (nur auf nichtintavolierten Teil bezüglich). Engl. Eintragung f. 48r, rechter Teil abgeschnitten (nicht auf Tab. bezüglich). Schreiber des nichtintavolierten Teils und des Index ist mit demjenigen der entsprechenden Teile von Ms. Dd. 5. 21 identisch. Wohl 2 Schreiber (rhythmische Zeichen mit und ohne Köpfe), die ältere Aufzeichnung dürfte f. 13v–15, 16v–19 (anfangs dunklere Tinte) sein. Möglich bleibt, daß die jüngere Aufzeichnung vom gleichen Schreiber in höherem Alter (zitterige Schrift) herrührt. Jüngerer Einband. (Freie Instrumentalsätze, Tänze, engl. Liedsätze.)

Literatur: Katalog Cambridge I, S. 261, *Nr. 259*; Halliwell, S. 39; HarwoodC, S. 32ff.; Jeffery, S. 26; Music for the lute I, S. 33 (Faksimile); Stephens, S. 116, Anm. 8; Edwards, S. 210.

Ms. Dd. 5. 78. (III)

Frz. Lt. Tab. 6 Lin. für Laute und für Lyra-Viol. Um 1600.

75 fol. Alle Seiten mit Tab. beschrieben. Orig. Foliierung *1* ff. (am abgebrökkelten Rand nur z. T. sichtbar). Neuere Bleist.-Foliierung (korrekt). 16 × 22 cm. Je 2 neuere Vorsatz- und Nachsatzbll. (leer). F. 1r oben alte Eintragung: *viol*, d. h. Lyra-Viol, auf nur 1 unbezeichneten Satz bezüglich, die übrigen Sätze des Ms. sind für 7chörige, vereinzelt 9chörige Laute bestimmt (wegen dieser Eintragung erhielt der neuere Einband irrig den Titel *Viol music*). Lin. z. T. rötliche Tinte. F. 20 und 21 sind in neuerer Zeit verheftet worden, die Blattfolge ist daher falsch: 9, 21, 20, 11–19, 22 etc. F. 3–5 abweichende Papierbeschaffenheit (härter) unbeschadet der originalen Beschriftung. 1 Schreiber (flüchtig). Neuerer Halblederband mit Sign. in Goldpressung auf dem Buchrücken. (Freie Instrumentalsätze, Tänze, engl. Liedsätze, lat. Motette.)

Literatur: LumsdenE I, S. 204ff. (als *Ms. Dd. 5. 78. 3*); RollinV, S. XXI; Newton, S. 64ff. – Das Ms. ist in der Übersicht bei GroveDict. 1906, II, S. 700 Cambridge, *Trinity College* zugewiesen. Katalog Cambridge I, S. 288, *Nr. 317*, 3; Halliwell, S. 45; Music for the lute I, S. 33 (Faksimile), ibid. II, S. 49 (Faksimile); HarwoodC, S. 32ff.; PoultonDT, S. 16ff.; Jeffery, S. 27; GillL, S. 60; LumsdenS, S. 20; TraficanteV, S. 224 (als *Nr. 2*); Edwards, S. 210; BoetticherHo, S. 612; LumsdenA, S. 61.

Ms. Dd. 6. 48. Früher mit Ms. Dd. 6. 49 zusammengebunden.

Frz. Lt. Tab. 6 Lin. Um 1670–1685. Datierung 19. 6. 1671.

59 fol. Unbeschrieben f. 7r, 17r, 20–33r, 34v (nur Lin.). Herausgeschnitten sind (leere Falze) 2 Bll. vor f. 8, je 1 Bl. vor f. 49 und 54; weitere Bll. wurden falzlos entfernt, Tab.-Verlust möglich. 19,5 × 13 cm. Tab.-Teil: f. 1–6, 7v–16, 17v–19, 33v, 34r, 35–59. Für 5- bis 6chörige Laute bzw. Bandora. F. 33v, 34r, 35–59 kopfstehende Beschriftung (rückwärts). Fingersatz: Strich, 1, 2 Punkte; vereinzelt (f. 41v) 4 Punkte als Verzierungs-Zeichen. Weitere Sonderzeichen: +, ♯ und ‿. Streichungen: f. 53v etc., die Seite f. 41r ist ganz durchgestrichen und bekritzelt, der betreffende Satz ist anschließend neu notiert. Datierung: f. 42r links oben *June 19 / 1671*. Daneben Übersicht der rhythmischen Werte, darunter Fragment in Tab. F. 1r Federproben und Namenszüge: *John Butler* und *John Mace* (zu letzterem vgl. Bd. 2). Angaben der Stimmung: f. 17v *Tuning* mit Tab., darunter: *havy way flatt;* f. 54v in *Vnisons*, mit Vermerk: *Sharp way*, sodann Angabe in *Eights*. Mehrmals Angaben einer Umstimmung, alles auf ein 5chöriges Instrument bezogen. Wurmschaden an Tab. Mindestens 2 Schreiber, flüchtig. Engl. Provenienz. Jüngerer Einband. (Freie Instrumentalsätze, Tänze, engl. bzw. schott. Liedsätze.)

Literatur: Katalog Cambridge I, S. 307, *Nr. 365*; Halliwell, S. 50; HarwoodC, S. 32ff.

Ms. Dd. 9. 33.

Frz. Lt. Tab. 6 Lin. für Laute, Bandora und Lyra-Viol. Um 1600; Datierung 1600.

96 fol. Neuere Bleistift-Foliierung *1–96*. F. 96 ist das orig. Umschlagblatt, innen leer, außen alte literar. Beschriftung. Unbeschrieben f. 1r, 86r, 93r, 95r, 96r, (nur Lin.). 30,5 × 20,8 cm. Vorgedruckte Lin., Angabe der Offizin auf der Vorderseite eines jeden Blattes: *T. E.* [Thomas Este, London]. F. 96v von fremder Hand (Postscript von William Hoper) Datierung: *1600. febr. 28.* Ränder stark abgebröckelt. Alle Blätter sind in jüngerer Zeit restauriert. Scharf beschnitten (f. 40v fehlt vom unteren System die Hälfte etc.). F. 37 und 52 sind falsch eingeheftet. Tab.-Teile: für 7chörige Laute f. 1v–81r, 82v–91, 92v, 93v–94; für 7saitige Bandora f. 81v, 82r, 92r; für Lyra-Viol f. 95v; für Ensemble mit Laute f. 53v, 54r, 63v, 64r, 88v, 89r, 90r. 2 Schreiber. Moderner Halblederband mit Sign. in Goldpressung auf dem Buchrücken. (Freie Instrumentalsätze, Tänze, ital. Madrigal, frz. Chansons, engl. Liedsätze, lat. Motetten.)

Literatur: LumsdenE I, S. 212ff.; Newton, S. 63ff.; RollinV, S. XXI; Katalog Cambridge I, S. 388, *Nr. 520*; Halliwell, S. 70; Music for the lute I, S. 33 (Faksimile), ibid. II, S. 49 (Faksimile); GillB, S. 23ff.; HarwoodC, S. 32ff.; PoultonDT, S. 16ff.; Jeffery, S. 27; TraficanteV, S. 225 (als *Nr. 4*); BoetticherHo, S. 612; LumsdenA, S. 61; PoultonE, S. 275.

Ms. Dd. 14. 24.

Frz. Lt. Tab. 4 Lin. Für Cittern. Um 1620–1635.

61 fol., zuzüglich 1 Vorsatzbl. (leer). Unbeschrieben f. 4–8, 11v–16r, 24v, 31–32r, 33v–34r, 38v–45r, 48r, 49v–61 (nur Lin.). 14,2×19,5 cm. Tab.-Teil: f. 1–3, 9–11r, 16v–24r, 25–30, 32v–33r, 34v–38r, 45v–47, 48v–49r. Frz. Lt. Tab. 4 Lin. Für 4saitige Cittern. Lin. vorgedruckt, ohne Angabe der Offizin. Rhythmische Zeichen ohne Köpfe. Streichungen: f. 21r etc. F. 25r Vermerk unten: *Lacks South Galliard.* 1 Schreiber. Jüngerer Einband. (Freie Instrumentalsätze, Tänze, engl., frz., ital. Liedsätze, lat. Motette.)

Literatur: DartC, S. 56, 68 (Sep.-Druck S. 11, 18); Mathew, S. 189f.; Katalog Cambridge I, S. 528, *Nr. 847*; Halliwell, S. 101f.; Jeffery, S. 20ff.; WillsherS, S. 581; HarwoodC, S. 32ff; Edwards, S. 210.

Ms. Nn. 6. 36.

Frz. Lt. Tab. 6 Lin. für Laute und für Lyra-Viol bzw. Bandora. Um 1615, Nachträge möglicherweise erst 1620–1630.

42 fol. Alle Seiten beschrieben. Ältere Bleist.-Foliierung *1–45*; f. 28, 30, 31 mitzählend, die in neuerer Zeit herausgeschnitten worden sind. 33,5×21 cm. Tab.-Teile: für 7chörige Laute f. 1–14, 16–18, 21–27, 29–32r, 33v–41r; für 8chörige (f. 34v etc.) und 9chörige (f. 42r, 42v) Laute; für Lyra-Viol f. 14v–15, 19–21r, 31v, 32v, 33r; für 7–8saitige Bandora f. 16r, 41v–42. F. 28r, 28v. Aufzeichnungen in gew. Notenschrift. Ränder stark abgebröckelt, namentlich die ersten Blätter des Ms. 2 Schreiber. Stark unterschiedliche Tintenfärbung, z. T. auf gleicher Seite (f. 14v). Ohne Einband, in einer modernen Mappe. Neuere Restaurierung aller Blätter; über die aus diesem Anlaß vorgefundene Kollationierung liegt ein Bericht bei (Mappenrücken, mit Zeichnung, datiert 23. 5. 1913). (Freie Instrumentalsätze, Tänze, engl. Liedsätze, lat. Motette.)

Literatur: LumsdenE I, S. 220f.; Newton, S. 63ff.; RollinV, S. XXI; Katalog Cambridge IV, S. 503, *Nr. 2819*; Music for the lute I, S. 33 (Faksimile); GillB, S. 23ff.; HarwoodC, S. 32ff.; PoultonDT, S. 16ff; NewcombL, S. 131; TraficanteV, S. 225 (als *Nr. 5*); BoetticherHo, S. 612; TraficanteL, S. 201f.; LumsdenA, S. 61.

Ms. Add. 2764 (2).

Frz. Lt. Tab. 6 Lin. Um 1615.

12 fol. Alle Seiten mit Tab. beschrieben. Die Bll. sind stark defekt, erheblicher Tab.-Verlust an den Seitenrändern und in Seitenmitte. Von f. 4, 6, 9, 10, 11 ist nur die obere Hälfte, von f. 7 nur die untere Hälfte vorhanden. Jeder Satz, z. T. mit Satzbezeichnung und Komp.-Namen ist vom Defekt betroffen. Pro Seite 4 Systeme. ca. 16,5×16 cm. Frz. Lt. Tab. 6 Lin. Für 6chörige Laute bzw. Bandora. Rhythmische Zeichen ohne Köpfe. *Finis*-Vermerke. Bei 1 Satz f. 11r (*Quadro Pavin*) steht: *Treble*, mithin waren Sätze für 2 Lauten (Ban-

doren) bestimmt. F. 5v Satzbezeichnung (alt) ausgestrichen, lesbar nur noch *finis*-Zeichen. Fingersatz: 1 Punkt; ferner: ♯. Orig. Heftung nicht überliefert. 1 Schreiber, sorgfältig. Moderner Einband, alle Bll. 1966 restauriert. (Freie Instrumentalsätze, Tänze, engl. Liedsätze.)

Literatur: Mathew, S. 189; DartC, S. 46f.; HarwoodC, S. 32ff.

——

Ms. Additional 3056. Bis 1891 Privatbibl. Francis Jenkinson, Cambridge (Ex libris Vorderdeckel innen neben dem neueren Ex libris der Univ.-Bibl. Cambridge). Sogenanntes *Cozens lute-book.*

Frz. Lt. Tab. 6 Lin. Um 1595.

187 fol. Neuere Bleist.-Foliierung (korrekt). Unbeschrieben f. 10r, 22r, 36r, 49v, 50v–60r, 62–63r, 64–69r, 71–80r, 81v, 82r, 83–187 (nur Lin.). 29,5 × 20,2 cm. Vorgedruckte Lin., Angabe der Offizin auf der Vorderseite eines jeden Blattes: *T. E.* [Thomas Este, London]. F. 185v unten von fremdem Schreiber: *p*[er] *4 pounds and ten Shelling / 10 Shelling and six pence.* Tab.-Teil: f. 1–9, 10v–21, 22v–35, 36v–49r, 50r, 60v–61, 63v, 69v–70, 80v, 81r, 82v, für 7chörige Laute. Korrekturen von gleicher Hand (f. 70v). 1 Schreiber, saubere Notierung. Dunkelbrauner Lederband der Zeit, Vorder- und Rückdeckel mit reicher Blindpressung (Leisten, in der Mitte Frauenantlitz), originale Heftung unversehrt. Einband wurmstichig. Blätter etc. nicht restauriert. (Freie Instrumentalsätze, Tänze, engl. Liedsätze.)

Literatur: LumsdenE I, S. 225f.; Newton, S. 63ff.; SlimM 1965, S. 125; RollinV, S. XXI; HarwoodC, S. 32ff.; PoultonDT, S. 16ff.; PoultonE, S. 275; ChiesaM, S. XLI; NewcombL, S. 131.

CAMBRIDGE, Mass., THE HOUGHTON LIBRARY, HARVARD UNIVERSITY

Ms. Music 70. Eingangs-Nr. **49M–191F.*

Frz. Lt. Tab. 6 Lin. für Lyra Viol. Um 1630–1640.

13 fol. Unbeschrieben f. 13v (nur Lin.). 21 × 24 cm. Tab.-Teil: f. 1v–13r. Für 5- bzw. 6saitige Lyra Viol. II. Vorderdeckel innen (Tinte, jünger): *Pieces for the Lyra viol / composed by William Lawes / in his Autograph.* F. 1r Huldigungstext: *Upon M. William Lawes, The rare Musitian*; 10 Zeilen, unterschrieben *Robert Herrick.* II. Vorderdeckel außen (Tinte, jünger): *Ancient Music / Mss.*; unten: *Autograph Music / by / William Lawes.* Satzbezeichnungen am Ende; durchweg als Autorenname: *W*[m] *Lawes; Llawes; WjLawes; WilLawes; W. Lawes* u. ä. Korrekturen: f. 13r (5 Tab.-Takte). F. 12r Einstimmregel *tuning;* für 6saitiges Instrument. Im Tab.-Teil vereinzelt Einzeichnung eines Tab.-Buchstabens unter dem System (f. 8v). Das Ms. enthält 26 Sätze für Lyra Viol solo, alle autograph William Lawes (1602–1645); die Aufzeichnung dürfte in einem größeren Zeitraum erfolgt sein (unterschiedliche Tinte, Papier wechselnd). Vorderdeckel innen als gedr. Zettel Exlibris aufgeklebt (17. Jh.): *Robert Tollap (of Yorke and / Newcastle, Free-Mason) his / Booke, 1657.*

1 Schreiber (s. o.). Brauner Lederband mit reicher Goldpressung; auf den Deckeln das heraldische Zeichen der Bibliothek Charles' I. eingeprägt, mithin Einband um 1640. (Freie Instrumentalsätze, Tänze.)

Literatur: TraficanteV, S. 35, 225 (als *Nr. 6*); TraficanteL, S. 197ff.; DucklesL, S. 396; Lefkowitz, S. X, 30, 134.

——— Ms. Music 139, Eingangs-Nr. **68M–61*. Keine älteren Signaturen. 1968 erworben aus Antiquariat Maggs Brothers Ltd., London W. 1., Berkeley Square 50.

Frz. Git. Tab. 5 Lin. Ohne Alfabeto. Um 1684–1685; Datierung 1684, 1685.

37 fol., zuzüglich je 1 Vorsatz- und Nachsatzbl. Keine unbeschriebenen Seiten. 9,8×19,5 cm. Tab.-Teil: f. 1–20r, 21–37. Für 5saitige Gitarre. Rhythmische Zeichen im System, auf- und abwärts kaudiert. Vorsatzbl. Ir (Tinte) Titel und Besitzervermerk *Elizabeth Cromwell her gittare book*, darunter in abweichender Rechtschreibung erneut (*Gittar; Booke*), auch einige Worte gekritzelt wiederholt. Unten *Lent to Mercia Fitzherbert.* Vorsatzbl. Iv analog *Elizabeth Cromwell*, flüchtige Zeichnung (Kopf), dabei: *Her. B.* F. 20v unter Tab. erneut: *Eliz* und *Elizabeth*; f. 34r *Elizabeth Cromwell*; f. 34v kopfstehend erneut. Nachsatzbl. Ir kopfstehend *Elizabeth Cromwell*, mit erneuter flüchtiger Kopfzeichnung (Tinte). Nachsatzbl. Iv kopfstehend (Schönschrift) *ELIZABETH CROMWEL / her Book / 1685.* Darunter kopfstehend: *Fitzherbert.* Schmutzbl. hinten, innen, kopfstehend: *Dear Dear*, sodann: *Marthe Fitzherbert*; ferner: *M*[rs] *Mary Mathewes her gittar booke / March . . . 1684*; darunter: *When this you see / Remember mee. / Mercia / Fitzherbert.* Literar. Eintragungen in den Tab.-Teil, u. a. f. 30v kopfstehend *madam why do*[e]*s Loue torment / you can not your great . . .* [etc.], am Schluß: *. . .in the gre*[at] *De Lits* [delights] *of Loue no no no / no no no* (nicht auf *Bore* [= Bourée] auf der selben Seite bezüglich). F. 20v Rechnungen. F. 14v, 17r, 24–30r ist die Tab. sehr stark verblaßt. Ein Teil der Tab. kopfstehend. Gew. Notenschrift (Fragment) f. 30v. Mindestens 3 Schreiber. Brauner Lederband der Zeit, Deckel innen und je 1 Schmutzbl. mit bunt marmoriertem Papier beklebt. (Freie Instrumentalsätze, Tänze.)

Literatur: Fehlend. Geführt in Katalog Maggs Brothers 913, S. 28 (als *Nr. 76*).

CHICAGO, THE NEWBERRY LIBRARY, SPECIAL COLLECTIONS

Ms. Lute Codex Vincenzo Capirola, Acquisition Number 107501, erworben Mai 1904. Frühere Besitzer: London, Antiquariat N. Trubner (um 1883), ibid., Antiquariat B. Quaritch (? Ende des 19. Jh.), Florenz, Antiquariat Leo Olschki (erworben 28. 1. 1902).

Ital. Lt. Tab. 6 Lin. Um 1517 (1515–1520).

74 fol. Unbeschrieben f. 1r, 4v. 14,9×21,5 cm. Tab.-Teil: f. 5–74. Für 6chörige Laute. Titel zufolge Vorbemerkung des Illustrators: *Compositione di meser*

Vicenzo Capirola gentil homo bresano. F. 1v Vorbemerkung beginnend: *Co*[n]*siderando io Vidal che molte diuine operete p*[er] *ignorantia deli possesori si sono perdute, et de*[si]*derando ch*[e] *questo libro quasi divino p*[er] *me scrito, perpetualmente si conseruase, ho uolesto di* [c]*osi nobil pictura ornarlo ...* F. 2–4r Traktat über Lautengriffe, legato-Spiel, Verzierungen, Beschaffenheit und Lage der Bünde, Saiten, Fingersatz etc. Orig. Index mit Angabe der Blattzahl (*1–68*, es handelt sich um den Notenteil f. 5–74). Im Index mehrmals von der Hand des Tab.-Schreibers und von einer 2. Hand Bemerkungen „*bello*", „*belissimo moteto aieroso et forte*" etc. Tab.-Lin. und -Zeichen dunkelbraun, größere rhythmische Zeichen rot und violett, Semiminima nur violett, Fusa gelb, Semifusa rot. Satzbezeichnungen rot, Fermaten blau oder rot. Bunte Randillustrationen (schäferliche Idyllen, Menschen, Tiere, Pflanzen, im venezianischen Stil der Zeit). Insgesamt 45 illustrierte Seiten. Schreibform der Texte verrät venezianischen Dialekt. 1 Schreiber. Lederband der Zeit, Goldpressung. (Freie Instrumentalsätze, Tänze, ital. Frottole, span. Villancicos, frz. Chansons, lat. Motetten bzw. Messenteile.) – Beiliegend Erläuterung des Ms. durch J.P.N. Land, datiert Leiden, 3. 11. 1883 (11 pag.).

Literatur: GombosiC, S. IX–XIV, S. 1–134 Übertragung aller Sätze, Faksimiles nach S. VIII, LVI, LXIV von f. 16r, 17v, 22v, 32v, 43r, 47r, 50v, 51v; Katalog Olschki, *Nr. 24919*; LandTh, Vorw. und S. 130f., 147, 233ff., 259, 289, 294f., mit Übertragung mehrere Sätze; HeartzH, S. 19; WardM, S. 122; WardD, S. 121; YongA, S. 211.

———

Ms. Case 7.Q.5. – Eingangs-Nr. *140. Gift '67. ICN 69.* Früher Privatbibliothek Prof. Alfred Cortot, Lausanne († 1962). 1966 erworben von Antiquariat Otto Haas (Inhaber Albi Rosenthal), London. 1967 Schenkung an die Newberry Library durch Marie-Louise Rosenthal.

Frz. Lt. Tab. 6 Lin. Um 1620–1630.

94 fol., ohne Vorsatz-, Nachsatzbll. Keine unbeschriebenen Seiten. 17 × 23 cm. Tab.-Teil: f. 1–94. Für 10chörige Laute (bis *///a*). Vorderdeckel innen Exlibris Alfred Cortot. Orig. Paginierung *1–187*, dabei ist pag. 117 irrig unbezeichnet geblieben (mithin orig. *pag. 117* = f. 59v). Korrekturen: f. 11r, 13v, 30v, 33v, 34r, 51v, 54r, 59v. Nur wenige Satzbezeichnungen und Komponistennamen. Einzeichnung in Satzmitte von abweichender Schrift, sehr flüchtig f. 36v *second Coupl*[et], f. 37r *premi*[er] *couplet.* 1 Schreiber, sehr flüchtige Aufzeichnung (f. 42v Tintenkleks, der beim Zuschlagen des Heftes sich auf die Folgeseite übertragen hat: Tab.-Verlust). Überwiegend frz. Repertoire. Pergamentband der Zeit. Vorderdeckel außen, Tinte (stark verblaßt): *Liure de Tablature*; darunter 2 nicht mehr entzifferbare Buchstabensiglen des gleichen Schreibers. Stümpfe von 4 Lederbandschließen. (Freie Instrumentalsätze, Tänze, frz. Liedsätze.)

Literatur: Fehlend. Das Ms. war 1927 auf der *Internationalen Musik-Ausstellung*, Frankfurt am Main in dem Raum der älteren Musikhss. gezeigt worden (Vermerk f. 1v).

Ms. Case VM. 1734. 5. G. 37. Eingangs-Nr. *D. 30017*. Weitere Eingangs-Nr. *ICN 55–3231*. 1936 *Ryerson Fund*. Erworben Sommer 1936 aus Antiquariat Hans Kraus, Wien.

Frz. Lt. Tab. 6 Lin. Um 1570–1585.

50 fol. Unbeschrieben f. 50v (leer). 20,5×31 cm. Tab.-Teil: f. 9–50r. Für 6chörige Laute. F. 1–8 literar. (dt.) Texte ohne mus. Aufzeichnung. F. 1r dt. Strophen, überschrieben: *Ein Schöne Lied*, sodann: *Einer anders*; f. 1v *Einer ander Schön Litt*; f. 2r *In Ton: Hertzlich thutt mich erfrewenn* etc. Bei lat. Motettensätzen Vermerk: *Sequitur Sec*[un]*da pars* (f. 27r). Rhythmische Zeichen noch ohne Punkte. Fast alle Sätze bezeichnet. Bei den dt. Liedsätzen ist z. T. die Folgestrophe nach der Tab. aufgezeichnet. Initialen der Satzbezeichnungen groß (schöne Kanzleischrift). F. 1–4 nur literar. (dt.) Aufzeichnung, Liedtexte, augenscheinlich nicht auf Tab.-Sätze bezüglich. Im Tab.-Teil Lin. überwiegend ohne Rastral. F. 14r Spruch: *Multum desiro si cuiq. placere requiro. / Omnia si perdas famam scruare memento* (vereinzelt weitere Randglossen, lat. Sprüche). *finis*-Vermerke. Rückdeckel innen: *Ruig* [?] *anno Malyn P* [eine Jahreszahl fehlt], Wortgekritzel unten: *MalZue* (möglicherweise Besitzername). 2 Schreiber; dt. Provenienz, da frz. Satzbezeichnungen phonetisch geschrieben. Schweinslederband der Zeit (verwendet wurde eine ma. lat. Hs., literar.); Ecken des Papiers und des Einbands stark abgenutzt. Beiliegend eine (kursorische) Expertise von J. Giesbert aus Anlaß des Verkaufs der Hs., datiert 1936. (Dt., ital., frz. Liedsätze, lat. Motetten.)

Literatur: Fehlend. Geführt in: Anonym, The *Newberry Library Book List*, Chicago 1936 (als *Nr. 89*).

ehemals DANZIG, Stadtbibliothek
Seit 1945 verschollen. Aufbewahrungsort zur Zeit nicht nachgewiesen.
Aufnahme des Herausgebers 1941

Ms. 4021. Alte Sign.: Mus. O. 2.

Frz. Lt. Tab. 6 Lin. Mitte des 17. Jh.

164 fol. Unbeschrieben: f. 14v–25v, 48v–55, 83v–164 (leer); f. 65v–83r (nur Lin.). 9,5×16,5 cm. Tab.-Teil: f. 3–14r, 26–48r, 56–65r. Für 12chörige Laute. Insgesamt 95 Sätze. Vortragsbezeichnungen: *langsamb*, *geschwinde*, *stille*, *starck*. F. 1r Gedicht: *Musica, noster amor* . . . 1 Schreiber (sorgfältig). Brauner Lederband der Zeit. Vorderdeckel außen: *Phil. Thilo*. (Freie Instrumentalsätze, Tänze, frz. Chansons, dt. Liedbearbeitungen.)

Literatur: Günther, S. 20f. (falsch als *Dt. Lt. Tab.* geführt); WolfH II, S. 50 (ebenso); BoetticherL, S. 359 [37] (*Ms. Da 4021*); HławiczkaP, S. 94, 122 ff.; KosackL, S. 77; Döring, S. 191. – Fotokopie im Besitz des Herausgebers.

---

seit 1945 verschollen.
Aufnahme des Herausgebers 1941

Ms. 4022. Alte Sign.: X. f. 25.

Frz. Lt. Tab. 6 Lin. 3. Viertel des 17. Jh.

50 fol. Alle Seiten mit Lt. Tab. beschrieben. 33 × 20,5 cm. Für 8chörige Laute. 1 Schreiber (sorgfältig). Brauner Lederband der Zeit. (Freie Instrumentalsätze, Tänze, ital. Madrigale, poln. und engl. Incipits, dt. weltl. und geistl. Liedbearbeitungen.)

Literatur: Günther, S. 21; WolfH II, S. 104; BoetticherL, S. 352 [30] (*Ms. Da 4022*); KosackL, S. 78ff.; RollinV, S. XXII; HławiczkaP, S. 94, 122ff.; Feicht, S. 387f.; StęszewskaLI, S. 27ff.; – Fotokopie im Besitz des Herausgebers. RadkeP, S. 101; RadkeBA, S. 234; RadkeG, S. 141; KochP, S. 228, 234.

ehemals DARMSTADT, Hessische Landesbibliothek
Verbrannt 1944
Aufnahme des Herausgebers 1940.

Ms. Mus. 1655. Alte Signatur: *Hs. 2929/6.*

Frz. Lt. Tab. 6 Lin. Mitte bis 3. Viertel des 17. Jh.; Datierung 1653.

96 fol., zuzüglich 4 Vorsatzbll. Unbeschr. f. 4v, 13v, 35v. 9,5 × 15,5 cm. Tab.-Teil: f. 1–96. Datierung: Vorsatzbl. 1r *4. 8. 1653.* Ibid. Gedicht: *Lautenschlagen ist eine feine Kunst / Sie bringt auch höfflich tantzen Gunst / Auch wird gelobt das lieblich Singen / Doch schöne Jungfrauen vor allen Dingen.* Ein späterer Besitzer hat nach Streichung von „schöne Jungfrauen“ *Gottesfurcht* eingeschrieben. Für 11chörige Laute. Insgesamt 107 Sätze, überwiegend zu Suiten geordnet. Besitzername in jüngerer Zeit herausgeschnitten. Wahrscheinlich stammt das Ms. aus Besitz der Lautenistenfamilie Strobel, des Valentin (II), der 1638 von Darmstadt nach Straßburg übergesiedelt war (zur Lautenisten-Familie vgl. H. Radke in MGG XII, S. 1609ff.). 1 Hauptschreiber (sorgfältig), Nebenschreiber B nur 1 intavolierter dt. Choralsatz (*Ach Herr mich armen Sünder*), wohl erst 1670–1675. Brauner Lederband der Zeit. (Freie Instrumentalsätze, Tänze, dt. Liedbearbeitungen).

Literatur: Roth, S. 90, Nr. 104 (*Lautenbuch Klein-Queroktav*); NoackT, S. 277f.; NoackD, S. 81f.; NoackS, S. 280f.; RadkeVI, S. 1620; BoetticherL, S. 360 [38] (*Ms. Dar 1655*). – Mikrofilm im Besitz des Herausgebers.

Verbrannt 1944
Aufnahme des Herausgebers 1941.

Ms. Mus. 1656. Alte Signatur: *Hs. 2929/5.*

Frz. Lt. Tab. 6 Lin. Mitte des 17. Jh.

55 fol. Unbeschrieben f. 26–35. 18 × 24 cm. Tab.-Teil: f. 1–25, 36–55. Für 12chörige Laute. F. 36–55 kopfstehende, rückwärts gerichtete Beschriftung,

möglicherweise einige Jahre später. Angaben der Stimmung f. 3v etc. (häufig). 2 Schreiber (flüchtig). Brauner Lederband der Zeit. (Freie Instrumentalsätze, Tänze, frz. Chansons bzw. Airs.)

Literatur: Roth, S. 90, Nr. 104, 5 (*Lautenbuch Queroktav*); WolfH II, S. 103 (ohne Sign.); NoackT, S. 276f.; NoackS, S. 278f.; BoetticherL, S. 361 [38] (*Ms. Dar 1656*)

——

Nicht mehr vorhanden (Nachforschungen des Verfassers waren 1970–1974 ergebnislos; möglicherweise ist das Ms. 1944 mit den anderen Lt. Tab. verbrannt).

* Ms. ohne Signatur. (I)

Frz. Lt. Tab. 6 Lin. für Viola bastarda. Wahrscheinlich Anfang des 18. Jh.

Zufolge WolfH (s. u.) handelte es sich um „*ein einzelnes Blatt*", ohne Signatur. Die Berichte NoackS und NoackT erwähnten das Ms. nicht.

Literatur: Fehlend. Hinweis nur WolfH II, S. 239.

DARMSTADT, Hessisches Staatsarchiv

Ms. ohne Signatur.

Frz. Lt. Tab. 6 Lin. Um 1630.

264 fol., mehrere Seiten unbeschrieben. 16×21 cm. Tab.-Teil: f. 1–6r. Für 10chörige Laute. Es handelt sich um ein Konvolut, in dem die sog. *von-Büches'schen Gefälle* in den Ortschaften Wasserlos, Hörsten, Kahl und Kälberau (Hessen) beschrieben sind. Dieser Teil ist *Obermorlen 1618* gezeichnet. Der Tab.-Teil dürfte etwas später eingetragen sein und nutzte frei gebliebene Seiten, insgesamt 11 Sätze. 1 Schreiber (flüchtig). Ohne Einband. (Freie Instrumentalsätze, Tänze, dt. Liedbearbeitungen.)

Literatur: NoackT, S. 279f., S. 280 1 Beispiel von *Sind dir denn die Hosenbandel* in gew. Notenschrift übertragen; BoetticherL, S. 355 [33] (*Ms. Dar St*); NoackS, S. 276ff.

DEN HAAG, Gemeentemuseum (Museum der Städt. Gemeinde), Muziekafdeling

Ms. 4. E. 73. Früher Privatbibl. Scheurleer, dessen ältere Signatur (Eingangs-Nr.) auf Vorderdeckel innen in Exlibris Scheurleer: Nr. 13242, demnach erworben Herbst 1919 aus Antiquariat O. Haas-London (die Daten aus dessen Katalog, insbesondere die Blattzahl, stimmen jedoch nicht exakt mit dem Ms. überein). Vorsatzbl. Ir Eingangs-Nr. des Gemeentemuseums mit Stempel von dessen Musikabteilung: 2820. Ibid. oben ältere Sign. (Bleistift): 877.

Frz. Git. Tab. 5 Lin. Ohne Alfabeto. Mitte des 18. Jh.

143 fol., zuzüglich 2 Vorsatzbll. (f. Iv, II leer), 1 Nachsatzbl. (leer). Neuere Paginierung (Bleistift), Vorsatz- und Nachsatzbll. mitzählend. Unbeschrieben f. 22–27r, 40v–53r, 70r, 74v–79r, 82v–89r, 96–103r, 113v–116r, 118r, 119v–122r,

123–143 (nur Lin.). 15×29 cm. Tab.-Teil: f. 1–21, 27v–40r, 53v–69, 70v–74r, 79v–82r, 89v–95, 103v–113r, 116v–117, 118v, 119r, 122v. Für 5chörige Gitarre, ohne Alfabeto. Das Ms. gehörte der Princess Ann (ältesten Tochter von George II. von England, der 1727–1760 regierte), wahrscheinlich bereits vor ihrer Vermählung mit dem Prinzen von Oranien. Vorsatzbl. Ir ältere Eintragung (18. Jh.), Tinte: *This curious M.S. was Princes An's / lute Book, & presented to W*[illia]^{m} *Shield by his friend / James Smith.* Am Schluß sind mehrere Bll. herausgerissen, die jedoch – wie der letzte Teil des Ms. – wahrscheinlich nicht beschrieben waren. Dunkelbrauner Lederband der Zeit, reiche Goldpressung auf Deckeln und Buchrücken, Vorderdeckel außen in Mittelrahmen eingepreßt: *PRINCES AN.* Deckel innen mit bunt marmoriert bedrucktem, orig. Papier beklebt. Goldschnitt. (Freie Instrumentalsätze, Tänze, Aire, engl. Incipit als „*Chanson*".)

Literatur: Fehlend. Erwähnt (außerhalb des Tab.-Teils) durch ScheurleerIII, S. 76f.

———

Ms. 28. B. 39. Früher Privatbibl. Scheurleer. Eingangs-Nr. des Gemeentemuseums mit Stempel von dessen Musikabteilung: 20.860.

Ital. Lt. Tab. 6 Lin. Um 1560–1570.

118 fol. Unbeschrieben f. 35–40, 76v–112r, 114–118 (nur Lin.). 26×17 cm. Tab.-Teil: f. 1–34, 41–76r, 112v–113. Überwiegend für 6chörige Laute (*G c f a d' g'*, seltener *A d g b e' a'*), für 7chörige Laute f. 112v–113 (*G A d g b e' a'*) und f. 70v, 71r, 71v, 72r, 72v, 73r (*D G c f a d' g'*). Orig. Foliierung (Tinte) *1–78* (ohne Lücke, ein vor f. 43 herausgetrenntes Bl. mit Tintenrest am Falz ist nicht mitgezählt und bedeutet keinen Tab.-Verlust). Neuere Foliierung, die orig. fortsetzend (Bleistift), korrekt. Im ersten Teil des Ms. sind die Sätze nach Tonarten geordnet: f. 1–12r ohne Überschrift, jedoch Primi toni, f. 12v–13r *Secondi tonj*, f. 14r–16v *Terzi tonj*, f. 17r–19r *Quarti tonj*, f. 19v–27r *Quinti tonj*, f. 27v–30v *Sesto tono*, f. 31r *Settimj tonj*. F. 27v Vermerk *Vna voce più basso.* F. 41r: *Del libro di J.B.* Bei einigen Sätzen (u. a. *Fantasia*) Stimmangabe: *tre voci* u. ä. 1 Schreiber (sorgfältig). Die Niederschrift dürfte sich über einen größeren Zeitraum erstreckt haben. Das Repertoire reicht z. T. weit über die Jahrhundertmitte zurück. Neuer Halblederband. Buchrücken mit neuer Goldpressung: *Altitalienische Lautentabulatur gefunden in Siena 1863. F. G.* Heftung restauriert, keine orig. Vorsatz- und Nachsatzbll. erhalten. – Am Schluß eingeklebt 2 Bll. mit hs. Beschreibung von J.P.N. Land, datiert 30. 3. 1893 und 5. 1. 1895, 2 weitere Hinweise zum Inhalt des Ms. mit Berichtigungen Lands von J.H. van der Meer (Konservator der Bibl.), datiert den Haag, 6. 3. 1959. (Freie Instrumentalsätze, Tänze, frz. Chansons, ital. Madrigale, Ricercare über frz. Chanson und lat. Motette.)

Literatur: WolfH non est; BoetticherL, S. 349 [27] (*Ms. Ha Siena*), S. 433f. Beispiel in Übertragung von „*Fantasia del libro di J. B.*"; ScheurleerIII, S. 74; SlimM 1965, S. 125; YongA, S. 211ff., vor S. 211 Faksimile von fol. 17; YongB (in Vorbereitung).

—

Hs. Anhang an Druck Hans Newsidler, *Ein newgeordnet künstlich Lautenbuch, In zween theyl getheylt. Der erst . . ., Der ander theil des Lautenbuchs . . .*, Preßburg 1536. Signatur 33. C. 30.

Dt. Lt. Tab. Um 1550–1560.

6 fol. Alle Seiten mit Tab. beschrieben. Für 5chörige Laute. F. 1r unten: *Daniel Lindenman Pharmacop: / . . . . . Franckof: anno* [Jahreszahl fehlt, nur gekritzeltes Zeichen folgend]; f. 2r unten: *Daniel Lindenman / Pharmac. . . . . Francof.* Der Namen jeweils in Kanzleischrift. 1 Schreiber, sorgfältig. (Freie Instrumentalsätze, Tänze, Messenteil.)

Literatur: Fehlend.

—

Ms. ohne Signatur. (I) Eingangs-Nr. des Gemeentemuseums, Stempel von dessen Musikabteilung: Nr. 50.535. Demnach Dezember 1956 erworben, aus Antiquariat Carl & Faber.

Frz. Lt. Tab. 6 Lin. 1. Hälfte des 18. Jh.

4 fol. Unbeschrieben f. 4v (leer). 21,5 × 29,3 cm. Tab.-Teil: f. 1v-4r. Titel: f. 1r *Suite / à / Luthe Solo / par / Kühnel.* Ältere rote (wohl nicht orig.) Foliierung: *41–44*, demnach handelt es sich um einen Teil eines größeren Volumens (s. nachfolgend beschriebenes Ms.). Für 11chörige Laute. 1 Schreiber. Einband fehlt. (Tänze.)

Literatur: Fehlend.

—

Ms. ohne Signatur. (II) Eingangs-Nr. des Gemeentemuseums, Stempel von dessen Musikabteilung: Nr. 50.536. Demnach Dezember 1956 erworben, aus Antiquariat Carl & Faber.

Frz. Lt. Tab. 6 Lin. 1. Hälfte des 18. Jh.

6 fol. Unbeschrieben f. 4v (leer). 21,5 × 29,3 cm. Tab.-Teil: f. 1v–4r. Titel: f. 1r *Concerto / à / Liuto. / Violino. / et / Basso. / Sig^{re} / Kühnhold.* Erneut f. 1v überschr.: *Concerto à Violino, Basso / Liuto, Sig^{re} Kühnhold.* Für 12chörige Laute. Es handelt sich um 1 *Concerto* mit 6 Sätzen. Der 1. Satz führt keine Bezeichnung; der 2. Satz ist abweichend von der Besetzung des Ganzen für Laute solo. *Kühnhold* dürfte für Kühnel stehen. Es handelt sich um einen Teil eines größeren Volumens (s. vorangehend beschriebenes Ms.), daher ältere rote (wohl nicht orig.) Foliierung: *63–68*. F. 5, 6 enthalten die zugeh. Stimmen in gew. Notenschrift (Violino, Violoncello). 1 Schreiber (identisch mit demjenigen des vorangehend beschriebenen Ms.). Einband fehlt. Heftung nicht erhalten (alle Bll. zur Zeit lose. jedoch ist der Faszikel lückenlos). (Tänze.)

Literatur: Fehlend.

DEN HAAG, Koninklijke Bibliotheek

Ms. 133. K. 6. Früher Privatbibl. Scheurleer, deren Signatur Vorderdeckel innen, in Exlibris Scheurleer: Nr. 7279. Von Scheurleer erworben aus Antiquariat Leo Liepmannssohn, vgl. dessen Katalog CXIV, Nr. 123 mit einer Expertise gez. W. Tappert, mit Datum 3. 12. 1894; die dortige Beschreibung des Ms. stimmt nicht exakt mit dem jetzigen Bestand des Ms. überein. Ältere Sign. (Vorsatzbl., Bleistift, gestrichen): 11. C. 36.

Frz. Git. Tab. 5 Lin. Kurzschrift. Ohne Alfabeto. Um 1655–1675; Datierung auf dem Rückdeckel 1635.

142 fol. Unbeschrieben f. 5, 12v, 15r, 19r, 22r, 25v, 37v, 38v, 39v, 40v, 44r, 49v, 50r, 51v, 52r, 53v, 62v, 63r, 79v, 80v, 81v, 82v, 83v, 84v, 85v, 86v, 88v–89, 90v–94r, 109r, 112r, 114r, 115r, 116r, 119v, 120r, 122r, 123v, 124r, 126v, 127r, 128v, 129r, 130v, 133r, 136r (leer); f. 34v (nur Lin.). 15,5 × 21,5 cm. Tab.-Teil: f. 28v–34r, 35–37r, 38r, 39r, 40r, 41–43, 44v–49r, 50v, 51r, 52v, 53r, 54–62r, 63v–79r, 80r, 81r, 82r, 83r, 104v, 105v, 106v, 107v, 109v, 112v, 114v, 116v, 117v, 118v, 120v, 122v, 124v, 125v, 127v, 129v, 131v–132, 133v, 134v, 136v, 137v, 139–142. Für 5chörige Gitarre. Zum System der Kurzschrift vgl. WolfH II, S. 217 f. Ohne Alfabeto. Dem Repertoire zufolge dürfte die Aufzeichnung (entgegen der Datierung auf dem Rückdeckel) erst 1655–1675 erfolgt sein. Das Ms. enthält zwischen den Tab.-Teilen eingestreut zahlreiche Gedichte, von denen einige auf die Tab. Bezug nehmen und auch durch ein Incipit über dem intavolierten Satz angezeigt sind (z. B. *Aminte*). Die Gedichte, z. T. von ungelenker Kinderhand und von einer größeren Zahl von Schreibern festgehalten, sind: frz. f. 1–4, 6, 7, 27v, 28r, 84r, 85r, 88r, 90r, 94v–96, 101, 102, 104r, 105r, 106r, 107r, 108, 110, 111, 113, 117r, 118r, 119r, 121, 123r, 125r, 126r, 128r, 130r, 131r, 134r, 135, 137r; – niederld. f. 8–12r, 13, 14, 15v–18, 19v–21, 22v–25r, 26–27r, 97–100, 103; – ital. f. 86r; – span. f. 115r, 116v, 117r, 138; – lat. f. 87. Orig. Foliierung (Tinte): *32* (f. 29), *33* (f. 30), *36* (f. 31) – *56* (f. 51), *58* (f. 52) – *83* (f. 77), *87* (f. 78) – *99* (f. 90), *130* (f. 105) – *155* (f. 130), *161* (f. 131) – *172* (f. 142). Demnach fehlen die Bll. nach der orig. Foliierung: *1–31*, *34*, *35*, *57*, *84–86*, *100–129*, *156–160*. Von den herausgerissenen Bll. sind verschiedentlich noch die Falze sichtbar (z. B. von f. *57* orig. Zählung). Mithin sind Teile der Tab. in Verlust geraten. Ältere Foliierung (Rötel): *46* (f. 78v), *48* (f. 80r). Orig. Satznumerierung *2*, *3* (f. 78v, 79r). 1 Schreiber. Auf den freien Bll. Gekritzel mit Rötel. Rotbrauner Lederband der Zeit, Vorderdeckel, Rückdeckel, Buchrücken mit abweichender Goldpressung; Vorderdeckel: *ISABEL / VAN LANGHENHOVE*, dazwischen Supralibros (Maria mit Krone, das Jesuskind auf dem Arm, im Rahmen: *ORA PRO NOBIS + SANCTA MARIA*), Rückdeckel: *ANNO / 1635* (mit gleichem Supralibros). Goldschnitt (fast gänzlich entfernt). Vorsatz- und Nachsatzbll. neuerer Zeit. Reste von 4 Paar dunkelgrünen seidenen Schließen

(horizontal und vertikal). (Freie Instrumentalsätze, Tänze, Airs, frz. Chansons, span. Liedsätze.)

Literatur: WolfH II, S. 217 (ohne Fundort); BoetticherL, S. 358 [36] (*Ms. Ha 133*); Scheurleer II, S. 77.

DONAUESCHINGEN, FÜRSTL. FÜRSTENBERGISCHE HOFBIBLIOTHEK

Ms. mus. 1272, 1.

Frz. Lt. Tab. 5 und 6 Lin. für Gallichon. 1735, Datierung.

171 fol. Unbeschrieben f. 35v–38r, 49v–50, 56r, 101–107r, 116v, 117r, 120–124r, 130v–133r, 140v–144r, 158v–171. 16,1×20,3 cm. Unbeschnittenes Bütten, ohne Wasserzeichen. Ausschließlich Tab. Für 5- und 6saitiges Gallichon bzw. Mandora. In einigen Fällen ist eine unterste, 6. Lin. hs. ergänzt. Vorderdeckel innen: *Gegenwärtiges Gallishon: oder Mandor Buch gehört vor mich Maria Theresia Schmögerin auß Biberbach, welches ich von ihrer Hochwürden Hernn Möst bekhomen habe. A. 1735.* Wahrscheinlich aus der Familie des Organisten Franz Joseph Schmöger in Biberbach bei Wertingen, Landkreis Augsburg. Insgesamt 246, nicht numerierte Sätze. 1 Schreiber. Pergamentband der Zeit. (Freie Instrumentalsätze, Tänze, Arietten, dt. Liedsätze.)

Literatur: Lück, S. 108ff.; BoetticherVP, S. 76ff.

——

Ms. mus. 1272, 2.

Frz. Lt. Tab. 6 Lin. für Gallichon. 1734, Datierung.

87 fol. Unbeschrieben f. 1, 2, 21v, 24v, 83–87. 19×24 cm. Unbeschnittenes Bütten, ohne Wasserzeichen. Ausschließlich Tab. Für 6saitiges Gallichon. Besitzvermerk: Vorderdeckel außen herzförmiges Schild aufgeklebt mit hs. Titel: *Galishon Stuckh: Von Preludiae: Guig : Arien vnd Variationen. Min Maria Schmögerin in Biberbach Anno 1734.* Widmung f. 46v bei *Aria dolce, adagio: Von ihro Hochwürden Herrn Prafect Möst . . . Maria Theresia Schmögerin.* F. 3r, 3v *Reglen zur Erlehrnung des gallison.* Provenienz wie Ms. Donaueschingen mus. 1272, 1. Insgesamt 188, nicht numerierte Sätze. 1 Schreiber (derselbe wie im vorgenannten Ms.). Pappband der Zeit, Kanten beschädigt. (Freie Instrumentalsätze, Tänze, Arien, dt. Liedsätze.)

Literatur: Lück, S. 104ff.; BoetticherVP, S. 76ff.

ehemals DRESDEN, SÄCHSISCHE LANDESBIBLIOTHEK, Musikabteilung
1944 verbrannt
Aufnahme des Herausgebers 1942

Ms. Mus. 1/V/8. Ältere Signatur bis ca. 1925: *Ms. Mus. B. 1030.*

Dt. Lt. Tab. Um 1580–1590.

103 fol. Zahlreiche unbeschriebene Seiten (29). 8° und abweichende Formate

einzelner Faszikel. Für 6chörige Laute. Ausschließlich Tab. Besitzvermerk, Widmung: f. 1r *Johann Joachim Losses, dem Edlen gestrengen Herrn . . .*; Titel: f. 2r *Lautenbüch*. Tab.-Teil ab f. 3r. F. 38 erneute Widmung: *Nobilissimo viro J. Joachimo a Los amico suo . . .*; f. 64v: *oldenburg*. Daten fehlen. Mindestens 2 Schreiber (A f. 1r ff.; B f. 79r ff.). Dunkelbrauner Lederband der Zeit. Neuere Faszikelheftung, unterschiedliche Papierbeschaffenheit. (Freie Instrumentalsätze, Tänze, ital. Madrigale, frz. Chansons, dt. Liedsätze.)

Literatur: WolfH II, S. 50; BoetticherL, S. 358 [36] (*Ms. Dr 1030*); Eitner-Kade, S. 42; Dieckmann, S. 93f.; RadkeK, S. 274; BoetticherBe, S. 1816; RadkeSL, S. 68; RadkeK, S. 274; RadkeC, S. 1382.

DRESDEN, Sächsische Landesbibliothek, Musikabteilung

Ms. Mus. 2/D/2. Alte Signatur: *CIII a*. Früher Privatsammlung des Sächsischen Königs, Dresden.

Frz. Lt. Tab. 6 Lin. 2. Viertel des 18. Jh.

11 fol. Unbeschrieben f. 1r, 11. Starker Karton. 31,6×44,3 cm. Für 12chörige Laute. Rückdeckel innen 6 Lin. ohne Tab. Singstimme in gew. Notenschrift (C-Schlüssel, Sopran). Sonst Durchtextierung, ohne Überschrift, mit intavoliertem Lt.-Begleitsatz. 1 Schreiber. Pappband der Zeit, mit mehrfarbigem Relief-Golddruckpapier ganz beklebt. Außen Etikett (alt): *N:o II. Cantata Sacra / Parte / del Liutto*. (Freier Instrumentalsatz, Aria, ital. Incipit.)

Literatur: WolfH II, S. 103; BoetticherL, S. 378 [54] (*Ms. Dr CS*); NeemannF, S. 157ff.; Schulze, S. 36, Anm. 28.

——

Ms. Mus. 2/V/5. Alte Signatur: *CIII a*. Früher Privatsammlung des Sächsischen Königs, Dresden.

Frz. Lt. Tab. 6 Lin. für Gallichon. Um 1740.

4 fol., 8 mit Tab. beschriebene Seiten. 22,4×32,6 cm. Für 6saitiges Gallichon. Titel: Beiliegender Faszikel (s. unten) f. 1r *Parthia / Gallichona 1ma / Gallichona 2da / Flutte traverse / e / Basso*. Alt hinzugefügt oben rechts: *Ex D*. Für 2 Gallichons, sowie weitere ensemble-Instrumente. Überschriften der Tab.-Teile: *1ma* und *2da* [Gallichon]. 1 Schreiber. Neuerer Pappband. Beiliegend 3 fol. in gleichem Format mit den zugehörigen Stimmen in gew. Notenschrift. (Freie Instrumentalsätze, Tänze, Aria.)

Literatur: BoetticherL, S. 379 [54] (*Ms. Dr F*); Lück, S. 129.

——

Ms. Mus. 2/V/6. Alte Signatur: *Cq CIII a*. Früher Privatsammlung des Sächsischen Königs, Dresden.

Frz. Lt. Tab. 5 Lin. für Gallichon. Um 1740.

14 fol., 27 mit Tab. beschriebene Seiten. 20,8×16,5 cm. Ausschließlich Tab.

Für 6saitiges Gallichon. Titel: f. 1r *Sonate a due Gallichane.* 1 Schreiber. Neuerer Pappband. (Freie Instrumentalsätze.)

Literatur: WolfH II, S. 125 (ohne Sign., wohl unrichtig *Schiffelholtz* zugeschrieben); BoetticherL, S. 379 [54] (*Ms. Dr S*); Lück, S. 134.

Ms. Mus. 2/V/7. Alte Signatur: *CIII.* Früher Privatsammlung des Sächsischen Königs, Dresden.

Frz. Lt. Tab. 6 Lin. für Gallichon. Um 1740.

4 fol., 8 mit Tab. beschriebene Seiten. 29,6×21,3 cm. Für 6saitiges Gallichon. Titel: Beiliegender Faszikel (s. unten) f. 1r *Duetto. / Mandora 1ma–2da / Flut travers o Violino / Violino / e / Basso.* Für 2 Gallichons, sowie weitere ensemble-Instrumente; es ist nur die 1. Gallichon-Stimme vorhanden, mit Überschrift: *Gallichona 1ma.* 1 Schreiber. Neuerer Pappband, ohne Heftung der Blätter. Beiliegend 6 fol. in abweichendem Format mit den zugehörigen Stimmen in gew. Notenschrift. (Freie Instrumentalsätze, Tanz.)

Literatur: BoetticherL, S. 379 (*Ms. Dr S*); Lück, S. 129.

Ms. Mus. 2364/V/1. Alte Signaturen: *Og 62* und *Cq CIII a.* Früher Privatsammlung des Sächsischen Königs, Dresden.

Frz. Lt. Tab. 6 Lin. für Gallichon. Um 1740–1745.

60 fol., zuzüglich 1 Vorsatzbl. (leer). Unbeschrieben f. 58v–60r. Hauptformat 21×29 cm. Ausschließlich Tab. Für 6saitiges Gallichon. F. 1v *Dell Sigr Brescianello.* 1 Schreiber. Es handelt sich um eine nur wenige Jahre jüngere Kopie von Ms. Mus. 2364/V/2, ohne Abweichungen. Schwarz-grauer Pappband der Zeit. Stark verblaßte, rötlich-braune Tinte infolge Wasserschadens 1944/1945. (Freie Instrumentalsätze, Tänze, Aria.)

Literatur: BoetticherL, S. 378 [53] (*Ms. Dr 1*); Lück, S. 125.

Ms. Mus. 2364/V/2. Alte Signatur: *Cq CIII a.* Früher Privatsammlung des Sächsischen Königs, Dresden.

Frz. Lt. Tab. 6 Lin. für Gallichon. Um 1740.

80 fol. Unbeschrieben f. 1v, 2v, 8v, 12v, 16v, 22v, 27v–28, 32v, 36v, 43v–44, 52v, 58v, 65v–66, 77v–80. Insgesamt 18 verschieden starke Faszikel im Hauptformat 30×23 cm. Ausschließlich Tab. Für 6saitiges Gallichon. Jeder Faszikel enthält 1 *Parthie*, mit Titel jeweils am Beginn: *Gallichone solo. / Del Sig:r Brescianello.* Papier mit Blindpressung am Rand. Jüngere Titelaufschrift bei Faszikel 1: *18 Stücke f. Gallichone solo. Brescianello.* Für 1 Gallichon. 1 Schreiber. Einband fehlt. (Freie Instrumentalsätze, Tänze, Aria.)

Literatur: WolfH II, S. 125; BoetticherL, S. 378 [53] (*Ms. Dr 2*); Lück, S. 124f.; EitnerQL II, S. 186, Art. *Giuseppe Antonio Brescianello.*

Ms. Mus. 2701/V/1. Alte Signatur: *Of 1172.* Früher Privatsammlung des Sächsischen Königs, Dresden.

Frz. Lt. Tab. 6 Lin. für Gallichon. Um 1735–1740.

14 fol. Unbeschrieben f. 14. 29,4 × 22,6 cm. Ausschließlich Tab. Für 6saitiges Gallichon. Titel: f. 1r *Tre Serenate / Per il Gallichona / De S: A: Duce Clemente / di Baviera.* 1 Schreiber. Ohne Einband. (Freie Instrumentalsätze, Tänze.)

Literatur: WolfH II, S. 125 (ohne Sign., Titel irrtümlich *Sonate*); BoetticherL, S. 378 [54] (*Ms. Dr CL*); Lück, S. 126; EitnerQL VI, S. 396, Art. *Maximilian Joseph III.*

Ms. Mus. 2701/V/1 a. Alte Signatur: Mus. 3261/V/1. Früher Privatsammlung des Sächsischen Königs, Dresden.

Frz. Lt. Tab. 6 Lin. für Gallichon. Mitte des 18. Jh.

14 fol. Unbeschrieben f. 14. 27,2 × 21,3 cm. Ausschließlich Tab. Für 6saitiges Gallichon. Titel: f. 1r *Tre Serenate / Per il Gallichona / Di S: A: Duca Clemente / di Baviera.* 1 Schreiber. Es handelt sich um eine nur wenige Jahre jüngere Kopie von Ms. Mus. 2701/V/1, ohne Abweichungen. Neuer Pappband. (Freie Instrumentalsätze, Tänze.)

Literatur: WolfH II, S. 125 (ohne Sign.); BoetticherL, S. 378 [54] (*Ms. Dr CL*); Lück, S. 126; EitnerQL VI, S. 396, Art. *Maximilian Joseph III.*

Ms. Mus. 2806/V/1. Alte Signatur: *Cq CIII a.* Früher Privatsammlung des Sächsischen Königs, Dresden.

Frz. Lt. Tab. 6 Lin. für Gallichon. Um 1740.

14 fol. Unbeschrieben f. 14v. 23,4 × 31,2 cm. Ausschließlich Tab. Für 6saitiges Gallichon. Titel: f. 1r *Sei Duetti / al Gallichona / Violonzello / concertanti / del Schiffelholz.* Für 1 Gallichon, sowie weitere ensemble-Instrumente. 1 Schreiber. Jüngerer Pappband. Beiliegend 2 Faszikel mit den zugehörigen Stimmen in gew. Notenschrift. Starker Wasserschaden 1944/1945. (Instrumentalsätze, Tänze.)

Literatur: WolfH II, S. 125; BoetticherL, S. 378 [53] (*Ms. Dr Sch 1*); Lück, S. 128; EitnerQL IX, S. 21f., Art. *Johann Paul Schiffelholz.*

Ms. Mus. 2806/V/2. Alte Signatur: *Cq CIII a.* Früher Privatsammlung des Sächsischen Königs, Dresden.

Frz. Lt. Tab. 6 Lin. für Gallichon. Um 1740.

2 Faszikel. 1 = 14 fol. Unbeschrieben f. 13v–14. 2 = 14 fol. Unbeschrieben f. 13v–14. 26,6 × 21,3 cm. Ausschließlich Tab. Für 6saitiges Gallichon. Titel Faszikel 1, f. 1r: *Sei Trio / à / Gallichona, / e Violino Primo / Gallichona, e*

Violino Secondo / e Violoncello / del Schiffelholtz. Überschriften: Faszikel 1 = *Gallichona Ia*, Faszikel 2 = *Gallichona IIa*. 1 Schreiber. Ohne Einband. Geringer Wasserschaden (1944/1945). (Freie Instrumentalsätze.)

Literatur: BoetticherL, S. 378 [53] (*Ms. Dr Sch 2*); Lück, S. 128f.; EitnerQL IX, S. 21f., Art. *Johann Paul Schiffelholz.*

Ms. Mus. 2806/V/2 a. Früher Privatsammlung des Sächsischen Königs, Dresden.

Frz. Lt. Tab. 6 Lin. für Gallichon. Mitte des 18. Jh.

2 Faszikel. 1 = 14 fol. 22 mit Tab. beschriebene Seiten. 2 = 14 fol. 23 mit Tab. beschriebene Seiten. 25,4 × 20,3 cm. Ausschließlich Tab. Für 6saitiges Gallichon. Titel Faszikel 1, f. 1r: *Trio a 3 Instr., Gallichona & Violino primo. Gallichona & Violino secondo con Violonzello Auth. Schiffelholz.* 1 Schreiber. Es handelt sich um eine nur wenige Jahre jüngere Kopie von Ms. Mus. 2806/V/2, es fehlt jedoch *Trio Nr. I F-Dur.* Ohne Einband. Beiliegend 3 Stimmhefte in gew. Notenschrift. (Freie Instrumentalsätze.)

Literatur: BoetticherL, S. 378 [53] (*Ms. Dr Sch 2*); Lück, S. 128f.; EitnerQL IX, S. 21f., Art. *Johann Paul Schiffelholz.*

Ms. Mus. 2806/V/3. Alte Signatur: *Cq CIII a.* Früher Privatsammlung des Sächsischen Königs, Dresden.

Frz. Lt. Tab. 6 Lin. für Gallichon. Um 1740.

2 Faszikel: *1* 4 fol. 8 mit Tab. beschriebene Seiten; *2* 4 fol. Unbeschrieben f. 4v. 23,2×32 cm. Ausschließlich Tab. Für 6saitiges Gallichon. Titel: f. 1r *Parthia / à / 2 Gallichone / 2 Violino / con / Violoncello / Auth: Sigr. / Schiffelholz.* Für 2 Gallichons, sowie weitere ensemble-Instrumente. 1 Schreiber. Ohne Einband. Beiliegend 3 Faszikel mit den zugehörigen Stimmen (Fragment) in gew. Notenschrift. (Freie Instrumentalsätze, Tänze.)

Literatur: WolfH II, S. 125; BoetticherL, S. 378 [53f.] (*Ms. Dr Sch 3*); Lück, S. 128; EitnerQL IX, S. 21f., Art. *Johann Paul Schiffelholz.*

Ms. Mus. 2806/V/4. Alte Signatur: *CIII a.* Früher Privatsammlung des Sächsischen Königs, Dresden.

Frz. Lt. Tab. 6 Lin. für Gallichon. Um 1740.

10 fol., zuzüglich je 1 Vorsatz- und Nachsatzbl. (leer). Unbeschrieben f. 10v. 30,1×23,7 cm. Ausschließlich Tab. Für 1 Gallichon solo, 6saitig. 1 Schreiber. Papier mit Blindpressung am Rand. Dunkelgrüner Pappband der Zeit, Buchrücken mit neuem Aufdruck: *Schiffelholz, Parthia 1–6.* Starker Wasserschaden 1944/1945. (Freie Instrumentalsätze, Tänze, Aria bzw. Arietta.)

Literatur: WolfH II, S. 125; BoetticherL, S. 378 [54] (*Ms. Dr 4*); Lück, S. 126.

Ms. Mus. 2806/V/5. Alte Signatur: *CIII a*. Früher Privatsammlung des Sächsischen Königs, Dresden.

Frz. Lt. Tab. 6 Lin. für Gallichon. Um 1740.

2 Faszikel: *1* 4 fol. Unbeschrieben f. 1r, 2v, 3r, 4v, 21,3 × 32,7 cm. *2* 6 fol. Unbeschrieben f. 1r, 2v, 5r, 6v, 23,6 × 31,3 cm. Ausschließlich Tab. Für 2 Gallichons, beide 6saitig, ohne weitere ensemble-Instrumente, Faszikel *1* und *2* enthalten die vollständige Tab. für Gallichon I und II. 1 Schreiber. Neuerer Pappband, ohne Heftung der Blätter. (Ital. Incipits.)

Literatur: WolfH II, S. 125; BoetticherL, S. 378 [54] (*Ms. Dr 5*); Lück, S. 127 (nur Faszikel *2*).

Ms. Mus. 2841/V/1, Band I–VI. Zweite neue Signatur: *Autogr. 167^h^*. Erworben 1929. Früher Privatbibliothek Dr. Werner Wolffheim, Berlin-Grunewald, *Nr. 68*.

Frz. Lt. Tab. 6 Lin. Um 1718–1740, mit Nachträgen (um 1730–1740); Datierung 1731.

6 Faszikel (Bände). Einheitliches Format 23,5 × 33 cm. Ausschließlich Tab. Für 13chörige, vereinzelt 11chörige Laute. Ein zusätzlicher Faszikel enthält die Reste der zugehörigen Stimmen in gew. Notenschrift. Teilweise Autograph Silvius Leopold Weiß, der Herbst 1718 an der Hofkapelle in Dresden angestellt wurde. Datierung in Fasz. *6* (s. u.), *1731*, doch dürfte die Niederschrift anderer Teile der Fasz. bis in die Jahre 1718–1725 zurückreichen. Nachträge von fremder Hand um 1735–1740 (*Preludes*) in verschiedenen Fasz. Neuere Paginierung, nur der mit Tab. beschriebenen Seiten. Jeder Fasz. in jüngerem graubläulich bedrucktem Pappband, auf Buchrücken ein Schild mit der Nummer des Bandes. Einige Blätter in allen Faszikeln mit abweichendem, meist kleinerem Format; die Heftung ist jünger. Alle Fasz.: Angaben zur Stimmung und Tonart.

Faszikel 1: 29 fol. Unbeschrieben f. 16v, 20v, 21v, 29v. F. 21r *Suonata per il Liuto / di / Silvio Leopoldo Weiß*. Sonate Nr. 5 am Ende mit autogr. Signum *S.L. Weiß*, mithin ist f. 13–16r autogr. Weiß, analog f. 22–25 (Nr. 7), f. 26–29r (Nr. 8). Die von NeemannW, S. 400 wiedergegebene Beischrift in roter Tinte über dem Anfang der Sonate Nr. 5, die eine Notiz eines Schülers von Weiß sein soll, ist nicht zu bestätigen. Mindestens 3 Schreiber.

Faszikel 2: 36 fol. Unbeschrieben f. 4v, 5r, 10r, 16v, 21, 25v. Autogr. S.L. Weiß sind mehrere Bll. (Sonate Nr. 1, 2, 4). F. 16r Beischrift: *P.S.A.S.M.L.D. de Lobkowitz / N. 12 / Januarius*. Mindestens 3 Schreiber.

Faszikel 3: 32 fol. Unbeschrieben f. 4v, 5r, 8v, 13r, 23, 28r, F. 1r: *Suonata del Sig^re^ Sigism. Weiß*. Mehrere alte Silberstift-Korrekturen, Ergänzungen, wahrscheinlich von der Hand des S.L. Weiß'. Die von NeemannW, S. 401 wiedergegebene Überschrift zu Sonate Nr. 2 ... *composta a Roma* ist nicht zu bestätigen. Nr. 5 ist stark verblaßt. Mindestens 3 Schreiber.

Faszikel 4: 29 fol. Unbeschrieben f. 22v. F. 1r: *Suonata de Sig^re Sylv. Leop. Weiß*. F. 4v ist ein *Menuett* mit Tinte durchgestrichen (alt), mit Vermerk: *Ist nicht von M^r. Weiß* (flüchtig). Autogr. S.L. Weiß sind f. 23–25 (Sonate Nr. 6). Mindestens 3 Schreiber.

Faszikel 5: 18 fol., zuzüglich 1 Vorsatzbl. (leer). Unbeschrieben f. 4v, 8v, 9r. 1 Nachsatzbl. (leer) ist jünger. F. 1r: *Suonata / del / Sig^re S.L. Weiß*. F. 1v Silberstift-Vermerk von der Hand S.L. Weiß': *Von an*[n]*o 6. in Düsseldorf. ergo Nostra giuventu Comparisae* [diese Notiz verweist auf die Jugendzeit des Komponisten in Düsseldorf 1716; die Niederschrift der betreffenden Sonate von fremder Hand]. Mindestens 3 Schreiber.

Faszikel 6: 35 fol. Unbeschrieben f. 1v, 2, 6v, 10, 15v, 24–27, 31v, 35v (nur Lin.). Neuere Bleistift-Paginierung (nur die beschriebenen Seiten zählend). F. 1r: *Weisische Partien / wozu noch 3 Vol. Accompag*[nement] *gehören* [wohl jüngere Eintragung]. Die 3 genannten Bände, Ensemble-Stimmen in gew. Notenschrift enthaltend, sind nur im Fragment erhalten (s. oben). F. 6r Signum mit Datierung: *S.L. Weiß ao* [anno domini] *1731*. Mindestens 3 Schreiber. (Freie Instrumentalsätze, Tänze.)

Literatur: WolfH II, S. 103; BoetticherL, S. 381 [56] (*Ms. Dr 2841*); Katalog Wolffheim II, S. 39f. (*Nr. 68*); NeemannW, S. 396ff.; NeemannL, S. 118, 121; BoetticherBa, S. 1339; Klima-RadkeWW, S. 437ff.; ReichW, Nachwort. Jüngst KindermannDMA III, *Nr. 3/431*.

Ms. Dresd. Appendix 1548. 1970 erworben.

Frz. Lt. Tab. 4 Lin. für 4chörige Cister. Um 1660–1664.

186 fol., zuzüglich 1 Vorsatzbl. (Rückseite leer). Unbeschrieben f. 19v–21, 64–68, 69v–73, 74v, 75v, 76v–78, 79v–82, 83v, 84v, 85v, 86v, 87v–92, 93v, 94v, 95v, 96v, 97v, 99v, 100v, 101v, 102v–105, 106v, 107v–110, 111v–115, 116v–124, 125v–133, 134v–138, 139v–140, 141v–142, 143v, 144v–145, 146v, 147v–150, 151v, 152v, 153v–162, 163v–167, 169v–170, 171v, 172v, 173v, 174v. 175–177, 178v–185, 186v (leer); f. 13–19r, 54v–63 (nur Lin.). 9×15,5 cm. Tab.-Teil: f. 1–12, 22–54r. Für 4chörige Cister. Streichungen: f. 31v. Titel: Vorsatzbl. Ir *Sperat infestis, metuit secundis / Alteram sortem benè praeparatum / Pectus, informes hyemes reducit / jupiter, idem / Summovet. Non sie malè nunc, et olim / Sic erit. – Horat. Od. 10. lib. 2. / Elias Walther, Arnstadiâ Thuringus*. Es handelt sich um ein Stammbuch des Elias Walther (über diesen vgl. E. QL X, S. 166 und BoetticherLZ I, S. 9f.), dessen erster Teil – etwa ein Viertel des Volumens umfassend – ziemlich geschlossen die Niederschrift in Tab. enthält, deren Schriftmerkmale kaum schwanken. Nach freien Bll. beginnen die Widmungseintragungen von Professoren und Kommilitonen, deren

Datierungen sind: Straßburg und Stuttgart *1664*, Tübingen, Heidelberg und Frankfurt am Main *1667*. Da E. Walther durch die Tübinger Promotion 1664 bekannt ist, darf angenommen werden, daß der Tab.-Teil wenige Jahre zuvor, wohl in der Studentenzeit aufgezeichnet wurde. Der freigebliebene Teil f. 13–21 läßt keinen Rückschluß auf eine längere Unterbrechung zu. Mit Beginn der Widmungseintragungen f. 69r (1664) scheinen keine weiteren Ergänzungen im Tab.-Teil vorgenommen worden zu sein. Der im Zusammenhang mit der Promotion 1664 bekannte Christoph Caldenbach ist f. 147r mit einem Sinnspruch (datiert 20. 5. 1667) vertreten. Bünde *a–h*, rhythmische Zeichen über dem System, Verzierungs- und Fingersatzzeichen fehlen. 1 Schreiber (Elias Walther). Dunkelbrauner Lederband der Zeit, Goldschnitt. Orig. Heftung unversehrt. (Freie Instrumentalsätze, Tänze, Arien, dt. Liedsätze.)

Literatur: Reich, S. 34.

ehemals DRESDEN, Sächsische Landesbibliothek, Handschriftenabteilung
1944 verbrannt
Aufnahme des Herausgebers 1942

Ms. Mus. J. 307.

Frz. Lt. Tab. 6 Lin. für 6chörige Cister (Cither). Um 1592–1600, Datierung 1592 (Deckel), Nachträge um 1600–1605.

47 fol. Zahlreiche unbeschriebene Seiten. 4°-obl. Titel und Besitzvermerk: f. 3r *Tabulatur Buch Auff der Cythar. Johannes Georgius Hertzogk zu Sachßen.* Ausschließlich Tab., geht nicht über das 6-Lin.-System hinaus, für Cister gleicher Chor- bzw. Saitenzahl. 1 Schreiber (sorgfältig). Brauner Lederband der Zeit, Vorderdeckel außen mit Goldpressung Mitte: *H.G.H.Z.S.* [= Hans Georg Herzog zu Sachsen] und unten: *1.5.9.2.* [Johann Georg I., Kurfürst v. Sachsen 1585–1656, ab 1611 regierend, das Ms. wurde während seines Knabenalters begonnen und wohl in seiner Jünglingszeit fortgeführt]. Abschnitt: *Folgenn Ettliche Geistliche Lieder.* (Freie Instrumentalsätze, Tänze, dt. Liedsätze.)

Literatur: WolfH II, S. 146, ein Beispiel S. 142f.; BoetticherL, S. 349 [27] (*Ms. Dr 307*); Eitner-Kade, S. 71f.; SzabolcsiT, S. 12ff.; Falkenstein, S. 347; Scheureck, fol. 738r. Schnorr v. Carolsfeld, S. 127.

DRESDEN, Sächsische Landesbibliothek, Handschriftenabteilung

Ms. J. 307^{m}

Frz. Lt. Tab. 6 Lin. für Cister bzw. Mandora. Ende des 16. Jh., Anfang des 17. Jh.

68 fol., zuzüglich 1 Vorsatzbl. (leer). Unbeschrieben f. 5v, 47–49r, 58v–68r; f. 45, 46 (nur Lin.), f. 68v (nur Schriftproben, Federübungen, wie auch an anderen Orten). Neuere Foliierung (nur der beschriebenen Blätter). 14,5 × 18,6 cm. Für 6saitige Mandora. F. 1v, 2r dt. und lat. Sprüche. Titel: f. 1r *Tabulatur Buch / Auff dem Instrument / Christianus Herzogk Zu / Sachssen.* [Christian II.

v. Sachsen regierte 1591–1611]. F. 2v–4 Orgel-Tab. Anschließend die Teile in Lt.-Tab.: f. 5r, 6–44, 49v–58r. Aus verschiedenen Faszikeln stammend. Einige orig. Zusätze in roter Tinte: Ergänzung eines dt. Incipits bei *Intrada* f. 16r und eines Satztitels *Momerej tantz* f. 17r, weitere rote Ergänzungen f. 18r etc. Im Tab.-Teil für Lt. mindestens 4 Schreiber. Mehrere Korrekturen mit dunkler erhaltener Tinte (f. 9r etc.), Streichungen. Einzelne Sätze mit orig. Numerierung (rote Tinte *Nr. 22, 23, 24, 25*), nicht in zusammenhängender Reihe überliefert. Dunkelbrauner Pergamentband, ohne Beschriftung oder Pressung. Vorderdeckel mit Resten einer Schließe. Buchrücken mit einem Pergamentstreifen beklebt. (Freie Instrumentalsätze, Tänze, dt. Liedsätze.)

Literatur: BoetticherL, S. 349 [27] (*Ms. Dr 307*[m]); Böhme II, S. 178 ff., Nrn. *154–156*; Eitner-Kade, S. 72; Falkenstein, S. 347; Schnorr v. Carolsfeld, S. 127; Scheureck, f. 738v; StęszewskaDZ, S. 83 ff.

Ms. M. 297

Frz. Lt. Tab. 6 Lin. Ende des 16. Jh., Anfang des 17. Jh., Datierung 1603 (Deckel).

103 fol. Unbeschrieben f. 14r, 16v, 31v, 37r, 62–63r, 77v, 86v, 87r, 95v, 96r. F. 1 ist auf Vorderdeckel innen aufgeklebt. 10,2 × 23,2 cm. Ausschließlich Tab. Für 10chörige Laute. Orig. Tinten-Paginierung *3–149*, p. 150 unpaginiert, anschließend neuere Bleistift-Paginierung 151–206. F. 2r: *folgenn andere noch mehr weldtliche / zunftige lieder vnnd Reimen, / Ein ander auf seine darob / verzeichnete Melodey*. Weltliche und geistliche Lieder in gew. Notenschrift, z. T. mit der Überschrift *Tantz* und nachfolgender *Proport*[io] f. 80v etc. Ein Teil dieser Texte deckt sich mit den im Tab.-Teil vertretenen Incipits. Überwiegend Texte von Liebesliedern in sauberer Kanzleischrift, in Strophen geordnet, jeweils die erste Zeile ganz oder teilweise in Schönschrift, in einigen Fällen ohne Notation. Tab.-Teile: f. 29r (rote Lin. ohne Rastral, Buchstaben etc. schwarz), f. 33v, 35v, 37v–60r, 63v, 64v, 65r, 66v–75r, 87v–90r, 96v–98r (Lin. mit und ohne Rastral, Buchstaben rot oder schwarz), f. 75v (schwarze Lin. ohne Rastral, Buchstaben rot). F. 21v, 24v, 29v, 82v, 83r Zeichnungen, hierunter f. 29v Darstellung eines Konzertes mit Lauten-, Gamben-, Viola- und Zinkenspieler. F. 41r und an mehreren anderen Orten kleinere Zeichnungen, meist am unteren Seitenrand. Signum bei dt. Texten ohne Notenschrift: *G. V. D.* und *W. I. E. S.* (f. 21r etc.). Im Tab.-Teil sind zahlreiche lat. und dt. Sprüche auf den freigebliebenen unteren Rändern aufgezeichnet. Originaler, nicht vollständiger Index auf dem Rückdeckel innen (aufgeklebtes Blatt). Der Index erfaßt auch Sätze außerhalb des Tab.-Teils. Namenszug auf dem Rückdeckel innen: *Hardwigk* (Kanzleischrift). Im Tab.-Teil 1 Schreiber, unterschiedliche Tintenfärbung (wahrscheinlich erfolgte die Niederschrift in mehreren Jahren). Pergamentband der Zeit (stark nachgedunkelt), Vorderdeckel Schwarzpressung: *B K S S* und *1 6 0 3*. Randschnitt der Blätter mit Muster

und dunkelgrüner Färbung. (Freie Instrumentalsätze, Tänze, frz. Incipit, dt. Liedsätze.)

Literatur: WolfH II, S. 103; BoetticherL, S. 351 [29] (*Ms. Dr 297*); RollinV, S. XXII. Das Ms. ist bei Eitner-Kade nicht geführt. RollinBC, S. XVII. Schnorr v. Carolsfeld, S. 528f.

DUBLIN, Trinity College Library

Ms. D. 1. 21. Sogenanntes Ballet lute-book.

Frz. Lt. Tab. 6 Lin. Ende des 16. Jh.

57 fol. Alle Seiten mit Tab. beschrieben. Orig. Paginierung (bei f. 51v fehlerhafte Zählung). Nach f. 45 ist 1 Blatt in neuerer Zeit herausgetrennt (hierdurch ist 1 Satz inkomplett). 28×19 cm. Tab.-Teile: für 6chörige Lt. solo f. 2–14r, 42–57r; für 2 Lauten f. 3–25; für Lyra Viol f. 15–22, 27v–39r. Wahrscheinlich nur 1 Schreiber. Neuerer Einband. (Freie Instrumentalsätze, Tänze, ital. Madrigale, frz. Chanson, engl. Liedsätze, lat. Motette.)

Literatur: LumsdenE I, S. 244ff.; FitzGibbon, S. 71ff.; Newton, S. 63ff.; W. Boetticher - D. Lumsden, Art. *Robert Johnson (II)*, in: MGG VII, S. 134f.; WardD, S. 111ff.; RollinV, S. XXI; TraficanteL, S. 186, 199ff.; WardSB, S. 29; WardSM, S. 131ff.; WardTD, S. 17ff.; WardHD, S. 151ff.; Byler, S. 91ff.; DartV, S. 94; Peart, S. 17ff.; TraficanteV, S. 227 (als *Nr. 8*); Edwards, S. 210; Lejeune, S. 128; HeckmannDMA, *Nr. 2/1421.*

——

Ms. D. 3. 30. Sogenanntes Dallis lute-book

Frz. Lt. Tab. 6 Lin. für Laute, Bandora, Citter. Um 1583–1590, Datierung 1583.

133 fol. Unbeschrieben f. 122r, 128v, 129r. 15,7×11,3 cm. Titel: f. 6v *Incepi Nonis Augusti praeceptore Mro Thoma Dallis Cantabrigiae A*[nn]*o 1583.* F. 7r: *Concordiae quae in fidibus Testudinis requiratur rationes.* F. 7v Diagramm zur Angabe der Stimmung und Übersicht der rhythmischen Zeichen. F. 8r Traktat (Fragment, lat.) über das Lautenspiel. F. 117r f. Verse (engl.) ohne Notenschrift, einige weitere Verse (lat.) an verstreuten Orten. F. 133r nicht lesbare Beschriftung (literarisch). F. 18r oben gew. Notenschrift, desgleichen (in 2 Systemen) f. 132v. Überwiegend Aufzeichnung in Tab. für 6chörige Lt. solo, abweichende Tab.-Teile: für 6saitige Bandora f. 112–114r; für Citter f. 129v, 132r (etc.); Lt. kombiniert mit 1 anderen Instrument f. 8v (*Grounde*); kombiniert mit 1 Singstimme in gew. Notation f. 16v, 25r, 26v, 86v, 88v–94r, 101v–105v, 106v, 108v. Vereinzelt für 2 (Nr. 218, 219) und 4 Lauten (Nr. 70, 71, 83, 84, 215, 216). Insgesamt 288 Sätze; in 3 Fällen (Nr. 63, 95, 162) *T.D.* gezeichnet. Dr. Dallis ist bei Francis Meres, *Palladis Tamia* (1598, faks. D. Cameron 1938) neben Dr. John Bull als bedeutender engl. Musiker gerühmt, er lehrte in Cambridge. Das eher konservative Repertoire läßt 1590 als obere Grenze der Niederschrift fixieren. Z. T. rote Tinte. Wahrscheinlich nur 1 Schreiber (sehr flüchtig). Dunkelbrauner Lederband der Zeit, restauriert.

(Freie Instrumentalsätze, Tänze, ital. Madrigale, frz. Chansons, dt. und engl. Liedsätze, niederl. Liedsatz, lat. Motetten.)

Literatur: WolfH II, S. 103 (als *Lute Lessons by Dr. Dallis of Cambridge*, ohne Sign.); BoetticherL, S. 356 [34] (*Ms. Du Dal.*); LumsdenE I, S. 232ff. (Titel abweichend gelesen); FitzGibbon, S. 74ff. (1 Faksimile von f. 7r und 117r S. 75); Newton, S. 65f.; Eitner QL III, S. 135 (Art. *Dallis*, ohne Sign.); SlimM 1965, S. 125, RollinV, S. XXI; WardA, S. 43ff.; Byler, S. 101ff.; WardTD, S. 17ff.; SternfeldM, S. 46ff., Faksimile nach S. 46; Wendland, S. 194; LumsdenR, S. XXXV.

DUBLIN, ARCHBISHOP MARSH'S LIBRARY

Ms. Z. 3. 2. 13.

Frz. Lt. Tab. 6 Lin. für Laute, Bandora. Um 1580, Nachträge möglicherweise erst um 1600.

215 fol. Orig. Paginierung *1–434*, hiernach 4 Seiten in jüngerer Zeit herausgetrennt. Unbeschrieben 181 Seiten (nur Lin.). 8°–obl. Überwiegend für 6- und 7chörige Laute solo und 2 Lauten; für Ensemble f. 13v, 14r, 20r, 70–83r, 91v–93, 181v, 182r, 210r; für Bandora f. 190, 199–200r. Lin. überwiegend gedruckt. Mehrere Sätze sind Fragment. 1 Hauptschreiber, möglicherweise John Johnson († 1594); fremde Hand nur f. 191–194r (wohl 15–20 Jahre später). Brauner Lederband der Zeit (stark defekt). Inliegend ein Brief von W. Barclay-Squire, den Inhalt des Ms. betreffend (um 1895). (Freie Instrumentalsätze, Tänze, ital. Madrigal, frz. Chansons, engl. Liedsätze, lat. Motette.)

Literatur: LumsdenE I, S. 249ff.; Newton, S. 64f.; SlimM 1965, S. 125; TraficanteL, S. 184; WardT, S. 28ff.; WardSB, S. 28ff.; PoultonA, S. 518; ChiesaM, S. XLI.

DUNDEE, PUBLIC LIBRARY

Ms. Wighton Collection of Music Nr. 10455.

Frz. Lt. Tab. 6 Lin. für 4- und 5saitige Viola da braccio oder Lyra Viol. Nicht vollständige Kopie eines verlorenen, 1692 datierten Ms. durch Wighton. Kurz vor Mitte des 19. Jh.

Es handelt sich um 1 Volumen, überwiegend gew. Notenschrift, 4°, von der Hand des Andrew John Wighton (* 1804 Cargill [Perthshire], † 1866 Dublin), der um Sammlung engl., namentlich schott. Volksmusik bemüht war. Sein Nachlaß, 492 Bände, wurde 1884 als "*Wighton Collection of Music*" der Public Libr. Dundee einverleibt. Im vorliegenden Volumen, jüngere Signatur 10455, findet sich als Tab.-Teil f. 60v–64r eine nicht vollständige Kopie einer verlorenen Vorlage, die Wighton f. 60v (und analog f. 61v) bezeichnet: *The following Tunes are copied out of a copy of the Blackie Manuscript Dated / 1692, in the possession of Mr James Darie Aberdeen* ... Andrew Blaikie (nicht *Blackie*) war Drucker, Sammler in Paisley. Wie Wighton bemerkt, konnte er das Ms. nicht erwerben, sondern nur z. T. abschreiben. Über Wighton vgl. Willsher, S. 12f. (28f.). Seine Kopie enthält 40 Sätze der Vorlage, und zwar mit den Satzbezeichnungen, vollständiger Tab. und zugehöriger Ordnungszahl des Satzes. Er führt – der orig. Reihe keineswegs folgend – als höchste Ordnungszahl *112*, mithin sind bestenfalls zwei Fünftel der Vorlage überliefert. Dabei scheint Wighton nur die engl. bzw. schott. Liedsätze kopiert zu haben, nicht aber die Liedsätze fremder Provenienz und die Freien Instrumentalsätze, mit deren Existenz gerechnet werden kann. Die Vorlage ist durch einen weiteren Zeugen, David Laing, verbürgt, der 1839 in seinen krit. Anmerkungen *(Illustrations of the Lyric Poetry and Music of Scotland, part II)* zu dem Neudruck des Sammelwerks Johnson (s. u.) bezüglich Lied Nr. CXCII *Auld Rob Morris* bemerkt: *This air occurs in a MS. collection, dated 1692, belonging to Mr Blaikie, Paisley, and is called "Jock the Laird's Brother"*. Wighton war, wie seinem Vermerk f. 60v zu entnehmen ist, dieser Quellenhinweis Laings bekannt (der fragliche Liedsatz ist in seiner Kopie des Ms. Blaikie erhalten). Er verweist ferner auf das "*Ms. Skene*" betr. Konkordanz einzelner Sätze (vgl. Edinburgh, Nat. Libr., Ms. *Advocates 5 – 2 – 15*). Da Wightons Handexemplar von Johnson, den er anführt, mit hs. Besitzvermerk *1847* signiert ist (ibid. Dundee), dürfte seine Kopie noch kurz vor Mitte des 19. Jh. erfolgt sein. Verlust der Vorlage wohl 1850–1870. Sie führte *end*-Vermerke, am Satzende Stimmungsbezeichnung: *harp Sharp* oder *High Harp Sharp* (wenn fehlend, schreibt Wighton: *The tuning not mark^d^ in the Copy*). Überwiegend für 4-, in einigen Fällen für 5saitige Viola da braccio (oder Lyra Viol). Sonderzeichen: ♯, ‿, 3 Punkte unter Buchstaben (auch bei leerer Saite). Über Schreiber, deren Zahl und Einband fehlen Nachrichten.

Literatur: Fehlend. Kurzer Vermerk durch WillsherW, S. 12f. (28f.); David Laing in Johnson, vol. II, S. 222; Musica Britannica XV, [1]/London 1958, S. 202 (Quellen-Verzeichnis). Ferner Linton, S. 93; Wooldridge, S. 121, Kidson, S. 701; TraficanteV, S. 242 (als *Nr. 35*); TraficanteL, S. 197f.

EDINBURGH, THE NATIONAL LIBRARY OF SCOTLAND, DEPARTMENT THE ADVOCATE'S LIBRARY

Ms. Adv. 5–2–15. 1925 überführt aus The Advocate's Library, Edinburgh.

Frz. Lt. Tab. 4 Lin. für Mandora. Um 1615–1635. Sog. John-Skene-of-Hallyards Lute Book.

125 fol. zuzüglich (nach 2 jüngeren) 1 orig. Vorsatzbl. (f. Iv nur Federproben); 2 Nachsatzbll. nicht orig. Unbeschrieben f. 22v, 68v–69, 93v, 104v–105 (nur Lin.); f. 23, 24, 31–39, 53–55, 70, 71, 94, 106–107r, 108v, 109v (leer bzw. jüngere Beschriftung mit Faszikel-Nrn.). ca. 10,5 × 15 cm. Tab.-Teil: f. 1–22r, 25–30, 41–52, 56, 72–93r, 95–104r, 112–125. Für 4- und 5saitige Mandora. Vor f. 49 ist 1 Bl. herausgerissen, dem Falz zufolge war mindestens die Vorderseite mit Tab. beschrieben. Orig. Paginierung *1–85*, das Vorsatzbl. mitzählend (führt bis f. 42r), anschließend neuere Bleistift-Paginierung 86–252. Orig. Vorsatzbl. Ir Besitzvermerk, Tinte: *Magister Johannis Skine . . .* (am Rand der neuere Stempel der Advocate's Libr.), f. 94r: *Mr Joannes Skeine His book*

(mit gekritzelten Zeichen in gew. Notenschrift, ohne Lin.), diese Eintragung befindet sich in Faszikel VI (s.u.). Der Name ist erneut nach einem *finis*-Vermerk f. 22r festgehalten. John Skene of Hallyards, Midlothian, † 1644, war vermutlich der Schreiber. Miss Elizabeth Skene of Curriehill and Hallyards, Ur-urgroßenkelin des vorgenannten, vermachte 1818 das Ms. der Advocate's Libr. Die Datierung bei Simpson, S. XXXII ist wahrscheinlich 25–50 Jahre zu spät angesetzt. Korrekturen: f. 11r, 19r, 64r etc. *finis*-Vermerke. Fingersatz: *1, 2, 3, 4* über bzw. neben rhythmischen Zeichen. Hinweise zum Spiel: f. 33r *To tune the Mandur ester / the old tune of the / f lute* (abbrechend), f. 40r, 40v Traktat, überschr.: *To tune the Mandur / to the old tune of the Lutt* (beginnend: *To tune by the . . .*, vorausgesetzt ist die 5saitige Mandora, es heißt ausdrücklich *the fift greatest stringe*), f. 109r analog Beschreibung der Stimmung der Mandora, f. 110–111 der Laute (überschr.: *To tune the Lut to the sharp tune*, der Text führt bis *the tenth cord*, d.h. 10chörige Laute, ein entsprechender Tab.-Teil fehlt jedoch im Ms.). F. 25r Anweisung zum Stimmen der 4saitigen Mandora in Tab. F. 107v kopfstehend Übersicht der rhythmischen Zeichen, f. 108r kopfstehend engl. Gedicht. Das Ms. besteht aus 8 Faszikeln, deren Blattgröße untereinander etwas abweicht. Übersicht der Faszikel Vorsatzbl. Ir (jünger, Tinte), demnach: Fasz. I = Vorsatzbl. und f. 1–23 (statt I ist irrig *II* notiert), II = f. 24–31, III = f. 32–54, IV = f. 55–70, V = f. 71–93, VI = f. 94–108, VII = f. 109–111, VIII = f. 112–125. Die Zählung bei Dauney, S. 5ff. führt nur bis Fasz. VII. 1 Schreiber (s.o.). Neuerer mittelbrauner Lederband mit Siegel und Signatur der Nat. Libr. in Goldpressung. Auf nicht orig. Vorsatzbl.: *The Advocate's Library / Edinburgh.* (Freie Instrumentalsätze, Tänze, engl. bzw. schott. Liedsätze, lat. Motetten.)

Literatur: WolfH II, S. 123; kurz erwähnt bei Farmer, S. 192 und LandTh, S. IX; Dauney, Einleitung S. 5ff. (*Desciption of the Skene MS. and its Contents*) und Übertragung von 85 Sätzen; Simpson, S. XXXIIff.; WardSB S. 28ff.; WardSM, S. 131ff.; ChappellC, Abschnitt *Remarks on the tunes* (1840), S. 189; ShireS, S. 257f., 265; Musica Britannica XV, London 1/1958, 2/1962, Quellen-Verzeichnis S. 202; BoetticherL, S. 360 [37] (*Ms. Ed. Sk*).

Ms. Adv. 5–2–18. Moderne Kopie (1847) des seither verschollenen sog. *Straloch Lute Book* (um 1627–1629) des *Robert Gordon of Straloch in Aberdeenshire*, durch G.F. Graham. Reid-Fund.

Diese Kopie wurde hergestellt von George Farquhar Graham 1847, mit Beischrift auf Vorsatzbl. Ir: *This MS is respectfully presented to the Faculty of Advocates Edinburgh by their obedient servant George Farquhar Graham, 25th November 1847.* 22 fol., enthaltend: Beschreibung, Herkunft des Ms. f. 1–3r, Übersicht der Sätze, vorkommenden Stimmungen f. 3v–5r, Erläuterung des verwandten 14chörigen Lautentyps f. 5v, vollständiger Index der Sätze unter Angabe der orig. Datierung *1629* f. 6r–7r. Ein Auswahl der Sätze in Tab. schließt an: f. 8–21. Eine zusätzliche Datierung bei dem Satz *Hunter's Carrier Mense marte 1627* ist festgehalten. Den Angaben der Kopie zufolge handelte

es sich um eine Frz. Lt. Tab. 6 Lin. Beiliegend ein Brief von J. Muir Wood vom 17. 10. 1884 mit weiteren Bemerkungen zum Ms. Straloch und einigen Verbesserungen der Kopie Grahams. Der Kopist Graham bemerkt, er habe nicht sämtliche Sätze in Tab. abgeschrieben, die Satzbezeichnungen im Index jedoch vollständig aufgeführt. Das Ms. Straloch befand sich seit Juni 1781 im Besitz von Charles Burney, der es von George Skene (Prof. of Humanity and Philosophy in Marischal College in Aberdeen) erworben hatte. Nach Burneys Tod (1814) übernahm es James Chalmers, London († 1847); W. Chapell teilte Graham am 9. 9. 1845 mit, er wisse nicht, wo das Ms. aufbewahrt werde. Einige Angaben des vorliegenden Ms. Graham werden durch Dauney präzisiert: die verlorene Vorlage umfaßte 92 fol. (8-obl., einige Bll. verheftet). Überwiegend für 7chörige Laute, vereinzelt (Beischrift Satzbezeichnung) für 14chörige Theorbe. F. 1r Vermerk Burneys über Erwerb 1781. F. 1v Federzeichnung: Lautenspieler (Gordon ?). Am Beginn des Tab.-Teils: *Αναφαιρετον παιδεια βρωτοισ. Anno Domini 1627. Februario*, ferner (Dauney, S. 368): *An Playing Booke for the Lute. Where in ar*[e] *contained many cvrrents and other mvsical things. / Musica mentis medicina moestoe. At Aberdein, Notted and collected by Robert Gordon. In the year of our Lord 1627. In Februarie.* Am Ende (dieser Text auch exakt im Ms. Graham wiedergegeben): *Finis huic libro impositus. Anno D. 1629. Ad finem. Decem. 6. In Stra – Loth.* (Freie Instrumentalsätze, Tänze, engl. bzw. schott. und frz. Liedsätze.)
Es war dem Herausgeber des Katalogs nicht möglich, das *Straloch*-Ms. wieder zu ermitteln, über dessen Inhalt ein exaktes Verzeichnis aller vorkommenden Satzbezeichnungen und Komponistennamen vorliegt.

Literatur: Original: Dauney, S. 368 (kopiert und zitiert nach Autopsie um 1838). – Kopie: LumsdenE I, S. 257ff.; WolfH II, S. 104 (bezeichnet als *Gordon Lute Book* und als *Ms. Taphouse, Oxford* zugewiesen); Versteigerungs-Katalog Sotheby, Wilkinson & Hodge, London 1905, S. 49, als *Nr. 510* (erworben aus der Sammlung Taphouse, Oxford); Newton, S. 65; BoetticherL, S. 360 [38] (*Ms. Ed Str*); NewcombL, S. 132; RollandM, S. 97; Diem, S. 18ff.; AnonymStr, S. 122ff.; ShireS, S. 266; Musica Britannica XV, S. 202; Farmer, S. 192; LumsdenS, S. 21; Katalog Edinburg I, S. 50 (*Nr. 349*).

Ms. Adv. 5–2–19.

Es handelt sich um eine neuere Kopie (abgeschlossen 1847) des Ms. Newcastle, Univ. Libr., White 42 (Tab. für Viola des Dr. J. Leyden), das erst jüngst wieder ermittelt werden konnte und längere Zeit als verschollen galt, vgl. S. 233f. Schreiber ist George Farquhar Graham. 68 fol., hierin f. 6–8 Beschreibung der Vorlage, f. 9–11r Verzeichnis aller Sätze, f. 12v–13r Übersicht der vorkommenden Tab.-Zeichen (datiert März 1838), f. 19–61r Kopie der Tab. (ohne Übertragungen in gew. Notenschrift), vollständig, mit der orig. Numerierung der Sätze 1–81, 2 weitere Sätze ohne Numerierung wie im Original anschließend.

Literatur: Kurze Erwähnung bei Farmer, S. 192 und ChappellC, Abschnitt *Remarks on the tunes* (1840), S. 129; ShireS, S. 266; TraficanteV, S. 227 (als *Nr. 9*); Kidson, S. 701.

EDINBURGH, THE NATIONAL LIBRARY OF SCOTLAND

Ms. 5777.

Frz. Lt. Tab. 5 Lin. für 4saitige Viola da braccio. Um 1670–1680.

71 fol. Mehrere Seiten unbeschrieben (nur Lin.). 13,5×17,5 cm. Es handelt sich um eine Sammlung von Tänzen, Airs etc. für Violine in gew. Notenschrift, wobei als Komponisten genannt sind: [Matthew] *Locke*, [Raphael] *Courteville*, *Clayton*, [Louis] *Grabu*, *Baptista* [wohl J.-B. Lully], [Robert] *Smith*, [John] *Jenkins*. Von abweichender Hand ist der Tab.-Teil notiert: f. 70, 71. Frz. Lt. Tab. 5 Lin. (vorgedruckt, wie in dem nichtintavolierten Teil des Ms.), für 4saitige Lyra (Viola) da braccio; beschriftet sind nur die 4 oberen Lin. des Systems. 2 Schreiber. Die Notierung erscheint kopfstehend am Ende des Ms. Angeschlossen – ebenfalls kopfstehend – ist vom Hauptschreiber des nichtintavolierten Teils nach 5 freien, nur mit Lin. vorgedruckten Seiten in gew. Notenschrift eine Reihe von Tänzen: f. 67v 66r. Dies macht eine gleiche Zeitlage des Tab.-Teils wahrscheinlich. Die Nachbarschaft von Violinsätzen legt nahe, daß die Tab. für Armgeige (nicht Citter) bestimmt ist. 1 Punkt unter und über dem Buchstaben; vereinzelt 2 Punkte (f. 70v, Mitte). Die Schreiber waren mit frz. und engl. (schott.) Repertoire vertraut; engl. Provenienz. Im nichtintavolierten Teil ist einer der Schreiber mit demjenigen des Ms. 9454 (Ms. Panmure/ Dalhousie Nr. 7), ohne Tab., mit ähnlichen frz. und engl. Sätzen, um 1675, identisch. Vermerke eines Besitzers und Schreibersiglen fehlen. Mittelbrauner Lederband der Zeit mit spärlicher Blindpressung, stark abgeschabt. (Freie Instrumentalsätze, Tänze.)

Literatur: Fehlend.

Ms. 9449. Leihgabe der Privatbibl. des Earl of Dalhousie (seit 1957), dortiges *Ms. Panmure House Music Book Nr. 8.*

Frz. Lt. Tab. 6 Lin. für Laute. Mitte des 17. Jh. bzw. um 1665–1670. Sog. Lady-Jeane-Campbell's Music Book.

74 fol., zuzüglich 3 Vorsatzbll., hiervon das erste lose inliegend (f. Ir, IIv–III leer). Unbeschrieben f. 43v–74r (leer). 13,5×19 cm. Tab.-Teil: f. 10v–43r. Für 12chörige Laute (bis *////a* bzw. „5“). Die Aufzeichnung dürfte ca. 25 Jahre später als der vorangehende Teil in gew. Notenschrift (f. 3–10r) erfolgt sein, der der älteste des Ms. darstellt (um 1635) und Sätze für Virginal festhält (hierunter 2 Sätze mit Vermerk *Orlando* [= Orlando Gibbons]). Tab.-Teil dunklere Tinte, flüchtigere Schrift, anderer Schreiber. Aus dem Tab.-Teil sind keine Bll. entfernt. Exakter Fingersatz 1, 2 Punkte und Strich f. 20r, 23v, 24r, 42v, 43r, sonst spärlich. Ausstreichung von Tab.-Systemen: f. 23v; Korrekturen: f. 11v etc. Angaben zur Umstimmung: f. 27r etc. Vorsatzbl. Iv Schriftproben (*Monsieur Dozell* etc.) und Besitzvermerk: *Jeane Campbell;* Vorsatzbl. IIr: *This booke Ave / Ladie Jeane Campbell.* 2 weitere Zeilen sind auf der gleichen

Seite bis zur Unkenntlichkeit ausgestrichen, darin bleibt noch erkennbar: *Jeane Campbell.* Mindestens 2 Schreiber, A = f. 10v–29. Engl. Provenienz (engl. Vermerke zum Umdrehen der Seite etc.). Das durchweg unbezeichnete Repertoire ist – wie durch Konkordanz zu ermitteln – überwiegend frz. und entstammt der Mitte des 17. Jh. F. 73v 1 Zeile literar. Eintragung: *The maner of man kynd ...* F. 74v engl. geistl. Gedicht (nicht auf Tab.-Teil bezüglich). Pergamentband der Zeit, stark abgeschabt. Orig. Heftung unversehrt. Stümpfe von 2 Lederschließen. Vorder- und Rückdeckel außen schwarz eingepreßt: *I C* mit Vignette (Initialen der Lady Jeane Campbell). (Keine Satzbezeichnungen.)

Literatur: RollinD, S. XVI; RollinG, S. XVII (als *Ms. Dalhousie Nr. 8*). – Zu den Virginalsätzen des Ms. vgl. *Early Scottish Keyboard Music*, ed. Kenneth Elliott, London 1958; Linton, S. 94.

Ms. 9450. Leihgabe der Privatbibl. des Earl of Dalhousie (seit 1957), dortiges *Ms. Panmure House Music Book Nr. 11.*

Frz. Lt. Tab. 4 Lin. für Cittern. Um 1635.

79 fol., fast alle Seiten beschrieben, außer Tab. mit gew. Notenschrift und engl. Texten. 21 × 14,5 cm. Tab.-Teil: f. 41–43r. Für 4saitige Cittern, 4 Lin., eng beschriftet. Zugehöriger Index (orig.) f. 45r, die dazwischen liegenden Seiten f. 43v–44 sind leer geblieben. Tab.-Teil und Index gleicher Schreiber. Ausstreichung von je zwei halben Systemen f. 42r. *bis*-Vermerke. Der Tab.-Teil erscheint in der Hs. isoliert, vor und nachher freigelassene Seiten. Zeitlage identisch mit den nichtintavolierten Teilen des Ms. Es handelt sich um das Commonplace Book des Robert Edward (Edwardes), minister of the Murroes, Parish Church in Angus. Edward stand in freundschaftlichem Kontakt zur Familie des benachbarten Panmure House, das das Ms. überliefert hat. Aufgezeichnet sind in gew. Notenschrift u.a. Tänze, Madrigale, Psalmsätze, Lieder, Begleitbässe, einzelne Common Tunes nach dem engl. Psalter von 1615. Ein beträchtlicher Teil dieser Tunes ist schott. Provenienz, was auch für die intavolierten Sätze gilt. In kopfstehender Beschriftung eine Kopie eines Musiktraktats, mit Diagramm nach Guido von Arezzo. F. 55v ist der auf den Tab.-Teil folgende Abschnitt in gew. Notenschrift überschr.: *Heir ar certane Italian / songs uithout any letter or name / sounge in thrie pairts, cantus tenor / and Bassus.* Der nichtintavolierte Teil enthält zahlreiche frz. Chansons und ital. Madrigale, u.a. Sätze von O. di Lasso, sonst überwiegt das schott. Repertoire. Von den Sätzen im Tab.-Teil sind 13 schott., 8 engl. (insgesamt 21). In gew. Notenschrift u.a. 20 Sätze für Virginal. Zufolge orig. Index ist der Tab.-Teil nicht vollständig überliefert, es schlossen sich noch 21 Sätze an, ferner muß 1 Bl. vor f. 43 entfernt worden sein, auf dem sich 11 intavolierte Sätze befanden, die der Index festhält. Umgekehrt wurde 1 Satz von gleicher Hand (abweichende Tinte, flüchtiger) nachgetragen, der im Index nicht geführt ist,

mithin ist mit einem Nachtrag im Abstand einiger Jahre zu rechnen. Moderner Einband (orig. Decken nicht überliefert), Heftung defekt. (Freie Instrumentalsätze, Tänze, engl. bzw. schott. Liedsätze.)

Literatur: DartC, S. 46ff. (Sep.-Druck S. 10ff.); WillsherS, S. 581; DartCC, S. 112ff. (geführt als *Ms. Dalhousie Nr. 11*); Farmer, S. 197. Zum nichtintavolierten Teil und zur Provenienz vgl. Elliott S. 50 ff., ShireS, S. 230f., 233, 265, ShireE, S. 43ff. Einige literar. Beigaben des Ms. sind ed. in H.M. Shire, *Ninth of May Series*, vol. I, III, IV, Edinburgh 1960, 1962, 1969. – 5 Sätze der Cittern-Tab. ed. in Early Scottish Keyboard Music, Nr. 11–15, 14 Sätze aus dem Teil für Virginal in Musica Britannica XV, London 1962, vgl. dort auch das Quellen-Verz. S. 201; Linton, S. 94. BoetticherLZ non est.

Ms. 9451. Leihgabe der Privatbibl. des Earl of Dalhousie (seit 1957), dortiges *Ms. Panmure House Music Book Nr. 4.*

Frz. Lt. Tab. 6 Lin. für Laute. Mitte des 17. Jh.

20 fol., zuzüglich je 1 Vorsatz- und Nachsatzbl. (leer). Unbeschrieben f. 6r, 15r (nur Lin.). 15,5 × 21 cm. Tab.-Teil: f. 1–5, 6v–14, 15v–20. Für 12chörige Laute (bis *////a*). Ausschließlich Tab. Streichungen: f. 15v etc. Lin. vorgedruckt (ohne Angabe der Offizin). Angaben zur Stimmung, mit Vermerk: *lacorde, L'accord, bemol tuninge, sur laccord de gaultier d'Angleterre, mesme ton* (f. 18r) etc., auch zur Umstimmung einzelner Saiten (f. 20r) etc. 1 Satzbezeichnung ist nach Durchstreichung orig. geändert (f. 9v). Sondervermerk bei einer *allemande de Gaultier d'angleterre* f. 17r: *de sa derniere composition.* Heftung unversehrt, kein Tab.-Verlust. 2 Schreiber, wohl frz. Provenienz. Dünner Pappband der Zeit, stark abgenutzt, außen z.T. tintenfleckig. (Freie Instrumentalsätze, Tänze.)

Literatur: RollinC, S. XXI; RollinG, S. XVII (als *Ms. Dalhousie Nr. 4*); Linton, S. 94.

Ms. 9452. Leihgabe der Privatbibl. des Earl of Dalhousie (seit 1957), dortiges *Ms. Panmure House Music Book Nr. 5.*

Frz. Lt. Tab. 6 Lin.; Frz. Git. Tab. ohne Alfabeto, mit und ohne Golpes.

59 fol., zuzüglich 1 Nachsatzbl. (dessen oberes Drittel waagrecht abgerissen, Tab.-Verlust). Unbeschrieben f. 15r, 25v, 27r, 47r (nur Lin.). 13 × 20,3 cm. Tab.-Teile: I. Frz. Lt. Tab. 6 Lin. für 10chörige Laute f. 1–14, 15v–25r, 26, 27v–46, 47v–58, f. 58v abweichend statt mit Tinte Aufzeichnung mit Bleistift, sehr flüchtig (2 Sätze, von dem letzteren nur Anfang); II. Frz. Git. Tab. 5 Lin., ohne Alfabeto, ohne Golpes, rhythmische Zeichen auf- und abwärts kaudiert auf oberster Lin., für 5saitige Gitarre Nachsatzbl. Ir (Fragment); III. Frz. Git. Tab. 5 Lin., ohne Alfabeto, mit Golpes über dem Lin.-System und weiter darüber angeordneten rhythmischen Zeichen, für 5saitige Gitarre Nachsatzbl. Iv (Fragment). Im Tab.-Teil I Lin. vorgedruckt (ohne Angabe der Offizin), in

Tab.-Teil II, III hs. Obwohl das Volumen mit einem vollen Satz beginnt, ist auch vorher ein Tab.-Verlust nicht auszuschließen (5 Falze, ohne erkennbare Beschriftungsreste). F. 58v 1 Zeile gew. Notenschrift (kopfstehend, Tinte, einstimmig, unbezeichnet, ohne Textierung). Tab.-Teil I mit exaktem Fingersatz: 1–4 Punkte. Mindestens 3 Schreiber. Dunkelbrauner Lederband der Zeit, stark abgeschabt, auf Vorder- und Rückdeckel Goldpressung (Rosette und Randleisten), desgleichen auf Buchrücken. Schnitt rot gespritzt. Rückdeckel innen auf dem oberen Lederrand, Tinte: *Henry Murray is a gentleman . . .*, ferner Federübungen (Buchstaben, jedoch keine Initiale). Papier wurmstichig. (Freier Instrumentalsatz, Tänze.)

Literatur: Fehlend. Hinweis nur Linton, S. 94. Jüngst RollinM, S. XXV, Faksimile S. XXI.

——

Ms. 9477. Leihgabe durch Miss E.B.K. Gregorson (seit 1957).

Frz. Lt. Tab. 4 Lin. für Cittern. Um 1660–1665. Sog. Alexander-MacAlman's-Music Book.

76 fol., hiervon mehrere Bll. zur Zeit lose inliegend. Mehrere Seiten unbeschrieben (nur 6 Lin.). 14×21 cm. Tab.-Teil: f. 73, 74, Frz. Lt. Tab. 4 Lin. Für 4saitige Cittern. Beginnend und endend mit vollem Satz. F. 74v unten: *mackalman;* dieser dürfte der einzige Schreiber der Tab. gewesen sein, ca. 20 Jahre nach den frühesten Aufzeichnungen in diesem Volumen. Fingersatz f. 73v: Strich und 1, 2 Punkte. Bei dem nichtintavolierten Teil des Ms. handelt es sich um eine Sammlung von textierten und nichttextierten Melodien (mehrere davon sind als Psalm bezeichnet) in gew. Notenschrift, um 1643; Schreiber war Edward Millar (seit 1635 Leiter der Chapel Royal of Scotland). Um 1660 erwarb das Ms. Alexander MacAlman (Dean of Argyll), später gelangte es in Besitz des Rev. Colin Campbell of Achnaba (minister of Ardchattan). Die Psalmmelodien gehen auf den von E. Millar 1635 edierten Psalter zurück, sie sind meist auch in der Reihenfolge des Drucks aufgezeichnet. Im Teil der fragmentarischen vierstimmigen Sätze, von denen nur der Tenor (Liedsubstanz) notiert ist (der Raum für „*Contra*", „*Treble*" und „*Bass*" ist freigelassen), erscheinen Name und Datum am Schluß, f. 61v: *E. Millar. / 13 aprile 1643.* Nach f. 72 sind mindestens 17 Bll. herausgerissen, wobei bis Falz 5 noch 6 Lin. erkennbar sind, so daß ein Tab.-Verlust (4 Lin.) ausgeschlossen werden kann. F. 76v für den Tab.-Teil unverbindliche Eintragungen, u.a. *Dunollich, Jun. 26. 1660*, ferner: *January 6. 1660.* Stark nachgedunkelter Pergamentband der Zeit, stark abgeschabt. Reste von 2 Lederschließen. (Engl. Liedsatz.)

Literatur: Fehlend. – Ein Hinweis auf den nichtintavolierten Teil des Ms. bei ElliottT S. 24ff. Sätze aus dem vierstimmigen nichtintavolierten Teil in Musica Britannica XV, Nr. 45, 46. Literar. Beigaben (ohne Notenschrift) des Ms. sind ed. in H.M. Shire, *Sir Robert Aytoun, a selection of poems edited and published in the Ninth of May Series*, vol. II, Cambridge 1961.

K. 33. b. Früher Advocate's Libr., Vorsatzbl. Ir hs.: *Ex Libris Bibliothecae Facultatis Juridicae Edinb:* Dort ältere Signatur: *N.3.27.*

Handschriftliche Eintragungen in den Druck *ΑΡΧΙΜΗΔΟΥΣ ΤΟΥ ΣΥΡΑΚΟΥΣΙΟΥ . . ., Archimedis Syracusani Philosophi ac Geometrae excellentissimi opera . . .*, Basel 1544.

Frz. Lt. Tab. 6 Lin. Um 1580.

Tab. Teil: Auf 2 Seiten, die nach dem angebundenen Druck *EVTOCII ASCALONITAE IN Archimedis libros . . .*, Basel 1544 unbedruckt sind (mithin im Volumen nach pag. 65 die anschließende Rückseite des Bl. und die Vorderseite eines folgenden Bl.). Frz. Lt. Tab. 6 Lin. Für 6chörige Laute. Fingersatz: 1 Punkt. Mehrmals ♯-Vorschrift. 1 Schreiber, sorgfältig; er ist möglicherweise identisch mit dem Schreiber, der im vorangebundenen Druck f. 2r, 3r am Rand lat. Glossare hinterlassen hat. Besitzvermerke auf dem Titel des Drucks: *Basill Konnett 1578*, darunter: *Johan: sargonson / verus possessor.* Brauner Lederband der Zeit. (Tänze.)

Literatur: Fehlend.

EDINBURGH, UNIVERSITY LIBRARY

Ms. 487. Sogenanntes William Mure of Rowallan lute-book. Laing Bequest III.

Frz. Lt. Tab. 6 Lin. Um 1620. Datierung 1615.

25 fol., zuzüglich 2 Vorsatzbll. (jeweils Vorderseite beschriftet). Orig. Paginierung (wahrscheinlich fehlerhaft), Kollationierung f. 24, 25 nicht original. 50 mit Tab. beschriebene Seiten. 18,4 × 13,8 cm. Für 7- bis 9chörige Laute. Besitzvermerk: Vorsatzbl. Ir *Anna Hay*, ferner 6 Zeilen lat. Text; Vorsatzbl. IIr *My lade bekluch her book.* Tab.-Teil f. 1–25. 1 Hauptschreiber. F. 12v: *Sr. William Mure.* Jüngerer Einband. (Tänze, frz. Chanson, engl. Liedsätze, lat. Motette.)

Literatur: LumsdenE I, S. 260f.; Newton, S. 64f.; WolfH II, S. 103 (ohne Sign.); BoetticherL, S. 360 [38] (*Ms. Ed Row.*); Farmer, Bildtafel *VIII* (1 Faksimile von f. 9v, 10r); LumsdenA, S. 61; ShireS, S. 213f.; Musica Britannica XV, S. 201.

Ms. Dc. 5. 125.

Frz. Lt. Tab. 6 Lin. Um 1590–1605.

95 fol. Unbeschrieben f. 10r, 11r, 14r, 29r, 39v, 40r, 55r, 56–58r, 63r, 75r, 80v, 81r, 86v, 87r, 93r. 28 × 21 cm. F. 1v *per non mostrare il mio dolore.* Tab.-Teil f. 2–95, für 6chörige Laute. F. 3, 9v, 10v, 15, 44 sind die Sätze stark defekt. F. 86–95 ist die untere rechte Ecke jedes Blattes in fortschreitendem Maße abgebröckelt, so daß die Schlüsse mehrerer Sätze fehlen. Der größere Teil der Sätze ist unbezeichnet. Mindestens 2 Schreiber. Dunkelbrauner Lederband der Zeit, Goldpressung (stark abgenutzt) auf Vorder- und Rückdeckel mit

Monogramm: *I B.* F. 95v Hauptschreiber: *finis* s[cri]*p*[sit] *me . . . Thistlethwaite.* Originale Bänder der Heftung unversehrt. (Freie Instrumentalsätze, Tänze, ital. Madrigale, lat. Motette.)

Literatur: LumsdenE I, S. 263ff., SlimM 1965, S. 125.

——— Ms. Laing Bequest III. 111.

Frz. Lt. Tab. 4 Lin. für Viola. Um 1660–1685. Sog. James-Guthrie-Music Book.

228 fol. Orig. Paginierung *1–165*, anschließend neuere Paginierung 166–452, es folgen unpaginiert noch 2 Schlußbll., die zur Hälfte abgerissen sind. Mehrere Seiten unbeschrieben. 13,5 × 8,3 cm. Tab.-Teil: f. 147–151r, 152, 153. Frz. Lt. Tab. 4 Lin. Für 4saitige Viola (*Lyra-Violl*). 1 Schreiber, sehr flüchtig. Der Satz ist spärlich akkordisch und gibt überwiegend nur Melodien wieder. Die Aufzeichnung ist f. 151v durch eine (nicht zur Tab. gehörige) literar. Eintragung unterbrochen. Einzelne Sätze sind ausgestrichen (f. 147r, 147v, 148r, 152v, 153v). F. 152v Vermerk: . . . *a on the string next the treble.* Bei dem Volumen handelt es sich um lat. und engl. Abschriften von Lehrwerken nichtmusikalischen Inhalts von der Hand des James Guthrie, beginnend mit: *Summa Doctrina Sophisticae.* Es folgt eine Sammlung von *Proverbs*, *Psalms*, *Ecclesiastes or the Preacher*, ferner f. 146r *The whole / Song of Salomon / The whole.* Besitzvermerk: f. 3v *John Ffinlasone oueght / This Book and if this / book . . . / 1699;* ibid. und f. 1r, 3r weitere Besitzvermerke mit Namen, Daten (*1699*, *1819*). Vorsatzbl. Ir jüngste Eintragung: *D. Laing 1837.* F. 228r (defekt) unten Datum: *1661;* f. 228v (defekt): *James Guthrie.* Möglicherweise ist dieser auch der Schreiber des Tab.-Teils. Jüngerer brauner Lederband. Buchrücken neueres Schild: *Sermons by Jas. Guthrie Music etc.* (Freie Instrumentalsätze, Tänze, engl. bzw. schott. Melodien bzw. Liedsätze.)

Literatur: WolfH II, S. 240; ShireS, S. 265; weitere kurze Erwähnungen bei Farmer, S. 192, Plamenac, S. 144f. und Musica Britannica XV, 1/1958, Quellen-Verzeichnis S. 201.

ehemals ETWALL HALL (Derbyshire), Bibliothek eines ungenannten Adligen

* Ms. ohne Signatur.

Frz. Lt. Tab. 6 Lin. 1. Drittel des 17. Jh.

Umfang des Ms. und Repertoire nicht näher bekannt. Der Verfasser konnte 1970 in Etwall Hall und durch Nachforschungen an anderen Orten über den Verbleib der Hs. nichts ermitteln. Einzige Quelle ist E.F. Rimbault, *Bibliotheca Madrigaliana*, London 1847, und *Little Book of Songs and Ballads*, London 1851, hiernach zitiert bei LumsdenE I, S. 28. Es dürfte sich um ein Repertoire engl. Provenienz gehandelt haben.

Literatur: Fehlend.

FIRENZE, BIBLIOTECA NAZIONALE CENTRALE

Ms. Fondo Magliabechiano, classe XIX, codice 24. Alte Signatur (Vorsatzbl. Ir): *B. 24.* Herkunft: Magliabechi.

Ital. Git. Tab. Nur Alfabeto. 1. Hälfte des 17. Jh.

43 fol., zuzüglich 1 Vorsatzbl. (Vorderseite leer). Orig. Foliierung (Tinte) *1–42*. F. 43 Foliierung in neuerer Zeit ergänzt. Unbeschrieben f. 1r, 43v (leer). 22×16 cm. Tab.-Teil: f. 1v, 2v, 3v, 4v, 5v, 6v, 7v, 8v, 9v, 10v, 11v, 12v, 13v, 14v, 15v, 16v, 17v, 18v, 19v, 20v, 21v, 22v, 23v, 24v, 25v, 26v, 27v, 28v, 29v, 30v, 31v, 32v, 33v, 34v, 35v, 36v, 37v, 38v, 39v, 40v, 41v, 42v. Für 4- bzw. 5saitige Gitarre. Nur Alfabeto (kleine, seltener große Buchstaben über einer Akkolade von 2 Systemen in gew. Notenschrift, z. T. auch 3 Systemen, mit und ohne Baßstimme, Durchtextierung). Weitere Strophen ohne Tab.-Zeichen. Vorsatzbl. Iv orig. Index (alfabetisch, den ganzen Faszikel betreffend). 1 Schreiber. Pergamentband der Zeit (restauriert, mit jüngeren Vorsatzbll.). Buchrücken außen: *CANTATE DIVERSE.* (Ital. Madrigale.)

Literatur: Becherini, S. 7 (*Nr. 8*).

———

Ms. Fondo Magliabechiano, classe XIX, codice 25. Alte Signatur (Vorsatzbl. Ir): *B. 25.* Herkunft: Magliabechi.

Ital. Git. Tab. Nur Alfabeto. Mitte des 17. Jh.

32 fol., zuzüglich je 1 Vorsatz- und Nachsatzbl. in dünnerem Papier (nur Nachsatzbl. Ir beschriftet, zur Hälfte abgerissen). Unbeschrieben f. 1r, 2r, 3r, 4r, 5r, 6r, 7r, 11r, 15r, 18v, 31r (leer). 22×16,5 cm. Tab.-Teil: f. 7v, 8v, 9v, 10v, 11v, 12v, 13v, 14v, 15v, 16v, 17v, 19v, 20v, 24v, 27v, 29v. Für 4- bzw. 5saitige Gitarre. Nur Alfabeto (kleine Buchstaben über einer Akkolade von 2 Systemen in gew. Notenschrift, Durchtextierung). In den übrigen Teilen des Ms. gew. Notenschrift (1 bzw. 2 Systeme) mit und ohne Durchtextierung, Texte z. T. ohne Notenschrift. 1 Schreiber. Pergamentband der Zeit. Buchrücken (Tinte, 18. Jh.): *XIX. MVS. AN.*[onima] *Cant.*[i] *con Note.* (Ital. Madrigale).

Literatur: Becherini, S. 8f. (*Nr. 9*).

———

Ms. Fondo Magliabechiano, classe XIX, codice 28. Alte Signatur (Vorsatzbl. Ir): *B. 28.* Herkunft: Magliabechi.

Ital. Git. Tab. 4 Lin. Ohne Alfabeto. Anfang des letzten Drittels des 17. Jh.; Datierung 1670.

20 fol., zuzüglich je 1 Vorsatz- und Nachsatzbl. (leer). Unbeschrieben f. 7–20 (nur Lin.). 10,8×17,5 cm. Tab.-Teil: f. 1–6. Für 4saitige Gitarre. F. 5v, 6r. Tab. verbunden mit gew. Notenschrift und Benennung der Töne in der Reihe von *a''* bis *e* diatonisch absteigend, ferner Angabe der chromatischen Töne *a''*, *gis''*, *fis''*, *es''*, *d''*, *cis''*, *his''*, *a'*, *gis'*. Streichungen f. 1v. Wie in Ms. XIX, 29

werden selten Akkorde verlangt (nur in *Calata*), es handelt sich fast ausschließlich um 1stimmige Reihen mit größeren Klammer-Zeichen unterhalb. Ziffern *0–4*, selten *5*. Keine Zeichen außerhalb des Lin.-Systems. Die Sätze (7, hiervon 1 Fragment) sind flüchtig notiert. 2 Schreiber (identisch mit Ms. XIX, 29). Pappband der Zeit. Älteres Etikett Vorderdeckel: *XIX. MUS. AN.*[ON.] *Son.*[ate]. Vorderdeckel außen Datierung (orig., Tinte): *Adi 2 Xbre 1670.* (Freie Instrumentalsätze, Tänze, ital. Madrigale.)

Literatur: Becherini, S. 10f. (*Nr. 12*); Tyler, S. 347.

Ms. Fondo Magliabechiano, classe XIX, codice 29. Alte Signatur (Vorsatzbl. Ir): *B. 29.* Herkunft: Magliabechi.

Ital. Git. Tab. 4 Lin. Ohne Alfabeto. Anfang des letzten Drittels des 17. Jh. (um 1670).

23 fol., zuzüglich 1 Vorsatzbl. (leer). Bei jüngerer Restauration (18. Jh.) wurden je 1 Vorsatz- und Nachsatzbl. eingefügt. Unbeschrieben f. 3 (leer); f. 17r, 18r, 21r (nur Lin.). 10,5 × 17,7 cm. Tab.-Teil: f. 1–2, 4–16, 17v, 18v–20, 21v–23. Für 4saitige Gitarre. F. 23v Übersicht eines Abecedario mit den Zeichen und den zugehörigen aufgelösten Akkorden in Tab.: *A*, *B*, *C*, *D*, *Ɨ*, *E*, *F*, *g*, *H*, *J*, *L*, *M*, *N*, *O*, das Alfabeto ist aber bei der Niederschrift der Sätze nicht angewandt. Die Aufzeichnung stimmt mit Ms. XIX, 28 überein (selten Akkorde, fast ausschließlich 1stimmige Reihen mit größeren Klammerzeichen unterhalb, Ziffern *0–4*, selten *5*, keine Zeichen außerhalb des Lin.-Systems). Vereinzelt golpes stehend und hängend an unterster Lin. bei 3stimmigen Akkorden (f. 22v, Schreiber A) an Stelle der normalen rhythmischen Zeichen über dem Lin.-System. Streichungen f. 6r, 10v. 2 Schreiber (identisch mit Ms. XIX, 28). Pappband der Zeit. Buchrücken (Tinte, 18. Jh.): *XIX. MVS. AN.*[on.] *Son*[at]^{e}. (Freie Instrumentalsätze, Tänze.)

Literatur: Becherini, S. 11 (*Nr. 13*); Tyler, S. 347; TylerC, S. 27.

Ms. Fondo Magliabechiano, classe XIX, codice 30. Alte Signatur (f. 1r): *B. 30.* Alter Bestand.

Ital. Lt. Tab. 6 Lin. 1. Drittel des 17. Jh.

43 fol., zuzüglich je 1 Vorsatz- und Nachsatzbl. mit vom Notenteil abweichendem Papier. Zwischen f. 38 und 39 sind 3 Bll. herausgeschnitten (Falze sichtbar). Orig. Foliierung (Tinte): *1–14* (= f. 1–14). Unbeschrieben f. 4–5r, 39r, 43 (nur Lin.). 11 × 17 cm. Tab.-Teil: f. 1–3, 5v–25r, 26r, 28, 29, 30v–38, 39v–42. Für 6chörige, vereinzelt (f. 39v, 40r, 40v, 41v) für 7chörige Laute. Tab. verbunden mit gew. Notenschrift f. 2v, 3r, 3v, als Darstellung von Akkorden in Tab. mit den zugehörigen Baß-Noten, mit Bezeichnung *B quadro* etc. Teilweise nur ital. Texte ohne Noten (f. 25v, 26v, 27v, 30r). F. 22r am Rand von einem der Tab.-Schreiber: *g. s. adi 2 m: gio Cesarino fatto di mano di*

fran.[ces]*co etaretto di nizza stando in Corsa* . . ., eine Jahreszahl fehlt. Streichungen f. 7v, 9r, 40v etc. Mindestens 4 Schreiber. Heller Pappband der Zeit. Buchrücken (Tinte, 18. Jh.): *XIX. ANON. Balli.* (Freie Instrumentalsätze, Tänze, ital. Madrigale.)

Literatur: Becherini, S. 12 (*Nr. 14*).

Ms. Fondo Magliabechiano, classe XIX, codice 31. Alte Signatur (f. 1r): *B. 31.* Alter Bestand.

Ital. Lt. Tab. 6 Lin. Ende des 16. Jh.

13 fol. Unbeschrieben f. 8–13 (leer). 26,3×17,8 cm. Tab.-Teil: f. 1v, 3v, 4r, 5r, 6v, 7r. Für 7chörige Laute. Es handelt sich um einen *Baletto*-Traktat mit 4 intavolierten Beispielen, die den jeweiligen Abschnitten folgen. Überschrift und Textbeginn der 4 Abschnitte lauten: f. 1r „*Ruota di fortuna Baletto*", *Pigliando l'huomo co la sua destra la sinistra della dama faranno col pie sinistro la riuerenza et a man*[o] *sinistra* . . .; f. 2r–4r „*La Bataglia Baletto*", *Volendo fare questo ballo sia da uertire che non si puo fare in manco di sei persone* . . .; f. 4v, 5r „*La infelice Baletto*", *Pigliando luomo la mano ordinaria della dama* . . .; f. 5v–7r „*Adolorato Core Baletto*", *In el presente baletto luomo terra la dama, alla sua destra* . . . F. 7v Vermerk bei einem *libretto di gagliarde: di sonate piccolette con 4 o 5 sonate è questo con dua oltre baletti.* Streichungen im Tab.-Teil: f. 5r. 1 Schreiber (derselbe des Texteils). Heller Pappband der Zeit. Vorderdeckel außen (Tinte, 18. Jh.): *XIX. MVS. ANON. Baletto.* (Tänze.)

Literatur: Becherini, S. 13 (*Nr. 15*).

Ms. Fondo Magliabechiano, classe XIX, codice 45. Alte Signatur (Vorsatzbl. Ir): *B. 45. Anon. Music.* Herkunft: Marmi.

Ital. Lt. Tab. 6 Lin. Mitte des 17. Jh.

11 fol., zuzüglich 1 Vorsatzbl. kleineren Formats (leer). Orig. Foliierung *3–10* (auf den Rückseiten von f. 2–9). Zwischen f. 3 und 4 ist 1 Bl. kleineren Formats herausgeschnitten (Falz sichtbar). Alle Seiten beschrieben. 17,5×24 cm. Tab.-Teil f. 1–11. Für 11chörige Laute. F. 11, 10v rückwärts, kopfstehende Beschriftung. F. 3r von der Hand des Tab.-Schreibers *Jl sig.re Hiacinto Marmi / che sta in Guardarobba del' / Ser.mo Granduca che suona / il Liuto Tiorbato che / imparra che studio con / diligenza* . . . F. 5r unbezeichnete 1- und 2stimmige Fingerübungen in Tab. F. 9v Durchstreichung der ganzen Seite mit orig. Vermerk (Tinte): *quest' nell' Copia* (diese fehlt). Sonstige Streichungen f. 2r, 9v. Das Ms. ist, wie schon der Foliierung zu entnehmen, nicht vollständig überliefert. 1 Schreiber. Heller Pappband der Zeit. Vorderdeckel außen Etikett mit Beschriftung (Tinte. 18. Jh.): *XIX. ANON. Musica.* (Freie Instrumentalsätze, Tänze.)

Literatur: Becherini, S. 18 (*Nr. 24*).

Ms. Fondo Magliabechiano, classe XIX, codice 105. Alte Signatur (Vorsatzbl. Ir): *B. 105*. Herkunft: Mediceo Palatina.

Ital. Lt. Tab. 6 Lin. für Laute bzw. Theorbe. Um 1630–1640; Datierung 1635.

18 fol., zuzüglich je 1 Vorsatz- und Nachsatzbl. (abweichendes, stärkeres Papier, nur Vorsatzbl. Ir beschrieben). Unbeschrieben f. 5–10r (nur Lin.). 16×22,5 cm. Tab.-Teil: f. 1–4, 10v–18. Für 6chörige Laute (f. 1, 2, Schreiber A) und 10chörige Laute bzw. Theorbe Titel: f. Ir *Giuseppe Rasponi*; ferner ibid.: *Adi 12. di Marzo 1635. / Questo Libro è da sonare di Liuto / Questo Libro è da sonare di Leuto / Di me Giulio Medicj et suoi Amici.* Daneben Gekritzel mit Rötel. 6 vorgedruckte Lin., ohne Angabe der Offizin. 3 Schreiber. Jüngerer Pappband, Reste des orig. Deckels sind auf der Innenseite des jüngeren Einbands aufgeklebt, mit orig. Beschriftung (Tinte): *Di me Giulio Medici.* (Freie Instrumentalsätze, Tänze, ital. Madrigale.)

Literatur: Becherini, S. 38f. (*Nr. 36*); WolfH II, S. 70; BoetticherL, S. 358 [*36*] (*Ms. Fl 105*); ChilesottiLS, *Vorwort* S. XIII; HudsonF, S. 109f.

Ms. Fondo Magliabechiano, classe XIX, codice 106. Alte Signatur (Vorsatzbl. IIr): *B. 106*. Herkunft: Mediceo Palatina.

Ital. Lt. Tab. 6 Lin. Anfang des 17. Jh.; Datierungen 1608, 1609.

50 fol., zuzüglich je 2 Vorsatz- und Nachsatzbll. (Vorsatzbll. Ir, IIv, Nachsatzbl. IIv leer). Vor f. 1 ist 1 Bl. herausgeschnitten (Falz sichtbar). Unbeschrieben f. 12, 13r, 15v, 21v–28r, 31r, 32v–40r, 41v, 42v–45r, 50r (nur Lin.). 16×22,5 cm. Tab.-Teil: f. 1–12r, 13v–15r, 41r, 42r, 50v. Für 7chörige Laute. Abweichend bezieht sich eine Übersicht von Griffen in Tab. (f. 41r) auf die 10chörige Laute. F. 46–49 Darstellung der Mutazione, der rhythmischen Zeichen, der Schlüssel-, Ton- und Tonartbezeichnungen, ausschließlich in gew. Notenschrift, mit mehreren „*Regole*", z. B. f. 49v *Per leggere il Basso / Natura graue / b quadro graue / natura sugraue* . . . Die Eintragungen in gew. Notenschrift erfolgten wohl etwas später: f. 16–21r, 28v–30, 31v, 32r, 40v, 47v–49 und Nachsatzbl. Ir (Tanzsätze wie *Corrente*, *Passo e mezzo*, *Pauana*, auch *Aria di Palazzo* etc., z. T. numeriert, auch unbezeichnet). Nachsatzbl. Iv, IIr Rechnungen: *fino q.^to di vltimo dicembre resto creditore di lire* . . ., analog Vorsatzbl. Iv eine nicht zur Tab. gehörige Eintragung (*Le sei Città d'Italia*). F. 2v von einem Schreiber des Tab.-Teils am Rand: *Cominciato Addi 23. di Marzo 1608*, f. 4v: *Cominciato a.*[ddi] *14. di Maggio 1609*, f. 7v: *Cominciato a.*[ddi] *19. di Agosto 1609*. (Das von Becherini S. 39 für f. 7v genannte Datum *1614* ist nicht zu bestätigen.) F. 1r ital. Bezeichnung der 6 oberen Saiten der Lt. F. 6r Beispiele zur Lage einzelner Töne auf dem Griffbrett, mit Beischriften: *Jl canto più alto della sottana 4 voce; Jl Bordone più alto 4 voce d*[e]*l Ballo;*

etc. Mindestens 3 Schreiber. Jüngerer Halb-Pergamentband, Buchrücken (Tinte, 18. Jh.): *MVSICA*. (Freie Instrumentalsätze, Tänze.)

Literatur: Becherini, S. 39f. (*Nr. 37*); WolfH II, S. 70; BoetticherL, S. 353 [30] (*Ms. Fl 106*).

Ms. Fondo Magliabechiano, classe XIX, codice 109. Alte Signatur (Vorderdeckel innen, auf Pergament): *B. 109*. Herkunft: Mediceo Palatina.

Ital. Lt. Tab. 6 Lin. Um 1600.

58 fol. Orig. Foliierung *1–58* (f. 38 fälschlich zweimal gezählt, zwischen f. 53 und 54 ist 1 Bl. herausgeschnitten, demgemäß springt die Foliierung von *51* auf *53*, Falz sichtbar). 3 Bll. sind nach f. 58 herausgerissen (Falze, hiervon Falz 2v mit Rest einer literarischen Beschriftung). Das zwischen f. 10 und 11 herausgeschnittene Bl. (Falz) fehlte schon vor der Foliierung. Unbeschrieben f. 36–37r, 38v–39, 41–53r, 56v–58r (nur Lin.). 16×22,7 cm. Tab.-Teil: f. 1–35, 37v, 38r, 39r, 40, 53v–56r, 58v. Für 6chörige Laute. Streichungen, Rasuren: f. 16r, 19r, 26v, 30v, 32v, 34r, 35r, 56r etc. 5 Schreiber; verschiedene Schreiber z. T. auf der gleichen Seite. Die Niederschrift der intavolierten Teile des Ms. dürfte sich über 10–15 Jahre erstreckt haben. Pergamentband der Zeit, auf den Deckeln Eintragungen mit Tinte (nicht mehr lesbare, gänzlich verblaßte Beschriftung in 3 Zeilen auf dem Rückdeckel außen, Vorderdeckel mit konzentrischen Kreisen). Stümpfe von 2 Lederbandschließen. Buchrücken (Tinte, 18. Jh.): *XIX. ANON*. Orig. Lederbandheftung unversehrt. (Freie Instrumentalsätze, Tänze, ital. Madrigale.)

Literatur: Becherini, S. 44f. (*Nr. 42*); WolfH II, S. 70; BoetticherL, S. 348 [*26*] (*Ms. Fl 109*); Paliska, S. 213, Anm. 15.

Ms. Fondo Magliabechiano, classe XIX, codice 137. Ältere Signatur (Vorderdeckel, oben): *XIX. ANON. 10*. Herkunft: Mediceo Palatina.

Ital. Lt. Tab. 5 Lin. Ende des 16. Jh.

40 fol., zuzüglich je 1 Vorsatz- und Nachsatzbl. (leer). Unbeschrieben f. 2–8, 10, 17v–40 (nur Lin.). 13×17 cm. Tab.-Teil: f. 1, 9 (dieser Teil ist bei Becherini, S. 59 übersehen). Für 5chörige Laute. Rasuren f. 9r. Überwiegend Aufzeichnung in gew. Notenschrift, und zwar Beispiele zu einem ital. Generalbaß-Traktat (f. 11–17r), dessen Beginn: *Fatta tal pratica di tasto, in tasto con la dita, et voce, allora si protá pigliar vn Basso continuo, stampato di note intiere, spezzate, pausate* . . . 1 Schreiber (abweichend vom Schreiber des nichtintavolierten Teils des Ms.). Bräunlicher Pergamentband der Zeit. (Freie Instrumentalsätze, Tänze.)

Literatur: Becherini, S. 59 (*Nr. 62*, ohne Angabe der Tab.).

Ms. Fondo Magliabechiano, classe XIX, codice 143. Herkunft nicht näher bekannt.

Ital. Git. Tab. Nur Alfabeto. Um 1640–1650.

97 fol., zuzüglich 1 Vorsatzbl. (f. Iv leer). Orig. Foliierung *1–40* (= f. 2–41). Unbeschrieben f. 2, 39–53, 71v, 75r, 76v–94r, 95v–97 (leer). 20,6×13,5 cm. Tab.-Teile: a) Große und kleine Buchstaben mit Golpes, ohne Textierung, mit Satzbezeichnungen in den überwiegenden Fällen f. 3–38; b) Große und kleine Buchstaben ohne Golpes, über fortlaufendem Text f. 54–55r, 56, 58r, 59, 60, 62v, 63v, 64v, 65v, 68r, 72r, 74r. Mehrere Texte ohne Tab. Für 5saitige Gitarre. F. 94v–95 Übersicht des Alfabeto mit den zugehörigen Akkorden in Tab.: *A, B, C, D, E, F, G, H, J, K, L, M, N, O, P, Q, R, S, T, V, X, y, Z, et, con, ℞o*, N̊, ꟻ. Besitzvermerk: f. 1r *Jl presente Libro è del Sig*[r] *Antonio / Bracci fiorentino*. Überschrift eines kleinen Traktats mit Angabe des Verfassers (Schreibers): f. 1v *Modo Jnsegnato da me Ant.° Carboni fiorentino p*[er] *cordar la / chitara e per sonar in compagnia / d'altri instromenti. / Quando vs. accorderà la chitara cioè / il cantino di sopra con la sesta della / Tiorba, o del liuto vs. sonerà sempre / soprà à l'A' o sopra l'ô- - . . .* Es folgen noch 2 Regeln zur Stimmung. Vorsatzbl. Ir Schriftproben (Tinte): *si come leuo* (zweimal), *. . .di S*[a] *M:*[a] *Angela. . .*, ferner 1 Fragment in Git. Tab. im System a (siehe oben) mit den Zeichen *c A j E* und Golpes (ohne Satzbezeichnung). 1 Schreiber. Pergamentband der Zeit mit reicher Goldpressung auf Deckeln und Buchrücken, Deckelinneres in jüngerer Zeit restauriert (mit jüngeren Schmutzbll.); orig. Heftung unversehrt. (Freie Instrumentalsätze, Tänze, ital. Madrigale.)

Literatur: Becherini, S. 68f. (*Nr. 65*); WolfH II, S. 212, 215; HudsonF, S. 106f.

Ms. Fondo Magliabechiano, classe XIX, codice 165. Herkunft: Mediceo Palatina.

Ital. Lt. Tab. 6 Lin. für Viola. Um 1550–1580.

Es handelt sich um ein *Bassus*-Stimmheft (die zugehörigen Stimmhefte *Cantus, Altus, Tenor* sind unter den Sign. XIX, 164, 166, 167 erhalten) mit fast ausschließlich älterem Repertoire in gew. Notenschrift zu 4 Stimmen (zum Index vgl. Becherini, S. 69–71, 82 Nrn., Motette, Canzone, Villotte, Chanson; Sätze, die durch Konkordanz auf Isaac, Compère, Mouton, Obrecht, Josquin, Bern. Pisano etc. verweisen). Ca. 11×17cm. Für 6saitige Viola da Gamba. Im Bassus-Stimmheft ist f. 116v, 117r von späterer Hand eine Übersicht der Tonskala für Viola-Tab. nach dem System der ital. Lt. Tab. aufgezeichnet. Die vorhergehende Aufzeichnung in gew. Notenschrift endet mit f. 115r, es folgen 2 leere Seiten. F. 116v oben als Überschrift links: *Viola.* Daneben: *Alla Bassa.* Bei dem 2. und 3 intavolierten Beispiel jeweils: *All' altra.* In

4 Beispielen ist die Tonleiter in gew. Notenschrift und (darunter) mit den Tab.-Zeichen dargestellt, und zwar: *c–e''*, *c–c''*, *c–d''*, *c–a'*. Die 6. (unterste) Lin. ist mit freier Hand hinzugefügt. Ziffern *o–3*, auf unterster Lin. (= oberste Saite der Viola) bis *5* und *7* gehend, im 2. Beispiel bis *8*. Die nichtintavolierten Zeilen in abweichenden Schlüsseln (C-Schlüssel auf 2., 3., 4. Lin.). Sätze fehlen. 1 Schreiber. Dunkelbrauner Lederband wesentlich älterer Herkunft, *BASSVS* in Gold auf Vorderdeckel gepreßt, reiche Blindpressung. Alte Heftung unversehrt. (Nur Grifftabellen.)

Literatur: Becherini, S. 69ff. (*Nr. 67*); zur Tab., die nicht identifiziert wird, S. 71.

——

Ms. Fondo Magliabechiano, classe XIX, codice 168. Herkunft: Mediceo Palatina.

Ital. Lt. Tab. 6 Lin. Um 1580–1585; Datierung 1582.

58 fol., zuzüglich 2 Vorsatzbll. (f. Iv, IIr leer) und 1 Nachsatzbl. (leer). Neuere Foliierung, fälschlich 158 Bll. zählend. Unbeschrieben f. 8v, 20v–35r, 37v–58 (nur Lin.). 11,5 × 17,8 cm. Tab.-Teil: f. 1–8r, 9–17, 18v–20r, 35v–37r. Für 6chörige Laute. Text ohne Tab.: f. 18r. Auf Vorsatzbl. Ir Text: *Madonna in uoi no*[n] *prest' amor ne fede, io che n'abbondo ...*; f. IIv *Occh' amoros' e carj* (ist Fortsetzung des Textes von dem intavolierten Satz *Occhi leggiadr' ...*). Datierung: f. 18v *a.di: 10. di Maggio/1582*, diese Eintragung dürfte einige Zeit nach Beginn der Aufzeichnung des Tab.-Teils erfolgt sein. F. 7v: *a dua Liutj*. Streichungen f. 10v. 2 Schreiber. Pergamentband der Zeit. Buchrücken mit Aufschrift (Tinte, 18. Jh. Jh.): *XIX. / ANON*. Auf dem Vorderdeckel außen sind mehrere Zeilen einer Beschriftung mit Tinte gänzlich verblaßt und nicht lesbar (noch erhalten: *M. / A....*). (Freie Instrumentalsätze, Tänze, ital. Madrigale.)

Literatur: Becherini, S. 72 (*Nr. 68*); WolfH II, S. 70; BoetticherL, S. 348 [26] (*Ms. Fl 168*); SlimM 1965, S. 125; Paliska, S. 213, Anm. 15.

——

Ms. Fondo Magliabechiano, classe XIX, codice 179. Herkunft nicht näher bekannt.

Ital. Lt. Tab. 6 Lin. Ende des 16. Jh.

20 fol., zuzüglich je 1 Vorsatz- und Nachsatzbl. (beschrieben). Unbeschrieben f. 10v–16r, 11 × 16 cm. Tab.-Teil: f. 1–10r, 16v–20. Überwiegend für 7chörige, vereinzelt (f. 2r) für 5chörige Laute. Vorsatzbl. Ir, Iv Gekritzel mit Tinte (Tierzeichnungen, Wortfetzen, Schriftproben, lesbar u. a.: *Jacobus*, *Angelus*, *Niccolo*, ferner Anreden: *Al Molto Mag*[nifico], und: *Giouanne*, *D. Piero*, *Archangelo*). Nachsatzbl. Ir, Iv analog bekritzelt, lesbar: *Ambrosio*, ferner poln. und ital. Worte, wie auch in dem Ms.: f. 19v am Rand *Camillo ...*, f. 20v

zweimal *Giouanni.* Im Nachsatzbl. Ir ist im Tintengekritzel eine stark verblaßte Bleistift-Zeichnung einer Lt. mit 6 Saiten (aber 8 Wirbeln) erkennbar. Streichungen: f. 19r, Rasuren: f. 18v. F. 20r ist die untere Hälfte der Aufzeichnung in Tab. bis zur Unkenntlichkeit ausgestrichen (daneben Zeichnung von 2 Köpfen). Mindestens 3 Schreiber. Jüngerer Einband (19. Jh.). (Freie Instrumentalsätze, Tänze, ital. Madrigale.)

Literatur: Becherini, S. 77 (*Nr. 71*); WolfH II, S. 70; BoetticherL, S. 348 [27] (*Ms. Fl 179*).

——

Ms. Fondo Antonio di Galileo 6.

Ital. Lt. Tab. 6 Lin. Um 1584–1587, letzte Bll. des Ms. sowie ein zugehöriger Appendix von 2 Bll. möglicherweise 1–2 Jahre später. Datierung am Beginn: 1584.

137 fol. 3 Vorsatzbll. sind jünger und nicht zum Volumen gehörig. Neuere Bleistift-Foliierung (da von den 3 Vorsatzbll. 2 mitzählend, unverbindlich). Orig. Paginierung *1–272* (= f. 1v–137), die orig. Seitenzahlen *269*, *270*, *271* fehlen, da die Seitenecken abgerissen; die Seitenzahl *267* ist nicht notiert, aber korrekt mitgezählt. Von den 3 unbeschriebenen Seiten (siehe im folgenden) sind 2 (f. 67v, 91v) unpaginiert geblieben, ferner wurde das Titelbl., Vorderseite (f. 1r), nicht mitgezählt. Demnach bestätigt die orig. Paginierung (Seite *272* = f. 137v), daß das Ms. vollständig überliefert ist. Die Angaben bei Becherini, S. 139 f. sind zu berichtigen. Unbeschrieben f. 67v, 91v, 137v (leer). 35×23 cm. Voran geheftet sind 2 orig. Bll. (Appendix): Unbeschrieben f. 1v, 2r. Abweichendes Format 28×19,5 cm. – Tab.-Teil auf allen beschriebenen Seiten. Für 6 chörige Laute. Titel: f. 1r *Libro d'intauolatura di liuto, nel quale / si contengono i passemezzi, le / romanesche, 'i saltarelli, et / le gagliarde et altre / cose ariose com / poste in diuersi / tempi da / Vincentio Galilei / scritto l'anno 1584. / parte prima.* F. 67r *Parte seconda, / nella quale si contengono altri Pass / emezzi, et Roma / nesche.* F. 91r *Parte Terza et ultima, / nella quale si contengono tutte / le sue Gagliarde.* Auf dem vorgehefteten Appendix finden sich von gleicher Hand ästhetische Urteile über einige Sätze aus der Gagliarden-Gruppe f. 97r–130v (betrifft orig. Paginierung *191–258*), und zwar: *buona . . . da copiare, Passemezo da copiare, Gagliarda bella da copiare, buona nell' ultimo, buona uel mezzo, buona uel mezo cadenza in questa . . . bellissima, buona da copiare e da mettere, da copiare, bella da copiare, da copiare in ultimo* (die jeweiligen Sätze sind exakt durch Seitenzahl angegeben, f. 1r). F. 2v dieses Appendix enthält nur Rechnungen, Zeichnungen, ein Drittel des Bl. ist herausgeschnitten. Tab. ist im Appendix nicht enthalten. Streichungen f. 57v, 133r. Ergänzungen am oberen bzw. unteren Rand f. 120v, 131v. Einzelüberschrift f. 123r *Gagliarde et arie diuersi.* Die letzten Bll. sind zunehmend flüchtig geschrieben (f. 131–137): nunmehr alle Lin. ohne Rastral, die Hand wird zitterig, ferner Abkürzungen von Satzbezeichnungen (f. 136r). Literarische

Beigaben fehlen. 1 Schreiber (Autograph Vincenzo Galilei). Neuerer Pappband mit Lederrücken, auf letzterem neueres Etikett: *Galilei seniore. vol. 6. Musica. 6.* Auf dem jüngeren Vorsatzbl. IIr: *Anteriori di Galileo / Tomo 6 / Galilei Vincenzo seniore / Volume 6 / Musica Jntavolatura del Liuto;* auf dem jüngeren Vorsatzbl. IIIr: *Indice di ciò che si contiene nel presente volume*, mit anschließender Beschreibung des Ms. (Freie Instrumentalsätze, Tänze.)

Literatur: Becherini, S. 139f. (*Nr. 118*), ohne Index; FanoA, S. 34; FanoC, S. LXXXIIIf.; ChilesottiT, S. 276; C. V. Palisca, Art. *V. Galilei*, in MGG IV, S. 1265ff.; BoetticherS, S. 50ff.; Palisca, S. 207ff.; PaliscaG, S. 350ff.

Ms. Fondo Landau-Finaly Mus. 2. Früher Florenz, Privatbibliothek Horace de Landau, Sign. (Vorderdeckel, innen): *Nr. 6530, 6531.* Sodann im Besitz von H. de Landaus Nichte, Frau Finaly († 1938).

Ital. Lt. Tab. 6 Lin. Wahrscheinlich um 1570–1575. Hs. Anhang an den Druck V. Galilei, *Fronimo Dialogo . . .*, Venedig 1568 (G. Scotto). Autograph V. Galilei.

20 fol. des hs. Anhangs. Unbeschrieben f. 14r, 20 (nur Lin.). Format mit Druck übereinstimmend. Tab.-Teil: f. 1r, 2r, 3r, 4r, 5r, 6r, 7–12r, 13r, 15r, 16r, 17r, 18r, 19. Für 6chörige Laute. Übrige Aufzeichnung in gew. Notenschrift: in den meisten Fällen erscheint diese auf der linken Seite (Singstimme mit fortlaufendem Text), rechte Seite = zugehörige Tab. Einige 1stimmige Aufzeichnungen ohne Tab., einige intavolierte Sätze ohne Singstimme in gew. Notenschrift. 1 Hauptschreiber (Vincenzo Galilei). Moderner Lederband mit Goldpressung und Goldschnitt, die Anheftung des Anhangs ist unversehrt. (Freie Instrumentalsätze, Tänze, ital. Madrigale.)

Literatur: Becherini, S. 132 (*Nr. 110*); Paliska, S. 207ff.; Katalog Landau I, S. 522f.; EinsteinD, S. 360ff.; Mondolfo, S. 265ff.; 1 Faks. von f. 5r in MGG IV (1955), Taf. 54 rechts (ohne Angabe der Sign.); PaliskaGA, S. 1265ff.

Ms. Fondo Landau-Finaly Mus. 175. Früher Florenz, Privatbibliothek Horace de Landau, Sign. (Vorderdeckel innen, Ex Libris): *Nr. 2865, 2994.* Sodann im Besitz von H. de Landaus Nichte, Frau Finaly († 1938).

Ital. Git. Tab. Nur Alfabeto. Mitte des 17. Jh.

68 fol. Unbeschrieben f. 1, 2, 20r, 24r, 36v–39, 47–48r, 60–68 (leer). 24 × 17 cm. Tab.-Teile: a) Große Buchstaben mit Golpes, ohne Textierungen, nur Satzbezeichnungen f. 3–19, 20v–23, ferner skizzenhaft als Einleitungssatz mit Titel *chacona* f. 54v; b) Kleine Buchstaben über fortlaufenden Texten, ohne Golpes, anschließende Strophen ohne Tab. f. 24v, 26v, 27r, 28, 29, 30v, 32v, 33v, 34v–36r, 50v, 51v, 54v, 55v, 56v, 57r, 58, 59v. Für 5saitige Gitarre. Mehrere Texte gänzlich ohne Tab. F. 68v Rechnungen, nicht zum Inhalt des Ms. gehörig. Das Ms. ist in seinem 2. Teil infolge Wasserschadens stark ver-

blaßt und kaum lesbar. 1 Schreiber. Moderner Halblederband, Buchrücken neue Goldpressung: *Canzonette*. (Freie Instrumentalsätze, Tänze, ital. Madrigale, span. Villancicos.)

Literatur: Becherini, S. 130f. (*Nr. 108*), ohne Index.

—

Ms. Fondo Landau–Finaly Mus. 252. Früher Florenz, Privatbibliothek Horace de Landau, Sign. (Vorderdeckel innen, Ex Libris): *Nr. 2995 / 3108*. Sodann im Besitz von H. de Landaus Nichte, Frau Finaly († 1938). – Alte Signatur (f. 1r, Tinte): *G 3.g 1* und (ibid., Tinte): *4164*. Stempel (blau): *BIBL. GVST. G. GALLETTI FLOR.* (= Privatbibl. G. G. Galletti, Florenz).

Ital. Git. Tab. Nur Alfabeto mit und ohne Golpes. Um 1620–1635; Datierung 1625.

77 fol., zuzüglich jüngere Vorsatz- und Nachsatzbll. Unbeschrieben f. 30r, 67r, 69–72r (leer). 20,5 × 14,5 cm. Tab.-Teile: I. Alfabeto mit kleinen Buchstaben, Golpes auf 1 Lin., ohne Text f. 2–12r, 15, 16v, 22r, 26r, 28v, 36, 37v, 72v, 76v; II. wie Tab.-Teil I, jedoch nur große Buchstaben f. 6r, 7v, 9r, 12–14r, 26r, 38r, 39v, 40r, 64v–66r, 68v; III. Alfabeto mit großen (und wenigen kleinen) Buchstaben über dem Text ohne Golpes, f. 14–17, 18v, 19r, 20r, 21r, 22r, 23r, 24r, 25–26r, 27v, 28v, 29v, 30v, 31v, 32v, 33v, 34v, 35v, 36v, 37v, 38v, 40v, 42v, 43–44, 45v, 47v, 48v, 49v, 50r, 51–52, 53v, 55r, 56v, 57–59, 60v, 61r, 62, 63v, 64r, 67v, 72v, 73v, 74v–77r; IV. wie Tab.-Teil III, jedoch nur große Buchstaben f. 26v, 42v, 66r. Für 5saitige Gitarre. Ältere Foliierung mit dunklerer Tinte (fehlerhaft, 2 Bll. übersehend, *1–75*). Streichungen: f. 17v, 58r etc. F. 1–5 sind am rechten unteren Rand defekt, daher auf f. 2r, v Tab.-Verlust; analog f. 10v unten $1^1/_2$ Zeilen Tab.-Verlust. Das Volumen ist als ganzes augenscheinlich nicht dezimiert (Titel- und Schlußbl. erhalten). Orig. Index fehlt. Titelbl.: f. 1r *Questo Libbro di sonate di Chitar*[ra] [am Rand abgebröckelt] / *spagnuola è di Atto Celli da* / *Pistoia*. Darunter von gleicher Hand: *Johannes ha* / *Comincio Ad imparare adi otto* / *di Marzo mille secento vento* / *cinque*. Schluß-Bl. (= f. 77v) Tinte, gleicher Schreiber: *Bartolomeo*, darunter: *Sig*^r^ *Atto Celli* ... F. 12 innerhalb des Tab.-Teils Schriftproben, Gekritzel, ferner: *il Sig*^r^ *Domittio Celli*, von gleicher Hand f. 42r am oberen Rand: ...*Franco da Pistoia*. F. 68v am Satzende: *Johannes es es es*. F. 3r unten (Fragment, abgebröckelt): *Antonio mio carissi*[mo]. F. 1v, Tinte: *Atto Cellius* / *Chi ben comincia ha la metà del Opra*, darunter: *Andreas de Lamis* (Eigenname gestrichen), ferner: *Johannes; Jacobus; Franciscus* (die 2 letzteren Namen gestrichen, es folgen noch weitere gestrichene, flüchtig notierte Namen). Einige dieser Beschriftungen (f. 1r) mit bräunlicher Tinte und (wenig später) mit schwarzer Tinte nachgezogen. *fine-*, *finis*-Vermerke. Überschriften: f. 14r *Sonetti datemi dal Bologna* (analog f. 12r); f. 65r *Passagalli sopra la chitarra*

spagnuola. – F. 65v flüchtige Tintenzeichnung (Ritter mit gekreuzten Schwertern). Mindestens 3 Schreiber (1 Hauptschreiber). Jüngerer Einband (Karton), Buchrücken neueres Schild, Aufdruck: *CANZONETTE*. (Freie Instrumentalsätze, Tänze, ital. Liedsätze.)

Literatur: Kurzer Hinweis Kirkendale, S. 81. In dem Katalog Becherini fehlend.

———

Ms. Fondo Banco Rari 62.

Ital. Lt. Tab. 6 Lin. Ende des 16. Jh.

1 fol. 2 beschriebene Seiten. Becherini, S. 133 beschreibt unter der angegebenen Sign. 2 Bll., von denen nur das 1. Bl., das vorliegende, eine Tab. enthält. Augenscheinlich wurden in jüngster Zeit beide Bll. getrennt, da sie ohnehin verschiedenen Faszikeln und Zeitlagen entstammen. Das vorliegende Bl. ist zur Zeit in Glas gerahmt. 15×32 cm. Tab.-Teil: f. 1r. Für 6chörige Laute. F. 1v nur Text. Über der Tab. ist 1 System in gew. Notenschrift (Singstimme, Sopranschlüssel) aufgezeichnet. 1 Schreiber. Einband nicht überliefert. (Ital. Madrigal.)

Literatur: Becherini, S. 133 (*Nr. 111*).

FIRENZE, Biblioteca del Conservatorio Statale di Musica „Luigi Cherubini"

Ms. B. 2556. Ältere Signatur (Vorderdeckel außen, Bleistift): *A. 103.* Früher (Stempel f. 1r): Istituto Musicale, Florenz. Geschenk A. Basevis (Stempel, ibid.): *DONO A. BASEVI* (Abramo B., † 1885 Florenz).

Ital. Git. Tab. Alfabeto mit Golpes, vereinzelt Ital. Lt. Tab. 5 Lin. Um 1670–1680.

71 fol., zuzüglich je 1 (stärkeres) Vorsatz- und Nachsatzbl. (leer). Unbeschrieben f. 19v, 20v, 27v, 30v, 33v, 34v, 35v, 37v, 38v, 39v, 40v, 41v, 42v, 43v, 44v, 48v, 50v, 51v, 52v, 53v, 54v, 55v, 57v (nur Lin.); f. 1v, 2v, 4, 5v–6, 68v, 70v, 71v (leer). 15×20,3 cm. Tab.-Teile: I. Alfabeto mit großen Buchstaben, Golpes auf 1 Lin., ohne Text f. 7–19r, 20r, 21–27r, 28–30r, 31–33r, 34r, 35r, 36–37r, 38r, 39r, 40r, 41r, 42r, 43r, 44r, 45–48r, 49–50r, 52r, 53r, 54r, 55r, 56–57r, 58–60r; II. wie Tab.-Teil I, jedoch mit Text, Golpes oberhalb f. 60v–65r; III. Ital. Lt. Tab. 5 Lin. f. 3v. Für 5saitige Gitarre. Ital. Texte f. 61r, 65v–68r, 69. Titelbl.: f. 1r Tintenzeichnung, Engel, ein gewundenes Band tragend, darin der Text *Qvesto Libro di Sonate Di Chita / ra, e di Giouanni / Anto / nij / e / W.* Darunter, Tinte: *A.* F. 2r: *Sonate di Chitarra Spagniola.* F. 3r *Modo di accordari la Chitarra Spagniola in più Regole, e prima La quinta si puole accordare a suo piacere, la quarta si deue accordare con la quinta . . .* (Übersicht des Alfabeto mit Auflösung der Akkorde in ital. Lt. Tab.), Schönschrift. F. 5r heraldische Zeichnung. Am Beginn von Tab.-Teil II neue Überschrift f. 60r *Diuerse Cantante nella Chitarra Spagniola e prima. echo*-Vorschrif-

ten im Satzinnern. Zahlreiche Initiale in reicher Verzierung. Orig. Foliierung *1–66* (entspricht f. 7–71). Zerstörung des Papiers durch die Tinte. Orig. Heftung unversehrt, kein Tab.-Verlust. 1 Schreiber. Pergamentband der Zeit (stark nachgedunkelt). (Freie Instrumentalsätze, Tänze, ital. Liedsätze.)

Literatur: Fehlend. Kurzer Hinweis Kirkendale, S. 81.

FIRENZE, BIBLIOTECA RICCARDIANA

Ms. 2774. Keine alte Signatur überliefert.

Ital. Git. Tab. Nur Alfabeto mit und ohne Golpes, vereinzelt Ital. Lt. Tab. 5 Lin. Um 1660–1670.

92 fol., zuzüglich 1 Vorsatzbl. (leer). Unbeschrieben f. 116, 52v–53, 89r, 90r (leer). 26,5×19,5 cm. Tab.-Teile: I. Alfabeto mit großen Buchstaben bzw. Sonderzeichen und Golpes auf 1 Lin., ohne Text f. 1–8, 10, 47v; II. Ital. Lt. Tab. 5 Lin. ohne rhythmische Zeichen f. 9v (überschrieben: *Accordatura della Chitarra*); III. Alfabeto mit großen und kleinen Buchstaben über dem Text, ohne Golpes (wenige Golpes-Gruppen am Rand, Vor- und Nachspiele betreffend, auch vereinzelt im Satzinnern) f. 10v, 11r, 12–15r, 16v–18r, 19v, 20r, 21–31r, 35v–41r, 44v–47r, 48v–52r, 61–62, 63v–68, 73v–74, 75v–76; IV. wie Tab.-Teil III, jedoch mit Golpes über dem Text f. 47v; V. wie Tab.-Teil I, aber nur kleine Buchstaben f. 64v, 77–88, 90r. Für 5saitige Gitarre. Orig. Foliierung *4–98* (f. 1 beginnend), f. *11* doppelt gezählt (= f. 8, 9), die orig. Zählung f. *23*, *24* und *39*, *40* irrtümlich aussetzend, aber vom gleichen Schreiber jeweils auf vorhergehendem Bl. vermerkt, daher kaum Tab.-Verlust. F. 9r Übersicht des Alfabeto mit Auflösung der Akkorde in Ital. Lt. Tab. 5 Lin., überschrieben: *Intavolatura della Chitarra Spagnola.* Orig. Index f. 91–92r, überschrieben: *Canzone Italiane* (nur bis orig. f. *76* [= f. 70] geführt). F. 89v: *Jo non so se V*[ostra] *Sig*[no]*ria si ricorda* (abbrechend). 1 Schreiber. Jüngerer Halbpergamentband. Alter Goldschnitt. Deckel außen: *Canzonette per musica e Rime varie. Sec. XVII.* (Freie Instrumentalsätze, Tänze, ital. Liedsätze.)

Literatur: Kurzer Hinweis Kirkendale, S. 81. AnonymBRF fehlend.

———

Ms. 2793. Alte Signatur (f. 1r oben, Tinte): *90* und (f. 1r unten, Tinte): *1016.*

Ital. Git. Tab. Nur Alfabeto mit und ohne Golpes. Um 1660, Nachträge bis 1680 wahrscheinlich.

118 fol. (Vorsatzbll. sind nicht orig.). Unbeschrieben f. 20–22r, 74v–76r, 118v (leer). 24,5×18 cm. Tab.-Teile: I. Git. Tab. nur Alfabeto mit großen Buchstaben bzw. Sonderzeichen und Golpes auf 1 Lin. Einige Sätze zeigen auch zusätzlich arab. Ziffern, analog Ms. 2804, Tab.-Teil II. F. 1–19. Überwiegend Schreiber A, Schreiber B nur f. 19v. – II. Git. Tab., nur Alfabeto mit kleinen Buchstaben über dem Text, ohne Golpes. Bei einigen Sätzen sind – analog dem

Ms. 2804 – Akkorde als Einleitung mit großen Buchstaben des Alfabeto vorangestellt. F. 22v, 24–25, 26v, 27v, 28v, 30v, 32, 33v–34, 36v, 37v, 38v–40r, 41, 42r, 43v, 44v, 45v, 46v–48r, 49, 50, 52r, 53v 54v, 55v, 56v, 57v–59r, 60, 61v, 62v, 63v–64v, 66v–67v, 68v, 69v, 70v, 71v, 72v, 73v, 76v, 77v–87r, 88, 89v, 90v–91v, 92v–93v, 94v–97r, 98r, 99–103, 104v, 106v–114r, 115v, 117v, 118r. Überwiegend Schreiber A, Schreiber C nur f. 117v, 118r. – III. Git. Tab. nur Alfabeto, große und kleine Buchstaben über dem Text, ohne Golpes. F. 114v. Schreiber A. Durchtextierte Aufzeichnungen nur in Tab.-Teil II und III. Ein Punteado fehlt durchweg. Für 5saitige Gitarre (durch Griffschema bestätigt). Orig. Paginierung Tinte *1–110* (f. 22v–74r) und *1–84* (f. 76v–118r), beide Male lückenlos, ein Tab.-Verlust ist daher nicht zu vermuten; f. 77r ist irrtümlich statt pag. 2 ein „*4*" geschrieben, doch ist mit „*3*" richtig fortgefahren. Ein Titelbl. dürfte verloren gegangen sein. Die erhaltene Aufzeichnung in Tab. beginnt und endet mit einem vollen Satz, f. 118r unten Schreiber C: *finis*. Falze fehlen. Insofern ist der Kodex wahrscheinlich vollständig überliefert. Besondere Vorschriften: f. 28v *Per Cantar la chacona*. Ein Index fehlt (im Gegensatz zu Ms. 2804). Gew. Notenschrift ist nicht enthalten. Mehrere Texte ohne Tab. 1 Hauptschreiber A (Tab.-Teile I–III), identisch mit dem Schreiber von Ms. 2804; Nebenschreiber B f. 19v (nur 1 Satz) und C f. 117v, 118r. Beide Nebenschreiber möglicherweise bis 20 Jahre später aufzeichnend. Hauptschreiber notiert – im Gegensatz zu Ms. 4804 – *çhacona* statt *chacona*. Moderner Halblederband, Buchrücken Goldprägung *Canzonette Musicali. Sec. XVII*. Reste des orig. Einband sind (gegenüber Ms. 4804) nicht überliefert. (Freie Instrumentalsätze, Tänze, ital. und span. Liedsätze.)

Literatur: WolfH II, S. 212, 215; EitnerQ I, S. 17; HudsonZ, S. 130ff.; PlamenacM, S. 165ff.; im Katalog AnonymBRF, S. 55 nur als „*Sonate e Arie diverse e Cantate in Musica*" summarisch unter den Signaturen *2792–2794* mit nichtintavolierten „*Cicognini, Commedie*" geführt. HudsonF, S. 101, 106; HudsonG, S. 183 (Notenbeisp.); Kirkendale, S. 81; Katalog Florenz Ricc., S. 267.

Ms. 2804. Alte Signatur (Vorsatzbl. Ir unten, Tinte): *36*. Ital. Git. Tab. bzw. Lt. Tab. 5 Lin. Ferner:

Nur Alfabeto mit und ohne Golpes. Um 1660–1670.

210 fol., zuzüglich 3 orig. Vorsatzbll. (leer). Unbeschrieben f. 15r, 24v, 34v, 37v–41r, 105r, 119r, 120v–133r, 186v–197r, 202r, 210v (leer). 25×17,8 cm. Tab.-Teile: I. Ital. Lt. Tab. 5 Lin. mit darüber geschriebenen großen Buchstaben, Erläuterung dieser Siglen mit ausgeschriebenen Akkorden, 3 Systeme insgesamt. Es handelt sich um die Zeichen ꟻ, *A*, *B*, *C*, *D*, *E*, *F*, *G*, *H*, *i*, *K*, *L*, *M*, *N*, *O*, *P*, *Q*, *R*, *V*, *X*, ꝸ, Ꞻ, *d*, ƒ, *Y*; nur f. 1r. – II. Git. Tab. nur Alfabeto mit großen Buchstaben bzw. Sonderzeichen gemäß Tab.-Teil I mit Golpes auf 1 Lin. Bei einigen Sätzen steht beim Titel: *Li numeri sono li tasti* oder ähnlich, es sind dann arab. Ziffern unter oder über dem Buchstaben-Sigel

beigegeben (vgl. analog Ms. 2793). Vereinzelt sind auch 2 Ziffern ergänzt: z. B. f. 35r $^{4}_{2}$ oder $^{3}_{4}$ oder $^{3}_{5}$. F. 1v–14, 15v–24r, 25–34r, 35–37r. – III. Git. Tab. nur Alfabeto mit kleinen Buchstaben über dem Text, ohne Golpes. Bei einigen Sätzen sind – analog Ms. 2793 – Akkorde als Einleitung mit großen Buchstaben des Alfabeto vorangestellt. F. 41v, 43r, 44v, 45v, 47r, 48v, 49v, 50r, 51, 52v, 54v, 55v, 56v, 58v, 60v, 61v, 62v, 63v, 64v–65, 67r, 68v, 70v, 72v, 74, 75v–76, 77v, 78v, 79v, 80v, 82v, 83v, 84v–85, 86v, 87v, 88v, 89v, 91, 92v, 93v–96r, 97v, 98v, 99r, 100r, 103r, 104v, 105v, 106v–108r, 109v, 110r, 111–112, 113v–114, 115v, 116v, 117v, 118v, 119v, 120r, 133v–140, 141–142, 144v–146, 148v, 149v–151r, 152, 153v–154, 155v, 156v–166, 167v–169, 172, 173v, 174v, 175v, 176r, 177v–182, 183v, 184v, 185v, 197v–201. Für 5saitige Gitarre (durch Griffschema bestätigt). Ohne *Punteado*. Orig. Paginierung Tinte *2–158* (f. 42r–120r) und *2–105* (f. 134r–185v), beide Male lückenlos, ein Tab.-Verlust ist daher nicht zu vermuten. F. 202r ist – von gleicher Hand – *140* paginiert, umliegende Bll. zeigen keine orig. Paginierung, die fragliche unbeschriebene Seite ist mithin nicht zum Tab.-Teil gehörig. F. 202v–210r orig. Index des gleichen Schreibers (mit kleinen ortogr. Varianten), nur die Sätze mit durchlaufendem Text (Tab.-Teil III) erfassend, mit Bezug auf die orig. Paginierung, überschr.: *Tauola dell' Arie Italiane* (f. 202v) und *Tauòla delle spagnole* (f. 207r). 1 Schreiber (identisch mit dem Hauptschreiber von Ms. 2793). Pergamentband der Zeit mit reicher Goldpressung auf Vorder- und Rückdeckel, einfacher Goldpressung auf Buchrücken. Goldschnitt mit Musterung. (Freie Instrumentalsätze, Tänze, ital. und span. Liedsätze.)

Literatur: WolfH II, S. 212, 215; EitnerQ I, S. 17; HudsonZ, S. 130ff.; PlamenacM, S. 165ff.; im Katalog AnonymBRF, S. 55 nur als „*Raccolta d'arie diverse per Musica, e Suonate per Chitarra, cod. cart. Sec. XVII.*" mit richtiger Signatur geführt; HudsonG, S. 171 (Notenbeisp.); Kirkendale, S. 81; Katalog Florenz Ricc., S. 289. 1 Faksimile von f. 9 bei Kirkendale, vor S. 57.

Ms. 2849 / 417. Keine alte Signatur überliefert.

Ital. Git. Tab. Nur Alfabeto mit und ohne Golpes, vereinzelt Ital. Lt. Tab. 5 Lin. Um 1660–1670.

280 fol. Gedichtsammlung, verschiedene Schreiber, mehrere Faszikel von etwas abweichendem Format. Nur der mittlere Faszikel enthält Tab., es sind die f. 121–219r, hierin sind unbeschrieben f. 128r, 131r, 142r, 143r, 146v–149r, 191–209r, 215v, 216r, 219v. 19,5 × 14 cm. Tab.-Teile: I. Alfabeto mit großen Buchstaben bzw. Sonderzeichen und Golpes auf 1 Lin., ohne Text f. 121v–127, 128v–130, 131v–141, 142v, 143v–146r; II. Alfabeto mit großen und kleinen Buchstaben über dem Text, ohne Golpes f. 149v, 150v, 152, 153v–155, 156v–157, 158v–160, 162v, 164v, 165v–166, 168–169, 170v–171, 172v, 173v–175r, 176r, 177v, 178v–179, 180v, 181v, 182v–183, 184v, 185–186, 187v, 188v, 189v, 190v, 209v–211, 212v–215r. Für 5saitige Gitarre. F. 121r Übersicht des Alfa-

beto mit Auflösung der Akkorde in Ital. Lt. Tab. 5 Lin., überschrieben: *Lettere della Chitarra spagnola.* Zahlreiche Überschriften zu Tab.-Teilen. z. B. *Arie per Cantar ottaue* (f. 209v). Der Tab.-Teil II ist anfangs orig. paginiert *2–84* (= f. 140r–190v). Orig. Index f. 216v–219r (alfabetisch, fast vollständig), überschrieben: *Tauola dell' Arie Italiane*, nur den Tab.-Teil II erfassend, gemäß der o. genannten orig. Paginierung. Mithin wurde Tab.-Teil II noch etwas ergänzt; Tab.-Teil I ist wohl aus anderem Volumen, jedoch beide Teile gemeinsamer Schreiber. Jüngerer Pergamentband. Alter Goldschnitt. Ein zu dem musikalischen Teil gehöriges Titelbl. nicht überliefert. (Freie Instrumentalsätze, Tänze, ital. Liedsätze.)

Literatur: Kurzer Hinweis Kirkendale, S. 82. AnonymBRF fehlend.

Ms. 2951. Ältere Signatur (f. 1r, rote Tinte): *993* (*32*).

Ital. Git. Tab. Nur Alfabeto mit und ohne Golpes, vereinzelt Ital. Lt. Tab. 5 Lin. Um 1660–1670.

236 fol., zuzüglich 1 Nachsatzbl. (leer). In jüngerer Zeit herausgeschnitten je 2 Bll. vor f. 143 und f. 148. Orig. Foliierung *2–242* (entspricht f. 2–236), diese bestätigt das Fehlen von je 2 Bll. (Tab.-Verlust), vgl. auch die Falze. Unbeschrieben f. 2v, 88r, 89–90, 230 (leer). 20 × 14,5 cm. Tab.-Teile: I. Alfabeto mit großen Buchstaben bzw. Sonderzeichen und Golpes auf 1 Lin., ohne Text f. 3–86; II. Alfabeto mit kleinen Buchstaben über dem Text, ohne Golpes f. 87r, 91–92, 94r, 95v, 97, 99r, 100, 101v, 102r, 103r, 104, 106, 108–109, 111, 112v, 113r, 114r, 115v, 117r, 119, 121r, 123v, 125r, 126v, 127r, 128, 129v, 131, 132v, 134v, 135r, 136v, 138, 140, 141v–142, 143v, 144r, 145–146, 148r, 149v, 150v–151, 153r, 155r, 157, 159r, 160r, 162v, 163v, 165v, 167r, 169r, 171r, 173r, 175, 177v–178, 179v, 180v, 181r, 182v, 184v, 187v, 190v, 192v, 194r, 196r, 197v, 199r, 202v, 203r, 204r, 205r, 207r, 208v, 209v, 210r, 211r, 212v, 214v, 215v–216, 218–223r. Für 5saitige Gitarre. Die restlichen beschriebenen Seiten enthalten (ital.) Text, auf Tab.-Teile bezüglich. F. 92r überschrieben: *Arie Espannol.* F. 155 unten 1/4 abgerissen (Tab.-Verlust). Orig. Index f. 231–236r; in der Reihenfolge der Tab.-Teile, beginnend mit orig. f. *3* bis orig. f. *234*; von anderer Hand sind noch 3 Titel angefügt (flüchtige Eintragung, die orig. f. *87* ff. und *91* ff., also keinen eventuellen Nachtrag des Volumens betreffend). F. 2r Übersicht des Alfabeto mit Auflösung der Akkorde in Ital. Lt. Tab. 5 Lin., überschrieben: *LETTRILLAS.* F. 1v fünf Regeln, überschrieben: *ACCORDATVRA*, numeriert, ohne Tab. 1 Schreiber (sorgfältig), wenig Zusätze von anderer Hand. Pergamentband der Zeit mit reicher Goldpressung auf Deckeln und Buchrücken. Wurmschaden. 4 braune Stoffbänder als Schließen erhalten. Goldschnitt. (Freie Instrumentalsätze, Tänze, ital. und span. Liedsätze.)

Literatur: Kurzer Hinweis Kirkendale, S. 82; im Katalog AnonymBRF, S. 57 als *Sonate per Chitarra spagnola. Cod. cartae in 4. Sec. XVII* geführt.

Ms. 2952 (*olim 994*).

Ital. Git. Tab. Nur Alfabeto mit und ohne Golpes. Um 1660–1670.

162 fol., zuzüglich 3 Vorsatzbll. (leer), 1 Nachsatzbl. (leer). Unbeschrieben f. 44–48, 82v–88, 143–151, 157, 162 (leer). 20×16 cm. Tab.-Teile: I. Alfabeto mit großen Buchstaben bzw. Sonderzeichen und Golpes auf 1 Lin., ohne Text f. 2–43; II. Alfabeto mit kleinen Buchstaben über dem Text, ohne Golpes f. 49, 51r, 52r, 53v, 55v, 56r, 57v, 58r, 59v, 60r, 61–63r, 64v, 65r, 66, 68r, 69v, 70v, 71r, 72r, 73v, 75, 76v, 77v, 78r, 79r, 80r, 89r, 90v, 91r, 93r, 95r, 96r, 97v, 99v, 100r, 101v, 102r, 103r, 104r, 106r, 107r, 108r, 109v, 110v, 113r, 114r, 115r, 116r, 117v, 119v, 121v, 125v, 127v, 129v, 131r, 132v, 133r, 135, 136v, 139r, 152–155r. Für 5saitige Gitarre. Orig. Foliierung *1–156*, anschließend jüngere Foliierung. F. 1v Übersicht des Alfabeto, überschrieben: *LETTRILLAS*, außer der Reihe *A–Z* kommen vor: ∓, Ͼ, Ↄ, ℞ mit Akkordauflösung in ital. Lt. Tab. 5 Lin. F. 1v fünf Regeln, überschrieben: *Accordatura*. 3 orig. Indices: f. 158–159, überschr. *Tabula . . .*, f. 160 überschr. *Tabula Spannola*, f. 161–162r überschr. *Ayre Jtaliane. Tab*[ula] (vollständig, in der Reihe der Bll.). Demgemäß gelten folgende Bezeichnungen der Tab.-Teile: f. 2r *Passecaille ad ogni lettera* (es folgen aber noch abweichende Satzbezeichnungen) = Tab.-Teil I; für Tab.-Teil II gilt: f. 49r *Ayre Espannol* und f. 89r *Ayre Jtaliane*. Zwischen diesen drei Teilen sind einzelne Bll. freigelassen. Augenscheinlich kein Tab.-Verlust. 1 Schreiber (sorgfältig). Pergamentband der Zeit mit 2 Stoffschließen in ausgezeichneter Erhaltung. Buchrücken sehr stark verblaßter Bandtitel (nicht mehr lesbar) mit Blattornament (Tinte). (Freie Instrumentalsätze, Tänze, ital. und span. Liedsätze.)

Literatur: Kirkendale, S. 82; im Katalog AnonymBRF, S. 57 als *Sonate per Chitarra spagnola. Cod. cartae in 4. Sec. XVII* geführt.

Ms. 2973 / 3. Keine alte Signatur überliefert.

Ital. Git. Tab. Nur Alfabeto mit und ohne Golpes, vereinzelt Ital. Lt. Tab. 5 Lin. Um 1660–1670.

78 fol., zuzüglich jüngere Vorsatz- und Nachsatzbll. Unbeschrieben f. 1–2, 3v, 4v, 16v–18, 22–28, 35, 43r, 44r, 46, 48–51r, 52r, 53r, 63r, 64r, 67r, 74, 75v, 76r, 78 (leer). 20×14 cm. Tab.-Teile: I. Alfabeto mit kleinen Buchstaben und Golpes auf 1 Lin., ohne Text f. 5–10; II. Alfabeto mit kleinen Buchstaben über dem Text, ohne Golpes f. 5r, 19, 29–30, 31v–34r, 36–37r, 38–42, 43v, 44v, 45v, 47v, 51v, 52v, 53v, 54v, 55v, 56v, 57v, 57r, 58, 59v–60, 61v, 62v, 63v, 64v, 65v, 66v, 67v, 69–70, 73v, 76v, 77v; III. Alfabeto mit großen Buchstaben über dem Text, ohne Golpes f. 20v–21, 68; IV. wie Tab.-Teil II, jedoch mit Voranstellung einzelner Golpes auf 1 Lin., ohne Alfabeto-Zeichen f. 72r (hierauf ist die u. genannte Überschrift bezüglich), f. 75r. Für 5saitige Gitarre. Streichungen: f. 47r. Vereinzelt gew. Notenschrift (f. 16r). Überschriften: f. 51v *Arie*

italiane; f. 69r *Aria alla ciciliana*; f. 72r *Aria per cantar su la Ciaccona* etc. F. 3r drei leere Systeme, überschrieben: *Intauolatura per la Chitarra spagnola*; f. 4r mit gleichem Vermerk Übersicht des Alfabeto in 2 Systemen in ital. Lt. Tab. 5 Lin. (Akkordauflösung). Orig. Index fehlt. Augenscheinlich kein Tab.-Verlust. 1 Schreiber (sorgfältig). Jüngerer Halbpergamentband, außen (jünger): *Canzonette musicali spagnole e italiana.* (Freie Instrumentalsätze, Tänze, ital. und span. Liedsätze.)

Literatur: Kirkendale, S. 82; HudsonF, S. 106f.; im Katalog AnonymBRF, S. 57 als *Opuscoli diversi, Cod. cartae in quarto Sec. XVI* geführt.

Ms. 3121. Keine alte Signatur überliefert.

Ital. Git. Tab. Nur Alfabeto mit und ohne Golpes, vereinzelt Ital. Lt. Tab. 5 Lin. Um 1660–1670.

66 fol., zuzüglich jüngere Vorsatz- und Nachsatzbll. Unbeschrieben f. 1r, 17v–22r, 23–25, 28v, 29r, 32–33r, 37v–61r, 65v–66 (leer). Von einem der Schreiber durchweg auf diesen Seiten links Rand 1 Strich, Tinte, vertikal. 15×10,5 cm. Tab.-Teile: I. Alfabeto mit großen Buchstaben (vereinzelt auch kleine Buchstaben, vgl. f. 17r) und Golpes auf 1 Lin., ohne Text f. 2v–17r, 36r; II. Alfabeto mit kleinen Buchstaben über dem Text, ohne Golpes f. 26, 28r, 29v, 31v, 33v, 34v–35, 36v, 61v, 62v–64r; III wie Tab.-Teil II, jedoch mit kurzen Vorspielen in Aufzeichnung wie Tab.-Teil I (aber mit kleinen Buchstaben über den Golpes) f. 33v, 34v. Für 5saitige Gitarre. F. 22v nur literar. Aufzeichnung (ital., nicht zur Tab. gehörig). Titel f. 1r *Questo libretto e d*[i] *Filippo Balde- / notti* [am Rand beschnitten, der letzte Buchstabe unklar, möglich auch *Baldi-*] *il quale serue p*[er] *le sonat*[e] / *della chitarra* [korrigiert aus *chitara*] *spagnuola.* Streichungen: f. 10 (Satzbezeichnung), f. 16v (Tilgung des ganzen Satzes). Übersicht des Alfabeto mit Auflösung der Akkorde in Ital. Lt. Tab. 5 Lin. f. 2r. Ein orig. Index fehlt. Kein Tab.-Verlust, Heftung unversehrt. 2 Schreiber (1 Hauptschreiber), z. T. sehr flüchtige Aufzeichnung. Jüngerer Pergamentband mit 2 neueren Lederschließen. (Freie Instrumentalsätze, Tänze, ital. Liedsätze.)

Literatur: Kurzer Hinweis Kirkendale, S. 82. AnonymBRF fehlend.

Ms. 3145 (*olim 3643*).

Ital. Git. Tab. Nur Alfabeto mit und ohne Golpes, vereinzelt Ital. Lt. Tab. 5 und 6 Lin. Um 1660–1680.

123 fol., zuzüglich jüngere Vorsatz- und Nachsatzbll. Es handelt sich um 4 Faszikel verschiedener Zeitlage, die erst in jüngerer Zeit zu einem Volumen vereinigt worden sind. Nur literar. Aufzeichnungen enthält Faszikel *a* (f. 1–26, überschrieben: *L'Autunno. / Dialogo Ditirambio. / Tirsi ed Ergasto*) sowie Faszikel *c* (f. 36–76). Die Musik betreffenden Faszikel sind *b* (f. 27–31r) und *d* (f. 77–123). 21×14 cm. Tab.-Teile: I. Ital. Lt. Tab. 6 Lin., ohne rhythmische

Zeichen, als Beispiel eines Musiktraktas, z. T. mit Fingersatz 1, 2 Punkte f. 28, für 6-, 7- und 8chörige Laute (= Faszikel *b*); II. Ital. Lt. Tab. 5 Lin., in der Übersicht des Abecedario, ohne rhythmische Zeichen f. 77r, 113r, für 5saitige Gitarre (= Faszikel *d*); III. Alfabeto mit kleinen und einigen großen Buchstaben, Golpes auf 1 Lin., ohne Text f. 78–85r, 101v, 116r, für 5saitige Gitarre (= Faszikel *d*); IV. Alfabeto mit kleinen Buchstaben über dem Text, ohne Golpes f. 85v, 86v, 87v, 88v–89, 91r, 92v, 93v, 94v, 95v, 96v, 97v, für 5saitige Gitarre (= Faszikel *d*); V. wie Tab.-Teil III, jedoch nur große Buchstaben f. 105–108r, 109v–112, 113v–129, für 5saitige Gitarre (= Faszikel *d*). Streichungen: f. 105r, 116r. Titelbll.: Faszikel *b*, f. 27r *Scriuesi uelocem te con penna duretta, ma chiara di ueruo, / con temperatura alquanto zoppa, e rotonda nel' / cantoncino sinistro della punta, scarnata di / fuori, e conuenientemente fenduta / nel mezzo di essa punta.* Schriftproben, Gekritzel. F. 27v Zeichnung der Guidonischen Hand, im Musiktraktat Beisp. in gew. Notenschrift. Faszikel *d*, f. 77r *Jntauolatura Della Chitarr*[a] *spagniola.* Die Übersicht des Alfabeto führt nur die Zeichen *A* bis *J*, ferner ✝, ℭ, sowie *L* bis *R* (*p* und *q* klein), mit Auflösung der Akkorde in ital. Lt. Tab. 5 Lin. Besitzvermerk (nur auf Faszikel *d* bezüglich): f. 77v, Tinte *Questo libro è di mariotto / Talloui.* Fasz. *b* = 1 Schreiber, Fasz. *d* = 2 (andere) Schreiber (1 Hauptschreiber). Jüngerer Halblederband. Buchrücken außen (jünger): *POESIE / VARIE.* (Freie Instrumentalsätze, Tänze, ital. Liedsätze.)

Literatur: Kirkendale, S. 82. AnonymBRF fehlend.

—

Druck Signatur F. III. 10431.

Ital. Lt. Tab. 6 Lin. Um 1575. Hs. Anhang an den Druck V. Galilei, *Fronimo Dialogo . . .*, Venedig 1568 (G. Scotto). Autograph V. Galilei.

20 fol. Unbeschrieben f. 2v–20 (leer). Format des Drucks, Papier stärker. Tab.-Teil: f. 1–2r. Für 6chörige Laute. Lin. mit Rastral. Fingersatz: 1 Pkt. (sorgfältig). Autograph Vincenzo Galilei, Nebenschreiber dunklere Tinte (nur letzte 3 Systeme von f. 2r, einziger unbezeichneter Satz). Jüngerer Pergamentband, Anheftung nicht mit orig. Fäden; auch der Druck wurde im 17. Jh. am Buchrücken neu verklebt. Je 2 jüngere Vorsatz-, Nachsatzbll. (Freie Instrumentalsätze, Tänze, ital. Arie.)

Literatur: Fehlend. Hinweis Paliska, S. 219, 3 Beisp. in Übertr. S. 231f. (von f. 1r, 1v).

GENOVA, BIBLIOTECA UNIVERSITARIA

M. VIII. 24. Alter Besitz der Bibl., Rückseite des Titelbl. Stempel, dat. 1853 (Marchiatura Generale).

Handschriftliche Eintragungen und Anhang an Druck J.-B. Besardus, *Thesaurus Harmonicus . . .*, Köln 1603.

Frz. Lt. Tab. 6 Lin., vereinzelt Ital. Lt. Tab., 6 Lin. Um 1603–1615.

A: Eintragungen in Druckblätter:

Tab.-Teile: f. 4v, 6v, 11v, 12r, 13v, 14r, 17r, 24r, 25v, 28r, 29r, 30r, 34v, 48r, 72r, 118r, 119v, 120r, 127r, 128r, 139r, 139v, 140r, 152r, 167r, 168r. Für 8chörige Laute. Streichungen: f. 152r. In mehreren Fällen hat der Schreiber Schrägstriche im Tab.-Druck ergänzt (Tinte). Frz. Lt. Tab., abweichend f. 72r, 167r Ital. Lt. Tab. F. 11v–12r wurde die Tab. quer über beide Seiten, über die Buchmitte hinaus, notiert. Die Mehrzahl der Sätze ist unbezeichnet, es finden sich zahlreiche improvisierte Schlußgruppen (ohne Tab.-Striche) mit raschen Läufen als Ergänzung. Die vereinzelte Aufzeichnung in ital. Lt. Tab. trägt die Beischrift: *li contrasente volti Jntauolati / in questa folia all'uso / Jtaliano, e, c*[o]*nformi a / questi si preno transenier / tutti l'altri* –. Keiner der hs. ergänzten Sätze findet sich bereits im Druck. 1 Schreiber (derselbe, der den Besitzeintrag hinterlassen hat und von dem der hs. Anhang [s.u.] herrührt). – 1 orig. Vorsatzbl., dort wurden (etwas jünger) 2 Zettel aufgeklebt: a: *1649 di 18 agosto / balla una mandata aberta mino / in peso c.ª 2–79 in compagnia di / benedetto . . .* (der letztere Name ist gestrichen); b: *123456789 / Perludiu*[m] *·ʃ· Sonata, o sia ricercata . . .* (wohl alte Eintragung auf einem Buchrücken). Eine alte Eintragung auf dem Vorsatzbl. selbst wiederholt die aufgeklebte Notiz von a, ergänzt mit dem Datum: *1649 di 12* [sic] *ag*[os]*to*. Auf der Titelseite des Drucks alte Eintragung unten, Tinte: *A supellectite Henrici Nollÿ. Pr. / Emptus Coloniol. 3. Philipp. / a*[nn]*o 1603. 12. april.*

B: Anhang:

7 fol. Unbeschrieben f. 4v–7 (leer, jedoch mit kleinen Schriftproben in Tinte, z. B.: f. 6v *Mag. Sig*ʳ*. . .*, *Meser . . .*, f. 7r 2 Zeilen lat. Text, f. 7v groß: *Giacomo* mit weiteren kleinen Schriftproben; f. 7 ist mit unterem Viertel herausgerissen). Tab.-Teil: f. 1–4r. Frz. Lt. Tab. Für 8chörige Laute. 1 Schreiber (derselbe wie in Teil A, s.o.). Vor dem hs. Anhang ist 1 Pergamentfalz erhalten, der vertikal 1 literar. Zeilenfragment in dt. erkennen läßt (nicht zum Tab.-Teil gehörig). Jüngerer Pergamentband. (Freie Instrumentalsätze, Tänze.)

Literatur: Fehlend. Kurzer Hinweis Katalog Genua, S. 9.

Ms. F. VII. 1. Alte Signatur (Rückdeckel außen, Etikett): *N*º*. 1. Genova.* Ital. Lt. Tab. 6 Lin. Um 1580–1595.

40 fol. Unbeschrieben f. 1–2r, 33, 34v, 35v–40 (nur Lin.). Neuere Foliierung (Bleistift), f. 1 nicht mitzählend. 34 × 23,5 cm., in neuerer Zeit scharf beschnitten. Tab.-Teil: f. 2v–32, 34r, 35r. 6 Lin. vorgedruckt, ohne Angabe der Offizin. Streichungen, Ergänzungen f. 8v, 31r etc. Für 6chörige Laute, ein 7. Chor wird einige Male verlangt: f. 9r, 11r, 16r, 21r, 23v, 25r, 34r, mit blasserer Tinte (etwas später?) ergänzt. F. 39v Überschrift: *Scala d'intauolatura di liuto della chiaue c sol fa ut per b. molle in soprano*, das Beispiel fehlt (es ist lediglich ¢ und 1 Partiturstrich für 5 Systeme notiert). F. 40r 3 Werte in gew.

Notenschrift (Violinschlüssel). Am Ende des ersten Tab.-Teils f. 32r bei Satzende *Laus Deo* (Schreiber A). F. 32v: *di Giesu mio signor dolce desio / in nome della sua sposa s.*[an]^{ta} *la chiesia Catt:*[olica] *Appos*[tolica] / *e Romana* (Schreiber B, die Tab. auf gleicher Seite Schreiber A). F. 34r, 35r: *Laus Deo / et D*[omi]*nus Jesus / sit semp*[er] *in corde / meo Amen* (Schreiber B). Besitzvermerke: f. 34r, oben *queste son di me gianpietro / speron*, analog: *di me gianpetro speron* (in beiden Fällen Schreiber A, die Tab. auf gleicher Seite jeweils Schreiber B). 2 Hauptschreiber der Tab. (A = f. 2v–32, B = f. 34r, 35r, blassere Tinte, möglicherweise etwas später). Pergamentband der Zeit, neuerdings beschnitten. Vorderdeckel außen: *GIARDINO Jntaulature per il Leuto delle piu rare / Madrigali et vilanelle et Capriccio Brandi volte e*[t] *Corante / Gagliarde pas et mezzo che Jl Principe Jl Sig*^{r} *Marchese / di San Sorlino fratello del Sig*^{r} *Duca di Nemours m*[i] / *ha fatto fauore di lasciarmeli copiare sopra tutte le Sue / piu rare Jntauolature* (stark verblaßt, kaum lesbar). Rückdeckel außen alte Rechnungen. (Freie Instrumentalsätze, Tänze, ital. Madrigale, frz. Chansons, lat. Motette.)

Literatur: BoetticherL, S. 345 [23] (*Ms. G 1*); BoetticherW, S. 80; BoetticherLZ, S. 824; WolfH II, S. 70; Neri, S. 73f.; Katalog Genua, S. 11f.

GLASGOW, UNIVERSITY LIBRARY

Ms. R. d. 43. Sogenanntes Euing lute-book. Jüngst geänderte Signatur: *Ms. Euing Collection Nr. 25.*

Frz. Lt. Tab. 6 Lin. Um 1600, teilweise wohl bis um 1610.

192 fol. Unbeschrieben f. 1r, 2v–7, 50v–126, 143r, 155–182; f. 8r, 9–15 (nur Lin.). 28×21 cm. Für 8- und 9chörige Laute. F. 40v Sprüche, u. a. *O God my heart is fixed*, weitere Verse f. 44r, 45r, ein dt. Psalmtext f. 41r, F. 49r Vermerk: *Bought of Ferdinando Gunter May ye 19*th *1699*. Mehrmals Eintragungen in gew. Notenschrift: f. 49v, Hinweise zum Generalbaß-Spiel, Beispiele mit Übungen im figurierten Baß, auch mit Umschrift in Tab. f. 135–142, 143v–154. Solosätze f. 8v, 16–49r. F. 2r: *Musical manuscript a plain not in catalogue WH Jan. 27th 1753.* 1 Schreiber. Dunkelbrauner Lederband der Zeit, Goldpressung, prächtige Ausstattung von Vorder- und Rückdeckel aus der Zeit James'I. (Tänze, engl. Liedsatz.)

Literatur: LumsdenE I, S. 272ff.; RollinV, S. XXII; HeckmannDMA VIII, S. 63, *Nr. 2/939*; Music for the lute II, S. 49 (Faksimile); Jeffery, S. 26ff.; PoultonA, S. 518; NewcombL, S. 131f.; BoetticherHo, S. 612; Music for the lute I, S. 33; LumsdenS, S. 20.

GÖTTINGEN, NIEDERSÄCHSISCHE STAATS- UND UNIVERSITÄTSBIBLIOTHEK

Handschriftliche Einzeichnung in den Druck J.-B. Besardus, *Thesaurus Harmonicus divini Laurencini Romani . . .*, Köln 1603.

Frz. Lt. Tab. 6 Lin. Um 1660–1670.

Einzeichnung in die 5 unteren, im Druck freigelassenen Systeme pag. 63 (fol. Q 3) in *Liber Quartus* (*cantiones gallicae*). Für 12chörige Laute, bis *////a*. Ohne rhythmische Zeichen, mit Doppelstrich beginnend. 1 Schreiber, möglicherweise identisch mit dem Besitzer des Drucks (cf. dessen Sigel auf Titelbl. links, rechts; Tinte). (Unbezeichneter Freier Instrumentalsatz.)

Literatur: Fehlend.

GÖTTWEIG, Benediktinerstift, Musikarchiv

Ms. Lautentabulatur Nr. 1 (*in camera praefecti*).

Frz. Lt. Tab. 6 Lin. Anfang des 2. Drittels des 18. Jh.; Datierungen 1735–1738.

58 fol., zuzüglich 1 Vorsatzbl. (leer, auf der Rückseite ist ein Stich aufgeklebt: Kuhweide mit einem Hirten, gez. *N. Pereille inv.*, *No. 1* und *No. 164*), 1 Nachsatzbl. (Rückseite leer). Beide Bll. von dünnerem Papier, das Ms. hat durchweg starken Karton. Unbeschrieben f. 5r, 12r, 33r (nur Lin.). 24×32 cm. Tab.-Teil: f. 1–4, 5v–11r, 12v–32, 33v–58. Für 11chörige Laute. Titelbl. fehlt. F. 11v Traktat mit Beispielen in gew. Notenschrift, überschrieben: *Motus Music*[us] *triplex est, Rect*[us], *Contrari*[us], *obliquus*. Nachsatzbl. Ir lat. moralischen Text, überschrieben: *Minima fuint Maxima*. Datierungen: f. 10r *14 April* [1]*736;* f. 10v *Die mensis et A*[nn]*o quo Suprà;* f. 12v *19 Aug: 1737;* f. 13v [1]*738: 15 septe;* f. 13v *1738: 9: Augusti;* f. 14r *19 Sept:* [1]*736;* f. 14v *27 decemb*[ris] [1]*736:;* f. 15r *31 decemb*[ris] [1]*736;* f. 15v *19 decemb*[ris] *1736;* f. 16r *23 Juny 1736;* f. 16v *5 martij* [1]*736;* f. 24r *22 Nov*[embris] *1736;* f. 24v *31 Decemb*[ris] [1]*735;* f. 25r *1 Januarij* [1]*736;* f. 32r *12 febr: 1738;* f. 32r *8va Febr. 1737;* f. 32v *16febr* [1]*739;* f. 33v *7ma Jan: 1737;* f. 33v *11 Jan:* [1]*737;* f. 34r *3 Januarij* [1]*737;* f. 34v *15 Julij 1736;* f. 35r *22 Aug:* [1]*735;* f. 35v *1737: 22 Martij;* f. 38v *25 Febr: 1737*; f. 35r *29 decemb*[ris] [1]*736;* f. 58r *1737: 13 Januarij;* f. 58r *9 Jan 1737;* f. 58v *12 Jan 1737*. Die Datierungen erscheinen jeweils am Ende eines intavolierten Satzes, sie bezeugen, daß der Kodex nicht fortlaufend in der heutigen Lage der Faszikel beschriftet wurde. Streichungen: f. 3v, 24r, 53r, 56v. 1 Schreiber (der am 1. 11. 1736 als Organist nach Göttweig berufene Georg Zechner, 1716–1778). Dunkelbrauner Lederband der Zeit, stark abgeschabt, Buchrücken aufgesprungen, orig. Heftung unversehrt. Deckel und Buchrücken mit Blindpressung (Leisten). (Freie Instrumentalsätze, Tänze, Arien.)

Literatur: BoetticherL, S. 376 [52] (*Ms. Gö*); KoczirzWL, Krit. Ber. nach S. 94; FlotzingerB, S. 223ff.; RollinD, S. XVI; KlimaL, S. 104 (1 Notenbeisp. von f. 44v); KlimaÖ, S. 4; RadkeGL, S. 51ff.; Klima-RadkeW, S. 367f.; RadkeW, S. V; KindermannDMA. *Nr. 2/2344*; KlimaG, S. 2ff. (als *Ms. I*).

——

Ms. Lautentabulatur Nr. 2 (*in camera praefecti*). Alte Signatur (Vorsatzbl. Ir): *No 36*.

Frz. Lt. Tab. 6 Lin. Ende des 1. Viertels des 18. Jh.; Datierungen 1782.

110 fol., zuzüglich je 3 Vorsatzbll. und Nachsatzbll. (deren Beschriftung s. unten). Alte Paginierung ab f. 1r: *1–3*. Unbeschrieben f. 17, 34, 43, 59v, 76,

93, 102 (leer); f. 18r, 35–36r, 41v–42, 44r, 45v, 46r, 47v, 48r, 58v, 60r, 77r, 84r, 100v–101, 103r, 110v (nur Lin.). 15×23 cm. Tab.-Teil: f. 1–16, 18v–33, 36v–41r, 44v, 45r, 46v, 47r, 48v–58r, 59r, 60r–75, 77v–83, 84v–92, 94–100r, 103v–110r. Für 11chörige Laute. 5 Lin. vorgedruckt, kunstvoll verzierter Seiten-Rahmen im Stich, ohne Angabe der Offizin. Eine 6. Lin. ist durchweg hs. ergänzt. Titel und Datierung: f. 59r *Zweiter Theil / anno / 1782;* Vorsatzbl. IIr *Dritter Theil / anno 1782.* Ein Titel für einen Ersten Teil fehlt. Vorsatzbl. IIIv intavolierte Beispiele, mit roter Überschrift: *Accords selon Les Differents Tons.* Nachsatzbll. I, II Rechnungen von fremder Hand, dabei mehrmals Datierungen [1]*763*, der Band ist augenscheinlich wesentlich älter und schon um 1725, Teile wohl 1720, mit Tab. beschriftet worden. Korrekturen, Ergänzungen: f. 9r, 20v (roter Satztitel rasiert und neu geschrieben), 64v, 69v, 80v; rote Ergänzungen von Tab.-Buchstaben: f. 50v, 63r, 68v. Satzbezeichnungen und Komponistenangaben fast durchweg mit roter Tinte. Mindestens 3 Schreiber, 1 Hauptschreiber (sorgfältig). Dunkelrotbrauner Lederband der Zeit in guter Erhaltung. Vorder-, Rückdeckel und Buchrücken mit reicher Goldpressung; Deckel innen und jeweils das erste Vorsatz- und 3. Nachsatzbl. mit bunt marmoriert bedrucktem Papier einseitig beklebt. (Freie Instrumentalsätze, Tänze, frz., ital. und span. Untertitel.)

Literatur: Schnürl, S. 109; RollinG, S. XVII (als *Ms. I* geführt); KlimaO, S. 4; Kindermann-DMA, *Nr. 2/2345*; RadkeD, S. 137; RadkeL, S. 42; Klima-RadkeW, S. 267; Klima-RadkeWW, S. 437; KlimaG, S. 1f. (als *Ms. II*).

Ms. Lautentabulatur Nr. 3 (*in camera praefecti*). Zur Zeit lose inliegend in Ms. Lautentabulatur Nr. 1.

Frz. Lt. Tab. 6 Lin. Um 1740.

1 fol., beide Seiten mit Tab. beschrieben. Stark defekt am unteren Rand. ca. 11×20 cm. Für 12chörige Laute. Auf der Rückseite flüchtigere Notierung, 8 Tab.-Takte gestrichen, Tintenklekse, Beschriftung kopfstehend. 1 Tab.-System ist zwischen 2 untere Systeme gequetscht. Der Rißstelle auf der Rückseite zufolge, die Tab.-Reste erkennen läßt, handelt es sich um ein Fragment eines größeren Blattes. Augenscheinlich nicht zu Ms. Nr. 1 und Nr. 2 gehörig. 1 Schreiber. Einband fehlt. (Keine Satzbezeichnungen.)

Literatur: Fehlend.

GRAZ, Steiermärkisches Landesarchiv

Ms. 1869. Erworben 1971 (Zuwachs-Zl. 1610/1971). Ältere Sign. (Vorderdeckel außen): IV. 857.

Frz. Lt. Tab. 6 Lin. Für Mandora. Um 1710–1720.

65 fol. Alle Seiten beschrieben. 15,5×20 cm. Tab.-Teil: f. 1–65. Für 6chörige Mandora. Vor f. 55 ist in jüngerer Zeit 1 Bl. herausgerissen, dessen übrig-

gebliebener Falz noch Tab.-Reste, auf Vorderseite mit *Trio* beschriftet, darüber 2 Systeme mit *M*... [= Menuett] erkennen läßt. Der Differenz zwischen orig. Einband und Papierblock zufolge dürften am Schluß den Volumens ca. 15 Bll. fehlen, wobei ebenfalls mit Tab.-Verlust zu rechnen ist, da der letzte Satz (*Praeludio*, f. 65v) abbricht. Am Anfang ist lediglich der Verlust von Vorsatzbll. und dem Titelbl. wahrscheinlich, da die Niederschrift mit *Accord*-Angaben (*acc.*, *ord.:*, *uniss.* bzw. *octav.*) beginnt. Überschriften: f. 31r *Partie ex C b*, f. 33v *Partie ex C*, f. 38r *Partita ex A*, f. 42r *Part: ex D*, f. 61v *Partita ex A*, f. 63r *Nova*. Alle Sätze haben zu Beginn Siglen: 3 Kreuze oder 3 0-Zeichen, einige Male beide zusammen, auch 1 Kreuz vorangehend. Zusätzlich erscheinen Namensigel, f. 3r, 3v, etc. *Haß* bzw. *Hauß*, f. 4r etc. *allg*, f. 8r, 10r, 17r etc. *Sp:*, f. 17v *Pa:*, einige Male auch kombiniert: f. 32v *sp: haß* oder f. 22v *Pa: sp*. Ferner tritt das Zeichen ⊙ auf (f. 35v, 36r etc.), ebenfalls vermehrt oder kombiniert als ⊙○○ (f. 40v, 41r etc.). *R:*-Vorschrift [= Repetitio], auch f. 41r etc. *piano-*, *forte*-Angaben. 1 Hauptschreiber. Die Beschriftung dürfte über einen größeren Zeitraum erfolgt sein, da mehrfach auf zwei gegenüberliegenden Seiten die Tab. durchgehend angeordnet ist und den freigebliebenen Raum beiderseits nutzt. In der zweiten Hälfte des Ms. sind die Seiten sogleich voll beschrieben. Stark unterschiedliche Tintenfärbung. Dunkelbrauner Lederband der Zeit (an Rändern stark abgeschabt), Goldpressung nur auf Buchrücken, Schnitt rot gespritzt. (Freie Instrumentalsätze, Tänze.)

Literatur: Fehlend. Hinweis KlimaL, S. 102f., 1 Faksimile nach S. 105.

HAMBURG, STAATS- UND UNIVERSITÄTSBIBLIOTHEK

Ms. M $\frac{B}{2768}$. Alte Signatur bis 1945: *ND VI 3238 ms.* Alter Bestand der Hamburger Stadtbibl. Deckel innen: *Realkatalog Nr. 12.*

Frz. Lt. Tab. 6 Lin. Um 1613–1620, Datierungen 1614, 1615, 1616, 1613. 86 fol. Unbeschrieben f. 52r, 55–58, 63–68, 78r, 80–86 (nur Lin.). Orig. Paginierung beginnt mit f. 3r: *1–168*. Unbeschnittenes Papier. 31,4×21,6 cm. Ausschließlich Tab. Für 11chörige Laute (*////a*). Titel: f. 1r (Schönschrift, rote Tinte): *Tabulatur Buch / Musica e vinum laetificant cor hominis / Ernst Schele. / Anno 1619*. F. 2 leer. Tab.-Teil beginnt mit f. 3. Mehrmals Datierung, in dieser Reihe: *1614*, *1615*, *1616*, *1613*, demzufolge wurde an verschiedenen Orten des Volumens eingetragen. Vermerkte Orte der Niederschrift: *Franckf.*, *a Napoli*, *Paris*, *Metz*, *Venedig*, *Leyden*. Datierte Sätze für Widmungsempfänger, z. B. f. 36v *Toccate, Gemaeckt ter Eeren Van Mons: Vander Linden. In Leyden, den 21 Febr: Anno. 1614; ... tot Eeren Mons: vander Burgk; ... à Monsieur Tvenhuysen*. Traktat: f. 12r *Regula Dauidis Pallady / Parthenopolitani ...*, mit Erläuterung der Tonarten, Ambitus, Initialis, Finalis etc., mit Beispielen in gew. Notenschrift. 2 Schreiber: A Hauptschreiber, ältere Form der rhythmischen Zeichen ohne Köpfe, saubere Aufzeichnung; B nur f.

60r–62, 77r, 77v, 78v–79, sowie jeweils nur die untere Seitenhälfte f. 50r, 50v, 69r, flüchtiger, blassere Tinte. Pappband des 19. Jh. mit Leinenrücken, innen originaler Einband, Vorder- und Rückdeckel mit altem Tintengekritzel (Schriftproben). Originaler Vorderdeckel innen oben 1 Zeile: *Pour accorder le Luth* mit Angabe der Hauptstimmung des Ms. (Freie Instrumentalsätze, Tänze, ital. Madrigale, frz. Chansons, dt. Liedsatz, ital., lat. und niederld. Satzüberschriften.)

Literatur: WolfH II, S. 103; BoetticherL, S. 348 [27] (*Ms. Ha Schele*); RollinV, S. XXII; BoetticherHov, S. 789 und Tafel 35 (1957 noch als *verloren* geltend).

ehemals HAMBURG, STAATS- UND UNIVERSITÄTSBIBLIOTHEK
1943 verbrannt
Aufnahme des Herausgebers 1942

Ms. ND VI, 3241.

Frz. Lt. Tab. 6 Lin. für Hamburger Cithrinchen. Um 1720.

49 fol. 62 mit Tab. beschriebene Seiten. Beschriftung vom Anfang, und vom Ende aus rückwärts. 13,2 × 17,5 cm. Ausschließlich Tab. Für 6saitiges Cithrinchen. Wahrscheinlich in Hamburg geschrieben. 2 Schreiber. Pappband der Zeit. (Tänze, dt. Liedsätze.)

Literatur: WolfH II, S. 103, 146; BoetticherL, S. 353 [31] (*Ms. Ha 3241*); Ms. Katalog Hamburg, Universitätsbibl., *Abteilung ND VI, Nrn. 3171–3859*, S. 29; Jung, S. 1ff., 5, 8 (2 Faksimiles S. 58 von f. 19r und 19v); Becker, S. 212.

———

1943 verbrannt
Aufnahme des Herausgebers 1942

Ms. ND VI, 3242.

Frz. Lt. Tab. 6 Lin. für Mandora. Um 1725.

63 fol. 89 mit Tab. beschriebene Seiten. 17,3 × 21,5 cm. Ausschließlich Tab. Für 8chörige Mandora. F. 2r Traktat zum Gebrauch der Tab. und Stimmung. 2 Schreiber. Pappband der Zeit. Wahrscheinlich süddt. Provenienz. (Freie Instrumentalsätze, Tänze, Arien, dt. Liedsätze.)

Literatur: WolfH II, S. 123; BoetticherL, S. 360 [38] (*Ms. Ha 3242*); Ms. Katalog Hamburg, Universitätsbibl., *Abteilung ND VI, Nrn. 3171–3859*, S. 30.

HARROW (Middlesex), PRIVAT-BIBLIOTHEK JAN HARWOOD (SALISBURY ROAD 53). [THE NATIONAL TRUST, IN CARE OF JAN HARWOOD.]

Ms. ohne Signatur. Um 1960 in einem Haus in Cornwall aufgefunden. Sog. Hender-Robarts-Lutebook. Nicht öffentlich zugänglich.

Frz. Lt. Tab. 6 Lin. Um 1635–1650.

94 fol., zuzüglich 2 Vorsatzbll. (f. I–IIr leer) und zahlreiche unpaginierte Nachsatzbll. (leer). 32 × 20 cm. Vor f. 1 sind 3 Bll. herausgeschnitten (Falze ohne

Tab.-Reste). Es handelt sich um 7 Abschnitte (Faszikel), hier A–G genannt. Unbeschrieben: A, f. 8v–17; B, f. 1r, 3–10; C, f. 9v–12; D, f. 7v–16; E, f. 4–12; F, f. 3v–12; G, f. 6v–15 (leer). Tab.-Teil: A, f. 1–8r; B, f. 1r–2; C, f. 1–9r; D, f. 1–7r; E, f. 1–3; F, f. 1–3r; G, f. 1–6r. Für 11chörige Laute (bis „4"). Titel f. IIv Schönschrift: *Ce Liure apartient. / A. / Monsieur. Hender. Robarts. et. Les / piesses qui sont escrite dedans. pour. / Le luht, luj ont estée donnéz, et enseignéz / par sont tres humble seruiteur. / Bourgailej.* Es folgen auf der selben Seite intavolierte Beispiele für *le premier ton qui est escrit dans le liure . . ., le second . . .*, etc. bis *le septiesme ton.* Diese Beispiele legen eine 6- bis 11chörige Lt. zugrunde. Zahlreiche *Acord*-Angaben, u. a. in A, f. 1r *Acord pour Joüer les piesses sj en suitte. / Cest le tont de la Cheure du vieux Gaultier. / de lion. / ou bien le ton de La. de la huitiesme / transposé. ou. f. vt. fa. transposé.* Fingersatz: 1, 2 Punkte (sorgfältig). Gleichartige Tänze (*Courante*) sind z. T. numeriert (*1, 2*). Bei einer Courante: *san*[s] *Chanterelle ny seconde. finis*-Vermerke. Streichungen: F, f. 3r (2 Takte). Die Sätze sind zu (unbezeichneten, unnumerierten) Suiten geordnet. 1 Schreiber. Einband fehlt. (Freie Instrumentalsätze, Tänze.)

Literatur: Fehlend. Hinweis jüngst PoultonCh, S. 125.

HASLEMERE (Surrey), PRIVATBIBLIOTHEK DR. CARL DOLMETSCH (Cécile Dolmetsch-Ward, Nathalie Dolmetsch-Carley), vordem Dr. Arnold Dolmetsch († 1940)

Ms. II. B. 1.

Frz. Lt. Tab. 6 Lin. Um 1635–1660.

285 fol., zuzüglich 1 Vorsatzbl. (leer). Alle S. beschr. 14×18,5 cm. Tab.-Teil f. 1–285. Jüngere Bleist.-Foliierung (korrekt). Für 9- und 10chörige Laute. F. 272v Vorschrift: *sine quinta* (bei 1 *Volte* von *Gothier* = ohne Gesangssaite). In einigen Fällen Angabe d. Komponisten, z. T. rot (f. 215v). Fingersatz: 1 Pkt. (spärlich). Streichungen: f. 8r, 35r, 77r, 133v, 234r, 266v; f. 151r 1 System am Rand ergänzt. Vor f. 21 1 Bl. herausgerissen (Falz, Lin.-Fragment ohne Tab.-Rest). Angaben zur Stimmung, auch: *accordez* (f. 274v), *a corde auallee* (f. 281 bei *Passomezo*, auch bei folgenden Sätzen), im Satztitel: *autre du mesme ton* etc. *Finis*-Vermerke. Möglicherweise nur 1 Schreiber, über größeren Zeitraum (eine alte zitterige Hand f. 174r, 185r, 191v–192r, 284r, 284v), unterschiedliche Tintenfärbung. Vorderdeckel innen (Tinte): *Jgnauia est iacere ubi possis surgere.* Orig. Pergamentband mit reicher Blindpressung. 2 geflochtene Lederbandschließen erhalten. Rückdeckel innen 1 dt. Zeile (Tinte, flüchtig): *Der Herre Vnnd* (wohl Anrede). Der Einband älter (ca. 1590). (Freie Instrumentalsätze, Tänze, frz. Liedsätze, ital., engl., poln. Bezeichnungen.)

Literatur: Fehlend. Jüngst Henning, S. 433ff.

Ms. II. B. 2.

Frz. Lt. Tab. 6 Lin. Um 1750–1770.

93 fol., zuzüglich 1 Vorsatzbl.; je 1 Schmutzbl., außer Ir (vorn) leer. Alle S. beschr. 19,5×25 cm. Tab.-Teil f. 1–93. Für 11- und 12chörige Laute. Lin. mit Rastral, sorgfältig, Seitenrand Doppelstrich, kein Tab.-Verlust. Orig. Paginierung *3* (f. 1v)–*187* (f. 93v), demnach Titelbl. fehlend. *da capo*-Vermerke (auch: *Da Capo le premier Couplet* u. ä.). Vorsatzbl. Iv Stich von Sylv. Leop. Weiß aufgeklebt. Korrekturen: f. 11r. Jüngerer Titel Vorsatzbl. Ir *GERMAN LUTE TABLATURES / A Collection of Allemandes / Courantes, Fantasias, Fugas, Gavottes, / Menuets, Paisanes, Sarabandes etc. / In tablature for the Lute, by the / following composers. / Weiss, Pichler, Logi, Piepler, Bohn, Weichenberg, Gallot, Kresch, Kuhnel etc.* [Namen z. T. fehlerhaft]. 1 Schreiber (sorgfältig, geübte Hand eines Spielers, über größeren Zeitraum). Orig. Pappband, außen mit schwarzem Papier beklebt, Buchrücken jünger (weiß) mit Beschriftung *LUTH . Tablatures Allemandes. Gallot, Mouton etc., Weiß. Kühnel . . . etc.* Vorderdeckel innen Besitzvermerk: *T. W. Taphouse / 3 Magdalen Str. / Oxford*; dann: *Arnold Dolmetsch / 2 Bayley street / London. WC.*, dessen Eintragung Schmutzbl. Ir: *Exchanged for a Lute / on Dec. 10 1898 / A.D.* Blaue Marke: *International Inventions Exhibition London 1885.* (Freie Instrumentalsätze, Tänze.)

Literatur: Fehlend. Jüngst Henning, S. 433ff.

Ms. II. B. 3

Frz. Lt. Tab. 6 Lin. für Lyra Viol. Um 1650–1665.

119 fol., zuzüglich 1 Vorsatzbl. (f. Iv leer). Unbeschrieben f. 10v–22, 26–28r, 35–38, 41r, 43v–49r, 52r, 55–58r, 61r, 65v, 66r, 91, 94r, 96–98r, 101v, 105–106r, 108r, 114v, 117v–119 (nur Lin.). 18×22 cm. Tab.-Teil: f. 1–10r, 23–25, 28v–34, 39–40, 41v–43r, 49v–51, 52v–54, 58v–60, 61v–65r, 66v–90, 92–93, 94v–95, 98v–101r, 102–104, 106v–107, 108v–114r, 115–117r. Für 6saitige Viola da Gamba. Vor f. 58 ist 1 Bl. herausgeschnitten (Falz, leer), am Ende 2 Bll. herausgerissen. Angaben der Stimmung (*The Tuninge* f. 59r, 94r, 98r etc.), auch Abzug (f.41r). Orig. Paginierung *206* (= f. 1v)–*254*, dann direkt fortsetzend *261–280*, *283–367*, *373–415* (= f. 119v), mithin fehlen in Volumenmitte ca. 8 Bll., am Anfang ca. 102 Bll. Ensemble-Satz (Pausen am Satzbeginn), keine gew. Notenschr. F. 37v–38r kopfstehend, Tinte quer: *M*[rs] *Walker her Book* (beim Zuschlagen durchgefärbt). 2 Schreiber (Nebenschreiber B nur f. 115–117r, wohl 15 Jahre jüngere Aufzeichnung). Orig. dunkelbrauner Lederband, starke Gebrauchsspuren. Vorder-, Rückdeckel Goldpressung: ·:TERTIUS:·. 4 Löcher von Schließbändern (diese fehlend). Heftung lose. Jüngere Eintragung Vorsatzbl. Ir: *Corantos, Sarabands, Fan-*

tazias, / Almaynes, Pavins, Thrumps, & / Airs, by John Jenkins, Willm. Lawes / and Symon Jves, all set for the / Viola da Gamba / or / Bass Viol / in / Tablature Notation. (Freie Instrumentalsätze, Tänze, engl. Incipits.)

Literatur: Fehlend. Jüngst Henning, S. 433ff.

——

Ms. II. C. 23.

Ital. Lt. Tab. 6 Lin. um 1590–1610 und Ital. Git. Tab. 6 und 5 Lin. mit Alfabeto um 1640.

18 fol. Unbeschrieben f. 13v–17 (nur Lin.). 34×25 cm. Pro S. 12 Systeme. F. 4 in Breite schärfer beschnitten. Tab.-Teile: I. Ital. Lt. Tab. 6 Lin. f. 1–13r, hiervon f. 1–12v, rhythmische Zeichen ohne Kopf, Schreiber A, um 1590–1600, für 6chörige Laute; f. 13r rhythmische Zeichen mit Kopf, andere, flüchtigere Schrift, um 1600–1610, für 7chörige Laute. II. Ital. Git. Tab. 6 Lin., Golpes auf unterster Lin., rhythmische Zeichen mit Köpfen über (nicht im) System, Alfabeto (*O*, *N*, *M*, *P*) mit Punteado, für 4- und 5saitige Gitarre, um 1640, f. 18r. III. wie Tab.-Teil II, aber 5 Lin. (oberste Lin. gestrichen), kopfstehend beschr., mit weiteren Alfabeto-Zeichen (*K*, *G*, *P*, *C*), für 4- und 5saitige Gitarre, um 1640, f. 18v. Korrekturen: f. 13r, 18v. Fingersatz: 1 Pkt. neben Zeichen (spärlich). Orig. Foliierung: *7* (f. 2r), *8* (3r), *12* (5r), *13* (6r), *14* (7r), *15* (8r), *18* (9r), *19*, *20*, *21* (10r, 11r, 12r), *39* (13r), *40*, *41*, *42* (14r, 15r, 16r), *58* (17r), *72* (18r). F 4r jünger foliiert (*9*). Demnach Tab.-Verlust (mindestens 54 Bll.). Heftung f. 12/13 und 16/17 defekt. Vor f. 9 2 Falze (leer). *a3*, *a4* (Stimmzahl des Modells) in Tab.-Teil I. 3 Schreiber (I = A, B; II, III = C). Ohne Einband, beiliegend Reste eines Buchrückens (Papier, 16. Jh., literar. beschr. schwarz/blau). Stempel der Familie Medici (f. 1r). (Freie Instrumentalsätze, Tänze, ital. Madrigale, lat. Motette.)

Literatur: Fehlend. Jüngst Henning, S. 433ff., Faksimile S. 437.

HELMINGHAM HALL (EAST SUFFOLK, BEI STOWMARKET), PRIVATBIBL. LORD TOLLEMACHE

Ms. ohne Signatur.

Frz. Lt. Tab. 6 Lin. Um 1615–1625. Zur älteren Sign. vgl. unten.

48 fol. Zahlr. S. unbeschr. 12×15,5 cm. Tab.-Teil: f. 3–4r, 6–13. Für 7chörige Laute. Insgesamt 26 vollständige Sätze, davon 16 für Einzellaute, 9 für 2 Lauten, 1 ist wohl für *Consort* bestimmt (der Part der 2. Laute und der Consortstimmen ist fehlend). Hinweis auf doppellautigen Satz f. 11r bei *A fancy: for ij lutes*, f. 11v bei *An Allman*, analog f. 12r, 12v, 13r. Vermerk: f. 3r auf *An Almane* bezüglich *the praecedent Almane after the treble waye.* 1 Hauptschreiber, f. 1v zufolge *Henry Sampson* (er ist ferner genannt bei dem Satz *Mrs Whites choyce: per Henricum Sampson scriptorem libri*). 1 Nebenschreiber (identisch

mit einem der Schreiber von Mss. Cambridge, Univ. Libr. Dd.4.22, Dd.9.33 und des Ms. London, Brit. Mus. Add. 15117). Brauner Lederband der Zeit, reiche Goldpressung, Rosette (wohl etwas jünger ?). Reste eines älteren Pergamentumschlags (Falz). Ältere Signatur (Vorderdeckel innen, Bleist.): *L. J. i. 14* und: *L. J. V.* Einige Bll. zeigen Wasserzeichen mit Datum *1609* (1602 ?). Im hs. Katalog der Priv. Bibl. Lord Tollemache, Helmingham Hall (1762, S. 8) unter *music tunes* nicht erwähnt, daher wohl erst in jüngerer Zeit erworben. NACHSCHRIFT 1975: In Besitz von Robert Spencer, Woodford Green (Essex) übergegangen (erworben aus Antiquariat Sotheby's, London, 14. 6. 1965, *Lot 36*). (Freie Instrumentalsätze, Tänze, engl., ital. Liedsätze.)

Literatur: Fehlend, Hinweis durch SpencerT, S. 38f. Ferner jüngst PoultonCh, S. 125; RooleyS, S. 163f.; Reproductions II, Einleitung; SpencerTh, S. 122 (2 Faksimiles von f. 3r, 13v).

HENGRAVE HALL (Bury St. Edmunds), Privatbibliothek John Wood

Ms. Ohne Signatur. (I) Seit 1958 aufgenommen in Cambridge, Univ. Libr., *Hengrave Hall Deposit Nr. 77 (I)*.

Frz. Lt. Tab. 6 Lin. Für Viola (Lyra Viol), wahlweise für Laute. Um 1670–1680.

121 fol. 3 Bll. sind am Ende des Ms. in jüngerer Zeit herausgeschnitten (Falze, Tab.-Verlust). Mehrere Seiten unbeschrieben. 28×17 cm. Tab.-Teil: f. 1r, 13v–15, 29v–31r, 35v, 36r, 37v, 38r, 39v, 40r, 41v, 42r, 43v, 40r, 45v, 46r, 47v, 48r, 49v–52, 53v–61r, 82v–86r, 96v, 97r, 102v–103, 104v–106r, 107v–110. Für 6saitige Viola (*Lyra Viol*). Orig. Numerierung der Sätze *1–6, 22–26, 43–48*. Im erhaltenen Tab.-Teil sind in jüngerer Zeit Bll. herausgeschnitten: je 3 Bll. vor f. 57, 60, 5 Bll. vor f. 105 (Tab.-Verlust). Streichungen: f. 103r. Angaben zur Stimmung, u. a. f. 13v mit Vermerk: *The new tuning / to play alone.* Überwiegend für Viola solo, einige Sätze für Violen-Duo, mit Vermerk: *for 2 violes.* F. 29r, 30v kopfstehend beschriftet. Besondere Vermerke zur Stimmung: f. 36r *or thus the middel straine.* Hinweise auf den Intavolator: f. 35v *Set to the Base viol By Simon Clarke;* f. 45r *This Diuision Made by Simon Clarke / Batchelor of Musick* (analog f. 46r). Einige Aufzeichnungen in gew. Notenschrift. 1 Schreiber. Brauner Lederband der Zeit mit eingepreßten kleineren Rosetten. (Freie Instrumentalsätze, Tänze.). Eine Notiz auf der Innenseite des Deckels besagt, daß das Ms. früher im Besitz der Rookwoods of Coldham, sodann der Gages of Hengrave (Suffolk) sich befand. Anfang des 20. Jahrhunderts im Besitz der Familie Kitson, der die Ländereien von Hengrave Hill gehörten. Eine hs. Kopie (z. T. quasi-Faksimile) von der Hand Florence G. Attenboroughs, angefertigt um 1910, erwarb das Brit. Mus. London 1917 (Ms. *Additional 39555*, hierzu vgl. KatalogBM, N.Acqu. 1916–1920, S. 44 und WillettsH, S. 8).

Literatur: Fehlend. TraficanteV, S. 230f. (als *Nr. 15*) zitiert nur die moderne Kopie.

Ms. ohne Signatur. (II) Seit 1958 vorübergehend aufgenommen in Cambridge, Univ. Libr., *Hengrave Hall Deposit Nr. 77 (II)*.

Frz. Lt. Tab. 6 Lin. Für Viola (Lyra Viol), wahlweise für Laute. Um 1670–1680.

78 fol. Mehrere Seiten unbeschrieben. 29×18 cm. Das Ms. enthält zahlreiche Aufzeichnungen über angeschaffte Einrichtungsgegenstände und Teile der Schloßbibliothek. Tab.-Teil: f. 77v, 78v. Für 6saitige Viola (Lyra Viol). Beschriftung kopfstehend (rückwärts). Streichungen: f. 77v. Nach f. 78 sind mindestens 2 Bll. herausgerissen (wahrscheinlich Tab.-Verlust). 2 Sätze. Keine Aufzeichnung in gew. Notenschrift. 1 Schreiber (identisch mit demjenigen von Ms. Hengrave Hall Deposit Nr. 77 [I]). Brauner Lederband der Zeit (Ausstattung übereinstimmend mit vorgenanntem Ms.). (Tanz.)

Literatur: Fehlend.

INNSBRUCK, LANDESREGIERUNGSARCHIV

Ms. Nr. 533. Ehemals Schloß Annenberg, Südtirol. In neuerer Zeit unter der gleichen Sign. im K. und k. Staatsarchiv Innsbruck.

Ital. Git. Tab. und ital. Lt. Tab. 5 Lin. Mitte des 17. Jh., Datierung 1648.

32 fol., zuzüglich 1 Vorsatzbl.: Iv leer. Alle Seiten beschrieben. 17,5×22,5 cm. Tab.-Teil f. 1–28r. 5 Lin. vorgedruckt, ohne Angabe der Offizin. Tab.-Arten: 1. Git. Tab. ohne Alfabeto, rhythmische Zeichen im Lin.-System: f. 1–10v (oben). 2. Git. Tab. mit Alfabeto oberhalb und im Lin.-System, mit Punteado, die Golpes stehend oder hängend an mittlerer Lin., z. T. Golpes auch fehlend; einige Akkorde sind zunächst in Tab. ausgeschrieben, sodann von anderer Hand (blassere Tinte) als Alfabeto-Zeichen über dem Lin.-System nachgetragen: f. 10v (unten) – 13r, 18v, 21r, 22v, 23r (unten), 24r, 25v, 26r, 28r. 3. Lt. Tab. (nur Ziffern), rhythmische Zeichen und Alfabeto fehlen: f. 13v–18r, 19r, 21, 22, 23v–26r, 27. 4. Git. Tab. nur Akkorde in Tab. ausgeschrieben, ohne Alfabeto und ohne Punteado, die Golpes an der mittleren Lin.: f. 19v (oben), 25r. 5. Git. Tab. nur Alfabeto und Golpes (diese auf allen 5 Lin. flüchtig angeordnet), ohne Punteado: f. 19v (unten) – 20, 23r (oben), 27v, 28r. 6. Git. Tab. wie 4., aber auch mit spärlichem Punteado: f. 26v. Im Teil für Git.- und Lt. Tab. mindestens 3 Schreiber (A Hauptschreiber sorgfältig f. 1–10v, B und C flüchtiger). Die Niederschrift in den verschiedenen Tab.-Systemen dürfte in ca. 1 Jahrzehnt erfolgt sein. Für 5saitige Git. bzw. 5chör. Lt., selten ist eine 6. Saite (Chor) verlangt: f. 16v (nachgetragen von anderer Hand). Zahlreiche Streichungen, Rasuren; Ergänzungen in Tab. am Seitenrand. – F. 28v. Darstellung der Tonskala *F* bis *e''* ohne Tab. F. 29–32 Sätze für Tasteninstrument in gew. Notenschrift, u. a. von Pinelle (vgl. Bd. 2). Vorsatzbl. Ir Zeichnung (Bleistift) eines Wagens. Vorderdeckel innen (Tinte): *Ex libris Baroni in Annenberg;* ferner: *Cologne le 14. d'Aoust / 1648.* Frz. Verse, beginnend:

Heureux qui n'Espere / Plus fidelle qu' Heureux / J'ayme qui m'ayme / qui Bien ayme, tard oublie / ... Ferner: *Vous estez plus heureux que moy, Mons*[r]. *Le Comte Fuchs: / Celle qui se tien Indigne de mettre, ses deuises: à son chere frere, / Monsieur le Comte Fuchs: pour la tenir dans L'honneur de sa bonne souuenence; / . . .sa: / tres humble et tres fidelle Soeur. / et seruante: / Marie Catherine Vrsula Comtesse / de Montfort: ...* Pergamentband der Zeit. Lederbandheftung unversehrt. Von den 2 Lederbandschließen ist 1 noch erhalten. (Freie Instrumentalsätze, Tänze, ital. Madrigale.)

Literatur: Kurzer Hinweis bei KlimaA, Einleitung, S. V, Anm. 2; KindermannDMA, *Nr. 2/2346.*

KARLSRUHE, BADISCHE LANDESBIBLIOTHEK

Ms. in Druck Mus. Bd. A. 678. Hs. Anhang an Druck: S. Ochsenkun (RISM 1558[20]), B. Jobin (RISM 1572[12] und 1573[24]). Alte Signatur (Vorderdeckel, innen): *Te 12.* Früher Bibl. des Klosters Ettenheim (bis Säkularisation 1806).

Dt. Lt. Tab. Ende des 16. Jh.

61 fol. des hs. Anhangs, zusätzlich 5 alte Vorsatzbll. (teilweise beschriftet). Unbeschrieben f. 24v–60, 61v; f. 6, 12–17, 24r (nur Lin.). 29,5×20 cm. Alte Foliierung *I–X.* Ausschließlich Tab. Für 8chörige Laute. Lat. Traktat: Vorsatzbll. I, IIr, beginnend mit *Caput I,* Regeln Nr. 1–17 über das Lautenspiel, ferner Übersicht der altgriech. Tonlehre: *Parhypaton, Meson, Parameson,* mit Transpositionsskalen, mit Beispielen in gew. Notenschrift und in Tab. F. 61r: *Wie man die Laute u. eine Zitter Stimmen soll,* im 2. Absatz Erläuterung: *Zwei Lauten Zusamen Zu stimmen.* Analog f. 22r Überschrift: *Diese beide intraden solln auff Zwei Lauten geschlagen werd*[en]. Beginn des Tab.-Teils f. 1r, überschrieben: *Cantiones Hasleri 4.5.6.& 8 vocum.* 2 Schreiber. Pergamentband der Zeit, Vorderdeckel Blindpressung: *M B K M* und: *1582.* (Freie Instrumentalsätze, Tänze, ital. Madrigale, lat. Motetten, dt. Liedsätze.)

Literatur: WolfH II, S. 50; BoetticherL, S. 347 [25] (*Ms. Ka 12*); Dieckmann, S. 91; Fachkatalog, S. 157, *Nr. 86* (Raum XI, Pult IX). HeckmannDMA IV, S. 114, Nr. *1/1705.*

KASSEL, MURHARD'SCHE BIBLIOTHEK DER STADT UND LANDESBIBLIOTHEK

Ms. 2° Mus. 61.1 (1).

Frz. Lt. Tab. 6 Lin. für normale Laute und Theorbe, sowie für Bariton (Viola di Bardone). Um 1653–1670, Datierungen 1653, 1669, 1670.

23 fol., teils lose. Unbeschrieben f. 14r, 16v, 23v (nur Lin.). 31,8×21,5 cm. Das Ms. ist in 3 unterschiedlichen Tab.-Systemen aufgezeichnet. I. für Bariton (Viola di Bardone) f. 1–14r, 15v, 17–23r; II. für 11chörige Laute f. 15r obere Hälfte; III. für 11chörige Theorbe f. 15r untere Hälfte, 14v (rückwärts fortsetzend), 16r (hieran anschließend). Überschriften mit Angabe des Instruments

bzw. Datierung: f. 1r *Bariton;* f. 5v *1653;* f. 15r *Sula tiorba;* f. 16r ... *du luth mis sul la tiorbe;* f. 17v ... *mise sur le Bariton;* f. 17v *Allem. mise sur le Bariton le 24 april 1670;* f. 19v *Allem: d*[en] *21 april 1669;* f. 20r *Allem: 21 april* [1]*669.* Wahrscheinlich nur 2 Schreiber, die sowohl *////a* als auch *4* notieren. Ohne Einband. Die ältere Aufschrift *für die Mandoline* ist unrichtig. (Freie Instrumentalsätze, Tänze, engl. Incipit.)

Literatur: WolfH II, S. 118, 239; BoetticherL, S. 361 [38] (*Ms. Ka 61*); Israël, S. 65; EinsteinG, S. 38f.; HeckmannDMA VII, S. 32, *Nr. 2/541.*

Ms. 2° Mus. 61. l (2).

Frz. Tab. 6 Lin. für Viola da Gamba. Ende des 17. Jh.

19 fol., teils lose. Unbeschrieben f. 4v, 6v, 7v, 8v, 9v, 11v, 13v, 14v, 15v, 17v–19r. Verschiedene Faszikelreste, abweichende Papierbeschaffenheit, beschnitten, unbeschnitten, 2 Hauptformate: 21,8×28,7 cm und 28,7×21,8 cm. Titel: f. 1r *per la Violadaganb*[a]*: del Sig.: G. Tielche.* Tab.-Teil mit 6 Lin. (teilweise ohne Rastral): f. 1–4r, 6r, 7r, 8r, 9r, 10–11r, 12–13r, 14r, 15r, 16. F. 5r, 5v, 17r Aufzeichnung in gew. Notenschrift. F. 19v Zeichnung. F. 15r Überschrift: *Der am Morgen Vns*[eres] *Lebens, Gebuhrts- oder NeuJahrs- / Tage, Gott Suchende.* Mindestens 3 Schreiber. Ohne Einband. (Freie Instrumentalsätze, Tänze, Arien, frz. Chansons, engl. Incipit, dt. Liedsatz.)

Literatur: WolfH II, S. 239 (ohne Sign.); Israël, S. 65; EinsteinG, S. 38f.; EitnerQL V, S. 466, Art. *A. Kühnel I.*

Ms. 4° Mus. 108, vol. I. Ohne alte Sign.

Frz. Lt. Tab. 6 Lin. Anfang des 17. Jh., Nachträge bis 1620 möglich. Datierung 1610.

131 fol. Unbeschrieben f. 20v, 21r, 53v, 54v, 73v, 74r, 75r, 76v, 77r, 80v, 90–92r, 101–131 (leer); f. 41r, 52v, 53r, 100v (nur Lin.). 15,3×18,3 cm. Tab.-Teil: f. 1–20r, 21v–40, 51v, 52r, 55–61r, 64v–73r, 75v, 77v–80r, 81–86r, 89v, 92v–100r. Für 10- und 11chörige Laute. Kombiniert mit Singstimme in gew. Notenschrift, durchtextiert f. 31v–35r, 75v; gew. Notenschrift f. 41v–51r, 61v–63, 74v, 86v–89r. Stimmung: f. 13r *accordetur 4 chorus ad notam g.sol.re.ut.* Titel: f. 54r *Liure de tableture de lhut pour madame Elisabett princesse de hessen / Commençé par victor de montbuysson le dernier Januiér 1610.* Montbuysson war Lautenist Moritz' des Gelehrten (vgl. E. Zulauf, Beiträge zur Geschichte der Landgräflich-Hessischen Hofkapelle zu Cassel, Leipzig 1902, S. 52, 64). 1 Bl. vor f. 90 herausgerissen (Falz mit Lin., Tab.-Verlust?); am Bandende 5 Bll. entfernt (kurze Falze). Tintenspuren Rückdeckel innen bezeugen, daß letzte Seite beschriftet war. Korrekturen: f. 24v, 81v. Als Vorlage diente neben J.-B. Besardus (1603) auch G. L. Fuhrmann, *Testudo Gallo-Germanica*, Nürn-

berg 1615, mithin Nachträge bis 1620 möglich. Mindestens 5 Schreiber. Unter den Komponisten ist *M.L.H.* (= Moritz Landgraf v. Hessen) f. 12v, 15v, 17v geführt. Vorderdeckel innen: *Dem.* Pergamentband der Zeit, Vorder-, Rückdeckel abweichende Schwarzpressung mit Rosette, Randleisten, auch auf Buchrücken. Deckel außen mit ausgestanztem Blumenmuster. Goldschnitt mit Musterung. Heftung unversehrt. (Freie Instrumentalsätze, Tänze, dt., frz., ital. Liedsätze.)

Literatur: Fehlend. Israël non est. Hinweis RadkeL, S. 41, Anm. 42.

Ms. 4° Mus. 108, vol. II. Alte Sign. (f. 1r, Rötel): *2.*

Frz. Lt. Tab. 6 Lin. für Viola da gamba. Um 1670–1690.

115 fol. Unbeschrieben f. 1–6, 16v–19r, 87v, 95r, 103r, 108v–115 (leer); f. 37v, 38r (nur Lin.). 15×20 cm. Tab.-Teil: f. 7v–16r, 19v–37r, 38v–87r, 88–94, 95v–102v, 103v–108r. Für 6saitige Viola da gamba. Orig. Numerierungen: *3–70* (f. 48v–85v), ferner *4*, *5* (f. 9v, 10r). F. 7r Tintenzeichnung mit Bleist. (Männerporträt). Bezeichnung der 2. Gambe: *Basse* f. 39r etc. *piano-*, *forte-*, *Eccho*-Vorschrift f. 36v, 56v. Fingersatz: 1–4 Pkte. f. 8–9, 60v, 63v, 85r, 99r, 100v etc. Rötel-*NB*-Vermerk f. 70r, 76v, 77r, 85v, 102v etc. F. 63v, 80r: *Stimmung* (6saitig). Gew. Notenschrift: f. 11r. Mindestens 4 Schreiber. Der Komponistenname f. 36v *Willem: Deutekom* verweist auf den Kasseler Gambisten (EitnerQ III, S. 190). Internationales Repertoire (f. 77r: *Bourée des Moscow*). Ferner vgl. f. 37r *S: Stebkens* (EitnerQ IX, S. 266f. zu den engl. Gambisten Steffkins). Pergamentband der Zeit, einfache Goldleistenpressung auch auf Buchrücken; Goldschnitt ohne Musterung. Schlitze von 2 ehem. Stoffschließen. Format und Einband von vol. I abweichend. (Freie Instrumentalsätze, Tänze, dt. geistl. Liedsätze.)

Literatur: Fehlend. Israël non est.

Ms. 4° Mus. 108, vol. III. Alte Sign. (Vorsatzbl. Ir, Rötel): *1.*

Frz. Lt. Tab. 6 Lin. für Viola da gamba. Um 1670–1690.

86 fol., zuzüglich je 2 Vorsatzbll. (f. Iv–II leer) und Nachsatzbll. (leer). Unbeschrieben f. 1v–2 (leer); f. 27r, 65v, 66r (nur Lin.). Format wie vol. II. Tab.-Teil: f. 1r, 3–26, 27v–65r, 66v–86. Für 6saitige Viola da gamba. Orig. Numerierung *1–46* (f. 1r–26v), Nr. 47 fehlt, *48* ohne Tab. f. 27r, *49–86* (f. 27v–51v), hierbei 77 übersprungen (kein fehlendes Bl.), *87* ohne Tab. f. 52r, *88–112* (f. 52v–65r), *113*, *114* ohne Tab. f. 65v, 66r, *115–145* (f. 66v–86v). Wohl kein Tab.-Verlust. Vorsatzbl. Ir flüchtige Tintenzeichnung: Wappen mit Krone. *piano-*, *forte*-Vorschriften f. 72v, 73r etc. Fingersatz: 1–4 Pkte. f. 22v, 66v (spärlich). Korrekturen, Rasuren: f. 25v etc. Ergänzung der Tab. am Rand: f. 41r. F. 53v, 84v: *Stimmung* (6saitig); f. 55v: *Verstimbt.* 2. Gambe bezeichnet

wie vol. II. Vermerk: f. 20v *petite reprise*. 1 Schreiber. Neben Willem Deutekom (vgl. vol. II) ist *D. Eb* (= Daniel Eberlin, EitnerQ III, S. 302) als Kasseler Musiker geführt; ferner *Stebkens* (vgl. vol. II). Einband wie vol. II (hier Reste von 2 Stoffschließen). (Freie Instrumentalsätze, Tänze, frz. und dt. geistl. Liedsätze.)

Literatur: Fehlend. Israël non est.

Ms. 4° Mus. 108, vol. IV. Ohne alte Sign.

Frz. Lt. Tab. 6 Lin. für Viola da gamba, vereinzelt für Theorbe. Um 1670–1690.

97 fol., zuzüglich je 2 Vorsatz- und Nachsatzbll. (leer). Unbeschrieben f. 2r, 20r, 34v, 39v–42, 51v, 52r, 53–75r, 76r, 79v, 89r, 90v–92r, 93v–96, 97v (nur Lin., z. T. mit Satzbezeichnungen, diese orig. numeriert). Format wie vol. II. Tab.-Teil: I. f. 78v, 79r, 92v, 93r für Viola da gamba (es werden nur die 3 oberen Saiten beansprucht); II. f. 52v für Theorbe (bis „*13*“, „*14*“). Die unterste Lin. ist hinzugefügt. Im Tab.-Teil – im Gegensatz zum Teil in gew. Notenschrift – keine orig. Numerierung. Im nichtintavolierten Teil sind *D.E.* bzw. *D. Eb* und *Stöbkens* (u. ä.) genannt, zu diesen vgl. vol. II, III. Rasuren: f. 93r; Streichung: f. 52v. 2 Schreiber. Einband wie vol. II. (Freie Instrumentalsätze, Tänze, frz. Chansons.)

Literatur: Fehlend. Israël non est.

Ms. 4° Mus. 108, vol. V. Alte Sign. (Vorsatzbl. Ir, Rötel): *3*.

Frz. Lt. Tab. 6 Lin. für Viola da gamba. Um 1670–1690 sowie Anfang des 18. Jh.

86 fol., zuzüglich 2 Vorsatz- und 1 Nachsatzbl. (leer). F. 64 hat angeklebtes Bl. gleichen Formats (= 65). Unbeschrieben f. 9r, 15v, 16r, 25r, 36v, 37r, 41v, 42r, 44v, 47v, 48r, 53r, 65v (nur Lin.); f. 86v (leer). Format wie vol. II. Tab.-Teil: f. 1–8. 9v–15r, 16v–24, 25v–36r, 37v, 38v–41r, 42v–44r, 45–47r, 48v–51r, 53v–65r, 66–86r. Für 6saitige Viola da gamba. Orig. Numerierung *146–156* (f. 1–6v), mithin vol. III fortsetzend, ferner *1–21* (f. 64v–83v). Vereinzelt gew. Notenschrift. Fingersatz: 1–4 Pkte. f. 4r, 4v etc. Rasuren: f. 2r, 23r, 82r etc.; Streichungen: f. 37v. *forte-*, *piano-*, *pianissimo*-Vorschrift f. 2v, 3r, 59v, 60r. 2. Gambe bezeichnet wie vol. II. F. 4r, 72r, 74r: *Stimmung* (6saitig); f. 16v: *Verstimbt.* Neben *W. D.* (Willem Deutekom, vgl. vol. II) ist *G. T.* (= G. Tielke) als Kasseler Musiker geführt (EitnerQ IX, S. 407). 4 Schreiber. Einband wie vol. II. (Freie Instrumentalsätze, Tänze, u. a. *Polnisch*, dt., frz. Liedsätze.)

Literatur: Fehlend. Israël non est.

Ms. 4° Mus. 108, vol. VI. Ohne alte Sign.

Frz. Lt. Tab. 6 Lin. für Viola da gamba. Anfang des 18. Jh.

61 fol., zuzüglich 2 Vorsatzbll. (leer). Unbeschrieben f. 3r (nur Lin.); f. 1r, 6v–8r, 23v, 24r, 27v–36r, 57v–61 (leer). Format wie vol. II. Tab.-Teil: f. 1v–2, 3v–6r, 8v–23r, 24v–27r, 36v–57r. Für 6saitige Viola da gamba. Durchtextierung in Tab.: f. 56v, 57r. Mehrere Sätze mit Rötel angekreuzt. Rasuren: f. 56v, 57r etc. *piano*-Vorschrift (mehrfach). 2. Gambe bezeichnet als *Contra partie* und als *Bass* f. 2r etc. F. 1v: *Accord.* Unter den Komponisten erscheint *August Kühnel* (auch *A K* in Ligatur), einige seiner Sätze liegen gedruckt vor (*Sonate ô Partite*, Kassel 1698). 2 Schreiber. Einband wie vol. II, aber Deckelinneres abweichend mit bunt marmoriertem Papier beklebt. (Freie Instrumentalsätze, Tänze, frz. Liedsatz durchtextiert.)

Literatur: Fehlend. Israël non est.

Ms. 4° Mus. 108, vol. VII. Ohne alte Sign.

Frz. Lt. Tab. 6 Lin. für Viola da gamba, vereinzelt für Laute. Anfang des 18. Jh., Nachträge bis 1720 möglich.

92 fol., zuzüglich 2 Vorsatzbll. (leer). Unbeschrieben f. 16v–18r, 23v–86, 88v, 89r, 90v–92 (nur lin.). Format wie vol. II. Tab.-Teil: I. f. 1–14r, 15–16r, 18v–23r, 89v, 90r für 6- und 7saitige Viola da gamba; II. f. 14v für 11chörige Laute (bis „4"). 7saitige Gambe ist f. 89v, 90r mit 1 Hilfslin. gefordert (zitterige Schrift eines alten Spielers, wohl bis 1720). Durchweg unterste (6.) Lin. ergänzt. Teilweise Tab. kombiniert mit gew. Notenschrift (bezifferter Baß), auch einzeln nichtintavolierte Teile (Bleistift, Tinte). F. 1r, 3v: *Stimmung* (6saitig). Unter den Komponisten erscheint *Augustus Kühnel* (zur Quellenlage vgl. vol. VI). 4 Schreiber. (Freie Instrumentalsätze, Tänze, ital. Liedsätze.)

Inliegend 2 lose Bll. etwas kleineren Formats:

a) Doppelbl., stark vergilbtes Papier. Unbeschrieben f. 1r, 2v (leer). Tab.-Teil: f. 1v, 2r. Für 6saitige Viola da gamba. (1 bezeichneter Tanzsatz).

b) Einzelbl. Unbeschrieben f. 1v (leer). Tab.-Teil: f. 1r. Für Viola da gamba (es werden nur die 3 oberen Saiten beansprucht). (1 unbezeichnetes Satzfragment.)

a) und *b*) Goldschnitt fehlend, wohl nicht zu vol. II–VII gehörig.

Literatur: Fehlend. Israël non est.

Bemerkung: Ein vol. VIII ist in dem hs. „*Musikalien-Katalog*" der Bibliothek (angefertigt durch Wilhelm Lange, 1920), S. 224 geführt, fehlte aber bereits bei Revision 1952. Vol. VIII war dem Verfasser nicht zugänglich.

Ms. Kat. Israël Anhang 8. Ältere Sign. (Vorsatzbl. Ir): Mus. fol. 306.

Frz. Tab. 6 Lin. für Viola da Gamba. Ende des 17. Jh.

48 fol., zuzüglich je 3 Vorsatz- und Nachsatzbll. (leer). Unbeschrieben f. 1r, 11v–48 (nur Lin.). Einheitlich starkes Papier. 22×31,5 cm. Ausschließlich Tab. mit 6 Lin. (Rastral). 1 Schreiber. Mittelbrauner Lederband der Zeit, Deckel mit reicher Goldpressung (breite Randleiste, in der Mitte Rosette), Buchrücken mit Goldpressung. Goldschnitt. Deckel innen mit buntem Glanzpapier beklebt. (Frz. Chansons.)

Literatur: WolfH II, S. 239 (ohne Sign.); BoetticherL, S. 363 [45] (*Ms. Ka 8*); Israël, S. 74f. (*Anhang, Nr. 8*); EinsteinG, S. 38f.

Ms. Kat. Israël Anhang 28. Ältere Sign. (Vorsatzbl. Ir): Mus. 4° 205.

Frz. Tab. 6 Lin. für Viola da Gamba. Ende des 17. Jh.

17 fol., zuzüglich je 1 Vorsatz- und Nachsatzbl. (leer). Unbeschrieben f. 1r, 17v. 18×23,5 cm. 6 Lin. (Rastral). Das Ms. enthält ausschließlich Sätze für 2 Gamben, die höhere Gambe ist jeweils auf der rechten Seite, die tiefere auf der linken Seite notiert. 1 Schreiber (identisch mit dem Schreiber von Ms. Kat. Israël Anhang 8). Pappband der Zeit, außen mit dunkelgrün gemustertem (handbemaltem) Papier beklebt. (Freie Instrumentalsätze, Tänze, Arien.)

Literatur: WolfH II, S. 239; Israël, S. 77 (*Anhang, Nr. 28*); EinsteinG, S. 38f.

Ms. Kat. Israël Anhang 30. Früher Bibl. Hoforganist Karl Rundnagel (zufolge beiliegendem Brief von W. Tappert vom 17. 9. 1900), geschenkt an die Landesbibl. Kassel (1. 10. 1900).

Frz. Tab. 6 Lin. für Viola da Gamba. Ende des 17. Jh.

21 fol., zuzüglich 1 Vorsatzbl. (leer). Unbeschrieben f. 3–21 (z. T. mit Lin.). 33×21 cm. Ausschließlich Tab. mit 6 Lin. (Rastal). 1 Schreiber (identisch mit dem Schreiber von Mss. Kat. Israël Anhang 8 und 28). Rest des Pappbands der Zeit (nur noch der Rückdeckel ist ganz erhalten), außen mit buntbedrucktem Glanzpapier beklebt. (Freie Instrumentalsätze, Airs). Nachschrift 1977: Vorderdeckel wieder angefunden, ovales Schild, Aufschrift: *VIOLA*.

Literatur: WolfH II, S. 239; Israël, S. 77 (*Anhang, Nr. 30*); EinsteinG, S. 38f.

KLAGENFURT, Kärntener Landesarchiv, Abteilung Geschichtsverein für Kärtnten, im Landesmuseum

Ms. 5 / 37.

Frz. Lt. Tab. 6 Lin. 2. Drittel des 17. Jh.

92 fol., zuzüglich 1 Nachsatzbl. (Doppelbl., dessen vordere Hälfte an der oberen Kante angeklebt ist, leer). Unbeschrieben f. 8r, 9v, 10r, 13r, 15v, 16r, 29–46, 64v, 72v, 87v (nur Lin.); f. 1r (leer). 10×20 cm. Tab.-Teil: f. 1v–7, 8v,

9r, 10v–12, 13v–15r, 16v–28, 47–64r, 65–72r, 73–78r, 79–87r, 88–92. Für 11chörige Laute (bis „*4*"). F. 92–47 (Unterbrechungen s.o.) rückwärts, kopfstehende Beschriftung: dieser Tab.-Teil dürfte der älteste sein, mithin war das Nachsatzbl. ursprünglich Vorsatzbl. Dieser Sachverhalt ist bestätigt durch die Reihenfolge der Angaben in Tab. zum *accort* [sic]; f. 92v, 91v, 91r und (dunklere Tinte) f. 23r, ferner f. 89r, 63r, 52v. Am jetzigen Ende des Volumens, dem ursprünglichen Beginn sind mehrere Bll. herausgerissen (Tab.-Verlust, der Anfang des ersten Satzes fehlt). Korrekturen: f. 11r, 12v, 19r, 22r, 27r, 47r, 84r etc. *piano*-Vorschriften (im Satzinnern einer *Bourrèe* f. 75r und eines *Rigoudon* f. 56r). *Da-Capo*-Vermerke. F. 78v gew. Notenschrift (Übersicht der rhythmischen Werte, bis zum 64stel). Fingersatz: für rechte Hand 1–3 Punkte f. 14v, 90r, für linke Hand 1–4 als kleine Ziffer, z.T. sehr sorgfältig f. 56v–64r, 65–72r, 73–74r etc. Das Ms. wurde von der Bibl. 1864 durch Schenkung erworben. Vorbesitzer war „*Herr Wieser, k. und k. Landeshauptkassen-Beamter in Klagenfurt*" (zufolge einer anonymen Notiz unter den „Mittheilungen aus dem Geschichtsverein", in: Carinthia, Zeitschrift für Vaterlandskunde, Belehrung und Unterhaltung . . . LIV, Klagenfurt 1864, S. 295 f., hier bezeichnet als „*ein kleines geschriebenes Notenheft aus dem vorigen Jahrhunderte*", weitere Angaben fehlen). Mindestens 2 Schreiber (abweichender Flüchtigkeitsgrad). Wurmschaden. Dunkelbrauner Lederband der Zeit, stark abgeschabt. Blindpressung (Leisten) auf Deckeln und Buchrücken. Schnitt rot bespritzt. Inliegend 1 Karte mit Bestimmung der Lt. Tab. durch J. Neckhein (um 1900). (Freie Instrumentalsätze, Tänze, Air.)

Literatur: Fehlend. Kurz erwähnt durch Menhardt, S. 206f. (das Verzeichnis ist fehlerhaft). KindermannDMA XI, *Nr. 2/2348*; KlimaK, S. Vff., 4 Faksimiles vor S. 1, anschließend 32 Sätze.

KLOSTERNEUBURG, Bibliothek des Augustiner-Chorherrenstifts

Ms. 1255.

Frz. Lt. Tab. 6 Lin. Anfang des 18. Jh.

78 fol. (die neuere Bleistift-Paginierung 1–164, die das Innere des Rückdeckels mitzählt, ist fehlerhaft, desgleichen die hierauf fußende Angabe bei KoczirzK, das Ms. enthalte 162 Seiten und 1 gesondertes Bl.; das Volumen enthält nur 156 Seiten). Unbeschrieben: f. 59v–60r, 62r, 69v–70, 76v (nur Lin.); f. 55v, 60v, 78v (leer). 15,2 × 20,5 cm. F. 78 im kleineren Format, das Bl. war orig. angeklebt und ist jetzt abgelöst; Reste von 4 Sigellack-Bindungen auf der Rückseite noch sichtbar. Tab. Teil: f. 1–55r, 56–59r, 61, 62v–69r, 71–76r, 77r, 78r. Für 11chörige Lt. (bis *////a* bzw. „*4*"). Orig. Paginierung: *1* (f. 1r) bis *37* (f. 18v), *40* (f. 19r) bis *56* (f. 27r), *64* (f. 31r) bis *75* (f. 36v), *78* (f. 37r) bis *101* (f. 48v), *104* (f. 49r) bis *120* (f. 57r). Zwischen den orig. paginierten Seiten *56* und *64* befinden sich 7 unpaginierte Seiten, an diesem Ort ist kein Tab.-Verlust zu vermuten. Dagegen ist der orig. Paginierung (des gleichen Schreibers) zufolge vom Tab.-Teil entfernt worden: je 1 Bl. vor f. 19, 37 (hier noch am Falz

Reste der Tab. sichtbar), f. 49 (leerer Falz). F. 62r ist nur die Überschrift (*Menuet*) ohne Tab., mit Lin. überliefert. F. 77v schematische Angabe der Töne der Lt. in gew. Notenschrift (Tabelle), die sich auf das 11chörige Instr. bezieht (bis „*4*"), die Aufzeichnung ist auf der Innenseite des Rückdeckels fortgesetzt und führt bis zum 9. Bund (*k*). *Accord*-Angaben. Besondere Zusätze im Tab.-Teil: f. 32v bei *Allamand: No. 1: A: die übrig*[en] . . . *nach d*[er] *Züffer undt buechstaben gesetzt worden*. F. 33r: *Sequit*[ur] *Courant N: 3: C: folio 98:* Ferner: *Sequitur guiq*[ue] *Nro 92* (d. h. es sollte hier die auf pag. 92 aufgezeichnete Gigue anschließen), „*Nro*" bezieht sich auf die orig. Paginierung, eine Satz-Numerierung fehlt und ist auszuschließen. Mehrere ähnliche Vermerke, meist am Ende eines Satzes, die auf eine Auswahl zu einem Suitenganzen schließen lassen. Ferner mehrmals als Vermerk *spectat:* F. 14r, 30v etc. alte Notiz mit Bleistift *Fine* (Zeichen für das Ende einer Suite). Außerdem mehrmals *NB* und *R* (Repetitio) bzw. *Repr.* (Reprise) am Satzende. Bei einer *Borea* f. 21r: *darauff od*[er] *alt*[era] *parte*. Satzgruppen mit Überschr.: *Parthie â bemo:* (und analoge Tonartangaben) oder: *Alia Parthia: quique partib*[us] bzw. *Parthia â 5* (ebenfalls auf Satzzahl bezüglich). 1 Seite (f. 64v) ist mit einem Satz gänzlich durchgestrichen. „*Eccho*"-Vorschriften im Satzinnern (f. 65r), „*pian.*", *da capo* etc. F. 71r überschr.: *Parth: Cum Manthora* (die Aufzeichnung ist nur auf die 11chörige Lt. bezogen). Einige Seiten mit altem Bleistift-Gekritzel, z. T. ausradiert. Bei *Sarabanda* z. T. nachfolgend *Doubl* bzw. *Duobli*. Orig. Rasuren, Korrekturen (f. 42v); f. 71v überschr.: *Fundamenta Theorbae*, alt durchgestrichen (der anschließende Satz – *Menuet* – bezieht sich gleichfalls nur auf die Lt.). 1 Hauptschreiber, mehrere Nebenschreiber; Tinte der Tab.-Zeichen sehr unterschiedlich gefärbt, alle Lin. blaß, die Aufzeichnung erstreckte sich wohl über ein Jahrzehnt. Dunkelbrauner Lederband der Zeit, Vorder- und Rückdeckel in der Mitte kleine Rosette in Goldpressung, sonst einfache Blindpressung, Schnitt rot/blau bespritzt. (Freie Instrumentalsätze, Tänze, Aria.)

Literatur: KoczirzK, S. 177; BoetticherL, S. 374 [50] (*Ms. Klo 1255*); KlimaL, S. 104; KlimaÖ, S. 4; RadkeD, S. 137; Schnürl, S. 110; HeckmannDMA VII, S. 33, *Nr. 2/543*.

KØBENHAVN, Det Kongelige Bibliotek, Musikafdelningen

Ms. Gl. Kgl. Saml. 377, 2°.

Frz. Lt. Tab. 5 Lin. für Gitarre, ohne Alfabeto. Um 1736–1745.

20 Faszikel, hiervon Fasz. 15, 16, 19 ohne Tab. Hauptformat ca. 30×20,5 cm. Für 5saitige Gitarre. In den meisten Fällen ist der Einband mit orig. gold-rot oder grün-rot bedrucktem, gepreßtem Reliefpapier beklebt. Eine feste Ordnung der Faszikel ist bibliothekarisch nicht gegeben. Die folgende Beschreibung des Gesamtbestands ist unabhängig von der durch Neemann und Rasmussen gebotenen Reihe. 1 Schreiber (Nathanael Diesel, kgl. dän. Hoflautenist, zu diesem vgl. Ms. Gamle Kgl. Samling 1879, 4°).

Faszikel 1: 18 fol. Unbeschrieben f. 1v, 18 (leer); f. 11, 13v, 16v–17 (nur Lin.). Tab.-Teil: f. 2–10, 12–13r, 14–16r. Titel: f. 1r *Geistliche Gesänge / in / bekandter Melodeyen / nach / der Guittarre übersetzt / von / Nathanael Diesel / königl: Lautenist.* Überschriften: f. 12r *Morgen Gesänge*, f. 14r *Mittags Gesänge*, f. 15v *Abend Gesänge.* Orig. Numerierung der Sätze: *1–24.* (Dt. Liedsätze.)

Faszikel 2: 12 fol. Unbeschrieben f. 3v, 9v, 12v (leer). Überschriften: f. 1r *Menuetes. Solo. / de la Guittare;* f. 4r *Aria. A. dur. / de / la. Guittarre . . .;* f. 6r *Suittes. G. dur;* f. 10r *G. Dur. / Suittes. / Gitarre.* (Freie Instrumentalsätze, Tänze, ital. Arien.)

Faszikel 3: 6 fol. Unbeschrieben f. 6v (leer); f. 6r (nur Lin.). Tab.-Teil: f. 1–5. Titel: f. 1r *Piesses Solo. / de. / la. / Guittarre. / accompangement. / Le. Basso.* (Freie Instrumentalsätze, Tänze, untextierte Arien.)

Faszikel 4: 3 fol. Unbeschrieben f. 3 (leer). Tab.-Teil: f. 1–2. Ohne Titel. Überschrift: *Suittes. Guittarre. C. Dur.* (Freie Instrumentalsätze.)

Faszikel 5: Abweichendes Format: 19×31,5 cm. Außen orig. Etikett ohne Beschriftung. 48 fol. Unbeschrieben f. 1v, 48 (leer); f. 47v (nur Lin.). Tab.-Teil: f. 2–47r. Keine Titel, Überschriften, F. 1r Gouachemalerei der dän. Krone gold-rot-blau-grün mit dem Sigel CA (= Charlotte *A*malie). Orig. Numerierung der Sätze: *1–67*, orig. korrigiert. (Freie Instrumentalsätze, Tänze.)

Faszikel 6: 8 fol. Alle Seiten beschrieben, mit Tab. Auf der Innenseite des Rückdeckels nur Lin. Titel: f. 1r *Geistliche Gesänge. / in unterschiedliche Melodeyen / in die Guittarre gesetzt. / durch / N. Diesel.* Orig. Numerierung der Sätze: *1–24.* (Dt. Liedsätze.)

Faszikel 7: Abweichendes Format: 31,5×19 cm. Außen orig. Etikett: *No. 3.* 46 fol. Unbeschrieben f. 1v, 46 (leer). Tab.-Teil: f. 2–45. Keine Titel, Überschriften. F. 1r Gouachemalerei der dän. Krone (s. Fasz. 5), mit Sigel *A* und 𝕮. Orig. Numerierung der Sätze: *1–100*, 3 folgende Sätze unnumeriert. Korrekturen f. 45v. (Freie Instrumentalsätze, Tänze, frz. Airs.)

Faszikel 8: Umschlag fehlt. 4 fol. Unbeschrieben f. 4v (leer). Tab.-Teil: f. 1–4r. Titel: f. 1r *Suittes. C. Dur. / de / la. Guittarre.* Überschrift: f. 1v *Solo.* (Freie Instrumentalsätze, Tänze.)

Faszikel 9: Ohne Umschlag. 4 fol. Unbeschrieben f. 4v (leer). Tab.-Teil: f. 1–4r. Titel: f. 1r *Solo. C. dur. / de / la. Guittarre.* Überschrift: f. 1v *Solo.* (Freie Instrumentalsätze, Tänze.)

Faszikel 10: 7 fol. Unbeschrieben f. 7r (leer); f. 6v (nur Lin.), Titel: f. 1r *Geistliche. Gesänge. / de. / la. / Guittarre.* F. 7v orig. Index. Tab.-Teil: f. 1v–6. Orig. Numerierung der Sätze: *1–24.* (Dt. Liedsätze.)

Faszikel 11: Abweichendes Format: 19×31,5 cm. 14 fol. Unbeschrieben f. 1r (leer). Überschriften: f. 10r *Tisch gesänge;* f. 11r *Abend Gesänge.* F. 14r, 14v orig. Index („*Register*“, mit Ergänzungen aus der Zeit mit dunklerer Tinte). Orig. Numerierung der Sätze: *1–46.* (Deutsche Liedsätze.)

Faszikel 12: Abweichendes Format: 19×31,5 cm. Außen orig. Etikett: *Aria: Solo. D. mol. / Suiv. La. Guittarre. / Caro vieni al mio.* 6 fol. Unbeschrieben f. 1, 5v–6 (leer). Tab.-Teil f. 2–5r. Überschriften: f. 2r *Guittarre, Solo* und *Aria. Caro.* (Freie Instrumentalsätze, ital. Aria.)

Faszikel 13: Abweichendes Format: 20,5×30,5 cm. Außen orig. Etikett: *Geistliche Arien, / Vor / die Guittarr. / mit / Basso.* 6 fol. Alle Seiten beschrieben. Tab.-Teil: f. 1v, 2v, 3v, 4v, 5v, 6v. Auf den restlichen Seiten nur Texte in Strophenordnung. Überschrift: f. 1r *Geistliche Arien, ein halb Dutzend, / angenehme Melodeyen, / in / der Guittar gesetzt, / mit / accompangement. / Guittar-Clavicembalo. / Basso. / durch / Nathanäel Diesel.* (Dt. Liedsätze.)

Faszikel 14: Abweichendes Format: 20,5×30,5 cm. Außen orig. Etikett: *Geistliche Arien. 6. / den / Bass. Zur Guittarr.* 6 fol. Unbeschrieben f. 6v (leer). Tab.-Teil f. 2r, 3r, 4r, 5r, 6r. Restliche Seiten mit gew. Notenschrift und Bezeichnung: *Basso.* (Dt. Liedsätze.)

Faszikel 17: 23 fol. Unbeschrieben f. 1v, 22v–23 (leer). Tab.-Teil: f. 2–22r. Titel: f. 1r *Sept / Pieces Solo / de la Guitare Premiere / très – humblement / dediées / à / Son Altesse Royale / la Princesse / Charlotte Amalie / par / Nathanael Diesel.* Rasuren: f. 5r. (Freie Instrumentalsätze, Tänze.)

Faszikel 18: Außen orig. Etikett: *No. 4.* 30 fol. Unbeschrieben f. 1v, 12–18 (leer); f. 30v (nur Lin.). Tab.-Teil: f. 2–11, 19–30r. Mehrere Bll. sind herausgerissen (Falze sichtbar), die Tab. ist daher unvollständig überliefert (Sätze einer „*Sonata*“). F. 1r Gouachemalerei analog Fasz. 5, 7 und 20. Streichung von 3 Systemen der Tab. f. 11v. Orig. Numerierung der Sätze: *1–34.* (Freie Instrumentalsätze, Tänze, dt. Liedsätze.)

Faszikel 20: Außen orig. Etikett: *Numoro 2.* 41 fol. Unbeschrieben f. 1v–2, 41 (leer). Tab.-Teil: f. 3–40. F. 1r Gouachemalerei analog Fasz. 5, 7 und 18. Streichungen f. 40v. (Freie Instrumentalsätze, Tänze.)

Literatur: NeemannK, S. 129ff.; Rasmussen, S. 30ff. (abweichende Zählung der Faszikel in beiden Aufsätzen); HławiczkaP, S. 93; KindermannDMA, *Nr. 2/2350*; Lyons, S. 80ff.; LyonsD, S. 16ff.

Ms. Gl. Kgl. Saml. 1879, 4°.

Frz. Git. Tab. 5 Lin. Ohne Alfabeto. Um 1736–1745.

120 fol., zuzüglich je 2 Vorsatz- und Nachsatzbll. (leer). Unbeschrieben f. 28, 36v–37, 74, 75, 91v, 120v (nur Lin.). Neuere Foliierung. 14,8×19,8 cm. Für

5saitige Gitarre (*A d g h e'*). Überwiegend Begleitbässe in gew. Notenschrift. Tab.-Teil: f. 45v–49, 51v–53, 55, 56, 58v, 63, 84–91r, 92–103, 106, 107, 116v–117. F. 92r ist die Aufzeichnung gänzlich durchstrichen (Tinte, alt). Daten fehlen. F. 101r Überschrift: *Libero Quinto.* Es handelt sich um das Handexemplar des Kgl. Lautenisten Nathanael Diesel (Dießel), das dieser bei dem Unterricht der Schülerin Prinzessin Charlotte Amalie v. Dänemark (* 1706, Schwester des Königs Christian VI. v. Dänemark, unvermählt) verwendete. Diesel wurde 1736 angestellt († 1745), die Hofhaltung befand sich in Kopenhagen und Kristiansborg. 1 Schreiber. Halblederband der Zeit, mit hellbraunen Lederecken, Deckel farbig gerippter Karton. Inliegend eine Notiz über die Herkunft des Ms. von G. Schünemann, Berlin, vom 8. 6. 1933. (Freie Instrumentalsätze, Tänze, Aria.)

Literatur: WolfH II, S. 103 (unter *Lauten*-Tabulaturen); BoetticherL, S. 356 [35] (*Ms. Ko 1879*); NeemannK, S. 130 (ohne Identifizierung des Ms.); Rasmussen, S. 27ff.; HławiczkaP, S. 93, 122f.; HeckmannDMA, *Nr. 2/544*; Lyons, S. 80ff.; LyonsD, S. 46ff.

Ms. Ny Kgl. Saml. 110, 2°.

Frz. Lt. Tab. 5 Lin. für Gitarre, ohne Alfabeto. Um 1736–1745.

18 Faszikel, hiervon Fasz. 5 ohne Tab. Hauptformat wie Ms. Gl. Kgl. S. 377, 2°. Für 5saitige Gitarre. Als Einband wurde in den meisten Fällen etwas abweichend eine gold-rote oder gold-grüne, gepreßte Pappe verwendet. Weitere Daten s. unter der vorgenannten Hs.

Faszikel 1: 18 fol. Unbeschrieben f. 1v, 17, 18 (leer). Tab.-Teil f. 2–16. Titel: f. 1r *Suittes. Solo. à 6. / pour / la Guittarre. Primo. / avec / accompangement. / une Guittare co*[n] *Basso. / par Dießel.* Außen orig. Etikett: *No. 1 / Guittare Premiere / 6 Suittes / No 1. C Dur / 2. D Dur / 3. F Dur / 4. C Dur / 5. F Dur / 6. F Dur p*[ar] *Dießel.* (Freie Instrumentalsätze, Tänze.)

Faszikel 2: 14 fol. Unbeschrieben f. 1v, 14. Tab.-Teil f. 2–13. Titel: f. 1r *Suittes. Solo. 6. / accompangement / de La Guittarre. / par Diesel.* Außen orig. Etikett: *No 1 Accompagnement / de la Guitarre / 6 Suites / C. Dur / D. Dur / / F. Dur / C. Dur / F. Dur / F. Dur par Diesel.* Es handelt sich um die Tab. für die Git. II. (Die gleichen Sätze wie Fasz. 1.)

Faszikel 3: Umschlag fehlt. 4 fol. Unbeschrieben f. 4v. Tab.-Teil: f. 1v–4r. Titel: *Suittes. Solo. D. mol. / pour / la Guittarre. Primier. / avec / accompagnement / un Guittarre. La Baßo / avec / un Luht Solo. / Diesel.* (Freie Instrumentalsätze, Tänze.)

Faszikel 4: 5. fol. Unbeschrieben f. 1v, 5. Tab.-Teil: f. 2–4. Titel: f. 1r *Suittes D. mol. Solo. / accompangement Baßo / pour / la Guittarre. / par Diesel.* Außen orig. Etikett: *No 2 / accompagnement / de la Guitare / D. mol. / par Diesel.* (Tänze.)

Faszikel 6: 6 fol. Unbeschrieben f. 6v. Tab.-Teil: f. 1v–6r. Titel: f. 1r *Solos. A. A. mol. / E. D. mol. / suiv. La Guittarre / par Diesel.* Außen orig. Etikett: *No. 3.* (Freie Instrumentalsätze, Tänze.)

Faszikel 7: 12 fol. Unbeschrieben f. 1, 12v. Tab.-Teil: f. 2–12r. Titel fehlt. Außen orig. Etikett: *No. 4. Suittes sur la Guittarre / C. Dur / G. Dur. / D. Dur.* (Freie Instrumentalsätze, Tänze.)

Faszikel 8: 2 Teile mit übereinstimmenden Satzbezeichnungen: a. 6 fol. Unbeschrieben f. 6v. Tab.-Teil: f. 1v–6r. b. 4 fol. Unbeschrieben f. 4v. Tab.-Teil: f. 1–4r. Titel in a, f. 1r *Suittes. Solo. C. Dur / de / la Guittarre. Primier.* Außen orig. Etikett: *No. 6.* (Freie Instrumentalsätze, Tänze.)

Faszikel 9: Umschlag aus stärkerer Pappe. 57 fol. Unbeschrieben f. 1 (leer); f. 22v, 38v, 42v, 46v, 51v (nur Lin.). Zuzüglich 8 Nachsatzbll. (leer). Tab.-Teil: f. 2–22r, 22v–38r, 39–42r, 43–46r, 47–51r, 52–57. Titel fehlt. Außen orig. Etikett: *No 6. / 12. Suittes sur la Guit- / tarre de Schickard et / 13. Suittes de Diesel. / Guittarre.* Abweichend von der Aufschrift im Etikett sind im Notenteil mehrere Suiten „*Sonata*“ überschrieben, ferner Suite Nr. 9–11 „*Simphonie*“. (Freie Instrumentalsätze, Tänze.)

Faszikel 10: 6 fol. Unbeschrieben f. 6v. Tab.-Teil: f. 1v–6r. Außen orig. Etikett: *No. 7 / Menuetes sur la / Guittarre / Diesel.* Titel f. 1r analog. (Tänze.)

Faszikel 11: Umschlag Rand verstärkt. 19 fol. Unbeschrieben f. 1v, 19v. Tab.-Teil f. 2–19r. F. 1r Gouachemalerei: dän. Krone in Gold, innen Purpur gefüttert. Außen orig. Etikett: *No. 8. / Suittes sur la / Guittarre / D. Dur. / A. Dur. / D. mol. / G. Dur. / D. mol. / C. Dur. / C. Dur. / Diesel.* Abweichend von der Aufschrift im Etikett sind im Notenteil Suiten „*Sonata*“ überschrieben. (Freie Instrumentalsätze, Tänze.)

Faszikel 12: 10 fol. Unbeschrieben f. 1r, 6v. Tab.-Teil: f. 1v–6r. Außen orig. Etikett: *No. 9.* (Freier Instrumentalsatz, Tänze.)

Faszikel 13: 8 fol. Unbeschrieben f. 7v–8 (nur Lin.). Tab.-Teil: f. 1v–7r. Titel: f. 1r *Suittes.* Außen orig. Etikett: *No. 10.* Überschrift f. 1r *Guittare. Primier.*

Faszikel 14: 7 fol. Unbeschrieben f. 7v (nur Lin.). Tab.-Teil: f. 1v–7r. Es handelt sich um die Tab. für die Git. II. (Die gleichen Sätze wie Fasz. 13.)

Faszikel 15: 6 fol. Unbeschrieben f. 6v. Tab.-Teil: f. 1v–6r. Titel: f. 1r *Piesses. Solo. / de. / la. Guittarre.* Außen orig. Etikett: *No. 11.* (Freie Instrumentalsätze, Tänze.)

Faszikel 16: 6 fol. Unbeschrieben f. 6 (leer); f. 1, 5v (nur Lin.). Tab.-Teil f. 2–5r. Titel fehlt. Außen orig. Etikett: *N. 12.* (Arien.)

Faszikel 17: 5 fol. Alle Seiten beschrieben. Tab.-Teil: f. 1v–5. Titel: f. 1r *Aria. / de La Guittarre / avec / accompagnement. / pour. / la. Guittarre.* Außen orig. Etikett: *N. 13.* (Arien.)

Faszikel 18: 4. fol. Unbeschrieben f. 4 (leer). Tab.-Teil: f. 1v–3. Titel: f. 1r *Suittes. Solo. D. mol. / für La Guittarre.* Außen orig. Etikett: *N. 14.* (Freie Instrumentalsätze.)

Literatur: NeemannK, S. 129ff.; Rasmussen, S. 30ff. (S. 29, 34 Faksimile). (Abweichende Zählung der Faszikel in beiden Aufsätzen.); KindermannDMA, *Nr. 2/2349*; Lyons, S. 80ff.; LyonsD, S. 84ff.

Ms. Thott 841, 4°

Dt. Lt. Tab. Um 1605–1607. Nachträge 1608 möglich.

152 fol. Unbeschrieben f. 5v, 7v, 101v, 104–105r, 106v–107, 115v, 117–118r, 152r. Orig. Paginierung und Foliierung (Hauptschreiber), mit Ziffer *1* f. 7 beginnend, setzt mit *190* (f. 97v) aus, mehrfach unterbrochen; neuere Bleistift-Foliierung (fehlerhaft, 1 Bl. übersprungen: f. 51). 19,7×15,2 cm. Für 6chörige Laute. Streichungen f. 141v. Buch des Petrus Fabritius in Rostock (geb. Tondern 1587, studierte ab März 1603 an der Univ. Rostock Mathematik, Theologie, erwarb 1608 die Magisterwürde, wurde 1613 Pfarrer in Bülderup, wandte sich später nach Warnitz bei Apenrade, gest. dort 1651. Vgl. Allgemeine Deutsche Biographie XVIII, S. 59 und J. Moller, *Cimbria Litterata* I, Kopenhagen 1744, S. 167). Fabritius ist der Hauptschreiber. Ein kleiner Teil der Tab. stammt von der Hand des Petrus Laurenberg bzw. Lauremberg (*Laurimontius*), f. 8r, 10r, 12r, 17r, 19v. P. Laurenberg, der ältere Bruder von Johann Laurenberg (Hans Wilmsen, als niederdt. Satiriker bekannt geworden), geb. Rostock 1585, seit April 1605 dort immatrikuliert, 1607 zum Magister promoviert, wurde 1624 als Prof. der Poesie nach Rostock berufen, gest. ebenda 1639. Dementsprechend dürfte die Niederschrift des Ms. in die Jahre 1605–1607 fallen, also in die späteren Semester des Fabritius. Tab.-Teil: f. 7r, 8r, 10, 11v–12, 13v, 14r, 15r, 16v, 17r, 19v, 21r, 27r, 28r, 30v, 34v, 45–53, 56v, 57v–58, 63v, 64v, 66r, 68v, 69r, 70v, 71v–73, 77–87, 88v, 90r, 91r, 93v, 98–99r, 102, 103, 105v, 106r, 108–115r, 116, 118v–141, 146–149. Persönliche Beischriften: f. 8r *Suo Petro Fabritio in longaevam sui memoriam ponebat Rostochi Petr*[us] *Laurimontius;* f. 12r *Amico Suo clarissimo Petro F.*[abritio] *ponebat Petr*[us] *Laurimontius;* f. 10r kleiner Vermerk neben dem Satztitel *P. L. ponebat*, analog f. 17r *Petrus Petro Ponebat;* f. 19v *Amoris e*[t] *benevolentiae Ergò amico suo clarißimo Petro F. ponebat hoc Petr*[us] *Laure*[n]*berg*. Tab. schwarz, rhythmische Zeichen z. T. grün (f. 149v), Satzbezeichnungen rot; meist nachgeordnet bei Sätzen mit oder ohne Incipit mehrere Textstrophen, deren erstes Wort jeweils mit Farbe (rot, auch grün, gelb) hervorgehoben ist. Einige Satztitel grün, desgleichen Beischriften wie *Ein ander . . . Liedtl.*[ein] etc. Bisweilen ist der für die Tab. bestimmte Raum leergeblieben, wie bei einigen Sätzen in gew. Notenschrift. Diese letzteren zeigen oft ebenfalls nachgeordnet mehrstrophische Texte (sowie Durchtextierung) und sind eine hervorragende melodie- und literarhistorische Quelle, hierzu vgl. bereits Bolte, S. 55ff.,

BolteT, S. 78ff., BolteF, S. 248ff. In wenigen Fällen erscheint die 1stimmige Aufzeichnung in gew. Notenschrift mit der Tab. kombiniert (f. 34v, 45r, 87r etc.). Orig. Numerierung der Sätze (z. T. springend, was auf den Verlust einzelner Faszikel schließen läßt). Am Rande der Seite, als eine Leiste, sind zahlreiche, nicht auf Musik bezogene lat., ober-, mittel- und niederdt. Reime, Sprüche festgehalten, hierzu vgl. BolteF, S. 248ff. im besonderen. Jedoch f. 21r: *Lautenschlagen ist ein kunst, wers woll kan, wers nicht nicht recht lernen will der laße darvon.* Ein kleiner Traktat f. 151r: *Wie man vier Lauten soll / Zusammen stellen;* ferner ebenda: *Drey Lauten Zusammen; Ein Gaigel Zu ein Lauten Ziehen* (beginnend: *Wan du ein kleines gaigelein Zu einer kleinern Lauten Zihen Wilt, so mustu . . .*). – Eine lose Ordnung des Ms. ist erkennbar: Teile nur Texte enthaltend, nur Tab. ohne Texte enthaltend (rein instrumentale Sätze, überwiegend Tänze, f. 77–85, 102–103, 105–106r, 108–115r, 116, 118v–141, 146–149), nur Tab. mit nachgeordneten Textstrophen enthaltend, ferner Teile mit ausschließlich gew. Notenschrift. Im Tab.-Teil fehlt Durchtextierung. Mehrere intavolierte, unbezeichnete Sätze sind mit nachgeordneten Textstrophen vom Hauptschreiber verbunden worden, diese Fälle werden, vorbehaltlich einer Nachprüfung der Zusammengehörigkeit beider Aufzeichnungen, in einer besonderen Gruppe dargestellt (Bd. 2, Satzbezeichnungen, d^1). 2 Schreiber (s. o.). Dunkelgrün gefärbter Pergamentband der Zeit, von den 2 Lederschließen ist noch eine vollständig erhalten. Vorderdeckel außen eingeritzt: dickleibiges Jagdhorn, auf dem die Töne *ut re mi fa sol la* angeordnet sind, darunter 2 Lauten und 1 Viola da gamba; darüber: *Q*[uaestio]*: quis nam es / CAROLE R̷* [Respondio]*: Ich bin / ein / Jussus* {*Cano* / *Taceo*}. = Späterer Besitzvermerk: f. 152v *Jacoby Erasmi Ripensis / Anno 1659 L.*, analog f. 1r *Nicolay Erasmi Rip:*[ensis] neben dem ersteren Namen. (Freie Instrumentalsätze, Tänze, ital. Madrigale, frz. Chanson, dt. und niederdt. Liedsätze, lat. Motetten.)

Literatur: WolfH II, S. 50; BoetticherL, S. 355 [33] (*Ms. Ko 841*); HamburgerR, S. 444; BolteF, S. 248ff.; BolteT, S. 78ff.; BolteB, S. 55ff. (die Lesung der Satztitel etc. ist bei Bolte nicht immer zutreffend); NeemannK, S. 129 (unrichtige Signatur *811*); EitnerQL III, S. 377; K. Gudewill, Art. *Petrus Fabricius*, in: MGG III, S. 1701ff.; Kopp, S. 241ff.; Engelke, S. 265ff.; Andresen, S. 268; StęszewskaLI, S. 27ff.; HamburgerP, S. 35ff.; Faks. S. 37, 45; HeckmannDMA, *Nr. 2/1423;* RadkeWa, S. 139.

KÖLN, Historisches Archiv der Stadt (Gereons-Kloster 12)

Ms. W[allraf] 4° 328*. Fonds Wallraf. (Das Sternchen bei der Signatur bedeutet jüngere Erwerbung im Wallraf-Fonds.)

Frz. und ital. Lt. Tab. 6 Lin. Um 1600.

16 fol. Unbeschrieben f. 9–12r, 14–16r (nur Lin.). F. 10, 11 unten abgerissen. 2 Schluß-Bll. sind seit langem herausgerissen (Falze sichtbar). 15×19,5 cm.

Tab.-Teile: Frz. Lt. Tab. f. 1–6r, 7v–8, 12v–13, 16v und Rückdeckel innen; Ital. Lt. Tab. f. 6v, 7r. Frz. Lt. Tab. überwiegend für 9chörige Laute, f. 12v–13, 16v und Rückdeckel innen abweichend nur 1stimmige Tonketten mit Tonbezeichnung (Solmisationssilben) darunter, und zwar auf dem 2. bis 6. Chor, d. h. ohne Gesangssaite, möglicherweise für 5chöriges Instrument (nur Übungsstücke, ohne Satzbezeichnung). Ital. Lt. Tab. für 7chörige Laute. Streichungen, Korrekturen: f. 1v, 2r, 5r, 6v, 8v. Rote Lin., nur auf dem Rückdeckel innen abweichend schwarze Lin., ohne Rastral. Gew. Notenschrift f. 13v (nur 2 Zeilen 1stimmig ohne Text und ohne Satzbezeichnung). Namenseintragung: f. 10r flüchtig am inneren Blattrand, kopfstehend *monsieur / Weller.* F. 13r oben links orig. Ziffer: *31.* Mindestens 2 Schreiber. Pergamentband der Zeit; Vorder- und Rückdeckel außen und z. T. innen (Tinte, Bleistift) Rechnungen der Zeit, undatiert, Schriftproben wie *coronel di* (mehrmals). (Freie Instrumentalsätze, Tänze.)

Literatur: Aufgeführt bei Kahl, S. 74.

KÖLN, Kölnisches Stadt-Museum (im Zeughaus)

Ms. ohne Signatur. Akzessions-Nr. *H M 97/50.* Erworben 1950 aus Privatbesitz.

Dt. Lt. Tab. 1578 (Datierung).

191 fol., zuzüglich 2 lose Bll. gleichen Formats. Zahlreiche unbeschriebene Seiten. 17,5 × 12,5 cm. Stammbuch des Gerardus Pilgrum (Bilgrinus, Pelegrinus) mit Wappen der Familie Pilgram (dieses datiert mit Namenszug des Vaters Johann Pilgrum 13. 7. 1579). Die Eintragungen sind datiert 1578–1589 (über 100 Widmungstexte von Deutschen, Niederländern, Österreichern, Schweizern und Franzosen, lat., dt., frz., griech., ital., ohne zeitliche oder lokale Ordnung). Orig. Foliierung *1–191* (korrekt). Der Besitzer G. Pilgrum reiste zu verschiedenen Orten Europas, er war kalvinistischen Glaubens (seine Schwester Elisabeth war Mitglied der heimlichen reformierten Gemeinde Kölns). Tab.-Teil: f. 160r, 160v. Für 7chörige Laute. Eintragung (1 bezeichneter Satz) gezeichnet *Joannes Schendelius.* [*Wasserburgiensis Bavarus* lautet die Beischrift zur Eintragung des Namens in die Matrikel der Universität Heidelberg am 29. 10. 1577]. Der intavolierte Satz zeigt den Widmungstext f. 160v: *Haec virtute et eruditione praestanti / iuveni Domino Gerhardo Pilgrino / in perpetuum amicitiae vinculum scri: / bebat, Joannes Schendelius Hydropyr: / gaeus Bavarus Calend. Sept. A°. 78.* F. 160r gibt Schendelius einen griech. Spruch und ein lat. Gedicht (*O Testudo decus Phaebi, pulcherrima rerum . . .*) bei. Es dürfte sich um das Abschiedsgeschenk des Studenten handeln, der 2 Semester mit Pilgrum in Heidelberg verbracht hatte. In dem Liber amicorum ist nur noch eine zweite musikalische Eintragung enthalten: gew. Notenschrift (von Samuel Mareschall, bezeichnet *Canon a cincq*, durchtextiert,

datiert ebenfalls 1578). Unter den zahlreichen Bildbeigaben des Ms. befindet sich f. 105r ein lautespielender Narr. 1 Schreiber des Satzes mit seinen literarischen Beigaben. Pergamentband der Zeit, die 4 Bandschließen sind gänzlich herausgerissen. (Freier Instrumentalsatz.)

Literatur: Drux-Niemöller, S. 13ff., 1 Faksimile S. 31f.

KÖLN, Universitäts- und Stadtbibliothek

Ms. 1.N.68. Acquisitions-Nr. 1966. G.2247. Nachschrift 1976: Signatur jüngst geändert in: *5.P.177*.

Frz. Lt. Tab. 6 Lin. 2. Drittel des 18. Jh.

108 fol. Unbeschrieben f. 8v–11r, 18v, 19r, 27r, 32v–38r, 41v–45r, 46v–108 (nur vorgedruckte Lin.). 16×21 cm. Tab.-Teil: f. 1–8r, 11v–18r, 19v–26, 27v–32r, 38v–41r, 45v, 46r. Titel: f. 1r *Liure / Pour Le Lut*; auf der gleichen Seite unten: *Pour Le Lut Theorbé*. Für 9chörige Laute und für 11chörige „*theorbierte Laute*“ (die letztere wird nur an wenigen Orten, f. 13r, 18r, 19v–20, 31v, 40v, 41r, 45v, 46r, vorausgesetzt), jeweils solo, ferner für 2 9chörige Lauten (Überschriften *Liuto Primo* und *Liuto* 2do f. 3v, 4r, 4v, 5r, 22v, 23r, 23v, 24r, 24v, 25r). Angaben zur Stimmung: f. 1r „*General accord*“ für 9chörige Laute (mit Beispielen der Umstimmung je nach Tonarten „*Ex D♯*“, „B^{d}“, „C^{moll}“, „$G:^{b}$“, „$E:^{b}$“, „*A♯*“, „*G:♮*“, „*E:♮*“), diese Bezeichnung, auch *accord*, *Accord general*, folgt noch mehrmals. F. 1r ferner Angaben zur Stimmung für theorbierte Laute (s.o.), mit zusätzlichen Ziffern *5*, *6*, Korrekturen f. 3v. Vorgedruckte Lin. ohne Angabe der Offizin. 1 Schreiber. Moderner Einband ohne Reste eines orig. Deckels. (Freie Instrumentalsätze, Tänze.)

Literatur: Fehlend. Veröffentlichung einer Auswahl von Sätzen ohne Krit. Bericht durch GiesbertL.

ehemals KÖNIGSBERG (seit 1945: Kaliningrad), Geheimes Staatsarchiv seit 1945 verschollen

Ms. Et. Min. 126e.

Frz. Lt. Tab. 5 Lin. Um 1535–1540; Datierung 1536.

2 fol. Alle Seiten beschrieben. 13×12 cm. Tab.-Teil: f. 1v, 2r. Fragment aus den Papieren eines 1536 gestrandeten Stockholmer Schiffes. Datierung *1536*. F. 1r, 2v Schiffseintragungen. Von einem Danziger Kaufmann Mychel yndern (f. 2v) stammend. 1 Satz mit unbezeichneter Variatio (ohne Tab.-Striche, flüchtig). F. 2v Federübungen: *Myne Anß, die Nach weck ich yndes vorwachd...*, und: *by schyff mychel yndern*. 1 Schreiber. Kein Einband. (Unbezeichneter Satz.)

Literatur: BoetticherL, S. 342 [21] (*Ms. Kö 126*); KosackL, S. 63.

seit 1945 verschollen

Ms. Mr. A.116. fol. Früher Privatbibl. G. Steinwick, Königsberg.

Frz. Lt. Tab. 6 Lin. 2. Hälfte des 17. Jh., z.T. auch um 1635–1645.

77 fol. Unbeschrieben: f. 8v–11r, 17–18r, 19–20r, 28–30, 31v–34r, 37v, 38r, 52–53r, 55v, 67v, 69–71r, 75v (nur Lin.). 14×17 cm. Tab.-Teil: f. 1–8r, 11v–16, 18v, 20v–27, 31r, 34v–37r, 38v–51, 53v–55r, 56–67r, 68, 71v–75r, 76, 77. Für 10chörige Laute und (vereinzelt: f. 55r) für 6chörige Angelica. 1 Schreiber (engl. Provenienz ?). Neuer Einband (Restauration 1931). (Freie Instrumentalsätze, Tänze, dt. weltl. und geistl. Liedbearbeitungen, lat. Motetten, u. a. „*Psalmus*"-Sätze, engl. Liedbearbeitungen, ital. Madrigale.)

Literatur: BoetticherL, S. 364 [41] (*Ms. Kö 116*); KosackL, S. 80ff.

ehemals KÖNIGSBERG (seit 1945: Kaliningrad), Staats- und Universitätsbibliothek

seit 1945 verschollen

Ms. 2712. Früher Privatbibl. August von der Hagen, Königsberg (Bd. I des Nachlaß-Konvoluts).

Frz. Lt. Tab. 6 Lin. Um 1735–1757; Datierung 1757.

Es handelt sich um insgesamt 10 Faszikel. Fasz. VIII und IX sind Drucke in Lt. Tab. (F. Seidel, Leipzig 1757, 2 Exemplare), Fasz. VII und X Mss. in gew. Notenschrift für Tasteninstrument. Orig. Überschrift für das Konvolut: *Parthie au Luth.* Für 13chörige Laute. Auch Ensemble-Sätze mit Laute. Orig. Vermerk: *Noten von anno 1757 in 11 Stücken, die zur Laute IV p. 35 antes N°. 4068 Pruss. Mus. gehören, welche pp. Nithard viel gespielt hat* . . . Unterschiedliche Formate (4°). Ohne Einband.

Faszikel I: 17 fol. Alle Seiten beschrieben. F. 9 ist in alter Zeit herausgetrennt (Tab.-Verlust). Für Laute solo. 1 Schreiber. (Freie Instrumentalsätze, Tänze, dt. Aria durchtextiert.)

Faszikel II: 4 fol. Unbeschrieben f. 1r, 3v–4. Überschr.: *Liuto obligato.* (3 Ensemble-Sätze). 1 Schreiber. (Freie Instrumentalsätze.)

Faszikel III: 4 fol. Unbeschrieben: f. 1. Überschr.: *Parthie au Luth E: moll.* Für Laute solo. (5 Sätze). 1 Schreiber. (Freie Instrumentalsätze, Tänze.)

Faszikel IV: 6 fol. Überschr.: *Canzonetten, Canto, Chitarra, Liuto übersetzt von Weiß.* (4 Sätze). 1 Schreiber. (Ital. Programmtitel.)

Faszikel V: 5 fol. Überschr.: *Liuto concerto con Violino 1mo, Violino 2do et Basso.* (5 Ensemble-Sätze). 1 Schreiber. (Freie Instrumentalsätze.)

Faszikel VI: 6 fol. Überschr.: *Liuto solo.* (3 Sätze). 1 Schreiber. (Freie Instrumentalsätze.)

Literatur: BoetticherL, S. 379 [55] (*Ms. Kö 2712*); KosackL, S. 91ff.; Klima-RadkeWW, S. 439.

seit 1945 verschollen

Ms. 3026. Seit 1932 als Leihgabe der Gräfin von Finckenstein-Garden.

Frz. Lt. Tab. 6 Lin. Mitte und 2. Hälfte des 18. Jh.

Es handelt sich um insgesamt 23 Faszikel, die in 2 Kästen (*A* und *B*) aufbewahrt sind. Mit Lt. Tab. nur Fasz. VI–VIII, X (Kasten *A*), Fasz. XI, XV, XIX, XXI–XIV (Kasten *B*). Fasz. X, XI, XV, XXI mit Vermerk am Ende: *Poss*[essor] *E L C de F*[inckenstein]. Zugehörige Stimmen in gew. Notenschrift fehlen. Überwiegend ohne Einband.

Faszikel VI: Überschr.: *Partie de Galanterie G-dur, composée par E. Th. Baron le 17 de Février l'an 1755 per il Liuto.* (6 Sätze). 1 Schreiber (sorgfältig). Orig. Pappband. (Freie Instrumentalsätze, Tänze.)

Faszikel VII: Überschr.: *Partie avec la suite pour le luth f-dur composée par Erneste Theophile Baron.* (8 Sätze). 1 Schreiber, flüchtig. (Freie Instrumentalsätze, Tänze.)

Faszikel VIII: Überschr.: *Aria del l'opera I Fratelli Nemici „Bell' innocenza Amici" Accommodata per il Liuto da me Piermer Sig^r. Romani Canto:* 1 Schreiber (= Romani, Cantor). (1 Aria, ital. durchtextiert.)

Faszikel X: Überschr.: *Weiß. Solo Liuto D moll.* (12 Sätze). 1 Schreiber (Freie Instrumentalsätze, Tänze.)

Inliegend 2 lose Bll., 4 beschriebene Seiten mit Lt. Tab., ohne Überschr. 1 Schreiber (flüchtiger). (5 z. T. unbezeichnete Sätze). (Tänze, u. a. poln. *Taniec.*)

Faszikel XI: Überschr.: *Weiß. Concerto a 3 voci A moll, Liutho, Violino ed Baßo.* (8 Sätze). 1 Schreiber. (Freie Instrumentalsätze, Tänze.)

Faszikel XV: Überschr.: *Weiß. Liuto solo c-dur und f-dur.* (11 Sätze). 1 Schreiber. (Freie Instrumentalsätze, Tänze.)

Faszikel XIX: Überschr.: *Aria del l'Opera Didone „Non la ragione Ingrato".* 1 Schreiber. (Aria, ital. durchtextiert.)

Faszikel XXI: Überschr.: *A. Falkenhagen, Concerto a tre Liutho, Viol. e Baßo.* (6 Sätze). 1 Schreiber. (Freie Instrumentalsätze, Tänze.)

Faszikel XXII: Überschr.: *A. Falkenhagen, Concertino per il Liuto e Cembalo Concertato.* (4 Sätze). 1 Schreiber. (Freie Instrumentalsätze, Tänze, u. a. *Alla Polacca*).

Faszikel XXIII: Überschr.: *A. Falkenhagen, Partita per il Liuto 1756.* (7 Sätze) 1 Schreiber. (Freie Instrumentalsätze, Tänze.)

Faszikel XXIV: Lose Bll. Notierung von Griffen in Lt. Tab. über Bässe in verschiedenen Tonarten, skizzenhafte, flüchtige Darstellung.

Literatur: BoetticherL, S. 382 [57] (*Ms. Kö 3026*); KosackL, S. 92ff.; BoetticherFa, S. 1744; BoetticherBa, S. 1339; Klima-RadkeWW, S. 439.

---

seit 1945 verschollen

Ms. S. S. 25. Hs. Anhang an Druck: N. Vallet, *Paradisus musicus*, Amsterdam 1618. Nachgeheftet ist der Druck: N. Vallet, *Le second livre de Tablature de luth Intitulé Le Secret des Muses* . . . 1616. Erworben 1909.

Frz. Lt. Tab. 6 Lin. Um 1620.

28 fol. Unbeschrieben: f. 4–10r, 19ff. (noch mehrere leere Bll. bis Volumenende). Tab.-Teil: f. 1–3, 10v–18. Für 10chörige Laute. Ab f. 12r jedes zweite System in grüner Tinte. Besitzvermerk: Vorsatzbl. Ir *Galtofredus à Wallenrod.* 2 Schreiber (flüchtig). (Freie Instrumentalsätze, Tänze, dt. Liedbearbeitungen z. T. als Balletto.)

Literatur: BoetticherL, S. 355 [32] (*Ms. Kö 25*); KosackL, S. 73f.; Müller-Blattau, S. 230f.

KÖNIGSBERG (seit 1945: Kaliningrad), Stadtbibliothek
seit 1945 verschollen

Ms. Gen. 2. 150. Früher Privatbibl. des Grafen Dohna-Lauck, Reichertswalde/Ostpreußen.

Dt. Lt. Tab. Mitte des 16. Jh.; Datierungen 1550, 1551, 1552. Sog. Stammbuch des Burggrafen Achatius zu Dohna.

29 fol. Unbeschrieben f. 29v (nur Lin.). 13×11 cm. Tab.-Teil: f. 8–29, Notierung ohne Unterbrechung. Insgesamt 51 intavolierte Sätze; für den 52. Satz (*Ich bin zu lang gewesen*) ist nur die Überschr. notiert (am Ende des Volumens kein Tab.-Verlust). Es handelt sich um ein Stammbuch des Burggrafen Achatius von Dohna (1533–1601), das er in seiner frühen Studentenzeit, ca. 18–20-jährig, führte. Der Tab.-Teil wurde während der Aufenthalte in Königsberg, Frankfurt an der Oder, Wittenberg (wo er bei der Witwe Martin Luthers wohnte) und in Italien eingezeichnet, und zwar z. T. von der Hand der Komponisten (Intavolatoren). Für 6chörige Laute. Orig. Numerierung der Sätze, z. T. mit Datierungen: f. 10v, 13r *Finis* [15]*50*, f. 16r, 16v, 24v, 25r *1551*, f. 27r *1552*. *Finis*-Vermerke. *Accord*-Angaben, auch des Abzugs. F. 1–7r ganzseitige Wappen, sonstige Zeichnungen (aus dem Königsberger Studentenleben). F. 7v Gedicht, überschr.: *Fraw Musica spricht.* Unter anderem 2 Autographe bedeutender Lautenisten: f. 25r *Valentinus Bakfarkh. Sibenburg.*[er] *auß der Statt Kron/Po. Ko. Mtte. Musicus / 4 Vocum – Je prens en grey, La dura mourt;* und: f. 25r *Franciscus scottus de sauona servitor I*[llustrissimi] *P*[rincipis] *Do*[mini] *Ferrante Gonzaga Gubernator Mediolanensis Capitaneus Generalis Caes. Mtas. Imp.*, benachbarte Daten dieser Eintragungen: *28. 4.*

und *10. 8. 1552*. Zahlreiche Schreiber, darunter A. v. Dohna mit eigenen Sätzen (orig. *Nr. 31, 34*). Schweinslederband der Zeit mit Blindpressung (figürliche Leisten mit allegorischen Darstellungen der Tugenden). (Freie Instrumentalsätze, Tänze, frz. Chansons, dt. Liedsätze, ital. Madrigale, lat. Motetten, poln. Incipits.)

Literatur: BoetticherL, S. 343 [22] (*Ms. Rei*); GombosiB, S. 34 f.; KosackA, S. 37 ff., mit 2 Faksimiles vor S. 49; KosackL, S. 63 f., 97 ff.; SlimM 1964, S. 72 f., SlimM 1965, S. 120, 125; RadkeCH, S. 79.

KREMSMÜNSTER, BENEDIKTINERSTIFT (Regenterei)

Ms. L 64.

Ital. Lt. Tab. 6 Lin. Um 1610–1620.

82 fol. Unbeschrieben f. 14r–26, 36r (leer); f. 38, 39 (nur Lin.). Jüngere Foliierung (A. Kellner). Mehrere Bll. sind zwischen f. 47/48 und nach f. 82 seit langem herausgeschnitten. 24×17,5 cm. Tab.-Teil: f. 27–35, 42r, 43r, 44r, 45r, 46r, 47–52r, 53–63r, 64v–66r, 67v–70r, 76v. F. 27–35 rückläufige, kopfstehende Beschriftung. Für 7chörige Laute, Solo- und Begleitsätze. F. 36v Überschrift und 1 Baßstimme in gew. Notenschrift zu dem f. 37r folgenden, nichtintavolierten Satz (*Basso per il Chitarrone, Ballo del Grand duca*). Sonstige Aufzeichnungen: f. 1–9 lat. Hymnentexte, 1 Litanei und das *Canticum cantionum* cap. I–VI, f. 10–14r Exzerpte aus G. Diruta, *Il Transilvano*, Teil II, Venedig 1609, f. 37r, 37v, 40v, 41v, 42v, 43v, 44v, 45v, 46v, 48–78, 79v–82 gew. Notenschrift, hierunter Satzbezeichnungen aus Sigismondo d'India, *Le Musiche ... da cantar solo nel Clavicordo, Chitarone, Arpa doppia et altri istromenti simili*, Mailand 1609. Sprüche: f. 79v *Qui tempestive facit quod debet, laetior postea erit*, und: *Quotidiana in utroque genere / Musica ...* Es handelt sich wohl um das Arbeitsbuch eines Mönches, daher die Anlage des Ms.: beginnend mit kirchlichen Texten und fortschreitend zu Tab.-Übungen und Versuchen in der Satzlehre. Zahlreiche Korrekturen, z. T. spätere Ergänzungen. Die Niederschrift dürfte in größeren Zeitabschnitten erfolgt sein. Möglicherweise brachte Pater Benedikt Lechler, selbst ein guter Lt.-Spieler, die Hs. in seinen Besitz, als er 1632/1633 in Rom und Neapel weilte und übergab sie nach Rückkehr 1633 dem Stift Kremsmünster (KellnerL, S. 21, 93 etc.). Unbezeichnet finden sich Abschriften aus Drucken von G. Bataille, P. Guedron, P. Ballard, le Roy-Ballard, J. Peri (*Euridice*), G. Caccini (*Nuovo Musiche*), F. Lambardi (*Villanelle*) etc. Einzelne Sätze finden sich in Mss. 77, 79, 84 kopiert. 1 Hauptschreiber (abweichende Tintenfärbung). Pergamentband der Zeit, als Einband wurde eine Graduale-Hs. des 15. Jh. benutzt, Deckelinneres mit 2 Bll. beklebt. (Freie Instrumentalsätze, Tänze, frz. Airs, ital. und span. Arien.)

Literatur: Wolf H II, S. 103; Huemer, S. 114 ff.; KoczirzÖLL, S. 82; KoletschkaE, S. 49 f.; Kellner, S. 139 ff.; FlotzingerK, S. 17 ff., 57 ff.; FlotzingerL, S. 114 ff., 1 Faksimile S. 16 f.

Ms. L 77. Ältere Signatur (Vorderdeckel innen, Bleistift): *Manuscr. Nro IX*, darunter (Blaustift): *IV;* beide Angaben ca. 1870 rot durchstrichen (durch Huemer, s. Lit.).

Frz. Lt. Tab. 6 Lin. 1. Drittel des 18. Jh.

188 fol. Unbeschrieben f. 94–188 (leer). Moderne Foliierung durch F. J. Giesbert 1–95. 19×24,5 cm. Tab.-Teil: f. 1–93. Für 11chörige Laute (*4* und *////a*, auch */2*, */3*, */4*). Überwiegend (ca. 130) Solosätze für Laute, restliche Ensemblesätze mit Laute in Tab. sind *a 3* und *a 5* bezeichnet, die Stimmen (*Violino, Basso, Chalumeau, Hautbois, Basson, Viole d'amour*) fehlten bereits bei der Überprüfung durch F. J. Giesbert (s. u.). Vereinzelt orig. Hinweis auf Umstellung zweier Sätze (*Volti Courante*, und *Volti retrò Menuet*). Mehrere Sätze sind übereinstimmend in Mss. 64, 79, 81, 83 aufgezeichnet. Moderne Numerierung der Sätze 1–179 durch F. J. Giesbert, z. T. Binnenteile mitzählend. 1 Hauptschreiber (nicht identisch mit einem der Schreiber der übrigen Mss. Kremsmünster), Nebenschreiber B f. 61v, 62r stark abweichend (möglicherweise Sigismund Gast, der Schreiber B von Ms. 78). Brauner, glatter Lederband der Zeit, stark abgerieben, Buchrücken Blindpressung, Schnitt rot/blau gespritzt. Vorsatzbl. I Übersicht der Sätze in ihrer Suitenordnung und Ensemble-Besatzung etc. durch F. J. Giesbert, datiert August 1939. (Freie Instrumentalsätze, Tänze.)

Literatur: WolfH II, S. 103; BoetticherL, S. 373f. [49f.] (*Ms. Fl 77*); Huemer, S. 114ff.; Fachkatalog, S. 159f.; BrenetL, S. 65; KoczirzÖ, S. 60ff., 64f.; Kellner, S. 139ff.; RollinD, S. XVI; RollinG, S. XVII; FlotzingerK, S. 48ff., 232ff.; FlotzingerL, S. 74ff.; FlotzingerB, S. 222ff., 239; RadkeW, S. VI; Klima-RadkeW, S. 367.

Ms. L 78. Ältere Signatur (Vorderdeckel innen, Blaustift): *Partituren-Manuscript. Nro VIII*, darunter (Blaustift): *II*, beide Angaben ca. 1870 rot durchstrichen (durch Huemer, s. Lit.).

Frz. Lt. Tab. 6 Lin. Letztes Drittel des 17. Jh.

143 fol. Unbeschrieben f. 143 (leer); f. 48v–141r (nur 6, bzw. ab f. 90v rastriert nur 5 Lin.). 15,2×20,5 cm. Tab.-Teil: f. 1–48r, 141v–142. Für 11chörige Laute. F. 142 kleinere Übungsstücke und Kadenzen in Tab., die 6. Lin. ist hs. hinzugefügt. Vorsatzbl. (Huemer um 1870, Tinte): *Deutsche Lauten-Tabulatur*, das erste Wort ist durch *Französische* ersetzt (Kustos Benno Feyrer um 1925). F. 4–24 leichte Brandspuren, durch Überklebung z. T. restauriert. Einige Sätze sind übereinstimmend in Mss. 79, 83 aufgezeichnet. 2 Schreiber: A f. 1–17r (z. T. zitterig, wohl Hand eines Älteren), B f. 17v–48r und Schluß f. 141v–142. Ergänzungen und Korrekturen in gelblicher Tinte von A. Kellner, er schreibt die Schrift f. 17v, 25v, 34v Sigismund Gast (1645–1711, regens chori 1670–1678 in Kremsmünster) zu, Flotzinger identifiziert über-

zeugend Gast mit Schreiber B (FlotzingerK, S. 38 und Anm. 94). Demnach dürfte sich die Niederschrift durch A und B auf einen größeren Zeitraum erstrecken. Brauner, glatter Lederband der Zeit, Buchrücken mit Goldpressung, Ecken stark abgerieben. Schnitt rot gespritzt. Moderne Numerierung der Sätze durch F. J. Giesbert ca. 1939 (Nr. 25 ist zweimal gezählt, Nr. 67 ist nur ein Mittelteil eines Satzes). (Freie Instrumentalsätze, Tänze.)

Literatur: WolfH II, S. 103; BoetticherL, S. 186 (*Ms. Fl 78*); EitnerQL VI, S. 81, 207; BrenetL, S. 65; Huemer, S. 114ff.; Fachkatalog, S. 159f.; KoczirzÖLL, S. 82; Kellner, S. 139ff., 240ff., 261; FlotzingerK, S. 37ff., 94ff.; FlotzingerL, S. 56ff.; Schnürl, S. 110; RadkeG, S. 141; RadkeGL, S. 54.

Ms. L 79. Ältere Signatur (Vorderdeckel innen, Blaustift): *I*; ca. 1870 rot durchstrichen (durch Huemer, s. Lit.).

Frz. Lt. Tab. 6 Lin. Um 1690–1710.

216 fol., zuzüglich 2 Vorsatzbll. und 1 Nachsatzbl. (leer). Vor f. 33 ist 1 Bl. schon vor der orig. Beschriftung herausgeschnitten. Moderne Foliierung 1–90, 91–216 (A. Kellner, anschließend wohl K. Koletschka). Alle Seiten beschrieben. 9,8×20,2 cm. Tab.-Teil: f. 1–216. Für 11chörige Laute. F. 108v–117r (nicht 177r, wie FlotzingerK, S. 48 schreibt) Sätze für 2 Lauten (2 Suiten), wobei z. T. der Satz des 2. Spielers auf der rechten Seite in kopfstehender Beschriftung erscheint. Orig. Numerierung der Sätze: *1–204*, fortsetzende neuere Numerierung (Koletschka?) 205–326. Mehrere Sätze sind übereinstimmend in Mss. 64, 77, 78, 79, 81, 82, 85 notiert. Korrekturen z. T. von anderer Hand (wahrscheinlich vom Schreiber des Ms. 84, demnach später). Zahlreiche Sätze sind kopiert nach E. Reusner, *Neue Lautenfrüchte*, 1676 (f. 1–29r des Ms. in geschlossener Reihe), einiges weitere aus E. Reusners *Delitiae Testudinis*, 1667 (f. 130v–196r des Ms. in geschlossener Reihe, ferner f. 204v); beide Drucke gehören zum alten Bestand der Bibl. (über den letzteren Druck, der als Vorlage diente, vgl. KoczirzRL, S. 636ff.). 1 Schreiber (identisch mit dem Schreiber der Mss. 82, 83, 85 und der losen 3 Bll. von Ms. 81), zufolge FlotzingerK, S. 40, Anm. 99 möglicherweise identisch mit Pater Ferdinand Fischer (1652–1725, über diesen vgl. auch Kellner, S. 274). Einzelne Korrekturen (dunklere Tinte) stammen von dem Schreiber des Ms. 84, ca. 1710–1720). Dunkelbrauner Lederband der Zeit, Goldpressung auf Buchrücken, Goldschnitt. Vorderdeckel innen eingeklebt eine Übersicht der im Ms. genannten Komponisten und ihrer Sätze (durch A. Kellner, ca. 1950), ferner eine Übersicht der Nrn. 1–326 eigener Zählung durch F. J. Giesbert, datiert 16. 8. 1939. (Freie Instrumentalsätze, Tänze.)

Literatur: WolfH II, S. 103; BoetticherL, S. 369 [45] (*Ms. Fl 79*); Huemer, S. 114ff.; KoletschkaR, S. 3ff., 14f.; KoczirzÖ, S. 49ff.; KoczirzÖLL, S. 92; KoczirzRL, S. 636ff.; RollinD, S. XVI; RollinG, S. XVII; Kellner, S. 139ff.; FlotzingerK, S. 46ff., 191ff.; FlotzingerL, S. 83ff.

Ms. L 81. Ältere Signatur (Vorderdeckel innen, Blaustift): *VIII*, rot durchstrichen (durch Huemer, s. Lit.). Um 1870 im Besitz des Stiftsarztes von Kremsmünster, Dr. Sigmund Pötsch (1876 pensioniert). Um 1876 von der Stifts-Regenterei übernommen.

Frz. und ital. Lt. Tab. 6 Lin., ital. Git. Tab. 5 Lin., mit Alfabeto. Um 1640–1650, die lose beigefügten Bll. Ende des 17. Jh.

154 fol. Ursprünglich ca. 230 fol., vor längerem sind ca. 79 Bll. herausgeschnitten bzw. -gerissen worden, nach Blattzählung des heutigen Bestands fehlen: f. 1–19, ferner je 1 Bl. vor f. 2, 3, 31, 34, 40, 51, 56, 58, 62, 66, 69, 87, 88, 96, 97, 122, 128, je 2 Bll. vor f. 65, 81, 94, 101, 3 Bll. vor f. 46, 6 Bll. vor f. 42, ca. 26 Bll. vor f. 23. Nach f. 151 sind ca. 10 Bll. entfernt worden. (FlotzingerK, S. 26 und 72 ff. zählt die in Verlust geratenen orig. Bll. 1–19 und 21 mit, jedoch nicht die weiteren entfernten Bll., so daß sich abweichende Zahlen ergeben.) Orig. Foliierung bis Ziffer *42* (unterbrochen). Unbeschrieben f. 42–100 (später von den Kindern des Vorbesitzers Dr. Pötsch, s. o., bemalt, bekritzelt), 136–141 (leer); f. 39–41, 124v–128, 142v (nur Lin., analog bekritzelt). Hauptformat 14,8 × 18,4 cm. Die letzten 3 Bll. (f. 152–154) sind lose und von abweichendem Format 10 × 15,5 cm. Sie gehören nicht zum Konvolut und wurden erst in jüngster Zeit beigelegt (s. u. zur modernen Numerierung der Sätze). Tab.-Teile: I. frz. Lt. Tab. für 10chörige Laute f. 1–37r, 129–135, 152v–154; II. ital. Lt. Tab. für 10chörige Laute f. 101–124r; III. ital. Git. Tab. mit Alfabeto, abweichend 5 Lin. für 5saitige Gitarre f. 143–151. Gew. Notenschrift (wohl wesentlich spätere Eintragung, 2 Fragmente) f. 37v–38. F. 142r überschrieben *Musikalisches Alphabeth*, mit Übersicht der Griffe für 5saitige Gitarre in Tab. Zahlreiche litararische Beigaben (lat., dt., frz., span., ital. Gedichte, Stammbuchverse), hierunter auf die Laute bezüglich: f. 3r *Tu mihi Testudo superum Venerabile munus, Corda puellarum conciliare soles*; f. 4r *Will lieber äuff der lauten schlag*[en], *alß eine pickh*[en] *auff dem* [buc]*khl trag*[en]; in weiteren Sprüchen ist von *Cythara* (f. 5r), *Testudo* (f. 5v) die Rede, in letzterem Spruch ergibt sich senkrecht gelesen dreimal das Wort *TESTUDO*. Vereinzelt Übereinstimmung mit Sätzen in Mss. 77, 79, 83. Verschiedene Sätze sind nach F. Caroso, *Il Ballarino*, Venedig 1581 und F. Caroso, *Nobilita di dame*, Venedig 1600 kopiert. 1 Hauptschreiber, er nennt sich f. 150v im Tab.-Teil für Gitarre bei der Satzbezeichnung: *Praeludio D*[omi]*ni Sebastiani de Halwiyl* [Halwihl?] *quod ipsemet descripsit* (d. h. er war Schreiber und Komponist des *Praeludiums*). Zu einem Johann Sebastian Hallwil, der mutmaßlich mit dem Hauptschreiber identisch ist, vgl. FlotzingerH, S. 1 ff. Er dürfte das Lautenbuch auf seinen früheren Bildungsreisen im Inlande (Österreich) und Auslande (Frankreich, Italien) angelegt haben, was auch die Verwendung des Ms. als Stammbuch erklärt. Die nicht zum Konvolut gehörigen 3 losen Bll. sind von dem Schreiber der Mss. 79, 82, 83, 85 aufgezeichnet worden (Ende des 17. Jh.), zu diesem vgl. unter Ms. 79. Schwarzer Lederband der

Zeit, Deckel innen Holzverstärkung. Goldpressung, Goldschnitt. An Deckeln starker Wurmschaden. Rückdeckel innen mit lat. und dt. Versen. Moderne Numerierung der Sätze durch F. J. Giesbert ca. 1939, einschließlich der 3 Nrn., die sich auf den 3 losen Bll. am Schluß befinden. (Freie Instrumentalsätze, Tänze, ital. Arien und Madrigale, dt. Liedsätze.)

Literatur: Huemer, S. 114ff.; Kellner, S. 139ff.; NettlV, S. 43; RollinG, S. XVII; SchenkE, S. 257; FlotzingerK, S. 25ff., 72ff.; FlotzingerL, S. 24ff.; FlotzingerH, S. 1ff., nach S. 4 Faksimile von f. 150v; Heckmann DMA III, S. 77, *Nr. 1/1213*; FlotzingerG, S. 94f.

Ms. L 82. Ältere Signatur (Vorderdeckel innen, Bleistift): *Manuscr. X*, schräg darunter (Blaustift): *V*, beide Angaben ca. 1870 rot durchstrichen (durch Huemer, s. Lit.).

Frz. Lt. Tab. 6 Lin. Um 1677 bis Ende des 17. Jh.

158 fol. Zwei Beschriftungen (wie Ms. 83): 1. von vorn nach hinten f. 1–87, und 2. von hinten nach vorn f. 1–72 (f. 72v dieser 2. Zählung = f. 84v der 1. Zählung). Rangfolge beider Zählungen, die durch die heutigen bibliothekarischen Merkmale (Stempel, Sign.-Zettel durch Huemer) geboten ist, stimmt nicht mit der orig. Anlage des Ms. überein, denn die 2. Zählung betrifft die früheste Eintragung (orig. Numerierung der Sätze *1–15*, Deckelvignette gradstehend etc.). Innerhalb der 2. Zählung ist (Irrtum des Schreibers) 1 Satz f. 17r kopfstehend angeordnet. Alle Seiten mit Tab. beschrieben. 12,7×15,8 cm. Tab.-Teile: 1. Zählung f. 1–80, 87v; 2. Zählung f. 1–72. Für 11chörige Laute. Mehrere Sätze sind übereinstimmend in Mss. 79, 83, 85 (in letzterem überwiegend) aufgezeichnet. Vorsatzbl. mit falscher Bezeichnung *Deutsche Lauten-Tabulatur* (mit Korrektur analog Ms. 78). 1 Schreiber, identisch mit dem Schreiber der Mss. 79, 83, 85 und der losen Bll. von Ms. 81, zu diesem vgl. Ms. 79. Brauner Lederband der Zeit, Buchrücken Goldpressung (Blumenornament), Deckel Goldpressung (Randleisten mit Blumenecken, Mitte Vignette: Engelskopf). 4 grüne Bandschließen (Leinen) sind erhalten. Moderne Numerierung der Sätze gemäß 1. und 2. Blattzählung durch F. J. Giesbert ca. 1939 (nicht mit der orig. Zählung *1–15* übereinstimmend, nicht verbindlich). (Freie Instrumentalsätze, Tänze.)

Literatur: Huemer, S. 114ff.; Kellner, S. 139ff.; FlotzingerK, S. 41ff., 105ff.; FlotzingerL, S. 74ff.; HeckmannDMA III, S. 78, *Nr. 1/1214*.

Ms. L 83. Ältere Signatur (Vorderdeckel innen, Blaustift): *Manuscr. XI*, darunter (Blaustift): *VI*, beide Angaben ca. 1870 rot durchstrichen (durch Huemer, s. Lit.).

Frz. Lt. Tab. 6 Lin. Ende des 17. Jh. bis kurz nach 1705.

176 fol., zuzüglich 5 Vorsatz- und 3 Nachsatzbll. (leer). Unbeschrieben f. 56–117 (nur Lin.). Neuere Foliierung (ca. 1939 durch F. J. Giesbert, ohne Vor-

satzbll., in der 1. Zählung f. 43 doppelt gezählt). Zwei Beschriftungen (wie Ms. 82): 1. von vorn nach hinten f. 1–55, und 2. von hinten nach vorn f. 1–51. 12,3 × 15,8 cm. Tab.-Teile: 1. Zählung f. 1–55; 2. Zählung f. 1–51. Für 11chörige Laute. Orig. Numerierung der Sätze: 1. Zählung *1–5*, 2. Zählung (fortsetzend) *200–269* (mit Fehlern, z. T. falsch weitergezählt bzw. Sätze unnumeriert gelassen in der Reihe), neuere Korrektur und Ergänzung dieser orig. Zahlenreihe, Fortsetzung der Schlußgruppe Nr. 270–288 (durch F. J. Giesbert, s. o.). F. 1v der 2. Zählung ist Fortsetzung des letzten Satzes der Reihe der 1. Zählung von Ms. 85 (f. 142v). Mehrere Sätze sind übereinstimmend in Mss. 77, 78, 81 aufgezeichnet. 1 Schreiber (identisch mit dem Schreiber von Mss. 79, 82, 85 und der losen Bll. von Ms. 81, zu diesem vgl. Ms. 79). Brauner Lederband der Zeit, 2 grüne Bandschließen (Leinen) sind erhalten. Schnitt blau/rot marmoriert gespritzt. Neuere Numerierung der Sätze beider Blattzählungen (F. J. Giesbert, analog Ms. 82). (Freie Instrumentalsätze, Tänze.)

Literatur: WolfH II, S. 103; BoetticherL, S. 375 [51] (*Ms. Kr 83*); Huemer, S. 114ff.; KoczirzÖLL, S. 81, 90ff.; KoczirzÖ, S. 82; FlotzingerK, S. 44ff., 168ff.; FlotzingerL, S. 83ff.; FlotzingerB, S. 200, 207ff.; HeckmannDMA III, S. 78, *Nr. 1/1215.*

Ms. L 84. Ältere Signatur (Vorderdeckel innen, Blaustift): *VII*, ca. 1870 rot durchstrichen (durch Huemer, s. Lit.).

Frz. Lt. Tab. 6 Lin. Um 1710–1730.

108 fol. Vor f. 1 wurden in jüngerer Zeit 4 Bll. herausgeschnitten, dabei wurde f. 1 eingeschnitten, blieb aber erhalten; vor f. 4 wurden vor der orig. Beschriftung 3 Bll. entfernt, 6 Bll. fehlen am Schluß und könnten beschrieben gewesen sein (an den Falzen sind Reste von gew. Notenschrift sichtbar, wahrscheinlich war dieser – vielleicht vom Intavolator selbst entfernte – Teil in gew. Notenschrift der älteste, d. h. der Anfang des Volumens gewesen). Unbeschrieben f. 32–108 (leer); f. 30v–31 (nur Lin.). 9,8 × 15,5 cm. Tab.-Teil: f. 1–30r. Für 11chörige Laute. Korrekturen mit schwarzer Tinte, wohl von gleicher Hand. Vorderdeckel innen Initialen (Bleistift): *F: E: R:* . 1 Satz ist übereinstimmend in Ms. 64 aufgezeichnet. 1 Hauptschreiber. Er ist wahrscheinlich identisch mit demjenigen Spieler, der in Ms. 79 Korrekturen hinterlassen hat (vgl. Ms. 79 zur Datierung). Pergamentband der Zeit, als Einband wurde ein Lectionarium des 14. Jh. in früher gotischer Missaleschrift benutzt, wohl aus dem alten Bestand des Stiftes Kremsmünster; Schnitt rot gespritzt. Neuere Numerierung der Sätze 1–37 durch F. J. Giesbert, von demselben Vorsatzbl. I eine Übersicht der Sätze nach Ordnung der Tonarten (Suiten), datiert August 1939. (Freie Instrumentalsätze, Tänze.)

Literatur: Huemer, S. 111, 114ff.; Kellner, S. 139ff.; FlotzingerK, S. 51ff., 256ff.; FlotzingerL, S. 77ff.; HeckmannDMA III, S. 78, *Nr. 1/1216*

Ms. L 85. Ältere Signatur (Vorderdeckel innen, Blaustift): *III*, ca. 1870 rot durchstrichen (durch Huemer, s. Lit.).

Frz. Lt. Tab. 6 Lin. Um 1685–1705.

146 fol. Unbeschrieben f. 1. 8,2 × 15,5 cm. Tab.-Teil: f. 2–143. F. 144–146 orig. Zusammenstellung der Sätze nach Tonarten. Für 11chörige Laute. Orig. Numerierung der Sätze *1–200* (ca. 14 Sätze sind nicht orig. numeriert, die Nrn. 26, 154 sind irrig doppelt gezählt, Nr. 101 wurde übersprungen). Der letzte Satz der Reihe f. 142v–143 ist nur zur ersten Hälfte notiert und findet sich in Ms. 83, 2. Zählung am Anfang (f. 1v) fortgesetzt. Mehrere Sätze sind übereinstimmend in Mss. 64, 81, 82 (in letzterem überwiegend) aufgezeichnet. Der Satz orig. Zählung Nr. *168* (f. 123r) wurde vom Schreiber durchgestrichen und als Nr. *172* (f. 125v) mit geringfügigen Abweichungen erneut notiert, diese Änderung ist durch *vide 172* und *Double sopra 167* kenntlich gemacht. 1 Schreiber (identisch mit dem Schreiber von Mss. 79, 82, 83 und der losen Bll. von Ms. 81, zu diesem vgl. Ms. 79). Brauner Lederband der Zeit, Goldschnitt. (Freie Instrumentalsätze, Tänze.)

Literatur: Huemer, S. 114ff.; Kellner, S. 139ff.; FlotzingerK, S. 43ff., 146ff.; FlotzingerL, S. 84ff.; HeckmannDMA III, S. 78, *Nr. 1/1217*.

KROMĚŘÍŽ (Kremsier), ZÁMECKÁ KNIHOVNA (Bibliothek des ehem. Schlosses)

Ms. IV. 210.

Frz. Lt. Tab. 6 Lin. Um 1700.

Beschrifteter Deckel für eine fremde, nichtintavolierte Komposition (Sonata â 3, Violino, Clarino, Trombone). Rückseite unbeschrieben. Für 11chörige Laute. 1 Schreiber. Anfang des 18. Jh. (Aria, mit dt. Incipit „*Ihr traurigen . . .*“).

Literatur: Fehlend.

LEIDEN, RIJKSUNIVERSITEITSBIBLIOTHEEK

Ms. Thysius 1666. In neuerer Zeit aus der Bibliotheca Thysiana (Leiden) überführt.

Frz. Lt. Tab. 7 Lin. Um 1595–1620, Nachträge bis 1645 möglich.

521 fol., zuzüglich 4 Vorsatzbll. und 3 Nachsatzbll. (leer). Neuere Foliierung (Bleistift), korrekt. 31 × 20 cm. Unbeschrieben sind sämtliche Seiten außerhalb des Tab.-Teils. Tab.-Teil: f. 1–8r, 9–12, 13v–38r, 39r–42r, 47–49r, 53r, 55–59r, 60–61r, 70–89r, 94–102r, 105, 108–110r, 116–124r, 127v–132r, 133r, 134r, 135r, 136r, 137r, 138r, 140–142, 144, 146–149r, 155v–161, 163–177r, 178–181r, 182–186r, 187r, 188–193r, 194–212, 213v–220, 221v–223, 224v, 225v–226, 233v, 235–239r, 240–241r, 242r, 243r, 244r, 245r, 246r, 247–255r, 256r, 257r,

258r, 259r, 260–265r, 274r, 275–276r, 277r, 278r, 279–281r, 285v–292, 295v–296, 298v–300, 302–303r, 310–311, 312v–313, 315, 317v–319r, 320, 322r, 323v, 330–334r, 335–341r, 342–343r, 344r, 345r, 346r, 347–350r, 351v–359r, 360r, 365v–396r, 397–399r, 400–402, 410r, 411r, 412r, 413r, 415r, 416–417r, 418r, 419, 420r, 426–429r, 430r, 431r, 432r, 433–435r, 436r, 437r, 438r, 439r, 440r, 442–444r, 445r, 446–447r, 448–454r, 455–459r, 460–461r, 462–463r, 464r, 465–467r, 468r, 469–481r, 482–483r, 484–488r, 489r, 490–493r, 494–495r, 496–498r, 499r, 500r, 501r, 502r, 503–504r, 505r, 506r, 507r, 508r, 509r, 510–513r, 517–518r. Vorgedr. Lin., auch auf den unbeschriebenen Seiten (f. 413v, 414r Ausfall der Schwärzung), ohne Angabe der Offizin. Für 5–7chörige Laute (letztere überwiegend). Einige Sätze für 2–4 Lauten, mit Bezeichnung der Höhenlage des Instruments am jeweiligen Satzbeginn: *Sup*[eriu]*s*, *Contraten*-[or], *Tenor*, *Bassus* (die nicht angegebenen Stimmungen der 4 Instrumente: *g a d' g' h' e'' a'''*, *H c f b d' g' c''*, *F G c f a d' g'*, *E F G c a d'*). Die Aufzeichnung der 4lautigen Sätze folgt der Anordnung des Chorbuchs, doch findet sich vereinzelt auch die Partiturform mit durchgehenden Tab.-Strichen (z. B. f. 161r *Finale* = 5 Schlußtakte). Ein Teil der Sätze mit durchgehendem Text (auch mehrstrophisch, z. T. zweizeilige Textunterlegung), dabei z. T. Hinweis auf die Stimmzahl der Vorlage: *a.2* oder *a.2. con basso continuo* (f. 221v etc.). Der Vermerk *Seqtr* [sequitur] bezieht sich z. T. nur auf den Komponistennamen, nicht Satztitel (z. B. f. 391r *Seqtr Rich. machyn*). Freier figurierte Schlüsse ad libitum sind mit *aliter* (f. 489r etc.) bezeichnet. F 217–218r flüchtig notierte, unbezeichnete Fingerübungen für 7chörige Laute, z. T. durchstrichen. Besitzvermerk: f. 1r *Johan Thys wt d'auctie van Smouti*[us]. Dieser Adriaan Joriszoon Smout, geb. 1578/1579, verstarb Mitte Februar 1646. Er war kalvinistischer Staatsminister und dürfte wohl der späteste Schreiber des Ms. gewesen sein (s. u.). Von ihm erwarb der damals ca. 24jährige Jan Thys das Ms. Mindestens 4 Schreiber. Außer dem genannten Smout, der ca. 1620–1645 geschrieben haben dürfte, sind 2 weitere Schreiber sicher zu trennen: der eine ca. 1595–1610, der andere ca. 1605–1620 (auf die Unterscheidung dieser beiden Schreiber anhand des unterschiedlichen *f* macht bereits NoskeS, S. XXI mit Recht aufmerksam). Mehrmals Beschriftung über das Zeilenende hinaus (f. 39r, 85r etc.). Streichungen: f. 161r, 235v, 252v–254r, 289v, 517r etc. Ergänzungen am Seitenrand: f. 209r etc. Mehrere Bll. sind nach der Beschriftung herausgeschnitten: es fehlen 2 Bll. vor f. 250, je 1 Bl. vor f. 60, 244, 298, 396. Am Falz des vor f. 298 herausgeschnittenen Bl. ist ein Buchstabenfragment sichtbar (*P*, d. h. es befand sich auf dieser Seite die Tab. eines Psalms, Bezeichnung analog den umliegenden Seiten des Ms.). Schweinslederband der Zeit mit reicher Blindpressung auf Deckeln und Buchrücken. Von den 2 Lederschnüren-Schließen sind nur noch die Löcher erhalten. Innendeckel restauriert mit neueren Schmutzbll. Orig. Heftung unversehrt, Buchrücken z. Zt. lose. (Freie Instrumentalsätze, Tänze, frz. Chansons, ital. Madrigale, dt., niederdt. und niederl. Liedsätze, lat. Motetten, engl. Incipits.)

Literatur: LandTh, Vorwort und S. 1ff., 2 Faksimile vor S. 1 von f. 234v, 390r; LandR (identisch mit LandTh, jedoch ohne Register und einige Korrekturen), S. 1ff.; LandM (Berichtigung zu der Beschreibung des Ms. in AnonymTh), S. 1 f.; WolfH II, S. 104; BoetticherL, S. 355 [32f.] (*Ms. Lei Thys*); RollinV, S. XXIII; SlimM 1965, S. 125; Kossmann, S. 327; NoskeL, S. 46ff.; NoskeE, S. 87ff.; NoskeS, S. XXI, 3 Faksimile S. XLIII–XLV (*Nr. 1–3*, f. 233v, 251v, 252r); AnonymTh, S. 367. – Die seit Land geübte Seitenzählung des Ms. (Mitzählung der Vorsatzbll.) liegt diesem Katalog nicht zugrunde. Ferner vgl. Spiessens, S. 148f.; RadkeTh, S. 382f.; BoetticherHa, S. 1223; Edwards, S. 210; ReeseF, S. 274; WardJ, S. 842, Anm. 35a; WardSB, S. 28f.

LEIPZIG, Musikbibliothek der Stadt

II. 2. 45.

Handschriftliche Eintragungen in Druck S. Ochsenkun, *Tabulaturbuch auff die Lauten*, Heidelberg 1558.

Dt. Lt. Tab. Um 1570, Datierungen 1569, 1570.

Eintragungen f. 56r, 57r, 60r, 63v. Der Druck ist defekt: nur f. 54–81 der originalen Zählung vorhanden. Ausschließlich Tab. Für 6chörige Laute. 1 Schreiber. Datierungen: *1569; 1570*. (Tanz, dt. Liedsatz, lat. Motetten.)

Literatur: BoetticherL, S. 345 [24] (*Ms. Le 45*).

——

II. 5. 32. b.

Handschriftlicher Anhang in Druck O. di Lasso, *Villanelle . . .*, Rom 1555 (BoetticherLZ, S. 747 unter 1555ε], nur *Canto;* im gleichen Volumen sind angebunden *Secondo libro delle mvse a 3 voci* [BoetticherLZ unter 1557ε] und *Canzoni alla napolitana de diversi . . .*, Rom 1557 = RISM 1557^{19}, beide Drucke ebenfalls *Canto*. Erworben 1929. Früher Privatbibliothek Dr. Werner Wolffheim, Berlin-Grunewald, Nr. 1850.

Frz. Lt. Tab. 6 Lin. 1. Viertel des 17. Jh.

27 fol. des Anhangs. Unbeschrieben f. 1r, 2r, 14v–27. 10,6 × 13,4 cm. Papier mit vorgedruckten 5 Lin., nicht aus den angebundenen Drucken und ohne Angabe der Offizin; eine zusätzliche untere Lin. ist mit Tinte f. 4–9 hinzugefügt. Tab.-Teil f. 3r, 4–14r. Für 9chörige Laute. F. 1v, 2v, 3v Aufzeichnung in gew. Notenschrift von fremder Hand. 1 Schreiber, z. T. sehr flüchtige Aufzeichnung. Pergamentband der Zeit mit reicher Goldpressung auf Deckeln und Buchrücken. Goldschnitt. (Freie Instrumentalsätze, Tänze, frz. Chansons.)

Literatur: BoetticherL, S. 352 [30] (*Ms. Le Las*); Katalog Wolffheim II, S. 380 (*Nr. 1850*).

——

II. 6. 6.

Handschriftlicher Anhang in Druck H. Gerle, *Eyn Newes sehr künstlichs Lautenbuch*, Nürnberg 1552; im gleichen Volumen sind angebunden

R. Wyssenbach, *Tabulaturbuch vff* . . ., Zürich 1550 und B. de Drusina, *Tabulatura continens* . . ., Frankfurt a.d. Oder 1556.

Frz. Lt. Tab. 6 Lin. Um 1570–1580.

7 fol. des Anhangs in Lt. Tab. Unbeschrieben f. 7v (Schriftproben von fremder Hand). 20,1×15,8 cm. Tab.-Teil: f. 1–7r. Für 7chörige Laute. 1 Schreiber. Auf anschließenden Blättern des Anhangs sowie vor dem Titelblatt des Drucks sind Sätze in Orgel-Tab. aufgezeichnet. Pergamentband der Zeit, Originale Datierung auf dem Einband: *1563*. Die Blätter des Anhangs sind original eingeheftet. (Freie Instrumentalsätze, Tänze, dt. Liedsätze, frz. Chansons.)

Literatur: WolfH II, S. 103 (ohne Sign., geführt unter *Sammelband mus. 17 in 4°*, unrichtig als dt. Lt. Tab.); BoetticherL, S. 350 [28] (*Ms. Le Gerle*); Dieckmann, S. 101 (unter unrichtiger Sign. *II. 6. 7*).

Ms. II. 6. 14. Früher Privatbibliothek C.F. Becker, Leipzig.

Frz. Lt. Tab. 6 Lin. Um 1670–1680.

79 fol. Unbeschrieben f. 5r, 12v, 13r, 28v, 29r, 55v, 56r, 66r, 78v–79. 16,2×18,5 cm. Ausschließlich Tab. Für 11chörige Laute. Neue Paginierung 1–158. Papier mit vorgedruckten 6 Lin., ohne Angabe der Offizin. Gedruckte Randverzierung auf jeder Seite. 2 Schreiber. Dunkelbrauner Lederband der Zeit, Rücken mit Goldpressung. (Freie Instrumentalsätze, Tänze.)

Literatur: BoetticherL, S. 365f. [42] (*Ms. Le 14*); EitnerQL VI, S. 81, Art. *Lautenbücher* (ohne Sign.); RollinD, S. XVI; RollinG, S. XVII; NeemannDL, Einleitung.

Ms. II. 6. 15. Früher Privatbibliothek C.F. Becker, Leipzig.

Dt. Lt. Tab. 1619–1625, Datierung 1619.

277 fol., zuzüglich 8 alte Vorsatzbll., hiervon unbeschrieben f. I–III, V–VII. Orig. Foliierung lückenhaft, mehrmals neu ansetzend, was auf eine spätere Vertauschung der Faszikel schließen läßt. Neuere Paginierung in Bleistift *1–554* ohne die Vorsatzbll. Unbeschrieben f. 19v–20, 33–38, 65–70, 78r, 87v–90, 133v–142, 160–166, 172v–174r, 177v–180, 262v, 271v–277. 19,5×15,7 cm. Tab.-Teil f. 1–19r, 21–32, 39–64, 71–77, 78v–87r, 91–133r, 143–159, 167–172r, 174v–177r, 181–262r, 263–271r. 19,5×15,8 cm. Ausschließlich Tab. Für 6chörige Laute. Streichungen f. 17v, 98v, 259r etc. Orig. Numerierung gleichartiger Sätze. F. 158r untere Seitenhälfte kopfstehende Beschriftung. Lat. und dt. Sprüche von Luther, Melanchthon, Aristoteles auf Vorsatzbl. VIII, f. 1–2 etc., meist am unteren Blattrand im Tab.-Teil. Vorsatzbl. IV 6 Strophen von *Wach auf, wach auf von süßen traum.* Datierung: f. VIIIv *1619*, neben einem Gedicht, wohl zu Beginn der Eintragungen im Tab.-Teil. Papier stark bräunlich verfärbt. 1 Hauptschreiber (es fehlt ein besonderer Hinweis auf *A. Dlu-*

gorai). Vorsatzbl. Ir Vermerk von C.F. Becker: *Tonstücke für die Laute. 1619. Eine höchst kostbare Sam*[m]*lung*. Neuerer Titel in Bleistift: *Deutsche Lautentabulatur von 1619; genannt das Lautenbuch des Albert Dlugorai*. Jüngerer Pergamentband, nicht originale Heftung. Beiliegend ein Brief von W. Tappert, Berlin 15. 4. 1889 und Zettel mit Abschriften und sonstigen Notizen von der Hand C.F. Beckers. (Freie Instrumentalsätze, Tänze, ital. Madrigale, frz. Chansons, dt. Liedsätze, lat. Motetten.)

Literatur: WolfH II, S. 50 (ohne Sign., als *Lautenbuch des Albert Dlugorai*); BoetticherL, S. 354 [32] (*Ms. Le 15*); Dieckmann, S. 16f., 38f.; W. Boetticher, Art. A. Długorai in: MGG III 1954, Sp. 615ff.; Jachimecki, S. 120ff.; RamertównaP, S. 23ff.; StęszewskaL I, *Nrn. 29–43*, S. 33 Faksimile; Szweykowski, S. 130–136 (9 Sätze), S. 315f.; Feicht, S. 389f.; PoźniakD, Einleitung; PoźniakC, Einleitung; HeckmannDMA V, S. 147, Nr. *1/2170*; RadkeL, S. 38; PoźniakCC, S. 7 1 Faksimile von f. 9r; RadkeC, S. 1382.

Ms. II. 6. 23. Erworben 1929. Früher Privatbibliothek Dr. Werner Wolffheim, Berlin-Grunewald, *Nr. 49*.

Frz. Lt. Tab. 6 Lin. 1. Viertel des 17. Jh.

63 fol. Unbeschrieben f. 1, 11v–13r, 20v–24r, 25v, 26r, 48–50, 52v, 55v–57r, 58v, 59r, 61–63. 15,2 × 19,1 cm. Ausschließlich Tab. Für 10chörige Laute. F. 2r hs. Buntbild einer 5chörigen Laute; f. 3v–4r doppelseitige Abbildung eines Lautenkragens mit Übersicht der Zeichen der dt., frz. und ital. Lt.-Tab., mit Stimmregeln. F. 4r: *Nympha, calix, pietas, musica noster amor*. F. 4v: *Ad Spectatorem*. Einzelne Blätter scharf beschnitten. Am unteren Seitenrand dt. und lat. Sprüche, Gedichte. Besitzvermerke und für die Zeitlage des Tab.-Teils unverbindliche Datierungen: f. 25v *Joh. Adam Stuhl in Großeeibstadt 7. December 1524* [spätere Eintragung]; f. 54v *18 august 1724;* f. 60r *1718*. Einzelne Blätter stark wurmstichig. Einige Satztitel mit grüner Tinte, Schönschrift, andere Teile flüchtiger. Mindestens 2 Schreiber. Jüngerer hellbrauner Pergamentband, die originale Heftung offenkundig unversehrt. (Freie Instrumentalsätze, Tänze, ital. Madrigal, dt. Liedsätze.)

Literatur: BoetticherL, S. 356 [34] (*Ms. Le 23*); Katalog Wolffheim II, S. 31f. (*Nr. 49*).

Ms. II. 6. 24. Erworben 1929. Früher Privatbibliothek Dr. Werner Wolffheim, Berlin Grunewald, *Nr. 54*.

Frz. Lt. Tab. 6 Lin. 3. Drittel des 17. Jh.

238 fol. F. 238 ist an den Rückdeckel festgeklebt. Alte Foliierung *1–237*. Unbeschrieben f. 88r; f. 4v, 187r (nur Lin.). F. 88 ist ein eingeklebtes Blatt gleichen Formats und gleicher Papierbeschaffenheit (keine alte Foliierung). F. 89 ist ein zusammengeklebtes Doppelblatt. 9,5 × 16 cm. Ausschließlich Tab. für 11chörige Laute. 3 Schreiber (1 Hauptschreiber). Pergamentband der Zeit, Heftung

unversehrt. (Freie Instrumentalsätze, Tänze, Arien, ital. Madrigal, lat. Incipit, frz. Chansons, dt. Liedsätze.)

Literatur: BoetticherL, S. 363 [41] (*Ms. Le 24*); Katalog Wolffheim II, S. 33f. (*Nr. 54*); RollinD, S. XVI; RollinG, S. XVII.

Ms. III. 11. 3. Früher Privatbibliothek C.F. Becker, Leipzig.

Frz. Lt. Tab. 6 Lin. 2. Viertel des 18. Jh. bzw. Mitte des 18. Jh.

10 fol. Unbeschrieben f. 1v. 32,2 × 22,6 cm. Tab.-Teil f. 3v–10r. Für 13chörige Laute. Titel: f. 1r *G mol. Pieces pour le lut par Sre J. S. Bach.* 1 Schreiber (nicht Autograph). Jüngerer Einband. (Freier Instrumentalsatz, Tänze.)

Literatur: WolfH II, S. 103 (ohne Sign.); BoetticherL, S. 375 [51] (*Ms. Le Bach*); Schmieder, S. 555 (hiernach *Suite g-moll, Nr. 995*, Übertragung der 5. Cellosuite *Nr. 1011*); TappertB, S. 23ff.; NeemannB, S. 72ff.; NeemannF, S. 157ff.; BrugerBL I, S. 3ff. mit Faksimile des nichtintavolierten Autographs [Brüssel]; BrugerB, S. 3ff.; RadkeB, S. 281ff.; Schulze, S. 33ff.; Ferguson, S. 259ff.; SchulzeB, S. V–VIII, folgend Faksimiles; Kolhase, S. 4ff.

Ms. III. 11. 4. Früher Privatbibliothek C.F. Becker, Leipzig.

Frz. Lt. Tab. 6 Lin. Um 1728–1730.

2 fol. 2 mit Tab. beschriebene Seiten. 39,2 × 26,9 cm. Ausschließlich Tab. Für 13chörige Laute. Titel: f. 1r *G. moll. Fuga del Signore Bach.* 1 Schreiber (nicht Autograph). Als Schreiber kommt (vgl.a.Schulze, S.36) wahrscheinlich Johann Christoph Weyrauch (1694–1771, gebürtig aus Knauthain bei Leipzig) in Frage: Jüngerer Einband. (Freier Instrumentalsatz.)

Literatur: WolfH II, S. 103 (ohne Sign.); BoetticherL, S. 377 [53] (*Ms. Le 4*); Schmieder, S. 558 (hiernach *Fuge g-moll, Nr. 1000*, Übertragung des 2. Satzes der *g-moll-Sonate* für Violine allein *Nr. 1001*); TappertB, S. 23ff.; NeemannB, S. 72ff.; NeemannF, S. 157ff.; BrugerBL I, S. 3ff.; BrugerB, S. 5; RadkeB, S. 281ff.; Schulze, S. 32ff.; Ferguson, S. 259ff.; SchulzeB, S. V–VIII, folgend Faksimiles; Kolhase, S. 4ff.

Ms. III. 11. 5. Früher Privatbibliothek C.F. Becker, Leipzig.

Frz. Lt. Tab. 6 Lin. Um 1760–1765.

4 fol. Unbeschrieben f. 4v. 35,3 × 26,1 cm. Ausschließlich Tab. Für 13chörige Laute. Titel: f. 1r *C. moll. Partita al Liuto. Composta dal Sigre J. S. Bach. J. S.* ist etwas später mit kleinerer Schrift in Tinte hinzugefügt. 1 Schreiber (nicht Autograph). Identisch mit dem Schreiber des Ms. III. 11.4 (s. d.). Jüngerer Einband. (Freier Instrumentalsatz, Tänze.)

Literatur: WolfH II, S. 103 (ohne Sign.); BoetticherL, S. 377 [52] (*Ms. Le 5*); Schmieder, S. 556f. (hiernach *Partita c-moll, Nr. 997*, Echtheit angezweifelt, *Fantasia* ist sonst als *Preludio* überliefert; zur *Partita* gehören noch *1 Fuga* und *1 Double* nach der *Giga*); TappertB, S. 23ff.; NeemannB, S. 75ff.; NeemannF, S. 157ff.; BrugerBL I, S. 3ff.; BrugerB, S. 4f.; RadkeB, S. 281ff. Veröffentlichung der *Giga* nach dem Ms. III.11.5 bei TappertS, S. 120f.; Schulze, S. 34ff.; Ferguson, S. 259ff.; SchulzeB, S. V–VIII, folgend Faksimiles; Kolhase, S. 4ff.

Ms. III. 11. 6. a. Erworben 1929. Früher Privatbibliothek Dr. Werner Wolffheim, Berlin-Grunewald, *Nr. 72.*

Frz. Lt. Tab. 6 Lin. Um 1730–1740.

4 fol. 8 mit Tab. beschriebene Seiten. Beiliegend ein 2. Faszikel 2 fol. mit der zugehörigen Stimme für Querflöte in gew. Notenschrift. 20,8 × 28,2 cm. Für 11chörige Laute. Titel auf Vorderdeckel außen der beide Faszikel vereinigenden Kasette: *Sonata à 2 Luthe è Flauto traversi d*[i] *S*[ignor] *Baron.* 1 Schreiber. Jüngere Kassette, jedoch vor 1800. (Tänze.)

Literatur: BoetticherL, S. 375 [51] (*Ms. Le 6a*); Katalog Wolffheim II, S. 57 (*Nr. 72*); BoetticherBa, S. 1338.

Ms. III. 11. 26. Früher Privatbibliothek C.F. Becker, Leipzig.

Frz. Lt. Tab. 6 Lin. für Laute und Theorbe. Anfang des 17. Jh.

4 fol. Unbeschrieben f. 3v. 30,3 × 29,1 cm. Stark vergilbtes Papier. Ausschließlich Tab. Für 7chörige Laute, in einigen Fällen 8–10chörig, 1 Satz für 14chörige Theorbe. 2 Schreiber. Jüngerer Pappband (um 1800). (Freie Instrumentalsätze, Tänze, dt. Liedsätze.)

Literatur: WolfH II, S. 118 (ohne Sign.), 116 (Notenbeispiel); BoetticherL, S. 360 [38] (*Ms. Le 26*); RollinB, S. XXI; Boetticher Be, S. 1815ff.

Ms. III. 11. 33. Früher Privatbibliothek C.F. Becker, Leipzig.

Frz. Lt. Tab. 6 Lin. 3. Viertel des 18. Jh.

4 fol. 6 mit Tab. beschriebene Seiten. 31,2 × 22,3 cm. Für 11- bis 13chörige Laute. Titel: f. 1r *C. dur. Fantasie et Motetta sopra Chorale Nun sich der Tag geendet hat.* Überschrift: f. 1v *Liuto Solo.* 1 Schreiber. Ohne Einband. (Freier Instrumentalsatz, dt. Liedsatz.)

Literatur: BoetticherL, S. 360 [38] *(Ms. Le 33).*

Ms. III. 11. 46. a. Erworben 1929. Früher Privatbibliothek Dr. Werner Wolffheim, Berlin Grunewald, *Nr. 69.*

Frz. Lt. Tab. 6 Lin. Um 1755–1760, Datierung 1755.

2 Faszikel. 1 = 34 fol., zuzüglich 2 Vorsatzbll. Alte und neuere Paginierung *1–67.* Unbeschrieben f. 34v. 24,2 × 32,4 cm. Ausschließlich Tab. Für 13chörige Laute. In beiden Fasz. orig. Beischriften in Bleistift. Titel auf dem Etikett des Einbands: *Hassische Opern Arien / auf die Laute versetzt / von R.*, erneut f. 1r: *Opern Arien / auf die Laute versezet. / A.º 1755. / di R.* Vorsatzbl. Ir: *4 Märsche, 1 Simfonie, 31 Arien von Hassen aus diversen Opern.* Vorsatzbl. Iv ältere Eintragung: Übersicht der Tonarten der Arien. 1 Schreiber. Jüngerer Papp-Um-

schlag, außen Etikett, Buchrücken durch Leder verstärkt. – 2 = 28 fol. Neuere Foliierung 1–26. Unbeschrieben f. 2v, 4v, 6v, 8v, 10v, 12v, 14v, 16v, 18v, 20v, 22v, 24v, 26v, 28v. 23,3×31,1 cm. Titel auf dem Etikett des Einbands: *14 Stück / Hassische Opern Arien / auf die Laute* ... 1 Schreiber (identisch mit demjenigen von Fasz. 1), einige Nachträge mit Bleistift. Einband wie Fasz. 1, jedoch ohne Lederrücken. (Freie Instrumentalsätze, Tanz, ital. Arien, z. T. mit Cadenza.)

Literatur: WolfH II, S. 85f. Notenbeispiel, in der Quellenübersicht S. 103 fehlend; BoetticherL, S. 382 [57] (*Ms. Le 46a* und *Ms. Le 46a I*); Katalog Wolffheim II, S. 40 (*Nr. 69*); NeemannW, S. 398ff.

Ms. III. 11. 46. b. Erworben 1929. Früher Privatbibliothek Dr. Werner Wolffheim. Berlin-Grunewald, *Nr. 70*.

Frz. Lt. Tab. 6 Lin. Um 1750–1755.

12 fol. Unbeschrieben f. 10v–12. Abweichende Formate; in Kapsel 34,5×25 cm. Ausschließlich Tab. Für 13chörige Laute. Titel: f. 1r *IV Suonate di Hasse accom*[m]*odate per il Liuto fatte per La Real Delfina di Francia.* 1 Schreiber: schwarze und rote Tinte. Jüngerer Pappband. (Freie Instrumentalsätze, Tanz.)

Literatur: BoetticherL, S. 381 [56f.] (*Ms. Le 46b*); Katalog Wolffheim II, S. 40 (*Nr. 70*); NeemannW, S. 398ff.

Ms. III. 11. 46. c. Erworben 1929. Früher Privatbibliothek Dr. Werner Wolffheim, Berlin-Grunewald, *Nr. 71*.

Frz. Lt. Tab. 6 Lin. Um 1750–1760.

4 fol. Unbeschrieben f. 3v–4. 24,3×33,5 cm. Ausschließlich Tab. Für 13chörige Laute. Ein 2. Faszikel, 4 fol., mit der zugehörigen Aufzeichnung der gleichen *Suonata* in gew. Notenschrift für Cembalo liegt bei. Titel: f. 1r *Suonata del Sig*r *Hasse.* 1 Schreiber, schwarze Tinte, rote Korrekturen der Zeit. Ohne Einband. (Freie Instrumentalsätze.)

Literatur: BoetticherL, S. 377 [52] (*Ms. Le 46c*); Katalog Wolffheim II, S. 89 (*Nr. 71*); NeemannW, S. 398ff.

Ms. III. 11. 64. Früher Privatbibliothek C.F. Becker, Leipzig.

Frz. Lt. Tab. 6 Lin. 3. Viertel des 18. Jh.

36 fol. Neuere Paginierung 1–71. Unbeschrieben f. 11r, 16r, 26r, 35. 29,7×22,5 cm. Ausschließlich Tab. Für 13chörige Laute. Titel auf Vorsatzbl. der Zeit Ir: *XII. Partitur u. Concerte für die Laute von Joh. Kropfgans, Adam Falkenhagen u. Ungenannten* (jüngere, nicht originale Aufschrift). Papier mit vorgedruckten Lin., ohne Angabe der Offizin. Beginn des Tab.-Teils f. 2r, mit Über-

schrift: *Liuto Solo*. 1 Schreiber, Schönschrift. Jüngerer Halblederband. (Freie Instrumentalsätze, Tänze, Arien.)

Literatur: WolfH II, S. 103 (ohne Sign.); BoetticherL, S. 381 [56] (*Ms. Le 64*); W. Boetticher, Art. *A. Falkenhagen*, in: MGG III 1954, S. 1743; HeckmannDMA, *Nr. 2/1424*.

——

Ms. III. 12. 16. Früher Privatbibliothek C.F. Becker, Leipzig.

Frz. Lt. Tab. 6 Lin. Datierung 1681.

2 Faszikel. 1=4 fol. Neuere Paginierung 2–8. Unbeschrieben f. 4v. 2 = 4 fol. Neuere Paginierung 1–8. Unbeschrieben f. 4v. Übereinstimmendes Format: 16,5×20,5 cm. Ausschließlich Tab. Für 11chörige Laute. Titel: Faszikel 1, f. 1r *A*[nn]*o 1681. Romanesca. Allemand, Courant, Saraband, e Gigue. Primi Toni;* Faszikel 2, f. 1r *Romanesca. Allemand, Courant, Saraband, e Gigue E* ♮. *Passa â Romano. A*[nn]*o 1681*. Gemeinsamer Schreiber (identisch mit dem Schreiber der Orgel-Tab. II. 6. 19, f. 84–88, entstanden Wien 1681). Jüngerer Pappband, neuere Aufschrift: *Lautenmusik nach 1650. Zwei Romanesca-Suiten von 1681 und 1691 eines ungenannten Meisters. Ms. Ex Bibl. C.F. Becker.* [*1691* muß lauten *1681*]. (Tänze.)

Literatur: BoetticherL, S. 365 [42] (*Ms. Le 16a* und *Ms. Le 16 b*). WolfH II, S. 103 (ohne Sign.).

——

Ms. III. 12. 18. Früher Privatbibliothek C.F. Becker, Leipzig.

Frz. Lt. Tab. 6 Lin. für Mandora, vereinzelt für Laute. Um 1745.

47 fol., zuzüglich 2 Nachsatzbll. (auf ersterem in Tinte ein neuerer, in der Lesung inkorrekter Index der Satzbezeichnungen). Neuere Paginierung 1–94. Unbeschrieben f. 18r, 19v–38r. 15,8×19,7 cm. Aufschrift von der Hand C.F. Beckers: f. 1r *Tonstücke für die Mandora. Um das Jahr 1730*. Papier mit vorgedruckten Lin., mit kunstvollem Blattrahmen, ohne Angabe der Offizin; in die obere Randleiste ist ein Kranz eingelassen, mit dem Spruch: *DVLCES ANTE OMNIA MVSAE* und: *NON SEMPER ARCVM*. Alte Numerierung der Sätze *4–10*, *31–33*, *35–38*, sodann nach mehreren unnumerierten Sätzen: *35*. Demnach sind mehrere Bll. in Verlust geraten (im ersten Teil des Ms. sind Falze noch sichtbar). Überwiegend Tab. für 6saitige Mandora, abweichend für 10chörige Laute: f. 16v, für 11chörige Laute: f. 15r, 17v, 18v, 19r, vereinzelt für 12chörige Laute: f. 19r. Eine Übersicht der Saiten f. 14v und 17r setzt ein 13chöriges Instrument (*6*) voraus. 1 Satz ist für Mandora, sodann für Laute intavoliert (f. 14v, 15r). Mindestens 3 Schreiber, Tinte stark verblaßt. Inliegend kleine Blätter mit Übertragungen von der Hand W. Tapperts (Berlin 1886). Dunkelbrauner Lederband der Zeit, Vorder- und Rückdeckel mit Schwarzpressung am Rand. Goldschnitt. Moderne Numerierung der Sätze: *1–62*. (Freie Instrumentalsätze, Tänze, Arien, ital. und frz. Incipit, dt. Liedsätze.)

Literatur: WolfH II, S. 123 (ohne Sign., unter *Ms. aus der Zeit um 1730*); BoetticherL, S. 375 [51] (*Ms. Le 12*); TappertS (Wiedergabe der Nrn. *18* und *30* des Ms.).

ehemals LEIPZIG, Antiquariat C. G. Boerner
gegenwärtiger Besitzer nicht nachgewiesen

* Ms. Katalog 27, Seite 29.
Handschriftlicher Anhang an Druck B. Jobin, *Das Erste [Das Ander] Buch Newerleßner Fleißiger ... Lautenstück*, Straßburg 1572 [1573]. Früher Privatbibl. Wagener, Gießen.

Dt. Lt. Tab. Um 1580.

15 fol. Alle Seiten beschrieben. Im Format des Drucks. Beigegeben dt. Sprüche. Für 6chörige Laute. Insgesamt 61 Sätze. 1 Schreiber. (Ital. Madrigale, dt. Liedbearbeitungen.)

Literatur: Katalog Boerner 27, Leipzig 1913, S. 29, 1 Faksimile S. 62.

ehemals BERLIN und LEIPZIG, Privatbibliothek Prof. Hermann Springer
gegenwärtiger Besitzer nicht nachgewiesen

* Ms. ohne Signatur.

Frz. Lt. Tab. 6 Lin. Mitte des 18. Jh.

Umfang des Ms. nicht näher bekannt. Begleitsätze zu 4 Arien. Für 11- und 12chörige Laute. Als Komponist ist *Giuseppe Maria Orlandini* genannt. 1 Schreiber. Ohne Einband. (Arienbegleitsätze.)

Literatur: Fehlend. Hinweis WolfH II, S. 102; BoetticherL, S. 380 [55] (*Ms. Spr O*); Klima-RadkeWW, S. 437.

LEVOČA (Leutschau), Evangelická cirkevná Knižnica (Archiv der Evangelischen Kirche)
vorübergehend (1970) aufbewahrt in Bratislava, Bibl. des Musikwissenschaftlichen Seminars der Universität

Ms. ohne Signatur. Stempel Vorsatzbl. IIr: *Evang. Kirchengemeinde A.B. Leutschau.* Vorsatzbl. IVr (Tinte): *E. v. Okolitsányi Zsedényi.* F. 1r Stempel: A Locsei Ág. H. Ev. Egyház. *1885.* Könyvtára.

Frz. Lt. Tab. 6 Lin. Um 1680–1690.

288 fol., zuzüglich 5 Vorsatzbll. (leer). Jüngere Paginierung, einschließlich der Vorsatzbll. Unbeschrieben f. 22v–37, 46v–53, 77v–84, 108v–120, 126v–142, 154v–181, 184v–195, 201–209, 214v–224, 238v–288 (leer); f. 21–22r, 42v–46r, 66r, 103v–108r, 124–125r, 149–154r, 183v, 184r, 235v–238r (nur Lin.). 11,3 × 22,5 cm. Tab.-Teil: f. 1–20, 38–42r, 54–65, 66v–77r, 85–103r, 121–123, 125v, 126r, 143–148, 182–183r, 196–200, 210–214r, 225–235r. Für 11chörige Laute. Titel fehlend. F. 1r bei Beginn der Tab. überschrieben: *J. N. J.* Korrekturen f. 15r etc. 1 Schreiber (stark unterschiedliche Tinte, die Niederschrift dürfte über einen größeren Zeitraum erfolgt sein). Dunkelbrauner Lederband der

Zeit mit Blindpressung (Randleisten). Auf dem Buchrücken Etikett mit älterer Aufschrift: *Noten*. Stümpfe von 2 Lederbandschließen. (Freie Instrumentalsätze, Tänze, Arien, dt. Liedsätze.)

Literatur: Burlas-Fišer-Hořejš, S. 121; TichotaT, S. 142 (*Nr. 33* bzw. *Nachtrag Nr. 17*); Sišková, S. 4ff.; Šip, S. 14 (ohne Signatur).

LINZ, BUNDESSTAATLICHE STUDIENBIBLIOTHEK

Ms. 569.

Frz. Lt. Tab. 5 Lin. für Mandora. Mitte des 18. Jh.

12 fol. Unbeschrieben f. 1v, 12 (leer); f. 8v–11 (nur Lin.). 15,6×20,6 cm. Tab.-Teil: f. 2–8r. Für 6saitige Mandora. Titel: f. 1r *Mandora*. F. 2 r überschrieben: *Mandora*. 1 Schreiber. Einband fehlt. Orig. Heftung mit dunkelgrünem Faden unversehrt. (Freie Instrumentalsätze, Tänze.)

Literatur: Fehlend.

LLANGOLLEN (New Wales), PRIVATBIBLIOTHEK GWYNN WILLIAMS ESQ.

Ms. ohne Sign. Sogenanntes Richard Mynshall lute-book.

Frz. Lt. Tab. 6 Lin. Um 1597–1600, Datierungen 1597, 1599; ein kurzer Nachtrag möglicherweise erst um 1605–1610.

98 fol. Unbeschrieben f. 13–23. 30,1×18,6 cm. Für 6chörige Laute. Tab.-Teil f. 1–12. Vorderdeckel innen Namengekritzel. F. 1r: *Esto amicus unius & Inimicus nullius / Bee frend to one and enemie to non one / Richard Mynshall finis*. F. 1r weitere Verse (engl., lat.) und Namengekritzel, fortsetzend f. 1v (auch Liebesgedichte), f. 2r, hier u. a. Akrostichon, ergebend *RICHARD MYNSHALL*, ferner Namenszug *Anne Burges*. F. 2v originaler Index mit exakter Angabe der Foliierung, lediglich der letzte Satz des Ms. fehlt in dem Index, was auf einen Nachtrag hindeutet (s. unten). F. 9v Übersicht der rhythmischen Zeichen. Das letzte Blatt des Ms. enthält mehrere weitere Verse und das Datum *30 august 1599*. Der Satz *Orlando furioso* f. 5v ist datiert: *1597*. 2 Schreiber: A f. 1–12r; B (Nachtrag ca. 1605–1610) f. 12v. Dunkelbrauner Lederband der Zeit in guter Erhaltung. Vorderdeckel außen eingepreßt die Royal coat-of-arms: *Honi soit qui mal y pense*, mit Monogramm: *R M* (Richard Mynshall). Mynshall, geb. in Nantwich (Cheshire) 1582, begann die Niederschrift der Tab. mit 15 Jahren; nach seinem Tod (1637) gelangte das Ms. in Besitz seines Schwagers Raphe Wilbraham († 1657), zu beiden vgl. J. Hall, *A history of . . . Nantwich*, Nantwich 1883. Vorderdeckel innen: *Rich:* (*nor*) *hard I am nor neare wilbe / In loue with p*. F. 1r *Raphe Wilbraham / his Booke / from his Brothe*[r] *Minshull;* ibid. *Richard Mynshall*, ferner: *Hughe Allen* [war Kousin, ca. 1620–1630], *Tho: Smith* [war *bone lace weaver*, geb. Nantwich 1574]; der Namenszug *Thomas Crockett* verweist auf den Dich-

ter des beigeschriebenen Textes (1581–1623). F. 1v *MAN WAR RING* [= Matthew Mainwaring, gentleman of Nantwich 1561–1651, er heiratete Mynshalls Schwester Margaret], ferner: *Baker Well* [= Bakewell, Derbyshire ?]. F. 11 untere Hälfte abgerissen (Tab.-Verlust); f. 13, 14 in jüngerer Zeit entfernt. F. 2r 1 System Tab. überklebt und mit Tab. neu beschriftet; Streichungen f. 8v. Der Rückdeckel außen zeigt neben dem erwähnten Monogramm (Tinte) und einer eingepreßten Goldrosette fast völlig verblaßt (Tinte): *Fortune fancy Richard Mynshall.* NACHSCHRIFT 1975: Jüngst in Besitz von Robert Spencer, Woodford Green (Essex) übergegangen. (Freie Instrumentalsätze, Tänze, engl. Liedsätze, lat. Motetten.)

Literatur: LumsdenE I, S. 309ff.; RollinV, S. XXII. Jüngst Reproductions III, Einleitung; SpencerTh, S. 119ff., 1 Faksimile S. 120 von f. 12v; PoultonCh, S. 125.

LONDON, BRITISH MUSEUM (BRITISH LIBRARY), MUSIC DIVISION

Ms. Additional 4900

Frz. Lt. Tab. 6 Lin. Anfang des 17. Jh.

68 fol., zuzüglich 1 orig. Vorsatzbl. (jüngere Vorsatz- und Nachsatzbll.). Unbeschrieben f. 5v, 9v, 22v, 37v, 42r, 48v, 57v, 68. Orig. Foliierung (Tinte) *1–62;* jüngere Foliierung (Bleistift), teilw. gestrichen. 30,2 × 20,8 cm. Für 6chörige Laute. Verkaufsvermerk Vorsatzbl. Ir *Presented by Joseph Bank's, Esqr. / 28 Augt. 1767.* F. 67 und 68 sind Pergament (Teile des orig. Einbands, restauriert). Der erste Teil des Ms. ist eine Kopie von dem Druck Francis Godwin, *Catalogue of the Bishops of England . . .*, 1601, jedoch von der Vorlage stark abweichend und (f. 1–4) fragmentarisch; dieser literar. Teil umfaßt f. 1–57. Im Ms. vorkommende Besitzer-Namen: f. 8r *Richard Bradgate;* f. 58r *Master Ellis Bradg*[ate]*;* f. 10v *martha Jennings; f.* 66r *Will*[iam] *Jennings;* f. 66r *M*[r] *Edward Barrell* [Nachname stark verblaßt, bei Hughes II, S. 425 fehlend]. Notenteil f. 58–67, hiervon Tab.-Teil f. 58r, 59r, 60r, 61r, 62r, 63r, 64r, 65r, 66r. Von f. 65 (orig. Foliierung Tinte: *61*) ist nur der linke Streifen in $^1/_4$-Blattbreite erhalten. In gew. Notenschrift erscheinen Stimmen von Kanons mit lat. Text und von anderen engl. und lat. durchtextierten oder nur mit Incipit versehenen Sätzen. Im Tab.-Teil keine Solosätze. Wahrscheinlich sind hier mehrere Bll. in Verlust geraten, da z. T. der zugehörige Lt.-Part oder die Singstimme fehlend. 1 Schreiber, identisch mit dem Schreiber des nichtintavolierten musikalischen Teils des Ms. (Ausnahme f. 67r). Jüngerer Lederband, Vorder- und Rückdeckel mit Goldpressung, Buchrücken jüngere Goldpressung: *Collections relative to the English Bishops circ. A.D. 1600. Songs with musical notes XVI. cent. Presented by Jos. Banks.* (Engl. Liedsätze, lat. Motetten.)

Literatur: Hughes-Hughes I, S. 171f.; II, S. 425f., 466f. (Incipits nicht diplomatisch, Blattzählung abweichend). – Zum nichtintavolierten Teil: Hughes-Hughes I, S. 114. Faksimile bei SternfeldM, nach S. 152.

Ms. Additional 6402

Frz. Lt. Tab. 6 Lin. Um 1610; analoge Datierung im benachbarten Faszikel.

145 fol., zuzüglich 1 älteres (nicht orig.) Vorsatzbl. Jüngere Bleistift-Foliierungen 1–145 und 1–146 (die erstere bei Neubindung 1959 bestätigt). Es handelt sich um ein Konvolut von verschiedenen Einzelbll. und Faszikeln, die in jüngerer Zeit vereinigt (und gefalzt) worden sind: Briefe, archäologische Aufzeichnungen, voran f. 2v–11r Statuten des Balliol College. Abweichende Formate, Einband ca. 32,5 × 25 cm. Für 6chörige Laute. Vorsatzbl. Ir: *Bequeathed by Rev.*[erend] *Will.*[iam] *Cole, / 1783.* F. 11r am Ende des Statuten-Faszikels: *Laus Deo script: p*[er] *me Guilhelmu*[s] *Bohuetum Collegij Baliolensis ... 21 Aprilis: 1610.* Vorangehend der Tab.-Teil: f. 1, abweichendes Format 28,2 × 18,4 cm. Unbeschrieben f. 2v (leer), f. 2r (nur Lin.). 1 Schreiber des Tab.-Teils, das Papier stimmt mit demjenigen des Statuten-Faszikels überein. F. 1r unten von fremder Hand der Zeit (Tinte): *Baliol Coll: Statutes.* Jüngerer Halblederband. Buchrücken jüngere Goldpressung: *Miscellaneous Papers.* (Freier Instrumentalsatz, Tanz, ital. bzw. lat. Satzbezeichnung, frz. Chanson.)

Literatur: Hughes-Hughes III, S. 59; BoetticherL, S. 355 [33] (*Ms. Lo 6402*); RollinV, S. XXII; LumsdenE I, S. 169 (kurz erwähnt). – Zum nichtintavolierten Teil: Hughes-Hughes III, S. 330.

Ms. Additional 11581

Frz. Lt. Tab. 6 Lin. Um 1780.

43 fol., zuzüglich 1 orig. (stärkeres) Vorsatzbl. Unbeschrieben f. 5v, 6r, 7v, 8r, 9r, 40v, 41r, 42r, 43v (nur Lin.). Orig. Paginierung *1–63* und (kopfstehend) *15–1.* Hauptformat 27,8 × 23 cm, f. 33 wesentlich kleineres Format. Für 13chörige Laute. Kaufvermerk: Vorsatzbl. Ir *Purchased of Mr. Chappell / 8 June 1839.* Fast ausschließlich in gew. Notenschrift; eine Datierung f. 2r: *Double Chant sung at St Paul's Church Oct.r 20.th 1780.* Kopien (Spartierungen) älterer Musik, orig. Index f. 1r (*Table of Contents*). Tab.-Teil f. 6v, 7r mit Überschr.: *Tablature of the Lute – from Mace – p. 84* [Thomas Mace, *The Musick's Monument*, London 1676], Beischr.: *1st or Treble String in the pitch of A, 2d String* ... etc. bis 5[th String], Übertragungen „*explained*" etc. Autograph Charles Burney. Jüngerer Halblederband. Buchrücken jüngere Goldpressung: *Dr. C. Burney Musical Extracts. Vol. I.* (Freier Instrumentalsatz).

Literatur: Hughes-Hughes III, S. 76; BoetticherL, S. 382 [57] (*Ms. Lo. 11581*). – Zum nichtintavolierten Teil: Hughes-Hughes I, S. 71, 120, 148, 221; II, S. 4, 32, 571; III, S. 156, 285, 332.

Ms. Additional 14399.

Frz. Lt. Tab. 6 Lin. Um 1680–1700.

130 fol. Unbeschrieben f. 1–3r, 127–130; f. 9r, 44r, 45v–51r, 53v–126 (nur

Lin.). Orig. Paginierung *2–83* (f. 4v–45r entsprechend). Der Tab.-Teil, der anschließt, ist orig. unpaginiert. 29,7×20,2 cm. F. 3v Übergabe-Vermerk: *For the guidance of the future Musical Historian, and the gratification of the Student of the ancient style of English Music, this curious Volume is presented for preservation in the Library of the British Museum, – by Vincent Novello, Sep.r 9.th 1843.* Überwiegend Aufzeichnung in gew. Notenschrift, mit Komponistenangaben: *Dr.* [John] *Blow, Capt.* [Henry] *Cooke, Pel*[ham] *Humphreys, Sanear, Nic. Laniere, M*[athew] *L*[ocke], *Hen*[ry] *Lawes, W*[illia]*m Gregory* etc. aus einem Repertoire ca. 1665–1685 (J. Blow † erst 1708). Tab.-Teil für 11chörige Laute, vereinzelt (f. 53r) für 12chörige Laute f. 51v–53r ist als Nachschrift wohl wenig später gefolgt, er ist von dem übrigen Teil des Ms. durch freigebliebene liniierte Bll. getrennt. Überschr.: f. 51v *The Lute Part.* Die zugehörigen Singstimmen in gew. Notenschrift sind nicht im Ms. enthalten. F. 3v ein jüngerer Index, der die intavolierten Sätze nicht aufführt. F. 2r neuere Eintragung: *9 Songs in the Handwriting of Matthew Locke.* 1 Schreiber des Tab.-Teils. Dunkelbrauner Lederband der Zeit, stark restauriert, Vorder- und Rückdeckel mit orig. Geldpressung, Buchrücken mit jüngerer Aufpressung: *Songs by Locke etc, presented by V. Novello.* (Tänze.)

Literatur: Hughes-Hughes III, S. 71 (Incipits nicht diplomatisch, Blattzählung abweichend); BoetticherL, S. 364 [41] (*Ms. Lo. 14399*). – Zum nichtintavolierten Teil: Hughes-Hughes I, S. 430; II, S. 14, 59, 493f.

Ms. Additional 14905.

Tab. für Harfe. 1. Viertel des 17. Jh.

65 fol. Unbeschrieben f. 1–2, 7v, 57v, 61v, 64v–65. Orig. Paginierung mit roter Tinte *1–8, 15–112*, in jüngerer Zeit weitergeführt mit schwarzer Tinte *113–117.* 27,5×18,3 cm. F. 4v Abbildung der Harfe. Titel: f. 5r *MUSICA / neu / BERORIAETH. / The following Manuscript is the Musick of / the Britains, as settled by a Congreß, or Meeting / of Masters of Music, by order of Gryffydd ap Cynan, / Prince of Wales, about A. D. 1100, with some of / the most ancient pieces of the Britains, supposed / to have been handed down to us from the / British Druids. / In Two Parts, (i. e. Baß & Treble) for the Harp. / This Manuscript was wrote by Robert ap Huw. / of Bodwigen in Anglesey, in Charles ye 1st's time. / Some Part of it copied then, out of Wm Penllyn's Book.* Orig. Index f. 6r, 6v. Übersicht der Verzierungszeichen f. 20r. 1 Schreiber. Jüngerer Halblederband. (Freie Instrumentalsätze, Tänze, engl. Liedsätze.)

Literatur: Hughes-Hughes III, S. 56; DolmetschA, S. 7ff.; Lewis, S. 45f.; WolfH, II, S. 294ff.; H. J. Zingel, Art. *Harfenmusik*, in: MGG V, S. 1569f.; ZingelH, S. 67; J. Handschin, Art. *Estampie*, in: MGG III, S. 1559. Die Tab., die der dt. Orgeltab. nahesteht, ist an zahlreichen Orten erwähnt. Neudruck: *The Myvyrian Archaelogy of Wales* III, London 1807, S. 465–496, 497–512, 513–624; ferner unter dem Titel *Musica, British Museum Add. 14905*, Cardiff 1936 (zugleich Edit. Hinrichsen, London o.J.). – Zum nichtintavolierten Teil: Hughes-Hughes III, S. 317, 324f., 330, 334f., 355, 359, 363. Ferner vgl. DartRH S. 52ff.; HeartzP, S. 466, Anm. 32.

Ms. Additional 15117.

Frz. Lt. Tab. 6 Lin. Um 1620–1630.

25 fol. Unbeschrieben f. 1v (nur Namenszug, s. u.); f. 11v, 21v–23r (nur Lin.). Einzelne Bll. sind seit langem herausgerissen bzw. Fragment: f. 11, 12, 24, 25. 29×18,5 cm. Überwiegend für 7- bis 10chörige Laute, einige Sätze nur für 6chörige Laute. Korrekturen: f. 5r. Besitzvermerke: auf jüngerem Vorsatzbl. IVr *Purchased of Tho. Rodd / 13 apr. 1844;* ältere Eintragung f. 1v *John Swarland / His Booke*, f. 25v kopfstehend, z. T. abgerissen, noch lesbar: *This Booke Do . . . / Hugh: Ffloyd . . . / A. / Dom*[i]*ni 16 . . .*, darüber Spruch von gleicher Hand *Theare was a man and hee was Dead, / Hee run three myle w*[i]*thout his head / o lie lie lie alie alie and is not / this a monstrous lie.*, mit Datierung in Klammern rechts: *1633 march th 29th*. Darüber Rechnungen, datiert *1608, 1615*. F. 24v Tintenzeichnung (Kopf). Ein alter Index f. 25r, mit *folio*-Angaben, bis f. 74 reichend, bezieht sich nicht auf das Ms. im jetzigen Zustand, sondern auf den Druck R. Allison, *The Psalmes of David in Meter*, 1599. F. 1 weitere (undatierte) Rechnungen. Tab.-Teil f. 2–21r, 23v, 24r, enthaltend Solosätze und Begleitsätze zu durchtextierten Stimmen in gew. Notenschrift über der Tab., mit Ergänzung weiterer Strophen am Rand bzw. unterhalb in mehreren Fällen. F. 23v obere Hälfte 1 4st. Satz in Partitur, ohne Tab. Wahrscheinlich nur 1 Schreiber (unterschiedliche Tintenfärbung, die Aufzeichnung dürfte sich auf längere Zeit erstreckt haben). Der orig. Vorder- und Rückdeckel ist hinten eingeheftet, desgleichen der orig. Buchrücken, mit Beschriftung: *Psalmes / Musicalls / by / Allison;* Pergament mit literar. Beschriftung (schwarz). Das Volumen zur Zeit in jüngerem Halblederband, defekt, der jüngere Buchrücken fehlend. (Freie Instrumentalsätze, Tänze, engl. Liedsätze, lat. Motette.) NACHSCHRIFT 1975: Nach Restaurierung hat der Verf. die folgende Blattzählung am Ort ermittelt: 23 fol., zuzüglich je 1 Vorsatz- und Nachsatzbl. Unbeschrieben: f. 20v, 21r, 22, 23v. Tab.-Teil: f. 1–9, 11–20r, 21v, 23r. F. 10 nur im unteren Viertel überliefert (Tab.-Verlust), analog f. 11 unterer Rand defekt. Neuere Bleist.-Foliierung (f. 22 nicht mitzählend, Vorsatzbl. einschließend).

Literatur: Hughes-Hughes I, S. 10, 426; II, S. 53, 150, 225f., 467; III, S. 65 (nicht diplomatisch, abweichende Blattzählung); BoetticherL, S. 355 [33] (*Ms. Lo. 15117*); LumsdenE I, S. 170 (kurz erwähnt). – Zum nichtintavolierten Teil: Hughes-Hughes I, S. 183, III, S. 273. Faksimile von f. 9v, 10r, bei GreerACM, nach S. 30; GreerM, S. 105, Newton, S. 76, Anm. 4; LumsdenS, S. 20; RadkeC, S. 1382. Faksimile von f. 18 bei SternfeldM, nach S. 38.

Ms. Additional 15118.

Frz. Lt. Tab. 6 Lin. für Laute und für Viola (bzw. für 2 Violen). 1. Viertel des 17. Jh.

79 fol., zuzüglich 1 orig. Vorsatzbl. (Vorders. leer) und 1 orig. Nachsatzbl. (Rücks. leer). Unbeschrieben f. 1r; f. 3r, 33r, 34, 35v, 36r, 37–74 (nur Lin.).

Fragment sind f. 4, 7, 27, 75, 77, 79. 30,4×19,5 cm. F. 35 ist im abweichenden Format und aus fremdem Faszikel eingefügt. Tab.-Teile: I. für 6chörige Laute bzw. 6saitige Viola f. 30r, 31v, 32r obere Hälfte; II. für 5saitige Viola f. 30v, 31r, 32r untere Hälfte; 3. für Violen-Duo, 4- und 5saitig f. 33v. Besitzvermerke: Vorsatzbl. Iv neben Gekritzel, Schriftproben die querstehende Beschriftung *Richard Shinton his booke / witnis Thomas ffowke;* am Blattrand erneut diese Worte, in Blattmitte flüchtig: *Thomas Shinton of Wolu*[er]*hamton.* Beide Namen erneut (neben anderen, wohl nicht auf das Ms. bezüglichen) f. 1r, *Richard Shinton* zweimal flüchtig f. 34r. F. 79v in Schönschrift von anderer Hand: *Richard Shinton thie / booke did owe: And John / Congreue the Same doth know;* darunter kleiner: *Jane Hart is my name.* F. 20v am Blattrand unten: *Martha Congreve,* f. 21v oben erneut: *Mary Congreve.* Weitere Schriftproben, auch Gekritzel von Briefanreden: *Deare father and mother* etc. Neuerer Vermerk Vorsatzbl. Ir: *Purchased of Tho. Rodd 13 apr. 1844.* Überwiegend Aufzeichnung in gew. Notenschrift, mit engl. Incipit oder durchtextiert, mit nachgeordneten weiteren Strophen; die hier benutzten gedruckten Vorlagen fallen in die Zeit 1597–1610; ferner nicht intavoliert Sätze wie *Galliard, Allmaine, Saraband, New Corant, Prelude* etc., überwiegend nur in Baßstimme, als Komponisten sind genannt: *a frenchman, Dauid Mell, Jenkins*; vereinzelt Sätze für 3 Stimmen (u. a. *The Echoe*), für 2 Streichinstrumente, z. T. mit Vorschrift: *for 2 voyolls.* 1 Schreiber, nicht identisch mit dem Schreiber des nichtintavolierten Teils. Jüngerer Halblederband. (Freie Instrumentalsätze, Tänze.)

Literatur: Hughes-Hughes III, S. 67 (abweichende Blattzählung, ohne die intavolierten Sätze für Viola); BoetticherL, S. 355 [33] (*Ms. Lo 15118*); WardD, S. 111ff.; TraficanteL, S. 201f.; TraficanteV, S. 228 (als *Nr. 10*); Newton, S. 76.

Ms. Additional 16889.

Frz. Lt. Tab. 6 Lin. für Laute, vereinzelt für Theorbe. Um 1620–1625; Datierung im litararischen Teil des Ms. 1615–1618.

112 fol. Neuere Foliierung mit roter Tinte (korrekt), zuzüglich neuere Vorsatzbll. Unbeschrieben f. 1r, 112v. 9,6×15,8 cm. Überwiegend für 11chörige Laute, bei 1 unbezeichneten Satz (f. 99v) ist Theorbe (bis „*11*") vorausgesetzt. Es handelt sich um ein Album amicorum des Frederic de Botnia, Saumur, mit datierten literarischen Eintragungen *1615–1618.* Enthalten sind außer Widmungstexten: bunte Miniaturen und Tintenzeichnungen (heraldische Figuren, höhere Standespersonen in prächtiger Tracht, Darstellungen aus der christlichen Mythologie), je 1 Stich von Ludwig XIV. (f. 1v) und *Philippes fils de France* (f. 112r). Es sind auch nichtfranzösische Widmungstexte eingetragen, u. a. f. 111r: *A Dieu complaire / A tous seruir / Jamais malfaire / C'est mon desir. / Zur freundtlicher gedechtnuß schreib dieses Zue Paris / Den 26 Augustj A° 1616 / Henricus Fischett.* Mehrere frz. Chansons durchtextiert in gew. Notenschrift, darunter auch eine *Chanson a Deux* (f. 54v), ferner frz. und ital.

Liedtexte. Tab.-Teil f. 72–75r, 88–110, 111v; er ist nicht unmittelbar auf das Album amicorum bezogen und scheint auf den freigebliebenen Seiten etwas später eingetragen worden zu sein. Einige Incipits im Tab.-Teil decken sich mit an anderem Ort des Ms. aufgezeichneten Texten, die z. T. ebenfalls als Nachschrift zu betrachten sind. Neuerer Kaufvermerk: Vorsatzbl. *Purchased of Tho. Rodel / 17 Apr. 1847.* 1 Schreiber des Tab.-Teils. Dunkelbrauner Lederband der Zeit, Vorder- und Rückdeckel mit reicher Goldpressung; Buchrücken neu mit jüngerer Goldpressung: *Album Fred. de Botnia 1616–1618.* (Freie Instrumentalsätze, Tänze, Airs, frz. Chansons.)

Literatur: Hughes-Hughes II, S. 467f.; III, S. 65f.; Boetticher L, S. 353 [31] (*Ms. Lo. 16889*). – Zum nichtintavolierten Teil: Hughes-Hughes II, S. 53.

——

Ms. Additional 17795.

Frz. Lt. Tab. 5 und 6 Lin. für Bass Viol bzw. wahlweise für Laute. Um 1730.

191 fol., zuzüglich je 3 Vorsatz- und Nachsatzbll. (leer). Orig. Foliierung *1–192* (Nachsatzbl. I mitzählend). Unbeschrieben f. 171–191 (nur Lin.). 15×18,5 cm. Fast ausschließlich Aufzeichnung in gew. Notenschrift, das Volumen enthält die *Quinta Vox* (die übrigen Stimmbücher Mss. Add. 17792–17795, die *Sexta Vox* fehlt), einige Sätze sind *Bassus* überschrieben. Der nicht intavolierte Teil ist um 1630–1640 aufgezeichnet. Tab.-Teile: I. f. 54v–56r für 1 Bass Viol; II. f. 56v–60r für 2 Bass Viols; III. f. 60v–63r für 3 Bass Viols. Vermerke am Satzende: f. 57r *for 2 Bass violls*, f. 58r *2 violls*, f. 60v, 61r *for 3 bass violls*, f. 61v *for 3 Bass violls leero sett* (desgleichen f. 62v, 63r), f. 62r *for 3 Bass violls leero* (desgleichen f. 62v). *Leero sett* = lyra way. Ein Teil der Sätze ist orig. numeriert: f. 60v–63r *1–6*, unter der Nr. *6* ist erneut *leero* (= Lyra) notiert. Vor f. 60 ist in jüngerer Zeit 1 Bl. herausgeschnitten, daher springt die orig. Foliierung von *58* auf *60* (Tab.-Verlust). F. 54v, 57r ist eine 6. Lin. mit Bleistift, f. 56v, 58r mit Tinte ergänzt, dieser Teil für 6saitige Bass Viol., der übrige Teil für 5saitige Bass Viol. 1 Schreiber (sorgfältig). Brauner Lederband der Zeit, Vorderdeckel außen Goldpressung: *QVINTVS* mit den Initialen: *I M.* (Tänze, engl. Liedbearbeitungen, lat. Motette.)

Literatur: Hughes-Hughes III, S. 43. – Zum nichtintavolierten Teil vgl. Hughes-Hughes I, S. 13ff., 143, 198, 282, 398; II, S. 153f.; III, S. 172, 183, 225, 232. Vgl. a. TraficanteV, S. 228 (als *Nr. 11*); Vaught, Bd. I, S. 117, Anm. 1.

——

Ms. Additional 29246 und 29247.

Ital. Lt. Tab. 6 Lin. Um 1620.

2 Bände. 1 Schreiber. Lederbände mit übereinstimmenden Format 20×27,5 cm, gleicher Blindpressung auf den Deckeln (Rahmenleisten und Mittel-

rosette, die letztere in vol. I etwas größer mit abweichender Musterung), 4 Löcher von verlorenen Bandschließen.

Band I: 58 fol., zuzüglich 3 Vorsatzbll. (f. Iv, IIv–III leer), 1 Nachsatzbl. (leer). Orig. Foliierung *1–48*, *51–60*, daher sind in jüngerer Zeit f. *49*, *50* entfernt (Falze fehlen, Tab.-Verlust). Unbeschrieben f. 6, 7, 17r (nur Lin.). Tab.-Teil: f. 1–5, 8–16, 17v–58. Für 6chörige Laute. Vorsatzbl. 1r: *Jesus*; ibid. neuerer Namenszug des Besitzers: *Joseph Warren*. Vorsatzbl. IIr: *F* (wohl abgebrochener Anfang eines Index). *finis*-Vermerke. Überschrift f. 1r am Tab.-Beginn: *Duo*.

Band II: 78 fol., zuzüglich 3 Vorsatzbll. (f. Ir leer, mit neuerem Besitzervermerk (s. o.) *Joseph Warren*, f. Iv *B* und 3 Incipits, mit *C* anfangend). 2 Nachsatzbll. (leer). Orig. Foliierung *I*, *1–77*. Orig. alfabetischer Index Vorsatzbl. IIr, IIv. Alle Seiten beschrieben. Tab.-Teil: f. 1–78. Überschriften: f. 46r *Sequuntur Cantiones: 5 : voc: cu*[m] *duob*[us] *superijs;* f. 49r *Sequuntur Cantiones. 6 . vocu*[m]; f. 59v *Cantiones: 6 : voc : cu*[m] *duob*[us] *superijs;* f. 73v *Tota laus Deo. Post finem omnia vanitas. Sic nos non vobis mellificatis apes.* Wie Band I für 6chörige Laute.

(Freie Instrumentalsätze, Tänze, Lat. Motetten bzw. Messenteile, frz. Chansons, engl. weltl. Liedbearbeitungen, engl. geistl. Motetten, ital. Madrigale.)

Literatur: Hughes-Hughes III, S. 8, 59ff.; BoetticherL, S. 363 [40] (*Ms. Lo 29246–7*); HudsonW, S. 174; ReeseO, S. 13, Anm. 23 und S. 22.

Ms. Additional 30342.

Frz. Lt. Tab. 4 Lin. für Mandora und 7 Lin. für Laute. Mitte des 17. Jh.

191 fol. Wenige Seiten unbeschrieben. 17×11 cm. Es handelt sich um eine Sammlung von Abschriften aus Nachschlagwerken allgemeinen Inhalts, von heraldischen Zeichen, verschiedenen Alfabeten, im musikalischen Teil um Abzeichnungen von Instrumenten, deren Beschreibungen. Alle Texte sind frz. Der Tab.-Teil führt nur Notationsbeispiele, und zwar: I. f. 142r 4 Lin., überschr. *Valleurs de musique* und: *accord de luth*, *Violle*, *Harpa*, *et Fluste*, mit Bezeichnung: *Mandore* und Stimmanweisung *par quinte*, *par quarte*, *par octaue*, *par unisson*, für Mandora; II. f. 142v überschr. *Luth*, 7 Lin. für 9chörige Laute. Besitzvermerk: f. 1v *Collegij Paris. Soc. JESU.* 1 Schreiber (sorgfältig). Neuer Lederband, außen eingepreßt: *French Genealogies etc.* Vorderdeckel innen Rest des orig. Vorderdeckels (Leder) aufgeklebt, desgleichen Konservierung des orig. Rückdeckels (Restauration 1967). (Unbezeichnete Notationsbeispiele.)

Literatur: Hughes-Hughes III, S. 71; BoetticherL, S. 358 [36] (*Ms. Lo 30342*). – Zum nichtintavolierten Teil vgl. Hughes-Hughes II, S. 2f.; III, S. 109, 355, 356–359, 362–366, 368, 370–373.

Ms. Additional 30387.

Frz. Lt. Tab. 6 Lin. Um 1717–1725; Datierungen 1717, 1718, 1719, 1721, 1724.

159 fol. Unbeschrieben f. 159v (leer). 25×29 cm. Tab.-Teil: f. 1–159r. Orig. Paginierung *1–317*. Mehrere orig. Satznumerierungen in verschiedenen Reihen, die Ziffern sind z. T. in älterer Zeit mit Bleistift oder Tinte ausgestrichen. Den Numerierungen zufolge dürfte das Volumen mehrmals umgeheftet worden sein. Überwiegend Solosätze für 11chörige Laute, vereinzelt (f. 33v ff., 61r, 63r, 64v, 65r, 66v etc.) für 12chörige Laute und (f. 79v ff.) für 13chörige Laute; beide Schreiber sind an den Sätzen für 11 und 12chörige Laute beteiligt. Datierungen: f. 2r *Weis, original fait à Prague 1717;* f. 4r *Weis 1717; S.L. Weis 1719* f. 109r (analog f. 110r, 111r, 112r); f. 68r *Weis 1719 a Prague;* f. 6r *1718;* f. 69r am unteren Seitenrand: *Plainte de Mons: Weis sur la generosite de la grande Noblesse / au cap de bonne esperance, en attendant la flotille d'or / de leur promesse: compose le 11. Janvrier 1719;* f. 84r *Weis 1719;* f. 88v *Tombeau sur la Mort de M: Cajetan Baron d'Hartig arrivée le 25 de Mars 1719 / Composée par Silvio Lepold Weis â Dresden;* f. 150v *Tombeau sur la Mort de M.[ur] Comte d'Logy arrivée 1721. Composée par Silvio Leopold Weiss;* f. 90r *1719 Weis (analog* f. 92r, 93r, 94r, 94v, 95r, 96r, 96v, 98r, 99r, 101r, 102r, 103r, 103v, 105r, 108r, 109r, 110r, 111r, 112r); f. 152v *Compose en se craignant à Töplitz / le 12 Juillet 1724.* F. 78v am Rand: *Veritable original S. L. Weis.* Überschriften von Satzgruppierungen: f. 25v *Concert d'un Luth et d'une Flute traversiere. Del Sig.[re] Weis;* f. 33v *Concert d'un Luth avec une Flute traversiere. Del Sigismundo Weis;* f. 36r *Concert d'un Luth avec la Flute traversiere. Del S: L: Weis;* ferner f. 40v *Parte 13,* f. 17r *Parte 11,* f. 96v *Parte 6ta,* f. 105v *Parte 15,* f. 145v *Parte 10,* f. 153r Parte *4ta etc.*, außerdem Zusätze (von abweichender, zitteriger Hand) f. 59v *N: 4,* f. 65v *N: 6,* f. 151v *N: 4,* f. 153v *N: 16* etc. Einzelne Suiten haben besondere Überschriften: f. 112v *Divertimento / à Solo;* f. 133v *Le Fameux Corsaire,* f. 138v *L'infidele.* Angaben zu Stimmung, auch mit *NB* am Rand (f. 10r etc.). *f:–, p:p:–, p:–*Vorschriften. F. 90v eine ganze Tab.-Zeile am unteren Rand in Alternativfassung mit Vermerk: + *oder;* f. 136r, 137r je 2 Tab.-Takte als Einlage hinzugefügt (blassere Tinte, gleiche Hand). Mehrfach Streichungen (f. 91r eines Anfangs von einem *Prelud:*). Besondere Vortragsbezeichnungen: f. 145v in Mitte eines *Praelude: adagio einen jeden ein mahl Stoccato, presto* (betrifft eine Reihe von acht Akkorden). 2 Schreiber (Hauptschreiber A sorgfältig). Neuer Lederband. Reste des alten Pergamentbandes (außen bunt bemalt mit Wappen in der Mitte, Goldornament als Randleiste eingepreßt) am Deckelinnern konserviert (Restauration 1957). Goldschnitt. (Freie Instrumentalsätze, Tänze, frz. Airs.)

Literatur: Hughes-Hughes III, S. 5, 72ff.; BoetticherL, S. 375 [50] (*Ms. Lo 30387*); NeemannL, S. 121; TichotaA, S. 166, Anm. 50; KindermannDMA, *Nr. 2/2359*; Klima-RadkeWW, S. 437ff.

Ms. Additional 30513. Erworben aus Privatbibl. Cummings 1877.

Frz. Lt. Tab. 4 und 5 Lin. Mitte des 16. Jh.

135 fol. Wenige Seiten unbeschrieben. 15 × 19 cm. Es handelt sich um das sog. Mulliner-Book, eine Sammlung von Sätzen für Tasteninstrument in gew. Notenschrift, die mit f. 117r abschließt. F. 117v, 118r zeigen literarische Aufzeichnungen, f. 119r enthält eine jüngere Eintragung über den Inhalt des Volumens; f. 118v, 119v leer. – Tab.-Teil: I. für 4chörige Citter f. 120r, 121v–129r; II. für 5chörige Citter f. 120v, 121r. F. 129v–133r unbeschrieben (nur Lin.). F. 133v, 134v leer. F. 135 literarische Aufzeichnungen. Die unterste bzw. die beiden unteren Lin. sind ungenutzt und z. T. vom Intavolator mit Querstrichen als ungültig dargestellt. F. 123v abweichend unterstes System mit 4 Lin. Instrumentenbezeichnungen: f. 121v *gitterne;* f. 124r *Sitherne;* f. 125v *Queene of scott*[es] *gallyard to ÿ Sitherne.* F. 135r neben lat. Gedicht: *thomas / mullyner.* 1 Schreiber (möglicherweise Thomas Mulliner, am Ende eines Satzes f. 127r erscheint das Signum *TM* als Ligatur von *T* und *M*). Dunkelbrauner Lederband der Zeit (restauriert, die Reste der orig. Deckel sind außen auf den neuen Deckeln aufgeklebt, der Buchrücken ist verloren gegangen, reiche Blindpressung). (Tänze, ital. Madrigal, engl. Liedbearbeitungen.)

Literatur: Hughes-Hughes III, S. 44; BoetticherL, S. 361 [39] (*Ms. Lo 30513*); DartC, S. 50ff. – Zum nichtintavolierten Teil vgl. Hughes-Hughes II, S. 127; III, S. 77ff., zu den Sätzen für Tasteninstrument die Edition StevensM, ferner StevensMM, StevensE, S. 124f.

Ms. Additional 31389. Bis 1881 Privatbibl. Julian Marshall (Exlibris Vorderdeckel innen, mit Sign. No. 364).

Ital. Lt. Tab. 6 Lin. 3. Viertel des 16. Jh.

26 fol. Unbeschrieben f. 13r, 18v (nur Lin.). 15,5 × 21 cm. Tab.-Teil: f. 1–12, 13v–18r, 19–26. Für 6chörige Laute. Orig. Foliierung *1–2.* F. 24v nur gekritzelte Tab.-Zeichen. Möglicherweise fehlen am Ende des Volumens mehrere Bll., der letzte Satz bricht ab. F. 17–18r Tab. mit einem darüber angeordneten System in gew. Notenschrift (Durchtextierung) dargestellt. *finis*-Vermerke. Streichungen: f. 15v, 18r, 24r. 3 Schreiber, Hauptschreiber A am Anfang, Mitte und Ende des Volumens, Nebenschreiber B und C möglicherweise 10–15 Jahre später (auf den mittleren freigebliebenen Seiten bzw. Seitenteilen, einschließlich der einzige durchtextierte Satz mit gew. Notenschrift). Neuer Einband, von dem orig. Pappeinband ist nur der Rückdeckel erhalten und auf der Innenseite des Einbandes konserviert. Der orig. Rückdeckel zeigt innen 4 Zeilen ital. Madrigaltext. Federübungen, u. a. *Roma le con.* (Freie Instrumentalsätze, Tänze, ital. Madrigale.)

Literatur: Hughes-Hughes III, S. 58, 466; BoetticherL, S. 347 [26] (*Ms. Lo 31389*).

Ms. Additional 31392. Bis 1881 Privatbibl. Julian Marshall (Exlibris Vorderdeckel innen, ohne Sign.).

Frz. Lt. Tab. 6 Lin. Ende des 16. und Anfang des 17. Jh.

120 fol. Unbeschrieben f. 12v–55r, 80v–109r, 114v–120 (nur Lin.). 20,5 × 27 cm. Tab.-Teil: f. 55v–80r, 109v–114r. Für 6chörige Laute und (ab f. 109v) für 6chörige Bandora. F. 106v überschr.: *Bandora lessons*, von gleicher Hand. Orig. Foliierung *33–44*. Am Beginn des Volumens fehlen mithin 32 Bll., hiervon sind mit Ausnahme der ersten 4 Bll. noch Falze bzw. Blattfragmente sichtbar, die gew. Notenschrift erkennen lassen, d. h. Tab.-Verlust ausschließen. Mit f. *33* der orig. Zählung beginnt der mit vollständigen Bll. erhaltene Teil des Volumens (hierauf bezieht sich die angegebene Blattzahl). Der nichtintavolierte Teil enthält Sätze für Tasteninstrument in 2 Systemen (W. Byrd) und zeigt am Anfang die erhaltenen orig. Blattzahlen (f. 1–12 des jetzigen Bestands). 2 Schreiber (Nebenschreiber B nur f. 64v–67v, flüchtiger). Mittelbrauner Lederband mit reicher Goldpressung auf Deckeln und Buchrücken. Vorder- und Rückdeckel eingepreßt: *PHILIP* und *MARIE*. Vorderdeckel innen neuere Bleistiftnotiz: A.D. 1554–8 (unverbindlich). Restauration 1960. (Freie Instrumentalsätze, Tänze, lat. Motette, frz. Chanson, engl. Liedbearbeitungen.)

Literatur: Hughes-Hughes III, S. 41, 58f.; BoetticherL, S. 353 [*31*] (*Ms. Lo 31392*); RollinV, S. XXII; LumsdenE I, S. 167f. – Zum nichtintavolierten Teil vgl. Hughes-Hughes III, S. 106. Music for the lute I, S. 33 (1 Faksimile), ibid. II, S. 49 (Faksimile). Jüngst vgl. Edwards, S. 210; BoetticherHo, S. 612.

Ms. Additional 31432. Bis 1881 Privatbibl. Julian Marshall (Exlibris Vorderdeckel innen, mit Sign. No. 286), ibid. weiteres Exlibris W[illia]^{m} Gostling, mit Eintragung, daß das Ms. 1809 aus der Bibl. Robert Triphook erworben wurde.

Frz. Lt. Tab. 6 Lin. 1. Drittel des 17. Jh.

71 fol. Mehrere Seiten unbeschrieben (nur Lin.). 33,5 × 22,5 cm. Es handelt sich um eine Sammlung von Sätzen fast ausschließlich in gew. Notenschrift von der Hand William Lawes' (1582–1645), der mehrfach seine Unterschrift am Satzende hinterlassen hat. Nur am Anfang der Tab.-Teil: f. 2r, 2v. Für 7chörige Laute. 5 Lin. mit Rastral, eine 6. Lin. ist unterhalb mit freier Hand hinzugefügt (insgesamt 3 bezeichnete Sätze). F. 2r, 2v Korrekturen. Besitzvermerke: f. 1v *Richard Gibbons his book / giuen to him by Mr William / Lawes all of his owne pricking / and composeing;* fortsetzend von anderer Hand, jünger: *given to me J. R. by his widdow m.^{tr} Gibbon / J.R.*, darunter: *Borrowed of Alderman Fidge / by me Jo. Jurgenson.* 1 Schreiber (Autograph William Lawes). Lederband der Zeit (Restauration 1959, Buchrücken neu), Vorder- und Rück-

deckel mit übereinstimmender Goldpressung und großem Supralibros Charles I. (Tänze.)

Literatur: Hughes-Hughes III, S. 69; BoetticherL, S. 358 [36] (*Ms. Lo 31432*). – Zum nichtintavolierten Teil vgl. Hughes-Hughes I, S. 115; II, S. 54, 226, 473, 648; III, S. 171, ferner CuttsB, S. 225ff., Lefkowitz, über die beigegebenen literarischen Aufzeichnungen vgl. Wardroper, S. 18f. Ferner TraficanteV, S. 229 (als *Nr. 15*); Newton, S. 76.

Ms. Additional 31440. Bis 1881 Privatbibl. Julian Marshall (Exlibris Vorderdeckel innen, ohne Sign.).

Frz. Git. Tab. 5 Lin. Ohne Alfabeto. Ende des 17. Jh.

195 fol. Zahlreiche Seiten unbeschrieben. 31×20 cm. Es handelt sich um eine Sammlung von lat. Motetten, ital. Madrigalen etc. in gew. Notenschrift, wobei 4 Faszikel (die ersten drei orig. *1–95* paginiert, der vierte orig. *1–62* paginiert) aneinandergereiht sind, zwischen denen 3, 2, und 1 Seite orig. Index erscheinen, den Rest bilden 15 unpaginierte Bll. An drei Orten findet sich der Tab.-Teil: f. 1r (kopfstehend), 20r, 111r. Für 5chörige Gitarre, f. 1r auch für 6chörige Laute. Ohne Alfabeto. Es sind Fragmente von 6, 8 und 16 Tab.-Takten. F. 1r überschr.: *Voce sola / vedete il mio mal . . .* 1 Schreiber (flüchtig, mit dem Schreiber des nichtintavolierten Teils identisch). Neuer Einband. (Begleitsätze zu unbezeichneten Vokalsätzen.)

Literatur: Hughes-Hughes III, S. 71 (irrig als „*Fragment for the Lvth*" geführt); BoetticherL, S. 366 [43] (*Ms. Lo 31440*). Zum nichtintavolierten Teil vgl. Hughes-Hughes I, S. 116, 287, 391, 429; II, S. 57f., 155, 486, 650; III, S. 192, 243, ferner WilletsM, S. 329ff. und WilletsN, S. 124ff.

Ms. Additional 31640. Bis 1881 Privatbibl. Julian Marshall (Exlibris Vorderdeckel innen, mit Sign. No. 363).

Ital. Git. Tab. 5 Lin. Mit Alfabeto. Um 1730–1735; Datierung 1732.

129 fol. Unbeschrieben f. 1r, 47–48r, 129v (nur Lin.). 14,5×20 cm. Tab.-Teil: f. 4–46, 48v–129r. Für 5saitige Gitarre, mit Alfabeto. Vor f. 2 ist 1 Bl. in jüngerer Zeit herausgeschnitten (kein Tab.-Verlust). Orig. Foliierung *1–126* (= f. 4–129 des jetzigen Bestandes). Titel: f. 1r in buntem Rahmen (Gouache) *PASSA CALLEs / Y OBRAS / DE Guitarra Por Todos / los Tonos Naturales / Y Acidentales / PARA / El S.r D.n Joseph Albarez de Saa:* [ve]*drra / POR / Santiago de / Murzia / AÑO DE 1732.* Orig. Index f. 2–3r. F. 4–46 enthalten *Passacalles* über bestimmte Alfabeto-Siglen, z. T. mit zusätzlicher Bezeichnung *A Compasillo*, immer mit anschließender *Proporcion* und Angabe der Tonart. Nach 3 freigelassenen Seiten schließen Suitensätze an, wobei jeweils der erste Satz einer solchen Gruppe den Hinweis auf das Alfabeto enthält: *Obra por la C, Obra por la O* etc., z. T. auch mit Angabe der Tonart *3° tono* etc. Sondertitel sind f. 115v *Obra por Segundillo la H*, f. 121r *Obra de Madama de Orleans.* F. 93r Vermerk: *Siguen algunas piezas de gusto p.*[or] *este termino,*

f. 17r *Sigue Vna Giga de Coreli Dificil, p*[o]*r este term.*[i]*no.* Mehrmals im Satztitel Hinweis *dificil, facil.* Der orig. Index stimmt mit dem Inhalt der Hs. überein, er führt für deren zweiten Teil nur die Anfangssätze der (insgesamt 12) Suiten auf. 1 Schreiber (sorgfältig). Rotbrauner Lederband der Zeit mit reicher Goldpressung auf Deckeln und Buchrücken, restauriert. 2 intakte Messingschließen. Goldschnitt. Schmutzbll. mit bunt marmoriertem Druckpapier. (Freie Instrumentalsätze, Tänze, Canción.)

Literatur: Hughes-Hughes III, S. 55.

Ms. Additional 31698. Bis 1881 Privatbibl. Julian Marshall (Exlibris Vorderdeckel innen, mit Sig. No. 217 +). Vorher (älteres Etikett, nach Restauration auf Vorsatzbl. IIr) *Barry. Harp Maker / King S*[tree]^{t} *Soho.*

Frz. Lt. Tab. 6 Lin. Um 1760–1770.

42 fol. Unbeschrieben f. 33r (leer); f. 2v, 3r, 6v, 8v, 9v, 11v, 14v, 15v, 17v, 18v, 21v, 26v, 27v, 28r, 29r, 30v, 32v, 34v, 40v, 41v, 42v (nur Lin.). Hauptformat ca. 23×31 cm, zahlreiche Bll. abweichend, meist wesentlich kleiner. Ungeordnetes Konvolut. Tab.-Teil: f. 2r, 3v–5, 10–11r, 12, 13r–14r, 15r, 16–17r, 18r, 19–21r, 22–23r, 24–26r, 27r, 28v, 29v, 30r, 31–32r, 33v, 34r, 35–40r. (Übrige beschriebene Seiten in gew. Notenschrift, darunter auch *Hornpipe for the Theorboe Lute* f. 8r.) Für 13chörige, vereinzelt für 12chörige Laute. F. 2r Übersicht der Tab.-Zeichen für 13chörige Laute, analog f. 12r, 23v (als *Tuning* und *unison*). Korrekturen, Streichungen, Rasuren: f. 4r, 4v, 20v, 27r, 30r etc. *pia-*, *for*-Vorschriften, ferner *arpeg.* Stimmungsangaben und Umstimmung: f. 18r, 33v etc. Die Datierungen f. 13v *May / 1813*, f. 14r *May 1813*, f. 28v *June 1810* sind mit dem Vermerk *Copied* verbunden und von späterer Hand, sie sind – was gegenüber Hughes-Hughes III, S. 74 festzuhalten ist – unverbindlich für die Zeitlage der Hs. Es handelt sich um verstreute Faszikel aus dem Nachlaß des Lautenisten Rudolf Straube, der (ein Schüler J. S. Bachs) sich 1759 in London niederließ. 1 Schreiber (Autograph R. Straube). Neuer Einband, orig. Bandreste auf Vorsatzbl. IIr aufgeklebt, u. a. Etikett: *Lute*, darunter von jüngerer Hand: *Rudolph Straube.* (Freie Instrumentalsätze, Tänze, engl. Liedbearbeitungen.)

Literatur: Hughes-Hughes III, S. 74f.; BoetticherL, S. 383 [58] (*Ms. Lo 31698*). – Zum nichtintavolierten Teil vgl. Hughes-Hughes III, S. 157, 352, 365, 370. Hinweis RadkeST, S. 1446.

Ms. Additional 31992. Erworben aus Antiquariat Sotheby, London, 1882.

Ital. Lt. Tab. 6 Lin. Um 1585–1590.

99 fol., zuzüglich 1 Nachsatzbl. (leer). Unbeschrieben f. 2v–3, 45r, 54r, 98v (nur Lin.). 19×28 cm. Tab.-Teil: f. 3–44, 45v–53, 54v–98r. Für 6chörige Laute bzw. Mandora. Orig. Foliierung *1–13*, *16–46*, *50*, *51*, *55–104*, mithin fehlen die Bll. orig. Zählung *14*, *15*, *47–49*, *52–54* (= 8 Bll.), deren Falze z. T. verloren

sind, Tab.-Verlust. Zwei Indices: f. 1–2r, *The table*, erfaßt alle Sätze vom Anfang bis f. 55r, wobei die letzte Nr. (Bird, *What uaileth it*) von Schreiber B, der auch die Tab. eintrug, ergänzt wurde; f. 99r, 99v, den restlichen Teil (f. *43–101* der orig. Zählung) betreffend, jetzige f. 97v (Alphonsus, *Domine no*[n] *secundu*[m]) fehlt als letzter Satz des Ms. im Index. Dieser 2. Index ist überschr.: *INDEX Cantionu*[m] / *5. et. 6. vocu*[m], beide Indices Schreiber A. Lin. rot, Ziffern schwarz. Mehrere Sätze, sofern sie nicht als 2., 3. *partes* erscheinen, tragen den Vermerk "*fol.*" mit Ziffern (Vorlagen-Hinweis), wobei die Wiederholung von Ziffern erkennen läßt, daß die Kopie nach einer Tabulatur größeren Formats erfolgt sein dürfte. Ordnung nach Stimmzahl: f. 1r–2v *4 voc:*, f. 3r *5 voc:*, f. 72v *Sequu*[n]*tur Cantiones 6: voc*[um]. Einige analoge Angaben mit dem Incipit. Beischriften mehrmals von Schreiber A: *Excelente. finis*-Vermerke. 2 Schreiber (A sorgfältig, Nebenschreiber B im Tab.-Teil nur f. 54v, 55r, flüchtig, wohl ca. 10 Jahre später). Dunkelbrauner Lederband der Zeit (restauriert, Buchrücken neu), Goldpressung auf beiden Deckeln: ·: *EDWARDVS* :· ·: *PASTON* :· mit Mittelrosette. Goldpressung auch an den Deckelrändern seitlich. (Lat. und engl. Motetten, frz. Chansons, ital. Madrigale, engl. Liedbearbeitungen.)

Literatur: Hughes-Hughes III, S. 63ff.; BoetticherL, S. 355 [33] (*Ms. Lo 31992*); WardM, S. 122f.; LumsdenEL, S. 9; BoetticherLZ non est.

Ms. Additional 36877. Zufolge Eintragung auf Vorsatzbl. Ir erworben aus Bibl. B. Lobell 1903.

Git. Tab. ohne Lin., nur Alfabeto. Anfang des 17. Jh.

152 fol. Unbeschrieben f. 1r, 148v–152 (leer). 20×13 cm. Tab.-Teil: f. 2, 3v, 4v, 5r, 6r, 8v–9, 10v, 11r, 12–13r, 14–15r, 16v, 17v, 18v, 19r, 20r, 21r, 22, 24–26, 27v–28v, 29v, 30v, 31v, 32r, 33r, 34r, 35r–39r, 41v, 42r, 43r, 44r, 46r–48v, 49v, 50v–55r, 56r, 57r, 58r, 59r–61, 62v, 64r, 65v, 66r, 68v, 69r, 70r, 71v, 72v, 74, 75, 77r, 78v, 80, 81v, 83–84r, 85r, 86r, 87, 88v, 89v, 90v, 91v, 92v, 93v–95r, 96–97r, 98, 99v, 100v–104r, 105, 106–108r, 109, 110v, 111v, 112v, 113v–114v, 115v, 116r, 117r, 118–120, 121v, 122v, 123r, 124v–125v, 127r, 128, 129v, 130r, 131r, 132r, 133r, 134r, 135, 136v, 137v, 139r, 140–141r, 142. Die übrigen beschriebenen Seiten nur ital. und span. Villanellen-Texte. Orig. Foliierung (1. Vorsatzbl. und Rückdeckel innen mitzählend) *1–154* (vollständig erhaltenes Ms.). Titel: f. 1r mit Rahmen und Wappen blau/rot/braun in Gouache, Buchstaben Goldbronze *VILLANELLE / Di più sorte con l'Inta= / uolatura per sonare, et / cantare su la Chitarra / alla Spagnola / Di GIOVANNI CASALOTTI.* Nur Gitarren-Alfabeto (kleine Buchstaben über den Textzeilen), ohne Lin., ohne Golpes. G. Casalotti ist bei EitnerQ nicht geführt. 1 Schreiber (sorgfältig). Schweinslederband der Zeit, Goldpressung auf Deckeln und Buchrücken. (Ital. und span. Villanellen.)

Literatur: Hughes-Hughes II, S. 58, 492.

Ms. Additional 37074. Früher (zufolge Eintragung Vorsatzbl. Ir, Namenszug) Privatbibl. T.W. Taphouse, Oxford; nach dem Tod des Besitzers (1905) vom Brit. Mus. erworben.

Frz. Lt. Tab. 6 Lin. Um 1720–1730; Datierung 1721, 1727

101 fol. Unbeschrieben f. 1v–3r. 9×19 cm. Tab.-Teil: f. 4–6. Für 10chörige Laute. 5 Lin. mit Rastral, die 6. unterste Lin. aus freier Hand ergänzt. Es handelt sich um eine Sammlung in überwiegend gew. Notenschrift, die Reverend Robert Creyghton, D.D. aufzeichnete. Er war (wie sein Vater) Professor für Griechisch an der Univ. Cambridge und starb in sehr hohem Alter 1733. 1674 wurde er Canonicus an Wells Cathedral. Er ist Komponist des populären Anthem *I will arise* (in diesem Ms. [nicht intavoliert] enthalten). Titel: f. 1r *'Εωέχω, diffido. Saepe ambitiosae juventutis etiam honesta / conamina maturior aetas damnat* (engl. Übersetzung von jüngerer Hand folgend). Datierungen im Tab.-Teil: am Schluß des 1. Satzes *1727*, f. 6v am Beginn des letzten (6.) Satzes *1721*. F. 4v, 5r, 5v, 6r Signum *R.C.* 1 Schreiber (Autograph R. Creyghton, zitterige Schrift eines ca. Neunzigjährigen). Neuerer Einband, Reste des orig. Lederbands mit Goldpressung auf den Innendeckeln aufgeklebt. (Unbezeichnete Sätze.)

Literatur: Hughes-Hughes III, S. 74; BoetticherL, S. 375 [51] (*Ms. Lo 37074*). – Zum nichtintavolierten Teil vgl. Hughes-Hughes II, S. 522; III, S. 92, 196, 210, 375, 388, 392, 403. Hinweise über die Herkunft des Ms. in Musical Times, London, 1. Juli 1901 und 1. November 1902 (F. Kitson).

Ms. Additional 38539. 1912 verkauft von Antiquariat Sotheby, London an Captain Bevil Granville, 1913 vom Brit. Mus. erworben.

Frz. Lt. Tab. 6 Lin. Um 1613–1616, Nachträge möglicherweise erst 1625–1630. Sog. *John Sturt's Lute Book.*

110 fol., zuzüglich je 1 Vorsatz- und Nachsatzbl. Unbeschrieben f. 33r, 34–90, 108v, 109v (nur Lin.). 41,5×28 cm, f. 109, 110 in kleinerem Format. Tab.-Teil: f. 1r, 2–32, 33v. Überwiegend für 10chörige Laute (f. 1r ff.), sonst einzelne Sätze für 7chörige Laute und 4-, sowie 6chörige Lyra Viol, im wohl wesentlich späteren Nachtrag (1625–1630?) f. 33v für 12chörige Laute. Gew. Notenschrift f. 1v, 32v (neben Tab.), 91–108r, 109r, 110 (Sätze für Tasteninstrument von Tallis, Byrd, Child, Gibbons, in keiner Beziehung zur Tab. stehend und am Ende des Ms. kopfstehend, rückwärts beschriftet). Vorsatzbl. Ir in der Mitte: *M L* (= Matthew Lock). Nachsatzbl. Ir: *Margareta Margarita / Non Minuerua est invita / splendida in tota vita / Multa bona in ea sita / Et boni* [om]*nes dicent ita / Margareta Margarita.* Korrekturen: f. 1r etc. *finis*-Vermerke sorgfältig. 2 Schreiber (Hauptschreiber A wahrscheinlich John Sturt, Nebenschreiber B nur f. 33v als Nachtrag, s.o.). Neuer Einband, orig. Lederband auf Innendeckeln aufgeklebt, reiche Goldpressung, in Mitte Initiale

M L (= Matthew Lock). (Freie Instrumentalsätze, Tänze, engl. Liedbearbeitungen, frz. Chanson.)

Literatur: Katalog LondonBM, N. Acqu. 1911–1915, S. 148; LumsdenE, I. S. 176f.; Sabol, S. 42; WillettsH, S. 4; RollinV, S. XXII; NewcombL, S. 131. – Das Ms. war Juni/Juli 1904 in London ausgestellt in *The Loan Exhibition of Ancient Musical Instruments, Manuscripts . . .*, veranstaltet durch *The Worshipful Company of Musicians* (Programm 1904). Jüngst vgl. Edwards, S. 210; Boetticher Ho, S. 612.

Ms. Additional 41498. Früher Privatbibl. Viscount Dillon; vom Brit. Mus. 1927 erworben.

Frz. Lt. Tab. 6 Lin. Um 1590.

38 fol. Unbeschrieben f. 38v (leer). 28,5×19,5 cm. Tab.-Teil: f. 38r (10 Tab.-Takte, 1 unbezeichneter Satz). Für 6chörige Laute. Es handelt sich um eine Sammlung mit Abschriften aus Sir Philipp Sidneys Poem *Arcadia* (vgl. A. Feuillerat, *Complete works of Sir P. Sidney* IV, London 1926). Besitzvermerk Vorderdeckel innen: *Sur Henry Lee / delivered being / champean to / the qwene delivered / to my lord cwmberland / deli*[vered] *by William / Simons.* Sir Henry Lee (1530–1610) erwarb unter Queen Elizabeth I das Championship und gab es an den III. Earl of Cumberland am 17. 11. 1590 weiter, womit eine Datierung des Tab.-Teils geboten ist. Tab.-Eintragung auf dem letzten, leergebliebenen Bl. des Kodex, ohne Bezug auf den literarischen Teil. 1 Schreiber. Neuer Einband, innen der orig. Pergamentband konserviert. (Unbezeichneter Satz.)

Literatur: Fehlend. Hinweis WillettsH, S. 14; KatalogBM, N.Acqu. 1926–1930, S. 57.

Ms. Egerton 2013. 1866 von Brit. Mus. aus Antiquariat Puttichs & Co. London erworben.

Frz. Lt. Tab. 6 Lin. 3. Viertel des 17. Jh.

66 fol., zuzüglich 1 Vorsatzbl. Unbeschrieben f. 3r, 5v, 44r, 66v (nur Lin.). 33×21,5 cm. Tab.-Teil: f. 3v, 4r, 5r, 44v–58, 59v–63. F. 59v, 60r sind kopfstehend beschriftet. Überwiegend für 11chörige, vereinzelt für 7- und 8chörige Laute. 5 Lin. mit Rastral, die 6. unterste Lin. mit freier Hand hinzugefügt. Es handelt sich ausschließlich um 1- und 2stimmige Vokalkompositionen, die durchtextiert sind und in mehreren Fällen an Stelle der instr. Baßstimme in gew. Notenschrift mit Lt. Tab. (Begleitsätzen) versehen wurden. Die Durchtextierung deutet z. T. die Worte nur durch ihre Anfangsbuchstaben an (In love with you = *I l w y* etc.). Vorsatzbl. Iv Übersicht von Begleitakkorden in Lt. Tab. zu einer darüber in gew. Notenschrift aufgezeichneten Tonleiter. Korrekturen: f. 63v. 1 Schreiber (flüchtig). Neuer Einband (ohne Reste des orig. Einbandes). (Lat. Motette, engl. Liedbearbeitungen.)

Literatur: Hughes-Hughes I, S. 172, 428; II, S. 476ff.; III, S. 70. – Zum nichtintavolierten Teil vgl. Hughes-Hughes II, S. 650; III, S. 365; PoultonDT, S. 16ff.; SpinkF, Preface S. IIIf.

Ms. Egerton 2046. Früher Privatbibl. Mrs. Manwaringe, seit 1811 (zufolge Vorsatzbl. IIIv) Besitz von W.J. Porter, sodann von C. Hamilton, 1868 vom Brit. Mus. erworben.

Frz. Lt. Tab. 6 Lin. 1616–1625 und ca. 1670–1685; Datierung 1616.

88 fol., zuzüglich 3 Vorsatz- und 5 Nachsatzbll. (leer). Unbeschrieben f. 86r, 88v (leer); f. 33v, 34r, 35v, 36v, 37r, 38v, 39v, 40v, 43–79, 84r (nur Lin.). 29,5 × 19 cm. Tab.-Teile: I. für 6chörige Laute, Schreiber A f. 1–33r, 86v–88r; II. für 11chörige Laute, Schreiber B, C, D f. 34v, 35r, 36r, 37v, 38r, 39r, 40r, 41, 42, 80–83, 84v–85. F. 80–83 und 84v–85 sind kopfstehend beschriftet. Besitzvermerk: Vorsatzbl. Iv *Jane Pickeringe owe this / Booke 1616*, ibid. Federproben u.a. zweimal *MR*. Satzbezeichnungen und Komponistenangaben am Satzende. *finis*-Vermerke Schreiber A und (spärlich) B. Überwiegend für 1 Laute solo, einzelne Sätze für Lauten-Duo, f. 1r–12, 88r Vermerk: *for II luttes*. Angaben zur Stimmung nur Schreiber B, u.a. f. 38r, f. 42r mit Beischrift *Tuni*[n]*g Gautier*, f. 85r, 84v *Guateir Tuneinge*, f. 80v mit Tab.-Beispiel *The tuning*, f. 41r unten am Rand *Tuning flat way, or Lawrence* (Beispiel), f. 40r am Rand *Harpe way*. 4 Schreiber (A = 1616–1625, B = 1670–1685, C nur Fragment f. 84v und D = um 1680–1685; nur A sorgfältig). Dunkelbrauner Lederband der Zeit (restauriert, Buchrücken nicht erhalten), Goldpressung auf den Deckeln mit Mittelrosette (Charles I.) und Initialen *I P* (= John Pickering, s.o.). (Freie Instrumentalsätze, Tänze, frz. Chanson, engl. Liedbearbeitungen.)

Literatur: Hughes-Hughes III, S. 66f., 75; BoetticherL, S. 355f. [33] (*Ms. Lo 2046*); LumsdenE I, S. 171ff.; RollinV, S. XXII; RollinG, S. XVII; KanazawaH II, Einleitung; Musik for the lute I, S. 33 (Faksimile); WardSB, S. 28ff.; LaBarre, S. Xf.; Jeffery, S. 31; RadkeL, S. 41; NewcombL, S. 131; Edwards, S. 210.

Ms. Egerton 2971. Erworben 9. 6. 1917 aus Antiquariat Maggs, London (Nachlaß Dr. Cummings, Los *Nr. 1586*). Ältere Signatur (in dem herausgenommenen jüngeren Ledereinband, s. u.): *542. a.15*.

Frz. Lt. Tab. 5 Lin. für Viola da Gamba. Um 1625–1630.

68 fol., zusätzlich 2 Nachsatzbll. (IIv leer). Unbeschrieben f. 1v, 2r, 9–20r, 22r, 24v, 26–28r, 31–36r, 37v, 38r, 39–42r, 46v, 49v, 50r, 52v–66, 68v (nur Lin.). 9,5 × 13,5 cm. Tab.-Teil: f. 44v–46r, 47–49r, 67r, 68r. Für 6saitige Viola da Gamba. Nachsatzbl. I orig. Index, alfabetisch, nach Paginierung. Orig. Paginierung *1–132*, lückenlos (= f. 1–66), die neuere Foliierung zählt nur die beschr. S. Überwiegend in gew. Notenschrift, 1stimmig, durchtextiert, mit unbeziffertem Baß in einem 2. System unterhalb; diese Begleitsätze in Tab. f. 44v–46r, 47–49r. Vereinzelt reine Spielstücke für Viola da Gamba ohne Textierung, ohne gew. Notenschrift (f. 67r, 68r). Zusatzzeichen: f. 67r, 68r 1, 2 Pkte., auch 3 Pkte., f. 68r unten mit Vermerk: *long finger*. Stimmregel f. 67v

in Tab., Beischrift: *Leiro* (6chörig). Nachsatzbl. IIr (z. T. abgerissen): Tabelle mit Erläuterung *for ẏ graces / of ẏ viol*, mit Vermerk: *with ẏ hande* und: *with ẏ bowe.* 1 Schreiber (sorgfältig). Stark vergilbter Pergamentband der Zeit, Goldschnitt. Vorderdeckel außen Mitte, Schönschrift, stark verblaßt: *Robins Downes.* Rückdeckel analog: *R D.* 1963 restauriert (der herausgenommene jüngere dunkelblaue Ledereinband liegt gesondert in der Kapsel, er zeigt innen Exlibris *W H C* (= Cummings) and *Joseph Haslewood.* (Freie Instrumentalsätze, Tänze, ital. Liedsätze.)

Literatur: DucklesF, S. 329ff.; DartO, S. 33ff.; TraficanteV, S. 231 (als *Nr. 16*); WilletsH, S. 72 (kurzer Hinweis unter *English and Italian Songs . . .*).

——

Ms. Harley 7578.

Frz. Lt. Tab. 6 Lin. für Laute und für Lyra Viol. Um 1610–1620.

129 fol. Mehrere Seiten unbeschrieben. Hauptformat ca. 29×19 cm. Es handelt sich um eine Sammlung von engl. Gedichten früherer Aufzeichnung (die ersten 80 Bll.), sonst überwiegend gew. Notenschrift ab f. 84, z. T. auf Einzelblättern im Halbformat, aus Stimmbüchern. Nur die letzten 6 Bll. sind der Tab.-Teil: f. 118–123, 125v, 126r; f. 124v, 125r, 126v–129 unbeschrieben (nur Lin.). Für 6chörige Laute, wahlweise für Lyra Viol. Besitzvermerke: f. 124r als älteste Eintragung (viermal als Federübung) *Be it knowne vnto all men by theis p*[re]*sente that J ffrancis / Cartwright of Langeley in the Countie of Derbie gentlema*[n], darunter (später): *Be it knowne vnto all men by these p*[re]*sente that John / Vaughan off country off Hereffordgentlem*[an] / *A.D. 1655.* Die übrigen Besitzervermerke des Ms. sind für den die Lauten-Tab. enthaltenden Faszikel nicht verbindlich, da sie im vorangehenden Teil mit gew. Notenschrift (mit abweichendem Papier und Formaten) erscheinen: f. 117v *Thomas Awdcorne; E. Thomson,* ferner: *17 February 1717 / This book given to Humphrey Wanley / by James Mickleton of Grays Inn Esqu. containing a Collection / of Old Songs, used within & about the Bishoprick of Durham.* F. 118r abweichend 3 Akkoladen zu 2 Systemen in Tab., wobei jedes System 1stimmig aufgezeichnet ist (partiturmäßige Darstellung für 2 Lyra Viols), sonst sind die Tab.-Sätze maximal 5stimmig. F. 120r Angabe der Vorlage: *fo. 9.* 1 Schreiber. Neuer Einband. (Freie Instrumentalsätze, Tänze.)

Literatur: Hughes-Hughes III, S. 59; BoetticherL, S. 359 [37] (*Ms. Lo 7578*). – Zum nichtintavolierten Teil vgl. Hughes-Huges I, S. 3, 183, 265, 397, 463; II, S. 138f.; III, S. 218. Ferner Newton, S. 76; TraficanteV, S. 231 (als *Nr. 17*).

——

Ms. Royal Appendix 58. Erworben 1901.

Frz. Lt. Tab. 6 Lin. Mitte des 16. Jh.

58 fol. Alle Seiten beschrieben. 14,5×20 cm. Es handelt sich um ein Stimmbuch, dessen altes Etikett *Tenor* jetzt vorangeheftet ist. Fast ausschließlich

Aufzeichnung in gew. Notenschrift von 1stimmigen Liedern (durchtextiert, Initiale farbig). Tab.-Teil: f. 49v, 50r, 52v–54r. F. 54r erscheint nur 1 System mit Bezeichnung der Chöre und der 8 Bünde *b–j*. Für 6chörige Laute. F. 50r am Satzende Hinweis auf Abzug: *sett ẏͤ basse a note lower for ẏͤ fovfend song*. *finis*-Vermerke. 1 Schreiber. Neuerer Einband, Vorderdeckel außen Supralibros mit *G II R. 1757*. (Freie Instrumentalsätze, engl. Liedbearbeitungen.)

Literatur: Hughes-Hughes III, S. 57; BoetticherL, S. 348 [26] (*Ms. Lo 58*); LumsdenE I, S. 165; WardD, S. 111ff.; WardM, S. 117ff., 122–125, mit Übertragungen S. 119–121, nach S. 124 vier Faksimiles; Mumford, S. 319, 322. – Zum nichtintavolierten Teil vgl. Hughes-Hughes I, S. 139, 204, 212, 258; II, S. 1, 123 f.; III, S. 103, 181, 235, 375; zu den Sätzen für Tasteninstrument vgl. F. Dawes, *Anthology of Early Keyboard Music*, London 1951, Einleitung; zu den literarischen Beigaben vgl. E. Flügel, *Liedersammlungen des XVI. Jahrhunderts, besonders in der Zeit Heinrichs VIII.*, in: Anglia XII, Bonn 1889, S. 223–272.

Ms. Royal Appendix 63.

Frz. Lt. Tab. 6 Lin. für Treble Viol bzw. Laute. Um 1615–1625.

32 fol. Unbeschrieben f. 10v (leer); f. 31v–32 (nur Lin.). 20,5 × 15 cm. Überwiegend 1stimmige Lieder in gew. Notenschrift (Diskant, durchtextiert). Tab.-Teil: f. 1–10r. Für 6chörige Laute bzw. – gemäß orig. Einpressung im Einband (s. u.) – für 6saitige Treble Viol. Der Tab.-Teil (ausschließlich Begleitsätze zu den erwähnten durchtextierten Diskanten) ist von dem übrigen Teil, der nur gew. Notenschrift enthält, durch 1 leere Seite (f. 10v) getrennt. 1 Schreiber (sorgfältig). Pergamentband der Zeit mit reicher Goldpressung auf Deckeln, Vorderdeckel außen zusätzlich eingepreßt: *CANTVS / TREBLE VIOLL / LVTE.* Zur Zeit in modernem Einband konserviert, der auch den orig. Buchrücken enthält. (Engl. geistl. Liedbearbeitungen bzw. Begleitsätze.)

Literatur: Hughes-Hughes I, S. 9 f.

Ms. Royal Appendix 76

Ital. Lt. Tab. 6 Lin. Um 1600–1620.

51 fol. Einige Seiten unbeschrieben, einige Bll. herausgerissen. Hauptformat ca. 18 × 28 cm. Es handelt sich um ein Stimmheft (Tenor), fast ausschließlich Aufzeichnung in gew. Notenschrift, die älteste zeigt Psalm-Motetten 1547–1548 (d. h. vor dem *Booke of the Common Prayer*), die jüngere u. a. partiturmäßige Darstellung von Vokal- und Instrumentalsätzen. Tab.-Teil: f. 37r. Für 6chörige Laute bzw. Mandora. 1 unbezeichneter Satz (25 Tab.-Takte, die ersten Takte sind ausgestrichen, stark korrigiert, am Ende abbrechend). Rhythmische Zeichen mit Köpfen, daher nicht vor 1600. Die Zeitbestimmung bei Hughes-Hughes III, S. 57 (*1547–1548*) ist zu berichtigen. Als frühere Besitzer des Ms. sind außerhalb des Tab.-Teils genannt: [Baron John] *Lumley*, [Earl of] *Arundel*, *Robert Grimes*, *Thomas Sampson*, *Chrisopher Lyllingworth*, *Nicolas*

Bourne, Richard Oliver, John Hornsaye. 1 Schreiber, augenscheinlich derselbe, der an anderem Ort des Ms. eine partiturmäßige Niederschrift mit 1 System (zitterige Notenlin.) ergänzt hat. Zugehörige Stimmbücher (ohne Tab.): Mss. Royal App. 74 und 75. Neuer Einband, Supralibros *G II R. 1757.* Orig. Pergamenteinband, mit *TENOR* auf Vorderdeckel, auf Innenseite konserviert. (Unbezeichnetes Fragment.)

Literatur: Hughes-Hughes III, S. 57. – Zum nichtintavolierten Teil vgl. Hughes-Hughes I, S. 1, 179, 396 f.; III, S. 172, 182, 201, 216, 235.

Ms. Sloane 1021.

Frz. Lt. Tab. 6 Lin. und dt. Lt. Tab. Um 1635–1640; Datierung 1640.

116 fol. Unbeschrieben f. 20v, 21r, 29r, 32v, 33r, 41v, 47v, 55v, 56v, 64r, 70v, 107v, 110v, 115v, 116v (leer); f. 46v, 55r, 67r, 82v–84, 86r (nur Lin.). 19,5×15,5 cm. Tab.-Teile: I. frz. Lt. Tab. 6 Lin. f. 4–6r, 9v, 10r, 15v–20r, 21v–23, 29v–32r, 43v–46r, 49–54, 65, 66, 68–70r, 72–79, 81–82r, 85r, 87v, 111v–114; II. dt. Lt. Tab. f. 43v. Für 6chörige Laute, einzelne Sätze auf tieferen Chören (Ziffern *7* bis *10*, f. 15v etc.) fortschreitend: 7- bis 10chörige Laute (die übliche Bezeichnung in frz. Tab. mit *a* unterhalb des Systems und Beistrichen findet keine Anwendung). Titel: am Ende des Ms. f. 115r unten *Exercitium Musices est sensus ini= / tij vistae aeternae. / Johannis Stobae*[us] *Sereniss. Electoriss. / Brandenburg: in Prussia Capellae / Magistri, manus apposita Regiomonti / Die 8 No*[vembr.] *1640.* Am Rande der Tab.-Teile zahlreiche dt., lat. Sprüche, außerhalb der Tab.-Teile weitere literarische Beigaben und Zeichnungen, z.T. mit musikalischem Traktat verbunden. Als Eröffnung des Kodex f. 1r Zeichnung eines Lautenspielers, daneben mehrere Hände in Greifstellungen. F. 1v Tab.-Zeichen in Übersicht, bis 14 Chöre (*14*) fortschreitend, überschr.: *Lauten oder eines anderen Instrument / Tabulatur.* F. 2r zweite Zeichnung eines Lautenspielers (stehend, farbig ergänzte Darstellung), umgeben mit Sinnsprüchen zum Lautespiel. F. 2v überschr.: *Lob und Preiß der Edeln Künst / MUSICA/. . .*, ein dt. Musiktraktat folgend; f. 3r *De Harmonia. / Varius harmoniae à citharoedis adhjbetur / modus ut ex sequentibus patebit.* Angabe der Stimmung für 7- bis 10chöriges Instrument f. 3r. Traktat mit zahlreichen intavolierten Beispielen f. 24–28r *DE METHODO STUDENDI / in Testudine* (8 Abschnitte, anschließend weitere Regeln, numeriert *1–4*, sodann *De Applicatione*, Text dt.). Ein weiterer Traktat f. 36r ff. . . .*das ist / Ein kurtzer bericht wie man nach art recht- / schaffener Application beider hende finger, auf / der Lauten zu lernen, sich richten soll . . .*, Text dt. F. 42–43v Guidonische Hand und Abb. von mehreren Lauten. Mehrere Beispiele auch in gew. Notenschrift, vergleichende Betrachtungen zur Spieltechnik auf dem Tasteninstrument (f. 116r Abb. mit Überschr.: *Forma eines Claviers aufm Instrument Mus:*). Im Tab.-Teil einige Sätze mit Durchtextierung (ohne weiteres System in gew. Notenschrift). Überwiegend Sätze für Laute solo,

vereinzelt für 2 Lauten solo (f. 46r Beischriften *Testud. min* und *Test. maj*). 1 Schreiber (Johannes Stobaeus [1580–1646]). Neuer Einband. (Freie Instrumentalsätze, Tänze, dt., frz., poln. bzw. litauische Liedbearbeitungen.)

Literatur: Hughes-Hughes II, S. 472; III, S. 68f., 75; BoetticherL, S. 358f. [36f.] (*Ms. Lo 1021*); KosackL, S. 85ff.; LumsdenE I, S. 175; RollinV, S. XXII. – Zum nichtintavolierten Teil vgl. Hughes-Hughes I, S. 115, 153; II, S. 54, 452, 460; III, S. 315, 318, 332, 354, 356, 361, 363ff., 368, 372. Zu den literarischen Beigaben vgl. Forster, S. 82–88.

Ms. Sloane 1247. Ältere Sign. (f. 2v): 760.

Frz. Lt. Tab. 4 Lin. für Viola bzw. wahlweise für Laute. Um 1666–1670.

66 fol. Wenige Seiten unbeschrieben. 6×15 cm. Tab.-Teil: f. 65r, 65v. 4 Lin. Für 4saitige Viola. Als Buchstaben sind *a–d* verwandt. 3 Sätze (2 bezeichnet). F. 1r Gekritzel, mit Datum *1666*. F. 1v Gedicht, gez. *Patrick Adair*, beginnend: *This book i mind if y*[ou] *will known* / . . . F. 4r *De Generibus Carminum*. Möglicherweise Spielbuch des *P. Adair*. 1 Schreiber (sorgfältig). Neuer Einband.

Literatur: Hughes-Hughes III, S. 159.

Ms. Sloane 2923. Ältere Sign. (f. 1r): 2751.

Frz. Lt. Tab. 6 Lin. Um 1680–1690.

153 fol. Im nichtintavolierten Teil mehrere Seiten unbeschrieben. Im Tab.-Teil unbeschrieben f. 11v, 36v, 101r, 115v (leer); f. 34v, 35v, 102v, 114r (nur Lin.). 15×19 cm, Tab.-Teil: f. 3v–11r, 12–34r, 35r, 36r, 101v, 103–113, 114v, 115r. Für 11chörige Laute (f. 3v–11r) und 12chörige Laute: *5* und *////a* (ab f. 12). Es handelt sich um das Aufzeichnungsbuch eines Reisenden (Engelbert Kämpfer, 1651–1716, Verfasser der *Amoenitates exoticae*, Lemgo 1712, und zahlreicher Reiseberichte, die in dem bedeutenden Werk *History of Japan and Siam* I, II, London 1727 und weiteren posthumen Drucken ihren Niederschlag fanden). 12 intavolierte Sätze tragen die Initiale *J A K*, verweisen wohl auf einen nahen Verwandten, der das Buch benutzte. Es muß außerdem in der Hand eines poln. Lautenspielers gewesen sein, der mehrere Vermerke im Tab.-Teil über einzelne Sätze hinterließ: *natym nie nie zalecze* (f. 7r), *nic dorego* (f. 7v), *ne sczrodsin* (f. 8r), *Dobre* (f. 12r), *nič pieskniego taxze sarab* (f. 20r). Angabe zur Stimmung f. 3v (bis 12. Chor), mit Überschr.: *A a Corde b. duhr.* Umstimmungsangaben 11chörig f. 9v, ferner f. 13r *a Cord. mol.* F. 1r: *Da als ich war ein Baum hört' ich des orpheus Lieder;* / *Nun bin eine ich Laut', und orpheus hört mich wieder.* Korrekturen: f. 14v. 2 Schreiber (Hauptschreiber gez. *J A K*). Hellbrauner Lederband der Zeit, Buchrücken fehlend, unrestauriert; Supralibros *Bibliotheca Manuscript. Sloaniana.* (Freie Instrumentalsätze, Tänze, dt. Liedbearbeitungen.)

Literatur: Hughes-Hughes III, S. 70f.; BoetticherL, S. 366 [43] (*Ms. Lo 2923*); RollinD, S. XVI; RollinG, S. XVII.

———

Ms. Sloane 3888. Früher Privatbibl. Dr. Francis Bernard. Erworben vom Brit. Mus. 1896. Ältere Sign. (f. 1r): C. 1030; ferner: 21.

Frz. Lt. Tab. 6 Lin. Um 1660–1680.

55 fol. Mehrere Seiten unbeschrieben. 14,5×10,5 cm. Tab.-Teil: f. 22v. Für 10chörige Laute. 1 unbezeichneter Satz, dem Übertragung in gew. Notenschrift beigegeben ist. F. 25v Übersicht der Tab.-Zeichen mit Erläuterung in gew. Notenschrift, für 12chörige Laute, überschr.: *A Scheme for the Lute.* Das Volumen enthält Musiktraktate (*De Sono, Musica, Music out of Gibbs* etc.), Hinweise auf Streich- und Zupfinstrumente, Bemerkungen zur Glockenkunde (*Of Bells*), Berechnungen der Kommawerte der Tonskalen etc. Wahrscheinlich von der Hand von Dr. Francis Bernard (1627–1698). F. 1r überschr.: *Collectiones quaedam Philosophicae* (das letztere Wort gestrichen und durch *Mathematicae* ersetzt). 1 Schreiber. Neuer Einband. (Unbezeichneter Satz.)

Literatur: Hughes-Hughes III, S. 71; BoetticherL, S. 358 [36] (*Ms. Lo 3888*). – Zum nichtintavolierten Teil vgl. Hughes-Hughes III, S. 320, 365, 376.

———

Ms. Stowe 389. Ältere Sign. (Vorsatzbl. Iv): Press IV. No 178.

Frz. Lt. Tab. 4 und 6 Lin. Für Cittern und Laute. Um 1558–1560; Datierung 1558.

123 fol., zuzüglich 4 Vorsatz- und 6 Nachsatzbll. Pergament. Mehrere Seiten unbeschrieben. 23,5×16 cm. Tab.-Teil: Vorsatzbl. IIr, f. 120–123r. Vorsatzbl. IIr 4 Lin., Fragment von 9 Tab.-Takten für Cittern, unbezeichnet; der übrige Tab.-Teil für 6chörige Laute. Am Beginn des Teils für Laute überschr.: f. 120r *The XVIII Daie of maye the same / writtin by one Raphe Bowle to learne / to playe on his Lutte in / anno 1558. finis*-Vermerke (*ffinys*). Das Konvolut enthält sonst ausschließlich Statuten aus der Regierungszeit von Henry IV und Henry VI in sauberer Kanzleischrift, 15. Jh. 1 Schreiber. Neuer Einband. Am Pergament Wurmschaden. (Freie Instrumentalsätze, Tänze, engl. Liedbearbeitungen.)

Literatur: Hughes-Hughes III, S. 58; BoetticherL, S. 344 [23] (*Ms. Lo 389*); WardM, S. 117; LumsdenE I, S. 166.

———

Ms. Collection Hirsch M 1353.

Frz. Lt. Tab. 6 Lin. Für Laute, vereinzelt möglicherweise für Bandora. Um 1597 bis Anfang des 17. Jh.

85 fol., zuzüglich je 1 Vorsatz- und Nachsatzbl. (leer, Nachsatzbl. Ir Gekritzel Tinte, an Rändern stark defekt). Unbeschrieben f. 19v, 20r, 21–62r, 68v–85 (nur Lin.). 34×22 cm. Tab.-Teil: f. 1–19r, 20v, 62v–68r. F. 18r 1 System Lt. Tab. am rechten Rand als Ergänzung angeklebt (gleicher Schreiber). Für 6chörige Laute, vereinzelt (f. 62v, 63r, 2 Sätze) für 7chörige Laute; f. 62v

1 Satz möglicherweise für Bandora. Am Anfang des Ms. ist mit Tab.-Verlust zu rechnen, da der 1. Satz f. 1r als Fragment beginnt; am Volumen-Ende fehlen keine Bll. Fast ausschließlich für Solo-Instrument, abweichend f. 5v am Satzbeginn 1 leerer Tab.-Takt (Ensemble). Insgesamt 56 fast durchweg unbezeichnete Sätze. Durch Konkordanz ist feststellbar, daß ab f. 12r mindestens 13 *Fantasiae* (neben der einzigen bezeichneten) folgen, sonst sind unter den unbezeichneten Sätzen überwiegend Tänze, auch engl. Liedbearbeitungen nachweisbar. 2 Schreiber (1 Hauptschreiber), engl. Provenienz. Schwarzbrauner Lederband der Zeit (restauriert, Deckel und Buchrücken aufgeklebt), Goldpressung mit Mittelrosette, Blindpressung der Initialen: *H O.* (Freie Instrumentalsätze, Tänze.)

Literatur: LumsdenE I, S. 277ff.; RollinV, S. XXII; SlimM 1965, S. 125; WillettsH, S. 93; NewcombL, S. 132; Music for the lute II, S. 49 (Faksimile), Jeffery, S. 26f.; Edwards, S. 210. Jüngst KanazawaH I, S. 7; KanazawaH II, S. 10.

——

Ms. Einzeichnungen in Druck Sign. 1242.g.1.

Frz. Lt. Tab. 6 Lin. Um 1600.

Es handelt sich um den Druck: Anonym, *England, Year Book,* s.a. Textbeginn mit Überschr.: *De termino Michaelis. Anno primo. E.iiii, fo. i.* Titelbl. fehlt. Tab.-Teil: Vorsatzbl. Iv. 6 Lin. aus freier Hand. Für 6chörige Laute (1 vollständiger, unbezeichneter Satz). 1 Schreiber. Lederband der Zeit, restauriert, Buchrücken außen eingepreßt: *Year Book. 1–22 ED IV.* (Unbezeichneter Satz).

Literatur: Fehlend. Hinweis WillettsH, S. 93.

——

Ms. Einzeichnungen in Druck Sign. K.3.m.21. Früher (Exlibris Vorderdeckel innen) Privatbibl. Alfred Cortot, Lausanne.

Frz. Lt. Tab. 6 Lin. Um 1625–1635.

Es handelt sich um hs. Einzeichnungen in den Druck Michelangelo Galilei, *Il Primo Libro d'intauolatvra di Livto,* München 1620. Der Name des alten Besitzers und Schreibers B ist in das Titelbl. mit Tinte eingetragen: *Albertus Werl.* Tab.-Teil: im Druck f. 6–8, 11r, 12r, 13r, 14r, 17v, 18r, 30v. Für 10chörige Laute. Außerdem Angaben zur Stimmung (*accord*) in Tab. mehrmals am Ende von Sätzen des Drucks. F. 17v Vermerk: *Sarabanda j accord ad modu. antiqua. ante hoc sunt* (Schreiber A). Die Einzeichnungen bleiben auf die 30 Bll. des Drucks (Kupferstich) beschränkt, kein Anhang. 2 Schreiber (A blassere Tinte = alle einzelnen Angaben zur Stimmung und die Sätze f. 6r, 11r, 12r, 13r, 14r, 17v, 18r, 30v; B mit Zeichen *W* [Albertus Werl] = Sätze f. 6v–8). Orig. Pergamenteinband des Drucks mit Goldpressung. (Tänze.)

Literatur: Fehlend. Hinweis WillettsH, S. 93, 98.

LONDON, ROYAL COLLEGE OF MUSIC, LIBRARY

Ms. 2089. Ältere Sign.: S.H.S. [= Sacred Harmonic Society] 1964. Vorher (Mitte des 19. Jh.) London, Musical Institute (so Stempel f. 1r und hs. Vermerk Vorsatzbl. IVr *Presented to the Institute by Ms. Oliphant;* Thomas Oliphant [1799–1873] dürfte das Ms. aufgefunden haben); weitere ältere Sign. (Vorderdeckel innen): 761.B.

Frz. Lt. Tab. 6 Lin. Um 1580–1590.

80 fol., zuzüglich 4 Vorsatzbll. (Iv–II, IV leer), 2 Nachsatzbll. (leer). Alle Seiten beschrieben. 18,5 × 25 cm. Tab.-Teil: f. 1–80. Für 6chörige Laute. Orig. Index Vorsatzbl. IIr, IIv, IIIr (Incipits, keine Komponistennamen, mit Inhalt deckend bei abweichenden Schreibarten). Insgesamt 63 Sätze, fast alle exakt mit Satzincipit und Komponistennamen, auch Angabe der einzelnen *partes. finis*-Vermerke. Vermerk des Einbinders Vorderdeckel innen: *Wilton Corbett. / J pray bynd this book in yellow lether / duble fillyted w^t sylver, my m^r his ovell / and his name uppon it. The leaves be sprinkled / w^t golden and greene silke strings. Look to fould it very even and cutt it as little as / may be.* Buch des Edward Paston (vgl. analog Mss. London, Brit. Mus. *Add. 31992* und Tenbury *340*), s.u. zum Einband. E. Paston war Lehrer der Prinzessin (später Königin) Mary, der Tochter Henrys VIII. (1516–1558), er dürfte jedoch erst – wie das Repertoire zeigt – nach 1580 mit der Niederschrift des Kodex begonnen haben, die graphisch einheitlich ist und einen größeren Quellenvorrat systematisch verwertet. Orig. Foliierung des Tab.-Teils *1–80*. 1 Schreiber (sorgfältig). Hellbrauner Lederband der Zeit, Goldpressung auf beiden Deckeln neben Wappen: *EDVVARD / PASTON*. Stümpfe von 4 grünen Stoffschließen. (Lat. Motetten, frz. Chansons, ital. Madrigale, engl. Liedbearbeitungen.)

Literatur: Husk, S. 259; Katalog London RC II, S. 419 (maschinenschriftlich), als Nr. *2089*; BoetticherL, S. 352 [30] (*Ms. Edward Paston Lute Book*); EitnerQ VII, S. 333, Art. *E. Paston.*

LOS ANGELES (California), THE WILLIAM ANDREWS CLARK MEMORIAL LIBRARY

Ms. fC. 697. M. 4. Erworben 1953 aus Antiquariat Rosenthal, London.

Ital. Lt. Tab. 6 Lin. Um 1660–1675.

100 fol., zuzüglich 3 Vorsatzbll. und 2 Nachsatzbll. (leer). Unbeschrieben f. 10v (orig. Paginierung *20*), 47v, 48r (*96, 97*), 65v–91r (ohne Paginierung), 98r (ohne Paginierung) (nur Lin.). 30,5 × 20,5 cm. Tab.-Teil: f. 1–10r (Paginierung *1–19*), 11–47r (*21–129*, unpaginiert die folgende S. 130), 91v–97, 98v, 100. Für 11- und 12chörige Laute. Herausgerissene Bll. (große Falze, Reste von Lin., wahrscheinlich Tab.-Verlust) f. 66, 99. Das Repertoire ist überwiegend ital. und frz., meist Begleitsätze; als Komp. sind *B. Strozzi*, *Luiggi* [Rossi], *B. Gratiani*, *F. Cavalli*, *G. Carissimi*, *F. Lucio* genannt, demzufolge die Niederschrift nicht vor Mitte des 17. Jh. erfolgt sein kann. Kopfstehende Beschriftung vom Ende

des Volumens bis zu dessen Mitte. F. 100r Namenseintragung: *Mrs. Hilton* und *Mrs. Anne Hilton* (jünger). Mindestens 2 Schreiber. Brauner Lederband der Zeit, Rückdeckel stark abgeschabt. (Freie Instrumentalsätze, Tänze, frz. und ital. Liedbegleitsätze, Arie, lat. Motetten.)

Literatur: Fehlend. Kurzer Hinweis RubsamenN, S. 551 (*Nr. 2*); TraficanteL, S. 189, 198.

LUBLIN, Biblioteka Publiczna Im. H. Łopacińskiego

Ms. 1985.

Frz. Lt. Tab. 6 Lin. Ende des 17. Jh., Datierung 1694.

89 fol. Neuere Foliierung. 14,5×28 cm. Insgesamt 130 intavolierte Sätze. Für 11chörige Laute. Fast ausschließlich frz. Repertoire. F. 2r *monseigneur Le Conte Wodzicki Geantilhomme de Chambre du Roy de france, e Gran Chambellan du Royanne de Pologne*; dat. *5 Oct. 1694*. Mindestens 3 Schreiber. Orig. brauner Lederband. (Freie Instrumentalsätze, frz. und poln. Tänze, frz. Airs und Chansons.)

Literatur: Fehlend. Hinweis Winiarski, S. 87ff., 4 Faksimiles S. 88, 89 von f. 2r, 32r, 48v, 89v; Szwarcówna, S. 89; StęszewskaM, S. 46ff., 2 Faksimiles S. 47; erwähnt im ungedr. Vortrag von Z. Stęszewska auf dem IV. Gesamtpoln. Kongr. der Musikwissenschaftler, Warschau 1971 (Februar). Mikrofilm in Warschau, Instytut Sztuki Polskiej Akademii Nauk und im Besitz des Verf.

LUCCA, Biblioteca Governativa

Ms. 774.

Ital. Lt. Tab. 6 Lin. Um 1570–1580.

50 fol. Alle Seiten beschrieben. Neuere Foliierung (Tinte) *1–49* (als fol. 20 gelten fälschlich 2 Bll.). Orig. Foliierung *1–19* (entspricht f. 8–26, Faszikel II, vgl. unten, jedoch ohne das Schlußbl. des Faszikels, das den Index enthält). Das Ms. ist aus 3 Faszikeln entstanden: Fasz. I = 7 fol. 14×21,3 cm. Mittelstarkes Papier. Fasz. II = 20 fol. 13,5×20,7 cm. Dünneres Papier, als Schlußbl. der Index, mit abweichendem Format 13,5×18,5 cm, nur zu Fasz. II gehörig, was aus den folio-Angaben hervorgeht. Fasz. III = 23 fol. 14×22,3 cm. Starkes Papier. F. 50 rechte Hälfte abgerissen. Tab.-Teil: f. 1–26, 28–45r, 48v, 49r. Für 6chörige Laute, in Fasz. III ist vereinzelt ein 7. Chor verlangt: f. 31r, 48v etc. Streichungen: f. 3r, 9r, 34r, 45r etc. Gew. Notenschrift: f. 34v, 45r, 45v, 46r, 47r, 47v, 48r, 49r, 50r. Eingestreut sind Textstrophen, z. T. zu Sätzen gehörig, die in Tab. nur mit Textincipit vorangehen (f. 33r, 42v, 43r, 45r). Vereinzelt Kombination der Tab. mit gew. Notenschrift (Singstimme) f. 45r, 48v, 49r. Einzelne Texte beziehen sich nur auf Sätze in gew. Notenschrift. Der orig. Index f. 27 des Fasz. II mit Überschrift: *Tauola delle suonate* (*u* gestrichen). F. 9r am Rand unten zweimal Eintragung: *C. G. V. D. R.*, die erste Eintragung gestrichen. Im Tab.-Teil mindestens 4 Schreiber. Möglicher-

weise z. T. Studienheft für Unterricht. Vorderdeckel außen: *INTAVOLATV-RA / DI LEUTO DA SONARE E CANTARE* (stark vergilbt, kaum lesbar). Vorderdeckel innen Schrift- und Federproben (*molto, molto*). Rückdeckel innen: *Goacino M . . . z indicatore mostrauit . . .*, ferner: *Amores, cupidines . . .* (kaum lesbar). Jüngerer Einband unter Verwendung der orig. Pergament-Deckel. (Freie Instrumentalsätze, Tänze, ital. Madrigale.)

Literatur: Sforza, S. 312; WolfH II, S. 70; BoetticherL, S. 348 [26] (*Ms. Luc 774*); MacClintockL, S. 264.

ehemals LÜBECK, Bibliothek der Hansestadt
seit 1945 verschollen.

* Ms. hist. 8° 24. Früher im Besitz des Leiters der Lübecker Stadtbibl. Ernst Deecke, der es als Andenken von seinem Freunde Christian Gottfried Poser empfing (Widmung Vorsatzbl. Ir). 1942 ausgelagert, von dort nicht zurückgekehrt. Nachforschungen des Verf. 1972 am Ort vergeblich.

Frz. Lt. Tab. 6 Lin. Datierung 1614.

Es handelt sich um das Stammbuch des David von Mandelsloh, großenteils aufgezeichnet von dem Oldenburger Gildenschreiber Johannes Kirchring, der es 1605 Mandelsloh widmete (Eintragung S. 34). Insges. 520 S., 3 Vorsatzbll. 20,5×13 cm. S. 16–67 Pergament, die übrigen S. Papier. Zahlreiche Eintragungen Anf. des 17. Jh., Zeichnungen, Malereien in Tempera, viele heraldische Darstellungen. Tab.-Teil: S. 470. Für 6saitige Viola da Gamba. Nur 1 Satz (*Coranto*). Überschr.: *Musica: Letificat cor.:*. Am Satzschluß: *finis. In hamburck / den 4 A*[u]*gustus: 1614 / dieses habe ich walter Rowe / Ingelender zur gedechnis geschreiben / meinem gunstigenn guttenn freunde, / vnd Junker dauid vonn mandelslaw.* Fingersatz: 1–4 Pkte. unter Tab.-Zeichen. Pergamentband der Zeit. Reste von 2 Lederbandschließen. Inliegend 2 Bll. 4° Namensregister von der Hand Deeckes. (Tanz.)

Literatur: W.L. Frhr. v. Lütgendorff, *Das Stammbuch Davids von Mandelsloh*, Hamburg 1893, Einleitung S. Vff., Faksimile der Lt. Tab. S. 154; TraficanteV, S. 231 (als *Nr. 18*), unzugänglich; Musica Britannica IX, Quellenverzeichnis (als *Nr. 124*); hs. Katalog der Stadtbibl. Lübeck, um 1890, S. 467.

ehemals LÜBECK, Privatbibliothek Prof. Carl Stiehl
gegenwärtiger Besitzer nicht nachgewiesen

* Ms. ohne Signatur.

Frz. Lt. Tab. 6 Lin. Ende des 17. Jh.

Der Umfang des Ms. ist nicht näher bekannt. Für 10- und 11chörige Laute. 1 Schreiber. Unter den meist bezeichneten Sätzen erscheint als Komponist 1 mal *Gaultier*. Einband fehlt. (Freie Instrumentalsätze, Tänze.)

Literatur: Fehlend. Hinweis WolfH II, S. 106; Fachkatalog, S. 159 (*Nr. 101*, in Raum *XI*, Pult *X*).

LÜNEBURG, RATSBÜCHEREI UND STADTARCHIV

Ms. Mus. ant. pract. 1196. Ältere Signaturen (f. 1r): *Gr. 108; 00.42; 8199.*

Dt. Lt. Tab. Mitte des 16. Jh., Datierung 1549.

9 fol. Unbeschrieben f. 1v, 5v–9 (nur Lin. als Rahmen für die Tab.). 2 Formate: f. 1–6 ca. 31×20 cm; f. 7–9 ca. 32×17 cm. Tab.-Teil: f. 2–5r. Für 6chörige Laute. Besitzvermerk: f. 1r *Gregorius Thico Hertzbergensis / Jure me possidet Anno / 1549 / constat* . . . 1 Schreiber. Es handelt sich um Blätter, die als Einband zu einem älteren Druck dienten und die 1946–1950 abgelöst werden konnten; alle Blätter sind durch Klebstoff, Beschnitt und Wurmfraß beeinträchtigt. Beschriftung kaum erkennbar. Einband fehlend. (Dt. Liedsätze, lat. Motetten.)

Literatur: Welter, S. 43f. (ohne Sign., als *Fragment* geführt).

——

Ms. Mus. ant. pract. 2000. Alter Bestand.

Frz. Lt. Tab. 6 Lin. Um 1630–1640, im nichtintavolierten Teil Datierungen 1640–1645.

141 fol., zuzüglich 1 Vorsatzbl. (beiderseits beschrieben). Neuere Paginierung (Bleistift) *1–282*. Unbeschrieben f. 41v, 43v, 44r, 57–60, 75v, 80r, 81v, 84–85, 91, 93, 95v–96, 100v, 101v, 102v–141 (leer). 18×22 cm. Tab.-Teil: f. 1–41r, 42; hier Streichungen f. 15r, 15v, 26r, 30v, 42r. Überwiegend für 7chörige, vereinzelt für 8chörige (f. 18v) und 9chörige (f. 17r, 17v, 18r) Laute. Im 2. Teil des Ms. Niederschrift zunehmend flüchtig und Lin. ohne Rastral. Die übrigen Eintragungen sind überwiegend Rechnungen, die datiert sind und die Zeitlage des Ms. näher bestimmen lassen. F. 43r *500 . . .; Capitall bei Levin / Marschallks Witwe zur . . .*, mit *1641, 1642, 1643;* f. 44v, 45r *Anno 1640 habe ich . . .* (folgen Angaben wegen *Sommer Roggen, Buchweitzen* etc.), dann Rechnung *Anno 1640 gedrosch*[en] . . .; f. 46r *VerZeichnus was ich für Viehe / vnd ander Dinge Zur haushaltung / gekaufft . . .*, f. 47r *Michaelis 1640 gesinde Lohn* (analog f. 54r), f. 55r bei Rechnungen [1]*641*, analog f. 55v, f. 56r Ausgaben *Anno 1640* (korrigiert: *1641*). Weitere Rechnungsdaten: f. 77r *1643, 1644*, f. 79v *1644*, f. 88r *1644*, f. 94r *1645*. Wahrscheinlich erfolgte die Eintragung der Tab. 1 Jahrzehnt vor der Benutzung des Faszikels als Kontobuch. F. 44v geistlicher Text (überschrieben: *Gebet*). Vorderdeckel innen und Vorsatzbl. Ir, Iv lat., frz. Sprüche, Briefanreden (dt., lat.), Schrift- und Federproben. Namen hierbei: *Monsieur Jacques Metzner, Wolff Christian vön Harling* (dreimal auf Vorderdeckel innen), *W.C. v. Harling* (zweimal auf Vorsatzbl. Ir). Ferner unter den Sprüchen: *Tout avec la raison* (mehrmals), *Dieu met la main à toute Chose grande / Mais tout le reste à fortune il commande* . . . Im Tab.-Teil 1 Schreiber (außerhalb mindestens 3 weitere Schreiber). Pergamentband der Zeit, als Einband ist eine ältere literarische Pergamenthandschrift mit roten Initialen, sonst schwarzer Beschriftung verwendet worden. Von den 2 Leder-

bandschließen ist 1 noch erhalten. Heftung unversehrt. (Freie Instrumentalsätze, Tänze, lat. Motette, dt. Liedsätze.)

Literatur: Welter, S. 28 (als *Notenbuch v. Harling*); HeckmannDMA III, S. 78, *Nr. 1/1222.*

LUND, UNIVERSITETSBIBLIOTEKET, HANDSKRIFTSAVDELNINGEN

Ms. Littera G. No. 28. Früher Lunds Akademiska Kapell, Donation Emmanuel Wenster (1832).

Frz. Lt. Tab. 6 Lin. Um 1700; Datierungen 1700, 1704.

112 fol. Unbeschrieben f. 12v, 13v, 14v, 15v, 16v, 17v, 18v, 19v, 21v, 22v, 23v, 24v, 25v, 26v, 40v, 41v–50r, 66v–70r, 78–90r, 97v, 98v, 99v–100, 101v, 102v, 103v, 104v, 105v, 106v–107r, 108v–109r, 110v, 112v; 8v–9, 10v–12r, 39v–40r (nur Lin.). 15×21 cm. Namenseintragungen: f. 37r unten am Rand *Monsr Jean: P: Fibiger* [orig. sogleich verbessert *P:* in *F:*], daneben von gleicher Hand: *A^o 1700.* F. 37v oben am Rand, ebenfalls von gleicher Hand: *A^o 1704.* F. 75v unten bei einer *Giqve: Mons. Bred tenck på er tienare Falckmann.* F. 20r am Ende eines Satzes: *J. Fürst.* Mehrere Sätze in gew. Notenschrift, u. a. mit Überschr.: *Violino Primo* (f. 110r, 112r); darunter zahlreiche *Pollone,* u. a. *Menuet de la Comtesse de Stenbocke* (f. 16r). Tab.-Teil: f. 1–8r, 10r, 13r, 14r, 15r, 16r, 17r, 18r, 19r, 20–21r, 22r, 23r, 24r, 25r, 26r, 27–39r, 41r, 50v–66r, 70v–77, 90v–97r, 98r, 99r, 101r, 102r, 103r, 104r, 105r, 106r, 107v–108r, 109v–110r, 111r–112r. Für 6chörige Laute. Korrekturen, Rasuren: f. 17r, 37r etc. Das Ms. stammt – wie die anschließend verzeichneten Mss. Lit. G 31, 34, 35, 37 – aus dem Besitz von Christian Wenster, ca. 1785 *Director musices et rector cantus* an der Universität Lund (über diesen vgl. NorlindIII, S. 97 und Alander, S. 134ff.). 2 Schreiber: A = Hauptschreiber, B flüchtiger (nur f. 36v). Das Volumen befindet sich zur Zeit (1969) in Restauration und ist gänzlich entheftet; ein orig. Einband fehlt. (Freie Instrumentalsätze, Tänze, Airs, frz. Chansons, dt. und schwed. Liedsätze.)

Literatur: BoetticherL, S. 373 [49] (*Ms. Lu 28*).

——

Ms. Littera G. No. 31. Früher Lunds Akademiska Kapell, Donation Emmanuel Wenster (1832).

Frz. Lt. Tab. 6 Lin. Anfang des 18. Jh.

28 fol., zuzüglich 1 orig. Vorsatzbl. Unbeschrieben f. Ir, 1v, 28v. Neuere Bleistift-Foliierung (korrekt). 14,7×18,6 cm. Es handelt sich um ein *Discantus*-Stimmheft des Drucks Jacob Regnart, *Neue kurtzweilige Teutsche Lieder mit fünff stimmen . . .,* Nürnberg 1586 (Titelbl. = f. 1r) mit Einband der Zeit, der jedoch abweichend bezeichnet ist (s. u.). Von dem Druck sind außer dem Titelbl. nur 1 Bl. des Notenteils (Nrn. *2* und *3*) erhalten, das übrige sind hs. Eintragungen auf freien, nicht zum Druck gehörigen, später angebundenen

Bll. Überwiegend in gew. Notenschrift: Vorsatzbl. Iv Accoladen zu 2 Systemen (in f-moll), f. 3–14r, 15v–28r Ober- und Unterstimmen, letztere z. T. beziffert, zu Tänzen etc. (*Gigue*, *Minuet*, *Passpie*, *Marche*, *Praelud*[ium], *Caprice*, Lieder mit dt. Incipit etc.), augenscheinlich z. T. für Klavier. Tab.-Teil für 6chörige Laute: f. 14v, 15r, er unterbricht die Satzreihe in gew. Notenschrift, die mit orig. Nr. *165* aussetzt (und die f. 15v ohne Numerierung fortgeführt ist). Da die orig. Numerierung mit Nr. *114* (f. 3r) beginnt, bleibt wahrscheinlich, daß Teile des Ms., die auch intavolierte Sätze enthalten haben können, in Verlust geraten sind. 1 Schreiber des Tab.-Teils, nicht identisch mit dem Schreiber der übrigen Teile des Ms. (der noch die Nr. *166* und die zugehörige Satzbezeichnung für den einzigen intavolierten Satz notiert hat). Dunkelbrauner Lederband der Zeit des Drucks mit reicher Blindpressung, Vorderdeckel Goldpressung *BASSVS* und *G V H*, Rückdeckel Goldpressung *ANNO 1570*. Auf dem gedruckten Titelbl. mehrere Namenszüge der Besitzer, u. a. Datum *An*[n]*o 1730* und (Schrift des 16. Jh.): *Honorarium Magni / Parthemondensis*, ferner: *Auxilium erit verbum*. (Tanz.)

Literatur: BoetticherL, S. 373 [49] (*Ms. Lu 31*).

———

Ms. Littera G. No. 34. Früher Lunds Akademiska Kapell, Donation Emmanuel Wenster (1832).

Frz. Lt. Tab. 6 Lin. Anfang des 18. Jh.

55 fol., zuzüglich 1 orig. Vorsatzbl. (leer). Unbeschrieben f. 37–39, 52v–55. Am unteren und rechten Rand unbeschnittenes Bütten; ein Teil nichtbeschrifteter Bll. ist am oberen Rand unaufgeschnitten. 16,3×21,2 cm. Für 11chörige Laute. Titel: f. 1v am unteren Rand vom Schreiber der Tab.: *Danske Luthenisten Daniel Holtz Stycken på följande 10 arken;* f. 40r am unteren Rand analog: *Luthenisten Pourells i Stockholm Stycken på 4 följande arken*. Demgemäß enthält das Ms. auf 10 Bogen bzw. mit 10 Suiten (*arken*) Sätze von Holtz und entsprechend auf 4 Bogen Sätze von Pourell, orig. Numerierung der Suiten *1–10* und *1–14*. Ausschließlich Aufzeichnung in Tab. 2 Schreiber: A Nrn. *1–10*, f. 1–36; B Nrn. *11–14*, f. 40–52r. Blaugrauer dünner Karton der Zeit als Einband, gegenwärtig lose, ohne orig. Beschriftung. (Freie Instrumentalsätze, Tänze, ital. Madrigal, frz. Chansons, dt. Liedsätze.)

Literatur: BoetticherL, S. 373 [49] (*Ms. Lu 34*); RadkeD, S. 137.

———

Ms. Littera G. No. 35. Früher Lunds Akademiska Kapell, Donation Emmanuel Wenster (1832).

Frz. Lt. Tab. 6 Lin. Anfang des 18. Jh.

24 fol., zuzüglich 1 orig. Vorsatzbl. (leer). Unbeschrieben f. 5v, 6v, 9–24 (nur Lin.). Vorgedruckte Lin., ohne Angabe der Offizin. 14,9×19,2 cm. Für

6chörige Laute. Korrekturen: f. 3v etc. Ein Titel fehlt. Ausschließlich Aufzeichnung in Tab. 1 Schreiber. Pappband der Zeit, außen mit bunt marmoriert bedrucktem Papier beklebt, ohne orig. Beschriftung; Heftung unversehrt. (Tänze, Air, frz., dt. schwed. Satzbezeichnungen, schwed. und dt. Liedsätze.)

Literatur: BoetticherL, S. 373 [49] (*Ms. Lu 35*).

—

Ms. Littera G. No. 37. Früher Lunds Akademiska Kapell, Donation Emmanuel Wenster (1832).

Frz. Lt. Tab. 6 Lin. Anfang des 18. Jh.

29 fol., zuzüglich 1 orig. Vorsatzbl. (Rücks. leer). Das Konvolut besteht aus 2 nicht zusammengehörigen Faszikeln. 1 = 4 fol., alle S. beschrieben, 9,7 × 16,2 cm; 2 = 25 fol., unbeschrieben f. 23v–25, 15,2 × 19,2 cm. Für 11chörige Laute („*4*", in Fasz. 1 abweichend *////a*). Orig. Numerierung der Sätze: *1–30* (lückenlos). Streichungen, Rasuren: f. 4v, 11v, 21v, 22 etc. Besitzvermerk: Vorsatzbl. Ir *P: P: Platin / Mallmöö p*[er] *30 Novemb: / A° 1712.* Faszikel *1* enthält einen Traktat über Lautenspiel und -Tab. mit schwed. Text, Erörterung des Fingersatzes und der Verzierungen (*Mordant*, *Accent* etc.), namentlich Verwendung des *Dum*[m]*en* (Daumens), Zeigefingers (*1st fingret*). In 2 Kapiteln wird das Spiel der *Högra Handen* und *wänstra handen* (rechten und linken Hand) dargestellt, mit den zugehörigen Zeichen (Strich, Punkte, Ziffern). Vorausgesetzt ist die 11chör. Laute mit maximal 9 Bünden, Stimmung *A d f a d' f'*. Keine intavolierten Beispiele. – Faszikel *2* enthält den Notenteil, ausschließlich in Tab. Titel: f. 1r unten am Rand *Luthenisten D: Holtz stycken, på 6 följande ark, i denna Book;* vgl. die analoge Beschriftung in Ms. Lund, Litt. G. No. 34, f. 1v, es ist der gleiche Schreiber (dort A). Insgesamt 3 Schreiber: Fasz. 1 = A; Fasz. 2 = B, C. Graublauer Karton der Zeit als Einband, ohne orig. Außenbeschriftung; Rückdeckel innen flüchtige ältere schwed. Eintragung (Tinte, 2 Zeilen, beginnend: *Den som mig föder . . .*). (Freie Instrumentalsätze, Tänze, Airs.)

Literatur: BoetticherL, S. 373 [49] (*Ms. Lu 37*); RollinG, S. XVII.

LWÓW (Lemberg), GOSUDARSTVENNYJ UNIVERSITET IMENI IVANA FRANKO. NAUČNAJA BIBLIOTEKA (Universitätsbibliothek).

Ms. 1400/I.

Frz. und ital. Lt. Tab. 6 Lin. Um 1555–1560, Nachträge bis um 1580; Datierung 1555.

124 fol. Alle Seiten beschrieben. 16 × 20,5 cm. Titel: f. 1r *TABULATURA;* Spruch: *Virtus est praemium ipsa sui;* Namenszüge: *Micolay* und *STRZESKOWSKI*, ferner: *A te a . . . voloquae rates arte regendus amor est;* Schreiber- und Besitzvermerk mit Datierung: neben einem in der Mitte der Seite ge-

zeichneten Kreuz ist notiert *Hans Kernsthok / manu propria scripsit;* darunter von gleicher Hand *Emendet lector si quid errauerit Scriptor*, und *Dis Buch gechiret dem Andreis Schwartz / vom krakau des a° 1555 Jar.* Weitere Sprüche: *Virtutem primam esse puta compescere linguam* und *Initium sapientiae timor Domini.* F. 1v in kiryllischen Buchstaben ein erneuter, späterer Besitzvermerk: *Hunc librum possidet / Joannes Tratkott / anno a Nativitate Khristi / 1.5.9.2 / donatum feria quarta penteco*[s]*ten.* Datierung bei dem ersten intavolierten Satz (*Saltarello*) f. 2r: *Anno Domini millesimo quingentesimo quinquagesimo quinto.* Tab.-Teil f. 2–7, 54, 55, 65–106, 109, 114v–124. Überwiegend Aufzeichnung in frz. Tab., abweichend in ital. Tab. (Schreiber B) Nr. 53 *Vngo berger* und Nr. 54 *Susana vn Jori.* Für 6chörige Laute. Streichungen f. 106v, 109v. F. 124v orig. Index, überschr.: *VerZeichnis der Tanze*, mit der Fortsetzung *Ist paur in prokualn* [Ist baur in brunn gefalln] *hern plunthu;* und: *Registr tanczow.* In diesem Index sind 13 poln. Incipits geführt, die im Tab.-Teil des Ms. nicht enthalten sind. F. 109v–114r Strophen von poln. Texten, die nicht im Notenteil geführt sind, lediglich das erste Incipit erscheint durchtextiert in der Tab.: *Tak mówią . . ., Oczy me miłe . . ., Już poty kres . . ., Nie styskuję . . ., Cóż smutny . . ., Prze nie dowcip . . ., Otóż moja powolnosc . . ., O jakaż to niezgoda . . .* Verstreut weitere poln. Gedichte ohne Tab., Übersicht der nichtintavolierten poln. Texte vgl. bei Szczepańska, S. 199. Vorgedruckte Lin., ohne Angabe der Offizin. 2 Schreiber, wohl Krakauer Herkunft. Schreiber B dürfte, da er Sätze des Giovanni Pacolini aufzeichnet, erst 1560–1580 fortgesetzt haben. Pergamentband der Zeit, Vorder- und Rückdeckel mit reicher Blindpressung (Vorderdeckel Mittenrosette und Randleisten, Rückdeckel Mitten- und Randleisten), ohne orig. Beschriftung. Neuere Numerierung der intavol. Sätze: *1–66.* (Freie Instrumentalsätze, Tänze, ital. Madrigale, frz. Chansons, poln. Liedsätze, lat. Motetten.)

Literatur: BoetticherL, S. 384 [59] (*Ms. Lemberg*); SzczepańskaK, S. 198f.; Krzyżanowski, S. 28f.; Feicht, S. 387f.; Szweykowski, S. 73f., 307f.; Wilkowska-ChomińskaT, S. V; Koch, S. 226.

MADRID, BIBLIOTECA NACIONAL, *Musikabteilung* (sección de música)

Ms. M. 811. Zweite moderne Signatur: *G. = 5ª = 48.* Früher Bibl. Barbieri.

Ital. Git. Tab. Teilweise nur Alfabeto ohne Punteado. Sonst 5 Lin. Anfang des 18. Jh., Datierung 1705.

76 fol., zuzüglich 1 Vorsatzbl. (beschriftet). 2 Nachsatzbll. (f. IIv leer). 20,2 × 15,3 cm. Für 5saitige Gitarre. Titel: Vorsatzbl. Ir *Libro de diferentes ci / fras de Guitara Escojidas de los / Mejores Avtores / Año de 1705.* Index f. Iv, mit Rubriken: *Tañidos de rasgueado y punteado que son de Escuela, como de diferentes Minuetes y cosas curiosas* (betrifft f. 48r ff.). Die Sätze sind z. T. nach *Rasgueado* und *punteado* geordnet. Ein Teil der Sätze ist nur in *Alfabeto* aufgezeichnet. Tab.-Teile: I. f. 1–47r, 52v–76r ital. Git. Tab. Punteado allein oder

mit Alfabeto; II. f. 48–52r nur Alfabeto mit Golpes auf der untersten Lin. des 5-Lin.-Systems. Unbeschrieben f. 47v, 76v (nur Lin.). Nachsatzbl. I–IIr *INDICE DE LO CONTENIDO EN ES / TEL LIBRO* (en este Libro). Orig. Paginierung *1–154* (146–149 überspringend). Mindestens 2 Schreiber. Pergamentband der Zeit. (Freie Instrumentalsätze, Tänze, span. Liedsätze.)

Literatur: Anglès-Subirá I, S. 348ff. (*Nr. 171*, der Komponistenname ist dort nicht identifiziert); ZingelH, S. 251 (war nur z. T. über Mikrofilm zugänglich). HudsonF, S. 108f.

—

Ms. M. 816. Zweite moderne Signatur: *G. = 6ª = 18.* Früher Bibl. Barbieri.

Span. Harfen-Tab. 4 Lin. mit Ziffern und Buchstaben. Um 1720.

42 fol., zuzüglich 1 Vorsatzbl. Unbeschrieben f. 25v, 40–42. 14×19,5 cm. Neuerer Titel: f. Ir *Cifras para Arpa, de fines del siglo XVII a principios del XVIII.* Herkunftsbezeichnung autograph Barbieri: f. 1r *Procede de Ávila.* 1 Schreiber. Pergamentband der Zeit. (Freie Instrumentalsätze, Tänze, Aria, span. Liedsätze.)

Literatur: Anglès-Subirá I, S. 346f. (*Nr. 168*), Faksimile von f. 25r *Tafel XXVI* im Anhang. – Eine neuere Kopie befindet sich ibid. Ms. 13.417, zweite moderne Sign. A. = *6a* = 19, früher Bibl. Barbieri, vgl. Anglès-Subirá, S. 347 (*Nr. 169*).

—

Ms. M. 1233. Zweite moderne Signatur: *G. = 4ª = 204 = fila 2.* Früher Bibl. Barbieri.

Ital. Git. Tab. 5 Lin. Punteado, z. T. mit Alfabeto; 1 (5) Lin. mit Alfabeto und Golpes. Um 1763–1770, Datierung Titel 1763.

64 fol., zuzüglich 2 Vorsatzbll. (f. Iv–II leer). Neuere Foliierung (inkorrekt). Unbeschrieben f. 2r, 3r, 25 sowie jeweils die Rückseiten von f. 26–64. 22×19 cm. Tab. Teil: f. 26r, 27r, 28r, 29r, 30r, 31r, 32r, 33r, 34r, 35r, 36r, 37r, 38r, 39r, 40r, 41r, 42r, 43r, 44r, 45r, 46r, 47r, 48r, 49r, 50r, 51r, 52r, 53r, 54r, 55r, 56r, 57r, 58r, 59r, 60r, 61r, 62r, 63r, 64r. Überwiegend für 5saitige Git., 5 Lin. mit Punteado, z. T. mit Alfabeto; ein restlicher Teil ist nur mit Alfabeto auf 1 Lin. mit Golpes aufgezeichnet, vereinzelt auch Alfabeto in 5 Lin. mit Golpes auf der untersten Lin. Erläuterungen einiger intavolierter Beispiele in gew. Notenschrift. Aufschrift autogr. Barbieri Vorsatzbl. Ir *Método de Guitarra / (Procede de Granada).* Orig. Besitzvermerk f. 1r *Soi de Franc.co de Paula Ruvio / Ni me presto Ni me Doi. Ruvio.* Der Sinnspruch *Ni me presto* . . . findet sich auch auf dem Vorsatzbl. Ir, darunter als Ordnungszahl des Faszikels: *21.* F. 1v, 2v, 3v span. geistl. Gedichte, am Rand stilisierte Tierzeichnungen. F. 3–24 Traktat in Schönschrift, überschr.: *Explicacion de el / Abecedario ytalia / no.* F. 24v: *FINIS. Este trasla / do es de. / Joseph Trapero a*[nn]*o de / 1763.* Die Abschnitte des Traktats sind bezeichnet: f. 5r *Declaracion de el La / berinto*; f. 5v *Para componer con el / Laberinto . . .*; f. 6r *Regla para lle bar la / mano . . .*; f. 6r *Regla para formar falsas y puntos;* f. 6a *Regla primera docv- / mentos y*

advertencias Generales . . .; f. 7r *Regla secunda de la / Mano derecha;* f. 7v *Regla tercera / de la Mano yzqvier / da;* f. 7v *Regla qvarta d*[e]*l / trino;* f. 8r *Regla quinta del Morde- / te; f.* 8r *Regla sexta de el temblor;* f. 8v *Regla septima de el extra- / sino;* f. 8v *Regla octava Del Apo- / yamento y es / morssata;* f. 9r *Regla nona para tañer ar- / peado;* f. 9v *Regla decima y General / de todas las pasadas;* f. 10r *Regla undecima i ultima / para tañer a acõpas;* f. 11v *Documentos y adver / tencias Generales para acompañ.*[r] */ sobre la parte con la Guitarra, organo / Arpa, . . .*; f. 13r *Regla segunda es / mo se acompañantos / subtenidos, y be / moles;* f. 13v *Regla tercera p.*[a] */ acompañar todas / las cadencias y clausulas / finales del baso;* fortsetzend bis f. 18v *Regla Duodecima para conocer el tono de los basos, cro / maticos de las sonadas, y canciones / ytalianas.* F. 19r *Explicacion de el / segundo Abecedario y / taliano.* F. 19v *Explicacion para saber / buscar las bozes . . .*; f. 21r *Barios exemplos vsv- / ates de la musica* (es folgen 10 *exemplos*, aber nur in literar., nicht musikalischer Aufzeichnung). Im Tab. Teil f. 26ff. Erläuterung des Alfabeto mit ausgeschriebenen Akkorden in Tab., Lin. blau, Golpes rot; bildliche Darstellungen am Rand, Alfabeto grün oder gold; anschließend f. 30r *Exemplo 1° de las Reglas para acompañar sobre la parte con la Guita / rra y de mas Ynstrumentos*, hier und im folgenden Git. Tab. (Alfabeto bzw. ausgeschriebene Akkorde in Tab.) mit Erläuterung von bezifferten Bässen in gew. Notenschrift, mit Bezeichnung der Tonarten, 1 Schreiber, Schönschrift. Jüngerer, mit Bestimmtheit nicht orig., blauer Lederband mit Goldpressung. (Freie Instrumentalsätze; die meisten Sätze sind als Beispiel unbezeichnet).

Literatur: Anglès-Subirá I, S. 352 (*Nr. 172*), nur in summarischer Übersicht.

———

Ms. M. 2209. Früher Madrid, Biblioteca Real (Capilla Real), deren Stempel f. IIr. Alte Signatur (Vorderdeckel innen): *144–5* und *251–2.*

Ital. Git. Tab. 5 Lin. mit Alfabeto. Um 1633–1640.

38 fol., zuzüglich 3 Vorsatz- und 2 Nachsatzbll. (z. T. beschriftet). 76 beschriebene Seiten. Orig. Foliierung *1–37*. 30,7 × 20,1 cm. Originaler Titel: Vorsatzbl. IIr *Livro / donde se veran Pazacalles de los ocho / tonos i de los tras Portados. I asi mesmo, Fantazias de conpasillo Proporzionsilla Propor- / cion Maior, I Compas Maior, I asi mesmo diferentes Obras Para Biguela hordinaria / que las scribia i asia / D.*[n] *Anttonio de Santa / Cruz / Para D. Juan de Miranda* (Schönschrift, farbige Verzierung). F. IIv, IIIv leer. Traktat: f. IIIr *Abisos para tañer con linpieza.* Tab.-Teil mit *Alfabeto* f. 1–37, Übersicht des *Alfabeto* für 5sait. Vihuela f. 1r. Nachsatzbl. f. Ir Index. 1 Schreiber: zufolge Titel *Antonio de Santa Cruz.* Das Ms. ist aus dem Besitz der Familie des Jerônimo Santa Cruz überliefert, der Kantor und Kapellan an der Kgl. Kapelle zu Madrid 1633 war. Pergamentband der Zeit. (Freie Instrumentalsätze, Tänze.)

Literatur: Anglès-Subirá, I, S. 341f. (*Nr. 166*).

——

Ms. M. 2478. Früher Bibl. J.N. Böhl de Faber.

Span. Harfen-Tab. mit Ziffern und Buchstaben. 4 Lin. Um 1720.

148 fol., zuzüglich 4 Vorsatzbll. (diese gänzlich beschriftet). 267 beschriebene Seiten. 16×23 cm. Titel: f. 1r *Tabla de los Tonos que contiene este libro Puestos en zifra de Arpa; / todos los quales, tienen sus coplas con secutibas aellos, debaxo de las zifras, / como se bera por los folios siguientes, no tiene este Libro pasacalles, ni tañidos, / porque de ellos ay Libro aparte; y este sólo es de tonos, adbirtiendo que des / pués delos que están en zifra entran muchas coplas de destintos tonos y otras / muchas curiosidades que se beran en el por los folios aque estan sentados.* Tab.-Teil f. 1–64r, zahlreiche span. Texte ohne Tab. Orig. Index des Tab.-Teils Vorsatzbll. I–IV. 1 Schreiber. Orig. Foliierung *1–148*. Pergamentband der Zeit. Vorderdeckel: *M.E. d. V.* (Span. Liedsätze.)

Literatur: Anglès-Subirá, I, S. 343ff. (*Nr. 167*); ZingelH, S. 251.

—— IBID., *Handschriftenabteilung* (sección de manoscritos)

Ms. 5917.

Ital. Git. Tab. Um 1680.

204 fol. 168 beschriebene Seiten. 26×15,5 cm. Titel: f. 1r *Libro autógrafo de D. Macario Fariñas del Corral, Docto anticuario y escritor, natural de Ronda* (jüngere Eintragung). Traktat über Gitarre-Spiel, mit zahlreichen Beispielen in Tab., überschr.: *ARTE DE LA GUITARRA / Autor Joseph Guerrero.* F. 1, 2 defekt. Für 5saitige Gitarre. 1 Schreiber. Jüngerer Einband.

Literatur: Anglès-Subirá I, S. 348 (*Nr. 170*).

MAINZ, PRIVATBIBLIOTHEK PROF. HELLMUTH FEDERHOFER

Ms. zur Zeit ohne Signatur. Erworben Sommer 1965 über Ernst Bischoffs (1868–1957) Witwe Josepha, die einen großen Teil ihrer Musikaliensammlung dem Steiermärkischen Landeskonservatorium Graz vermachte. E. Bischoffs Vater, Ferdinand (* 1826 Olmütz, † 1915 Graz, 1855 Prof. Univ. Lemberg), befreundet mit der Mozart-Sammlerin Julie v. Baroni-Calvacabò († 1887 Graz), war der Begründer der Sammlung. Zu Bischoff vgl. FederhoferM, S. 82ff. und SuppanL, S. 45f. Weitere Vorbesitzer des Ms. nicht bekannt.

Frz. Lt. (Angelica-) Tab. 6 Lin., frz. Git. Tab. 6 und 5 Lin., ohne und mit Alfabeto. Um 1670–1675; Datierung 1673.

35 fol., zuzüglich je 1 Vorsatz- und Nachsatzbl. (leer). Unbeschrieben f. 23r, 30v, 31r (nur Lin.). 6 Lin. vorgedruckt, ohne Angabe der Offizin. 17×22,5 cm. Größere Teile des Volumens müssen schon früh in Verlust geraten sein, z. Zt.

sind nur Anfangs- und Schlußfaszikel erhalten, zusätzlich lose Bll., von 1 losen Doppelbl. ist die Hälfte abgerissen, f. 4 und 5 unterer Teil abgerissen (Tab.-Verlust), f. 18v in Seitenmitte roter Siegellack-Rest (Überklebung entfernt), das folgende Bl. ist herausgerissen (leerer Falz). Tab.-Teile: I. f. 1v–4r, 31v–35 für 16saitige Angelica, 6 Lin. (zur Stimmung vgl. u., f. 1r), Ziffern „*4*" und „*5*" selten verlangt, „*6*", d. h. die 16. Saite, garnicht. Schreiber A. – II. f. 4v (nur 1 Takt mit Bezeichnung *p*[our] *Accord* = Einstimmregel), 5–9r, 9v (nur 1 Takt, *Accord* = Einstimmregel), 10–16 für 5saitige Gitarre, 6 Lin., die unterste Lin. ist ausgestrichen. Schreiber B. – III. f. 17v Lt. Tab. 6 Lin. für 8chörige Laute (bis */a*). Nur 1 vollständiger Satz. Schreiber D. – IV. f. 18r für 5saitige Gitarre, Git. Tab. nur Alfabeto in 6-Lin.-System (unterste Lin. nicht ausgestrichen) eingezeichnet, Golpes auf unterster Lin. Nur 1 vollständiger Satz. Schreiber C. – V. f. 18v–22r, 23v–28r für 5saitige Gitarre. 6 Lin., unterste Lin. fast durchweg gestrichen; kein Alfabeto, rhythmische Zeichen teils über dem System (wie Lt. Tab.), bei Akkorden, teils im System (zweitoberste Lin.) mit wechselnder Kaudierung gemäß Git. Tab., namentlich ab f. 19v; abweichend aber f. 18v, 19r, 20v, 22r. Schreiber D. – VI. f. 22v, 28v für 5saitige Gitarre, 6 Lin., unterste Lin. ausgestrichen, durchweg nur Akkorde, diese jedoch ohne Alfabeto; rhythmische Zeichen auf zweitoberster Lin. mit wechselnder Kaudierung; gegenüber Tab.-Teil V ist auf *punteado*-Spiel ganz verzichtet. Schreiber D, sodann Schreiber E. – VII. f. 29–30r für 5saitige Gitarre, 6 Lin., unterste Lin. ausgestrichen, ohne Alfabeto, rhythmische Zeichen fehlen. F. 29r ist nur kurzes Fragment. Schreiber F. *fin*-Vermerke (Schreiber A). F 1r Einstimmregel für Angelica, überschrieben *pour a corde*[r] *langi li que* [verbessert aus *langique*], Zeichenreihe: innerhalb des 6-Lin. Systems, sodann unter dem System *a̲*, *a*, */a*, *//a*, *///a*, *////a*, */////a*, folgend „*4*", „*5*", „*6*"., Stimmung: *e'*, *d'*, *c'*, *h*, *a*, *g*, *f*, *e*, *d*, *c*, *H*, *A*, *G*, *F*, *E*, *C*. Vgl. die analogen Stimmungen Ms. Paris Bibl. Nat. *Vm*^{7} *6212* und Ms. Schwerin, Landesbibl. *Mus. 640*, ferner die Angaben in Ms. Oxford, Christ Church *1187* (*James Talbot*), s. S. 261, 318 f., 258 f., vgl. a. LesureTA, S. 111 ff., RadkeA, S. V f. – F. 17r Verzeichnis des Alfabeto mit Auflösung in Lt. Tab., 6 Lin., unterste Lin. gestrichen; Buchstabenreihe: *ꟻ*, *A–P*. Schreiber C. Fingersatz (außerhalb Alfabeto): 1, 2 Punkte, 1 Strich. *le redouble*-Vermerk. Mehrere Sätze Fragment infolge Verlusten in Volumenmitte. Besitzvermerk, Datierung: f. 18v bei Satzbeginn (unbezeichnete Gigue) *Julien / Blouin A Rome / le II*^{me} *Auril / 1673*. F. 26v *Courante de Blouin*, anschließend *Sarabande du / mesme*. F. 35v am Ende *Votre Seruit*[e]*ur, de monchy / a Lion*. Blouin ist auch als Besitzer des Ms. Prag. Nat. Bibl. *II. Kk 84* bekannt (vgl. NettlM, S. 66), hierzu vgl. S. 297. J. F. A. v. Uffenbach nahm im April 1715 in Rom bei Blouin Unterricht im Lautespiel und bezeichnet ihn als Angehörigen der päpstlichen Garde. Der Tab.-Teil für Angelica scheint der älteste des Ms. zu sein (begonnen um 1670). 6 Schreiber (A–F). Einband fehlend (Reste auf der Rückseite noch erkennbar). Heftung z. T. lose. Einzelne Bll. augenscheinlich nicht in orig. Reihe in den mittleren Faszikeln überliefert. (Freie Instrumentalsätze, Tänze, frz. Liedsätze.)

Literatur: Federhofer, S. 313ff.; FederhoferM, S. 82ff.; RadkeA, Einleitung S. Vff., 9 Faksimiles S. XV–XXIII (Tafel 1–9); DorfmüllerB, S. 382f.

MANCHESTER, Dr. Henry Watson Library of the Corporation of Manchester (City Library)

Ms. M. 5. 832. Vu. 51.

Frz. Lt. Tab. 6 Lin. Für Viola (Lyra Viol), wahlweise für Laute. Um 1660–1670; frühere Datierungen unverbindlich (da wohl die Vorlage betreffend).

106 fol. Fast alle Seiten beschrieben. Orig. Paginierung *1–188, 192–214;* p. 189–190 der orig. Zählung sind herausgerissen, jüngerer Vermerk (Bleistift): *Torn out only Ground bass.* 23×16 cm. Tab.-Teil: f. 6–106. Für 5- und 6saitige Viola (*Lyra Viol*). F. 1r Übersicht der Verzierungszeichen (*A beate, A fall* etc.), sodann der Stimmungen, mit Überschr.: *Several setts or tunings of the / Violl as are contained in this booke.* Insgesamt 215 Sätze, davon 204 in Lt. Tab., die restlichen in gew. Notenschrift. Besonderer Vermerk: f. 45r *When you have playde this / Paven as often as you please / you maye conclude as follows* [=Finaltakte]. Datierungen: f. 57v bei einem Satz *Mr Younge* hinzugefügt *1663*, bei einem Satz mit Bezeichnung *Lillie* ist angegeben *1660*, bei *Charles Colman 1661* und *1625*, bei *Thomas Bates 1660*, bei *George Hudson 1641* (diese Datierungen dürften sich auf die Vorlagen beziehen). 1 Schreiber. Brauner Lederband um 1910. (Freie Instrumentalsätze, Tänze, lat. Motette, engl. Liedbearbeitungen.) Einer beiliegenden Notiz zufolge befand sich das Ms. zu Anfang des 20. Jh. im Besitz von C. Davis in Kew (Surrey, bei London) und wurde 1910 von Dr. H. Watson für die Corporation of Manchester erworben. Eine hs. Kopie von der Hand E.C.M. Higgins' wurde aus dem Besitz von Thomas Lea Southgate, vermittelt durch Sir Edward Ernest Cooper, vom Brit. Mus. London 1913 erworben (Ms. *Additional 39556;* eine Übertragung derselben Hs. in gew. Notenschrift von derselben Kopistin als Ms. *Additional 38783*, hierzu vgl. KatalogBM, N.Acqu. 1916–1920, S. 44 und WillettsH, S. 6).

Literatur: Fehlend. Hinweis bei Russel, S. 248; Duck, S. 53ff.; TrafikanteM, S. 11; TraficanteV, S. 232 (als *Nr. 19*); Anonym, in: Musical News XLV, London 1913 (Heft vom 29. Nov.), S. 269f.; Southgate, S. 41; Cowling, S. 16; TraficanteL, S. 189f., 197f.; Erhard, S. 81.

MĚLNÍK, Archiv der Hauptkirche

Ms. D. 41. Alte Signatur (f. 1r oben): *Nr. 15.*

Frz. Lt. Tab. 6 Lin. Mitte des 18. Jh.

1 fol. als Lautenpart, 2 mit Tab. beschriebene Seiten. 26×34 cm. Für 11chörige Laute. Titel f. 1r oben *Aria / t*[em]*pore adventus producenta / à / C*[anto] *& Alto in Recit: / Viol.*[inis] 2 */ Lauttna / Violonczello oblig.*[ato] */ organo. Se-*

bast.[ian] *Böhm.* Am Rand von fremder Hand: *nichts destoweniger / zu der h.*[eiligen] *Vollkommenheit Antonij.* 1 Schreiber: Sebastian Böhm [1718–1778, Chorregent zu Mělník]. Beiliegend Stimmen in gew. Notenschrift. Ohne Einband. (Freie Instrumentalsätze, lat. Aria.)
NACHSCHRIFT: Jüngst aufbewahrt in MĚLNÍK, Heimatkundliches Museum, Signatur VM 412 [1975].

Literatur: Trolda, S. 179ff.; TichotaT, S. 142 (*Nr. 28*). – Eine Abschrift von der Hand Dr. E. Troldas, datiert *24./25. 8. 1913* befindet sich in PRAG, Musikabteilung des National-Museums, Sign. *XXVIII. F. 147.* TichotaA, S. 153ff.; BuchnerT, S. 17; BuchnerL, S. 26.

METTEN, ARCHIV DER BENEDIKTINER-ABTEI

Ms. mus. pract. Nr. 90. Älterer Tintenvermerk ohne Sign. f. 1r: *Kloster Metten.*

Frz. Lt. Tab. 6 Lin. für Colascione. Mitte des 18. Jh.

7 fol. Unbeschrieben f. 1v (nur Lin.). 21,5×28,5 cm. Tab.-Teil: f. 2–7. Titel: f. 1r *Trio Ex C / A / Gallichona Prima / Gallichona Seconda / Con Violonzello / Dal Sigre Camerlohr.* Überschriften: f. 2r *Gallichona Prima / Dal Sigre Camerlohr;* f. 6r *Gallichona Seconda / Dal Sigre Camerlohr* (ist der zugehörige Satz). Für 2 6chörige Colascione mit Violoncello (Basso). Tonartbezeichnung. *accord*-Angaben für beide Colascione. 1 Schreiber (nicht identisch mit dem Schreiber der Mss. 91 und 91, b). Beiliegend 2 lose Bll. etwas kleineren Formats, f. 1r überschrieben: *Passo al Trio Del Cam*[m]*erlohr* in gew. Notenschrift, vollständig. Einband fehlt (beschnittenes Bütten). Orig. Heftung unversehrt. (Freie Instrumentalsätze, Tänze.)

Literatur: Fehlend. – Zum Entstehen der Sammlung vgl. B.A. Wallner, *Beiträge zur Musikgeschichte von Metten,* in Zeitschrift für Alt und Jung Metten XI, Metten 1936/1937, H. III; A. Scharnagl, Art. *Metten,* in MGG IX, S. 239f. Einen Hinweis, daß P.v. Camerloher Lautensätze hinterlassen habe, gibt K.G. Fellerer, Art. *P. v. Camerloher,* in MGG II, S. 723.

———

Ms. mus. pract Nr. 91. Älterer Tintenvermerk ohne Sign. f. 1r: *Kloster Metten.*

Frz. Lt. Tab. 6 Lin. für Colascione. Mitte des 18. Jh.

4 fol. Unbeschrieben f. 4v (nur [5] Lin.). 16×20,5 cm. Tab.-Teil: f. 1v–4r. Titel: f. 1r ♯ */ Parthia ex f. / à / Galischona / Violino primo / Violino 2do. / Con / Basso.* Einheitlich 6 Lin., jedoch ist f. 2r, 2v, 3v bei einigen Systemen die unterste 6. Lin. mit dunklerer Tinte ergänzt. Für 6chörigen Colascione mit Ensembleinstr. Tonartbezeichnung. *accord-A*ngaben für beide Colascione. 1 Schreiber (identisch mit dem Schreiber des Ms. 91, b). Beiliegend 3 Faszikel gleichen Formats mit Beschriftung jeweils f. 1r: *Violino primo; Violino 2do; Basso* in gew. Notenschrift, vollständig. Einband fehlt (unbeschnittenes Bütten). Orig. Heftung unversehrt. (Freie Instrumentalsätze, Tänze.)

Literatur: Fehlend. – Zur Sammlung und zum mutmaßlichen Komponisten vgl. Ms. 90.

Ms. mus. pract. Nr. 91, b. Älterer Tintenvermerk ohne Sign. f. 1r: *Kloster Metten.*

Frz. Lt. Tab. 5 und 6 Lin. für Colascione. Mitte des 18. Jh.

16 fol. Unbeschrieben f. 1v, 16 (leer); f. 12v–15 (nur [5] Lin.). 16×21 cm. Tab.-Teil: f. 2–12r. Titel: f. 1r *Solo per la Gallichone.* Überschriften: f. 6r erneut *Solo per la Gallichone*; f. 8v *Galichone. Primo;* f. 9r *Galichone 2do.*; analog f. 9v, 10r; f. 10v *Allemandes* (es folgen Sätze dieser Art in laufender Numerierung *1–12*). F. 8v: *Duetto.* Es handelt sich um Suiten für 1 und für 2 Colascione solo, vorausgesetzt ist ein 6chöriges Instrument. F. 2–10r 5 Lin., f. 10v–12r ist die unterste 6. Lin. ergänzt. 1 Schreiber (identisch mit dem Schreiber des Ms. 91). Einband fehlt (unbeschnittenes Bütten). Orig. Heftung unversehrt. (Freie Instrumentalsätze, Tänze.)

Literatur: Fehlend. – Zur Sammlung und zum mutmaßlichen Komponisten vgl. Ms. 90.

MEXICO CITY, Biblioteca Nacional (Departemento de los manoscritos), *Handschriftenabteilung*

* Ms. 15–4–152

Span. Git. Tab. für Vihuela, 5 Lin. Um 1740.

Blattzahl und Format sind nicht bekanntgegeben. Tab. für 5saitige Vihuela bzw. Gitarre. Stimmung: *F–c–a–es'–b'.* Überwiegend Tanzsätze span. und frz. Herkunft, auch Negerlieder und -tänze (Titel: *Cumbees o cantos negros; Cantos en idioma guinea*), 17 Sätze aus Kammersonaten A. Corellis in Vihuela-Transkription, 1 Sonata de Samuel Trent (*Preludio, Largo Giga, Alegro* [sic]). Mehrere Schreiber. Einband nicht bekannt. (Freie Instrumentalsätze, Tänze, Liedsätze.)

Literatur: Fehlend. Hinweis StephensonM, S. 162; Grebe, S. 121.

MEXICO CITY, Privatbibliothek Dr. Gabriel Saldívar

* Ms. ohne Signatur

Span. Git. Tab. für Vihuela, 5 Lin. Mitte des 17. Jh.

Blattzahl und Format sind nicht bekanntgegeben. Tab. für 5saitige Vihuela bzw. Gitarre. Titelbl.: *Método de Citara.* Schreiber und Autor ist *Sebastián de Aguirre.* Überwiegend Tanzsätze span. und frz. Herkunft, auch ein Negertanz (*Portorrico de los negros*), ein indianischer Tanz (*Tacotín*), ferner neben üblichen Suitensätzen *Panamá, Puertorrico de la Puebla, Portuguesa, Francés, Balona de bailar, Morisca, Corrido* etc.). 1 Schreiber (s.o.). Einband nicht bekannt. (Freie Instrumentalsätze, Tänze, Liedsätze.)

Literatur: Fehlend. Hinweis (war nicht zugänglich): StephensonM, S. 162; Grebe, S. 121.

MIKULOV (Nikolsburg), BIBLIOTHEK DES EHEM. SCHLOSSES DER FÜRSTIN VON DIETRICHSTEIN

in vorübergehender Aufbewahrung (1970) in BRNO (Brünn), STÁTNÍ ARCHÍV (Staatsarchiv)

Ms. ohne Signatur. Sign. der Bibl. Mikulov (Etikett auf Buchrücken, Tinte stark verblaßt): *18. 25.* Ein weiteres orig. Etikett auf dem Buchrücken, stark defekt, zeigt noch lesbar: *Testud* . . .

Dt. Lt. Tab. für Laute und Frz. Lt. Tab. 6 Lin. für Mandora. Um 1570 bzw. 1580–1590.

71 fol., zuzüglich 2 Vorsatzbll. (leer) und 5 Nachsatzbll. (leer). Unbeschrieben f. 47v–55r (leer); f. 16v, 17r, 21–47r (nur rote Rahmen-Lin. für die dt. Tab.), 55v–66 (nur 6-Lin.-System). 15×20,3 cm. Tab.-Teile: I. Dt. Lt. Tab. für 6chörige Laute f. 1–16r, 17v–20; II. Frz. Lt. Tab. 6 Lin. für 6saitige Mandora, kopfstehende, rückwärts verlaufende Beschriftung f. 67–71. Rückdeckel innen orig. Eintragung: *Durch Gott Mitt Ehrenn / wird Sich mein Glück Meeren.* Es folgen noch 2 Gedichte von gleicher Hand (je 4 Zeilen, dt.). Teil I in dt. Lt. Tab. zeigt Satzbezeichnungen und Schlußstriche blau oder rot (f. 1r ist die blaue Farbe stark verblaßt), blau = rechte, rot = linke Seite; f. 15v, 16r, 17v–20 einheitlich schwarz. Für die dt. Lt. Tab. sind die Rahmen ebenfalls rot oder blau, ab f. 16v nur rot. Teil II = frz. Lt. Tab. einheitlich schwarz. 3 Schreiber: In Tab.-Teil I A = f. 1–16r, 20, B = f. 17v–19; in Tab.-Teil II C = f. 67–71. Schreiber A Schönschrift, seine Eintragung ist die älteste (um 1570), B wohl einige Jahre später (flüchtig). C erst 1580–1590, seine Hand verraten auch die 3 Gedichte auf dem Rückdeckel. Neuere Bibliotheks-Eintragung auf diesem Rückdeckel (Blaustift): *fürstl. Dietrichsteinische Bibliothek / in Nikolsburg (Mähren)*, auf Nachsatzbl. Vv: *25 beschriebene Blätter 20 + V.* Diese Eintragung erfolgte an falschem Ort, tatsächlich liegt der älteste, beginnende Teil des Kodex auf der anderen Seite. Korrekturen f. 10r; Vermerk mit 2 Strichen ibid.: *uel sic.* Einband der Zeit unter Verwendung einer literarischen Pergament-Handschrift mit schwarzen und roten Lettern. Spuren von 2 Lederbandschließen. Starker Wurmschaden. Orig. Heftung unversehrt. (Freie Instrumentalsätze, Tänze, ital. Madrigale, dt. Liedsätze, lat. Motette.)

Literatur: WolfH II, S. 146; Fachkatalog, S. 160, *Nr. 107* (*Raum XI*, *Pult X*); BoetticherL, S. 361 [39] (*Ms. Ni*).

MODENA, ARCHIVIO DI STATO

Ms. Archivio Ducale Segreto per materie, musica e musicisti, Busta Numero IV.

Es handelt sich um ein Konvolut zahlreicher ungeordneter Faszikel, die nicht numeriert sind. Enthalten sind hs. musikalische Traktate, musikalische Inventarien von Sammlungen des 17. Jh., mehrere Aufzeichnungen in gew. Notenschrift, vereinzelt auch Musikdrucke. Der Gesamtbestand gehört dem 17. Jh. an. Der Verfasser hat im folgenden diejenigen Faszikel, die Tab. enthalten, als A, B, C, D benannt.

Faszikel A

Ital. Lt. Tab. 6 Lin. Ende des 17. Jh.; Datierung (Vorsatzbl., auf Tab. wahrscheinlich bezüglich) 1691.

26 fol., zuzüglich 1 Vorsatzbl. (f. Iv leer). Unbeschrieben f. 2v, 3r, 7v, 9r, 10–25 (nur Lin.); f. 1r, 26v (leer). 24,8×20,5 cm. Tab.-Teil: f. 1v, 2r, 3v–7r, 8, 9v, 26r. F. 1v, 8, 9v maximal für 14chörige Laute bzw. Theorbe (bis „*14*"), sonst überwiegend für 9chörige Laute. F. 26r Beschriftung kopfstehend. Vorsatzbl. f. Ir: *Del sig*^r^. *Girolamo Viuiani . . . 1691.* Korrekturen f. 5r, 26r. Fingersatz (1, 2 Punkte, sorgfältig). 1 Schreiber. Starker Wasser- und Wurmschaden. Gelber Pappband der Zeit, Buchrücken orig. mit Pergament verstärkt. Heftung unversehrt. Vorderdeckel außen ältere Bleistift-Eintragung (fast gänzlich verwischt): *Tavolatura / per liuto / ?* (Keine Satzbezeichnungen.)

Literatur: Fehlend.

Faszikel B

Ital. Lt. Tab. 6 Lin. Um 1620; Datierung (nicht auf Tab. unmittelbar bezüglich) 1619.

30 fol., zuzüglich 1 Vorsatzbl., z.T. auf Vorderdeckel geklebt, Fragment (leer) und 1 Nachsatzbl. (f. Ir leer). Alle Seiten beschrieben. 23×16,5 cm. Tab.-Teil: f. 1–30. F. 13r etc. maximal für 14chörige Laute bzw. Theorbe (bis „*14*"), sonst überwiegend für 7- und 11chörige Laute. Von f. 1 ist nur das obere linke Achtel des Bl. erhalten, vor f. 8, 28 ist 1 Bl. herausgeschnitten (Falz). F. 28 ist lose. Mit f. 1r (Fragment, s.o.) beginnt die Niederschrift der Tab. (Beginn eines Satzes), die augenscheinlich mit f. 30v abgeschlossen war. Nachsatzbl. f. Iv sehr flüchtiger Vermerk, durch Wurmschaden fast gänzlich zerstört: *adì 20 ott.*^re^ *1619 ho pigliato due paia di calcetti nera contono lire ventisei.* Zeichen: f. 1r oberer Rand und f. 5v, 20r, 25v: FK, f. 9r, 12r, 13v, 14r, 15v, 16v, 20v, 21v, 22r, 23r, 23v, 24v: A̸ , ferner sind zusätzlich geboten: f. 9r, 13v „*1*" kombiniert mit A̸, f. 14r, 20v mit „*2*", f. 15v mit „*4*", f. 12r mit „*5*", f. 13r mit „*6*". Die gleichen Mensurzeichen („*2*" und „*3*") stehen hiervon getrennt und sind nicht damit zu verwechseln. Korrekturen f. 6r. Fingersatz (1, 2 Punkte, flüchtig). Wurm-, Wasser- und Rattenschaden. 1 Schreiber (flüchtig). Pergamentband der Zeit, an dessen oberem Rand starker Rattenfraß, von dem auch die letzten 10–12 Bll. des Ms. beeinträchtigt sind. Von den 4 Lederband-Schließen sind noch 3 im Fragment erhalten. (Freie Instrumentalsätze, Tänze, Aria.)

Literatur: Fehlend.

Faszikel C

Ital. Git. Tab., nur Alfabeto mit Golpes, um 1660–1680; Ital. Lt. Tab. 4 und 5 Lin. für Viola da braccio und Viola da gamba, um 1660–1675. Vereinzelte Datierung 1668.

Es handelt sich um einzelne lose Blätter bzw. kleine Faszikel, die im folgenden unter a) ff. aufgeführt werden. Ihre Zusammengehörigkeit ist nicht durchweg erkennbar.

a) 4 fol. Unbeschrieben f. 1r, 2v–4 (leer). 7,5×16,5 cm. Tab.-Teil: f. 1v, 2r. Für 5saitige Gitarre. Nur Alfabeto (große Buchstaben mit Golpes auf 1 Lin., normale rhythmische Zeichen darüber), Textierung fehlt. 1 Schreiber. Nur 2 Sätze, davon 1 mit Satzbezeichnung. (Tanz.)

b) 1 fol. Unbeschrieben f. 1v. 7,5×16,5 cm. Tab.-Teil: f. 1r. Für Viola da braccio. Ital. Lt. Tab. 4 Lin. (Lin. mit Bleistift). Ziffern nur auf den beiden unteren Lin. (*0–3*), nur im Einzelfall auf der zweitobersten Lin. eine Ziffer (*3*). Mithin für 2- und 3saitiges Violaspiel. Überschr.: *Violi*[no] *Primo*. 1 Schreiber. Nur 1 Satz, bezeichnet. (Tanz.)

c) 1 fol. Unbeschrieben f. 1v. 10,8×20,5 cm. Tab.-Teil: f. 1r. Für Viola da braccio. Ital. Lt. Tab. 4 Lin. (Lin. mit Tinte). Ziffern nur auf den beiden unteren Lin. (*0–3*). Mithin für 2saitiges Violaspiel. Überschr.: *Violin*[o] *primo*. 1 Schreiber (identisch mit demjenigen von Teil b). *Finis*-Vermerk am Satzende. Nur 1 Satz, bezeichnet. (Freier Instrumentalsatz.)

d) 1 fol. Beide Seiten beschrieben. 10,8×20,5 cm. Für Viola da gamba. Ital. Lt. Tab., aber abweichend mit 5 Lin., nur die beiden oberen Lin. mit Ziffern (*0–4*). Vortragsbezeichnungen: *Allegro*, *Adagio*. 1 Schreiber (identisch mit demjenigen von Teil b, c). 3 Sätze, alle bezeichnet. (Tänze.)

e) 1 fol. (Doppelbl., in der Mitte Faltung). Beide Seiten beschrieben. 17,5×18,5 cm. Für 5saitige Gitarre. Nur Alfabeto (große Buchstaben) mit Golpes auf 1 Lin., Textierung fehlt. 1 Schreiber (identisch mit demjenigen von Teil a). 3 Sätze, 2 mit Satzbezeichnung. (Freier Instrumentalsatz, ital. Liedsatz.)

f) 1 fol. Unbeschrieben f. 1v. 7,5×16,5 cm. Tab.-Teil: f. 1r. Für Viola da braccio. Ital. Lt. Tab. 4 Lin. (eine 5. Lin. ist ausgestrichen). Ziffern auf den beiden unteren Lin. (*0–3*), nur im Einzelfall auf der drittuntersten Lin. Mithin für 2- und 3saitiges Violaspiel. Überschr.: *Canzonetta prima à primo violino*. *Finis*-Vermerk. Flüchtige Niederschrift. Sonderzeichen; 2 Punkte (nicht Fingersatz). 1 Satz (bezeichnet). 1 Schreiber (identisch mit demjenigen von Teil b–d). (Ital. Liedsatz.)

g) 1 fol. Unbeschrieben f. 1v. 14×19 cm. Tab.-Teil: f. 1r. Für Viola da braccio. Ital. Lt. Tab. 4 Lin. Ziffern (*0–4*) auf den 3 unteren Lin. Überschr.: *Violino primo*, am Satzende: *Violin*[o] *Primo. fine*-Vermerk. Sonderzeichen: 1 Punkt. 1 Schreiber (identisch mit demjenigen von Teil b–d, f). 1 Satz (bezeichnet). (Ital. Liedsatz.)

h) 1 fol. Beide Seiten beschrieben. 7,5×16,5 cm. Für 5saitige Gitarre. Nur Alfabeto (große Buchstaben) mit Golpes auf 1 Lin. Textierung fehlt. 1 Schreiber (identisch mit demjenigen von Teil a, e). 2 Sätze (bezeichnet). (Ital. Liedsatz, Tanz.)

i) 1 fol. Beide Seiten beschrieben. 14×19 cm. Tab.-Teil: f. 1r. Für 5saitige Gitarre. Nur Alfabeto (große Buchstaben) mit Golpes auf 1 Lin. Textierung fehlt. F. 1v Vermerke für den Tab.-Teil: *Il Sig*[r]*. Pietro Bercacchini mandato questa sonata à me . . . / al 8re* [ottobre] *1668*, ferner: *Al' Molto Ill*[re] *Sig*[r] *mio Sig*[r] *Pron. / Sing:*[mo] *il Sig*[r] *Pernardino Balugolè* . . . und: *Obbligatiss.*[mo] *Seruitore / Caole Antonio Giannini* . . ., *Allegro la Siuccarda p*[er] *M:* Die letzte Bemerkung bezieht sich auf einen der beiden (bezeichneten) Sätze. 1 Schreiber (identisch mit demjenigen von Teil a, e, h). (Freie Instrumentalsätze.)

k) 2 fol. Unbeschrieben f. 1v–2 (leer). 21×14,5 cm. Tab.-Teil: f. 1r. Für 5-saitige Gitarre, jedoch lautet die Beschriftung oben: *Violino* und in Seitenmitte: *Basso.* Nur Alfabeto mit Golpes auf 1 Lin. Textierung fehlt. 1 Schreiber (identisch mit demjenigen von Teil a, e, h, i). 1 Satz (bezeichnet). (Tanz.)

Literatur: Fehlend.

Faszikel D

Ital. Lt. Tab. 4 Lin. für Viola da braccio. Um 1660–1675.

11 fol. (davon 7 lose). Unbeschrieben f. 11v (nur Lin.). 24,5×17,5 cm. Tab.-Teil: f. 1–10. Ziffern (*0–3*) auf den 3 unteren Lin., selten auch Ziffer *4* geführt. Abweichend f. 7v ein Fragment (3/4 Zeile) eines unbezeichneten Satzes mit Ziffern auf allen 4 Lin. (*0–3*). F. 11r nur gew. Notenschrift, ebenfalls Violinstimme, mit Rötel überschr.: *Ballo.* F. 9r neben Tab. ein Teil gew. Notenschrift, gleichermaßen zu den Sätzen in Tab. gehörig. Korrekturen: f. 4r, 5r, 10r. Sonderzeichen: 1, 2, 3 Punkte (kein Fingersatz). *p*[ian][o]- und *F*[ort][e]-Vorschriften. Überschriften: f. 2v *Violin*[o] *Primo*, f. 3r *V. p.*, f. 3v *Violin*[o] *secondo*, f. 4r *Violino Secondo ad libitum*, f. 4r *V: S:*, bei dem Satz *L'Incognita* steht: *Viol*[in][o] *p.*[rim][o] *d*[e] *la Giga* (f. 8r), f. 9r *Violin primo*, f. 10r *Violino primo, Violino Secondo*, f. 10r desgleichen. 1 Schreiber (identisch mit demjenigen von Faszikel C, Teil b–d, f, g). Ohne Einband. (Freie Instrumentalsätze, Tänze, Aria.)

Literatur: Fehlend.

MODENA, BIBLIOTECA ESTENSE

Ms. mus. C. 311 (in *Catalogo* . . ., s. unten, falsche Sign. F. 311). Ältere Signaturen: *R.1./H* und *N.1.*

Ital. Lt. Tab. 6 Lin. Um 1574, Datierung 1573, 1574.

55 fol. Orig. Foliierung *3–11* (= f. 4–12) und *9–38* (= f. 26–54). Das Vol. dürfte reduziert sein. 40×27 cm. Tab.-Teil: f. 2–54r. Für 5chörige Laute. F. 1r mit Datum 1574 und Titel: *Libro di Cosimo Bottegari Fior*[entin]*o*

et Cameriere del ser[enissi]*mo duca Alberto di Baviera* ... (die drei letzten Worte und die sechs folgenden langen Zeilen sind in alter Zeit ausgestrichen und durch Verschmieren der Tinte fast unkenntlich gemacht); ferner: *Arie e Canzoni in musica di Cosimo Bottegari è L-Autore*, mit dem Wittelsbacher Wappen (Zeichnung in Tinte) und Inschrift im Bande: *TV NOBIS ELICE.* F. 1v autograph Bottegari: *Addi 17. di settembre 1573 Trouandomi io Cosimo Bottegari nel Cocchio del Ser. Duca Alberto di Bau*[ie]*ra* ..., mit anschließender Huldigung der *generosità* des Herzogs Abrecht V. F. 54v Dedikation eines Satzes: *Hertzog Albrecht, meinen lieben herrn.* Gedichte (Horaz, Lorenzo de' Medici, Luigi Alamanni, Bojardo, Della Casa, C. Bottegari u. a.). Einige Sätze ausschließlich in gew. Notenschrift. Mindestens 3 Schreiber, darunter C. Bottegari als Hauptschreiber, verschiedene Flüchtigkeitsgrade. Mehrere intavolierte Sätze energisch gestrichen. Überwiegend Tab. als Begleitsatz zu 1stimmiger Aufzeichnung mit G-, C-Schlüssel. Ehem. hellgrüner Pergamentband, Schließen noch am Stumpf sichtbar. Deckel innen mit Papiereinlage beklebt (beschrieben), aus der Zeit. (Freie Instrumentalsätze, Tänze, Aria, frz. Chansons, ital. Madrigale, dt. Liedsätze, lat. Motetten.)

Literatur: Katalog Modena, S. 283ff.; Valdrighi, S. 3ff., hierzu vgl. Giornale Storico delle Letterature Italiana, Mailand 1892, S. 430ff. und Il Diritto Cattolico, Modena 7. 4. 1892, S. 2ff; Capelli, S. 36ff.; BoetticherLZ I, S. 827f. (dort weitere Hinweise zum Schreiber des Ms. C. Bottegari); BoetticherW, S. 33, 57, 78, 86f.; MacClintockB, Krit. Bericht; TichotaS, S. 5ff.; WardB, S. 95; LumsdenM, S. 170; Porter, S. 126ff.; MacClintockC, S. 177ff.; Paliska, S. 213, Anm. 14.

MORAVSKE BEROUN (Mährisch Beraun), PRIVATBESITZ

Nicht zugänglich. Aufnahme des Herausgebers 1965

Ms. ohne Signatur.

Frz. Lt. Tab. 6 Lin. Um 1665–1680, Datierung 1665.

145 fol. 290 mit Tab. beschriebene Seiten. Orig. Paginierung *1–253*, die restlichen Seiten 254–290 unpaginiert. 10,5 × 18,7 cm. Für 11chörige Laute. F. 1r *Multa rogare, rogata tenere, retenta docere, Haec tria discipulum ficiunt superare m*[a]*g*[i]*stris* ... 1 Schreiber. Dunkelbrauner Lederband der Zeit, Deckel mit schwarzer Pressung, auf Vorderdeckel noch Reste der Einpressung sichtbar: *FRAN ... WERN ... A THAVON ... 1665.* Papier mit vorgedruckten Linien. (Freie Instrumentalsätze, Tänze.)

Literatur: Fehlend.

MOSKVA, GOSUDARSTVENNYJ CENTRAL'NYJ MUZEJ MUZYKAL'NOJ KUL'TURY IM. M. I. GLINKI (Bibliothek des M. I. Glinka Museums)

Ms. 282, N 8. Alte Signatur (Vorsatzbl. Ir, Stempel): 297.

Frz. Lt. Tab. 6 Lin. Um 1730–1740.

27 fol., zuzüglich 1 Vorsatzbl. (f. Iv leer). Unbeschrieben f. 24–27. 16 × 24 cm. Am Rand stark beschnitten. Tab.-Teil f. 1–23. Für 13chörige Laute (*4, 5, 6*).

F. 1r Stempel: *Gosudarstvennj central'nyj muzej muzyka*; älterer Stempel (russ.) Bibl. des Moskauer Konservatoriums (mit zaristischem Wappen). Pro S. 6–8 Systeme. Streichungen: f. 22r. Neben *Andantino*, *Andante*, *Presto*, *Viuace* sind Satzbezeichnungen *Prelludium* (*Prellud*, *Prelludi*), *Menuett*, *Paisane* (*Pausane*), *Polonose*, *Courante*, *Gigue*, *Bourree*, *Sarabande*, *Galantarie piesse* geführt; bei *Alternativ* die Beischrift: *d.dur*. Bezeichnung: *Duetto primo*, *Duetto secondo*. Als Komponistenname ausschließlich *Signor Weiß*, auch *Partitta Signor Veis* (mit Beginn *Viuace*), Satznumerierung z. T. arab. 1 Schreiber: möglicherweise Bellegradsky, der durch Vermittlung des russ. Gesandten Graf v. Kayserling ein Schüler des S. L. Weiß war. Vorsatzbl. Ir Titel: *Requeul* [sic] *de divers Pieces et Sonates / Pour le Luth / Composés par M*[r] *Weiss / a Dresde / aprouvé par* [folgt verschmierter Name] / *maitre de Son excellance* [sic] . . . / *Anno* [Jahreszahl fehlt]. Vorderdeckel jüngere Aufschrift: Сборник пьес и сюитов / для лютни. Pappband der Zeit. (Freie Instrumentalsätze, Tänze, z. T. zu Suiten geordnet.)

Literatur: Fehlend. Mikrofilm im Besitz des Verf. – Jüngst KindermannDMA III, *Nr. 3/427.*

MÜNCHEN, Bayerische Staatsbibliothek, Musiksammlung

Ms. Mus. 266. Früher Bibl. Johann Heinrich Herwart, Augsburg (bis 1586).

Ital. Lt. Tab. 6 Lin. und Dt. Lt. Tab. Um 1555–1575, Datierung *1568*.

138 fol., zuzüglich je 1 neueres Vorsatz- und Nachsatzbl. sowie 1 älteres Vorsatzbl. Unbeschrieben f. 29v, 62, 63v, 64v, 65v, 66v, 80v, 85r, 87v, 90r, 91v, 95–96r, 97v, 98r, 100r, 101v, 102r, 103v, 104r, 105v, 106v, 110–112, 119v, 120r, 121v, 122v, 137r, 138v; f. 1r, 12v, 14v, 17–20, 32v, 34v, 37v, 49v-50, 59v, 63r, 72r, 73v–76, 79v, 83r, 84v, 94v, 108v, 115v (nur Lin.). 22,2 × 33,2 cm. Ital. Lt. Tab. f. 1–136v; Dt. Lt. Tab. f. 137v, 138r. Für 6chörige Laute. Enthält u. a. einen Widmungssatz von dem ehemaligen Besitzer des Ms., Vermerk bei einem Ricercar des Marco de Laquila: *CARO A.*[MICO ?] *H.*[ENRICO ?] *HE*[RWART]. Orig. Satznumerierung *1–5* der Nrn. moderner Zählung 156–159. Der Codex ist erst um die Mitte des 19. Jh. aus verschiedenen Einzelbll. und Bogen zusammengebunden worden. Mindestens 16 Faszikel, deren Zeitlage um 10 Jahre schwanken dürfte. Datierung: f. 84r bei Satz Nr. 121, Ende *Anno* [15]*68*. F. 80r ist halb gerade, halb kopfstehend beschriftet, der Satz betrifft nicht 2 Lauten; f. 136v kopfstehend beschriftet. Angabe der Satzbezeichnungen und Komponisten in den überwiegenden Fällen am Satzschluß. Mehrere Sätze sind (alt) gänzlich durchgestrichen. *Finis*-Vermerke. Zufolge Martinez-Göllner, S. 40 11 Schreiber, hierunter die 5 Hauptschreiber der aus der Sammlung J.H. Herwart überkommenen Lautentabulaturen der Bayer. Staatsbibl. München: A, B, C, D und F. Die Notierungen des Schreibers B sind wohl die ältesten. Übereinstimmungen mit Nebenschreibern von Mss. 2986, 267 und 1511d. Auf dem älteren Vorsatzbl. Eintragung J. J. Maiers mit einer Übersicht der im Ms. vertretenen Satzformen, wobei 189 Sätze (hier-

unter 6 als Fragment) gezählt werden. Neuerer Halblederband, Buchrücken mit Goldpressung: *Lauten-Tabulaturen.* – Moderne Numerierung der Sätze (1967) *1–170.* (Freie Instrumentalsätze, Tänze, ital. Madrigale, frz. Chansons, dt. Liedsätze, lat. Motetten.)

Literatur: WolfH II, S. 70; BoetticherL, S. 347 [25] (*Ms. Mü 266*); Maier, S. 146f. (*Nr. 248*); DorfmüllerS, S. 42; SlimK I, S. 219ff., 573ff., 606ff., 620 (die *Ricercari* des Ms. betreffend); Martinez-Göllner, S. 35, 37, 39f., 42–44; BoetticherLZ I, S. 831; SlimM 1965, S. 125. Jüngst KindermannDMA III, *Nr. 3/443.*

Ms. Mus. 267. Früher Bibl. Johann Heinrich Herwart, Augsburg (bis 1586).

Ital. Lt. Tab. 6 Lin. und Dt. Lt. Tab. Um 1555–1580.

54 fol., zuzüglich je 3 Vorsatz- und Nachsatzbll. Unbeschrieben f. 1r, 2r, 4v–6r, 8v–10r, 13v, 14r, 17v, 18r, 21r–22r, 24v–26r, 27v, 49v, 53v. Hauptformat f. 2–27, 34–53. 22,1 × 29,6 cm.; in kleinerem Format (wohl etwas später eingeheftet, nicht zum originalen Kodex gehörig) f. 1, 28–33, 54. Die Blätter des Hauptformats sind unbeschnittenes Bütten. Überwiegend ital. Lt. Tab. f. 1v, 32–45, 46–53r (Lin. mit Rastral), f. 28–31 (Lin. ohne Rastral); Dt. Lt. Tab. f. 2v–4r, 6v–8r, 10v–13r, 14v–17r, 18v–20v, 22v–24r, 26v, 27r. Für 6chörige Laute. Enthält u. a. einen Widmungssatz an den ehemaligen Besitzer des Ms.: *Ricercata a Joan Henrico Herwart.* Der Codex ist erst um die Mitte des 19. Jh. aus verschiedenen Einzelbll. und Bogen zusammengebunden worden. Mindestens 7 Schreiber, hierunter die unter Ms. 266 genannten Hauptschreiber B und C. Ferner Übereinstimmung mit einem Nebenschreiber von Ms. 266 und Ms. 1511 d, sowie einem anderen Nebenschreiber von Ms. 266. Die Notierungen des Schreibers B sind wohl die ältesten. Die Zeitlage der Eintragungen dürfte um 15–20 Jahre schwanken. Einige Sätze sind (alt) gänzlich durchgestrichen. Neuer Halblederband. Vorsatzbl. Ir neuere Eintragung J.J. Maiers: *Enthält folgende Stücke in Lautentabulatur: 10 Motetten, 13 Chansons, 1 Madrigal, 1 Ricercar, 16 unbenannte Stücke u. Fragmente, 1 Gassenhaur, 42* [insgesamt]. – Moderne Numerierung der Sätze (1967): *1–37.* (Freie Instrumentalsätze, ital. Madrigale, frz. Chansons, dt. Satztitel, lat. Motetten.)

Literatur: WolfH II, S. 50; BoetticherL, S. 351 [29] (*Ms. Mü 267*); Maier, S. 146 (*Nr. 246*); DorfmüllerS, S. 42, Martinez-Göllner, S. 35, 37, 39–42; RadkeR, S. 995.

Ms. Mus. 268. Früher Bibl. Johann Heinrich Herwart, Augsburg (bis 1586). Alte Signatur (Vorsatzbl. Iv oben, Tinte): *Mus. M. S. N = 65.*

Ital. Lt. Tab. 6 Lin. Um 1555–1580.

18 fol., zuzüglich 1 Vorsatzbl. mit älterer und jüngerer Aufschrift. Neuere Foliierung *1–19* (J.J. Maier), korrigiert. Unbeschrieben f. 1r, 2v–5r, 6r, 9v–15r, 17v–18 (nur Lin.). 31,5 × 22 cm. Für 6chörige Laute. Vorn eingeklebt 2 ge-

druckte Exlibris: *Ex Electorali Bibliotheca Sereniss. Vtrivsq: Bavariae Dvcvm; Ex Bibliotheca Sereniss:rum Vtrivsq: Bauariae Ducum. 1618.* 2 Schreiber, hierunter möglicherweise der unter Ms. 266 genannte Hauptschreiber F, der wohl älteste Eintragungen vornahm. Pergamentband der Zeit (literar. beschriftet, Initiale blau, sonst schwarz und rot). Vorsatzbl. Iv jüngere Eintragung J.J. Maiers: *Enthält folgende Stücke in Lautentabulatur: 3 Madrigali, 2 Chansons, 1 Battaglia (nur Theil 7). Vergl. Mss. 269.* – Moderne Numerierung der Sätze (1967): *1–6.* (Freie Instrumentalsätze, frz. Chansons, ital. Madrigale.)

Literatur: WolfH II, S. 70; BoetticherL, S. 353 [31] (*Ms. Mü 268*); Maier, S. 146 (*Nr. 247*); Martinez-Göllner, S. 38, 40, 43.

Ms. Mus. 269. Früher Bibl. Johann Heinrich Herwart, Augsburg (bis 1586). Alte Signatur (Vorsatzbl. Iv): *Mus. M. 5. N = 64.*

Ital. Lt. Tab. 6 Lin. Um 1555 und Ende des 16. Jh.

18 fol., zuzüglich je 1 Vorsatz- und Nachsatzbl. (leer). Unbeschrieben f. 1r, 3v–5r, 6v–11r, 12v, 13r, 14r–17r, 18v (nur Lin.). 32,2×22,2 cm. Für 6chörige Laute. 2 Schreiber, hierunter möglicherweise der unter Ms. 266 genannte Hauptschreiber F, der wohl älteste Eintragungen vornahm. Pergamentband der Zeit, als Einband wurde eine ältere literarische Handschrift benutzt. Innen aufgeklebt 2 gedruckte Exlibris der *Bibliotheca ... Bavariae Dvcvm,* das zweite mit eingedruckter Jahreszahl *1618.* Vorsatzbl. Ir neuere Eintragung J.J. Maiers: *Enthält folgende Compositionen in Lautentabulatur: 1 Madrigal, 2 Chansons, 2 Unbenannte Stücke, 1 Battaglia ...* – Moderne Numerierung der Sätze (1967): *1–6.* (Freier Instrumentalsatz, ital. Madrigal, frz. Chansons.)

Literatur: WolfH II, S. 70; BoetticherL, S. 353 [31] (*Ms. Mü 269*); Maier, S. 147 (*Nr. 249*); Martinez-Göllner, S. 36, 38, 40; HeckmannDMA, *Nr. 2/1438.*

Ms. Mus. 270. Früher Bibl. Johann Heinrich Herwart, Augsburg (bis 1586). Alte Signatur auf Exlibris, s. unten, *Mus. M. 5. N = 63.*

Ital. Lt. Tab. 6 Lin. Um 1555–1580.

18 fol. Unbeschrieben f. 5v–17r; von f. 17 ist nur die obere Hälfte erhalten. 33,2×22,1 cm. Für 6chörige Laute. 1 Schreiber, möglicherweise der unter Ms. 266 genannte Hauptschreiber F, der wohl älteste Eintragungen vornahm. F. 5r abweichende Tab.: die oberen 6 Systeme zu 6 Lin. zeigen nur 2stimmigen Satz, wobei die Unterstimme auf *0* (unterster Chor, leer klingend) festgelegt ist, während die Oberstimme sich auf den obersten Chor beschränkt; die oberen 4 Systeme ohne rhythmische Zeichen. Pergamentband der Zeit, als Einband wurde eine ältere Musikhandschrift (Quadratnotation) benutzt. Innen aufgeklebt 2 gedruckte Exlibris der *Bibliotheca ... Bavariae Dvcvm,* das zweite mit eingedruckter Jahreszahl *1618.* F. 1r neuere Eintragung J.J.

Maiers: *Lauten-Tabulatur. Enthält 15 Stücke ohne Ueberschriften. No 1–9 sind ebenfalls Tänze ...* – Moderne Numerierung der Sätze (1967): *1–15.* (Nur unbezeichnete Sätze.)

Literatur: WolfH II, S. 70; BoetticherL, S. 353 [31] (*Ms. Mü 270*); Maier, S. 147 (*Nr. 250*); Martinez-Göllner, S. 38, 40, 43; HeckmannDMA, *Nr. 2/1439.*

———

Ms. Mus. 271. Früher Bibl. Johann Heinrich Herwart, Augsburg (bis 1586). Alte Signatur (Vorderdeckel innen, Tinte): *Mus. M. S. N = 62.*

Ital. Lt. Tab. 6 Lin. Um 1555–1580.

18 fol. Neuere Foliierung (J.J. Maier) *1–18.* Unbeschrieben f. 18r (nur Lin.). 33×23 cm. Für 6chörige Laute. Vorn eingeklebt 2 gedruckte Exlibris, wie Ms. Mus. 268. Einige Bll. zeigen eine alte Foliierung, so ist mit großen Ziffern versehen: f. 9v = *4*, f. 10v = *5*, f. 14v = *6*, mithin ist das Ms. aus verschiedenen Faszikeln hervorgegangen. Scharf beschnitten, f. 9r fehlt von dem unteren Tab.-System die Hälfte. 2 Schreiber, hierunter möglicherweise der unter Ms. 266 genannte Hauptschreiber F, der wohl älteste Eintragungen vornahm. Pergamentband der Zeit (literar. beschriftet, Initiale blau, sonst schwarz und rot). Vorderdeckel innen jüngere Eintragung J.J. Maiers: *21 Stücke: 2 Motette, 2 Madrigale, 1 Chanson, 17 Unbenannte Stücke. Ist wohl nur die Stimme der „Sopranlaute", zu der die Tenor-Laute fehlt cfr. Bl. 14 b, 3 b.* – Moderne Numerierung der Sätze (1967): *1–22.* (Ital. Madrigale, lat. Motetten.)

Literatur: WolfH II, S. 70; BoetticherL, S. 353 [31] (*Ms. Mü 271*); Maier, S. 147 (*Nr. 251*); Martinez-Göllner, S. 38, 40; HeckmannDMA, *Nr. 2/1440.*

———

Ms. Mus. 272.

Dt. Lt. Tab. 3. Viertel des 16. Jh.

86 fol. Unbeschrieben f. 2r, 18v–44r, 46v, 47r, 86v; f. 3r (nur Lin. als Rahmen für die Tab.-Systeme). 20,6×28 cm. F. 78 ist eingeheftet und zu Nr. *65* (moderner Zählung) als Fortsetzung gehörig, abweichendes Papier, Format 16,2×28,3 cm, gleicher Schreiber, Klebespuren auf f. 79v, linker Rand in entsprechender Länge des Einlageblattes (Höhe ca. 16 cm). Für 6chörige Laute. Titel: f. 1r *Wallisch Danntz / Diskannt.* F. 1v von gleicher Hand als Überschrift: *Register* (Angaben fehlen). Tab.-Teil f. 2v–18r, 44v–46r, 47v–86r. Am Schluß des Volumens sind Falze von 10 herausgeschnittenen Blättern sichtbar. Die originale Heftung ist unversehrt. Keine Besitzvermerke. 1 Schreiber. Augenscheinlich nicht mit den unter Ms. 266 genannten Haupt- und Nebenschreibern identisch. Dunkelbrauner Lederband der Zeit, Deckel und Buchrücken mit reicher Blindpressung (Vorder- und Rückdeckel mit abweichendem Muster), Wurmschaden. Vorderdeckel innen jüngere Eintragung J.J. Maiers

(Übersicht der im Ms. auftretenden Satzformen, wobei 69 Sätze, hierunter 2 als Fragment, gezählt werden). – Moderne Numerierung der Sätze (1967): *1–68.* (Freie Instrumentalsätze, Tänze, ital. Madrigale, frz. Chansons, lat. Motetten.)

Literatur: WolfH II, S. 50; BoetticherL, S. 343 [21] (*Ms. Mü 272*); Maier, S. 148 (*Nr. 253*); DorfmüllerS, S. 41f.; GombosiG, S. 128f.; HeckmannDMA, *Nr. 2/1441.*

Ms. Mus. 504.

Frz. Lt. Tab. 6 Lin. für Mandora. Mitte des 18. Jh.

42 fol., zuzüglich je 1 jüngeres Vorsatz- und Nachsatzbl. (leer). Jüngere Paginierung (J.J. Maier) *1–82*, hierbei pag. 67 und 74 doppelt gezählt, so daß sich irrig für das Volumen 1 Bl. zu wenig ergibt. Unbeschrieben f. 42v. 30,4 × 20,1 cm. Titel: f. 1r *LIBRO / DELLA MANDORA / E / Fundamento della Mand:* F. 1v bayerisches Wappen. Traktat: f. 2–6, beginnend *Die Allerkürzest und gewißeste Art, zu erlehrnung der Mandora bestehet darinnen, das man die Fundamenta und Grund-Sätze recht darvon faße* ... Es folgt mit intavolierten Beispielen eine Erläuterung der Mandora, der *Bundt*, der besonderen Vortragszeichen (‘ , ⌒ und ‿), rhythmischen Werte und Taktarten (Abschnitte I–VII). Tab.-Teil f. 7–42r. Besondere Überschriften mit figürlichen Leisten: f. 7r, 9r, 11v, 13v, 18v, 21v, 29v, 36v, z. T. mit Bezeichnung *Parthia* und nachfolgender Tonartangabe (s. unten). Ganzseitiger Titel jeweils f. 18r, 29r, 36r *Divertimento / per la / MANDORA.* F. 41v unten: *il fine / dell Libro della Mandora.* Am Schluß der Satzgruppen ist meist vermerkt: *il Fine della Parthia*, abweichend f. 21r: *il Fine della Synphonia.* Notenteil und theoretische Angaben setzen die 6saitige Mandora voraus. 2 Schreiber: A f. 7–17, 18v–21, 29v–31r, 36v–41, hellere Tinte; B. f 7r (Ergänzungen am Rand, Korrekturen am Schriftbild von A), 22–28, 31v–35, 42r, flüchtiger, möglicherweise etwas später als A. Jüngerer Pappband. (Freie Instrumentalsätze, Tänze, Aria.)

Literatur: Fehlend.

Ms. Mus. 1511 a. Früher Bibl. Johann Heinrich Herwart, Augsburg (bis 1586). Alte Signatur (f. 1r): *Mus. M.s. N = 71* (zuerst *74.b.* notiert, dann gestrichen und mit Tinte *71*; die Angabe der alten Sign. bei Halbig, S. 102 *74671* ist unrichtig).

Ital. Lt. Tab. 6 Lin. Um 1565–1567, Nachträge möglicherweise erst um 1570; Datierung Titel *1567.*

36 fol., zuzüglich 1 Vorsatzbl. (beschriftet) und 2 Nachsatzbll. (leer). 72 mit Tab. beschriebene Seiten. 15,2 × 2,16 cm. Für 6chörige Laute. Vorderdeckel außen orig. Beschriftung (Tinte, stark verblaßt und abgerieben): *Jacopo Gor-*

zanis ae Trieste, darunter (Tinte, jünger): *Tabulatur*. Originaler Titel: f. 1r *LIBRO DE INTABVLATVRA DI LIVTO / nel qualle si contengano vinti quatro passa mezi dodeci per be molle et / dodeci per be quadro sopra dodeci chiaue. nouamente composte con alcune / napollitanae De Jacomo Gorzanis Lautanissta citadino de la mag:*[nifi]*ca / citta de trieste: etc. Del mille et cinq*[ue] *cento et sasanta sette. Anni.* Widmung f. 1v *AL MOLTO MAGNIFICO SIGNOR ODORICO / erbert patron suo sempre osseruandissimo etc. / Della Signoria Vosstra' seruitore' Jacomo Gorzanis / Lautanista d*[e] *Trieste.* Widmungsempfänger ist Udalricus Herwart, 1575–1584 Mitglied des Kleinen Rats zu Augsburg. Auf venezianisch-triestinischen Dialekt verweisen im Titel u. a. *sasanta, contengano, vinti*. Das Ms. dürfte eine Kopie des eigentlichen Widmungsexemplars des blinden G. Gorzanis an U. Herwart sein, was bereits Halbig, S. 103 richtig vermutet. Die Annahme bei SlimK, I, S. 219, Anm. 6, es handele sich um ein Autograph Gorzanis', ist nicht zu bestätigen (G. war blind). 2 Schreiber, hierunter (= Nachträge) der unter Ms. 266 genannte Hauptschreiber C, wahrscheinlich erst um 1570. Roter Pergamentband der Zeit mit den Stümpfen von 2 Stoffschnüren als Schließen. Vorderdeckel innen aufgeklebt Exlibris *Ex Bibliotheca . . . Bauariae Ducum*, ferner neuere Eintragung J. J. Maiers: *Autograph: Gorzanis, Jac. Tabulaturbuch für Laute 1567. Enthält: 24 Passemezzi e Saltarelli, 7 Villanellen, 1 Ricercar. Von fremder Hand sind eingeschrieben 3 Villanellen, 1 Ricercar.* – Moderne Numerierung der Sätze (1967): *1–56*. (Freie Instrumentalsätze, Tänze, ital. Madrigale.)

Literatur: WolfH II, S. 70; BoetticherL, S. 344 [23] (*Ms. Mü 1511, a*); EitnerQL IV, S. 309 (Art. *G. Gorzanis*); Maier, S. 146 (*Nr. 245*); Halbig, S. 102ff. (mit einem Verzeichnis der musikalischen Incipits S. 105–116); Reichert, S. 428ff.; Boetticher, Art. *G. Gorzanis*, in MGG V, S. 534f.; Martinez-Göllner, S. 36f., 40; SlimK I, S. 219f.; HeckmannDMA, *Nr. 1/1580*. Ferner Tonazzi, S. 48f.; TonazziL, S. IVff.; HarwoodGG, S. 655.

Ms. Mus. 1511[b]. Früher Bibl. Johann Heinrich Herwart, Augsburg (bis 1586). Alte Signatur (Vorderdeckel innen): *Ms. Mus. 11. N = 68.*

Ital. Lt. Tab. 6 Lin. Um 1570–1575.

25 fol., zuzüglich 1 Vorsatzbl. (beschriftet). Unbeschrieben f. 24v (nur Lin.). 16,5×21 cm. Für 6chörige Laute. Orig. Index: Vorsatzbl. Ir, Iv. 1 Schreiber. Augenscheinlich nicht mit einem der unter Ms. 266 genannten Haupt- und Nebenschreibern identisch. Jüngerer hellgrauer Pappband, Reste von 1 Lederschnüre zum Schließen. Vorderdeckel außen: *Tabulatur*, innen: *Tabulatur*, hierzu ergänzende Eintragung J. J. Maiers: *Lauten-* und: *57. italienische Taenze u. Tanzlieder*. Vorderdeckel innen eingeklebt Exlibris *Ex . . . Bibliotheca . . . Bauariae Ducum*. — Moderne Numerierung der Sätze (1967): *1–57*. (Freie Instrumentalsätze, Tänze, ital. Madrigale, ital. und span. Satztitel.)

Literatur: WolfH II, S. 70; BoetticherL, S. 344 [23] (*Ms. Mü 1511, b*); Maier, S. 145 (*Nr. 244*); Martinez-Göllner, S. 36f.; HeckmannDMA IV, S. 115, *Nr. 1/1718*.

Ms. Mus. 1511^{c}. Früher Bibl. Johann Heinrich Herwart, Augsburg (bis 1586).

Ital. Lt. Tab. 6 Lin. Um 1555–1580.

19 fol., zuzüglich je 1 neueres Vorsatz- und Nachsatzbl. Unbeschrieben f. 15r; f. 2v, 5r, 14v, 19v (nur Lin.). 16,2×22,6 cm. Für 6chörige Laute. F. 15v ein für die Tab. wohl unbezeichnender, abbrechender Widmungstext. Unbeschnittenes Bütten. Je nach Schreiber und Papierbeschaffenheit besteht die Hs. aus verschiedenen Faszikeln: *1* f. 1–11, *2* f. 12–15 (Blätter waren ehedem in Mitte gefaltet), *3* f. 16–19. Die Blätter von Fasz. *1* wurden mehrfach verheftet, so daß die Reihe der Sätze gestört erscheint. Der Codex ist erst um die Mitte des 19. Jh. aus verschiedenen Einzelbll. und Bogen zusammengebunden worden. F. 3v und 4r Versuch einer stimmenmäßigen Absetzung eines 5stimmigen Vokalmodells in Tab. zu 5 6-Lin.-Systemen, jedes System für 1 Stimme, partiturähnlich untereinander, mit durchgehenden Tab.-Strichen (Taktstrichen). 4 Schreiber, hierunter die unter Ms. 266 genannten Hauptschreiber B und F. Die Notierungen des Schreibers B sind wohl die ältesten, gefolgt von Schreiber F. Lin. vorgedruckt f. 1–11, ohne Rastral f. 12–14, mit Rastral f. 15–19. Die Sätze f. 16r, 16v, 17r, 18r sind (alt) mit Tinte durchgestrichen. Schreiber A wahrscheinlich der jüngste der Reihe, im Gegensatz zu Schreiber B–D sehr ungeübt, wohl Schülerschrift (zahlreiche Korrekturen), er ist wahrscheinlich identisch mit Schreiber D von Ms. 1511^{d} und mit dem Schreiber von f. 116r, 117r, 118 in Ms. 266. Jüngerer heller Pappband. Vorsatzbl. Iv Neuere Eintragung von J. J. Maier: *Lautentabulatur. 11 Motetten u. 1 französisches Lied nebst 8 unbetitelten Musikstücken.* – Moderne Numerierung der Sätze (1967): *1–10.* (Frz. Chanson, lat. Motetten.)

Literatur: WolfH II, S. 70; BoetticherL, S. 344 [23] (*Ms. Mü 1511, c*); Maier, S. 145 (*Nr. 243*); Martinez-Göllner, S. 36, 39f., 42, 44; HeckmannDMA IV, S. 115, *Nr. 1/1719.*

Ms. Mus. 1511^{d}. Früher Bibl. Johann Heinrich Herwart, Augsburg (bis 1586).

Ital. Lt. Tab. 6 Lin. Um 1555–1580.

22 fol., zuzüglich je 1 neueres Vorsatz- und Nachsatzbl. Abweichende Formate: Faszikel *1* f. 1–3, *2*, f. 4–7, *4* f. 14–17, 17,3×24,5 cm; Faszikel *3* f. 8–13, 15,3×22,2 cm; Faszikel *5* f. 18–21, 16×20,5 cm; f. 22, 15,7×20,3 cm. Für 6chörige Laute. F. 1–21 unbeschnittenes Bütten, f. 22 beschnitten, in Blattmitte frühere Faltung erkennbar. Unbeschrieben f. 9v, 13 (nur Lin.). F. 22v Schriftprobe, quer, Schönschrift: *Dem ersamen weisen hans* (möglicherweise Bezug auf den ehemaligen Besitzer des Ms., Johann [Heinrich] Herwart). Der Codex ist erst um die Mitte des 19. Jh. aus verschiedenen Einzelbll. und Bogen zusammengebunden worden. 6 Lin. f. 8–13 vorgedruckt, f. 1–7, 14–22 mit

Rastral. Alte Durchstreichung der Sätze f. 4r, 4v, 5r, 6r, 6v, 7r, 7v, 10r, 10v mit Tinte. 9 Schreiber, hierunter die unter Ms. 266 genannten Hauptschreiber B und F. Die Notierungen des Schreibers B sind wohl die ältesten, gefolgt von Schreiber F. Übereinstimmung zweier Nebenschreiber mit ebensolchen in Ms. 267 bzw. 266. Jüngerer heller Pappband. Vorsatzbl. Ir neuere Eintragung J. J. Maiers: *Lautentabulatur. 11 französische Lieder, 8 Taenze und 3 Recercar, nebst 3 unbenannten Stücken. 25 Stücke.* – Moderne Numerierung der Sätze (1967): *1–25.* (Freie Instrumentalsätze, Tänze, frz. Chansons, ital. Satztitel.)

Literatur: WolfH II, S. 70; BoetticherL, S. 345 [23] (*Ms. Mü 1511, d*); Maier, S. 145 (*Nr. 242*); Martinez-Göllner, S. 36, 39f., 42; SlimM 1965, S. 125; HeckmannDMA IV, S. 115, *Nr. 1/1720.*

Ms. Mus. 1512.

Dt. Lt. Tab. um 1533 bis 1550–1560, Hauptteil 1544–1545, Datierungen 1533 und 1544.

71 fol., zuzüglich je 1 altes Vorsatz- und Nachsatzbl., außerdem 1 (jüngst vom Deckelinnern abgelöstes) altes Titelbl. Unbeschrieben f. 2v sowie das Nachsatzbl. Iv, auf dessen Vorderseite der Tab.-Teil abschließt. Vorsatzbl. nur neuere Beschriftung (s. unten). 15,5×21,3 cm. Für 6chörige Laute. Auf dem abgelösten Titelbl. Vorderseite Mitte erkennbar: *Lauttenpuechl / Anno & 33,* und rechts unten: *Adi des 7 tag Julij / Anno D*[omini]. *33.* Auf der Rückseite ebenfalls Mitte und unten rechts Beschriftung, die jedoch durch alte Rasur (mit Perforation des Papiers) nur noch erkennen läßt: *Angefangen ... 44.* Mithin war noch 1544 das Ms. im Besitz des Hauptschreibers. Papier mit Wasserzeichen: Traube mit durchgehendem Stiel [fast identisch mit Briquet Nr. 13019 und 13018, daher schweizer. Herkunft, 1534, 1524 in Salzburg nachgewiesen]. F. 1r Abbildung, Überschrift: *Der kragen auf / die Lautten etc.*, mit den Zeichen in Dt. Lt. Tab. Traktat: f. 1v, ohne Überschrift *Zu dem ersten, wie man die Mensur versteen solt, die vber di Puechstaben ...*, f. 2r Übersicht der Notenwerte und Taktarten. F. 28r Überschrift *Die Lautten Ziechen vnd / Richten lernen etc.*, f. 28v 3 Absätze, überschrieben *Die Saiten ...*, *Also mach die Pundt ...*, *Also besait die / Lauten.* Zwischen f. 44 und 45 (Satz Nr. 60 und 61) ist seit langem 1 Blatt herausgerissen, so daß von 1 Satz nur der Schluß überliefert ist. Zwischen f. 17 und 18 ist analog 1 Blatt entfernt (Stumpf noch sichtbar); weitere ältere Dezimierungen des Kodex sind möglich. Wahrscheinlich nur 2 Schreiber (Maier, S. 145 rechnet mit 3 Schreibern): A f. 1–69 (Satz-Nrn. 1–101), B. f. 70, 71 (Satz-Nrn. 102–104). Hinter sämtlichen Sätzen erscheint das Monogramm *H. D.* (jeweils nach Satzgattung in dt. oder in lat. Buchstaben), auch nach den Spielanweisungen, von der Hand beider Schreiber. Es ist nicht, wie Wolf, S. 50 voraussetzt, der Besitzvermerk, auch scheidet *Hans D. von Mentz* (vgl. Ms. München 267 und Ms. Paris Rés. 429) aus, da das Ms. bayerische Provenienz verrät, hierzu vgl. DorfmüllerS, S. 18f., der

überzeugend das Intavolatorzeichen vermutet, wahrscheinlich von A, während Schreiber B dessen Schüler gewesen sein könnte (s. unten). Das andere Monogramm *F. S.* bedeutet *Frantzosisch Stuckh*, da nur bei Chansons auftretend, und zwar dann, wenn die Gattungsbezeichnung nicht ausgeschrieben wurde. Dunkelbrauner Lederband der Zeit, Buchrücken restauriert, Deckel mit reicher, nur noch blinder Pressung; Goldschnitt (fehlt fast gänzlich). Vorderdeckel Mitte eingepreßt Supralibros, fast gänzlich abgerieben, identisch mit der Stempelplatte vom Einband Ms. Berlin 40632 (Nachweis DorfmüllerS, S. 15 und Geldner, S. 298ff.), demnach das Wappen des bayerischen Herzogs Wilhelm IV. enthaltend, mit der Jahreszahl *1528*, die bei vorliegendem Ms. nicht mehr erkennbar ist (Herzog Wilhelm IV. † 1550, seine Gattin Markgräfin von Baden † 1580). Zusammenfassende Zeitlage: Nr. 1–4 um 1533, Nr. 5–101 um 1544–1545, Nr. 102–104 wahrscheinlich erst 1550–1560. Möglicherweise Nr. 3 und 4 vom gleichen Schreiber in größerem Abstand (1545). Aus dem herzoglichen Milieu der Münchener Hofhaltung, was auch durch den hohen Anteil von Liedbearbeitungen L. Senfls (anonym) bezeugt wird, der 1523–1543 in München wirkte. Vorsatzbl. Ir mit neuerer Eintragung J.J. Maiers über den Inhalt des Ms.: *Lautentabulaturbuch . . .* – Moderne Numerierung der Sätze (1967): *1–104.* (Freie Instrumentalsätze, Tänze, ital. Madrigale, frz. Chansons, dt. Liedsätze, lat. Motetten.)

Literatur: WolfH II, S. 50; BoetticherL, S. 342 [21] (*Ms. Mü 1512*); Maier, S. 145 (*Nr. 241*); DorfmüllerS, S. 15ff. (mit besonderer Würdigung des Ms.); Geldner, S. 298ff.; WolfI, S. 176; Dieckmann, S. 106 (die dt. Tänze betreffend); Koczirz-Nowak, S. 107; Stevens, S. 257; HeartzH, S. 22f.; GombosiH, S. 53f.; BoetticherHe, S. 14; RadkeSL, S. 65ff.

Ms. Mus. 1522.

Ital. Git. Tab. mit Alfabeto und verschiedenen Lin.-Systemen. Um 1660.

52 fol., zuzüglich 1 Vorsatzbl. (leer) und 5 Nachsatzbll. (I–IV leer). Unbeschrieben f. lv, 2v, 3v, 4v, 5v, 6v, 7v, 8v, 21r, 26v, 28v–52 (nur Lin.) 11,3 × 20,2 cm Ausschließlich Tab. Für 5saitige Gitarre. Nachsatzbl. Vv Besitzvermerk: *H. M. Adelaida di Sauoya / Elletrice di Bauera* [1636–1676, 1652 vermählt mit dem bayer. Kurfürsten Ferdinand Maria]. Verschiedene Tab.-Arten: I. 1 Lin. mit *golpes* und *Alfabeto*, ohne *Punteado* f. 1–8, jeweils Vorderseite; II. Git. Tab. 5 Lin. für *Punteado*, ital. System mit Ziffern, verbunden mit *Alfabeto* f. 9v–25v, 27r; III. Nur *Alfabeto*, im 5 Lin.-System f. 26r, 27v, 28r. F. 9r Übersicht: *Alfabet della Chitarra*, mit der Reihe großer und kleiner Buchstaben: *A B C D e f g H J K L m n o P q r S t V Z.* Im Notenteil wird fast ausschließlich eine Reihe kleiner Buchstaben verwendet. 1 Schreiber, der das *Punteado* selbst bei der Tab.-Art II z. T. nur sehr spärlich verwendet. Hellbrauner Lederband der Zeit, Deckel mit reicher Goldpressung (Randleisten und Rosette in der Mitte); Buchrücken stark defekt, aber die originale Heftung unversehrt, Vorderdeckel innen neuere Eintragung J. J. Maiers: *Tabulaturbuch für Guitarre. 50 Taenze...*

– Moderne Numerierung der Sätze (1967): *1–50*. (Freie Instrumentalsätze, Tänze, ital. Satztitel.)

Literatur: WolfH II, S. 215; BoetticherL, S. 357 [35] (*Ms. Mü 1522*); Maier, S. 148 (*Nr. 254*); Heckmann DMA, *Nr. 2/1442*.

Ms. Mus. 1627.

Ital. Lt. Tab. 6 Lin. und Dt. Lt. Tab. Unterschiedliche Zeitlage: Um 1570 bis Anfang des 17. Jh.

35 fol., zuzüglich je 1 neueres Vorsatz- und Nachsatzbl. (leer). Unbeschrieben f. 17r, 23v; f. 22v, 23r (nur Lin. als Rahmen für dt. Lt. Tab.). Gemäß Papierbeschaffenheit, Schreiber, Tab.-Art, Zeitlage 3 Faszikel, mit abweichenden Formaten: *1* = f. 1–16 27,5×20,5 cm (f. 5 28,5×20,5 cm, am unteren Rand gefaltet); *2* = f. 17–23 27,7×19,2 cm; *3* = f. 24–35 27,5×19 cm. Faszikel *1* Ital. Lt. Tab. um 1580; *2* = Dt. Lt. Tab. Anfang des 17. Jh.; *3* = Ital. Lt. Tab. 3. Viertel des 16. Jh. Keine Datierung der Niederschrift (s. unten). Für 6chörige Laute. Durchstreichung von Seiten (f. 26r, 26v, 27r, 27v, 28r, 28v, 29r, 29v, 30r, 30v, 31r), Ergänzungen von gleicher Hand (f. 26v), Streichungen von Tab.-Takten (f. 24v etc.). Der Codex ist erst Mitte des 19. Jh. aus verschiedenen Faszikeln zusammengebunden worden. 3 Schreiber: Faszikel *1* A (sauber); *2* B; *3* C (flüchtig). Stark unterschiedliche Tinte, Feder. Schreiber A ist identisch mit dem unter Mss. 266 und 2987 genannten Hauptschreiber A (vgl. auch Ms. Paris, Bibl. nat., Rés. 429). Jüngerer Pappband mit Leinenrücken, Vorderdeckel außen Etikett mit Beschriftung durch J.J. Maier: *Lautentabulatur*, Vorderdeckel innen von der gleichen Hand: *31 Stücke. Chansons, Villanellen, Tänze, Motetten*. Einer neueren Bleist.-Notiz (ibid.) zufolge war Faszikel *1* vorher Hs. Anhang zum Druck S. Kargel, *Novae, elegantissimae gallicae item et italicae cantilenae* . . ., Straßburg 1574, Faszikel *2* vorher Hs. Anhang zum Druck B. Schmid, *Tabulatur Buch* . . ., Straßburg 1607, vgl. beide Volumen mit der Sign. Mus. 2° 107 und Mus. 2° 206 (sie wurden 1861 als Dubletten an die Staatsbibl. Berlin abgegeben und sind dort seit 1945 verschollen). – Moderne Numerierung der Sätze (1967): *1–31*. (Freie Instrumentalsätze, Tänze, ital. Madrigale, frz. Chansons, lat. Motetten, dt. Liedsatz.)

Literatur: WolfH II, S. 70; BoetticherL, S. 352 [30] (*Ms. Mü 1627*); Maier, S. 147 f. (*Nr. 252*); BoetticherLZ I, S. 831; DorfmüllerS, S. 42 f.; EitnerQL VII, S. 189, Art. *M. Neusiedler*; Martinez-Göllner, S. 41; SlimM 1965, S. 126.

Ms. Mus. 2986. Früher Bibl. Johann Heinrich Herwart, Augsburg (bis 1586).

Ital. Lt. Tab. 6 Lin. Um 1580, Ergänzung möglicherweise etwas später.

2 fol. Unbeschrieben f. 1r, 2v. 31,5×22 cm. Für 6chörige Laute. Es handelt sich um 1 Doppelblatt (unbeschnittenes Bütten), auf dem links (= f. 1v)

1 Satz in Tab., 5 Systeme, Lin. ohne Rastral, flüchtig aufgezeichnet ist, während derselbe Satz rechts (= f. 2r) in gew. Notenschrift in Partitur zu 4 Stimmen in 2 Systemen (1 Violin-, 3 *c*-Schlüssel) erscheint, wobei nicht auszuschließen ist, daß die Partitur-Fassung (sorgfältig) von dem gleichen Schreiber etwas später hergestellt worden ist. Da auf beiden beschrifteten Seiten das untere Viertel freigelassen worden ist, dürfte es sich um ein altes Einzelblatt handeln (Falzung modern), das bei der Neubindung der Münchener Hss. 266, 267, 1511^{c,d} zur Mitte des 19. Jh. wegen abweichenden Formats für sich geblieben ist. Vgl. hierzu Ms. 2987. 1 Schreiber. Augenscheinlich mit einem der Nebenschreiber des Ms. 266 übereinstimmend. Jüngerer Pappband mit Leinenrücken. Vorderdeckel innen kurzer Vermerk J.J. Maiers über den Inhalt des Ms. (Frz. Chanson.)

Literatur: BoetticherL, S. 345 [23] (*Ms. Mü 2986*); Maier, S. 145 (*Nr. 240*); Martinez-Göllner, S. 36, 39f., 44.

Ms. Mus. 2987. Früher Bibl. Johann Heinrich Herwart, Augsburg (bis 1586).

Dt. Lt. Tab., Frz. Lt. Tab. 5 Lin., Ital. Lt. Tab. 6 Lin. Um 1565–1585.

13 fol., zuzüglich je 3 Vorsatz- und Nachsatzbll. (leer). Unbeschrieben f. 6v, 7v, 8v, 11. Verschiedene Faszikel und Formate: Hauptformat Fasz. *1* f. 1–6, Fasz. *2* f. 8–11 34 × 23,5 cm; f. 7 und Fasz. *3* f. 12, 13 in etwas kleinerem Format. Für 5- und 6chörige Laute. Der Codex ist erst bei Neubindung Mitte des 19. Jh. in seiner jetzigen Zusammensetzung entstanden. Vgl. a. unter Ms. 2986. F. 1–6 ist Orgeltab. Der Rest des Ms. ist in 3 unterschiedlichen Systemen für Laute aufgezeichnet: I. Dt. Lt. Tab. mit waagrechten Lin. zur Kennzeichnung des 4stimmigen Satzes f. 7r; II. Frz. Lt. Tab. 5 Lin. ohne Rastral f. 8r, 9, 10; III. Ital. Lt. Tab. 6 Lin. mit Rastral f. 12, 13. Überwiegend unbeschnittenes Bütten; f. 12, 13 beschnitten. 3 Schreiber, hierunter die unter Ms. 266 genannten Hauptschreiber A und B. Die Vermutung J.J. Maiers, S. 148, es handele sich um ein Autograph J.H. Herwarts, ist nicht zu bestätigen. Die Notierungen des Schreibers B sind wohl die ältesten, und zwar nicht nur im ital., sondern möglicherweise auch in frz. Tab.-Teil. Jüngerer dunkelbrauner Pappband mit leerem ovalen Etikett. – Moderne Numerierung der Sätze (1967): *1–37*, hiervon in Lt. Tab.: *10–37*. (Freie Instrumentalsätze, Tänze, ital. Madrigal, frz. Chansons.)

Literatur: WolfH II, S. 50, 70, 104; BoetticherL, S. 352 [30] (*Ms. Mü 2987*); Maier, S. 148f. (*Nr. 255*); Martinez-Göllner, S. 36, 39f., 42; HeckmannDMA, *Nr. 1/813*.

Ms. Mus. 3232[d]. Ältere Signatur (Vorderdeckel innen, 2 kleine Zettel aufgeklebt): *Z. Z. 2645* und *Cod. Lat. 26045*.

Frz. Lt. Tab. 6 Lin. Letztes Viertel des 17. Jh.

10 fol., zuzüglich 1 Vorsatzbl. (leer), 4 Nachsatzbll. (leer). Unbeschrieben f. 3–10r (nur Lin.). 12,5 × 29 cm. Für 11chörige Laute. Tab.-Teil: f. 1v–2. F. 1r

Zeichnung des Lautenkragens mit Angabe der Bünde mit großen lat. Buchstaben *B–K* und Übersicht der tieferen Saiten der 11chörigen Lt. Lin. schwarz, Buchstaben und rhythmische Zeichen der Tab. z. T. rot. Erläuterung des Zeichens , als *triler*. F. 1r Übersicht aller rhythmischen Zeichen von ganzer Note bis 32stel. 1 Schreiber. Pappband der Zeit Deckel mit bunt bedrucktem Papier (Rippenmuster) beklebt. (Freier Instrumentalsatz, Tänze.)

Literatur: Fehlend.

Ms. Mus. 5362.

Frz. Lt. Tab. 6 Lin. Um 1730–1740.

63 fol., zuzüglich 3 Vorsatz- und 2 Nachsatzbll. (leer). Unbeschrieben f. 1r. 17,6×25,5 cm. Für 11chörige Laute, vereinzelt 12- und 13chörige Laute. Streichungen von Tab.-Takten (f. 8r), Rasuren (f. 45r etc.). F. 1v: *Olim locuta Testudo. / Viva fui in Sylvis, tandem percussa Securi / Viva nihil dixi, mortua dulce cano.* Tab.-Teil f. 2–63. Lin., mit bräunlicher Tinte, Tab.-Zeichen und Satzbezeichnungen schwarz, Tonartangaben von einigen einzelnen Sätzen und von Satzgruppen (Suiten) rot. 1 Schreiber (sorgfältig). Dunkelbrauner Lederband der Zeit, Vorder-, Rückdeckel (Rand) und Buchrücken mit Goldpressung. Deckelinneres, Vorderseite des 1. Vorsatzbl. und Rückseite des 2. Nachsatzbl. mit bunt marmoriert bedrucktem Papier beklebt. – Moderne Numerierung der Sätze (1967): *1–123*, ohne Zählung der Alternativsätze. (Freie Instrumentalsätze, Tänze, Airs, ital. und frz. Satztitel.)

Literatur: Klima-RadkeWW, S. 437 (unrichtig als verschollen geführt).

Ms. Mus. 9516. Eingangs-Nr. *74/80070*. 1973 erworben aus dem Nachlaß von Prof. Otto Ursprung, München (Vorderdeckel innen Exlibris O. Ursprung); vordem Haldenwang bei Zusmarshausen (Schwaben), Pfarrbibliothek.

Ital. Lt. Tab. 6 Lin. Um 1575–1590.

11 fol. Alle S. beschrieben. 18,5×25 cm. Tab.-Teil: f. 1–11. Für 6chörige Laute. Neuere Foliierung und Satznumerierung (Bleist.). Vor f. 1 fehlen 3 Lagen zu je 4 Doppelbll. (mithin ca. 24 Bll.), die wahrscheinlich mit Tab. beschr. waren (f. 1r ohne Satzbezeichnung in Satzmitte beginnend). Bindefäden dieses fast falzlos entfernten vorderen Teils noch vorhanden, auch lose, mit Tinte beschr. alte Falzreste. Nach f. 11 sind 6 Bll. der 2. Lage herausgerissen (kurze Falze), die wohl unbeschr. waren (Tab.-Teil f. 11v mit Doppelstrich abschließend). Mithin erhalten ca. ein Viertel des Volumens. Wasserschaden. 12 überwiegend bezeichnete Sätze. 1 Hauptschreiber (Satzende: *fl*), Nebenschreiber B blassere Tinte nur letzter Satz f. 11r, v (wahrscheinlich 5–10 Jahre später). Wasser-

zeichen nur zur Hälfte erkennbar (Stadtwappen von Landsberg ?). Pergamentband der Zeit, Rückenheftung (Lederbänder) außen unversehrt; 3 Stumpfpaare von ehem. 8 Lederbandschließen. Beschriftungsreste Vorderdeckel außen gänzlich verblaßt. (Freie Instrumentalsätze, Tänze, ital. Liedsatz.)

Literatur: Fehlend.

MÜNCHEN, UNIVERSITÄTSBIBLIOTHEK, HANDSCHRIFTENABTEILUNG

Ms. 4° Cod. ms. 718. Alte Sign. (Buchrücken, Tinte): Z 282; ältere Sign. (Vorderdeckel innen, Bleistift): Ms. V 44.

Dt. Lt. Tab. für Viola da braccio, da gamba und Laute. Um 1523, 1524; Datierung 1523, 1524.

153 fol., zuzüglich je 1 Vorsatz- und Nachsatzbl. (leer). Ältere Foliierung I, 1–93, 93a, 94–153 (mehrere Schreiber, Nachsatzbl. mitzählend). Mehrere S. unbeschrieben. 21,5×16 cm. Es handelt sich um ein Mathematik- und Tabulaturbuch, das f. 1–88r mathematische Arbeiten aus dem Kaufmannsstand (deutsch, Rechnungen, Textaufgaben) enthält. Tab.-Teile: I. f. 89v–91r, 92r, 95r (untere Blatthälfte abgerissen), 96–97, 101, 106–111r, 112, 113v–143 (f. 138 untere Blatthälfte abgerissen), 144v–151. Für Viola da gamba und da braccio (1stimmige Aufzeichnung). II. f. 152v–153. Für Laute (2stimmige Aufzeichnung). Streichungen: f. 121v (1 ganzer Satz, halbe Seite), 123r (dto.), 138v (dto.); Korrekturen: f. 152v. Sonderzeichen: 1 Pkt. über Tab.-Zeichen (f. 125v, 128r etc.). Keine Durchtextierung. Überschriften: f. 89r *Discantus Auff Der Geygenn*, analog mehrmals am Satzschluß: *Discant*[us], *Baß* (*Bassus*), *vagantt* (*Waganntus*), *Tenor*, *Alttus;* f. 125r *Tenor auff der Geygenn*, f. 138r *Bassus auff Der Geygenn*, f. 136r *Wagant*[us] *auff Der Geygenn* etc. *finis*-Vermerke. Datierungen: f. 116r *Discanntus auff Der Geygenn / Im 1524 Jar;* f. 123r *1524;* f. 127r *Tenor auff Der Geygenn / Im 1523 Jar;* f. 133r *Altus auf Der Geygenn* [doppelt ausgestrichen] / *Im 1523 Jar;* f. 133r *Tenor auff Der Geygenn / Im 1524 Jar. 1524* ist auch mit *Wagannt*[us] verbunden (f. 136r). F. 152r *Auff Der lautden / 1524.* Im nichtintavolierten Teil f. 68r (Schönschrift): *Finis Deo gracias / Jorg Weltzell / 1523* (Eigennamen zweimal). F. 153v: *76 fl 6 Batz* (nicht zur Tab. gehörig). Mehrere intavolierte Stimmen beginnen mit Pausen, auch: *19 paus* (f. 126r). F. 92v, 93r, 94r nur Lin., Diagramm. Papier mit Wappenfigur (Bär) der Stadt Bern. F. 93v gew. Notenschrift, verschmiert. F. 98–100 Solmisationstabellen auch für das Absetzen. F. 102v–104 Mensuraltraktat etc. F. 105 Rezepte zur Herstellung von Tinte, Firniß. Das umfängliche Repertoire (fast durchweg Satzbezeichnung) ist durch Konkordanz u. a. auf L. Senfl, M. Wolff, G. Schönfelder, B. Ducis, P. Hofhaimer, J. Wenck, H. Isaac zu bestimmen. Wohl aus Studentenkreis der Univ. Ingolstadt stammend. Vorsatzbl. Ir (Tinte): *Biblioth. Acad. Ingolst.;* f. 1r Stempel *Ad Bibl. Acad. Land* [Landshut]; ibid. *U.B.München.* 1 Schreiber (flüchtig). Hellblauer Pappband der Zeit. Buchrücken (Tinte, Schönschrift): *Rechenbuch / Discant*[us] /

auf der Geigen; Buchrücken vergilbtes Papier. (Tänze, Messenteile, lat., dt. Lieder in einzelnen Begleitstimmen bzw. zweistimmigem Satz.)

Literatur: Morrow, S. 160ff.; EinsteinG, S. 4ff., Gottwald, S. 55ff. (der älteren Foliierung folgend); WolfH II, S. 222f. Der Teil für Laute bisher ungenannt.

NEUILLY-SUR-SEINE, PRIVATBIBLIOTHEK GENEVIÈVE THIBAULT (COMTESSE DE CHAMBURE)

Ms. ohne Signatur. (I)

Ital. Lt. Tab. 6 Lin. Anfang des 17. Jh.

47 fol., zuzüglich 2 Vorsatzbll. (Iv, IIv leer), 2 Nachsatzbll. (Ir leer). Alle Seiten beschrieben. Orig. Foliierung *1–49* (Nachsatzbll. mitzählend), korrekt. Kein Tab.-Verlust. 14×21,5 cm. Tab.-Teil: f. 1–47. Für 6- und 7chörige Laute. Besitzvermerk: Vorsatzbl. Ir (flüchtig) *Questo libro sià di Zeacomo Zuccho in Crema;* daneben Additionen, Zeichnung von 3 Köpfen; eine unter dem Besitzvermerk schwer erkennbare Ziffernreihe ist offenkundig nicht als Datierung (1617) zu lesen. Titel: Vorsatzbl. IIr Schönschrift *DI GIO: GIACOMO ZVCHO / Jntabolatura di leuto di uarie sonate.* Orig. Index Nachsatzbl. Iv, IIr, er stimmt mit dem Tab.-Teil überein, führt aber die Satzbezeichnungen in abweichender, z. T. fehlerhafter Rechtschreibung (*Pas imezo*; *parte sconda* etc.). Nachsatzbl. IIv gekritzelte Tintenzeichnungen, z. T. Karikaturen (Köpfe, Männer mit Stab, Hut), Federproben mit fortlaufendem Alfabet etc. Besondere Vermerke: Tonartbezeichnungen *per b: molle*; *per b* ♮; ferner mehrfach: *2da parte farasti due volte* (analog *terza parte*), *Ripresa oltrascritta*, demgegenüber aber auch: *Ripresa del oltrascritto.* 1 Schreiber. Heller Pappband der Zeit. Vorderdeckel außen (Tinte, orig.): *DI Z* (wohl: *Zuccho*). Orig. Heftung unversehrt. (Freie Instrumentalsätze, Tänze, ital. Liedsätze.)

Literatur: Fehlend. Jüngst ThibaultC, S. 145f.

———

Ms. ohne Signatur. (II)

Ital. Lt. Tab. 6 Lin. Ende des 16. Jh. Ein inliegendes loses Blatt Anfang des 17. Jh.

23 fol., zuzüglich 1 Nachsatzbl. (leer). Unbeschrieben f. 2v, 23v (leer). 15,5×21,5 cm. Inliegend 1 loses Bl. aus anderem Faszikel, abweichendes Papier. 13,5×20 cm. Tab.-Teil: f. 1–2r, 3–23r; loses Bl.: f. 1r. Für 7chörige Laute. Das lose Bl. enthält 1 vollständigen Satz, auf der Rückseite: *ò quam pulcra es* (ohne Noten). Orig. Foliierung *1–23* (korrekt), kein Bl. entfernt. Korrekturen, Streichungen: f. 4v, 18r, 23r. Bei Satzbezeichnungen *in 2.° tuono; in 2.° t.°; in p.*[rim]° *tuono; in p.° t.°*; *p*[er] *b quadro* bei *Pass' e mezzo.* Fingersatz: 1 Punkt. Zerstörung des Papiers durch die Tinte. 1 Hauptschreiber, Nebenschreiber nur f. 22r untere Hälfte (abweichend rhythmische Zeichen mit

Köpfen); 1 weiterer Schreiber des losen Bl., wohl 10–15 Jahre später. Heller Pappband der Zeit. Vorderdeckel außen Zeichnung (Tinte) eines Offiziers mit Degen in der Scheide, mit Finger nach oben deutend; Rückdeckel außen sorgfältige Zeichnung (Tinte): Portrait, mit Halskrause. Vorder- und Rückdeckel innen, durch Heftung laufend, Zeichnung (Tinte) mit Silberstiftspuren: Kuppelbau (Kapelle), anschließende Fassade eines Palazzo. Heftung unversehrt. Wurmschaden. (Freie Instrumentalsätze, Tänze, ital. Liedsätze.)

Literatur: Fehlend. Jüngst ThibaultC, S. 145f.

Ms. ohne Signatur. (III) Zufolge Ex Libris Vorderdeckel innen Privatbibliothek Henry Prunières, Paris (bis 1944).

Ital. Lt. Tab. 6 Lin. für Chitarrone. Um 1626–1635; Datierung 1626.

32 fol., zuzüglich 1 Vorsatzbl. und 2 Nachsatzbll. (leer). 1 Vorsatzbl. herausgeschnitten (unbeschrifteter Falz). Alle Seiten beschrieben. 14,5 × 20 cm. Tab.-Teil: f. 1–32. Für 11saitige Chitarrone. Titel: Vorsatzbl. Ir in kunstvollem Rahmen (braune Tinte, Spuren von Silberstift) *Questo Libro è ad Vso* / [die folgende Zeile ist mit dunklerer Tinte, wohl etwas später, gänzlich gestrichen und unkenntlich gemacht] *1626.* Weiterer Titel: Vorsatzbl. Iv *Jntabolatura di Chitarone al* / *vso d'Jttalia & altre* / *Prouincie.* Korrekturen, Rasuren: f. 17v etc. F. 7r ist 1 System am rechten Rand vertikal ergänzt (6 Tab.-Takte). Angabe von *p.*[rim]*a*, *2.a*, *3.a* [parte]. 1 Schreiber, sorgfältig (Tab. und Titel). Heller Pappband der Zeit. Vorderdeckel außen Spuren von 2 Worten Beschriftung (Tinte). Heftung gelockert, aber unversehrt. (Freie Instrumentalsätze, Tänze.)

Literatur: Fehlend. Jüngst ThibaultC, S. 145f.

Ms. ohne Signatur (IV). Bis 1956 Antiquariat Leo S. Olschki, Florenz.

Ital. Lt. Tab. 6 Lin. Um 1515, einige Sätze wahrscheinlich 1508–1512. Fremde Eintragungen um 1590, nicht intavoliert.

42 fol. Orig. Foliierung, demnach 13 Blätter wahrscheinlich in älterer Zeit entfernt: f. *1–11*, *34*, *35* nach der alten Zählung; vermutlich wurden auch Blätter am Ende des Faszikels entfernt, Falze nicht mehr erhalten. Alle Seiten beschrieben. 16,3 × 22,7 cm. Für 6chörige Laute. Besitzvermerke und Titel fehlen, sie befanden sich wohl auf den verloren gegangenen ersten Blättern des Ms. F. 1–14 Solosätze für Laute, f. 23r–42 Begleitsätze für Laute. Papier Herkunft Venedig 1501 und Rom 1505 (Briquet Nr. 743, 748). F. 14v–22v fremde Eintragung einer *Canzon* von Giovanni Gabrieli um 1590. Im Tab.-Teil 1 Schreiber, venezianischer Provenienz: dialektisch *Zoveneti* statt *Giovinetti*, *Zonto* statt *Giunto* etc. F. 23v überschrieben: *Tenori da sonar e cantar sopra il lauto*, sowie nach Kreuzzeichen: *Pie Jesu protege.* Insgesamt 110 Sätze,

keine Fragmente. Einband der Zeit. (Freie Instrumentalsätze, Tänze, frz. Chansons, ital. Madrigale, lat. Motetten.)

Literatur: Thibault, S. 43ff., mit Faksimile von f. 39v, *Tafel I.* Hinrichsen 1959 XI, 1 Faksimile nach S. 48, plate *Nr. 35*; YongA, S. 211.

———

Ms. ohne Signatur. (V)

Ital. Lt. Tab. 6 Lin. Letztes Viertel des 16. Jh.

33 fol., zuzüglich je 1 Vorsatz- und Nachsatzbl. (jeweils beide Seiten literar. beschriftet). Unbeschrieben f. 17v, 23r, 25v–29r (nur Lin.). 16,5×22,5 cm. Tab.-Teil: f. 1–17r, 18–22, 23v–25r, 29v, 30v–33. Für 6- und 7chörige Laute. 3 Bll. sind herausgeschnitten: vor f. 8 1 Falz, vor f. 27 2 Falze, wohl kein Tab.-Verlust. Gew. Notenschrift fehlt. Korrekturen, Streichungen: f. 8v, 12v, 23v, 29v, 33v etc. F. 19 ist in oberer Hälfte defekt (Tab. beeinträchtigt). *finis*-Vermerke. Fingersatz: 1 Punkt. Mehrmals *seconda parte* u.ä. Es sind auch ital. Madrigaltexte ohne Bezug auf die Tab. aufgezeichnet (f. 30r etc.), analog Vorsatzbl. Iv (rime), Nachsatzbl. Ir, Iv, beginnend mit Gedicht *Amor ecco*, überschrieben *Amante* (Dialog, nach 4 Zeilen: *Amore*). Auf mehreren Seiten ist der Text strophisch auf der unteren Hälfte notiert, darüber die zugehörige Tab. (diese jedoch ohne Durchtextierung und ohne Satzbezeichnung). *Passa mezo* mit *primo tornello*. Längerer Widmungstext Vorsatzbl. Ir (sehr flüchtig, Tinte), beginnend: *Car*[issi]*mo* *S.r Martino Jo o* . . ., die anschließenden 12 Zeilen sind bekritzelt oder durch Ausstreichen unleserlich gemacht. 1 Hauptschreiber, mindestens 2 Nebenschreiber. Pergamentband der Zeit, Reste von 2 Lederschließen. Vorderdeckel außen (Tinte, sehr stark verblaßt): *Questo Libro è di Martino.* Vorderdeckel innen auf angeklebtem Schmutzbl. (Tinte, untereinander) Nameneintragungen, nicht auf Tab. bezüglich (*Ascoli*, *Saxo*, *Cusano*, *Sansenio* etc.). Wasserschaden. Heftung unversehrt. (Freie Instrumentalsätze, Tänze, ital. Liedsätze.)

Literatur: Fehlend. Jüngst ThibaultC, S. 145.

———

Ms. ohne Signatur. (VI) Ältere Signatur (Vorderdeckel innen, Bleistift, durchgestrichen): *367/21.*

Frz. Lt. Tab. 6 Lin. Um 1663–1670. Im vorangehenden nichtintavolierten Teil eines *Liber Amicorum* mehrmals Datierung 1663, mit Ortsangaben Freiburg (Breisgau).

273 fol. Unbeschrieben f. 138–144r, 159v, 160r, 167v, 168r, 169v, 170r, 176v, 177r, 178v, 179r, 181v, 182r, 223–259r (nur Lin.); f. 1–5, 6v, 7v–28, 29v–30, 31v, 32v–56, 57v, 259v–273 (leer). 9×14,5 cm. Tab.-Teil: f. 59–137. Für 11- und 12chörige Laute (bis *////a* und */////a*). Ab f. 145r gew. Notenschrift (Klavier), hierzu Titel f. 144v: *ARIA / Augustissimi ac Jnuictissimi Jmperatoris / FERDINANDI III. / XXXVI modis variata, ac pro / Cimbalo accommodata. /*

à / Wolffgango Ebner Eiusdem / Sac: Caes: M.tis Camera Organista / Augustano. W. Ebner, † 1665, veröffentlichte das hier kopierte Werk Prag 1648. Dem Tab.-Teil gehen Eintragungen voraus, demzufolge das Volumen zunächst als *Liber Amicorum* diente. Widmungsempfänger ist einheitlich *Joannes Dauid Keller à Schlaittheim* (so f. 6r in der Adresse des *Wilhelm Jacob Rinck à Baldenstein, Cathedralis Eccl*[es]*ia Basileensis Decanus*, mit Datum *Friburgi Brisgojae 31. Augusti Anno Dni 1663.* Als weitere Freunde trugen sich ein (z. T. mit bunten, aus Bandrollen gebildeten Kartuschen und jeweils mit Farben ausgestatteten Wappen des Eintragenden): Johann Dietrich Nagel von der Belten Schönenstein, Franz Werner Segesser, Heinrich Franz Stürtzell von und zu Buechheim, Franz Rudolf Streitt von Immendingen zu Winterbach und Franz Michael Neuen. Auch Segesser und Stürtzell datieren *Freiburg Br. 1663.* Der Tab.-Teil wird f. 58r eingeleitet mit dem Spruch: [Horat. Carm. lib. 1. Ode 32] / *O decus Phoebi & dapib*[us] *supremi / Grata Testudo Iouis, O laborum / Dulce lenimen, mihicunq*[ue] *salue / Ritè vocanti.* F. 58v sorgfältige Zeichnung (Tinte) einer Knickhalslaute, mit Bezeichnung der Bünde *a–m*, 10 Saiten (alle über Griffbrett führend). F. 59r und 59v Angaben in Tab. zur *Lauten Stim*[m]*ung*, hier für 12chörige Laute. In einer Übersicht werden in laufender Numerierung 9 Stimmungen dargestellt. F. 60r Beginn der Sätze in Tab. Weitere *L'Accord*-Angaben f. 136v. Streichungen größerer Abschnitte in Tab.: f. 96r, 106r; Rasuren: f. 101r. Fingersatz: 1–4 Punkte. Striche am Satzende z. T. mit Rötel verstärkt. Sätze u. a. als *Contre partye* am Schluß bezeichnet (f. 136r), d. h. für zweite Laute bestimmt. Vor f. 30 1 Bl. entfernt (Falz). Auf die Kopie der Aria W. Ebners folgt in gew. Notenschrift ab f. 182v eine Gruppe frz. und ital. Lieder bzw. -sätze, z. T. durchtextiert, Begleitsatz anfangs in unterem System freigelassen. Nichtintavolierte Teile des Ms. wahrscheinlich etwas später als Tab., von anderer Hand. 1 Schreiber, deutscher Provenienz, aber wohl in Frankreich aufzeichnend (überwiegend frz., namentlich Straßburger Repertoire). Neuer Besitzvermerk: Vorderdeckel innen *Henricus Rinck a Baldenstein / Friburgi 1880.* Mittelbrauner Lederband der Zeit mit reicher Goldpressung auf Deckeln und Buchrücken (Randleisten, Rosetten), Buchrücken defekt. Goldschnitt mit Musterung auf Heftungsseite. Wurmschaden. (Freie Instrumentalsätze, Tänze, Air, Liedsatz.)

Literatur: Fehlend. Das Ms. wurde angeboten im Verst.-Kat. Enchères, Basel, 21.–22. März 1961, S. 14f., als *Nr. 160*, dort S. 5 1 Faksimile von f. 59r. Das Ms. ist identisch mit dem gelegentlich zitierten *Ms. ehemals Wien, Privatbibliothek Dr. J. Pölzer*, auf das sich RadkeSTR, S. 1610 und RollinBC, S. XXVII, beziehen. KlimaD, Einleitung.

Ms. ohne Signatur. (VII) Früher Privatbibliothek A. Poliński (Stempel Vorsatzbl. Ir *Z Księgozbioru Aleksandra Polińskiego*).

Frz. Lt. Tab. 6 Lin. 2. Jahrzehnt des 18. Jh. Datierung Vorsatzbl. 1712. 50 fol., zuzüglich 1 Vorsatzbl. (leer). Unbeschrieben f. 17v, 18r, 23v–25r, 27r, 49, 50 (nur Lin.). 21×27,5 cm. Tab.-Teil: f. 1–17r, 18v–23r, 25v–26, 27v–48.

Für 11chörige Laute (bis „*4*"). Fast ausschließlich Solosätze, nur f. 29v–38 Tab. als Stimme einer Partitur, die sonst in gew. Notenschrift aufgezeichnet ist. Vorsatzbl. Ir unten (Tinte): *Venetijs. 7. 7br. 1712 . . .* Tab. kopfstehend: f. 28r. Ergänzungen der Tab. am Rand, z. T. abweichend mit Bleistift: f. 9v, 16r, 20r. Korrekturen: f. 2r, 5r, 22r. Mehrmals Angaben *L'accordo:* f. 12v, 15v, 23r, 39r etc. F. 41v: *Accord ordinaire* (analog f. 42r etc.), f. 44r: *du meme accord.* Vorschriften im Satzinnern: *adagio; arpeggiando; da Capo.* Sonstige Beischriften: f. 13r *Vide Trio / adesso in / altra foglia* ♯; f. 38v *on voit la suite / f. 27.* Fingersatz fehlt. *Vide* * -Zeichen bei *Da Capo.* 1 Schreiber. Nicht orig. Lederband (19. Jh.) mit Goldpressung, Buchrücken: *TABLATURES M*^{ss}, mehrere Vor- und Nachsatzbll. neu. (Freie Instrumentalsätze, Tänze, Aria.)

Literatur: Fehlend. Kurzer Hinweis BoetticherL, S. 367 [44] (*Ms. Wa P 2,* war dem Herausgeber zufolge Notiz 1940 und 1943 nicht zugänglich); RollinD, S. XVI. Hinweis bei Klima-RadkeWW, S. 437; RollinBC, S. XVII.

Ms. ohne Signatur. (VIII) Früher Privatbibliothek Léon Vallas, Paris.

Frz. Lt. Tab. 6 Lin. Um 1670–1680.

204 fol., zuzüglich je 2 Vorsatz- und Nachsatzbll. (leer). Unbeschrieben f. 1v–3r, 5v–8r, 10v–20, 21v–24r, 29v–36, 37v–40r, 43r, 46v–101r, 106–140, 141v–145r, 148–185r, 188–204 (nur Lin.). 17,5×24 cm. Tab.-Teil: f. 1r, 3v–5r, 8v–10r, 21r, 24v–29r, 37r, 40v–42, 43v–46r, 101v–105, 141r, 145v–147, 185v–187. Für 10- und 11chörige Laute (bis *////a* und „*4*"). Lin. gedruckt, ohne Angabe der Offizin. Fingersatz: 1, 2 Punkte. Mehrfach *accord*-Angaben. Alle Sätze sind zu Suiten geordnet, diese laufend numeriert (dazwischen Seiten freigelassen), Tonartbezeichnungen: *C. sol. vt. fa par b. mol ou la II*^{me} *par b mol; G. re sol vt par B mol ou la 7*^{me} *par B mol; B. fa* ♭ *mi par* ♭ *care ou le b de la 6*^{me} *par B care; Diesis d fut fa, ou F. de la 5.*^{me} *par B. mol* etc. Verweise: *Tournez pour le reste; suitte* u.ä. Die Anlage des Volumens verrät, daß mehr Suiten geplant waren, als aufgezeichnet wurden (Überschriften ohne Tab.). 1 Schreiber, sorgfältig, frz. Provenienz. Schwarzbrauner Lederband der Zeit mit Goldpressung auf Deckeln (auch Innenrand) und Buchrücken. Goldschnitt. Heftung unversehrt. Wurmschaden. (Freie Instrumentalsätze, Tänze.)

Literatur: Fehlend. Geführt in *Catalogue de l'exposition de raretés musicales organisée par la Revue „Musique"* [Mai–Juni 1928], *Nouvel Immeuble Pleyel, Paris, Rue du Faubourg St-Honoré 252,* s.a. et l., als *Nr. 184,* Besitz *Léon Vallas.*

Ms. ohne Signatur. (IX) Früher Privatbibliothek J.A. Écorcheville.

Frz. Lt. Tab. 6 Lin. Um 1708–1714.

24 fol. Unbeschrieben f. 8r (nur Lin.); f. 24v (leer). 31×20,5 cm. Tab.-Teil: f. 1v–7, 8v–23r. Für 11chörige Laute (bis „*4*"). Orig. Paginierung *21–44*

(= f. 11r–23r), korrekt, unter Auslassung der Seitenzahl *42*, in diesem Tab.-Teil kein Verlust. 20 unpaginierte Seiten gehen voraus. Orig. Index f. 23v–24r (alfabetisch), dieser führt nur die dt. geistl. Liedsätze des Ms., diese jedoch vollständig; darüber hinaus verzeichnet der Index 39 dt. geistl. Liedsätze, die nicht im Volumen enthalten sind (sämtliche Sätze mit Seitenzahlen), vgl. dazu Bd. 2. Eintragungen mit roter Tinte von gleicher Hand: *Volti subito, piano, pianiss., forte*, ferner ein Teil der Satzbezeichnungen sowie *Variatio II^da^* etc. Mehrmals Tab.-Takte mit Bleistift numeriert (f. 1v, 2r etc.), Bleistift-Vermerke ⊕ und ⌀. *Accord*-Angaben. Tonart-Vorschriften: D♭, F♯, G♯, D♯ etc. *Adagio*-Vermerk im Satzinnern. Zusätzliche Tab.-Striche mit Bleistift. Vorschrift: *Harpeggio per tre* für eine längere Kette von 3stimmigen Akkorden. F. 1r kleines blaues Etikett aufgeklebt, mit alter Aufschrift (Tinte): *Fantaisies et Preludes / composées / par / Mr Weiß. à Rome.* 1 Schreiber, sorgfältig, wohl Autograph Silvius Leopold Weiß (Weis), der in Begleitung des Prinzen Aleksander Sobieski sich in Italien (Rom) als Lautenist befand. Dieser Aufenthalt dürfte in das Ende des ersten und den Beginn des zweiten Jahrzehnts des 18. Jh. fallen. Nicht orig. dunkelbrauner Lederband, Rücken stark abgeschabt, mit Goldprägung: *WEISS. FANTAISIES ET PRELUDES.* (Freie Instrumentalsätze, dt. geistl. Liedsätze.)

Literatur: Fehlend. Hinweis bei Klima-RadkeWW, S. 437; RollinD, S. XVI.

NEWBATTLE (bei Edinburgh), Library of College

Ms. ohne Signatur.

Der Verfasser hat das Ms. bei mehrmaligen Nachforschungen nicht auffinden können. Es dürfte schon im 19. Jh. in Verlust geraten sein.

Blattzahl und genaues Format nicht bekannt. Einzige Quelle: Ms. Laing Bequest IV, 20 der University Library Edinburgh, bezeichnet: *Laing Notes on Music.* Es handelt sich um Aufzeichnungen des Bibliothekars der genannten Univ. Libr. um 1840. Dort findet sich unter Nr. *4* ein Doppelbl. abgeheftet, auf dem Laing (David) einen Index von Textincipits zusammentrug, die er in einer Tab. entdeckte. Die letztere beschreibt er: *The preceding list of tunes is prefixed an old ms. music book, oblong 4°, in the Newbattle Library, chiefly consisting of French airs. The latter are in normal notation, the former are marked with letters – quasi for the Lute – or Viol da Gamba. Many of the tunes have no names and they are arranged not in the order on this list. On fly . . . W. Kerr.* Es dürfte sich demnach um eine frz. Lt. Tab. zum Gebrauch für die Viola eines W. Kerr gehandelt haben. Laing verzeichnet die Incipits in 3 Reihen: Nr. *1–29*, *1–10* und *1–18*, insgesamt 57. Fast ausschließlich handelt es sich um engl. bzw. schott. Liedmelodien bzw.-sätze, als Zeit der Aufzeichnung ist aufgrund des Repertoires und der Analogie zu Ms. Newcastle letztes Drittel des 17. Jh. anzunehmen.

Literatur: Fehlend. Kurz erwähnt in Musica Britannica XV, 1/1958, Quellen-Verzeichnis S. 202.

NEWCASTLE, UNIVERSITY LIBRARY

Ms. Robert White 42. Vorderdeckel innen, Zettel bedruckt: *From the Library of Robert White ... presented to the King's College Newcastle upon Tyne by George White Pickering, MCMXLII.* Eingangs-Nr. (Vorderdeckel innen): *45–1348.* Ältere Signatur (ibid., Bleistift): *W 787.1. Book of Music.* – Neuere Kopie vgl. unter Edinburgh, The Nat. Libr. of Scotland, *Ms. Adv. 5–2–19.*

Frz. Lt. Tab. 6 Lin. für überwiegend 4saitige Viola. Um 1690–1705.

177 fol., zuzüglich 1 Vorsatzbl. (Index) und 6 Nachsatzbll. (Iv, VIv leer). Unbeschrieben ca. $^2/_3$ des Volumens (Lin. vorgedruckt, ohne Angabe der Offizin). 17×21 cm. Tab.-Teil: f. 135–177, Nachsatzbl. Ir, IIr, IVv. Für überwiegend 4saitige Viola (unterste und oberste Lin. unbeschriftet), vereinzelt (f. 137r) für 6saitige und (f. 136r, 136v, 137r) für 5saitige Viola da gamba; Beschriftung kopfstehend, rückwärts. Gew. Notenschrift (wohl ca. 10 Jahre jünger, ähnliches Repertoire wie Tab.-Teil, jedoch nicht darauf bezüglich, 1stimmige Aufzeichnung, Violinschlüssel, ohne Durchtextierung) f. 1r, 114–118r, 119–135r. Im nichtintavolierten Teil überwiegen frz. Tänze und schott. Liedsätze, auch Stücke ital. Provenienz (*The y.tallian pastrella* = The italian pastorella). Im Tab.-Teil orig. Numerierung der Sätze (Hauptschreiber) *1–16* und *19–81.* Die anschließenden Sätze (3, Nebenschreiber) unnumeriert. Vor Nr. *19* muß 1 Bl. in Verlust geraten sein (zufolge orig. Index, s. u., befanden sich dort Nr. *17* = *Ouer the mountanes* und Nr. *18* = *Labiniane Shore*), was auch die lockere Heftung anzeigt; offenkundig sonst kein Tab.-Verlust, abgesehen vom Traktat (s.u.). Vorsatzbl. Ir, Iv orig. Index, bis *When she came ben*, d.h. es fehlen die orig. Nrn. *78–81* des Hauptschreibers und die folgenden des Nebenschreibers; ferner führt der Index die Nrn. *16* als *17* und *19* als *20* (die genannte Lücke des Tab.-Teils ist hierdurch nicht infrage gestellt). Lehrwerk über Violaspiel Nachsatzbl. IVr beginnend (1 Bl. muß mit dem Anfang des Textes verloren gegangen sein): *And are to be Stopt according to exact distances by ẏͤ judicious Ear of ẏͤ performer...* Der Traktat ist sodann lückenlos auf 5 Seiten (bis VIr) überliefert, bezieht sich auf die 5saitige Viola, Stimmungsangaben aber für 6saitige Viola: *tuning harp way sharp* und *tuning harp way flat*, Erläuterung der rhythmischen Zeichen. Schluß: *...your well wisher and honourer of all true Lovers of Musick.* Nachsatzbl. IIr erneut Stimmung in Tab. für 6saitige Viola. Nachsatzbl. Ir Tab. mit Überschrift: *Short and easie Lessons or tunes for ẏͤ Viol de Gambo*, als Beispiele hier: *A prelude of ẏͤ notes ascending and descending* und *Cadence. Tuning*-Angaben nach *eights* und *unisons* (nur für 6saitige Viola). Titelbl. und Unterschrift für diesen Traktat fehlen, 1 Falz nach Nachsatzbl. V stammt wohl von dem Titelbl. (Wortreste). Vor Vorsatzbl. I ebenfalls 1 Falz (leer). 1 Hauptschreiber (Tab. und Traktat), 1 Nebenschreiber (s.o.). – Besitzvermerke und Provenienz: F. 101r als Federprobe *My Dear Margret leyden J wish J had / you fo a spouse J wod make a fine / Dash...*, ferner: *Dear Sir Denholm.* Nachsatzbl. VIr (Bleistift): *John*

Leyden 17 . . . [Zahlen verwischt] und (Tinte): *R. Leyden – 1805.* Ibid. *James Telfer – 1843,* sowie Nachsatzbl. Vr (Tinte): *James Telfer, Saughtree, Liddesdale / 24th Octr. 1843.* Dieser J. Telfer, *schoolmaster at Saughtree,* in Nachbarschaft des Geburtsorts von Dr. John Leyden, *Teviotdale,* erhielt das Ms. von einem Bruder des Vorbesitzers, eines Farmers in Roseburghshire, wie eine Notiz des Kopisten Graham (s.o., Edinburgh) festhält. J. Leyden erwähnt sein Ms. in seinem Druck *The complaynt of Scotland,* Edinburgh 1801, I, S. 285 als „*a collection of airs adapted to the Lyra Viol, written soon after the revolution*". Diesen Hinweis übernahm schon W. Dauney 1838, S. 146; Graham studierte das Ms. 1843–1844 nach Vermittlung des James Telfer. Einen beiliegenden Zettel richtet Graham an „*Mr. Telfer, the proprietor of the MS.*" (dat. *1844*), weitere inliegende Erläuterungen Grahams sind datiert *18th November 1843* und *Septr. 1844.* Seit Mitte des 19. Jh. galt das Ms. als verschollen, John Glen suchte mit Rückfragen bei der Tochter J. Telfers vergeblich nach der Tab., die er für seine Ausgaben schott. Lieder verwerten wollte. Das Ms. ist erst seit 1964 wieder aufgefunden, bis dahin galt die Kopie Grahams als einzige Quelle. Über Robert White (* Town Yetholm 1802, † Newcastle 1874) vgl. Ratcliffe in: The Bibliotheck IV, Glasgow 1964, S. 88ff. Er dürfte um 1850 das Ms. erworben haben. Die übliche Bezeichnung des Originals als *Dr.-John-Leyden-Lyra-Viol-Book* hält nur den Namen eines späteren Besitzers fest, der Hauptschreiber und Nebenschreiber (dieser f. 135–137r, dunklere Tinte, möglicherweise etwas später) sind unbekannt, beide sind wahrscheinlich nordengl. (schott.) Provenienz. Datierung fehlend; der Satz *Boyne water* verweist auf die Schlacht an der Boyne 1690, *King James March to Jreland* verrät gleichen Bezug; *Oh the bonny Christ-Church bells* ist von D. Aldrich († 1710). Dunkelbrauner Lederband der Zeit, Rand abgeschabt, spärliche Goldpressung; Buchrücken (defekt) mit Pressung *POVR LA / VIOLE.* Schnitt dunkelblau marmoriert. Stümpfe von 4 Seidenschließen (2 rot und grün). (Freie Instrumentalsätze, Tänze, engl. bzw. schott. Liedsätze.)

Literatur: Graham, S. XIV (Edition mehrerer Liedsätze S. 12ff.); Hunt, S. 139f.; Simpson, S. 16; ShireS, S. 266.

NEW HAVEN (Conn.), YALE UNIVERSITY, LIBRARY, OSBORN COLLECTION (BEINECKE RARE BOOK LIBRARY)

Ms. J. Marshall Osborn. Sogenanntes James Marshall Osborn Esq. lutebook. Früher Privatbibl. Lord Braye, Stanford Hall (Rugby, England), bis ca. 1950. Neuere Signatur: Music Ms. 13.

Frz. Lt. Tab. 6 Lin. für Laute und 4 Lin. für Citter. Um 1575–1580.

61 fol., zuzüglich 1 neueres Vorsatzbl. Unbeschrieben f. 37–39 (nur Lin.). 23×16 cm. Je Seite 3 Systeme. Titel: f. 1r *Song with Lute accompaniment* (alt). Tab.-Teile: für 6chörige Laute solo f. 1v–19, 35v–36; für Citter f. 44–48r. Literarische Eintragungen: f. 20–35r, 40–43, 48v–61. Auf dem neueren Vorsatzbl. ein Index. Der Teil für Citter umfaßt ca. 20 Sätze. Mindestens 2 Schrei-

ber. Brauner Lederband der Zeit in guter Erhaltung. (Freie Instrumentalsätze, Tänze, engl. Liedsätze.)

Literatur: LumsdenE I, S. 35f., 156, 312f.; II, S. 13. Katalog Sotheby (Braye), S. 17 (als *Nr. 131*); Faye-Bond, S. 99; SlimM 1965, S. 120 (in Orig. nicht zugänglich).

—— IBID., JOHN HERRICK JACKSON MUSIC LIBRARY

Ms. Wickhambrook (ohne Sign.). Bis 1936 Privatbibl. O.G. Knapp, Parkstone (Dorset), England; 29. 7. 1936 angeboten durch Sotheby & Co., London; 1939 desgl. durch Otto Haas, London; erworben 1940 durch Miss Dulcie Lawrence-Smith of Wickhambrook (Suffolk), England; 1947 erworben durch E. Marshall Johnson Esq., London. 1949 über Brooks Shepard von Yale Univ. Libr. erworben.

Frz. Lt. Tab. 6 Lin. Um 1575–1595.

25 fol., zuzüglich neuere Vorsatzbll. Unbeschrieben f. 1–8, 17–25 (leer). Vor f. 9 mehrere Bll. herausgerissen (Falze); möglich bleibt Verlust eines Faszikels, da f. 1–8 gegenüber 9ff. hellere Papierfärbung. F. 1, 21–25 Wasserschaden (alt). 41×28 cm. Tab.-Teil: f. 9–16 (die Zählung des Herausgebers weicht von derjenigen bei LumsdenE, S. 281 und Stephens, S. 113, die der orig. Foliierung folgt, ab). Für 6chörige Laute. Orig. Foliierung *2–26*. 2 Sätze (*Levecha pavan* und *Levecha galliard* für 2 Lt., 1 Part kopfstehend beschr.). Verzierungszeichen: ♯. Pro S. 12 Systeme. Insges. 25 Sätze (bezeichnet). Papier Nicolas Lebe (Briquet *Nr. 8077–8079*, Frankreich ca. 1564–1598). 2 Schreiber (engl. Provenienz; A = Nr. 1, 2, 4, 7, 10–14, 16–18, 23, alle Sätze J. Johnsons, B = übrige Nrn., wohl 10–15 J. später). Erstbesitzer (Schreiber?) John Johnson, der 1572 in Hengrave Hall in Bury St. Edmunds (Suffolk) wohnte (Nachweis Woodfill, S. 263), mithin gehört die Tab. in die Reihe der Mss. Cambridge (England), Univ. Libr. Beiliegend Schreiben von E. Marshall Johnson an Miss Majorie Gray Wynne v. 16. 10. 1956 über frühere Besitzer. Eine Beziehung zu den Grafen von Wickhambrook besteht nicht. Jüngerer heller Pappbd., außen (ca. 1785): *Antient Manuscript Music.* (Freie Instrumentalsätze, Tänze, lat. Incipit, engl. Liedsatz.)

Literatur: LumsdenE I, S. 280ff.; Newton, S. 72; LumsdenS, S. 14ff. (noch als *Ms. E. Marshall Johnson Esq., London,* geführt); RollinV, S. XXIII; Stephens, Einleitung und Krit. Bericht; Edwards, S. 210; Katalog Sotheby 1936, S. 92 (*Nr. 946*); Katalog Haas 2 (*Nr. 376*). Identisch mit dem bei Newton, S. 84f. geführten Ms. Lawrence-Smith; BrownB, S. 100ff.

NEW YORK, PIERPONT MORGAN LIBRARY

Ms. E.34.B. Eingangs-Nr. PML 17524. Erworben Febr. 1911 aus Antiquariat Peason, London.

Frz. Lt. Tab. 6 Lin. Um 1677–1690, Hauptteil des Ms. ca. 1685.

98 fol., zuzüglich je 2 Vorsatz- und Nachsatzbll. von dünnerem Papier. Moderne Foliierung (J.B. Holland). Unbeschrieben f. 1–3r, 10–17r, 25–32r,

37v–45r, 49v–60r, 64–98 (leer). 19×24 cm. Tab.-Teil: f. 3v–9, 17v–24, 32v–37r, 45v–49r, 60v–63. Für 12- bis 14chör. Laute (bzw. Theorbe). Die Sätze sind, durch leere Seiten getrennt, nach Suiten geordnet (5). Besitzvermerk: Vorderdeckel innen *Je suis à Mademoiselle Marie Du Port de la Balme.* Nachsatzbl. IIr neuere (ca. 1910) Eintragung, die Familie der Besitzerin betreffend (Bleistift): *Duport de Pontcharra des Herbeys d'un des membres de cette famille a fait creuser le canal des Herbeys près de St. Firmin (Hte Alpes). Le chateau des Herbeys appartient aujourd'hui à Mr. du Granges.* (Zur Familie vgl. H.J. de Morenas, *Grand Armorial de France* III, Paris 1935, S. 244). Unter den Sätzen des Ms. findet sich eine Dedikation an *Mademoiselle Marie Du Port,* der Schreiber zeichnete jedoch augenscheinlich nicht ein Übungsbuch für den Unterricht der Besitzerin auf (hierzu vgl. auch HollandS, S. 18, Anm. 38). 1 Gavotte ist *pour Mademoiselle de Lionne* aufgezeichnet (Suite II). Besondere Hinweise bei einem Satz: f. 63r *on finie par / Le premier Couplet / et a Chaque Couplet / on Repete Le premier.* 1 Schreiber (sorgfältig). Rötlicher Lederband der Zeit mit reicher Goldpressung des Besitzvermerks (s.o.). Tinte mit Goldstaub. (Freie Instrumentalsätze, Tänze.)

Literatur: HollandN, S. 191ff., 2 Faksimilia (von f. 62v, 63r) nach S. 192; HollandS, S. 1ff. Geführt unter Eingangs-Nr.; RadkeLT, S. 73f.

NEW YORK, The Public Library, Music Division (Library and Museum of the Performing Arts, Lincoln Center)

* Ms. Drexel 3904.
Seit Inventur 1965 vermißt. Mai 1969 erneut nicht festgestellt.

Frz. Lt. Tab. 6 Lin. Jüngere Abschriften von ungenannten Vorlagen aus dem 1. Drittel des 17. Jh.

Nachforschungen des Verfassers im Magazin der Bibliothek waren vergeblich (1970, 1975). Der hs. Katalog zum internen Gebrauch der Bibliothek (ca. 1930) vermerkt: *Manuscript music, consisting of rules and tunes. n.p., 17––, 54 l.*[eaves], *ob. 4–8°. Contains English & Scots songs mostly in lute tableture.* In einem anderen hs. Katalog der Bibliothek ergänzend: *. . .mostly in tableture for the lute, autographs of William Motherwill and Waird Laing.* Der sog. Drexel Fund (*Drexel Collection*) wurde geschlossen von der Bibliothek übernommen, er enthält musica practica von hoher Dispersion und unterschiedlichem, teils sehr bedeutendem Wert, u. a. auch ein Autograph F. Mendelssohn Bartholdys. Vgl. Ms. Drexel 4175.

Literatur: Fehlend.

Ms. Drexel 4175. Anfang des 19. Jh. Privatbibl. John Stafford Smith (s. u.), bis 1877 – vorher möglicherweise noch an anderem Ort – Privatbibl. Edward Francis Rimbault, dann von Joseph Drexel erworben, nach dessen Tod 1888 im Besitz der Lenox Libr. New York, die 1895 in die Publ. Libr. überführt wurde. Sog. Anne-Twice-Book.

Frz. Lt. Tab. 5 Lin. für Viola da Gamba und 6 Lin. für Laute. Um 1620–1625.

27 fol. Alle S. des musikalischen Teils beschrieben. 29,5 × 18,5 cm. Fragment eines größeren Faszikels. Alle Sätze in orig. Numerierung (röm. Ziffern). Tab.-Teile: I. 5 Lin. für 5saitige Lyra Violl (die Sätze orig. Nr. LV *O where am I*, LVII *Wherefore peepst thou*, LVIII *You herralds of*, LIX *Get you hence*); II. 6 Lin. für 12chörige Laute (die Sätze orig. Nr. XLI *Deare doe not your*, XLII *O let us howle*, XLIII *Like to ye damaske rose*, LII *Cloris sighte*, LII *Come sorrowe sitt downe*, LVI *Cupid is Venus*). Bei orig. Nr. LVIII Eintragung Rimbaults: *Melody in Wilson's cheerful Ayres p. 94 Anno 1660 Bass by Wilson.* Ausschließlich Begleitsätze, z. T. in gew. Notenschrift, Durchtextierung. Mindestens 2 Schreiber. Dunkelbrauner Lederband der Zeit, Blindpressung, Heftung defekt, zahlreiche Bll. herausgerissen (z. T. noch Falze). (Engl. Liedsätze.)

Literatur: Smith, S. 34 mit Vermerk: *written about the year 1620, songs vnto the violl and lute ... in the Editor's collection* (diese Bibl. wurde nach Smiths Tod am 24. 4. 1844 verkauft); Katalog Rimbault (als *Nr. 1389: Songs unto the Violl and Lute, written in the early part of the 17th century, autograph letter of Thomas Olifant inserted in the original binding, Anne Twice her booke written on the outside of the front cover*); TraficanteV, S. 233f. (als *Nr. 20*); Spink, Quellenverzeichnis; JefferyS, S. 36f.; CuttsD, S. 73ff. (mit Dépouillement); CuttsW, S. 206; CuttsS, S. 86ff.; CuttsT, S. 333; DucklesT, S. 88.

Ms. JOG 72 – 29. Erworben 1970 aus dem Nachlaß der Familie Harrach in Wien und über den *Scientific Library Service U.S.A.* (*New York*) der Bibliothek einverleibt.

Frz. Lt. Tab. 6 Lin. Um 1740–1750.

Es handelt sich um ein Konvolut von 32 Faszikeln (z. T. getrennten Bänden) aus der Mitte des 18. Jh. Die folgenden vier Faszikel, vom Verfasser *11–14* bezeichnet, enthalten Lt. Tab.

Faszikel 11: 53 fol. 1 jüngeres Schmutzbl., Titel: *Lauten-Musik / mit Begleitung. / von unbekannten Componisten / 53 Blatt.* Unbeschrieben f. 1r, 4v, 14v (nur Lin.). 31 × 21 cm. Tab.-Teil: f. 1v–4r, 11–14r, 19–20, 27–30, 37–38, 42–43. Für 10- und 11chörige Laute. Orig. Foliierung *1–53* (Bleistift, mit roter Tinte die Zahl erneut notiert). Zwischen die Tab.-Teile sind die Stimmen (Violine, Flöte, Basso) in gew. Notenschrift eingeheftet (vollständig). *da capo, piano-*, *forte*-Vorschriften. 1 Schreiber. Jüngerer Einband (weißer Karton). (Freie Instrumentalsätze, Tänze.)

Faszikel 12: 19 fol., zuzüglich 1 Nachsatzbl. (leer). Unbeschrieben f. 3r, 7r, 11v–13r, 17r (leer). 21 × 30 cm. Tab.-Teil: f. 1–2, 3v–6, 7v–11r, 13v–16, 17v–19.

Für 11chörige Laute. Es handelt sich um Solo- und Ensemblesätze (die zugehörigen Stimmen in gew. Notenschrift fehlen). Orig. Titel: f. 3r *Suite pour Le Luth / Del Sig.re Jacobi;* f. 7r *Suite / pour Luth Solo / Sig.re / Meusel;* f. 13r *Ouverture / à / Luthe Solo / De Mr / Weichenberg;* f. 17r *Liuto Solo / par / Weichenberg.* Vorderdeckel innen jüngere Eintragung: *Lauten-Musik. / 20 Blatt / Gleitsmann fol. 1–2 / Jacobi fol. 3–6 / Meusel fol. 7–12 / Weichemberg fol. 13–20.* F. 1v bei Satzbeginn orig. Beischrift: *Sig.re Gleitsmann* (Tinte, mit Bleistift unterstrichen). Orig. Foliierung (Bleistift) *1–19*, mit roter Tinte erneut, dabei ab 17 die nächst höhere Ziffer (Nachsatzbl. = *20* mitzählend), letztere Ziffern wieder Bleistift; hiernach kein Tab.-Verlust vermutbar. 2 Schreiber. Jüngerer Einband (dünner gelber Karton). (Freie Instrumentalsätze, Tänze.)

Faszikel 13: 31 fol. 1 jüngeres Schmutzbl., Titel: *Ernst Gottlieb Baron – Lautenmusik / auch mit Begleitung auf Violine, Violoncello, dann / Flöte und Oboe. / 31 Blatt.* Unbeschrieben f. 30v (leer). 20×29 cm. Tab.-Teil: f. 1v–4r, 5v–8r, 9v–10, 11v, 12r, 15v–16, 17v, 18r, 23–24, 26–27. Für 11chörige Laute. Wie bei Fasz. 11 sind die zugehörigen Stimmen in gew. Notenschrift zwischengeheftet. Ensemblesätze mit Violine, Violoncello, Flöte, Oboe. Orig. Titel: f. 1r *Suite / à / 2 Luth / par / Baron;* f. 5r *Luth Second;* f. 9r *Concerto / à / Liuto. / Violino. / Sig.re / Baron;* f. 11r *Seque Vivace;* f. 13r *Violino;* f. 15r *Luth;* f. 17r *Seque Vivace;* f. 19r *Oboe;* f. 21r *Concerto / à / Luth / Oboe / et / Violoncello. / Sig.re / Baro*[n]; f. 23r *A Flauto Dolce, au Luth. par Mr Ernst Gottlieb Baron;* f. 15v *Concerto au Luth / Oboe / et Basso / par Baro*[n]. 2 Schreiber. Jüngerer Einband (wie Fasz. 11). (Freie Instrumentalsätze, Tänze.)

Faszikel 14: Ungebundene Einzelteile, Numerierung durch den Verfasser. *Nr. 1:* 8 fol. Unbeschrieben f. 8v. 21×29,5 cm. Tab.-Teil: f. 1v–4r. Orig. Titel: f. 1r *Ouverture a Luth, Violino et Violoncello.* Partitur zu 8 Systemen, hierin 1 System in Tab. 1 Schreiber. (Freie Instrumentalsätze, Tänze.)

Nr. 2: 8 fol. Unbeschrieben f. 8v. 21×29,5 cm. Tab.-Teil: f. 1v–4r. Titel und Notentext wie Nr. 1 in zweiter Kopie. 1 Schreiber (nicht identisch mit demjenigen von Nr. 1).

Nr. 3: 4 fol. Unbeschrieben f. 1r, 4v. 20×30 cm. Tab.-Teil: f. 1v–4r. Orig. Titel: f. 1r *Suite avec Le Luth, Violino, et Basso.* 1 Schreiber. (Freie Instrumentalsätze, Tänze.)

Nr. 4: 9 fol. Unbeschrieben f. 1r, 5v. 20×30 cm. Tab.-Teil: f. 1v–5r, 6–9. Orig. Titel: f. 1v *Suite;* f. 6r *Concerto.* 1 Schreiber. (Freie Instrumentalsätze, Tänze.) Nr. 1 bis 4 für 11chörige Laute.

Fadenheftung von Nr. 1–4 unversehrt, kein Einband. Zur Zeit in Restauration (1975).

Literatur: Fehlend. Eine kursorische Erwähnung in: Anonym, *Dictionary Catalog of the Research Libraries, volume G–HOU, The New York Public Library*, N. York o. J. (*issued May 1974*), S. 401; Hs. Katalog derselben Bibliothek, Bd. *European Manuscripts*, Abschnitt *Harrach Family, collection of eighteenth-century manuscript music* (*ca. 1750*), ohne Paginierung.

Ms. Music Reserve *MYO. Erworben 1954. Ältere Signatur (Vorderdeckel innen, Tinte): *D 112*; ferner (ibid., Bleistift): *21.*

Frz. Lt. Tab. 6 Lin. Um 1710–1735.

97 fol. Unbeschrieben f. 1r, 55r, 56v, 57r. Vor f. 1 ist 1 Bl. entfernt worden, desgleichen mehrere Bll. am Ende des Volumens (Falze), f. 59 ist fast gänzlich herausgerissen und läßt am Falz Reste der Tab. erkennen (Satzschluß und Anfang des Folgesatzes fehlen). 10×19 cm. Tab.-Teil: f. 1v–54, 55v, 56r, 57v–58, 60–97. Für 11chörige Laute. Eine orig. Foliierung fehlt, desgleichen eine Numerierung der Sätze (diese sind aber zu insgesamt 17 unbezeichneten Partiten geordnet). F. 94v–96r 2 Sätze für zwei Lauten, die Tab. für die 2. Lt. kopfstehend, mit Vermerk am Rand jeweils: *Contra.* Fingersatz (vereinzelt), Strich, Kreuz. *da-capo*-Vorschriften. F. 66r am Seitenrand unten mit dunklerer Tinte vom Hauptschreiber Eintragung einer kurzen Variante. F. 61r Vorschrift (Hauptschreiber): *Pro ultimo 3^tia^ repetitio luditur.* Vorderdeckel innen, Tinte Besitzvermerk: *A. Friesing* (flüchtig). Rückdeckel innen, kopfstehend, Tinte, klein: *H.B.* Das Volumen dürfte auch in neuerer Zeit dezimiert worden sein, die Angabe Vorderdeckel innen (Bleistift): *196 pp* bestätigt das. 1 Hauptschreiber A. Nebenschreiber B f. 71v–74r (die unnumerierte, unbezeichnete 13. Suite der Reihe, 6 bezeichnete Sätze). Dunkelbrauner Lederband der Zeit mit reicher Blindpressung auf Deckeln und Buchrücken. Goldschnitt. 1 mittlere Messingschließe erhalten. Im Deckelinnern Holzverstärkung, Lederverkleidung an Ecken defekt. (Freie Instrumentalsätze, Tänze.)

Literatur: HollandLM, S. 415ff., ein vollständiges Verzeichnis der Incipits S. 423–432, Faksimiles S. 421, 423. – Das Ms. war anläßlich des *XI. Congress of the International Musicological Society*, New York, 10. September 1961 ausgestellt (*Exhibition of Rare Music Books of the New York Public Library*).

NORRKÖPING, STADSBIBLIOTEKET

Ms. Finsp. Nr. 1122. Früher Schloßbibl. Finspång (Finspong), gleiche Sign. (Vorderdeckel außen, gelbes Etikett: *Noter, N° 1122*).

Frz. Lt. Tab. 6 Lin. Anfang des 18. Jh.

40 fol., zuzüglich je 1 Vorsatz- und Nachsatzbl. (leer), ferner 1 zweites Vorsatzbl. bedruckt mit Titelrahmen (springendes Pferd) aus der Offizin Pierre Ballard, Paris. Unbeschrieben f. 12v, 13r, 18v, 19r, 20v–33r, 35–40. 17,2×22,2 cm. Ausschließlich Tab. Für 10chörige Laute. 6 Lin. vorgedruckt. 1 Schreiber. Ohne Einband (Deckel und Buchrücken abgelöst). (Freie Instrumentalsätze, Tänze.)

Literatur: Lundstedt, S. 324 (unidentifiziert, nur als *Handschrift* geführt); RudénT, S. 9.

—

Ms. Finsp. Nr. 9074. Früher Schloßbibl. Finspång (Finspong), gleiche Sign. (Vorderdeckel außen, gelbes Etikett: *Noter, N° 9074*).

Frz. Lt. Tab. 5 Lin. Um 1639–1645, Datierung 1639.

25 fol., zuzüglich 1 Nachsatzbl. (leer). Unbeschrieben f. 1v, 14v, 15r, 16v–18r, 19, 20v, 21r (nur Lin.). 21,6 × 17,2 cm. Besitzvermerk und Datierung: f. 1r *Ludouicus de Geer / His nomen meum pono / Quia librum perdere nolo. / Si perdere voluissem / Hic nomen meum non profuissem. / A Paris le 2 Septemb*[re] *A*[nn]° *1639*. Tab.-Teil f. 2r, 3r, 18v, 23–24r. Für 10chörige Laute. Eine Übersicht f. 23v führt nur bis zum 9. Chor: *//a*, mit Beischrift: *9me*. 5 Lin. vorgedruckt, ohne Angabe der Offizin. F. 3r ist eine 6. Lin. oberhalb des Systems aus freier Hand hinzugefügt, desgleichen f. 18v, 23r, 24r ober- und unterhalb, analog einige Hilfslin. für Tab.-Zeichen außerhalb des Systems. Aufzeichnung in gew. Notenschrift: Melodien mit Durchtextierung, nachfolgend weitere Strophen. Im nichtintavolierten Teil Datierungen: *le treiziesme Juillet a Paris;* Überschriften u. a. *Chanson Angloise*, frz. und engl. Texte. F. 2r unten: *De Mr Ayme* (kein Komponistenname). 2 Schreiber des Tab.-Teils. Hellgrauer Pappband der Zeit, Buchrücken stark abgenutzt, defekt. (Keine Satzbezeichnungen.)

Literatur: WolfH II, S. 104; BoetticherL, S. 358 [36] (*Ms. No*); Lundstedt, S. 324 (inexakt); NorlindB, S. 203; RudénT, S. 9; RollinC, S. XXI; RollinD, S. XVI.

—

Ms. Finsp. Nr. 9096, 1. Früher Schloßbibl. Finspång (Finspong), gleiche Sign. (Vorderdeckel außen, gelbes Etikett: *Noter, N° 9096, 1*).

Frz. Lt. Tab. 6 Lin. Um 1620.

18 fol., seitlich zu 1/3 bis 2/3 abgerissen sind f. 16, 17, 18. Unbeschriebenf. 5–17 (nur Lin.). 10,3 × 16,2 cm. Für 10chörige Laute. Ohne Aufzeichnungen in gew. Notenschrift. 3 Schreiber. Vergilbter Pappband der Zeit. (Tänze.)

Literatur: Lundstedt, S. 325 (unidentifiziert, nur als *Handschrift* geführt); RudénT, S. 10.

—

Ms. Finsp. Nr. 9096, 2. Früher Schloßbibl. Finspång (Finspong), gleiche Sign. (Vorderdeckel außen, gelbes Etikett: *Noter, N° 9096, 2*).

Frz. Git. Tab. 5 Lin. Ohne Alfabeto. Ende des 17. Jh.

31 fol., zuzüglich 1 Vorsatz- und 2 Nachsatzbll. (leer). Unbeschrieben f. 1r, 5v. 10,6 × 16,7 cm. Ausschließlich Tab. Für 5saitige Gitarre. F. 31v ist kopfstehend, rückwärts beschriftet. F. 21v, 28r am Rand frz. Gedichte von fremder Hand. 2 Schreiber. Marineblauer Pappband der Zeit. (Freie Instrumentalsätze, Tänze, frz. Chanson.)

Literatur: Lundstedt, S. 325 (unidentifiziert, nur als *Handschrift* geführt); RudénT, S. 10.

Ms. Finsp. Nr. 9096, 3. Früher Schloßbibl. Finspång (Finspong), gleiche Sign. (Vorderdeckel außen, gelbes Etikett: *Noter, N° 9096, 3*).

Frz. Git. Tab. 6 Lin. Ohne Alfabeto. Um 1638–1645, Datierung 1638.

29 fol. Unbeschrieben f. 4v–5, 7–10, 11v–23r, 25r, 26–27r. 12,8×18,8 cm. F. 23–29 sind kopfstehend, rückwärts beschriftet. Tab.-Teil f. 1r, 11r. Für 6chörige Laute oder 6saitige Gitarre. Nicht über die 6. Lin. hinausgehend. Sonst Aufzeichnung von frz., engl. Liedern mit Incipits, textlosen Tänzen etc. in gew. Notenschrift. Im nichtintavolierten Teil Datierung: *september the 12) 1638; september the 13) 1638*, bei einer Stimmangabe f. 29r Vermerk: *for tuning august the 25* (Jahresangabe fehlt). Im Tab.-Teil 1 Schreiber. Einband fehlt. (Engl. Satzbezeichnungen.)

Literatur: Lundstedt, S. 325 (unidentifiziert, nur als *Handschrift* geführt); RudénT, S. 11.

Ms. Finsp. 9096, 11. Früher Schloßbibl. Finspång (Finspong), gleiche Sign. (Vorderdeckel außen, gelbes Etikett: *Noter, N° 9096, 11*).

Frz. Lt. Tab. 6 Lin. Um 1640–1645, Datierung 1640.

27 fol. Unbeschrieben f. 1v, 2v, 4v, 5v, 9–27; f. 9r (nur Lin.). 14,6×20,2 cm. F. 1r: *Chi Lascia, La strada vecchia / per la nuova Soauente ingannato / si ritroua.* etc. / *Signor si. Sennor;* außerdem Schriftproben, Gekritzel. F. 2r: *Ludovicus de Geer est professor.* F. 4r Datierung: . . *.le 26 Jan: 1640.* Tab.-Teil f. 3–4r, 5r, 6–8. Für 10chörige Laute. Lin. ohne Rastral. Aufzeichnungen in gew. Notenschrift. 2 Schreiber des Tab.-Teils: Hauptschreiber A sehr flüchtig. Buntgemustertes bedrucktes Umschlagpapier der Zeit. (Tänze.)

Literatur: Lundstedt, S. 325 (unidentifiziert, nur als *Handschrift* geführt); RudénT, S. 10.

Ms. Finsp. Nr. 9096, 14. Früher Schloßbibl. Finspång (Finspong), gleiche Sign. (Vorderdeckel außen, gelbes Etikett: *Noter, N° 9096, 14*).

Frz. Git. Tab. 5 Lin. Ohne Alfabeto. Ende des 17. Jh., Anfang des 18. Jh.

20 fol., zuzüglich je 1 Vorsatz- und Nachsatzbl. (leer). Unbeschrieben f. 1r, 8v–20r. 17,8×24,5 cm. Ausschließlich Tab. Für 5saitige Gitarre. 5 Lin. vorgedruckt, ohne Angabe der Offizin. Vergilbter Pappband der Zeit. (Freier Instrumentalsatz, frz. Chanson.)

Literatur: Lundstedt, S. 325 (unidentifiziert, nur als *Handschrift* geführt); RudénT, S. 10.

NORWICH, Privatbibl. Captain Anthony Hamond

Ms. ohne Signatur.

Frz. Lt. Tab. 6 Lin. Um 1665–1670. Sog. *Lute Book Method of Miss Mary Burwell.*

123 fol. Außerhalb des Tab.-Teils zahlreiche Seiten unbeschrieben. 19×25 cm. Tab.-Teil f. 24–89. Für 11chörige Laute. Überschr.: f. 24r *The Method to play the Lute*, mit Namenszug *Elizabeth Burwel.* Der Traktat enthält 16 Kapitel, orig. numeriert, mit 138 intavolierten Beispielen, die wohl durch einen Lehrer mit bedeutender Literaturkenntnis vermittelt wurden, und der auch besonders im frz. Repertoire bewandert war. *Elizabeth Burwell*, geb. 1613 als Sproß einer Familie aus Suffolk, hatte sich um 1640 mit Sir *Jeffrey Burwell de Rougham* vermählt. Sie begann erst in reiferen Jahren das Lautenspiel systematisch zu erlernen, gemeinsam mit ihrer Tochter *Mary*, die wohl die Schreiberin des intavolierten Teils des Ms. ist. *Mary Burwell* vermählte sich 1672 mit *Robert Walpole.* Aus dieser Ehe gingen hervor *Robert Walpole* (*II*), später engl. Ministerpräsident (1676–1745) und Susan Walpole, die sich 1707 mit *Anthony Hamond* vermählte, aus dessen Nachlaß das Ms. gegenwärtig aufbewahrt wird (*Anthony Hamond II*). Angaben zur Stimmung: *Trumpet-tuning; French B natural tuning; B flat tuning; Mr Jenkin's tuning; Goat's tuning; Mr Mercure's tuning* etc. Fingersatz: 1, 2 Pkte. Überschriften: f. 24r *The origin of the lute or the derivation of the lute. Chap: I;* f. 26r *The 2nd Chap: of the Increase of the Lute and its Shape;* f. 28r *The 3rd Chap:;* f. 30r *The 4th Chap: Of the Stringes of the Lute, and stringing therof, and of the ffrettes, and Tuneing of the Lute;* f. 33r *The 5th Chap: Of the seuerall Moodes and Tuneings of the Lute;* f. 38r *The 6th Chap: of ffirst the carriage of the handes / The comely posture in playing / And the strikeing of the stringes;* f. 40r *The 7th Chap: ffor to take out a Lesson. ffigure and value of the notes;* f. 48r *The 8th Chap: of the way and manner for pricking Lessons to the Lute,* f. 51r fortsetzend mit neuer Überschrift: *concerning the fingering of both handes;* f. 53r *The 9th Chap: Concerning the pricking of the Markes & Graces of the Lute;* f. 58r *The 10th Chap: The way to teach & to learne to play well uppon the Lute;* f. 62r *The 11th Chap: of the progresse & how to attaine the perfection of the Lute;* f. 63r *The 12th Chap: concerning the Measure;* f. 65r *The 13th Chap: of the vsefullnes of the Lute and his advantages;* f. 67r *The 14th Chap: of the Enthusiasmes and Ravishments of the Lute;* f. 69r *The 15th Chap: Concerning the art of setting Lessons vppon the Lute;* f. 90r *The 16th Chap: Concerning Errours & Abuses that are committed about the Lute.* Der die Lt. Tab. enthaltende Faszikel ist unbeschrieben f. 1v–23, 25v, 27, 29v, 31v–32, 35v, 36r, 37v, 47v, 50v, 57v, 64v, 66v, 68, 71v, 75v, 77v, 79v, 80r, 81v–82, 87v–89, 92v–99 (leer). Das Volumen zeigt am Ende eine Zusammenstellung von Heilmitteln, orig. paginiert (kopfstehend, rücklaufend beschr.); f. 99r (Ende des Tab.-Teils) entspricht orig. pag. *328* des genannten medizin. Anhangs. Der sich im Traktat verbergende Lautenlehrer ist, wie aus

beiläufigen Bemerkungen des Textes zu vermuten, wohl ein Schüler des Vieux Gaultier gewesen; DartMB I, S. 6 zieht John Rogers († 1676) in Betracht. F 1r Besitzvermerk: *Elizabeth Burwell.* 1 Schreiber (s. o.). Brauner Lederband der Zeit in guter Erhaltung, Goldpressung. (Freie Instrumentalsätze, Tänze, frz. Airs, engl. Liedbearbeitungen).

Literatur: DartMB, S. 121ff.; DartMB I, S. 3ff.; RollinG, S. XVII (war nicht zugänglich); Reproductions I, Einleitung; SimpsonB, S. 165; PoultonCh, S. 125; RadkeRM, S. 414. Ein Faksimile ist von *Boethius Press*, Leeds, angekündigt, ed. R. Spencer (vgl. SpencerB und JefferyB, S. 202).

NOTTINGHAM, UNIVERSITY LIBRARY

Ms. 16. 16C.

Frz. Lt. Tab. 6 Lin. für Laute und 4 Lin. für Cittern. Um 1585–1595. Sog. Lord Middleton's Lute Book.

93 fol., zuzüglich 1 Vorsatzbl. (Ir leer) und 2 Nachsatzbll. (leer). Orig. Foliierung *1–80* (Tinte), dabei wurde 1 Bl. vor f. 43 übersehen (die Bl.-Zählung bei Lumsden und Dart, dieser orig. Zählung folgend, ist unrichtig, auch die moderne Foliierung [Bleistift] ist nicht zutreffend). Herausgetrennt sind 2 Bll. vor f. 81 (deren orig. Foliierung *78, 79* war), 2 restbeschriftete Falze (Lin.), Tab.-Verlust wahrscheinlich. Das vor f. 23 entfernte Bl. liegt vor der Beschriftung. Unbeschrieben f. 1r, 6r, 40r, 41–78, 84r, 86v–88r, 92r. 15,5×20,5 cm. Tab.-Teile: I. f. 1v–5, 6v–39, 40v, 79–83, 84v–86r für 6chörige Laute, 6 Lin.; II. f. 88v–91 für 4saitige Cittern, 4 Lin. (die beiden unteren Lin. des Lt.-Systems meist gestrichen). Gew. Notenschrift f. 92v–93 (2 Systeme, für Tasteninstr.). Korrekturen: f. 3v, 4v, 8r, 9v, 11v, 12r etc. Rasuren: f. 33r, 86r; f. 89r sind jeweils die zweiten Tab.-Striche ausradiert. *ffinis*-Vermerke vereinzelt. Hinweise auf Vorlagen: f. 81r *folio 4 B;* f. 11r *of grenes Bookes pag 7.* F. 5r Hinweis auf 2. Laute: *ye* [the] *treble.* Vorsatzbl. Iv als Federübung viermal: *Francis wylloughbye,* links darunter: *Elizabeth Lyttelton.* Vorsatzbl. Iv flüchtige Eintragungen von Materialien für eine Reparatur, Namenliste der Arbeiter, *3000 foote of aslar* ... etc. Mindestens 4 Schreiber (Cittern-Tab. von einem Schreiber des Lauten-Teils). Brauner Lederband der Zeit, Vorder- und Rückdeckel Goldpressung, Rosette in Mitte mit: *F W,* Randleisten Blindpressung. 4 Stümpfe von grünen Leinenschließen. Orig. Heftung unversehrt. Aus Besitz des Lord Middleton (dessen Besitzvermerk fehlt im Ms.). (Freie Instrumentalsätze, Tänze, ital. und engl. Liedsätze, lat. Motette.)

Literatur: LumsdenE I, S. 290ff.; LumsdenS, S. 113f.; LumsdenA, S. 61; PoultonDT, S. 16ff.; SlimM XIX, S. 126; DartCC, S. 113; NewcombL, S. 132; DartC, S. 63ff. – Zum Teil für Tasteninstrument vgl. DartV, S. 23ff. Stephens, S. 117, Appendix; BoetticherHo, S. 612.

NÜRNBERG, BIBLIOTHEK DES GERMANISCHEN NATIONAL-MUSEUMS

Ms. $\frac{3148}{\text{M. }260}$. Alte Signatur: *3148.*

Frz. Lt. Tab. 6 Lin. Um 1630. Der erhaltene Rest 18. Jh.

11 fol. Unbeschrieben f. 5, 6v, 7r, 8v, 9v, 10v. 36,2 × 22,8 cm. Unbeschnittenes Bütten. Tab.-Teil. f. 3, 4v, 7v, 10r. Für 10chörige Laute. Lose Blätter, ohne Einband. In modernem Karton, auf dessen Vorderdeckel innen Vermerk: *15 Blätter in 4° von Joh. Bapt. Besard waren am 25. 4.* [19]*58 nicht mehr vorhanden.* Die neuerdings in Verlust geratenen 15 fol. enthielten eine Abschrift aus J.-B. Besardus, *Thesaurus harmonicus*, Köln 1603, wie der vorliegende Rest, in dem ein Teil des Traktates nach Besard, in dt. Übersetzung und einige Notenbeispiele in Tab. erhalten sind. 1 Schreiber. (Nur unbezeichnete Sätze.)

Literatur: BoetticherL, S. 362 [39] (*Ms. Nü 3148*).

Ms. $\frac{33.748}{\text{M. }271}$, Faszikel 1. Alte Signatur: *33.748.*

Ital. Lt. Tab. 6 Lin. für Viola da braccio und Frz. Lt. Tab. 6 Lin. für 1 und 2 Lauten. 1. Viertel des 17. Jh.

85 fol., zuzüglich je 1 Vorsatz- und Nachsatzbl., z. Zeit an Deckel angeklebt (leer). Unbeschrieben f. 56v, 57r, 77v–79r. Alte Foliierung *2–85*, bei dieser Zählung ein Blatt *5* fehlend, das vor längerer Zeit herausgerissen worden ist. 14,8 × 20,2 cm. Für 6saitige Viola da braccio und für 7–9chörige Laute. Aufzeichnung in gew. Notenschrift f. 85. F. 1r *In Nomine D*[omi]*ni.* Teilweise Sätze für 2 Lauten, dabei Vermerk f. 59r *Item ad Testudinem Maiorem*, die Lauten sind als *Discant* und *Baß* bezeichnet, f. 72ff. Mindestens 3 Schreiber. Pergamentband der Zeit, als Einband diente eine ältere Hs. mit literarischem Text. (Freie Instrumentalsätze, Tänze, dt. Liedsätze.)

Literatur: WolfH II, S. 233, 239 (unter *Tab. für Viola da braccio*); BoetticherL, S. 357 [35] (*Ms. Nü I*); TschernitscheggV, S. 38ff.; TschernitscheggG, S. 17ff.; Moser, S. 63, Anm. 1; RadkeBA, S. 234; Plamenac, S. 146. Jüngst KindermannDMA III, *Nr. 444–451* (mit den folgenden Faszikeln *2–8*).

Ms. $\frac{33.748}{\text{M. }271}$, Faszikel 2. Alte Signatur: *33.748.*

Ital. Lt. Tab. 6 Lin. 1. Viertel des 17. Jh.

27 fol. 54 mit Tab. beschriebene Seiten. 15,8 × 22,6 cm. Für 7chörige Laute. Widmungsvermerke bei einzelnen Sätzen: f. 10v *Balletto di Lut fatto per Li . . .Ser*[mo] *Gran Duca Cosimo Secundo, e la S.*[ma] *Maria . . . D'Austria, Gran Duchessa;* f. 12v *Sinfonia per il Gran Principe di Toscana.* 1 Schreiber, ital. Provenienz, teilweise sehr flüchtig, nur f. 3v sorgfältige Notierung. Pergament-

band der Zeit, Vorderdeckel außen mit alten Schriftproben, Monogrammen in Tinte, augenscheinlich nicht zum Inhalt des Volumens gehörig. (Freie Instrumentalsätze, Tänze.)

Literatur: WolfH II, S. 140; BoetticherL., S. 357 [35] (*Ms. Nü II*); RadkeCB, S. 136.

Ms. $\frac{33.748}{\text{M. } 271}$, Faszikel 3. Alte Signatur: *33.748.*

Ital. Lt. Tab. 6 Lin. 1. Viertel des 17. Jh.

25 fol. 50 mit Tab. beschriebene Seiten. 16,2×23,3 cm. Für 6chörige Laute. Widmungsvermerk bei einem einzelnen Satz: f. 16v *Ballo fatto alli . . .Granduca Cosimo e la S.ma Arciduchessa d'Austria.* F. 24, 25 sind kopfstehend, rückwärts beschriftet. 1 Schreiber: identisch mit dem Schreiber von Ms. Faszikel 2. Pergamentband der Zeit, außen ohne Beschriftung, Rückdeckel innen alter Namenszug, zweimal: *Conti Wolchenstain.* (Freie Instrumentalsätze, Tänze, ital. Satztitel.)

Literatur: WolfH II, S. 140; Boetticher, S. 361 [38] (*Ms. Nü III*); RadkeCB, S. 136.

Ms. $\frac{33.748}{\text{M. } 271}$, Faszikel 4. Alte Signatur: *33.748.*

Ital. Lt. Tab. 6 Lin. 1. Viertel des 17. Jh.

20 fol., zuzüglich je 1 Vorsatz- und Nachsatzbl. (leer). Unbeschrieben f. 9–20r. 16,2×23,3 cm. Für 6chörige Laute oder Mandora. Überwiegend Aufzeichnung in gew. Notenschrift, hierunter 1stimmige ital. Arien mit Durchtextierung, B. cont. und Ritornello. Tab.-Teil nur f. 1, 2, 20v: ausgesetzte Generalbässe neben deren bezifferter Aufzeichnung in gew. Notenschrift. 1 Schreiber: identisch mit dem Schreiber von Mss. Faszikel 2, 3. Pergamentband der Zeit. (Nur unbezeichnete Sätze.)

Literatur: WolfH II, S. 140; BoetticherL, S. 357 [35] (*Ms. Nü IV*).

Ms. $\frac{33.748}{\text{M. } 271}$, Faszikel 5. Alte Signatur: *33.748.*

Frz. Lt. Tab. 2, 5 und 8 Lin. 1 Viertel des 17. Jh.

48 fol., 24 beschriebene Seiten. 16,2×23,3 cm. Für 6chörige Laute oder Mandora. Fast ausschließlich Aufzeichnung in gew. Notenschrift, hierunter ital. Tänze, Arien, teilweise textiert. Tab.-Teil f. 24v, 25, 47r, 48r nur Entwürfe, sehr flüchtig und ungeordnet notiert. 1 Schreiber: nicht identisch mit Schreiber von Mss. Faszikel 2–4. Pergamentband der Zeit. (Nur unbezeichnete Sätze.)

Literatur: WolfH II, S. 140; BoetticherL, S. 357 [35] (*Ms. Nü V*).

Ms. $\frac{33.748}{\text{M. }271}$, Faszikel 6. Alte Signatur: *33.748.*

Ital. Lt. Tab. 6 Lin. 1. Viertel des 17. Jh.

7 fol., zuzüglich 6 alte Vorsatz- und 11 alte Nachsatzbll. Unbeschrieben f. 7v (nur Lin.). 16,2 × 23,6 cm. Tab.-Teil: f. 1–7r. Für 11chörige Laute. Unbeschnittenes Bütten. 1 Schreiber: nicht identisch mit dem Schreiber von Mss. Faszikel 2–4. Jüngerer Pappband. (Freie Instrumentalsätze, Tänze.)

Literatur: WolfH II, S. 140; BoetticherL, S. 357 [35] (*Ms. Nü VI*).

Ms. $\frac{33.748}{\text{M. }271}$, Faszikel 7. Alte Signatur *33.748.*

Ital. Lt. Tab. 4 Lin. für Alt- oder Tenor-Viola da braccio (oder Polische Geige). Ende des 16. Jh.

20 fol., 37 mit Tab. beschriebene Seiten. 10,6 × 15,2 cm. Tab. mit Ziffern auf 4 Lin. Für Viola da braccio mit der Alt- bzw. Tenorstimmung *c g d' a'*. F. 3v *Le mutazione sono 4*, ferner dort eine *Scala picciolino* (Tonleiter in gew. Notenschrift). 19 Seiten kopfstehend beschriftet. 1 Schreiber: flüchtige Notierung. Jüngerer Pappeinband, innen der originale Karton noch erhalten, mit Rechnungen und Schriftproben. (Freie Instrumentalsätze, Tänze, ital. Madrigale.)

Literatur: WolfH II, S. 233, 1 Faksimile von f. 17r S. 234; BoetticherL, S. 357 [35] (*Ms. Nü VII*); TschernitscheggG, S. 64f.; TschernitscheggV, S. 33ff.

Ms. $\frac{33.748}{\text{M. }271}$, Faszikel 8. Alte Signatur: *33.748.*

Ital. Lt. Tab. 6 Lin. Anfang des 17. Jh.

11 fol., lose; abweichende Formate, Hauptformat 15 × 23 cm. Unbeschrieben f. 1v, 2v, 4r. Für 14chörige Laute bzw. Theorbe gemäß Stimmanweisung f. 4v. Überwiegend Aufzeichnung in gew. Notenschrift, Tab.-Teil f. 1r, 2r, 3, 4v. 1 Schreiber, abweichend von dem Schreiber des nichtintavolierten Teils des Ms. Jüngerer Papp-Umschlag. (Freier Instrumentalsatz, Tänze.)

Literatur: WolfH II, S. 140; BoetticherL, S. 357 [35] (*Ms. Nü VIII*).

Ms. $\frac{14976}{\text{M.}272}$. Alte Signatur: *14.976.*

Ital. Lt. Tab. 4 Lin. für Diskant-Viola da braccio. Um 1613, Datierung 1613.

20 fol., zuzüglich je 1 Vorsatz- und Nachsatzbl. (leer). Unbeschrieben f. 1v, 17v, 20v. 15,3 × 20,2 cm. Orig. Paginierung *1–38.* Ausschließlich Tab. Für

4saitige Viola da braccio mit Discant-Stimmung. F. 1r *Johann Wolff Gerhard bin ich genand / zu Nürnberg ist mein Vatterlandt / Pappier ist mein Acker / Darmit schreib ich wacker.* F. 16r Schriftproben, mit Namenszug *Johann Wolff Gerhard.* F. 17r *Die Spezies der Rechen-Kunst,* mit Beispielen, bis f. 20r. F. 18 Gedicht. Datierung f. 2r *Deus Fortunet / Angefangen den 26 September A. 1613.* Im Tab.-Teil 1 Schreiber, blassere Tinte. Pergamentband der Zeit, 2 Lederschnüren zum Schließen (nur am Vorderdeckel erhalten); als Einband diente eine literarische Pergament-Hs. (rote und schwarze Tinte, Initiale Gold). (Freie Instrumentalsätze, Tänze, dt. Liedsätze.)
Eine Abschrift von der Hand W. Tapperts (Berlin 1890) ist erhalten in Berlin, Stiftung Preußischer Kulturbesitz, Musikabteilung, *Mus. ms. 40156.*

Literatur: WolfH II, S. 233f., 239; BoetticherL, S. 355 [32] (*Ms. Nü 14976*); Beckmann, S. 26; TschernitscheggV, S. 38ff.; TschernitscheggG, S. 67f.

Ms. $\frac{25.461}{\text{M. }274}$, Faszikel 1. Alte Signatur: *25.461.*

Frz. Lt. Tab. 6 Lin. Mitte des 18. Jh.

43 fol., zuzüglich je 3 Vorsatz- und Nachsatzbll. (leer). Jüngere Foliierung 1–15 (unverbindlich). 1 Blatt ist aus der Heftung gelöst. Unbeschrieben f. 2r, 3v, 7, 9v–12, 15v–41, 42v (nur Lin.) sowie die Vorderseite des losen Blattes. 17,5 × 20,5 cm. Ausschließlich Tab. Für 12- und 13chörige Laute. Traktat: f. 1r *Die Lauten Noten nach der Leiter der Musik; Die ordentliche Stimmung der Laute. c.dur. a.moll.* F. 1v *Die Verstimmungen der Laute.* F. 2v *Zeichen der Lauten Manieren,* mit intavolierten Beispielen für 31 *Manieren,* mit sorgfältiger Fingersatzbezeichnung. 2 Schreiber: A Tinte, vereinzelt Bleistift; B Bleistift, vereinzelt Tinte. Gelber Pappband der Zeit. Vorderdeckel innen neuerer Vermerk mit Bleistift: *Bayreuth 1752/53.* (Freie Instrumentalsätze, Tänze, Arien, dt. Liedsatz.)

Literatur: WolfH II, S. 104; BoetticherL, S. 379 [54] (*Ms. Nü 25461*).

Ms. $\frac{25.461}{\text{M. }274}$, Faszikel 2. Alte Signatur: *25.461.*

Frz. Lt. Tab. 6 Lin. Mitte des 18. Jh.

22 fol. Unbeschrieben f. 3v. 17 × 25,5 cm. Fast durchweg in Tab. für 13chörige Laute, nur f. 22r Aufzeichnung in gew. Notenschrift. Traktat: f. 1r *Die Stimmung der Laute wird auf folgende Arth vorgenommen: man stimme nach einem Clavier, einer Flöte oder andern Instrument den 5. Chor ins d . . .;* f. 2v Abschnitt *Verstim*[m]*ungen, Die ordentliche Stim*[m]*ung der Laute,* etc. F. 4r *Die vorkomenden Zeichen der Lauten Manieren sind folgende.* Es sind z. T. wörtlich die selben Beispiele wie in Faszikel 1, jedoch fehlen einige, andere

sind zusätzlich, auch ist die Reihe vertauscht und die Beschriftung unterschiedlich, im ganzen flüchtigere Notierung. 2 Schreiber: schwarze Tinte, abweichend f. 12v untere Hälfte von gleichem Schreiber fortsetzend in roter Tinte. Pappband der Zeit, mit rot/violettem Muster bemalt. (Freie Instrumentalsätze, Tänze, Arien, frz. Chansons, dt. Liedsätze.) 1976 Einband fehlend.

Literatur: WolfH II, S. 104; BoetticherL, S. 379 [54] (*Ms. Nü 25461*).

NÜRNBERG, STADT-BIBLIOTHEK, HANDSCHRIFTEN-ABTEILUNG

Ms. Autogr. 2353 a. Erworben 14. 12. 1956 über Antiquariat Edelmann-Kistner, Nürnberg. Eingangs-Nr. *2353*. Jüngere Signatur (f. 1r oben, Bleistift umrandet): *483*.

Frz. Lt. Tab. 6 Lin. Ende des 17. Jh.

2 fol. Jüngere Foliierung (Tintenstift): *5*, *6*. Teil eines Faszikels. Unbeschrieben f. 1r. 20,5 × 30 cm. Tab.-Teil: f. 1v–2. Für 11chörige Laute (bis „*4*"). Es handelt sich um 2 Sätze; beide sind mit Pachelbel gezeichnet („*de M^{r}.*" und „*del Sig.^{re}*"), jedoch augenscheinlich nicht autograph, was gegenüber den Angaben des Vorbesitzers und gegenüber der Signatur festzuhalten ist. Die Bll. entstammen dem gleichen Faszikel wie Ms. *Autogr. 2353 b* (s.d.). *pianissimo*-, *piano*- und *forte*-Vorschriften. Die Sätze stammen wohl aus J. Pachelbels Spätzeit (1653–1706, seit 1695 Nürnberg). 1 Schreiber (sorgfältig). Ohne Einband. Orig. Falzung der beiden Bll. mit Klebestreifen (dieser nur vorderseitig erhalten), Reste von Heftungsfäden nur außerhalb. (Freier Instrumentalsatz, Tanz.)

Literatur: Fehlend. Kurzer Hinweis KlimaL, S. 103.

——

Ms. Autogr. 2353 b. Erworben 14. 12. 1956 über Antiquariat Edelmann-Kistner, Nürnberg. Eingangs-Nr. *2352*. Jüngere Signatur (f. 1r oben, Bleistift umrandet): *482*.

Frz. Lt. Tab. 6 Lin. Ende des 17. Jh.

4 fol. Jüngere Foliierung (Tintenstift): *7*, *8*, *9*, *10*. Teil eines Faszikels (s. Ms. *Autogr. 2353 a*; gemäß jüngerer Foliierung an dieses Ms. eng anschließend, was jedoch infolge neuen Satzbeginns nicht zwingend sein kann). Unbeschrieben f. 4v. Format wie Ms. *Autogr. 2353 a* (rechter Rand um 7 mm schärfer beschnitten). 1 Schreiber (wie vorgen. Ms., ein Autograph ist ebenfalls auszuschließen, da Satzbezeichnung nur „*de M^{r}. Pachelbel*" und „*du memé*" bzw. „*méme*" führend). Tab.-Teil: f. 1v–4r. Für 11chörige Laute (bis „*4*"). Titel: f. 1r *Suite Solo / Del Sig.^{re} / Pachelbel.* Alle 4 Sätze bezeichnet. *reprise*-Vorschrift. Zur Datierung s.o. Ohne Einband. Orig. Falzung nicht erhalten. Heftung beschädigt (nur 1 mittlerer Faden zwischen f. 2, 3 locker). (Freier Instrumentalsatz, Tänze.)

Literatur: Fehlend.

OAKLAND, Calif., The Library of Mill's College

Ms. ohne Signatur (ohne *classification mark*). In der *Albert M. Bender Collection*. Früher im Besitz von John Edward Cornwallis Rous, II. Earl of Stradbroke (1794–1886). Vorderdeckel innen Exlibris Earl of Stradbroke, darüber der Namenszug *Stradbroke* (Tinte, unterstrichen). Stradbroke erwarb des Ms. wohl 1816, als sich seine Tochter Frances Anne Juliana Rous mit Henry Hotham (Sohn des II. Baron Hotham) vermählte. November 1952 aus Antiquariat W.H. Robinson, London, erworben.

Frz. Lt. Tab. 4 Lin. für Cittern. Um 1583–1590.

53 fol., zuzüglich jüngere Vorsatz- und Nachsatzbll. Unbeschrieben f. 11r, 17–52r (nur Lin.); f. 1–2, 52v–53 (leer). 22,5 × 17 cm. Tab.-Teil: f. 3–10, 11v–16. Für 4saitige (chörige) Citter. F. 11r nur Satzbezeichnung, ohne Tab. Orig. Numerierung der Sätze: *1–34*; die Reihe ist lückenlos (die orig. *Nr. 25* = *Passing measures Pauen*, und orig. *Nr. 26* = *Passing-measures Galliard*, ferner orig. *Nr. 28* = *Primero* erhielten keine Tab.-Aufzeichnung). Nach orig. *Nr. 34* Vermerk *ffinis R: B.* Wahrscheinlich kein Tab.-Verlust. Es handelt sich um ein Stimmbuch für Citter in Rahmen eines Ensembles, dessen weitere Stimmbücher für *Treble Viol, Flute, Bass Viol, Lute, Pandora* bestimmt waren. Einige Sätze sind konkordant mit dem Druck Thomas Morley, *First Book of Consort Lessons* (1599, 1611), doch ist das Repertoire breit gestreut. Einige Sätze sind offenbar für die Familie Walsingham geschrieben, wohl für Sir Francis W. und dessen Tochter Lady Frances Sidney († 1586). Daher Satzbezeichnungen wie: S[i][r]. *Frances Walsinghams* ... (*Goodmorowe, Goodnight* etc.), *The Lady Fra: Sidneys* ... (*Goodnight, Felicitye* etc.). Es ist möglich, daß das Ms. eine Gruppe der „Walsingham Consort Books" mit den bisher noch nicht näher untersuchten Mss. Berverly (Yorkshire) bildet, die jedoch nicht Tab. enthalten. 1 Schreiber (sorgfältig). Brauner Lederband der Zeit. Goldpressung auf beiden Deckeln: Randleiste und Mittelschild mit Einpressung *FOR THE CITTERN*. 4 Leinenbandschließen. Einband unversehrt, aber Heftung gelockert. (Freie Instrumentalsätze, Tänze, lat. Motetten, engl. Liedsätze.)

Literatur: Erster kurzer Hinweis RubsamenN, S. 548 (Datierung „*ca. 1600*" wohl zu spät); DartCC, S. 113; Faksimile in: MGG IX, 1961, Tafel 38, 2, vor S. 610, zu R.A. Harmann, Art. *Thomas Morley*, S. 589ff. gehörig; Katalog Robinson (als *Nr. 581*); Edwards, S. 209, 213; BeckM, Quellenbericht, S. 18f. Jüngst TylerC, S. 27.

OLOMOUC (Olmütz), Universitní Knihovna (Universitätsbibliothek)

Ms. II. 234. Früher Velehrad bei Olmütz, Bibliothek des Zisterzienserklosters, Sign. *3. IV. 18.*

Frz. Lt. Tab. 6 Lin. Ende des 17. Jh., Datierung 1698.

395 fol. Zahlreiche Seiten unbeschrieben. 20,4 × 31 cm. Für 11chörige Laute. Geistliche Texte, Liedsätze in gew. Notenschrift. Tab.-Teil nur f. 351r, 351v.

Titel des ganzen Volumens: *Vita / Iesu Christi / Sancti Sanctorum / Deducta / In Amplexus, et Oscula eiusdem / Iesu Nazareni Regis Iudaeorum / Noua Methodo / In Lectione, Meditatione, Oratione, Contemplatione, / In Cantu Chorali, et Figurali . . . Ex Sacra Scriptura, S. Bernardo, et Asceticis / Scriptoribus emendullata / Æra Salutis M. D. CC. / In sacris Cellebradij / Edibus.* Tab.-Teil überschrieben: *Nr. 16*, und *Glorificatio Iesu Christi in sacramento Altaris.* Mit Besetzungsangabe: *Canto solo, organo, violino I° o flauto, violino II°, Testudo.* Datiert *1698.* 1 Schreiber: Kristián Hierschmentzl (1636–1703). Schwarzer Leinenband der Zeit, innen Holzdeckel. (Lat. Aria.)

Literatur: PohankaT, S. 107f.

OSLO, Universitetsbiblioteket, Handskriftsavdelningen

Ms. 294 a Norsk Musikksamling

Frz. Lt. Tab. 6 Lin. Um 1685–1705.

54 fol. F. 54 ist zu $^2/_3$ abgerissen. Unbeschrieben f. 9v–11r, 13v–16r, 19v, 20r, 32r (nur Lin.); f. 21, 27v, 54v (leer). 14,5 × 20 cm. Neuere Paginierung. Tab.-Teil: f. 1v–9r, 11v–13r, 16v–17. Für 6chörige Laute. Fingersatz: 1 Pkt. Sonderzeichen und Seperationes-Striche. Stimmanweisungen (*forstemning*, *Accord*, *forstimning*, auch *Accord* mit *Octav*) f. 1v, 2r, 11v, 16v. Gew. Notenschr. f. 28–31, 32–54r: 1st. Notierung, kopfstehend rückwärts, wesentlich jünger als der Tab.-Teil (einige Melodien entsprechen Sätzen des Tab.-Teils, wohl für Violine bestimmt, Märsche, Tänze, Airs, frz., dt., poln., norweg. Lieder). Tab.-Sätze orig. numeriert *1–4*, *6–17*, restliche 8 Sätze ohne Nr. Nr. 5 wurde vom Schreiber übersehen (Nr. 4 schließt f. 3r, Nr. 6 setzt f. 3v fort). Wahrscheinlich kein Tab.-Verlust. Zur Zeit f. 3–5 lose inliegend. Vor f. 28 sind 5 Bll. herausgeschnitten (3 Falze mit Resten aus dem Teil in gew. Notenschr.). 1 Schreiber. F. 18–19r Beschreibung der Hs. durch Ivar Moe, datiert *Chicago i Illenois, North America 15te Juni 1887*; demnach fand dieser um 1850 die Hs. im Nachlaß einer Frau in Bergen aus seinem Familienkreis. Der Vater Moes (Militärmusiker, † 1869), Bergenser, hinterließ Anmerkungen f. 20v, 21v–27r, namentlich zu norweg. Märschen des Teils in gew. Notenschr. Schreiber des Tab.-Teils und Besitzer der Hs. war wohl *Peter Bang*, Stadtpfeifer in Bergen um 1685. J. Moe vermachte die Hs. um 1890 Carl Warmuth, Bergen; Februar 1897 von der UB Oslo erworben. Das Papier des Tab.-Faszikels ist älter als dasjenige des übrigen Teils des Hs. (niederl. um 1683, Signum *H. G.*, auch jünger, norweg. um 1700, Signum *G. T.* = Papiermühle von Gerhard Treschow 1698–1717). Heftung beider Teile des Hs. erst Mitte des 18. Jh. Dunkelbrauner Lederband der Zeit, reiche Blindpressung auf Deckeln und Buchrücken, Vorderdeckel eingepreßt *PETER BANG*, Mitte Rosette, unten eingepreßt: *1679.* 4 Löcher für 2 Metallschließen (diese fehlend), 2 kurze Stümpfe von 1 grünen Seidenschließe noch sichtbar. Heftung locker, unver-

sehrt (3 Lederfalze, weißes Garn). Buchrücken stark defekt. (Freie Instrumentalsätze, Tänze, norweg. geistl. und weltl. Liedsätze.)

Literatur: Fehlend. Jüngst Hinweise Heukels-Gaukstad, S. 11ff., mit Faksimiles S. 18–29 und Übertragungen; zur Papierbestimmung jüngst Fiskaa, S. 64.

OXFORD, Bodleian Library

Ms. Bodleian 955. Alte Signatur (Vorsatzbl. Ir): *Arch. D. 14*. Neuere Signatur (Vorderdeckel innen, Bleistift): *MS. Mus. b. 1*. Früher Privatbibl. Dr. John Wilson, Oxford [1595–1674], bis ca. 1656.

Frz. Lt. Tab. 6 Lin. Mitte des 17. Jh., um 1640–1650; Teile der intavolierten Niederschrift möglicherweise etwas später.

206 fol., zuzüglich 6 Vorsatzbll. (leer) und 8 Nachsatzbll. (leer). Neuere Bleist.-Foliierung von verschiedenen Händen *1–206*. Hauptformat 39×25 cm. F. 179 mit unten angeklebtem Papierstreifen abweichend 48×25 cm. Unbeschrieben f. 1r, 3r, 151r, 205, 206 (nur Lin.). Tab.-Teil: f. 1v–2, 3v–12, 139v–141r, 143r, 145–150, 157–161r, 171–173, 174v–175, 177v–195r, 197–204. Teilweise ist die 6. Lin. in freier Hand hinzugefügt (5 Lin. mit Rastral): f. 160r, 161r. Für 12chörige, vereinzelt 13chörige Laute. Orig. Numerierung der Sätze f. 4r–9v: *1–21*, vorangehend (f. 3v) und nachfolgend (f. 10r) unnumerierte Sätze. Korrekturen: f. 8v, 9v (Tilgung von Tab.-Takten), f. 9v, 190r, 192v, 195r, 199v etc. (Rasuren). Das Ms. umfaßt 2 Teile: f. 3v–12 Solosätze für Laute, ohne Satzbezeichnungen, mit Angabe der Tonart (30 Sätze). Der Rest ist, sofern intavoliert, in 1 unteren System notiert, während 2 zugehörige Systeme darüber 1 Singstimme (durchtextiert) und 1 Begleitbaß in gew. Notenschrift festhalten. In diesem 2. Teil sind zahlreiche Lin.-Systeme ohne Tab. verblieben. Überwiegend Aufzeichnung in gew. Notenschrift: im oberen System 1 stimmig mit Durchtextierung, darunter unbezifferter Begleitbaß. Lat. Texte nach Horaz, Ausonius, Claudian, Martial, Petronius, Statius, Ovid, engl. Texte. 1 Schreiber (auch des nichtintavolierten Teils): Dr. John Wilson, Prof. der Musik in Oxford 1656–1661, möglicherweise dessen Prüfungsarbeit vor der Berufung an die Universität Oxford. Die nichtintavolierten Teile zeigen ruhigere Hand, hellere Tinte, desgleichen Tab.-Teile f. 3v, 9v (untere Hälfte), 10v–12. Der Rest, die Mehrzahl der intavolierten Sätze, zeigt unruhigere Hand, andere Tintenfärbung, andere Schlußzeichen etc. und ist wohl später notiert. Dunkelbrauner Lederband der Zeit, reiche Goldpressung auf Vorder- und Rückdeckel, Buchrücken (auf den Deckeln Rahmenleisten und in der Mitte Rosette, über letzterer: *DR. / I. W.* [= Dr. John Wilson]). Goldschnitt. 2 Eisenschließen, hiervon 1 noch mit altem Mittelstück erhalten. (Engl. Liedsätze, lat. Motetten.)

Literatur: Madan-Craster II, S. 546f. (als lfde. Nr. *2885* [*3084*], unter der jüngeren Sign. *Ms. Mus. b. 1* geführt); GroveDict VII, S. 931; Duckles, S. 93ff. (bezüglich der Datierung des Ms.: S. 104, Anm. 15).

Ms. Mus. b. 15.

Frz. Lt. Tab. 6 Lin. für Viola da Gamba. Um 1660.

Es handelt sich um ein Konvolut von Noten in Ms., überwiegend aus dem 19. Jh., Blätter, Faszikel unterschiedlichen Formats, abweichender Herkunft, als Nachlaßsache in lfd. Numerierung der Teile. Tab.-Teil f. 29r, 29v. Format dieses Bl.: 27,5 × 20 cm. Für 6saitige Viola da Gamba (Lyra Viol). Pro Seite 10 Tab.-Systeme. F. 29v unten: *Mark Coleman.* Das Bl. ist oberhalb defekt (Tab.-Verlust); wohl aus einem Faszikel herausgerissen. Korrekturen: f. 1v. 1 Schreiber. (Keine Satzbezeichnungen.)

Literatur: Hinweis TraficanteV, S. 239 (*Nr. 31*). Bei AnonymO und Madan-Craster nicht geführt.

Ms. Mus. Sch. C. 94. Ältere Sign. (Vorderdeckel innen): IXIV; A. 5. 82; O. 7. 6.

Frz. Git. Tab. 5 Lin. für Gitarre (mit und ohne Alfabeto) und Laute. Um 1660–1685, Datierungen 1660, 1661, 1676, 1682, 1683.

150 fol., zuzüglich 10 Vorsatzbll. (s. u.). Unbeschrieben f. 150v (nur Lin.). Hauptformat 35 × 21,5 cm, f. 140–150 als lose Faszikel 33 × 21 cm. Tab.-Teile: I. Vorsatzbl. IV–VIII, f. 1–139 für 5saitige Gitarre, mit Alfabeto, z. T. auch ohne Alfabeto mit in Tab. ausgeschriebenen Akkorden und ohne Punteado-Spiel; II. f. 140–147 für 5saitige Gitarre ohne Alfabeto; III. f. 148 für 11chörige Laute. Orig. Foliierung *1–139* (lückenlos). Titel: Vorsatzbl. Ir *Pieces de Guittarre / de differends Autheurs recueillis / Par / Henry François de Gallot / Escuyer . . . / A Nantes le XVIII. Septemb. XMCLXI / Par son tres-humble et affectionné seruiteur / Monnier.* Vorsatzbl. IIr: *Mon dit sieur / De Gallot. / . . .* F. IIIr: *Lettres Correspondantes par ♮ quarre; Lettres Correspondantes par b mol.* F. 1r *Alphabet / De la Guitarre & La / Methode françoise, & / Italienne / 1660.* Die Übersicht führt die Zeichen: ✝, *x*, und *A* bis *X*, *y*, *z*, *&*, ꝰ, *L*, *s*, *t*, *Y*. Datierungen im Tab.-Teil: *1661*, *1682* und (am Ende des vorletzten Faszikels f. 147v) *1683.* 1 Hauptschreiber (frz. Provenienz). Mittelbrauner Lederband der Zeit, stark abgeschabt. (Freie Instrumentalsätze, Tänze, frz. Airs.)

Literatur: Fehlend. Hinweis RollinD, S. XVI, Madan-Craster *Nr. 26464.* Geführt in AnonymO, fol. 135–151 (als *Nr. LXIV*).

Ms. Mus. Sch. D. 245. Alte Signatur (Vorsatzbl. Iv): MS CX, 3 Vol[ume]s, B. 4. 1–4.

Frz. Lt. Tab. 5 Lin. für Viola da Gamba. Um 1650.

145 fol., zuzüglich 3 Vorsatzbll. (I–IIr, IIIv leer). Unbeschrieben f. 6v, 29v, 53r, 109r (nur Lin.); f. 120v–142r, 143v–145 (leer). 22 × 17 cm. Tab.-Teil:

f. 1–6r, 12–20, 22–29r, 30–32, 36–41, 53v–67r, 75v–86r, 96v–98r, 100v–104r, 107r, 109v–115r. Für 5saitige Viola da Gamba. F. 83 ist Doppelbl.: angeklebt $^1/_3$ Bl. seitlich, Vorders. leer, Rücks. mit Tab. Korrekturen: f. 66r, 84v etc. Vorsatzbl. IIIr: *Mr. William Jsles sent these ten Bookes* . . . (vgl. analoge Notiz unter Ms. Mus. Sch. F. 575), in dieser Reihe war das Ms. vol. *9*. Ibid.: *William Hess / 1673*. F. 144r: *John merro / his booke*. Sätze in gew. Notenschrift. Mindestens 3 Schreiber, Hauptschreiber A beginnend. Hellbrauner Lederband der Zeit, spärliche Goldpressung, Mitte Blumenrosette. Reste von 4 grünen Seidenschließen. (Freie Instrumentalsätze, Tänze, engl. Liedsätze.)

Literatur: Hinweis TraficanteV, S. 237 (*Nr. 26*); Ford, S. 199; Lefkowitz, S. 271; TraficanteL, S. 197f.; Madan-Craster *Nr. 26532*. Geführt in AnonymO, fol. 239–248 (als *Nr. CX*). Jüngst Hinweis Price, S. 144ff.

——

Ms. Mus. Sch. D. 246.

Frz. Lt. Tab. 5 Lin. für Viola da Gamba. Um 1650.

145 fol., zuzüglich 3 Vorsatzbll. (I–IIr, IIIv leer). Unbeschrieben f. 6v, 54r 132v, 137v, 138r (nur Lin.); f. 137r, 138v–145 (leer). 22×17 cm. Tab.-Teil: f. 1–6r, 12–20, 22–32, 37–42, 60v–66r, 89–99r, 109–110r, 117–123r. Für 5saitige Viola da Gamba. F. 90 ist Doppelbl.: angeklebt $^1/_2$ Bl. seitlich, Rücks. leer, Vorders. mit Tab. Korrekturen: f. 18r, 91r ($^1/_4$ S. gestrichen). Vorsatzbl. IIIr: *William Hes: / 1673: / There is 6: books in parts of one sorte of Binding / and 4: more of . . . all Sortes: In all 10: bookes* (vgl. analoge Notiz unter Ms. Mus. Sch. F. 575), in dieser Reihe war das Ms. vol. *8*. Sätze in gew. Notenschrift. Mindestens 3 Schreiber, Hauptschreiber A beginnend. Einband wie Ms. Mus. Sch. D. 245. (Freie Instrumentalsätze, Tänze, engl. Liedsätze.)

Literatur: Hinweis TraficanteV, S. 237 (*Nr. 26, II*); Ford, S. 199; Lefkowitz, S. 271; TraficanteL, S. 197f.; Madan-Craster *Nr. 26533*. Geführt in AnonymO, fol. 239–248 (als *Nr. CX*).

——

Ms. Mus. Sch. D. 247.

Frz. Lt. Tab. 5 Lin. für Viola da Gamba. Um 1650.

100 fol., zuzüglich 4 Vorsatzbll. (I, II, IV leer). Unbeschrieben f. 4 (nur Lin.); f. 59r, 69v, 75–97r, 98–100 (leer). 22×17 cm. Tab.-Teil: f. 1–3, 21–32, 40v–46r, 59v–69r, 97b. Für 5saitige Viola da Gamba. Korrekturen: f. 26r, 43r etc., Rasuren: f. 32r, 63r, 68r. Vorsatzbl. IIIr: *William Hes / 1673* . . . (vgl. analoge Notiz unter Ms. Mus. Sch. F. 575), in dieser Reihe war das Ms. vol. *10*. Sätze in gew. Notenschrift (überwiegend). Mindestens 3 Schreiber, Hauptschreiber A beginnend. Einband wie Ms. Mus. Sch. D. 245. (Freie Instrumentalsätze, Tänze, engl. Liedsätze.)

Literatur: Hinweis TraficanteV, S. 237 (*Nr. 26*, III); Ford, S. 199; Lefkowitz, S. 271; TraficanteL, S. 197f.; Madan-Craster *Nr. 26534*. Geführt in AnonymO, fol. 239–248 (als *Nr. CX*).

Ms. Mus. Sch. E. 411. Alte Signatur (Vorderdeckel innen): MS CVIII 4 vol[ume]s, A. 4. 38–41. Zu der Band-Reihe Mss. Mus. Sch. E. 410–414 gehörig, die übereinstimmenden Einband zeigt; nur Bd. 411 und 412 enthalten Tab. In Ms. Mus. Sch. E. 410 ist f. 1r aufgezeichnet: *pricke the treble for the lute consort / at this end of the Booke.* Analog ist in Ms. Mus. Sch. E. 413 f. 1r vermerkt: *pricke the basse for the Lute Consort / at this end of the Booke.*

Frz. Lt. Tab. 6 Lin. Um 1650–1660.

82 fol. Gew. Notenschrift f. 5–36r; f. 36v–63 unbeschrieben (nur Lin.). 19×15 cm. Tab.-Teil: f. 64–66, 67v–78 (kopfstehend, rückwärts beschriftet). Für 12chörige Laute. F. 67r im Tab.-Teil unbeschrieben (nur Lin.), desgl. f. 79–82 (leer). Korrekturen: f. 69v (1/4 S. gestrichen). Zahlreiche Angaben zur Stimmung (*The Tuning*). Lfde. Numerierung der Sätze, orig. *1–32* (lückenlos). F. 69r: *The second straine is heere prices first by mistake.* F. 82v: *pricke the lute part in this booke / at this end . . .a line more.* F. 78r ergänzender Stimmungsvermerk: *The 3d Basse in Gam ut: flat tuning.* Rasuren: f. 72r, 75v, 77r. F. 73 ist in unterer Hälfte überklebt, erneut mit Tab. beschriftet (abweichende Fassung). F. 70v unten Rand: *the same with the Lira / make the 5 string gam vt.* Mithin wahlweise mit Viola da Gamba. Zur Datierung: Bd. 4 der Reihe (Ms. Mus. Sch. E. 413) zeigt Vorsatzbl. IIr: *Ri: Rhodes ex Aide Christi. Oxon. / Sept. 7. 1660.* 2 Schreiber, z. T. sehr flüchtige Niederschrift. Rötlichbrauner Lederband der Zeit, Goldschnitt, Vorder-, Rückdeckel Rosette. Vorderdeckel außen, Tinte: *2 Treble / & Lute part* (die 2. Zeile mit abweichender Tinte wohl etwas später). (Freie Instrumentalsätze, Tänze, engl. Liedsätze.)

Literatur: Hinweis TraficanteV, S. 237f. (*Nr. 27*); Ford, S. 199f.; Madan-Craster *Nr. 26528.* Geführt in AnonymO, fol. 236–238 (als *Nr. CVIII*).

Ms. Mus. Sch. E. 412. Alte Signatur (Vorderdeckel innen): MS CVIII 4 vol[umes]s, A. 4. 38–41. Zu der Bandreihe Mss. Mus. Sch. E. 410–414 gehörig, vgl. unter Ms. Mus. Sch. E. 411.

Frz. Lt. Tab. 6 Lin. für Viola da Gamba. Um 1650–1660.

74 fol. Fast ausschließlich gew. Notenschrift. 19×15 cm. Tab.-Teil: f. 5v–13. Lfde. Numerierung der Sätze, orig. *1–26* (lückenlos, mit Nr. *27* den nichtintavolierten Teil des Ms. fortsetzend, dessen gleiche Zeitlage). Für 6saitige Viola da Gamba. Korrekturen: f. 11r etc. Zahlreiche Angaben zur Stimmung (*The tuning*); auch: *the second string of ye Lira / is A re upon the Lute which / is ye second basse on the Lute.* 2 Schreiber. Einband wie Ms. Mus. Sch. E. 411.

Vorderdeckel außen, Tinte: *Tenor & Lira / some 2 trebles;* Rückdeckel außen: *Tenor*. (Freie Instrumentalsätze, Tänze, engl. Liedsätze.)

Literatur: Hinweis TraficanteV, S. 237f. (*Nr. 27*); Ford, S. 199f.; Madan-Craster *Nr. 26629*. Geführt in AnonymO, fol. 236–238 (als *Nr. CVIII*).

———

Ms. Mus. Sch. F. 572. Alte Signatur (Vorderdeckel innen, Ausschnitt eines alten Vorsatzbl. aufgeklebt): Ms. 147. A. 3. 26. 4.; ferner: F. 57 –.

Frz. Lt. Tab. 5 Lin. für Gitarre (ohne Alfabeto) und 6 Lin. für Viola da Gamba. Um 1660–1670 und 1680–1685.

77 fol. Unbeschrieben f. 1r, 2r, 3v, 4r, 13r, 16v–18r, 26v, 27r, 28r, 31v, 32r, 33v–37r, 47v–50r, 51v–74, 75v–77 (nur Lin.). 18,5×14 cm. Tab.-Teile: I. f. 27v, 28v–31r, 32v, 33r, 50v, 51r, 75r 5 Lin., rhythmische Werte im System, z. T. über System, ohne Alfabeto, für 5saitige Gitarre; II. f. 38–41r 6 Lin. für 6saitige Viola da Gamba. Im Tab.-Teil I ist f. 50v, 51r die unterste Lin. ausgestrichen bzw. radiert. Korrekturen: f. 31r. Im Tab.-Teil II 1–4 Pkte. neben Buchstaben. I = um 1660–1670, II = um 1680–1685. F. 1r Federproben *J say you w^th^* etc. Mindestens 3 Schreiber. Brauner Lederband der Zeit, Goldpressung, Buchrücken defekt (nicht orig.). Schnitt rot bespritzt. (Freie Instrumentalsätze, Tänze, engl. Liedsätze.)

Literatur: Hinweis TraficanteV, S. 238 (unter *Nr. 29*); Ford, S. 199f.; Madan-Craster *Nr. 26594*. Geführt in AnonymO, fol. 307–309 (als *Nr. CXLVII*).

———

Ms. Mus. Sch. F. 575. Alte Signatur (Vorderdeckel innen, Tinte): MS 151; Vorsatzbl. Ir (Bleist.): Ms. 151. B. 3. 1.

Frz. Lt. Tab. 6 Lin. für Laute und Viola da Gamba. Um 1660.

92 fol, zuzüglich 2 Vorsatzbll. (I, IIr leer), 1 Nachsatzbl. (leer); 1 vorangehendes Vorsatzbl. abgeschnitten, 3 Nachsatzbll. herausgerissen. Unbeschrieben f. 1v, 2r, 13v–15r, 22r, 29v–73r, 88v, 89r, 92v. 17×20,5 cm. Tab.-Teile: I. f. 2v–8r für 7–10chörige Laute, durchtextiert, Begleitsätze; II. f. 8–13r, 15v–21, 22v–29r, anschließend kopfstehend von Schluß aus notiert f. 73v–88r für 5- und 6saitige Viola da Gamba, Solosätze. Gew. Notenschrift f. 89v–92r. Tab.-Teil II mit 2 Pkt. unter Buchstaben. Korrekturen: f. 26v. Stimmungsangaben: f. 26r *Plaine Way*; f. 26v *fflat way*; f. 81v *harpe Sharpe way*; f. 76v *flatt harpe way*; f. 11r *Drew's Tuning*; f. 83v *The Mavigould Tuninge*; f. 20r am Satzende *The 4 stringe on noate lower*; f. 15v Stimmungsangabe mit Tab. f. 6saitige Viola. F. 8r ♯ *H in print* (mehrmals). F. 16v *loud, soft* im Satzinnern (*Eccho*). Vorsatzbl. IIv: *Mr William Hes: / sent thes ten Bookes to Dr Fell Deane of ch: ch: / m. oxford whereof* [gestrichen] *for y^e^ vse of the publick musick scoole / whereof 5 of them are of one sort & the other 5 of a nother, / they are markt with y^e^ 10 first figures at the topp of this page that soe it may bee discouered which is wanting*. Darüber: 7 [= Nr. in der Bandreihe], vgl. unter Ms. Mus. Sch. D.

245. F. 1r: *William Hes. / 1673.* Mindestens 5 Schreiber. Dunkelbrauner Lederband der Zeit, Blindpressung an Rändern, Schnitt rot bespritzt. (Freie Instrumentalsätze, Tänze, engl. und frz. Liedsätze.)

Literatur: Hinweis TraficanteV, S. 239 (*Nr. 30*); Ford, S. 199f.; Lefkowitz, S. 271; TraficanteL, S. 197f.; Madan-Craster *Nr. 26598.* Geführt in AnonymO, fol. 322–325 (als *Nr. CLI*).

Ms. Mus. Sch. F. 576. Ältere Sign. (Vorderdeckel innen): 152 und: B. 3. 2.

Frz. Lt. Tab. 6 Lin. Um 1670–1690.

91 fol., zuzüglich 3 Vorsatzbll. (f. I, IIv–III leer). Unbeschrieben f. 56v, 57r, 91v (nur Lin.). 16×19,5 cm. Tab.-Teil: f. 1–56r. Für 11chörige Laute, einige Sätze für 10chörige Laute. Gew. Notenschrift f. 57v–91r. F. 51v, 52v, 55v, 56r sind kopfstehend, rückwärts beschriftet. Vorsatzbl. IIr Übersicht von Akkorden in Tab. und gew. Notenschrift, mit Stimmregel für die 11chörige Laute. Beischriften *a mi la ré, be fa si* etc. Angaben von „*Acord*“: f. 1r „*par vnisons*“, f. 32r, 44v etc. Satzbezeichnungen z. T. am Satzbeginn und -ende. Streichungen: f. 10r. 1 Schreiber (frz. Provenienz). Dunkelbrauner Lederband der Zeit, Deckel und Buchrücken mit Goldpressung, Schnitt rot gespritzt. Reste von 4 grünen Stoffschließen. (Freie Instrumentalsätze, Tänze, frz. Airs, Tanzsätze mit von fremder Hand unterlegtem engl. Text.)

Literatur: Fehlend. Hinweis RollinD, S. XVII, Madan-Craster *Nr. 26599.* Geführt in AnonymO, fol. 325–327 (als *Nr. CLII*).

Ms. Mus. Sch. G. 615. Alte Signatur (Vorsatzbl. Iv, Bleist.): MS 165. B. 3. 15.

Frz. Lt. Tab. 5 Lin. für Viola da Gamba. Um 1650–1660.

39 fol., zuzüglich 1 Vorsatzbl. (Ir leer), 1 Nachsatzbl. (Iv leer). Unbeschrieben f. 10v, 28v, 39v (nur Lin.). 9,5×20,5 cm. Tab.-Teil: f. 1–2v, 3v, 4r. Für 5saitige Viola da Gamba. Überwiegend gew. Notenschrift, auch im Tab.-Teil (f. 2v), am Schluß des Volumens kopfstehend, rückwärts notiert. Nachsatzbl. Ir Federproben, u. a.: *James Jhatterton / is a fool Robert Gores / his . . .*, darüber: *James Shatterton.* 1 Schreiber. Dunkelbrauner Lederband der Zeit, spärliche Goldpressung. Löcher von 1 Metallschließe. Buchrücken jünger. (Tänze.)

Literatur: Fehlend. Madan-Craster *Nr. 26615.* Geführt in AnonymO, fol. 341–343 (als *Nr. CLXV*).

Ms. Mus. Sch. G. 616. Ältere Sign. (Vorderdeckel innen): 166. Vol. 1 und: B. 3. 16.

Frz. Lt. Tab. 6 Lin. Um 1660–1680.

80 fol., zuzüglich je 1 Vorsatzbl. (f. Ir leer) und Nachsatzbl. (leer). Unbeschrieben f. 1r, 4v, 5r, 6v–11r, 15v–32r, 63r, 66v–80 (nur Lin.). 9,5×15,5 cm. Tab.-

Teil: f. 1v–4r, 5v, 6r, 11v–15r, 33–62, 63v–66r. Für 11chörige Laute. Vorsatzbl. Iv: *C SOL VT simplement Cest a / dire par B. quarre ton naturel au naturel;* f. 32v: *C SOL VT par B mol / mode naturel par le Chromatique.* F. 36r Beischrift: *on peut jouer cette mesure et demye comm' elles sont icy marquées pour la / facilité / ellest ainsy dans l'imprimé.* Korrekturen, Rasuren: f. 42r etc. *fin*-Vermerke. Vorderdeckel innen Kupferstich (Landschaft mit antiken Ruinen). Rückdeckel innen eine mit Tinte gezeichnete Rosette aufgeklebt. 1 Schreiber (sorgfältig, frz. Provenienz), derselbe wie Mss. Mus. Sch. G. 617, 618. Brauner Lederband der Zeit ohne Goldpressung, Schnitt rot gespritzt. (Freie Instrumentalsätze, Tänze.)

Literatur: Fehlend. Hinweis RollinD, S. XVI, Madan-Craster, *Nr. 26616.* Geführt in AnonymO, fol. 344f. (als *Nr. CLXXI, a*); RadkeGL, S. 54.

——

Ms. Mus. Sch. G. 617. Ältere Sign. (Vorsatzbl. Iv): 166. Vol. 2 und: B. 3. 17.

Frz. Lt. Tab. 6 Lin. Um 1660–1680.

78 fol., zuzüglich je 3 Vorsatzbll. (f. I, IIv, IIIr leer) und Nachsatzbll. (leer). Unbeschrieben f. 61v, 62r, 66v–68r, 70v–78 (nur Lin.). 9,5×15,5 cm. Tab.-Teil: f. 1–46r, 47r–61r, 62v–66r, 68v–70r. Für 11chörige Laute, einige Sätze nur für 10chörige Laute. Vorsatzbl. IIr: *A MI LA;* Vorsatzbl. IIIv: *A MI LA simplement / cest a dire par B mol / mode naturel au nature*[l]. F. 46v: *A MI La par b quarre / mode naturel par le / Chromatique.* Korrekturen, Streichungen: f. 64v etc. *fin*-Vermerke. 1 Schreiber, derselbe wie Mss. Mus. Sch. G. 616, 618. Brauner Lederband der Zeit (Ausstattung wie die vorgenannten Mss.). (Freie Instrumentalsätze, Tänze.)

Literatur: Fehlend. Hinweis RollinD, S. XVI, Madan-Craster *Nr. 26617.* Geführt in AnonymO, fol. 344ff. (als *Nr. CLXXI, b*); RadkeG, S. 142, RadkeGL, S. 54.

——

Ms. Mus. Sch. G. 618. Ältere Sign. fehlen.

Frz. Lt. Tab. 6 Lin. um 1660–1680.

80 fol., zuzüglich 5 Vorsatzbll. (f. I, II, IIIv–Vr leer), 4 Nachsatzbll. (leer). Unbeschrieben f. 15v, 16r, 25v–48, 66v–80 (nur Lin.). 9,5×15,5 cm. Tab.-Teil: f. 1–15r, 16v–25r, 50–66r. Für 11chörige und (nicht vereinzelt) 10chörige Laute. Vorsatzbl. IIIr: *D LA RE;* Vorsatzbl. Vv: *D LA RE. Simplement cest / a dire par B mol. ton naturel / au naturel.* F. 49r: *D LA RE par b quarre / mode naturel par les chromatiques.* Satzbezeichnungen z. T. am Satzbeginn und -ende. Korrekturen, Streichungen: f. 14r etc. F. 27/28 und 29/30 (unbeschriftet) hängen am unteren Blattrand zusammen. F. 49v Kupferstich (Landschaft, bezeichnet: *le Blond auec priuilege* und: *Perelle Inuent et fecit*). Angaben zur Umstimmung: f. 50v. 1 Schreiber, derselbe wie Mss. Mus. Sch. G. 616,

617. Brauner Lederband der Zeit (Ausstattung wie die vorgenannten Mss.). (Freie Instrumentalsätze, Tänze.)

Literatur: Fehlend, Hinweis RollinD, S. XVI, Madan-Craster *Nr. 26618.* Geführt in AnonymO, fol. 344ff. (als *Nr. CLXXI, c*); RadkeG, S. 141.

OXFORD, Christ Church, Library

Ms. Mus. 532. Ältere Sign. (Vorderdeckel innen, Bleistift): I. 734 und (ibid., Tinte): 5. 8. 13.

Frz. Lt. Tab. 6 Lin. für Laute und Lyra Viol. Mitte des 17. Jh. und um 1680.

43 fol., zuzüglich 2 Vorsatzbll. (leer). Unbeschrieben f. 17r, 19r, 21v–42r, 43v (nur Lin.). 18×23 cm. Tab.-Teile: I. für 14chörige Laute f. 42v, 43r (kopfstehend, rückwärts beschriftet); II. für 6saitige Lyra Viol f. 1–16, 17v–18, 19v–21r. Orig. Numerierung der Sätze: *2–25*, *31*, 1 unnumerierter Satz geht voran, die Zählung ist bis *25* mithin lückenlos, auf *25* folgen 3 unnumerierte Sätze, so daß Nr. *31* um 2 Sätze zu früh eintritt, doch ist kein Bl. in Verlust geraten, wie der fortsetzenden Beschriftung in Tab. zu entnehmen ist. Am Schluß des Volumens sind ca. 3 Bll. herausgerissen (kein Tab.-Verlust). F. 13r (Satz Nr. *18* der orig. Zählung) zeigt am Satzbeginn 8 rhythmisierte, sonst leergebliebene Tab.-Takte, was auf Ensemble deutet. Tab.-Teil I enthält 1 unnumerierten Solosatz. Korrekturen: f. 43r. Die Niederschrift von Tab.-Teil II wurde offenbar mit den 2 auf die orig. Nr. *31* folgenden unnumerierten Sätzen Mitte des 17. Jh. durch Schreiber A abgebrochen. Der Tab.-Teil für Laute wurde wohl erst um 1680 durch Schreiber B aufgezeichnet. 2 Schreiber (A = Tab.-Teil II, B = Tab.-Teil I). Pergamentband der Zeit, an den Rändern stark abgestoßen. Vorderdeckel innen Exlibris *Ædes Christi / in Academiâ Oxoniensi.* Orig. Heftung unversehrt. (Freie Instrumentalsätze, Tänze.)

Literatur: Fehlend. Hinweis LumsdenE I, S. 158.

Ms. Mus. 1187.

Frz. Lt. Tab. 4 und 6 Lin. Um 1660.

10 fol. Unbeschrieben f. 10v. 32×22 cm. Es handelt sich um flüchtige Niederschriften für einen Musiktraktat von der Hand des James Talbot und anderen. Zweispaltig, eng beschriftet. Nur intavolierte Beispiele (keine Satzbezeichnungen) von Stimmungen im Rahmen einer Beschreibung der Instrumente, Notationssysteme etc. Tab.-Teile: I. f. 4r 4 Lin. für Mandora; II. f. 5v–10r 6 Lin. für Laute und deren Abkömmlinge größerer Chorzahl; im einzelnen sind die Beispiele bestimmt: f. 5v bis *///a*, f. 6r bis *///a*, f. 6v bis „*5*“, f. 7r bis „*6*“, aber gestrichen, f. 7v bis „*4*“ und „*5*“, f. 8r bis „*7*“, f. 8v bis „*6*“ und „*7*“. f. 9r bis „*4*“, f. 9v bis *//a*, f. 10r bis „*9*“, d. h. bis zum 16. Chor. Überschriften: f. 1r

Lute French & English. Leut. Luth. Lauto; f. 1v *Arch Lute*; f. 2r *Lute*; f. 4r *Mandora*; f. 4v *Angel Lute* (auch f. 7r); f. 7v. *French Lute Common Tuning* (*Mr Crevecoeur*) und *English two headed Lute*; f. 9v *Double Theorboe*; f. 10r *Angelique or Angel Lute Mr Crevecoeur*. Mit Übersichten der Chöre: f. 2v *Theorbo Tuning* (12 Chöre); f. 3r Namen der Chöre in 3 Sprachen: *Chanterelle, Treble, Cantarello* etc. Am Rand defekt (kein Tab.-Verlust). Tab.-Teile 1 Schreiber (James Talbot). Ohne Einband. (Nur Beispiele von Stimmungen der Lauteninstrumente.)

Literatur: TraficanteV, S. 63f.; GillG, S. 60ff.; GillD, S. 40; Donington, S. 27ff.; Prynne, S. 52ff.; Lejeune, S. 128; RadkeEZ, S. 482f.; GeiringerB, S. 59.

PARIS, BIBLIOTHÈQUE NATIONALE, Département de la musique

Ms. Rés. Vm⁷ 370. Alte Signatur: *Vm 1058, Vm 2658, Vm 2658 réserve.* Früher Bibliothèque Sébastien de Brossard.

Frz. Lt. Tab. 6 Lin. Um 1672–1673, Nachträge um 1680 möglich.

275 fol. Neuere rote Foliierung. Unbeschrieben f. 1v, 2r, 10–16, 30–36, 43v–49, 51–74, 76–77r, 79–99, 101–124, 126–127r, 132v–149, 151–152r, 159v–174, 176v, 177r, 180v, 181r, 182r, 189v–199, 208–224, 226–249, 251–270 (nur Lin.); f. 272–275 (leer). 13,1 × 16,3 cm. Ausschließlich Tab. Für 11chörige Laute. Ms. ist in 12 Abschnitte gegliedert, von denen nur 8 Abschnitte intavolierte Sätze enthalten. Zu Beginn jedes Abschnitts f. 17r, 50r, 75r, 100r, 125r, 150r, 175r, 200r, 225r, 250r, 271r ein ganzseitiger Kupferstich (Pflanzenabbildung) mit wechselnden Stimmungs-Angaben (s. Bd. 2). 1 Schreiber (Sébastien de Brossard † 1730). Titelbl.: *Pieces de Luth / recüeillies et écrites / a Caën et autres lieux / es années 1672: 73 &c / Par S. de Brossard.* Pergamentband der Zeit mit hs. Rückentitel: *Recueillies es années 1672 et 1673 &c par Séb. de Brossard. No Io.* (Freie Instrumentalsätze, Tänze.)

Literatur: WolfH II, S. 104 (mit alter Sign. *Vm 2658 réserve*); BoetticherL, S. 364 [41] (*Ms. Pa 2658 rés.*); EcorchevilleC VIII, S. 131—133; EitnerQL IV, S. 176 (Art. *Denis Gaultier*, unter alter Sign.); TessierGG, S. 35 (als *Ms. Bross.*); RollinG, S. XVII; RollinN, S. 11ff.

——

Ms. Rés. Vm⁷ 374. Alte Signatur (Vorsatzbl. IIv): *V. + 2685.*

Frz. Git. Tab. 5 Lin. Ohne Alfabeto. Anfang des 18. Jh.

118 fol., zuzüglich je 1 orig. Schmutzbl. (mit blauer Seide einseitig beklebt) am Anfang und Schluß des Volumens, 2 Vorsatzbll. (leer). Orig. Paginierung *1–217*. 23,3 × 33,4 cm. Unbeschrieben (leer): f. 1v–2, 9v, 10r, 112v, 117v–118. Tab. Teil: f. 3–9r, 10v–16, 17v–18, 19v–20, 21v, 22v–23, 24v–25, 26v, 27v–32, 33v, 34v–35, 36v–37, 38v, 39v, 40v, 41v–45, 46v–48, 49v, 50v, 51v–52, 53v–54, 55v–57, 58v, 59v–60, 61v–62, 63v, 64r, 65r, 66v–67, 68v, 69v–70, 71v, 72v, 73v, 74v–78r, 79, 80, 81v–85, 86v–90, 91v–94, 95v–98, 99v–100, 101v–106, 107v–112r. Für 5saitige Git. Titelbl. f. 1r mehrfarbig mit Gold in Schönschrift,

Blumenrahmen: *RECEUIL* [sic] / *d'airs avec accompagneme*[n]*t* / *de* / *GUITARE.* Abgesehen von einigen intavolierten Solosätzen handelt es sich um Begleitsätze, deren Tab. in dem unteren System jeder Akkolade aufgezeichnet wurde, während in dem oberen System in gew. Notenschrift die Gesangsstimme (durchtextiert, Strophen nachfolgend) festgehalten ist. Beschriebene Seiten, die nicht unter dem Tab.-Teil aufgeführt sind, enthalten anschließende Textstrophen. Nichtintavolierte Begleitsätze fehlen. Orig. Index f. 113–117r, überschr. f. 113r *TABLE* / *des Airs contenus dans ce* / *RECUEIL* (alfabetisch, vollständig). 1 Schreiber (einschließlich Index, Titelbl. etc.), Prachths., mehrfarbige Initiale, Satzbezeichnungen rot. Karminroter Lederband der Zeit mit reicher Goldpressung (Blumenmuster), Goldschnitt; in Buchrücken eingepreßt (jünger): *RECUEIL* / *D'AIRS* / *AVEC* / *ACCOMPAG.* / *DE GUITTAR.* Orig. bunte Seidenbänder inliegend. (Freie Instrumentalsätze, Tänze, frz. Chansons, Airs.)

Literatur: Fehlend.

Ms. Vm[7] 675. Alte Signatur: *V. m.[1] 142* / *A. 27.*

Frz. Lt. Tab. 5 Lin. für Gitarre, ohne Alfabeto, und 6 Lin. für Laute. Um 1700.

73 fol. Orig. Paginierung (lückenhaft, beginnend mit pag. 37 auf f. 2r). Neuere Paginierung (Tinte) p. 35ff. und 123–192 (Schluß). Demnach sind in neuerer Zeit in Verlust geraten f. 1–17, 20, 21, 26, 27, 37, 60 des urspr. Volumens, das mindestens 96 fol. umfaßt haben dürfte. Unbeschrieben f. 36v, 38v, 39r, 42v. Papier verschiedener Stärke und Herkunft. 16,8×23,4 cm. Tab. für 5saitige Gitarre f. 1–36r, 37–38r und für 11chörige Laute f. 39v–42r. (EcorchevilleC VIII, S. 85 zu berichtigen). F. 43–73 in gew. Notenschrift, z. T. Partitur. Im Tab.-Teil mindestens 2 Schreiber. Schwarzbrauner Lederband der Zeit, Deckelränder und Buchrücken mit Goldpressung. (Freie Instrumentalsätze, Tänze, Airs, frz. Chansons.)

Literatur: WolfH II, S. 104; BoetticherL, S. 367f. [44] (*Ms. Pa 675*); EcorchevilleC VIII, S. 85–97; RollinG, S. XVII. BoetticherL, S. 428 1 übertragener Satz.

Ms. Vm[7] 6211. Alte Signatur (Buchrücken, auf dem Vorsatzbl. ausgestrichen): *V.m. 1060;* jüngere Signatur: *V.m. 2659.*

Frz. Lt. Tab. 6 Lin. Um 1670–1690.

47 fol. Jüngere Foliierung (vollständig). 1 Vorsatzbl. (leer). Alle S. mit Tab. beschrieben. F. 22v ist gestrichen und verschmiert (alt). 16,6×21,4 cm. Für 11chörige Laute. Zahlreiche Korrekturen. Mindestens 3 Schreiber (stark abweichende Tinte). Vorsatzbl. (jünger, Bleist.): *Recueil de pieces de Luth en tablature de différents auteurs* (gestrichen) und: *Pièces de luth en tablature*

française. Dunkelgrüner Pergamentband der Zeit. (Freie Instrumentalsätze, Tänze.)

Literatur: WolfH II, S. 104 (auch unter jüngerer Sign., doppelt); BoetticherL, S. 361 [38] (*Ms. Pa 6211*); EcorchevilleC VIII, S. 97–108; EitnerQL IV, S. 176 (jüngere Sign.); TessierGG, S. 35 (als *La mare le Gras, Pièces en tablature de luth XVIIe s.*); RollinC, S. XXI; RollinD, S. XVI; RollinG, S. XVII; RadkeA, S. IX, Anm. 27; LaurencieL, S. 154; RollinN, S. 16.

Ms. Vm^7 6212. Alte Signatur: *V.m. 2660*.

Frz. Lt. Tab. 6 Lin. für Laute und Angelica. Um 1664–1680. Datierung 1664.

86 fol., zuzüglich 2 alte Vorsatzbll.; f. 85 ist zu $^4/_5$ abgerissen. Neuere Foliierung. Unbeschrieben f. 6r (nur Lin., vorgedruckt). 17,2×21,4 cm. Für 10- und 11seitige Angelica bzw. 10- und 11chörige Laute. Besitzvermerke: Vorsatzbl. Ir *ce 17 nouanbre 1664 monsieur de bestune a couman / ce a ma prandre viue iesus et marie et / a iouer de langelique. Joseph ... Marguerite Monin;* f. IIv *ce Liuvre apartien a madame falconett;* f. IIr ist ein Kupferstich aus der Offizin von Robert Ballard, *Av Mont Parnasse Rve S. Iean de Beavvois*, darüber und darunter hs. Tinte: *Marguerite Monin*. Tab. Teil f. 1–5, 6v–70, 71v–83, 84v–85. F. 14r, 86r Aufzeichnung in gew. Notation von fremder Hand. F. 7v, 21v, 22r, 31v Beispiele des akkordischen Satzes in Tabellenform mit darüber aufgezeichneter Generalbaßbezifferung. Im Tab.-Teil mindestens 3 Schreiber, stark unterschiedliche Tintenfärbung, meist flüchtige Aufzeichnung. Restaurierter Pergamentband der Zeit. Rücken bedruckt: *Recueil de pièces de luth en tablatures.* (Freie Instrumentalsätze, Tänze.)

Literatur: WolfH II, S. 104, 129 (zugleich unter alter Sign., doppelt aufgeführt); BoetticherL, S. 363 [40] (*Ms. Pa 6212*); EcorchevilleC VIII, S. 108–120, RollinD, S. XVI; RollinG, S. XVII, LaurencieE, S. 230f.; RadkeA, S. VI; RollinN, S. 16; DorfmüllerB, S. 382.

Ms. Vm^7 6213. Alte Signatur: *V. m.* $\frac{2660}{2}$.

Frz. Lt. Tab. 6 Lin. Um 1670–1690.

64 fol. Orig. Paginierung *1–28*. Unbeschrieben f. 8v, 9r, 15–64 (nur Lin., vorgedruckt). 18×22,5 cm. Tab.-Teil: f. 1–8r, 9v–14. Für 11chörige Laute. Papier mit vorgedruckten Notenlin. aus der Offizin Ballards. Als Titelblatt ein Kupferstich: *Av Mont Parnasse Rve S. Iean de Beauvois. Par Robert Ballard.* Auf Vorsatzblatt neuere Aufschrift: *Recueil de pièces de luth en tablature.* Nur 1 Schreiber. Stark abgenutzter dunkelbrauner Lederband der Zeit, Rücken mit Goldpressung, 4 Messingschließen. (Freie Instrumentalsätze, Tänze, Airs, frz. Chansons.)

Literatur: WolfH II, S. 104; BoetticherL, S. 363 [40] (*Ms. Pa 6213*); EcorchevilleC VIII, S. 121–126; RollinD, S. XVI; RollinG, S. XVII.

Ms. Vm^7 6214. Alte Signatur: *V. m.* $\frac{2660}{3}$.

Frz. Lt. Tab. 6 Lin. Ende des 17. Jh.

65 fol. Neuere Foliierung 1–80, nach dieser Zählung fehlen jetzt f. 11–14, 19–22, 48, 49, 59–62, 72. Unbeschrieben f. 35v–37r, 46r, 51r, 58–61r (nur Lin.). 9,5×14,4 cm. Tab. Teil f. 1–35r, 37v–45, 46v–50, 51v–57, 61v–65. Für 10- und 11chörige Laute. Als Titelblatt ein Kupferstich: *A Paris, Par Robert Ballard, seul Imprimeur du Roy pour la Musique, demeurant ruë Saint Iean de Beauvais, au Mont Parnasse.* 2 Schreiber, stark abweichende Tinte. Pergamentband der Zeit. (Freie Instrumentalsätze, Tänze.)

Literatur: WolfH II, S. 105; BoetticherL, S. 363 [44] (*Ms. Pa 6214*); EcorchevilleC, VIII, S. 126–129; TessierGG, S. 35 (als *Ms. Pièces en tablature de luth*, unter *Du But*); EitnerQL IV, S. 176, VI, S. 3; RollinD, S. XVI; RollinG, S. XVII; RadkeBQ, S. 503.

Ms. Vm^7 6216.

Frz. Lt. Tab. 6 Lin. Ende des 17. Jh.

11 fol. Neuere Foliierung (die Angaben bei EcorchevilleC VIII, S. 130f. weichen ab f. 6 hiervon ab). Unbeschrieben f. 6v, 11v. 17,6×23,6 cm. Ausschließlich Tab. Für 11chörige Laute („*4*“), auch nur 5chörig. Zahlreiche Korrekturen, flüchtige Aufzeichnung. Papier aus der Offizin Robert Ballards mit vorgedruckten Lin., ein Kupferstich als Frontispiz fehlt. 2 Schreiber. Jüngerer Einband. (Freie Instrumentalsätze, Tänze, Airs.)

Literatur: WolfH II, S. 105; BoetticherL, S. 363 [44] (*Ms. Pa 6216*); EcorchevilleC VIII, S. 129–131; RollinD, S. XVI; RollinG, S. XVII.

Ms. Vm^7 6221. Ältere Signaturen: *Vm 1063* (Schmutzbl. innen, Tinte, gestrichen) und: *Vm. 2671.* – Handschriftliche Eintragungen in den Druck (Titelbl. fehlend): François Campion, *Nouvelles découvertes sur la guitarre contenantes plusieurs suittes de pièces sur huit manières différentes d'accorder*, Paris 1705 (vollständiges Unikum in Paris, Bibl. nat., Fonds Conservaroire Rés. 1805, dort ist auf dem Titelbl. hs. zeitgenössisch ergänzt: *Premier oeuvre*).

Frz. Lt. Tab. 5 Lin. für Gitarre. Um 1740–1745, Datierung eines intavolierten Satzes 1741.

122 fol., zuzüglich je 1 Schmutzbl. vorn und hinten sowie 3 Vorsatzbll. (Iv, IIv–III leer) und 1 Nachsatzbl. (leer). Unbeschrieben f. 7v–8, 14–16, 20v, 34v–35, 44v–46, 50, 54v, 57v–58, 60–61r, 64, 66, 71r, 73–122 (nur Lin.). 26,5×10,5 cm. Gedruckter Tab.-Teil (Kupferstich): f. 1–4, 9–12, 17, 18, 21–28, 30, 41–43. Hs. Tab.-Teil: f. 5–7r, 13, 19–20r, 29, 31–34r, 36–40, 41r

(nur untere 2 Systeme), 44r, 47–49, 51–54r, 55–57r, 59, 61v–63, 65, 67–70, 71v–72. Für 5saitige Gitarre, ohne Alfabeto, rhythmische Zeichen bei *Punteado* über dem System, sonst im System (auf- und abwärtige Kaudierung). Der gedruckte Tab.-Teil ist f. 1r hs. mit Überschrift versehen: *Piéces de Guitare du S.r Campion Proffesseur- / Maitre de théorbe et de guitare de L'Academie Royalle / de Musique en 1731. Auteur dela Régle de l'Octave.* Weitere zeitgenössische Titel: Vorsatzbl. Ir *Ce Liure est destiné / Pour / La Bibliothèque du Roy / par / Le S.r Campion Proffesseur-Maitre / de Théorbe et de Guitare de / L'Académie Royale de Musique. / Auteur dela Régle de l'Octave / imprimée en 1716* (die 3 letzten Worte von anderer Hand), darunter etwas jüngere Eintragung: *Ce volume a été remis à la Bibliothèque du Roy / le 17 avril 1748, par M. Louis Alexandre Campion / neveu de l'auteur qui l'avoit laissé par son Testament / à la Bibliothèque du Roy.* Vorsatzbl. IIr: *Ouvrages de Campion / 1. Pièces de Guitare cy-inclus gravé en 1705. / 2. Traité d'accompagnement par la Règle de l'octave imprimé en 1716 qui / annéantit totalement l'ancienne / Gâme qui est fausse. / 3. Avantures Pastorales meslées devers / mis en musique. / 4. Addition au Traité d'accompagnement. / 5. Second recueil d'airs. / L'Abbé Carbasus. Critique de la vielle. 6.e oeuvre. / 7.me Premiers Principes en tablature pour les / pièces de Guitare.* Bis vor Nr. 7 Eintragung vom Hauptschreiber des Vorsatzbl. Ir, Rest von der anderen Hand, die Vorsatzbl. Ir ergänzt hat. Datierung im hs. Tab.-Teil: f. 31v bei *Sonattina* 1741. Korrekturen, Streichungen, Rasuren: f. 6r, 33v, 40r, 62r, 62v, 63r, 71v, 72r, 72v. Besondere Hinweise: f. 39r *cy derrière après le 7*; f. 49r am Schluß von „Les Ramages" *Cette pièce doit être harpégée continuellement*; f. 63r unten und fortsetzend f. 63v oben *pour la suitte, il faut enfoncer un / peu les doigts de la main gauche / sur les cordes nécaissaires dans le rose / à la rose, si la guitare est d'un bon diapazon, et bien montée / decordes justes*; bei „Fugue" f. 70v *que se peut joindre à la Sonatina cydevant. Lentement-*, *harpeggio-* und *piano*-Vorschriften im Satzinnern. 1 Schreiber des Tab.-Teils, es dürfte sich um Autograph F. Campion handeln, das sich über eine längere Zeitspanne erstreckt und wahrscheinlich bis kurz vor dem Tod (1748) geführt wurde. Dunkelbrauner Lederband der Zeit, Blindpressung (nur Randleisten) auf Deckeln; jüngere Goldpressung auf Buchrücken *PIECES / DE GUITAR / DE CAMPIO*[N]. Orig. buntmarmoriertes Schmutzbl. vorn und hinten, mit gleichem Buntpapier Deckel innen beklebt; Vorderdeckel innen aufgeklebt Kupferstich eines Lautenspielers, hs. (Tinte) darunter: *Trahitur dulcedine cantus;* Schmutzbl. vorn Vorderseite mit Kupferstich beklebt (Harfenspieler, Datum in Randleiste 1691), Rückdeckel innen mit Kupferstich beklebt (ländliche Szene, Blockflöte spielende Knaben). (Freie Instrumentalsätze, Tänze, Airs.)

Literatur: Fehlend. Der Druck ist bei EitnerQL II, S. 298 nur nach Verst.-Kat. L. Liepmannssohn 88 geführt, ergänzende Angaben vgl. EitnerQL-RISM II, S. 33. Die Angabe in MGG II, S. 727, Art. F. Campion (E. Borrel), es handele sich um eine „Abschrift" des Drucks, „die um 50 unveröffentlichte Stücke vermehrt ist", ist nicht zutreffend, da die hs. Eintragungen nicht den Druck kopieren, letzterer ist inkomplett im Volumen enthalten. Die moderne Ausgabe des Drucks F. Campion, *Vingt Pièces de son livre de tablature de Guitare..., transcrites en notation moderne*, ed. L. Baille, Préface de G. Migot, Paris s.a. [1951] gibt 1 Faksimile eines *Prélude* aus dem hs. Tab.-Teil (keine näheren Angaben zum Ms.).

Ms. Vm^7 6222.

Frz. Git. Tab. 5 Lin. Ohne Alfabeto. Um 1715–1720.

48 fol. Neue Foliierung. Unbeschrieben f. 6–12, 21v–30, 33–36, 38–42, 44v, 45v–48. 21,7 × 29,4 cm. Ausschließlich Tab. Für 5saitige Gitarre. 1 Schreiber. Grüner Pergamentband der Zeit. (Freie Instrumentalsätze, Tänze, frz. Chansons.)

Literatur: EcorchevilleC VIII, S. 136–142.

Ms. Vm^7 6235. Ältere Signatur (Vorsatzbl. IIv): *V. m. 2684.2.*

Frz. Lt. Tab. 5 Lin. für Gitarre. Um 1680.

Faszikel 1: 73 fol., zuzüglich 2 Vorsatzbll. (leer). Unbeschrieben f. 1r, 2r, 3r, 7r, 8r, 11r, 12r, 13r, 22r, 24r, 28r, 30r, 49r, 50r, 51r, 52r, jeweils Vorderseite fortfahrend bis 73r (leer); f. 7v, 10v, 11v, 12v, 29v, 34r, 36v, 37r, 39v, 40r, 49v, 50v, 51v, 52v, 53v, jeweils Rückseite fortfahrend bis 73v (nur Lin.). 28,5 × 21,5 cm. Tab.-Teil: f. 1v, 2v, 3v, 4v, 5v, 6v, 8v–10r, 13v, 14v, 15v, 16v, 17v, 18v, 19v, 20v, 21v, 22v, 23v, 24v, 25v, 26v, 27v, 28v, 30v–31, 32v, 33v, 34v, 35v, 37v, 38v, 40v, 41v, 42v, 43v, 44v, 45v, 46v, 47v, 48v. Für 5saitige Gitarre, rhythmische Zeichen überwiegend im System auf- und abwärts kaudiert, spärlich auch über dem System, kein Alfabeto. Literar. Eintragungen (Texte, auf Tab.-Teil bezüglich): f. 4r, 5r, 6r, 14r, 15r, 16r, 17r, 18r, 19r, 20r, 21r, 23r, 25r, 26r, 27r, 29r, 32r, 33r, 35r, 36r, 38r, 39r, 41r, 42r, 43r, 44r, 45r, 46r, 47r, 48r. 1 Schreiber (Hauptschreiber von Faszikel 2).

Faszikel 2: 24 fol., zuzüglich 2 Nachsatzbll. (leer). Unbeschrieben f. 1r, 14r, 15r, 16r, 17r, 19r (leer). 27 × 20,5 cm. Von Faszikel 1 abweichendes Papier. Tab.-Teil: f. 1v, 2v, 3v–5, 6v, 7v, 8v, 9v, 10v, 11v–13, 14v, 15v, 16v, 17v, 18v, 24v. Für 5saitige Gitarre, Aufzeichnung wie Faszikel 1. Literar. Eintragungen (s. o.): f. 2r, 3r, 6r, 7r, 8r, 9r, 10r, 11r, 18r, 22r. Gew. Notenschrift (zum Tab.-Teil gehörig): f. 19v, 20r, 21v, 22v, 23v. Sonstige literar. Aufzeichnungen (frz.): f. 20v, 21r, 23r, 24r. 1 Hauptschreiber; f. 24v 1 Nebenschreiber (flüchtig).

Hellgrüner Pergamentband der Zeit. Vorderdeckel außen orig. rotes Lederetikett mit Goldpressung: *MADAME / LA COMTESSE / DU RUMAIN.* (Frz. Chansons, Airs, als Begleitsätze.)

Literatur: Fehlend.

Ms. Vm^7 6236. Ältere Signatur (Vorsatzbl. IIv): *V. m. 2684.3.*

Frz. Lt. Tab. 5 Lin. für Gitarre. Um 1680.

37 fol., zuzüglich 2 Vorsatzbll. (leer). Unbeschrieben f. 26, 29v, 33v, 35 (nur Lin.), mehrere Seiten leer, 28×21 cm. Tab.-Teil: f. 1, 4, 6, 8, 10, 11, 13, 14, 16, 18, 21–24. Für 5saitige Gitarre. Aufzeichnungsart wie Ms. Vm^7 6235, Faszikel 1 und 2. Literar. (Strophen, zur Tab. gehörig): f. 3r, 9, 12r, 15r, 17, 20. Gew. Notenschrift: f. 29r, 33r. Zufolge einer älteren Bleistift-Notiz (Vorsatzbl. Iv) früher Besitz der *Duchesse de Neufville-Villeroi.* 1 Schreiber (wie Ms. Vm^7 6235).
Inliegend 2 lose Blätter, abweichenden Formats, nicht zum Volumen gehörig: (Signatur nicht angegeben)

A: 1 fol. 20×26 cm. Tab.-Teil: f. 1r. Aufzeichnungsart s. o. F. 1v gew. Notenschrift (das vorgesehene System für Tab. ist freigelassen). Schreiber wie o.a.

B. 1 fol. 28×22 cm. Tab.-Teil f. 1r, 1v. Aufzeichnungsart s. o. Schreiber wie o.a.

Hellgrüner Pergamentband, Vorderdeckel Goldpressung (Wappen). (Frz. Chansons, Airs, als Begleitsätze.)

Literatur: Fehlend.

Ms. Vm^7 6265.

Frz. Lt. Tab. 6 Lin. für Laute und für Theorbe. Um 1700.

45 fol. Orig. Paginierung (Tinte) *1–83*, fortsetzend neuere Paginierung (Bleistift) 84–86, f. 44, 45 unpaginiert. Unbeschrieben f. 1r, 13v, 20v, 28v, 32, 39–40r, 42v, 44, 45. 19,2×26,4 cm. Ausschließlich Tab. Für 11- bis 12chörige Laute und für 14chörige Theorbe (bzw. Laute). F. 1r Stempel: *Bibl. de Falconet* und *Bibliothèque Royale.* Das Ms. besteht aus verschiedenen Faszikeln, was auch die mehrfach korrigierte alte Paginierung bezeugt. Mindestens 2 Schreiber. Einband der Zeit. Die Blätter stark restauriert und neu gefalzt. (Freie Instrumentalsätze, Tänze, frz. Chansons.)

Literatur: WolfH II, S. 105; BoetticherL, S. 363 [44] (*Ms. Pa 6265*); EcorchevilleC VIII, S. 133–136.

Ms. Rés. Vmb. ms. 5. Bis 1944 Privatbibliothek André Pirro (*Don 5000*).

Ital. Viola Tab. 4 Lin. für 3- bzw. 4saitige Viola da braccio. Anfang des 17. Jh.

1 fol. 25,5×24 cm. Beide Seiten mit Tab. beschrieben. Fragment, am Rand stark abgeblättert. F. 1v z. T. Beschriftung kopfstehend. Orig. Streichungen, z. T. eines ganzen Satzes. Z. T. Durchtextierung. Ausschließlich Tab. Nur

Ziffern *0–3*, die oberste der 4 Lin. ist durchweg unbeschriftet, d. h. die tiefste Saite des Streichinstr. blieb ungenutzt. 1 Pkt. über Ziffer. Es dürfte sich um den Rest einer Dirigierrolle eines Orchesterleiters (wohl des Ersten Violinisten) handeln, wahrscheinlich aus dem Umkreis des *Midi de la France.* Zeitlich und sachlich besteht eine Analogie zu dem Ms. Zagreb (s.u.). Bei einem unbezeichneten Satz orig. Vermerk: *Vai te faire foutre* (wohl Anrede des Orchesterleiters an einen Berufsgenossen), ferner: *Vaugine me doibt quarante solz; ay receu V sols*, als Namen finden sich (sehr flüchtig): *Monsieur Gaspard Bremond* und *Michel.* Rhythmische Zeichen fehlen. *finis*-Vermerke. 1 Schreiber (auch die Aufzeichnung der Satzbezeichnungen ist sehr flüchtig). Einband nicht überliefert. (Tänze, frz. Chansons.)

Literatur: LesureO, S. 53f., Faksimile beider Seiten auf Bildtafel zwischen S. 52 und 53. Jüngst noch Dufourcq, S. 73, Anm. 1.

Ms. Rés. Vmb. ms. 7. Früher Bibl. I.B. Barbe, dann Henri Prunières, *Nr. 262.*

Frz. Lt. Tab. 6 Lin. Anfang des 18. Jh.

114 fol. Neuere Paginierung 1–227. Vorher wurden entfernt 3 fol. zwischen f. 56/57, je 2 fol. zwischen f. 62/63 und 92/93. Zuzüglich einige jüngere fol. mit hs. Ergänzungen einzelner inkompletter Sätze von H. Prunières. Unbeschrieben f. 9v–11r, 28v, 29r, 36r–37r, 48v–50r, 60v–62r, 72v–74r, 76v–82r, 87v–89r, 100r–101r, 105v, 106r, 21,4×28,3 cm. Ausschließlich Tab. Für 11chörige Laute. Besitzvermerk: *Ex libris Bibl. I.B. Barbe* auf der Innenseite des Vorderdeckels. Am Schluß jüngere hs. Tavola von H. Prunières f. 113v, 114r in Tinte, mit Bleistift verbessert, ergänzt. 1 Schreiber, sehr sorgfältig mit schwarzer und roter Tinte. Dunkelbrauner Lederband der Zeit, Deckel und Rücken mit reicher Goldpressung, Goldschnitt. (Freie Instrumentalsätze, Tänze.)

Literatur: BoetticherL, S. 367 [43] (*Ms. Pa Prun.*); TessierGG, S. 35 (als *Prun., Grande tablature française de la fin du XVIIe*). Das Ms. war ausgestellt in *L'exposition La Musique Française*, Paris 1934; RollinD, S. XVI; Schnürl, S. 110; RollinG, S. XVII. Geführt in MeyerF, S. 168; RadkeGL, S. 54.

Ms. Vmb. ms. 58. Erworben 1958.

Frz. Lt. Tab. 5 Lin. für Gitarre, ohne Alfabeto. Um 1660–1675.

47 fol., zusätzlich je 1 Vorsatz- und Nachsatzbl. (leer). Unbeschrieben f. 10v, 13r, 14r, 15v–22r, 29–46 (nur Lin.). 19,5×25,5 cm. Tab.-Teile: I. Frz. Lt. Tab. 5 Lin. ohne rhythmische Zeichen (bzw. diese nur im Schlußtakt) f. 1–4r, 9v, 10r, 11, 13v, 22v, 23r, 24v–26r; II. Frz. Lt. Tab. mit rhythmischen Zeichen im 5-Lin.-System gemäß Git. Tab., jedoch vereinzelt auch rhythmische Zei-

chen über dem System und nach oben kaudiert gemäß Lt. Tab. f. 4v–6, 12, 23v–24 (rhythmische Zeichen oberhalb f. 12r etc.); III. Frz. Lt. Tab. 5 Lin. mit rhythmischen Zeichen ausschließlich oberhalb und nach oben kaudiert, f. 14v, 15r. Für 5saitige Gitarre, der wahlweise Gebrauch der Laute ist bei der schwankenden Aufzeichnungsart nicht auszuschließen. Fingersatz: 1, 2 Punkte. Korrekturen: f. 12r etc. *fin*-Vermerke. *Da-Capo*-Vorschrift (mit: *jusquau mot fin*). Gew. Notenschrift f. 2r, 12v und mit Darstellung von Akkorden über bezifferten Bässen, überschr.: *derivée de l'accord parfait* (etc.) sowie Übungsaufgaben zum Generalbaß (*phrase harmonique* etc.) f. 26v–28. Moderne Paginierung (Bleistift): 1–56 (abbrechend). F. 47 ist im oberen Drittel abgeschnitten. 1 Schreiber. Der Grad der Flüchtigkeit und die Färbung der Tinte sind sehr unterschiedlich und scheinen auch nach Art der Tab. getrennt zu sein, was darauf schließen läßt, daß die Niederschrift über einen größeren Zeitraum sich erstreckt hat. Hellgrüner (am Vorderdeckel total vergilbter) Pappband der Zeit. (Freie Instrumentalsätze, Tänze.)

Literatur: Fehlend.

Ms. Vmb. ms. 59. Erworben 1958.

Frz. Lt. Tab. 5 Lin. für Gitarre, ohne Alfabeto. Um 1690–1710.

14 fol., zuzüglich je 1 Vorsatz- und Nachsatzbl. (leer). Unbeschrieben f. 6v–14. 20×26 cm. Tab.-Teil: f. 1–6r. Für 5saitige Gitarre; rhythmische Zeichen spärlich, über dem System, ohne Alfabeto, Golpes. F. 5r ausnahmsweise in 2 Tab.-Takten zusätzlich Ziffern unter dem System für Baßsaiten (*1*, *2*, *3*, *4*). Streichungen: f. 2r, 3r. Begleitsätze zu 1. durchtextierten 1stimmigen Aufzeichnungen in gew. Notenschr.; 2. zu gleichartigen Notierungen, aber ohne Textierung. F. 1r Kette von 9 5stimmigen Akkorden in Tab. 2 Schreiber (Nebenschreiber B nur f. 5r, wohl etwas später). Tinte mit Goldstaub. Orig. hellgrüner Papp-Einband. (Durchtextierte frz. Liedsätze.)

Literatur: Fehlend.

Ms. Rés. Vmc. ms. 5. Eingangs-Nr.: *1491* (f. 1r). Früher Bibliothèque Royale (Stempel).

Ital. Lt. Tab. 5 Lin. für Gitarre. Um 1680.

6 fol., lose, wohl aus einem größeren Konvolut herausgetrennt (Heftungsspuren), zusammengehörig. Unbeschrieben f. 4r. 10×24 cm. Tab.-Teil: f. 1–3, 4v–6. Für 5saitige Gitarre, rhythmische Zeichen überwiegend (bei *Punteado*) über dem System, sonst bei Akkorden im System mit auf- und abwärtiger Kaudierung gemäß Git. Tab., jedoch nur spärliche Verwendung des Alfabeto. Einige Sätze ohne Alfabeto mit Rhythmisierung gemäß Lt. Tab. Vorkom-

mende Siglen: *A*, *B*, *C*, *D*, *F*, *G*, *J*, *M*, *N*, *O*, *P*. 1 Schreiber, flüchtig. Einband fehlt, Wasser- und Wurmschaden. (Freie Instrumentalsätze, Tänze.)

Literatur: Fehlend.

Ms. Rés. Vmc. ms. 6. Eingangs-Nr.: *1491*. Früher Bibliothèque Royale (Stempel). Alte Signatur (Buchrücken, Etikett, unten): *Vm*.

Ital. Lt. Tab. 5 Lin. für Mandora. Ende des 17. Jh.

66 fol., zuzüglich 1 Nachsatzbl. (leer). Zahlreiche Seiten unbeschrieben (nur Lin.). 11×23 cm. Tab.-Teil: f. 17r, 57v, 58r. Für 5saitige Mandora. Rhythmische Zeichen nur über dem System, kein Alfabeto, so daß Git. ausgeschlossen ist. Nur 2 Sätze. Das Volumen enthält fast ausnahmslos Aufzeichnungen in gew. Notenschrift (bezifferte Bässe zu überwiegend bezeichneten Freien Instrumentalsätzen, Tänzen, ital. Liedsätzen, auch sind frz. Programmtitel vertreten). 1 Satz f. 1v ist überschr.: *A Violin Solo e Leuto* (die Tab. fehlt). Satzbezeichnungen und Komponisten (u. a. *P. Paulo* bzw. *P.P.*, *Domenico Reno*, *A.G.*, *Meccoli*) ähneln dem Repertoire des durchweg nichtintavolierten Ms. Paris, Bibl. nat. Rés. Vmb. ms. 9, dessen Umschlag orig. bezeichnet ist: *Libro p*[er] *la Mandola . . . Matteo Caccini / Adi p:*[rim]° *Agosto 1703*. 1 Satzbezeichnung aus dem nichtintavolierten Teil vom Ms. Rés. Vmc. ms. 6 ähnelt einer des Tab.-Teils von Ms. Rés. Vmc. ms. 5 (*Sarabanda d'Atto*). 1 Schreiber, mit einem der Schreiber des nichtintavolierten Teils identisch; ital. Provenienz, aber aus dem Umkreis des frz. Hofs (außerhalb des Tab.-Teils mehrfach *Sarabanda franzeza*, *Gauotto franzeso*, *Corrento alla franzeso*, *Chanson franzese*, *Gagliardo franzese*). Pergamentband der Zeit. Heftung unversehrt. (Tänze.)

Literatur: Fehlend.

Ms. Rés. Vmc. ms. 7. Eingangs-Nr. fehlt. Früher Bibliothèque Imperiale (Stempel).

Ital. Lt. Tab. 6 Lin. für Musette. Um 1675–1685.

21 fol., zuzüglich 1 Vorsatzbl. (leer). Unbeschrieben f. 21v (leer). 16×21 cm. Tab.-Teil: f. 1–21r. Für Musette, gemäß dem System von Charles-Emmanuel Borjon de Scellery, *Traité de la mvsette, avec vne novvelle methode pour apprendre de soy-mesme à joüer de cét Instrument facilement*, Lyon 1672. F. 19r untere Hälfte, 19v, 20v, 21r Beschriftung kopfstehend. Lin. gedruckt, ohne Angabe der Officin. F. 6, 16, 19 am Rand defekt (kein Tab.-Verlust). Die unterste Lin. ist z. T. unbeschriftet geblieben. Zusatzzeichen: ⁓ und ♯. Rhythmische Zeichen über System mit Köpfen. F. 12v Korrekturen, f. 14v Streichungen. Mehrere Sätze durchtextiert. Keine gew. Notenschrift. 1 Schreiber, frz. Pro-

venienz. Nur Rückdeckel erhalten: dunkelgrauer Karton, unbeschriftet, Buchrücken zerfetzt, Deckelreste. (Freie Instrumentalsätze, Tänze, frz. Liedsätze.)

Literatur: Fehlend. Zur Musette-Tab. vgl. WolfH II, S. 245f. Ein Ms. in dieser Aufzeichnungsart ist bisher unbekannt.

Ms. Fonds Conservatoire National Rés. 169. Eingangs-Nr.: *23595*.

Frz. Lt. Tab. 6 Lin. für Angelica. 2. Drittel und Mitte des 18. Jh.

90 fol. Neuere Paginierung. Unbeschrieben f. 19r, 39r. 18,8×22,4 cm. Ausschließlich Tab. Für 10chörige Angelica (Laute), vereinzelt (f. 54v, 57r etc.) bis 13. Chor fortschreitend („5", auch *////a*). Auf Vorsatzblatt Kupferstich, datiert *1681, fecit J.A. Seupel*, ein Appollon in Bildmitte Lyra spielend, allegorische Beigaben, Druckerzeichen *Argentorat. apud Sim. Paulli Bibliop.*, eine alte hs. Eintragung eines Satzes für die Laute in frz. Tab. im Bildinnern, ferner Besitzvermerk: *AT ME FRANCISCUM ANTONI: MUTANUM, Strassbourg . . . 1759.* 2 Schreiber, stark unterschiedliche Tintenfärbung. Stark gedunkelter Pergamentband der Zeit. (Freie Instrumentalsätze, Tänze.)

Literatur: WolfH II, S. 129 (unter alter Sign., als *Ms. Bethune*); BoetticherL, S. 363 [44] (*Ms. Pa 23595*); RadkeA, S. VII, Anm. 16.

Ms. Fonds Conservatoire National Rés. 429. Eingangs-Nr.: *23000*.

Ital. Lt. Tab. 6 Lin. Um 1580–1595, Datierung 1589.

148 fol. Orig. Foliierung, unterbrochen (verschiedene Faszikel); neuere Foliierung durchgehend. Unbeschrieben f. 14r, 49–50r, 101r, 107r, 113v, 114r. 14,1×20,8 cm. Ausschließlich Tab. Für 6chörige Laute. Besitzvermerk und Datierung: f. 1v *1589 D*[om]*ine hodie D*[omin]*o Hortensio di Nicchi, Cand*[idato] *di s*[an]*to Steffano, et de chi ben gli vuole.* Die Datierung bei *Hans Gerle* f. 97r *1545* bezieht sich auf die Druckvorlage. Der Teil f. 50v–96v ist überschrieben: *Recercata di Francesco milanese* und zeigt mehrere Notizen über den Wert der Sätze (s. Bd. 2). Mindestens 4 Schreiber; zufolge Martinez-Göllner, S. 41ff. ist Idendität eines Schreibers mit einem der Hauptschreiber der Mss. München 266 und 2987 anzunehmen; Analogien weiterer Schreiber schließen die Vermutung nicht aus, daß der Codex – wie ein Teil der in München aufbewahrten Lautentab. – aus der Sammlung Johann Heinrich Herwart = Augsburg stammt. Schwarze Tinte auf vorgedruckten, hs. roten oder schwarzen Lin. Pergamentband der Zeit, Vorderdeckel außen alte Aufschrift: *Italianische Tabulatura auf / die Lauthen Von der hand geschrie- / -ben Allerley Tänze Zusam̄en / gebracht;* jüngerer Vermerk: *Livre très rare.* Stark beschnitten, daher einige Satzbezeichnungen nicht lesbar. (Freie Instrumentalsätze, Tänze, ital. Madrigale, frz. Chansons, dt. Liedsätze, lat. Motetten.)

Literatur: WolfH II, S. 70; BoetticherL, S. 347 [25] (*Ms. Pa 23000 = Ms. Pa 429*); Martinez-Göllner, S. 41ff.; SlimM, I, S. 63ff., II, S. 109ff., 126; BoetticherGe, S. 1814 (Faksimile S. 1806).

Ms. Fonds Conservatoire National Rés. 823. Eingangs-Nr.: *22342.*

Frz. Lt. Tab. 6 Lin. 1690 bis Anfang des 18. Jh.

118 fol. Unbeschrieben f. 2v, 120r; f. 8v, 12v, 15r, 19, 25r, 31r, 33r, 34–35r, 37v, 38v–39, 45r, 48–51r, 62v–65r, 68v, 71r, 73r, 79v–81, 86v–87, 99v, 100r, 101v–103, 113–118 (nur Lin., Rastral). 7,1 × 17,2 cm. Ausschließlich Tab. Für 11chörige Laute. Alter Titel f. 2r: *Recueil des plus belles pieces de lut des meilleurs maitres, sur les 14 modes de la musique, savoir sept en Bemol & sept en Belare.* Eine Übersicht von Lautenisten schließt an (*Les principaux de ces maîtres*), die weit über die Komponistenangaben des Tab.-Teils hinausgeht und Namen genauer angibt: *Mouton, mon maître, Gautier Sieur de Nêve, Gautier de Paris, Gautier d'Angleterre, Gallot deux frères, Gallot le jeune, fils de Mr le v.*[ieux] *Gallot d'Angers, dufaux, Boquet, du But, le père et les deux fils, Mesangeau, Jassève, Merville, de Blanc Rocher, Mrs. pinels, Emond, Vignon, le Fevre, de Launay le père, Porion, Jacson, Espon, Bechons les 2 frères, Caron, la baule mon maître, Solerat, Bourgsaih, Dupré d'Angleterre, Strobel de Strasbourg, Niver, Raveneau, Berens, Chevalier, Reusner de Brandenbourg, Otto, Eards, Comprecht de Strasbourg, Kremberg de varsavie, musicien de L'élécteur de Saxe.* 1 Schreiber, Schönschrift: rote, grüne, blaue, gelbe, violette, schwarze Tinte. Schwarzer Lederband der Zeit, Deckel mit Goldpressung, Goldschnitt. Alte Aufschrift: *Livre de Lvt de M: Milleran Interps. dv Roi.* Sogenannter Codex Milleran. (Freie Instrumentalsätze, Tänze, frz. Chansons.)

Literatur: WolfH II, S. 104 (unter alter Sign.); BoetticherL, S. 372 [48] (*Ms. Pa 22342*); Weckerlin, S. 485ff. (unvollständig, die Datierung ist nicht zutreffend); EitnerQL VII, S. 86 (Art. *Mouton*); RollinD, S. XVI; RollinG, S. XVII; Stęszewska LII, S. 31ff.; BrenetL, S. 63ff. (sep. Turin 1899); RollinTT, S. 476; RollinN, S. 16; LaurencieL, S. 150; LaurencieG, S. 32, BrenetT, S. 573; RadkeGL, S. 51ff., BrenetV I, S. 439ff.; OpieńskiD, S. 10f. (Notenbeisp.). BoetticherL, S. 429, 439 Beispiele. Geführt in MeyerF, S. 168; BoetticherGa, S. 1329. Jüngst Faksimile LesureM.

Ms. Fonds Conservatoire National Rés. 941. Eingangs-Nr.: *28028.*

Ital. Lt. Tab. 6 Lin. 1. Viertel des 17. Jh., zufolge Datierung 1609 und vor 1616.

45 fol. Unbeschrieben f. 40v, 44. 15,1 × 19,9 cm. Ausschließlich Tab. Für 7chörige Laute. Besitzvermerk f. 1r: *Petrus de pouille 1609*; f. 1v: *Pierre de Pouille nella fidelta finiro La vita De nouembre le Premier d l'an 1616;* f. 45v Eintragung aus dem 19. Jh.: *Aen mejnen kunstvriend Robert van Maldeghem. R. van Duysen.* Alter Titel f. 1r: *Tabulatura de leuto. Amor che nel pensiero mio vivo e regna.* Am Rand stark beschnitten. 2 Schreiber. Einband der Zeit. (Freie Instrumentalsätze, Tänze, frz. Chansons.)

Literatur: BoetticherL, S. 353 [30] (*Ms. Pa 941*).

—

Ms. Fonds Conservatoire National Rés. 1106.

Frz. Lt. Tab. 6 Lin. Um 1675–1690. Eingangs-Nr.: fehlend.

96 fol. Orig. Foliierung *5–101*, die ehemals vorangehenden 4 fol. fehlen seit langem. Unbeschrieben f. 38r, 40v, 44v, 45r, 47v–48, 52v–54, 55v–56, 58r, 61v, 65r, 82v, 86r, 88v. 20,3 × 28,5 cm. Ausschließlich Tab. Für 13–14chörige Laute. Mehrere Schreiber. Lederband der Zeit. (Freie Instrumentalsätze, Tänze, Airs, frz. Chansons.)

Literatur: Fehlend.

—

Ms. Fonds Conservatoire National Rés. 1107. Eingangs-Nr.: *17100.*

Frz. Git. Tab. ohne Alfabeto. 5 Lin. Mitte des 18. Jh.

4 fol., zuzüglich 1 altes Vorsatzbl., Nachsatzbl. Unbeschrieben f. 3, 4 (nur Lin., Rastral). 18,6 × 25,2 cm. Ausschließlich Tab. Für 5saitige Gitarre bzw. Mandora. 1 Schreiber. Dunkelgrüner Pappband der Zeit, mit alter Aufschrift: *Tablature.* (Keine Satzbezeichnungen.)

Literatur: Fehlend.

—

Ms. Fonds Conservatoire National Rés. 1108. Eingangs-Nr.: *27561.*

Ital. Lt. Tab. 6 Lin. für Laute und für Theorbe. Anfang des 17. Jh.

49 fol. Neuere Foliierung. Unbeschrieben f. 1r, 2v, 3r, 4r, 5v, 6–7r, 8, 9v, 10v, 11v, 12v–14r, 15v, 16r, 17v, 18v, 19r, 21v, 22r, 23, 30v, 31v, 32r, 33–34r, 35–37r, 38v–40r, 42v–44r, 45v, 48v, 49v (nur Lin.). 16,4 × 22,6 cm. Ausschließlich Tab. Für 8chörige Laute. Bei einem Satz f. 14v, 15r Beischrift: *L. Theorbe* und *L. Theorbato.* Chorzahl: X, XI, f. 41v, 42r auch XII. 1 Hauptschreiber. Pappband der Zeit, Deckel mit alter Aufschrift *a–o* und *o–13* in Gegenüberstellung der Zeichen der frz. und ital. Lt. Tab. (Freie Instrumentalsätze, Tänze, ital. Madrigale, dt. Liedsatz.)

Literatur: BoetticherL, S. 360 [38] (*Ms. Pa 1108*).

—

Ms. Fonds Conservatoire National Rés. 1109. Eingangs-Nr.: *25106.* Hs. Eintragungen in Druck.

Frz. Lt. Tab. 5 Lin. und frz. Viola Tab. 4 Lin. Ende des 16. Jh.

Hs. Eintragungen 1. auf den unbedruckten eingefalzten Blättern, und 2. auf 2 unbedruckten, am Schluß nach Druck-f. 139 nachgeklebten Blättern in dem Druck Aristotelis ad Nicomachum filium, *De moribus, quae Ethica nominantur, libri decem* . . ., Paris 1576. Für 6chörige Laute und 4saitige Viola da braccio (Discantstimmung). Beschrieben sind mit Tab. die Blätter vor den Druck-f. 48–59, 67, 68, 70–73, 75, 89, 97, 121, 129 und das 2. Blatt nach Druck-f. 139

(Vorder- und Rückseite); vor den Druck-f. 60, 63, 66, 76, 80 (nur Vorderseite); vor den Druck-f. 47, 62, 74, 113 und das 1. Blatt nach Druck-f. 139 (nur Rückseite). Blattgröße analog Druck (8°). Tab. Teil für Laute 5 Lin. Blätter vor Druck-f. 47–57, 62, 63, 66–68, 70–76, 80, 89, 97; Tab.Teil für Viola 4 Lin. Blätter vor Druck-f. 58–60, 121, 129 und 1., 2. Blatt nach Druck-f. 139. Lt. Tab. = chromatische Bundfortschreitung, Viola-Tab. = diatonische Bundfortschreitung. Stimmungen: für Lt. *G c f a d' g'*, für Viola *g d' g' d''*. 1 Schreiber. Inliegend ein Brief von W. Tappert an den Custos der Bibl. (J.–B. Weckerlin) vom 30. 11. 1887. Einband der Zeit. (Freie Instrumentalsätze, Tänze, frz. Chansons.)

Literatur: WolfH II, S. 235, 240 (ohne Signatur).

——

Ms. Fonds Conservatoire National Rés. 1110. Eingangs-Nr.: *24372*.

Frz. Lt. Tab. 6 Lin. Um 1656–1670. Datierung 1656.

94 fol. Unbeschrieben f. 1v, 7r, 16r, 25r, 29r, 33v, 34r, 35r, 42v–44r, 46r, 48–49r, 50r, 55r, 65r, 66v–78, 79v–87r, 88v–91, 93v. 10,8 × 20,9 cm. Tab. Teil f. 2–6, 7v–15, 16v–24, 25v–28, 29v–33r, 34v, 35v–42r, 44v–45, 46v–47, 49v, 50v–54, 55v–64, 65v–66r, 79r, 94r. Für 11chörige Laute (*////a*). Besitzvermerke: f. 1r: *Mrs. Patricia Ruthwen aught y^s Book ye 31 of May 1700*; f. 68v: *Countous of Kilmarnock july 9 1747* [dieser Name erscheint auch f. 51v, 91r]; f. 92v: *jinny Hille* und f. 93r: *and at the best is but a pensing Dreame so says Jenny Hill.* Weitere engl. Beischriften, f. 49v: *a fair out side often hids a foule in.* F. 94r: *The 10 of october in the year 1656 J have begoon agaien... to play on the leut.* 87v *Jenny Hill's Minuet*, 1st. in gew. Notenschrift. Im Tab. Teil mindestens 2 Schreiber. Dunkelbrauner Lederband der Zeit, Deckel mit Goldpressung der Initialen *L.J.R.* und Verzierungen, Goldschnitt. (Freie Instrumentalsätze, Tänze.)

Literatur: WolfH II, S. 104 (unter alter Signatur); BoetticherL, S. 365 [42] (*Ms. Pa 24372*); RollinC, S. XXI; RollinD, S. XVI; RollinG, S. XVII (irrig als *Ms. Rés. 1106*).

——

Ms. Fonds Conservatoire National Rés. 1111. Eingangs-Nr.: *22344*.

Frz. Viola Tab. 6 Lin. Ende des 17. Jh.

283 fol. Unbeschrieben f. 215v–237r, 255r, 270v–283. 9,4 × 15,1 cm. Für 6saitige Viola da gamba (Hauptstimmungen: *D G d g b d'* und *D G c e a d'*). Orig. Numerierung der Sätze, für die Sätze f. 144v–151r gesonderte orig. Numerierung mit Überschrift: *7 Buß Psalmen.* F. 1v jüngere Aufschrift: *Pièces pour la viola da Gamba.* F. 237v–244r, 253v–254 für das gleiche Instrument in gew. Notenschrift. Im Tab. Teil mindestens 2 Schreiber. Dunkelbrauner Lederband der Zeit, Vorderdeckel mit Goldpressung *I. B. R.* und *1674.* (Freie Instrumentalsätze, Tänze, Aria, dt. Liedsätze.)

Literatur: WolfH II, S. 239 (ohne Signatur); Erhard, S. 81.

Ms. Fonds Conservatoire National Rés. 1402. Eingangs-Nr.: *9970*.

Frz. Git. Tab. 5 Lin. Ohne Alfabeto. Um 1700.

93 fol., zuzüglich 2 orig. Nachsatzbll. Orig. Paginierung *1–192;* p. 165–168, 189, 190 (= 2 Bll. vor f. 83, 1 Bl. vor f. 93) alt herausgerissen, Nachsatzbll. abweichendes Papier. Unbeschrieben f. 10v, 11r, 17v, 18r, 38r, 48r, 55v, 56r, 60r, 74r, 78–80r, 83r, 84r, 87v, 88r, 90v, 91r, 92v, 93r, Nachsatzbl. Iv, IIv. 20,8×27,4 cm., Nachsatzbll. 16,7×20,6 cm. Ausschließlich Tab. Für 5saitige Gitarre. 2 Schreiber: A f. 1–93, span. Provenienz, Gebrauch der Tilde; B Nachsatzbll. Dunkelroter Lederband der Zeit, Vorderdeckel mit reicher Goldpressung am Rand und Supralibros ohne Initiale, Goldschnitt. (Freie Instrumentalsätze, Tänze, frz. Chanson, ital. und span. Liedsätze.)

Literatur: Fehlend.

Ms. Fonds Conservatoire National Rés. 1820. Eingangs-Nr.: fehlend.

Frz. Lt. Tab. 6 Lin. Um 1680.

75 fol. Orig. Paginierung *1–102*, in diesem Faszikel sind mehrere fol. seit langem herausgerissen und in der Paginierung fehlend; es folgen 38 unpaginierte Bll., 2 Bll. am Schluß sind seit langem entfernt. Unbeschrieben f. 1r, 3v, 4r, 5r, 9r, 10v–26, 32–36, 37v–75. 22,5×29,5 cm. Ausschließlich Tab. Überwiegend für 11chörige Laute, vereinzelt für 12- bis 14chörige Laute. 1 Schreiber. Dunkelbrauner Lederband der Zeit ohne Goldpressung, mit alter Rückenaufschrift: *Tablature*. (Freie Instrumentalsätze, Tänze, frz. Chanson.)

Literatur: Fehlend.

Ms. Fonds Conservatoire National Rés. 1956. Eingangs-Nr.: *17003*.

Frz. Git. Tab. 5 Lin. Ohne Alfabeto. Um 1750–1760, Datierung 1763 außerhalb Tab.

16 fol. Orig. Paginierung *1–32*. 1 Vorsatzbl., f. 1r, 10r leer. 18,7×26,1 cm. Für 5saitige Gitarre. Datierungsvermerk f. 14v: *Chanson faite par M. Moreau pour les meres qui ont dorié au bal de M*[adam]*e la M*[arq]*uise de Duras en 1763* (auf einen nicht intavolierten Satz bezüglich). Überwiegend Aufzeichnung in gew. Notenschrift (Singstimme, 1 System, Violinschlüssel, Durchtextierung); Tab.-Teil: f. 6r, 7v, 8v, 9v, 10v, 11v. F. 8v überschrieben: *Chanson auec la Guithare*. F. 6r ist die Tab. zu 1 Satz von gleicher Hand am unteren Rand nachgetragen. Durchweg Begleitsatz. 1 Schreiber (auch des nicht intavolierten Teils). Dunkelgrüner Pergamentband der Zeit, Vorderdeckel mit aufgeklebtem herzförmigen großen Etikett und Aufschrift mit Tinte: *Chansons en Vaudeviles*. (Frz. Chansons und Vaudevilles.)

Literatur: Fehlend.

Ms. Fonds Conservatoire National Rés. F. 203. Eingangs-Nr.: *19280.*

Handschriftliche Eintragungen in den Druck E. Reusner, *Hundert geistliche Melodien . . . in die Laute gesetzet . . .*, s. l. et d., zeitgenössisch auf Titelbl. mit Tinte hs. Datum eingetragen: *1676.*

Frz. Lt. Tab. 6 Lin. Um 1676.

Der Druck umfaßt einschließlich Titelbl. 21 fol., hinzu zählen je 4 orig. Vorsatz- und Nachsatzbll. Die genannten 21 Bll. sind nur vorderseitig bedruckt. Für die Rückseiten gilt: Unbeschrieben f. 2v, 3v, 10v (nur Lin.); Vorsatzbll. Ir, IIIv–IV (leer), Nachsatzbll. I–IV (leer). Tab.-Teil: f. 1v, 4v, 5v, 6v, 7v, 8v, 9v, 11v, 12v, 13v, 14v, 15v, 16v, 17v, 18v, 19v, 20v, 21v. Für 11chörige Laute (bis „*4*“), übereinstimmend mit Druck. Streichungen von Sätzen: f. 6v, 7v, 11v, 14v. Die mit der Hand beschrifteten Rückseiten sind (einschließlich der nur Lin. enthaltenden) orig. numeriert *1–21*, hierbei ist mit der Rückseite des Titelbl. begonnen worden, so daß sich mit der Zählung der Bll., wie sie durch den Druck geboten ist, eine Differenz um 1 ergibt, denn die Zählung im Druck schließt das Titelbl. aus. Der Druck ist inkomplett. Orig. Index Nachsatzbll. Iv–IIIr, hiervon sind (wahrscheinlich vom Schreiber selbst) f. Iv, IIr durchgestrichen, so daß der verbindliche Text erst mit f. IIv, mit Überschr.: *Register* beginnt. In mehreren Fällen bezieht sich die hs. Eintragung auf der linken Seite auf die Druckfassung der Tab., wie sie auf der rechten Seite erscheint, wobei der Satz in Tab. etwas verändert ist, auch weicht die sprachliche Fassung des Satztitels ab. Verweise in dt. und in schwed., z. B. f. 18v nach dem Choraltitel *Jesus är min Hägnad* [= Jesu meine Freude]: *Jm and*[eren] *Buch p. 46.* Durchtextierte Sätze fehlen (wie im Druck). 1 Schreiber, er verstand dt. und schwed. (er notiert die Satztitel überwiegend in schwed., auch Spielanweisungen sind von ihm in beiden Sprachen hinterlassen, das Register ist gleichermaßen von ihm abgefaßt). (Dt. und schwed. protestantische Choralsätze.)

Literatur: Fehlend. Auf das Exemplar dieses Drucks ist bereits durch Weckerlin, S. 404 und K. Dorfmüller, Art. E. Reusner, in: MGG XI, S. 332 hingewiesen worden, doch ohne Erwähnung des hs. Tab.-Teils.

Ms. Fonds Conservatoire National Rés. F. 844. Eingangs-Nr.: *31233.*

Frz. Git. Tab. 5 Lin. Ohne Alfabeto. Anfang des 18. Jh.

182 fol., zuzüglich 1 Vorsatzbl. Orig. Paginierung *1–366*, p. 343, 344 fehlend (= 1 Blatt zwischen f. 171/172), wahrscheinlich in älterer Zeit entfernt. Unbeschrieben Vorsatzbl., f. 167, 172r. 21,1 × 35,6 cm. Ausschließlich Tab. Für 5saitige Gitarre. Orig. alfabetischer Index: f. 172v–181. 1 Schreiber, Schönschrift: jede Seite einschließlich Vorsatzbl. mit Randleiste, Tab.-Zeichen und Beischriften rot, grün, Lin. rotbraun (Rastral), Tab.-Striche rot mit

besonderem Muster. Dunkelbrauner Lederband der Zeit, Deckel mit reicher Goldpressung (Blumenmuster), Goldschnitt, Rücken alte Einpressung: *RE-CUEIL / D'AIR / DE GVITAR*. Inliegend ein Brief von W. Tappert an den Custos der Bibl. vom 19. 12. 1898, das Ms. betreffend. (Freie Instrumentalsätze, Tänze, frz. Chansons.)

Literatur: Fehlend.

———

Ms. Fonds Conservatoire National Rés. F. 993. Bis 1921 Bibliothèque M. Chomel.

Frz. Lt. Tab. 5 und 6 Lin. Um 1669–1690, Datierung 1669.

4 fol. Unbeschrieben f. 1r, 4r. 41×19,3 cm. Tab.-Teil: f. 1v–3, 4v. Für 10chörige Laute. F. 1r Schriftproben, ferner Schreibernotiz: *Voltaire dit: Sur la fin du règne de Louis XIV on inventa l'art de noter la danse. Siècle de Louis XIV, Chap. XXXIII;* daneben Besitzvermerke *1669* und *Décembre 1895*. Rand stark beschnitten. 2 Schreiber. Ohne Einband. (Tänze, frz. Chansons.)

Literatur: BoetticherL, S. 362 [39] (*Ms. Pa 993*).

———

Ms. Fonds Conservatoire National Rés. F. 1145. Eingangs-Nr.: *30104*.

Frz. Lt. Tab. 5 Lin. für Gitarre. Ohne Alfabeto. Mitte des 18. Jh.

47 fol. Orig. Paginierung *1–94*. 33,7×28,8 cm. Tab.-Teil: f. 42v, 43v, 44v, 45v, 47v, 48v. Für 5saitige Gitarre. Titelblatt: f. 1r *Chansons et Vaudevilles Avec des Accompagnements De Guitarre*. Die Mehrzahl der Sätze ist in gew. Notation aufgezeichnet, Oberstimme durchtextiert, Begleitsatz für Gitarre ebenfalls z. T. nicht intavoliert. Im Tab.-Teil 1 Schreiber. Dunkelrötlicher Lederband der Zeit mit reicher Goldpressung (Blumenmuster) am Rand. (Frz. Chansons.)

Literatur: Fehlend.

PARIS, Bibliothèque Sainte-Geneviève (Bibliothèque centrale de l'université)

Ms. Rés. 2344. Alte Signatur (Vorsatzbl. Ir, Tinte): *V. 563*[3]. Ältere Signatur (Vorsatzbl. Ir, Bleistift): *V*[F] *4° 754*[3] *Supplément*.

Frz. Git. Tab. 5 Lin. Ohne Alfabeto. Mitte des 17. Jh., der letztere Teil des Ms. möglicherweise bis 1670. Datierung (Titel) 1649.

87 fol., zuzüglich 2 Vorsatzbll. (f. Iv, IIv leer, f. IIr Gekritzel, alt). Unbeschrieben f. 49v, 53v, 55, 57, 59, 60, 62, 64, 66, 67, 69, 71, 73, 75, 76, 78, 80, 82–85r (nur Lin., gedruckt); f. 2v, 19v, 29v, 31v, 33v, 41v, 43v, 45v, 47r, 50r, 52v, 56, 58, 61, 63, 65v, 68, 70, 72, 74, 77, 79, 81 (leer). 17×22,5 cm. Tab.-Teil: f. 1–2r, 3–5r, 6, 8, 10, 12, 13v–15r, 16–17r, 18–19r, 20–25r, 26–28, 30, 32–33r, 34–38, 39v–41r, 42–43r, 44–45r, 46, 47v–49r, 51–52r, 53r, 54, 85v. Für 5saitige

Gitarre. Literar. Beigaben, Texte f. 5v, 7v, 9, 11, 13r, 15v, 17v, 25v, 29r, 31r, 39r, 50v, 65r, Gew. Notenschrift f. 7r, 25v und – auf einigen weiteren Seiten – eine *Basse*-Stimme für *Viole* (den Angaben zur Stimmung f. 85v zufolge). Vor f. 1, 49 und 55 sind je 1 Bl. in alter Zeit herausgerissen (Falze), doch ist ein Tab.-Verlust unwahrscheinlich (Falze ohne Beschriftung, die Sätze beginnen und schließen am fraglichen Ort, was sonst nicht die Regel ist), jedoch fehlt in der orig. Foliierung *1–46*, *48–50* die Nr. 47, die dem abgetrennten Bl. vor dem jetzigen f. 49 entspricht. Der orig. Foliierung geht eine orig. Paginierung *a*, *b*, *c* (f. 1r–2r) voraus. Orig. Index f. 86r–87r. Überschr.: *Pieces contenues dans ce Liure*. F. 87v erneut überschr.: *table de gittare en musique*, es folgen aber keine Angaben. Der Index bezieht sich nur auf den Tab.-Teil mit der orig. Foliierung 46v, d.h. jetzt f. 48v; der anschließende Tab.-Teil der jetzigen Foliierung f. 49r, 51–52r, 53r, 54 dürfte etwas später (bis 1670) notiert sein, seine Aufzeichnung ist auch flüchtiger. Lin. gedruckt, ohne Angabe der Offizin; nur f. 5r Lin. hs. Besitzvermerk: f. 1r Tinte *Ex libris S^{tae} Genovefae Parisiensis 1753*. Titel: Vorsatzbl. Ir *TABLATURE DE / GVITARRE. / 1649*. Die Notierung erfolgt einheitlich im 5-Lin.-System mit den für die Git. Tab. üblichen rhythmischen Zeichen im System mit auf- und abwärtiger Kaudierung, vereinzelt Punteado. Alfabeto fehlt. *fin*-Vermerke. F. 85v Übersicht in Tab. *Accords sur la Guitarre*. Es finden sich auch Angaben zum *Accord sur le dessus de viole* und: *Accord sur la basse de viole* (eine Möglichkeit, daß die Git. Tab. auch zum Spiel auf der Viola gebraucht wurde, ist bei diesem Ms. nicht auszuschließen). Daher auch bei einzelnen Sätzen der Vermerk: *La mesme a pinser* (folgend auf *La Syluie*, *Les feuillantines*, etc.), ferner nach Sätzen: *en batterie*, oder: *Suite en batterie* (nach *L'espagnolette*), *double batterie* (nach *L'Angloise*). Vermerk *Reprise* bei *Sarabande*, *simple* als Zusatz (von fremder Hand? alt) bei *L'espagnolette*. Nachsätze mit *2me sorte*, *d'autre sorte*-Vermerk. Durchtextierungen. 1 Schreiber (sorgfältig). Pergamentband der Zeit. Vorderdeckel außen orig. Tinte: *Tablature de / Guitarre*. Darunter: *Tablette de guittarre / fait par monsieur dupilli commiss*[ai]*^{re} / des guerres demeurant rue de l'espron, / chez m.^r mascron auocat en parle*[men]*t*. Rückdeckel außen, Tinte: *Tablature de / Guittare fait Par / monsieur Du pille / Comissaire Des Guerre / Demeurant Rue DE lesprones / Chez monsieur mascron*. Darüber: *Tablature de / Guitarre*. (Freie Instrumentalsätze, Tänze, frz. Liedsätze.)

Literatur: Kohler, S. 324f. (ohne Angabe der Tab.); Garros-Wallon, S. 18ff. (als *Nr. 49*); Katalog France, S. 324f.

Ms. Rés. 2349. Alte Signatur (Vorsatzbl. Ir, Bleistift): *V^F 4° 754⁷ suppl* [ément]; Ältere Signatur (Vorderdeckel): *V^F 754⁹*.

Frz. Git. Tab. 5 Lin. Ohne Alfabeto. Um 1650–1670.

20 fol., zuzüglich 1 Vorsatzbl. (leer). Unbeschrieben f. 16v–19 (nur Lin.). 17,5×21,2 cm. Tab.-Teil: f. 1r, 4v–16r, 20. Für 5saitige Gitarre, rhythmische

Werte auf- und abwärts kaudiert, jedoch nur vereinzelt dem Normfall entsprechend auf der mittleren Lin. (f. 15v, 16r), sonst auf der obersten Lin.; ferner wahlweise Gebrauch der Laute, dementsprechend Vorschrift f. 8r *Sarabande lutte*, bei Notierung der rhythmischen Werte über dem System nur aufwärts, gemäß Lt. Tab. F. 20r, v kopfstehende Beschriftung. F. 1r Fragment ohne rhythmische Zeichen. F. 4v Stimmanweisung: *accord de / guitare / Vnison*[s]. Fingersatz, 1 und 2 Punkte. F. 6v 1 Satz (*Saraband Chère Sylvye* ...) ganz ausgestrichen. F. 7r flüchtige Datierung: *ce 16 ... aoust* (Jahreszahl fehlt). Korrekturen f. 16r etc. F. 7r Schriftproben von fremder Hand (Gekritzel). Gew. Notenschrift f. 1–4r, 8r (1stimmige Tänze ohne Textierung, Violinschlüssel). Alfabeto fehlt. Nachsatz z.T. als *diminuttif* bezeichnet. F. 3r Übersicht der Tab.-Zeichen im 5-Lin.-System mit Violinschlüssel und Tonbenennungen *vt re mi* etc. Durchtextierungen. 1 Schreiber (sehr flüchtig). Am Papier Wurmschaden. Jüngerer Einband (Ganzleinen), Buchrücken modern: *Airs de danse*. (Freie Instrumentalsätze, Tänze, frz. Liedsätze.)

Literatur: Kohler, S. 326; Garros-Wallon, S. 24f. (als *Nr. 55*); Katalog France, S. 326.

Ms. Rés. 2351. Alte Signatur (f. 1r, Tinte): *V^F 4° 754*[9].

Frz. Git. Tab. 5 Lin. Ohne Alfabeto. Um 1650–1670.

22 fol. Alle Seiten beschrieben. 20,5×16,5 cm. Tab.-Teile: I. Frz. Git. Tab. 5 Lin., rhythmische Werte auf- und abwärts kaudiert auf der mittleren Lin. des Systems, vereinzelt nur aufwärts kaudiert über dem System (vgl. Aufzeichnungsart in Ms. 2349) f. 1–4r, 6, 9, 11v–14, 21–22r, II. Frz. Lt. Tab. 5 Lin., rhythmische Werte nur aufwärts kaudiert über dem System, im Satz jedoch auch bei Akkorden die rhythmischen Werte in beidseitiger Kaudierung auf der mittleren Lin. gemäß Tab.-Art I (s.o.) f. 2-3r, 4v–5, 7, 8, 10–11v, 12v–13v, 15–20, 22v. Beide Aufzeichnungsarten sind nicht streng vom gleichen Schreiber getrennt und treten in einigen Fällen gleichzeitig auf der selben Seite auf. Das 5-Lin.-System wird im Teil für Lt. – wie in Ms. 2349 – nirgends überschritten. Auf die Kombination deutet – wie in Ms. 2344 – der im Tab.-Teil II auftretende Vermerk: *a pinser*, *La mesme a pinser* (f. 13v bei *Resueuse*, am Schluß, der Satz ist in beiden Tab.-Arten nacheinander aufgezeichnet), ferner: *Air a Pinser*, oder: *Autre a pincer*. Alfabeto fehlt. Durchtextierungen. Orig. Foliierung *1–22* (korrekt, kein Tab.-Verlust). Gew. Notenschrift (1stimmig, Violin- und Baritonschlüssel) f. 1v, 3v, 6v, 18v. Sondervermerk: *marques des batteries doubles* (bei *Passacalle*, f. 1v) mit Beispiel am Seitenrand: 2♪♪. Für 5saitige Gitarre, wahlweise für Laute gleicher Chorzahl. 2 Schreiber: A sauber f. 1–16r, 22v, B f. 16v–22r. Jüngerer Einband (Ganzleinen), Buchrücken modern: *Airs (danse et chant) (XVIIe s.)*. (Freie Instrumentalsätze, Tänze, frz. Liedsätze.)

Literatur: Kohler, S. 327 (ohne Angabe der Tab.); Garros-Wallon, S. 26ff. (als *Nr. 57*); Katalog France, S. 327.

PARIS, Bibliothèque Mazarine

Rés. 4761 / B. Außerdem geführt innerhalb der Sammlung „Réserve" mit der Signatur (f. 1r, rote Tinte): *R. 86.*

Handschriftlicher Anhang an einen Druck Robert Ballards.

Das Titelblatt fehlt. Die Identifikation des Drucks ist geboten durch die vorangestellte Dedikation R. Ballards „*A la Reyne Regente*" und durch das Repertoire, das mit *Entrees de luth* beginnt und *Ballets*, *Courantes de la Reyne*, *Angéliques* und *Voltes* folgen läßt. Ferner vgl. Privileg pag. 93, datiert *1611*, ausgestellt für Pierre Ballard (seit 1611 zeichnend), der autorisiert wird, Werke von Robert Ballard zu veröffentlichen. Folgend *Av Lecteur*. Mit Drucken RISM 1611^{10}, 1613^{8}, 1613^{9}, 1614^{8} (= 1609^{13}), 1614^{9} (= 1611^{10}) nicht identisch. Bereits im hs. Katalog Bibl. Mazarine (ca. 1880): *sans frontispice, livre reputé unique.*

Frz. Lt. Tab. 6 Lin. Um 1640.

Es handelt sich um eine hs. Eintragung am Schluß des Drucks, auf dessen letzter Seite (pag. 92), und zwar in den 5 Lin.-Systemen des unteren 2/3 dieser Seite, die freigeblieben waren. Für 10chörige Laute (bis *///a*), übereinstimmend mit dem Druck. 1 Schreiber. Nur 1 unbezeichneter Satz, 33 Tab.-Takte, Doppelstrich nach Takt 16, abgeschlossen. Orig. Paginierung des Drucks *1–92.*

Literatur: Fehlend.

Rés. 44.108. Außerdem geführt innerhalb der Sammlung „Réserve" mit der Signatur (f. Ir Vorsatzbl., rote Tinte): *R. 795.*

Handschriftlicher Anhang an den Druck Adrian le Roy, *Premier . . .* [bis] *Cinqiesme livre de tablature de Guiterre . . .*, Paris 1551–1554.

Frz. Lt. Tab. 4 Lin. für Gitarre. Um 1560.

9 fol. Anhang mit gleichem Format wie der Druck. Unbeschrieben f. 9 (leer). Tab.-Teil: f. 1–8. Für 4saitige Gitarre, übereinstimmend mit dem Druck. Fingersatz: 1 Punkt (sorgfältig). Die Lin.-Systeme sind vorgedruckt, doch stimmen sie nicht mit den Systemen des Drucks überein (Angabe der Offizin fehlt). F. 5r unteres Lin.-System mit freier Hand ergänzt. Teile in gew. Notation, wie im Druck vorliegend (Singstimme zur Tab.) fehlen im Anhang, der ausschließlich Tab. umfaßt. 1 Schreiber, er bedient sich eines besonderen Signums, bestehend aus 3 großen Buchstaben, von denen der mittlere ein B in kleinerer Zeichnung darstellt ($E_B J$ etc.). Sorgfältige Niederschrift. Heller Pergamentband der Zeit; orig. Lederband-Heftung unversehrt. (Freie Instrumentalsätze, Tänze, frz. Chansons.)

Literatur: Fehlend.

PARIS, BIBLIOTHÈQUE DU CENTRE NATIONAL DE LA RECHERCHE SCIENTIFIQUE

Ms. ohne Signatur. Erworben aus Antiquariat Otto Haas, London, 1954.

Frz. Lt. Tab. 6 Lin. Um 1630–1632, Teile möglicherweise ca. 1632–1640. Datiert 1631, 1632.

78 fol., zuzüglich 4 Vorsatzbll. (leer) und 2 Nachsatzbll. (f. Ir leer). Unbeschrieben f. 1r, 3–5r, 6r, 7r, 8v–14, 25v–30r, 36–37r, 38v, 67r, 68, 71v, 72r, 74–78. 29×19 cm. Tab.-Teil: f. 1v–2, 5v, 6v, 7v, 8r, 15–25r, 30v–35, 37v, 38r, 39–66, 67v, 69–71r, 72v–73. Für 10chörige Laute, vereinzelt (z. B. f. 15r, 59r) für 11chörige und (z. B. f. 43v, 57v, 58r) für 12chörige Laute. Korrekturen: f. 30v, 39r etc. Fingersatz: 1, 2 Pkte. f. 1v, 30ff. etc. (spärlich). Vor f. 2 fehlt 1 Bl. (Falz), vor f. 29 sind 2 Bll. herausgerissen (Falze), kein Tab.-Verlust, ferner fehlen vor f. 30 3 Bll. Papier in Frankreich und England 1623–1624 nachgewiesen (RollinM, S. XVII). F. 70r unten am Rand Stimmregel mit Vermerk: *the 4th*. Es handelt sich um ein Studienbuch eines engl. Lautenschülers, dessen Lehrer, R. Mesangeau, der Hauptschreiber ist. Mindestens 3 Nebenschreiber. Rhythmische Zeichen noch ohne Köpfe. Nachsatzbl. IIv *J begune the 7 of ffebruarj: the 27 of March the 18 of May / for Mo Mesangro*; ferner: *the eand of my / munth is the 23 of / March 1631*; und: *the eand of my munt is the 8 of May / 1632*. F. 16r *Bochan fecit Méuill mie*. Nachsatzbll. Iv, IIr, IIv Federproben frz., z. B.: *Je ne puis que Je y . . .*; *for*; *than me this*; *Madame du Buisson / a la rue St martin / proche la crois de fer*; erneut kopfstehend: *madame du buisson / . . .* F. 24v, 25r Schreiber B; f. 39r Schreiber C beginnend. Nachsatzbl. IIv *Je ne pens Je ne puis que Je ne vous aim . . .* Vorderdeckel innen: *B. Reynes*. F. 55r gekritzelt: *Got*; Vorsatzbl. Ir *haue me o*. F. 59v am Rand *Monsieur La flale playd thes tunes in the Queens maske on his harpe*. Mittelbrauner Lederband der Zeit, stark abgeschabt, Goldpressung auf Rücken und Deckeln (dort *B R* in Mitte neben reichverzierter Rosette). Schnitt rot bespritzt. (Freie Instrumentalsätze, Tänze.)

Literatur: Fehlend. Hinweis RollinM, S. XXVIff., Faksimile S. XVIII, XXVI; RadkeRM, S. 414.

PERUGIA, ARCHIVIO DI STATO

Ms. ohne neue Signatur (1974). Gegenwärtig aufbewahrt in der Abteilung Archivio Fiumi-Sermattei della Genga, als *No. 23*. Ältere Signatur (Buchrücken, bedruckter Zettel): *VII. H. 2*. Erworben 1967/1968.

Ital. Lt. Tab. 6 Lin. Um 1640–1665.

144 fol., zuzüglich 1 Vorsatzbl. (f. Iv leer). Unbeschrieben f. 22v–24r, 25v, 26r, 34r, 37r, 43r, 58–144r (nur Lin.). 32,5×21,5 cm. Tab.-Teil: f. 1–22r, 24v, 25r, 26v–33, 34v–36, 37v–42, 43v–57. Überwiegend für 9- bis 11chörige Laute,

einige Sätze für 6chörige Laute (f. 57r etc.) und 14chörige Laute bzw. Theorbe (f. 17v etc.). Korrekturen: f. 1r etc. (spärlich). Mehrere Sätze zeigen virtuoses Spiel bis auf den 12 Bund der obersten Seite (f. 31r etc.). Fingersatz: 1, 2 Punkte, z. T. sehr reichhaltig in Übungsstück (*Toccata* f. 23r, *Arpeggi* f. 33v etc.). Vereinzelt 3 Punkte (f. 2r). F. 56v, 57r mehrere Beispiele von kurz arpeggierten Akkorden, die in Tab. ausgeschrieben sind, mit der Bezeichnung: *Mutanza arpeggiata*. Die im Akkord zusammengehörigen Töne, die nacheinander gezupft werden sollen, sind in Gruppen mit Umrandung durch Kreise dargestellt (4–12 Töne). – Mehrmals nachfolgend *Mutanza* (z. B.: *della Corrente*). Vorschrift: *seconda parte*, ferner: *per D. la sol re*, *per A*, *per D* (alleinstehend) u. ä. *Da-capo*-Vorschriften. Mehrere Sätze sollten kopiert werden, so steht von der gleichen Hand: f. 26v *Copiare questi Passagalli*, f. 2r *Copiare questa*, f. 10r *Copiare quest' alora*. Im unbeschrifteten Teil sind mehrere Bll. herausgeschnitten (Falze), doch ist mit einem Tab.-Verlust nicht zu rechnen. Zwischen Vorsatzbl. und f. 1 kein Eingriff in die orig. Heftung. Gew. Notenschrift vereinzelt (f. 144v: Übersicht der rhythmischen Zeichen und 1 flüchtig skizzierte Baßstimme, ohne Bezeichnung, wohl etwas jünger). Titel: Vorsatzbl. Ir, Tinte, zeitgenössisch gekritzelt ausgestrichen, *LIBRO di Liuto / di Gioseppe Antonio Doni;* derselbe Text findet sich darunter wiederholt, nicht ausgestrichen. 1 Schreiber, Tintenfärbung und Schriftbild erheblich schwankend, so daß nicht auszuschließen ist, daß die Niederschrift über mehrere Jahre sich erstreckte. Pergamentband der Zeit. Vorderdeckel mit fast gänzlich durch Abrieb zerstörten Federzügen (offenkundig keine ergänzende Bezeichnung des Ms.). (Freie Instrumentalsätze, Tänze.)

Literatur: Fehlend.

PERUGIA, BIBLIOTECA COMUNALE „AUGUSTA PERUSIA"

Ms. 586 (H. 72). Ältere Signatur (Vorderdeckel außen, oben, Tinte): *409.*

Ital. Lt. Tab. 5 Lin., z.T. kombiniert mit Alfabeto (große Buchstaben); Ital. Git. Tab., nur Alfabeto (kleine Buchstaben oder große Buchstaben, jedoch immer getrennt) mit Golpes auf 1 Lin. Mitte des 17. Jh.

91 fol. Unbeschrieben f. 1, 71v, 73v–82, 88v–91 (leer). 20,8×15,5 cm. Tab.-Teile: I. Ital. Lt. Tab. 5 Lin. (Punteado) kombiniert mit Alfabeto (große Buchstaben) f. 3v–5 = Schreiber B; II. Ital. Lt. Tab. ohne Alfabeto f. 3r (1 unbezeichneter Satz, der als Übung zum Einspielen des Instruments gedacht ist, mit Bevorzugung der leeren Saiten) = Schreiber B; III. Git. Tab. nur Alfabeto (kleine Buchstaben) mit Golpes auf 1 Lin. f. 73r = Schreiber C; IV. Git. Tab. nur Alfabeto (große Buchstaben) mit Golpes auf 1 Lin., ohne Textunterlegung f. 7v–60r, 61v–71r = Schreiber A. Für 5saitige Gitarre. Texte ohne Tab. und Schriftproben = Schreiber C (f. 72). Ein Titel ist nicht überliefert. F. 1v eingeklebter Kupferstich: Brustbild, untere Leiste mit der

Inschrift *Antonio Carbonchi fiorentino inuentore di sonare sopra / dodici chiaui della chitarra spagniola.* Ältere Foliierung, Bleistift: *1–90* (inkorrekt, Ziffer *6* ist zweimal geführt, daher 1 Bl. zuwenig zählend), demgegenüber wahrscheinlich orig. Foliierung, beginnend mit f. 8, lückenlos: *1–63.* F. 2r Übersicht des Alfabeto (große Buchstaben) mit Auflösung des Akkords in ital. Lt. Tab. mit Fingersatz 1–4 Punkte = Schreiber A, die Zeichen sind: *A, B, C, F, G, H, j, M, N, Q, R, y, O, L, E, +, P, K, D, s, T, V, X, Z;* weitere Tabellen f. 2v, 3v, 4r. F. 6–7r Taktat, überschr.: *Modo di accordare La Chitarra / spag*[no]*la* *con più stromenti;* es sind 3 intavolierte Beispiele (Alfabeto, Golpes) enthalten: f. 7r = Schreiber A. Zahlreiche Double-Sätze mit Bezeichnung: *Alliomodo* oder: *Allio modo p*[er] *ottaue.* Vorschriften *p*[er] *E* etc. in Tab.-Teil I. F. 83–88r orig. Index, überschr.: *Tauola delle Sonate* = Schreiber A. Der Index zeigt kleine Abweichungen der Satzbezeichnung (vgl. Bd. 2) und bezieht sich nur auf den Tab.-Teil IV, der im Ms. den größten Umfang beansprucht. Durchtextierte Sätze fehlen. Keine Daten. 1 Hauptschreiber A (einschließlich Übersichten der Akkorde in Tab. f. 2–4r und *Tauola,* sorgfältig); Nebenschreiber B (flüchtiger) und C (sehr ungelenk, wohl Kinderhand, außer Tab.-Teil III die literar. Beigaben und die Schriftproben f. 72r, 72v, 73r). Pergamentband der Zeit. Von den zwei Paar grünen und blauen Seidenschnüren haben sich noch Reste erhalten. Vorderdeckel außen stark verblaßte ital. Aufschrift, Tinte, über *questo libro* (10 Zeilen). (Freie Instrumentalsätze, Tänze, ital. Liedsätze.)

Literatur: Mazzatinti, S. 56ff.; WolfH II, S. 212; HudsonG, S. 182 (Notenbeisp.).

PESARO, Biblioteca musicale statale del Conservatorio di Musica G. Rossini

Ms. Pc 31 bis / 7336. Ältere Signatur: *Ed 127* / 7336. Jüngst (1975) neue Signatur: *Rari Ms. b. 8.*

Ital. Lt. Tab. 4 Lin. für Viola und 6 Lin. für Viola. Um 1580–1595, Nachschrift möglicherweise bis Anfang des 17. Jh.

20 fol. Unbeschrieben f. 6r, 9v, 10r, 16r, 17–19r (nur Lin.). 16×24 cm. Tab.-Teile: I. 4 Lin. für 4saitige Viola, Ziffern *0–3*, vereinzelt (Schreiber B) bis *4*, f. 1–5, 6v–9r, 10v–15, 20r; II. 6 Lin. für 5saitige Viola, bis Ziffer *10* fortschreitend, unter Beigabe von ♯, f. 16v. F. 15v, 20r nur Fragment weniger Akkorde, ohne Satzbezeichnung. Besondere Beischriften: f. 16r *Jo sacripante* [h]*o d avere da dominico da Luc*[c]*a 10 17 / squdi dece bejochi decesete*; f. 19v *A di 22 de mag*[g]*io* [1]*608 mi rito*[r]*no a do*[r]*miri / la cosi digi la ma moretta*; f. 20r *A di 5 di aprile 1586 i ero qua a dormire qui lo paisano / di olimpio nosino e iso gie scobrigione*; f. 20v *Jo sacripante. A di 29 di aprile o fue ta*[n]*te decine de tone.* Rückdeckel gekritzelte Namen (stark verblaßt): *Margarita; Bianchina; Rosalia; Menica; francesca filanaza; Olibia; Alisandra; cattarina.* Hinweise,

u. a. auf *Barierra* bezüglich: *Seguita la Seconda Parte, Seguita la terza parte* etc. Hauptschreiber A f. 1–5, 6v–9r, 10v–13; mindestens 2 Nebenschreiber B und C. Weißer (stark nachgedunkelter) Pappband der Zeit. (Freie Instrumentalsätze, Tänze, ital. Liedsatz.)

Literatur: Fehlend.

Ms. Pc 40 / 7346a. Ältere Signatur: *Ed 137^{I} / 7346*. Jüngst (1975) neue Signatur: *Rari Ms. b. 10.*

Ital. Lt. Tab. 6 Lin. Um 1625–1640.

32 fol. Unbeschrieben f. 29v, 30v–32r (leer). Orig. Foliierung *1–32* (korrekt). 15×22,5 cm. Tab.-Teil: f. 1–29r, 30r. Für 10chörige Laute. F. 26r 1 Satz mit Durchtextierung. F. 32v Übersicht der rhythmischen Werte (von *Semibrevis* bis *Biscroma*). F. 30r Übersicht in Tab., überschr.: *Accordatura del leuto, ô uero modo d'accordare etc.*, Beispiele von 3- bis 6stimmigen Akkorden, darüber: *do re mi fa sol la* und Vermerke: *Per b.quadro, per b.molle, per natura,* diese Tabelle bezieht sich nur auf die 6chörige Laute. Ergänzung am unteren Rand in Tab.: f. 16r. Korrekturen: f. 24r, 27v, 29r. Fingersatz 1–4 Punkte in *Battaglia* (dieser Satz mit Vermerken: *Trombe, Ta*[m]*buro, Ghirumetta, Archebusieri, Piferi*), sonst nur (spärlich) 1 Punkt. Zusätze *Jn Soprano* (bei *Paganina*) und *in tenore* (bei *Monica*). 1 Schreiber (ab f. 25v zitterige Schrift, kaum flüchtiger, wahrscheinlich mit größerem Abstand von gealtertem Schreiber aufgezeichnet). Weißer Pappband der Zeit. Vorderdeckel außen flüchtige Tintenskizze von 2 Hähnen, Vorderdeckel innen flüchtig in schrägem Schriftzug, Tinte: *Gagliarda del colli / lombarda* . . . (Freie Instrumentalsätze, Tänze, ital. Liedsatz.)

Literatur: Fehlend. Im Umriß erwähnt bei Paolone, S. 197.

Ms. Pc 40 / 7346 b. Ältere Signatur: *Ed 137^{II} / 7346*. Jüngst (1975) neue Signatur: *Rari Ms. b. 9.*

Ital. Git. Tab. Nur Alfabeto mit Golpes. Um 1640–1650.

6 fol. Unbeschrieben f. 1v, 2v, 3v, 4v–6r (leer). 17×22 cm. Starker Karton. Tab.-Teil: f. 1r, 2r, 3r, 4r. Für 5saitige Chitarriglia (*chitarra alla spagnola*), Alfabeto (kleine Buchstaben, nur der Initialbuchstabe groß), Golpes auf 1 Lin. Keine Textierung. F. 6v kopfstehend Rechnungen, von diesen eine mittlere datiert: *1650. Finis*-Vermerke. Insgesamt 10 Sätze. Datierung: *A di 2 maggio 1650.* 1 Schreiber (sorgfältig). Einband nicht überliefert. (Freie Instrumentalsätze, Tänze.)

Literatur: Fehlend. Im Umriß erwähnt bei Paolone, S. 198ff.

Ms. Pc 40 / 7346c. Ältere Signatur: *Ed 137*^{III} / *7346*. Jüngst (1975) neue Signatur: *Rari Ms. b. 14.*

Ital. Lt. Tab. 6 Lin. Um 1600.

29 fol. Unbeschrieben f. 4r, 7v, 12–16, 21–29 (nur Lin.). 28×21 cm. Tab.-Teile: I. für 11chörige Theorbe f. 4v–7r, 8–11; II. für 7chörige Laute f. 1–3, 17–20; III. für 5chörige Laute f. 20v; IV. für 4chörige Laute (bzw. deren Abkömmling) f. 20r, untere Seitenhälfte. F. 1–3, 4v–7r Notierung ohne Tab.-Striche. Korrekturen: f. 17r, 17v. Sehr flüchtige Aufzeichnung, Satzbezeichnungen kaum lesbar. Fingersatz (1, 2 Punkte) Schreiber A reichlich, aber nur am Anfang der Niederschrift. Vorder- und Rückdeckel außen und innen Schrift- und Federproben, Vorderdeckel außen kopfstehend Tinte 1 Wort unterstrichen: ... *angelo*. F. 1–4 starker Rattenfraß (Tab.-Verlust). 2 Schreiber: A f. 1–3, 4v–6r, 8–11; B f. 6v, 7r, 17–20, letzterer notiert die rhythmischen Zeichen mit und ohne Köpfen, daher letzte Aufzeichnung Anfang des 17. Jh. Pergamentband der Zeit, Vorderdeckel nur zu einem Drittel noch erhalten, Rückdeckel stark zerschlissen. Orig. Heftung unversehrt. (Freie Instrumentalsätze, Tänze, ital. Liedsätze.) Nachschrift 1975: Vorderdeckel defekt. ... *angelo* nicht mehr sichtbar.

Literatur: Fehlend.

PESARO, Biblioteca Oliveriana

Ms. 1144. Alte Signatur: *Ms. 1193.*

Frz. Lt. Tab. 6, vereinzelt 7 Lin.; ital. Lt. Tab. 6 Lin. für Laute, vereinzelt für Lira da braccio. Anfang des 16. Jh., wohl 1509–1511.

170 fol. Alle Seiten beschrieben. Orig. Paginierung oben Seitenmitte *25–386*, mithin fehlen die Seiten der orig. Zählung *1–24* (= f. 1–12) und *177–196* (= f. 77–86 des jetzigen Bestands), die in Verlust geratenen ersten 12 Bll. enthielten wahrscheinlich die gleiche Tab. Format: das aufgeschlagene Ms. bildet die Form eines Herzens (oben eingebuchtet, unten spitz, in dieser Lage Breite ca. 24 cm.). Tab.-Teile (nach orig. Paginierung): 1. Frz. Lt. Tab. 6, vereinzelt 7 Lin. für 6chörige Laute p. 25—87, 89—99, 197–204, 331–334; 2. ital. Lt. Tab. 6 Lin. für 6chörige Laute p. 101–104; 3. ital. Lt. Tab. für Lira da braccio p. 173–176. P. 331, 333 *Acordatura del leuto; Modo d'acordare il leuto;* p. 332, 334 *tavole per sonare il liuto;* p. 173 *Note de la lira; Botte del leuto; Le medesme botte de la lira* (es folgen Sätze in Tab. für Lira da braccio: *Romanesca, Pasamezo, Aria romana*, die beiden letzteren nur im Fragment); p. 176 *Tutte i tone de la lira; semitono fora dei tasti*. Zahlreiche ital. Gedichte ohne Tab.: p. 88 (*Prologo*), 104–172, 176, 204–330, 335, 336; orig. Tavola der ital. nichtintavolierten Texte: p. 367–385, p. 386 noch 1 ital. Text angefügt. Der orig. Index nennt zugleich den Kopisten des literarischen Teils des Ms.:

p. 367 *La tavola di tutte le stantie e sonetti e capitoli e canzone ... de diversi autori racolte per me tempesta blondi de sanlorenzo in campo.* Tempesta Blondi aus San Lorenzo in Campo (bei Pesaro) hat den literarischen Teil des Ms. erst um 1570–1590 aufgezeichnet, während die Niederschrift der Tab. um 1510 durch eine andere Hand und aus anderem Milieu erfolgt sein muß (die den Tab.-Teil betreffende Datierung bei Viterbo, S. 62 ff., Saviotti, S. 234 ff. und SaviottiD, S. 446 ff., die sich auf den literarischen Teil des Ms. stützen, ist zu berichtigen). Das Repertoire der Vokalmodelle reicht über 1500 zurück. Das Ms. ist wahrscheinlich die zweitälteste Lt. Tab. überhaupt, noch wenige Jahre älter als die Mss. Chicago (Newberry Libr.) und Neuilly-sur-Seine (Nr. IV). Mindestens 3 Schreiber, 1 Hauptschreiber (ca. 1. Hälfte des Ms.). Brauner Lederband der Zeit. (Freie Instrumentalsätze, Tänze, frz. Chansons, ital. Frottole.)

Literatur: SaviottiD, S. 446 ff.; Bridgman, S. 190; Paolone, S. 186 ff.; GombosiC, Einleitung; Rubsamen, S. 286 ff., 2 Faksimiles (von f. 21v–23r) nach S. 296. Jüngst Tischler, S. 100.

PITTSBURGH, Privatbibliothek Prof. Theodore M. Finney

Ms. ohne Signatur. (Nicht öffentlich zugänglich.)

Frz. Lt. Tab. 6 Lin. für Lyra Viol, vereinzelt für Laute. Um 1630–1660. 39 fol., Vorsatz- und Nachsatzbll. entfernt. Unbeschrieben f. 6r, 7r (nur Lin.). 10,5×13,5 cm. Tab.-Teile: I. f. 1–5, 6v, 7v–24r, 25–39 für 6saitige Lyra Viol. II. f. 24v für 6chörige Laute bzw. deren Abkömmling. 5 Bll. herausgerissen vor f. 1, 1 Bl. vor f. 7, 2 Bll. vor f. 11, je 1 Bl. vor f. 13, 17, 24, 25, 7 Bll. am Ende des Volumens; Falze z. T. mit Tab.-Resten, die Verlust bestätigen. Nach f. 6v und 39v ist die Tab.-Aufzeichnung unterbrochen. Orig. Numerierung der Sätze, beginnend f. 1r mit *53*, sodann f. 5v–8 = Nrn. *1–6*, f. 9v–10r = Nrn. *7*, *8*, f. 13v = Nr. *9*. Eine zweite orig. Numerierung von anderer Hand: Nrn. *7*, *8* als *1*), *2*), ein folgender Satz f. 10v als *3*); diese Ziffern wohl erst nach Bindung des Volumens. Ferner sind die Sätze f. 11v, 12v, 13v, 14v, 19v, 20v mit Kreuz markiert. Eine Ordnung des Satzbestands ist nicht gegeben. Angaben zur Stimmung der Lyra Viol f. 1r, 10v, 13r, 16r, 23r, 36r; ferner bei Satzbezeichnungen Hinweise; *Playne way; Harpe ♯; Harpe ♭; Alfonso way; Eights; Lyra* (*Leero, Leerow, Leira*) *way*; *flat tuning; sharp tuning* etc. Aufzeichnung kopfstehend f. 1v, 11r, 24v. Zahlreiche Korrekturen (überwiegend falsches Spatium betreffend). Das Ms. entstammt der Familie Mansell, Baronet of Muddlecombe, Carmarthen, deren erstes Glied als Sir Francis M. überliefert ist (E. Ph. Statham, *History of the family of Maunsell [Mansell, Mansel], compiled chiefly from data collected ... by Col. Charles A. Maunsell*, London 1917–1920, ferner TraficanteV, S. 27 ff.). Namenseintragungen: f. 16v, 17v *Ane g* und *Ane y* (= wohl Schwester von Sir Anthony M., Sohn des Francis, Anne); auf der Rückseite des großen Falzes am Volumenende *Anthony & John Mansell*, ferner *Katharn* (Catharina M., * 1621); Rückdeckel innen, oberer Rand *Robert*

Mansell (* 1628). F. 31r Satzbezeichnung *Rice Davies Maske* (eine Dorothea Mansell, * 1615, war verehel. mit Rice Davis of Penmaen); f. 33v Satzbezeichnung *Prince Henrys funerall* (Henry, Prince of Wales † 1612). Die Mansells wohnten in Wales, übersiedelten dann nach Oxford, Holywell Street, in einem dortigen Hause wurde das Ms. in jüngerer Zeit gefunden. Besitzer war wohl zunächst *Richard Mansell*, Bruder des Sir Anthony, der mit *Catharina* (s.o.) verehel. war. Durch Konkordanz sind Druckvorlagen älteren Repertoires (1609, A. Ferrabosco, etc.) zu ermitteln. Mindestens 3 Schreiber, 1 Hauptschreiber. Aufzeichnung in einem größeren Zeitraum, abweichendes Papier (Wasserzeichen: Ende des 16. Jh. und Mitte des 17. Jh.), Beschriftung (Aufteilung in Systeme) wechselnd, vgl. f. 29v, 30r. Mehrere Bll. am unteren Rand nach Bindung scharf beschnitten (Verluste). Brauner Lederband der Zeit. (Freie Instrumentalsätze, Tänze, engl. Liedsätze, Maskes.)

Literatur: TraficanteV, S. 22ff.; TraficanteM, S. 11; TraficanteL, S. 205; Erhard, S. 81.

PODĚBRADY, OBLASTNÍ MUZEUM JANA HELLICHA (Kreismuseum Jan Hellichs)

Ms. ohne Signatur. (I) Früher Jung-Bunzlau, Hauptkirche, ohne Sign.
Frz. Lt. Tab. 6 Lin. Um 1730–1740.

42 fol. Unbeschrieben f. 9v, 11, 42. 24,8×31,6 cm. Ausschließlich Tab. Für 11- bis 13chörige Laute. Traktat: f. 1r *Anleitung / die Laute auf eine ganz leichte Weiße stimmen zu lernen*, der Text beruft sich auf *Herrn Baron's . . . Untersuchung* [= *Druck* 1727]. F. 8v *Die bei der Laute vorkommenden Zeichen und Manieren*, mit 21 intavolierten Beispielen und genauer Bezeichnung. F. 12r ff. Abschrift aus Perrine, *Livre de Musique pour le Lut*, Paris s. a. [Titelbild datiert *1682*, Privileg *1679*], mit Nachzeichnung des großen Faltblattes (Lautenkragen). Dt. und frz. Beschriftung in 2 verschiedenen Teilen. 1 gemeinsamer Schreiber, Schönschrift. F. 10r unten Vermerk *Dieses Bruchstück befand sich in der Pfarrkirche zu Jung Bunzlau.* Jüngerer Halblederband, Vorder- und Rückdeckel aus Karton mit aufgeklebtem, bunt gemustertem Papier. Das Ms. des Jan Hellich stammt aus dem Besitz seines Vaters Emanuel H. (1801–1874, Maler und Apotheker in Jung-Bunzlau, ab 1852 in Poděbrady), dessen Laute, eine Arbeit des Hans Frei, sich erhalten hat (vgl. A. Buchner in: *Časopis národního musea* CXXI, Prag 1952, S. 134). E. Hellich kopierte in 2 weiteren Mss.: I. Teile des Drucks J. Chr. Beyer, *Herrn Professor Gellert Oden . . .*, Leipzig 1760; II. Teile des Drucks Perrine, *Livre de Musique pour le Lut*, Paris s. a., und zwar mit den zugehörigen intavolierten Beispielen, außen überschr.: *Škola na loutnu staročeskou* (Schule für Altböhmische Laute). Zur Zeit aufbewahrt in der gleichen Bibl., Signatur: *H.20.923*, ein Teil noch *ohne* Signatur (1975). (Freier Instrumentalsatz, Tänze.)

Literatur: Fehlend. Jüngst Hinweis TichotaA, S. 167f.; TichotaV, S. 73f.; RadkeW, S. Vf.

—

Ms. ohne Signatur. (II)

Frz. Lt. Tab. 6 Lin. Um 1720.

1 fol. (Doppelblatt, in der Mitte gefaltet, 4seitig mit Tab. beschrieben). 28,3×22,4 cm. Für 11chörige Laute. 1 Schreiber. Ohne Einband. (Freie Instrumentalsätze, Tänze.)

Literatur: Fehlend. Jüngst Hinweis TichotaA, S. 166, Anm. 47.

—

Ms. ohne Signatur. (III) Früher Jung Bunzlau, Hauptkirche, ohne Sign.

Frz. Lt. Tab. 6 Lin. Um 1720.

40 fol. 76 mit Tab. beschriebene Seiten. 9 weitere Bll. wurden in jüngerer Zeit herausgerissen (Falze sichtbar). 35,2×21,7 cm. Für 11chörige Laute. 2 Schreiber: A f. 1–22r; B f. 22v ff. Halblederband der Zeit, Vorderdeckel Goldpressung mit Initialen: *M. A. V. K. U. F.* Vorderdeckel innen oben links ein Zettel mit Aufschrift um 1800: *Pocházi z Mladé Boleslavi* [= Herkunft aus Jung Bunzlau]. (Freie Instrumentalsätze, Tänze, Aria.)

Literatur: TichotaT, S. 142 (*Nr. 31*); VáňaN II, S. 109f.; TichotaA, S. 166.

PRAHA (Prag), KNIHOVNA JOSEF DOBROVSKÉHO (Privatbibliothek Joseph Dobrovsky)

Ms. b 2. Früher Prag, Privatbibliothek des Grafen von Nostitz (Nostitzká Knihovna), ohne Sign.

Frz. Git. Tab. 5 Lin. mit Alfabeto. Um 1700.

122 fol. 208 mit Tab. beschriebene Seiten. 15,2×9,5 cm. Für 5saitige Gitarre. Einige Sätze nur Punteado, die Mehrzahl Punteado mit Alfabeto kombiniert. Mindestens 3 Schreiber. Dunkelbrauner Lederband der Zeit, Goldpressung. (Freie Instrumentalsätze, Tänze, Aria bzw. Air.)

Literatur: fehlend, TichotaT, S. 143 vorläufig geführt (*Nr. 37*).

PRAHA (Prag), STÁTNÍ ARCHÍV (Hauptstaatsarchiv)

Ms. ŘPI 504. Früher Kosmonosy, Bibl. des Klosters der Piaristen, alte Sign. auf der Innenseite des Vorderdeckels: *XVIII k.*

Frz. Lt. Tab. 6 Lin. Um 1720.

54 fol. Unbeschrieben f. 1r, 2r, 21r, 28v, 31–34 (nur Lin.). Neuere Bleistift-Paginierung. 10,5×19,4 cm. Ausschließlich Tab. Für 11chörige Laute. Vereinzelt ist ein 12. Chor („5") von anderer Hand (später ?) ergänzt. Besitzvermerk: f. 1r *dieses Stuck gehert dem H. Wenceslao.* Vorderdeckel innen neben alter Sign. neuerer Vermerk: *149 Alte Musick Stucke.* 2 Schreiber. Dunkelbrauner Lederband der Zeit. (Freie Instrumentalsätze, Tänze, Ario, dt. Liedsatz.)

Literatur: Fehlend.

PRAHA (Prag), NÁRODNÍ MUZEUM, HUDEBNÍ ODDĚLENÍ (National-Museum, Musikabteilung)

Ms. II. L. a. 1. Früher Raudnitz (Roudnice), Bibliothek des Fürsten Lobkowitz. Die Sign. gilt zugleich für den Druck J. Kremberg, *Musicalische Gemüths-Ergötzung*, Dresden 1689.

Frz. Git. Tab. 5 Lin. ohne Alfabeto. Ende des 17. Jh.

1 fol. 2 mit Tab. beschriebene Seiten. 24,3×17,6 cm. Für 5saitige Gitarre. 1 Schreiber. Ohne Einband, im genannten Druck lose eingefügt. (Freier Instrumentalsatz, Tanz.)

Literatur: Fehlend. Im hs. Katalog Lobkowitz (1894, 1895) nicht geführt.

Ms. IV. E. 36. Früher (zufolge Eintragung f. 12r) Mährisch Beraun (Moravske Beroun). Vorderdeckel innen alte Sign.: *5./1./16.* Rückdeckel innen alter Sign.-Zettel eingeklebt: *451* und *Musica sopra il Liuto.*

Frz. Lt. Tab. 6 Lin. 1. Viertel des 18. Jh., Datierung 1712.

149 fol. Unbeschrieben f. 12v, 13r, 14r, 51r, 59v, 60r, 67v, 106r, 135r. Neuere Paginierung 1–298. 15,2×19,9 cm. Ausschließlich Tab. Für 10- und 11chörige Laute. Herkunftsvermerk Vorderdeckel innen: *Jvani Jelinek Bohemi / monasterii S: Joannis sub Rupe / Sacerdotis jubilati / Anno suae aetatis 76 sepulti / die 26 Decb 1759 mortui / in nova crypta a Rissimo D.D. Aemiliano Kotterowsky / Abbate / in antiqua Ecclesia 1712 facta.* Späterer Bestzvermerk: f. 12r *Sum ex libris Jac. Ant. Seydel, Decani Beraunensis 1819.* 2 Schreiber. Dunkelroter Pappband mit Lederecken und Lederrücken der Zeit, stark abgenutzt. (Freie Instrumentalsätze, Tänze, Aria.)

Literatur: BoetticherL, S. 374 [50] (*Ms. Pr. 36*); TichotaT, S. 142 (*Nr. 34*); KoczirzBL, S. 98f.; NeemannF, S. 157ff., 181; VoglC, S. 19; VoglD, S. 41f.; VoglP, S. 693f.; VoglZ, S. 1ff.; VoglI, S. 55ff.; VáňaN I, S. 204f. II, S. 112f.; RadkeG, S. 141; RadkeL, S. 42; Klima-RadkeWW, S. 437; NeemannLk, Einleitung.

Ms. IV. G. 18. Alter Bestand. Alter Bibl.-Stempel: *Bib. Mus. Nat. 1818.* Alte Signatur auf Vorderdeckel, innen: *5. J. 15.*

Ital. Lt. Tab. 6 Lin. und Frz. Lt. Tab. 6 Lin. 2. Viertel des 17. Jh., Datierung 1623, 1627.

218 fol. Unbeschrieben f. 143r, 193v, 194r, 196v, 216v, 218v. Orig. Foliierung *1–216*, mit f. 3 beginnend. Neuere Bleistift-Foliierung 1–218. 9,7×14,8 cm. Für 7chörige Laute. Datierung f. 179v am Rand: *12. di Marzo 1.6.2.7.* Titel: f. 1r *Joannes Aegidius / Berner / De ReHemWerh / Jn / Lampotin / 1623.* F. 2r *Este procul cura, curarum ludis non sum / Nil nisi laeta sonat gaudia nostra*

Chelys; und: *Testudo dulce tenamen / Ducentibus grauamen / Ludentibus solamen / Amantibus certamen / Docentibus Egamen.* F. 2v weitere Gedichte, Sprüche. Tab.-Teil f. 3–128r. Etwa der doppelte Bestand an ital. Lt. Tab. gegenüber der frz. Lt. Tab., letztere nur f. 29r, 32v–36v, 39r, 45r, 61v–66v, 67r (nur Hälfte der Seite), 72–79r, 81v–91r, 93v, 94v, 95r, 132–139r, 140v, 141r, 145r, 152v, 153r, 156r, 171r, 177r, 179v, 182r, 185v, 185r, 187v–188, 192r, 202v–204r, 208–209r, 211–214r. Mindestens 3 Schreiber. Die Datierung f. 179v stammt von einem dieser Schreiber. Stark abgenutzter Pergamentband mit 2 abgerissenen Schließbändern aus Leder, Deckel und Rücken mit einfacher Pressung ohne Goldreste. (Freie Instrumentalsätze, Tänze, frz. Chansons, ital. Madrigale.)

Literatur: BoetticherL, S. 362 [39] (*Ms. Pr 18*); TichotaT, S. 140 (*Nr. 5*); Černušák, Tafel XIV (Faksimile); VáňaN I, S. 86f., II, S. 10f., RollinB, S. XXI; RollinV, S. XXIII; RadkeBA, S. 234; RadkeG, S. 141; RadkeC, S. 1382.

Ms. V. C. 25. Herkunft nicht näher bezeichnet.

Frz. Lt. Tab. 6 Lin. und (nur Beispiel) Dt. Lt. Tab. Anfang des 17. Jh.

3 fol. Unbeschrieben f. 3v. Zuzüglich 1 altes Nachsatzblatt (leer). 20,5 × 30,2 cm. Tab.-Teil: f. 1–3r. Für 9chörige Laute. Traktat: in tschech. f. 1r *Nauczienij yak se mana taut / nu ucziti hratj* [= Wie man die Laute spielen soll]. 2 Zeichnungen des Lautenkragens mit den Zeichen der dt. und frz. Lt. Tab. Vermerk f. 3r: *Tuto po ffranczauzsku tabulatura a gest po nj* [= ponj] *sna*[d]*niegi hrati* [= Hier ist die frz. Tabulatur und es ist leichter, aus dieser als aus der vorangehenden dt. zu spielen]. 1 Schreiber. Ohne Einband. (Freier Instrumentalsatz, lat. Motette.)

Literatur: TichotaI, S. 54; TichotaT, S. 144 (*Nr. 53*); VáňaN I, S. 77f., I, S. 2 (Fotografie des Titels).

Ms. X. L. b. 207. Früher Raudnitz (Roudnice), Bibliothek des Fürsten Lobkowitz.

Frz. Git. Tab. 5 Lin. ohne Alfabeto. Anfang des 18. Jh.

45 fol. Unbeschrieben f. 45v. Orig. Foliierung *1–27* (Zählung der Doppelblätter, Tinte); neuere Bleistift-Foliierung 1–45. 28,3 × 19,2 cm. Tab.-Teil: f. 1–45r. Für 5saitige Gitarre. 2 Schreiber. Rötlich-dunkelbrauner Lederband der Zeit, Deckel und Rücken mit Goldpressung. Ein zugehöriger Lederband mit gleicher Goldpressung, übereinstimmendem Format und Repertoire mit den Stimmen in gew. Notenschrift ist unter gleicher Sign. erhalten. (Freie Instrumentalsätze, Tänze, Aria.)

Literatur: NettlM, S. 66; TichotaT, S. 143 (*Nr. 44*).

Ms. X. L. b. 208. Früher Raudnitz (Roudnice), Bibliothek des Fürsten Lobkowitz.

Frz. Git. Tab. 5 Lin. ohne Alfabeto. Anfang des 18. Jh.

69 fol. Unbeschrieben f. 67–69. Neuere Bleistift-Foliierung 1–69. 28,3 × 19,2 cm. Tab.-Teil: f. 1–66. Für 5saitige Gitarre. 2 Schreiber. Rötlich-dunkelbrauner Lederband der Zeit, Deckel und Rücken mit Goldpressung, Goldschnitt. Ein zugehöriger Lederband mit gleicher Goldpressung, übereinstimmenden Format und Repertoire mit den Stimmen in gew. Notenschrift ist unter gleicher Sign. erhalten. (Freie Instrumentalsätze, Tänze, Air.)

Literatur: NettlM, S. 67; TichotaT, S. 143 (*Nr. 45*).

Ms. X. L. b. 209. Früher Raudnitz (Roudnice), Bibliothek des Fürsten Lobkowitz.

Frz. Git. Tab. 5 Lin. ohne Alfabeto. Anfang des 18. Jh.

74 fol. Unbeschrieben f. 13v, 14r, 18v, 19–22, 36v–40, 44v–48, 50—55, 59v–61, 63v–67. Neuere Bleistift-Foliierung 1–73. 18,3 × 31,2 cm. Ausschließlich Tab. Für 5saitige Gitarre. 4 Schreiber. Dunkelbrauner Lederband der Zeit, Deckel und Rücken mit schwarzer Pressung, Goldschnitt. 2 Messingschließen. (Freie Instrumentalsätze, Tänze, Ayr.)

Literatur: NettlM, S. 66; TichotaT, S. 143 (*Nr. 42*); PohankaD, S. 124; PohankaJ, S. IVf.; VoglC, S. 17; VoglZ, S. 1ff.

Ms. X. L. b. 210. Früher Raudnitz (Roudnice), Bibliothek des Fürsten Lobkowitz.

Frz. Lt. Tab. 6 Lin. Anfang des 18. Jh.

40 fol. 80 mit Tab. beschriebene Seiten; 2 alte Vorsatzbll. (leer). 32,1 × 20,5 cm. Für 11chörige Laute. Orig. Numerierung der Sätze: *1–94*. 1 Schreiber. Dunkelbrauner Lederband der Zeit, Deckel und Rücken mit Goldpressung. Goldschnitt. (Freie Instrumentalsätze, Tänze, Air.)

Literatur: WolfH II, S. 105 (unter Sign. *X.46.210*); BoetticherL, S. 372 [48] (*Ms. Ra 210*); TichotaT, S. 141 (Nr. 18); KoczirzÖ, S. 64; VáňaN I, S. 98, II, S. 65f., KoczirzÖLL, S. 91.

Ms. X. L. b. 211. Früher Raudnitz (Roudnice), Bibliothek des Fürsten Lobkowitz.

Frz. Git. Tab. 5 Lin. ohne Alfabeto. Anfang des 18. Jh.

146 fol., zuzüglich 2 Vorsatzbll. (leer). Unbeschrieben f. 5r, 10v, 13v–14, 16v, 17r, 20–26, 32v–39, 41v–43, 45–63, 65v–67, 68v–142, 144r. F. 144–146 sind

rückwärts, kopfstehend beschriftet. 21,3×32,2 cm. Ausschließlich Tab. Für 5saitige Gitarre. 3 Schreiber, Tintenfärbung stark unterschiedlich. Dunkelbrauner Lederband der Zeit, Vorderdeckel mit schwarzer Pressung: *Violino solo*, Rücken mit schwarzer Streifenpressung. (Freie Instrumentalsätze, Tänze, Aria.)

Literatur: Nettl, S. 61; TichotaT, S. 143 (*Nr. 43*); VáňaN I, S. 99, II, S. 69.

Ms. XII. E. 228. Früher Mělník, Bibliothek der Hauptkirche. Zufolge Vermerk f. 2v von dort um 1904 nach Prag überführt.

Frz. Lt. Tab. 6 Lin. Anfang des 18. Jh.

1 fol. (Doppelblatt, offenbar in jüngerer Zeit aus einem Faszikel herausgelöst, Nähte in der Faltung der Blattmitte noch frisch erhalten). Unbeschrieben f. 1r links. 43,2×33,3 cm. (ungefaltet). Für 13chörige Laute. Titel: f. 1r rechts *Aria ex C. No. 3*; f. 1v rechts *Aria Piano N*[o]. *4*. Beischrift *Violino*. Papier durch Tintenfraß stark zerstört. 1 Schreiber. Ohne Einband. (Aria.)

Literatur: BoetticherL, S. 371 [48] (*Ms. Pr 228*); TichotaT, S. 142 (*Nr. 29*); TichotaA, S. 163f.

Ms. XIII. B. 237. Früher Kuttenberg (Kutná Hora), Bibliothek der Kathedrale, ohne Sign.

Dt. Lt. Tab. Anfang des 17. Jh.

Für 6chörige Laute. Das Ms. besteht gegenwärtig (1967) aus losen Blättern und einigen ungebundenen Faszikeln, die in 3 Teilen ohne Einband zusammengestellt sind. Wahrscheinlich sind in jüngerer Zeit Verluste eingetreten, auf die auch TichotaD, S. 66, Anm. 8 verweist. Gemäß der bibliothekarischen Ordnung werden die Teile getrennt dargestellt:

Teil 1: a) 4 fol., stark vergilbt, durch Feuchtigkeit zersetzt und am Rand abgebröckelt. 8 mit Tab. beschriebene Seiten. 19,8×16,1 cm. b) 3 fol., in gleichem defekten Zustand. 6 mit Tab. beschriebene Seiten. 19,8×32,2 cm. a) ist aus b) entstanden: die Doppelblätter wurden in der Mitte geteilt. Lat. und tschech. Sprüche. Signum: *P:M:Beneficiu*[m], ferner: *Dobrodinj dawage přigal, kdož gest hodnemu učinil.* 1 Schreiber, tschech. Herkunft, er gibt zugleich tschech. Glossen und Übersetzungen am Rand. (Freie Instrumentalsätze, Tänze, ital. Madrigale, dt. Liedsätze.)

Teil 2: a) 1 fol., in gleichem defekten Zustand wie Teil 1. 2 mit Tab. beschriebene Seiten. 19,8×16,1 cm. b) 10 fol., gleicher Zustand, 20 mit Tab. beschriebene Seiten. 19,8×32,2 cm., Entstehung der Formate wie Teil 1. Dt., lat., tschech. Sprüche. b), f. 5r unten: *Lautten schlagen, Singen, Springen / Ist guet bey einander für allen Dingen, / Eines macht freundt, d*[as] *andre frisch, das dritte muth, / Drumb sind sie bey einander Gueth.* 1 Schreiber, wohl derselbe wie

Teil 1. Tschech. Glossen und Übersetzungen am Rand. (Tänze, ital. Madrigale, frz. Chansons, dt. Liedsätze, tschech. Incipits.)

Teil. 3: a) 4 fol. 8 mit Tab. beschriebene Seiten. 19,8×16,1 cm. b) 4 fol. 8 beschriebene Seiten. 19,8×32,2 cm. Zustand und Formatbildung wie Teil 1 und 2. Lat. Sprüche (Democrit, Cato, Vergil, Seneca, Erasmus von Rotterdam). 1 Schreiber, wohl derselbe wie Teil 1 und 2. Tschech. Glossen am Rand. (Freie Instrumentalsätze, Tänze.)

Literatur: BoetticherL, S. 267 [44] (*Ms. Pr 237*); SzabolcziT, S. 63; PohankaO, S. 245; PohankaD, S. 66; Černušák I, S. 34; VoglC, S. 13; TichotaT, S. 140 (*Nr. 3*); TichotaD, S. 66ff.; VáňaN I, S. 58f. – Das Ms. ist schon bei A.W. Ambros, *Geschichte der Musik* III, Breslau 1862, S. 431 kurz erwähnt, es galt in jüngerer Zeit als verschollen und war daher auch H. Osthoff, *Die Niederländer und das deutsche Lied*, Berlin 1938, S. 348, Anm. 157 nicht zugänglich. Vgl. jüngst TichotaS, S. 9, Anm. 2; RadkeG, S. 141.

——

Ms. ohne Signatur. (I) Früher Prag, Bibliothek des Strahov-Klosters. Aufschrift f. 1r: *Strahov, z majetku Gerlacha Strniště* [= aus Sammlung Gerlach Strniste].

Frz. Lt. Tab. 6 Lin. Um 1740.

2 fol. Unbeschrieben f. 2v. Ein 3. altes Blatt (leer) lose beiliegend. 17,5×13,7 cm. Tab.-Teil: f. 1–2r. Für 13chörige Laute. 1 Schreiber. Ohne Einband. (Freie Instrumentalsätze.)

Literatur: TichotaT, S. 146 vorläufig geführt (*Nachtrag Nr. 14*).

——

Ms. ohne Signatur. (II)

Frz. Lt. Tab. 6 Lin. Um 1720.

77 fol., zuzüglich 1 Vorsatzbl. (leer). 134 mit Tab. beschriebene Seiten. 14,3×17,8 cm. Für 11chörige Laute. Titel und Besitzvermerk: f. 1r *on JoVera DV LVT presenteMent / et on Chantera en pareILe / des Ariettes petites / avec / Quelques chansons / pour le divertissement / de Mademoiselle AMT par GA.* 1 Schreiber. Pappband der Zeit. (Freie Instrumentalsätze, Tänze, Air, dt. Liedsätze.)

Literatur: TichotaT, S. 146 vorläufig geführt (*Nachtrag Nr. 13*).

PRAHA (Prag), Státní knihovna ČSSR, Universitní knihovna

Ms. II. L. b. 27. Früher Raudnitz (Roudnice), Bibliothek des Fürsten Lobkowitz, gleiche Sign. Alte Signatur (auf Buchrücken, Papierschild): *9.*

Frz. Lt. Tab. 6 Lin. Anfang des 18. Jh.

90 fol., zuzüglich 1 Vorsatzbl. 180 mit Tab. beschriebene Seiten. 18,2×31,2 cm. Für 11chörige Laute. Orig. Numerierung der Sätze: *1—192.* Initiale auf Vor-

satzbl. Ir *A: V: E:* 1 Schreiber, unterschiedliche Tinte, Flüchtigkeitsgrad schwankend. Rötlichbrauner Lederband der Zeit, Deckel mit Goldpressung: Randleisten, in der Mitte großer Blätterkranz, Goldpressung auf dem Buchrücken, Goldschnitt. Vorderdeckel innen Exlibris: *F. Princ. a Lobkowitz. D. Sag. &c.* (Freie Instrumentalsätze, Tänze, Aria.)

Literatur: TichotaT, S. 141 zitiert nach dem hs. Katalog Lobkowitz (1894, 1895): *Nr. 21 Pièces de luth 192*; VáňaN I, S. 99, II, S. 20f.

Ms. II. L. b. 28. Früher Raudnitz (Roudnice), Bibliothek des Fürsten Lobkowitz, gleiche Sign. Alte Sign. (auf Buchrücken, Papierschild): *8.* Auf dem Vorderdeckel Mitte ist ein kleines herzförmiges Schild mit der Hs. Ziffer *1* eingelassen (s. unten zu den Stimmen).

Frz. Lt. Tab. 6 Lin. Anfang des 18. Jh.

90 fol. Unbeschrieben f. 90v. 18,2 × 31,2 cm. Ausschließlich Tab. Für 11chörige Laute. Orig. Numerierung der Sätze: *1–220.* Initiale f. 1r *A: V: E:* 1 Schreiber: derselbe wie in Ms. II. L. b. 27. Hellbrauner Lederband der Zeit, Deckel und Buchrücken mit Goldpressung analog Ms. II. L. b. 27., teilweise nur noch als Blindpressung sichtbar. Vorderdeckel innen Exlibris: *F. Princ. a Lobkowitz. D. Sag. &c.* 2 zugehörige Bände gleichen Einbands und Formats sind mit der Violin- und Baßstimme in gew. Notenschrift unter der gleichen Sign. erhalten, Vorderdeckel Mitte analoge Beschriftung: 2 und 3 (s. oben). (Freie Instrumentalsätze, Tänze, Aria.)

Literatur: NettlM, S. 67; TichotaT, S. 141 zitiert nach dem hs. Katalog Lobkowitz (1894, 1895): *Nr. 22, Pièces de luth 220*; VáňaN I, S. 99, II, S. 27f. Die Hs. galt bis jüngst als verschollen.

Ms. II. Kk 49. Früher Raudnitz (Roudnice), Bibliothek des Fürsten Lobkowitz, gleiche Sign. Alte Sign. (auf Buchrücken, Papierschild) verlorengegangen.

Frz. Lt. Tab. 6 Lin. Anfang des 18. Jh.

52 fol., zuzüglich 1 Nachsatzbl. (leer). 104 mit Tab. beschriebene Seiten. 21,3 × 28,2 cm. Für 11chörige Laute. Orig. Numerierung der Sätze: *1–120.* Papier mit vorgedruckten Lin., ohne Angabe der Offizin, starke Randpressung im Papier. F. 44r von fremder Hand am unteren Rand: *NB. Der Violon und Baß Zu dieß Stuck steht nach N° 104.* 1 Schreiber, derselbe wie in Ms. II Kk 54. Dunkelbrauner Lederband der Zeit, Deckel mit reicher Goldpressung: breite Randleisten, in der Mitte große Rosette, Pressung auf Buchrücken nur blind erhalten; Goldschnitt. Vorderdeckel innen Exlibris: *P* im Blütenkranz. 2 zugehörige Bände mit der Violin- und Baßstimme in gew. Notenschrift, mit ab-

weichendem Format 15,6×20,3 cm. sind unter der gleichen Sign. erhalten. (Freie Instrumentalsätze, Tänze).

Literatur: BoetticherL, S. 372 [48] (*Ms. Ra 49*); KoczirzÖ, S. 65; TichotaT, S. 141 (*Nr. 19*); Helfert, S. 13f.; VáňaN I, S. 99, II, S. 110, 129.

Ms. II. Kk 51. Früher Raudnitz (Roudnice), Bibliothek des Fürsten Lobkowitz, gleiche Sign. Alte Sign. (auf Buchrücken, Papierschild): *48.*

Frz. Lt. Tab. 6 Lin. Anfang des 18. Jh.

68 fol. Unbeschrieben f. 1–3, 66–68; f. 33v–65 (nur Lin.). 20,6×29,2 cm. Tab.-Teil f. 4–33r. Für 11chörige Laute. Traktat: f. 4r *Fundamenta der Lauthen Musique / und zugleich der Composition . . .*, beginnend mit der Tonartenlehre *in Naturalem, Mollem, et Duram*, und einer Erläuterung der Tonleitern in Beispielen in gew. Notenschrift und in Tab. Sodann Beispiele einer Komposition: *Sequitur Compositio Primo: cum 3tia Sola ascensus et descensus licitus*, oder: *cum quinta ascensus vel descensus illicitus; Inde formatur Tonus seu clavis fundamentalis constans; Sequitur Musica figuralis, quae per suos tonos consonantes specialiter per 3tiam aliam musicae figuram format: in exemplo cum 3tia minus*. Beispiele für die Regeln der Stimmführung: *Si autem quinta in Semitonali Basso accipitur, debet esse aut praeparanta aut resoluta. In Exemplo ubi praeparata:*, und: *ubi resoluta*, etc. Überwiegend lat., zuletzt einige dt. Erläuterungen (f. 32r Darstellung der Schlüssel und des Ambitus der Instrumente des Orchesters). Die Beispiele sind fast ausschließlich intavoliert, aber nur in einigen Fällen abgeschlossene Sätze. Ein besonderer Notenteil fehlt. F. 33r Beginn eines anderen Abschnitts mit Beispielen in gew. Notenschrift: *Von der Flettn. Der erste Thon*, etc. 1 Schreiber, Schönschrift, stark verblaßte Tinte. Name des Schreibers oder des Verfassers des Traktates sind nicht genannt. Jüngerer Halblederband, Vorder- und Rückdeckel aus neuerem Karton, bedruckt mit buntem Quadratmuster; innen der originale Pappeinband, dessen Rücken abgelöst wurde, beide Deckel mit farbigem Muster, stark abgenutzt. Originaler Vorderdeckel innen Exlibris: *P* im Blütenkranz. (Freie Instrumentalsätze.)

Literatur: WolfH II, S. 105; TichotaT, S. 146 (*Nachtrag Nr. 18*); VáňaN I, S. 98. Das Ms. galt in jüngerer Zeit als verschollen.

Ms. II. Kk 54. Früher Raudnitz (Roudnice), Bibliothek des Fürsten Lobkowitz, gleiche Sign. Alte Sign. (auf Buchrücken, Papierschild, stark verblaßt): *15.*

Frz. Lt. Tab. 6 Lin. Anfang des 18. Jh.

24 fol., zuzüglich je 1 altes Vorsatz- und Nachsatzbl. (leer). 48 mit Tab. beschriebene Seiten. 20,5×27,8 cm. Für 11chörige Laute. Orig. Numerierung

der Sätze: *1–52*. 1 Schreiber, derselbe wie in Ms. II Kk 49. Papier analog Ms. II Kk 49 mit vorgedruckten Lin. Dunkelbrauner Lederband der Zeit, Deckel mit reicher Goldpressung etc. analog Ms. II Kk 49; Goldschnitt. Vorderdeckel innen Exlibris: *P* im Blütenkranz. 2 zugehörige Bände mit der Violin- und Baßstimme in gew. Notenschrift, mit abweichendem Format 15,6×20,3 cm. sind unter der gleichen Sign. erhalten. (Freie Instrumentalsätze, Tänze, Air.)

Literatur: BoetticherL, S. 372 [48] (*Ms. Ra 54*); KoczirzÖ, S. 67; TichotaT, S. 141 (*Nr. 20*); VáňaN I, S. 98, eine Fotografie I, S. 133.

Ms. II. Kk 73. Früher Raudnitz (Roudnice), Bibliothek des Fürsten Lobkowitz, gleiche Sign. Alte Sign. (auf Buchrücken, Papierschild): *53*.

Frz. Lt. Tab. 6 Lin. Anfang des 18. Jh.

80 fol., zuzüglich je 1 altes Vorsatz- und Nachsatzbl. Unbeschrieben f. 4r, 7r, 64r. 12,2×21,8 cm. Ausschließlich Tab. Für 11chörige Laute. Besitzvermerk: Vorsatzbl. Ir *Gallot, à Paris au but de la rue de tournon cul de Sac de la / rue des 4. vents;* Nachsatzbl. Iv *Tohmas Bertelli demeure à S. Dominique / dans la maison de m*r*. Gay* (abweichende Schrift gegenüber der Eintragung auf dem Vorsatzbl.). Mindestens 4 Schreiber, stark abweichende Tinten. Überschrift des Tab.-Teils: f. 1r *Les Simphonies de L'Europe Galante mises sur la Tablature du luth.* Mittelbrauner Lederband der Zeit, Deckel ohne Pressung, Buchrücken mit reicher Goldpressung. Vorderdeckel innen Exlibris: *P* im Blütenkranz. (Freie Instrumentalsätze, Tänze, Air.)

Literatur: NettlM, S. 65; TichotaT, S. 141 (*Nr. 11*); VáňaN II, S. 42f.; RadkeD, S. 137; RadkeGL, S. 54.

Ms. II. Kk 75. Früher Raudnitz (Roudnice), Bibliothek des Fürsten Lobkowitz, gleiche Sign. Reste der alten Sign. (auf Buchrücken) nicht mehr lesbar.

Frz. Git. Tab. 5 Lin. ohne Alfabeto. 1 Viertel des 18. Jh.

123 fol., zuzüglich je 1 altes Vorsatz- und Nachsatzbl. (leer). Unbeschrieben f. 1r, 7v–10r, 14v, 15r, 53v–56r, 69v, 70r, 81v–123. 10,8×20,1 cm. Ausschließlich Tab. Für 5saitige Gitarre. 2 Schreiber. Dunkelbrauner Lederband der Zeit, Deckel mit Goldpressung: breite Randleiste, in der Mitte kleine Rosette, Pressung auf Buchrücken nur blind erhalten. Vorderdeckel innen mit lila-goldbedrucktem Papier beklebt, Schild mit Exlibris: *F. Princ. a Lobkowitz. D. Sag. &c.* (Freie Instrumentalsätze, Tänze, Aria.)

Literatur: NettlM, S. 66; TichotaT, S. 144 (*Nr. 48*).

Ms. II. Kk 76. Früher Raudnitz (Roudnice), Bibliothek des Fürsten Lobkowitz, gleiche Sign. Alte Sign. (auf Buchrücken, Papierschild): *1*.

Frz. Git. Tab. 5 Lin. ohne Alfabeto. 1. Viertel des 18. Jh.

124 fol., zuzüglich je 1 altes Vorsatz- und Nachsatzbl. (leer). Unbeschrieben f. 1r, 17v, 18r, 23v, 24r, 29—30r, 40v, 41r, 47–48r, 51v, 52r, 58v–63, 91v, 92r, 98r, 116v–124 (nur Lin.). 10,6 × 19,5 cm. Ausschließlich Tab. Für 5saitige Gitarre. 1 Schreiber. Dunkelbrauner Lederband der Zeit, Deckel mit Goldpressung analog Ms. II Kk 75, desgleichen Buchrücken, sowie die Ausstattung des Vorderdeckels innen mit bedrucktem Papier und Exlibris. 1 zugehöriger Band mit der Violinstimme in gew. Notenschrift, mit abweichendem Format 15,6 × 20,3 cm ist unter gleicher Sign. (die alte Sign. ist auf dem Buchrücken verloren gegangen) erhalten. (Freie Instrumentalsätze, Tänze, Aria.)

Literatur: NettlM, S. 66; TichotaT, S. 143 (*Nr. 46*).

Ms. II. Kk 77. Früher Raudnitz (Roudnice), Bibliothek des Fürsten Lobkowitz, gleiche Sign. Alte Sign. (auf Buchrücken, Papierschild): *3*.

Frz. Git. Tab. 5 Lin. ohne Alfabeto. 1. Viertel des 18. Jh.

97 fol., zuzüglich 1 Vorsatz-, 2 Nachsatzbll. (leer). Unbeschrieben f. 1r, 15r, 24r, 28r, 29r, 30v, 40r, 43r, 57r, 61r, 62v, 63v, 64r, 69v, 70r, 86v–97 (nur Lin.). 10,3 × 16,5 cm. Ausschließlich Tab. Für 5saitige Gitarre. Überschrift: f. 31r *Pieces Composée / Par le Comte / Logis*. Dunkelbrauner, stark abgenutzter Lederband der Zeit, Deckel und Buchrücken mit einfacher Blindpressung (Rahmen). Vorderdeckel innen und Vorsatzbl. I das Exlibris, analog Ms. II Kk 75 und 76, aufgeklebt. (Freie Instrumentalsätze, Tänze, Aria.)

Literatur: NettlM, S. 65; KoczirzÖ, S. 80; ZuthL, S. 182; PohankaD, Beispiel Nr. 35; PohankaL, S. 211; PohankaJ, S. IV; VoglC, S. 17; VoglZ, S. 1ff.; TichotaT, S. 144 (*Nr. 47*).

Ms. II. Kk 78. Früher Raudnitz (Roudnice), Bibliothek des Fürsten Lobkowitz, gleiche Sign. Alte Sign. (auf Buchrücken, Papierschild): *4*.

Frz. Lt. Tab. 6 Lin. Anfang des 18. Jh.

73 fol. Unbeschrieben f. 9r, 10–12r, 15v, 18v–25r, 27–28r, 31v–73 (nur Lin.). 10,2 × 19,3 cm. Ausschließlich Tab. Für 10chörige, vereinzelt 11chörige Laute. 1 besonderes altes Vorsatzbl. (nur Lin.), dann 1 Kupferstich eingeklebt (*Veue de l'Estang, et Perspective du Parc de Tantai*, weitere Kupferstiche f. 11r (*Lyon*), f. 24r (*Montpellier*), f. 37r (*Lusigny*), f. 50r (*Maison de Vigny, Lyon*), f. 63r (*Château D'Auron, Paris*). 2 Schreiber, teilweise sehr flüchtige Notierung. Dunkelbrauner Lederband der Zeit, Deckel und Buchrücken mit reicher Goldpressung, Goldschnitt. Vorderdeckel innen Exlibris aufgeklebt analog Ms. II Kk 75–77. (Freie Instrumentalsätze, Tänze.)

Literatur: NettlM, S. 66; TichotaT, S. 142 (*Nr. 25*); VáňaN I, S. 98, II, S. 48f.

Ms. in Druck II. Kk 79. Hs. Anhang an Druck: Mouton, *Pièces de Luth sur differ*[en]*ts modes . . ., paris s. a., chez l'autheur.* Früher Raudnitz (Roudnice), Bibliothek des Fürsten Lobkowitz, gleiche Sign. Zur Sign. gehören 2 Drucke desselben Autors und Titels, die jedoch gänzlich in ihrem Inhalt voneinander abweichen. Hier Exemplar *B*.

Frz. Lt. Tab. 6 Lin. Um 1700.

16 fol. des hs. Anhangs. 32 mit Tab. beschriebene Seiten, f. 16v ist orig. durchstrichen und stark korrigiert, sodann mit leeren Blatt überklebt worden. Für 11chörige Laute. Der vorangehende Druck bricht mit f. 16v ab (originale Paginierung *1–32*), ein Teil seiner fehlenden Satzbezeichnungen ist (alt) in Schönschrift ganz oder teilweise ergänzt worden. Der hs. Anhang zeigt originale fortlaufende Paginierung: *33–63*. Anhang im Format des Drucks. 1 Schreiber. Brauner Lederband der Zeit. Exlibris: *Principis Philippi de Lobkoviz Ducis Sagani.* (Freie Instrumentalsätze, Tänze.)

Literatur: Fehlend.

Ms. II. Kk 80. Früher Raudnitz (Roudnice), Bibliothek des Fürsten Lobkowitz, gleiche Sign. Alte Sign. (auf Buchrücken, Papierschild): *5*.

Frz. Lt. Tab. 6 Lin. Anfang des 18. Jh.

70 fol., zuzüglich je 3 Vorsatz- und Nachsatzbll. (leer). 140 mit Tab. beschriebene Seiten. Orig. Paginierung *1–140*. 10,2×15,4 cm. Für 9- bis 11chörige Laute. 1 Schreiber, stark abweichende Tintenfärbung. Dunkelbrauner Lederband der Zeit, Goldpressung nur auf dem Buchrücken. Vorderdeckel innen Exlibris: *Principis Philippi de Lobkoviz Ducis Sagani.* (Freie Instrumentalsätze, Tänze.)

Literatur: WolfH II, S. 105; NettlM, S. 65; BoetticherL, S. 369 [45] (*Ms. Ra 80*); TessierGG, S. 35; TichotaT, S. 141 (*Nr. 13*); VáňaN I, S. 98, II, S. 54f., Faksimile (Fotografie) I, S. 138f.; RadkeG, S. 141.

Ms. II. Kk 83. Früher Raudnitz (Roudnice), Bibliothek des Fürsten Lobkowitz, gleiche Sign. Alte Sign. (auf Buchrücken, Papierschild): *8*.

Frz. Lt. Tab. 6 Lin. Anfang des 18. Jh.

75 fol., zuzüglich je 1 Vorsatzbl. (leer) und Nachsatzbl. Unbeschrieben f. 1–2r, 7v–11r, 12v, 13r, 22v–75. 9,1×15,6 cm. Ausschließlich Tab. Für 11chörige Laute. Papier mit vorgedruckten Lin., ohne Angabe der Offizin. Besitzvermerk: Nachsatzbl. Iv *commencé Le 16. de may / Par Gallot â paris / Gallot a paris au but dela rue de / tournon cul de sac dela rue des 4 vents.* 1 Schreiber. Dunkelbrauner, stark abgenutzter Lederband der Zeit, Goldpressung nur auf

dem Buchrücken. Vorderdeckel innen Exlibris: *P* im Blütenkranz. (Freie Instrumentalsätze, Tänze.)

Literatur: WolfH II, S. 105; BoetticherL, S. 369 [46] (*Ms. Ra 83*); NettlM, S. 65; TichotaT, S. 140 (*Nr. 10*); VáňaN I, S. 98, II, S. 61.

Ms. II. Kk 84. Früher Raudnitz (Roudnice), Bibliothek des Fürsten Lobkowitz, gleiche Sign. Alte Sign. (auf Buchrücken, Papierschild): *6.*

Frz. Lt. Tab. 6 Lin. Anfang des 18. Jh., Teile um 1676 (Datierung).

119 fol., zuzüglich je 1 Vorsatzbl. mit Beschriftung und Nachsatzbl. (leer). Unbeschrieben f. 15v–17r, 19v, 20r, 40r, 50r, 62v–65r, 77v, 78r, 79v, 80r, 87v, 88r, 89–116r, 117–118, 119v. 10,2 × 21,2 cm. Ausschließlich Tab. Für 11chörige Laute. Titel mit Datierung: Vorsatzbl. Iv *Pièces de luth. / Julien Blouin A Rome 1676.* 2 Schreiber: A um 1676; B f. 81v–83r Anfang des 18. Jh., rhythmische Zeichen mit Köpfen, flüchtiger. Dunkelbrauner Lederband der Zeit, stark abgenutzt, Goldpressung nur auf dem Buchrücken. Vorderdeckel innen Exlibris: *Principis Philippi de Lobcoviz Ducis Sagani.* (Freie Instrumentalsätze, Tänze, Aria.)

Literatur: WolfH II, S. 105; BoetticherL, S. 363 [40] (*Ms. Ra 84*); NettlM, S. 66; TichotaT, S. 141 (*Nr. 12*); VáňaN I, S. 98, II, S. 62f.; RollinD, S. XVII; RadkeD, S. 137.

Ms. XXIII. F. 174. Übernommen aus Prag, Bibliothek des Tschechoslowakischen Schulministeriums (seit 1926), vorher Prag, Bibliothek des Fürsten Georg Lobkowitz.

Dt. Lt. Tab. Anfang des 17. Jh., Datierung 1608, 1613, 1615.

86 fol. Unbeschrieben f. 2–4, 52–64, 73–86. In der Mitte des Volumens sind (alt) ca. 20 Blätter herausgerissen (Falze sichtbar nach f. 3, 6, 8, 47, 56, 60, 63, 77, 79, 85). Von f. 23 ist das untere Viertel abgeschnitten. 16,2 × 21,3 cm. Tab.-Teil: f. 11v–18r. Für 6chörige Laute. Titel: f. 11r *Lautten Tabulatur / Buech, Darinnen viel schöne Intraden / Galliarden, Passometzen vnnd andere / viel herliche Stüeck beschrieben seindt / von mier Nicolaõ Schmall von Lebendorf, derselben zeit / Cantzeleischreibern, des Wolgebornen Herrn Herrn Jaroslai Bo / rzita vonn Martinicz, Herrn zu Smeczna, Weißen Augezdecz, Wo / korz vnnd Malikowicz, Römischer Kayßerlicher Maiestätt Rath / Statthaltern vnnd dero Hoffmarschalchen in Königreich Beheimb / Anno Dominj / 1613.* Titel am Anfang des Volumens: f. 1r *Ex liberalitate Illustrissimi Domini / Jaroslai Borsitae Baronis de Martinicz accepi / 1608 / 19ª Martij.* Im Tab.-Teil Korrekturen von gleicher Hand. Vereinzelt Sätze in gew. Notenschrift von fremder Hand, wesentlich später. F. 49r–50r Mariengebete in tschech., ebenfalls von fremder Hand. 1 Schreiber des Tab.-Teils, identisch mit dem Schreiber des Titels f. 11r. Dessen späteste Datierung f. 1r: *1615.* Am Rande dt., frz. und lat. Gedichte. F. 64r–71r Wahrsagungssprüche in tschech., auf das Jahr 1600 sich u. a. beziehend, bei der Niederschrift datiert *1708* und gezeichnet *Jiří*

Kajlink. F. 37r ist am oberen Rand ein Zettel aus Pergament (nicht Papier wie das Ms.) angeklebt: 6,2×8,5 cm. mit einer Zeichnung des Lautenkragens mit den Zeichen der dt. Lt. Tab., die jedoch in der Schreibweise und Auswahl von dem Ms. abweichen, fremde Hand, wahrscheinlich etwas älter. Dunkelbrauner Lederband der Zeit, in den Deckel eingeprägt das Wappen der Martinicz: Wasserrosenblätter in der Krone. Rückdeckel ehemals mit Einprägung des Wappens der Familie Šternberk, heute aus dem Leder herausgeschnitten (Abdruck im Karton). Mikuláš Šmal, der Schreiber des Ms., ist wahrscheinlich 1592–94 geboren; zufolge Eintragung f. 11r war er 1613 Kanzlist bei dem Eigentümer des Ms., Jaroslav Bořita z Martinic (1582–1649), einem bekannten böhmischen Adligen, der als Bekenner kath. Glaubens nach dem Prager Fenstersturz (1618) nach München und Passau floh. Seine 1. Frau war eine geb. Šternberk. (Freie Instrumentalsätze, Tänze, ital. Madrigale, dt. Liedsätze.)

Literatur: WolfH II, S. 50; BoetticherL, S. 354 [31] (*Ms. Pr Le*); Dieckmann, S. VI (war nicht zugänglich); VoglL, S. 281ff.; VoglC, S. 12; TichotaT, S. 140 (*Nr. 2*); TichotaI, S. 39f.; TichotaD, S. 65; TichotaS, S. 5ff.; VáňaN I, S. 70f., II, S. 6f; Fachkatalog, S. 157, *Nr. 88* (*Raum XI, Pult IX, Nr. 88*); Tichota FL, S. 7, 26ff.; Beiheft zu TichotaS (Faksimile); KindermannDMA, *Nr. 2/2283.* KlimaT, S. 460f. (Faksimile).

READING, LIBRARY OF THE BERKSHIRE COUNTY RECORD OFFICE. Leihgabe von The Lord and The Marquess of Downshire. (Nicht öffentlich zugänglich.)

Ms. Turnbull Addition Ms. 6. Bis um 1965 aufbewahrt in Privat-Bibliothek Jan Harwood, Ely.

Frz. Lt. Tab. 6 Lin. Um 1590–1600.

23 fol. Alle Seiten mit Tab. beschrieben (8 Systeme pro Seite). 30×20,5 cm. Für 6chörige Laute. Vor f. 22 Tab.-Verlust (wohl mehrere Bll., der vorangehende Satz ist inkomplett). Der Faszikel ist am Ende offenbar ohne Verlust überliefert (nach Satzschluß 2 Systeme frei). F. 3v am unteren Seitenrand in 2 Schriftgraden: *Musica dei donum.* F. 1r am rechten Seitenrand literar. Eintragung (engl., nicht auf Tab. bezüglich). Fast alle Sätze sind bezeichnet, sie stammen (auch durch Konkordanz bestimmbar) u. a. aus dem Kreis um A. Holborne († 1602). *finis*-Vermerke. 1 Schreiber; bei einigen Satzbezeichnungen Ergänzungen von fremder Hand (gleiche Zeitlage). Einband fehlt. (Freie Instrumentalsätze, Tänze, lat. Motetten, engl. Liedsätze.)

Literatur: Fehlend. Hinweis Edwards, S. 210 (als *Trumbull-Ms.*); jüngst PoultonCh, S. 125.

REGENSBURG, PROSKE'SCHE MUSIKBIBLIOTHEK

Ms. A N 62 (neuer Zettel auf Buchrücken). Aus Privatbibl. Mettenleiter, Regensburg.

Frz. Lt. Tab. 6 Lin. Ende des 17. Jh.

48 fol., zuzüglich 1 Vorsatzbl. (f. Ir leer) und 1 Nachsatzbl. (leer). Unbeschrieben f. 8r, 11r, 18r, 21r, 31r, 33r, 35r (nur Lin.). 12,5×17,5 cm. Tab.-

Teil: f. Iv, 1–7, 8v–10, 11v–17, 18v–20, 21v–30, 31v–32, 33v–34, 35v–48. Für 11chörige Laute. Lin. vorgedruckt, ohne Angabe der (frz.) Offizin. F. 48v nur 4 einzelne Tab.-Zeichen. Lin. auf Vorsatzbl. Iv aus freier Hand, wohl etwas späterer Zusatz. Unterschiedliche Angabe von *4* und *////a*. Stimmungsangaben: f. 6v *Sur l'accord Com*[m]*un*. Korrekturen: f. 43r, 44v, 46r. Überschrift bei Satztitel f. 43v: *Sur Le Lut*. Sonstige Hinweise: bei Satz *Trompette . . .: quand on ueut finir La trompette il faut finir a L'endroit ou il y a une X*. Bei *Prelude* f. 5v Beischrift: *Sur le second accord*. Mindestens 3 Schreiber (frz. Provenienz). Pergamentband der Zeit, orig. Lederbandheftung unversehrt. (Freie Instrumentalsätze, Tänze.)

Literatur: Fehlend.

Ms. [A N] 63 (neuer Zettel auf Buchrücken). Aus Privatbibl. Mettenleiter, Regensburg.

Ital. Git. Tab. Nur Alfabeto. Mitte des 17. Jh.

22 fol. Unbeschrieben f. 1v (leer). 10 × 23,5 cm. Tab.-Teil: f. 3–22. Für 5saitige Gitarre, nur Alfabeto auf 1 roten Lin., die die Golpes hängend und stehend aufnimmt, darüber große Buchstaben als Akkord-Siglen. Orig. Paginierung des Tab.-Teils *1–40* (= f. 3r–22v). Orig. Index (rot) nach orig. Paginierung (*à carte*) f. 2r, 2v, er reicht bis pag. *41*, d.h. bis f. 23, die verloren gegangen ist und noch einen intavolierten Satz („*Carionte*“) aufwies. Der Index hat 2 Sätze übersehen (*Pauoniglia* pag. 19 und *Miruetta* pag. 22). Titelbl.: f. 1r in Gouache blaues Wappen mit Vulkanbild, braune heraldische Bänder, roter Rahmen (Blattmuster), mit Text *DI DOMENICO ROMANI*. Angabe zur Stimmung: f. 2v für 5saitige Gitarre in Lt. Tab., am Ende des Index (fremde Hand). Satzbezeichnungen rot. Alfabeto große Buchstaben schwarz. Flüchtiger Nachtrag von fremder Hand (Tinte, schwarz) f. 3r: Tab. mit Satzbezeichnung *Ballo del Gra*[n] *Duca*, im Index fehlend. Die Sätze sind bezeichnet mit *p*[er] *A*, *p*[er] *B* etc. (*C*, *G*, *I*, *E*, *D*, *+*, *O*). *Da-capo*-Vermerke. Bei *Romanesca à canto* im Alfabeto mehrmals der Vermerk (rot): *canta*, analog bei *Siciliana;* bei *Giga: Tace*. 1 Hauptschreiber (Schönschrift), Nebenschreiber flüchtig, wohl einige Jahre später. Brauner Lederband der Zeit, Deckel mit einfacher Blindpressung, Schnitt rot gespritzt. Wurmschaden. (Freie Instrumentalsätze, Tänze.)

Literatur: Fehlend. Hinweis WolfH II, S. 212.

Ms. mus. A.R. 778.

Frz. Lt. Tab. 6 Lin. für Gallichon. Mitte des 18. Jh.

12 fol., lose, als Rest eines verlorenen Faszikels. 24 mit Tab. beschriebene Seiten. Verschiedene Formate, überwiegend 4°-obl. F. 1r *Galichona*; f. 6r *Solo*. F. 12 ist durch Tintenflecke und Striche beeinträchtigt. Insgesamt

48 Sätze, mit orig. Numerierung *1–13*, dann aussetzend. 1 Schreiber. Kein Einband. (Freie Instrumentalsätze, Tänze, Arietta, dt. Liedsätze, ital. Satztitel.)

Literatur: WolfH II, S. 146; EitnerQL II, S. 282, Art. *Calichon*; Lück, S. 137ff.; BoetticherVP, S. 76ff.

RIPON (Yorkshire), The Library of the Cathedral

Ms. 36 (sog. press mark *XVIII. G. 22*). Keine älteren Signaturen.

Frz. Lt. Tab. 4 Lin., ohne rhythmische Zeichen. Um 1582–1585.

94 fol. Einige Seiten unbeschrieben. Es handelt sich um ein *Notebook* des Anthony Higgin, Dekan der Cathedrale zu Ripon um 1582–1585; enthalten sind Aufzeichnungen über Gespräche, Exzerpte aus Büchern, Predigtentwürfe etc. Engl. und lat. 23×16 cm. Tab.-Teil: f. 2v, obere Hälfte, wahrscheinlich von der Hand des Dean. 3 Systeme, 5 Takte, nach Takt 1 Doppelstrich, ohne Rhythmisierung. Für 4saitiges Zupfinstument. Überschrift: *Rownde*; am Satzende: *scottishe tune.* Der Text ist anschließend (8 Zeilen) aufgezeichnet: *The hunt is upp,* [./.] *loe it is almost day / Christ hath bene heare, to call home his deare, that hath bene longe astray / When god tooke in hand, to make sea & land, & compasse them as yee may see / with beutifull skyes* . . . (etc.). Diese geistl. Kontrafaktur des bekannten Volkslieds ist auch an anderen Orten nachweisbar (John Thorne, London, Brit. Mus. Ms. *Add. 15233*; *Gude and Godlie Ballatis* 1567, ed. A.F. Mitchell, Scottish Text Society, 1897 etc.), augenscheinlich im Ms. Ripon als einziger Quelle intavoliert. Das Volumen zeigt orig. Foliierung *10–42* und *1–38*; jüngere Foliierung (Bleistift) *1–94*. F. 42r Datierung *Concio habita Wetherbiae Martij 6° 1585* (von der Hand Higgins). Einband restauriert ca. 1820. (Geistl. kontrafizierter Liedsatz.)

Literatur: Fehlend. Kurzer Hinweis DartC, S. 47; DartCC, S. 114 (beide Quellen mit der nicht zutreffenden Signatur *XVIII. B. 69*); StevensEP, S. 34; TylerC, S. 27 (ohne Signatur).

ROCHESTER (N. Y.), The University Library, Department Sibley Music Library (Eastman School of Music)

Ms. Vault M. 2. / D. 172. Erworben 12. 9. 1930 aus dem Antiquariat Leo Liepmannssohn, Berlin. Aquisitions-Nr. *254541*.

Frz. Lt. Tab. 6 Lin. Um 1765–1770.

69 fol., zuzüglich 2 Vorsatzbll. (Iv–II leer) und 1 Nachsatzbl. (leer). Unbeschrieben f. 1r, 5r, 25r, 27v, 28r, 46r, 51r, 68r (nur Lin.). 16×20 cm. Tab.-Teil: f. 1v–4, 5v–24, 25v–27r, 28v–45, 46v–50, 51v–67, 68v–69. Für 11chörige (einige Sätze 10chörige) Laute. Mehrere Bll. zeigen unten angeklebte Zettel, die mit Tab. vorderseitig beschriftet sind: f. 12, 13, 49, 53, 58, 68, 69; bei f. 39 ist der beschriftete Zettel fast gänzlich abgerissen (Tab.-Reste). Die Zettel von unterschiedlicher Größe, meist 1–5 Tab.-Systeme, f. 68v 10 Tab.-Systeme (auch

rückseitig beschriftet). Titel: Vorsatzbl. Ir *My Lord Danby his book*. Darunter Federproben, ♯, *my*, *me*, *my*. 1 Satz (*La belle Taille*) mit der Beischrift *Pour la maitresse de Mons.r Schutz*, darüber Bleistift: *dificile*. Streichungen: f. 17r, 41r, 42r, 50v; Korrekturen: f. 8v, 19v, 50r, 50v. Vermerke: *da capo; le fin; forte; piano; echo; Suite*. Die Blattgröße (s. o.) differiert stark, einzelne Bll. gefaltet, augenscheinlich aus verschiedenen Faszikeln stammend. Zufolge EngelR, S. 19 soll das Ms. aus dem Besitz des *Duke of Leeds* stammen (im Ms. findet sich hierfür kein Hinweis). 1 Hauptschreiber, mindestens 2 Nebenschreiber (u. a. sehr ungeübte, flüchtige Schrift, Schülerhand ?). Orig. Pappband, mit marmoriertem Buntpapier beklebt, Lederrücken karminrot, rot/grün bespritzter Schnitt. (Freie Instrumentalsätze, Tänze, frz. und engl. Liedsätze.)

Literatur: Fehlend. Kurzer Hinweis EngelR, S. 19.

—

Ms. Vault M. 125. FL. XVII. Erworben 13. 4. 1938 aus dem Antiquariat Otto Haas, London. Aquisitions-Nr. *376327*.

Frz. Lt. Tab. 5 und 6 Lin. Um 1670.

63 fol. Unbeschrieben f. 4r, 6r, 8r, 9v–52, 61v. 9×13 cm. Tab.-Teile: I. Frz. Lt. Tab. 5 Lin., rhythmische Zeichen über dem System f. 1–3, 4v–5, 6v–7, 8v, 9r, 63v. Für 5chörigen Lautenabkömmling (die für Git. Tab. typische Einzeichnung der rhythmischen Werte in das System liegt nicht vor). II. Frz. Lt. Tab. 6 Lin. f. 53–61r, 62–63r. Für 11chörige Laute (bis „*4*“). F. 53–63r Aufzeichnung kopfstehend (von rückwärts begonnen) F. 63v aufrecht. Im Tab.-Teil II ist die 6. (unterste) Lin. mit Tinte ergänzt; der Schreiber ergänzte auch auf der Seite, die als erste nach der Niederschrift freiblieb (f. 52v, Notierung rückwärts), sodann nicht mehr. Mithin ist anzunehmen, daß Tab.-Teil II ohne Verlust abgeschlossen war (mit f. 53r). In Tab.-Teil I und II Fingersatz (Punkt, Strich). Vor f. 1 sind zahlreiche Bll. herausgerissen (Falze ohne Tab.-Reste), ein Tab.-Verlust ist nicht unbedingt anzunehmen. F. 63v Einstimmregel für Tab.-Teil I, hierbei ist als höchster Bund auf der obersten Saite „*k*“ vorgesehen (9. Bund). 1 Schreiber. Jüngerer dunkler Einband (Karton); Heftung restauriert und mit Klebestreifen verstärkt. (Freie Instrumentalsätze, Tänze; sämtlich ohne Satzbezeichnung.)

Literatur: Fehlend. Geführt in Katalog Haas Nr. 6, lfde. *Nr. 597* und Katalog Haas Nr. 233, lfde. *Nr. 546*.

—

Ms. Vault M. 140. F. 398. Erworben 16. 4. 1953 aus dem Antiquariat Otto Haas, London. Aquisitions-Nr. *596105*.

Ital. Lt. Tab. 6 Lin. Ende des 16. Jh.

48 fol., zuzüglich 2 Vorsatzbll. (f. Iv, IIv leer) und 1 Nachsatzbl. Alle Seiten beschrieben. 16×22 cm. Tab.-Teil: f. 1–48. Für 6chörige Laute. Orig. Foliie-

rung *4–48* (korrekt, kein Tab.-Verlust, Ziffern *1–3* am Rand abgebrochen). F. 48v unten: *Finis.* Titel: Vorsatzbl. IIr *JNTABVLATVRA DI LAVTO Fior di virtu intitolata, composta / per mano di messer Hyeronimo Ferrutio di Vdine sonatore / eccellentissimo con molti noui Balli, passi mezi, padoane, / et saltarelli da lui* [*proprio* gestrichen] *nouamente a vtilita / de gli virtuosi posta in luce.* Lat. Sprüche, Eintragungen (nicht auf die Tab. bezüglich: Vorsatzbl. Ir, Nachsatzbl. Iv). F. 1r vor Beginn des ersten intavolierten Satzes Übersicht der Chöre: *Basso / Bordon / Tenor / mezana / sottana / Canto.* Vor f. 41 1 Bl. herausgerissen (vor der Niederschrift), desgleichen vor dem Nachsatzbl. (kein Tab.-Verlust). Tonart-Vermerke: f. 13v *in sopra p*[er] *bemoll* u. ä. Hinweise auf die Reihenfolge der Sätze: *Bisogna entrare in la ripresa . . .*, oder *saltarello a charta 9 et 10* u. ä. Nachfolgesätze als *Alio modo; La sua Ripresa; le sue Riprese; il suo berganno.* Fingersatz: 1 Punkt (spärlich). Rasuren: f. 6v, 18r, 48v. Vorderdeckel außen, Tinte fast gänzlich verblaßt: *M. Vccellius*; Rückdeckel außen Gekritzel (Rechnungen, numerierte Posten, auch vertikal; kopfstehend der verschmierte, ausgestrichene Titel *Libro . . .*). 1 Schreiber (gemäß Titel *Hieronymus Ferrutio* [Ferrucio]). Orig. weißer Pappband, 3 für die Heftung verwendete starke Lederbänder, in beide Deckel eingelassen, unversehrt. (Freie Instrumentalsätze, Tänze, ital. Liedsätze.)

Literatur: Fehlend.

Vault M. 140. V. 186. S. Alte Signatur (Titelbl. des erstgebundenen Drucks, Tinte, fast gänzlich verblaßt): *28. 0. 22.* Ein Namenszug des früheren Besitzers ibid. nicht mehr lesbar. Erworben 8. 7. 1929 aus Antiquariat Leo Liepmannssohn, Berlin (Eintragung f. 2 des o. gen. Drucks). Aquisitions-Nr. *335658.*

Handschriftlicher Anhang an ein Volumen, daß die Drucke von Nicolas Vallet enthält: *Paradisus musicus testudinis* (Amsterdam 1618), *Le second livre de Tablature de Luth* (ibid. 1619), *XXI Pseaumes de David* (ibid. 1619).

Frz. Lt. Tab. 6 Lin. Um 1625–1635, Nachträge ca. 1650.

38 fol., zuzüglich 1 Vorsatzbl. (leer), das eines der im hs. Anhang vorkommenden Wasserzeichen erkennen läßt. Unbeschrieben f. 14v, 22–23r, 33v, 38v (leer). 16,5 × 23 cm. Tab.-Teil: f. 1–14r, 15–21, 23v–33r, 34–38r. Für 10chörige Laute. F. 35–38 sind unten rechts defekt (Tab.-Verlust). Vor f. 21 ist 1 Bl. herausgeschnitten (Falz ohne Tab.-Rest). Lin. z. T. vorgedruckt und Rastral (flüchtig). Das Ms. unterlag augenscheinlich einer Redaktion um 1650, wobei durch Einzeichnung neuer Tab.-Zeichen (Durchstreichung der alten) die 12chörige Laute verlangt wird. Sonstige Korrekturen: Streichungen f. 4v (3 Systeme), 7v (1 System), 18v (Überschrift, wohl Dedikationsname, bis zur

Unkenntlichkeit ausgestrichen), 27v (2 Systeme), die Satzbezeichnung f. 19r *Chanson Anglese* ist getilgt. Rasuren mit Neueintragung von Tab.-Zeichen: f. 11v, 33r. Eingriffe mit dunklerer Tinte: f. 6v. Die erwähnte Erweiterung (12chörig) mit ebenfalls dunklerer Tinte f. 8v (2 Tab.-Takte betreffend), 27r, 32v (bis *XI*). Die Darstellung ist unterschiedlich: die *acort*-Angabe f. 6r führt statt /*a*–///*a* die Ziffern *8*, *9*, *X*, analog eine gestrichene *Accordt*-Übersicht f. 8v, ein anschließender Satz (*Intrade*) führt die normale Bezeichnung der tieferen Saiten neben *9*, *10*, *11* und *12*; vgl. Einstimm-Angaben f. 21v, bei f. 29r (*Accord*) steht: *Le ton rauissant* (bis *8*, *9*, *X*). Unterschiedliche Tinte auf derselben Seite (f. 3r, 7r). Fingersatz: statt 1, 2 Punkten Kurzstriche. F. 10r Vermerk am Satzende: *Superius*. Satzbezeichnungen im 2. Teil des Ms. abweichend am Satzende. Mindestens 4 Schreiber. Moderner Einband (Leinen). (Freie Instrumentalsätze, Tänze, frz. Liedsätze.)

Literatur: Fehlend.

Ms. Vault ML. 96. M. 435. Erworben 30. 7. 1948 aus dem Antiquariat Quaritch, London. Früher (Ex Libris Vorderdeckel innen) Privatbibliothek W. J. H. Whittal, Grayswood Hill (Haslemere, Surrey), ferner Privatbibliothek Dr. W. H. Cummings, London († 1915). Bereits 1919 (s. u.) von Quaritch angeboten. Vorsatzbl. Ir ältere Eintragung (Bleistift): *From Lord Falmonth's Library*. Ebenda ein weiterer älterer Besitzvermerk oben rechts, abgerissen, erkennbar: „. . .*1821*“. Ältere Signaturen fehlen. – Aquisitions-Nr. *482901*.

Frz. Git. Tab. 5 Lin. Ohne Alfabeto, ohne Golpes. Rhythmische Zeichen in und über dem System. Um 1680–1685.

45 fol., zuzüglich je 1 Vorsatz- und Nachsatzbl. (leer). Alle Seiten beschrieben. 12×24,5 cm. Tab.-Teil: f. 3–12r, 13–14, 15v–30, 32–36, 39v, 44–45. Für 5saitige Gitarre; rhythmische Zeichen in und (ungewöhnlich) über dem System, keine Golpes, kein Alfabeto. Einige Tab.-Teile ohne rhythmische Zeichen, aber für das gleiche Instrument bestimmt. Orig. Paginierung *2–86* (entspricht f. 3v–45v). Kein Tab.-Verlust. F. 45v unten: *Finis*. Das Volumen ist unversehrt. Schmutzbl. Iv Vermerk von der Hand Dr. Cummings', es handele sich um ein Autograph Matteis'. Titel: f. 1r (Schönschrift) *LE FALSE CONSONANSE DELLA MVSICA / Per toccar la Chitarra sopra alla parte in Breue. / Esempij curiosi . . . / Essendo detto Libro ottimo per accompagnar la parte sopra il Cinbalo Leuto Tiorba Viola / da gamma . . . / Opera di / NICOLA MATTEIS.* Orig. Index: f. 2r *LA TAVOLA* (bis f. 2v, geteilt in *Prima*, *Seconda*, *Terza*, *Quarta Parte*). Es handelt sich um eine größere Zahl von Beispielen, überwiegend aufgezeichnet in Akkoladen zu 2 Systemen, das obere in gew. Notenschrift, meist bezifferte Bässe darstellend, das untere in Tab. Überschrift des ersten Beispiels: f. 3r *Basso, con qualche falsa bene appropriata, esempio;* des

letzten Beispiels: f. 45v *Questo altro ed' ultimo tuono* ... Autograph Nicola Matteis (sen.) (sorgfältig). Der Text erschien, ins engl. übersetzt, als *The False Consonances of Musick* in London (s. a.). Matteis kam 1672 nach England; über den bedeutenden Violinisten vgl. MMG VIII (1960), S. 1792ff. (P.A. Evans), dort ist der Hinweis auf den Druck und das Autograph zu ergänzen. Grove, 5. Aufl. Bd. V (1954), S. 631 nennt nur den Druck, dessen Fundorte durch EitnerQL nachgewiesen sind (Glasgow, Bologna). Erscheinungsjahr des Drucks wohl 1685. Zum Schreiber vgl. G.A. Proctor, *The works of Nicola Matteis S*[enior], Phis. Diss. maschr. Univ. Rochester 1960, Bd. I (1960), S. 146–181 als Anhang *Thematic catalog of the extant works*, ferner Bd. II (1962), S. 4ff. Jüngerer Ganzlederband, dunkelbraun, Blindpressung, Buchrücken: *LE FALSE CONSONANSE. – MATTEIS. MS.* Goldschnitt (später). (Freie Instrumentalsätze, durchweg unbezeichnet.)

Literatur: Geführt in Katalog Quaritch (1919), als *Nr. 221.*

——

Ms. Vault ML. 96. L. 973. Erworben 6. 6. 1940 aus Privatbesitz. Aquisitions-Nr. *376678.* 1939 Antiquariat Otto Haas, London.

Frz. Lt. Tab. 5 Lin., zum Teil kombiniert mit Git. Tab. 5 Lin. mit Golpes, ohne Alfabeto. Um 1710–1720.

39 fol., eingeschlossen 1 Nachsatzbl. von gleicher Papierbeschaffenheit (leer). Unbeschrieben f. 16v, 39v (leer). 15 × 19 cm. Tab.-Teile: I. Frz. Lt. Tab. 5 Lin. (rhythmische Zeichen über dem System, nicht innerhalb), jedoch kombiniert mit Golpes auf der untersten Linie, kein Alfabeto) f. 1–16r. Für 5saitige Gitarre. II. wie Tab.-Teil I, aber ohne Golpes f. 17–39r. Für 5chörigen Lautenabkömmling. III. wie Tab.-Teil I, mit Golpes, aber ohne rhythmische Zeichen f. 3r, 8v, 10–11r, 13. Für 5saitige Gitarre. In Tab.-Teil II fehlt in einigen Fällen die Rhythmisierung aus Gründen der Satztechnik (*Preludio* u. ä.). Fingersatz: Tab.-Teil I 1, 2 Punkte, Ziffern *1–4*; Tab.-Teil II 1–4 Punkte (exakte Notierung). Orig. Numerierung der Sätze in Tab.-Teil II (kopfstehend) *2–4, 8–38,* dabei die Nr. *33* irrig doppelt, ab Nr. *38* aussetzend. Möglich ein Tab.-Verlust (2–3 Bll.) zwischen den orig. Nrn. *4* und *8* (lockere Heftung, defekt, Satzbeginn und -ende aber nicht beeinträchtigt). F. 23r unteres Drittel überklebt und erneut mit Tab. beschriftet (darunter Teil eines Satzes, mit *NB*-Zeichen). Streichungen: f. 22v etc. Einstimm-Regel (*Acordt*) f. 38v. 2 Schreiber; Tab.-Teile I und III wechseln z. T. auf derselben Seite mit dem Schreiber. Pergamentband der Zeit (Verwendung einer literar., schwarz/rot beschrifteten spätmittelalterl. Hs.), 2 Stümpfe von Lederschließen (nur am Vorderdeckel erhalten). Gesamtheftung wahrscheinlich defekt. (Freie Instrumentalsätze, Tänze, dt., tschech., frz. Liedsätze.)

Literatur: Fehlend. Kurzer Hinweis Koczirz-Nettl, S. 13 (1 Satz mitgeteilt: *Boemica*).

ROMA, Biblioteca Apostolica Vaticana

Ms. Barberini lat. 4145. Alte Signatur (Vorderdeckel innen): *XLVII. 16.*

Ital. Lt. Tab. 6 Lin. 1627 – ca. 1640. Datierungen 1627, 1629; außerhalb Tab.-Teil bis 1653.

72 fol., zuzüglich 3 Vorsatzbll. (f. Iv–III leer; f. II, III z. Zeit lose); 3 Nachsatzbll. (f. Iv–III leer). Unbeschrieben f. 6v, 14r, 17r, 18r, 19r, 22r, 23r, 24v, 25r, 29v, 30r, 31v, 32r, 33r, 34r, 36r, 37r, 38r, 39v–72 (nur Lin.). 9,8 × 27 cm. Tab.-Teil f. 1–6r, 7–10r, 11v–13, 14v–16, 17v, 18v, 19v–22r, 23v, 24r, 25v–29r, 30v, 31r, 32v, 33v, 34v–35, 36v, 37v, 38v, 39r. Der erste Teil des Ms. (bis f. 10r) für 10- und 11chörige Laute, weitere Teile des Ms. (f. 13v, 18–19, 20–22r, 23v, 25v, 27r, 37v, 39r etc.) für 14chörige Theorbe. Datierung im Tab.-Teil durch die gleiche Hand: *Adi 11. di Agosto 1629.* Vorderdeckel innen Tinte: *Adi 29. di Giugnio 1627.* Weitere Datierungen außerhalb Tab.-Teil und nicht auf den musikalischen Inhalt des Ms. bezüglich, von gleicher Hand: f. 10v, 11r *1638, 1649, 1652, 1653.* Mit einer Fortsetzung der intavolierten Eintragungen bis um 1640 ist zu rechnen. Titel Vorsatzbl. Ir Tinte orig.: *Libro di sonate intauolate su la tiorba.* Auf dem Nachsatzbl. Ir kleiner Musiktraktat ohne Tab., beginnend: *Le uoci sono sette, cio e 1. 2. 3. 4. 5. 6. 7, si diuidano in Consonanze, e Dissonanze, le Consonanze sono* . . . Streichungen f. 27v. Fingersatz (1–3 Punkte). 1 Schreiber (derselbe wie in Mss. 4177, 4178). Pergamentband der Zeit. Vorderdeckel außen alte Eintragung, Tinte, sehr stark verblaßt: *Sonate de Tiorba;* analog Tinte Buchrücken. (Freie Instrumentalsätze, Tänze, Aria, ital. Liedsätze.)

Literatur: Baronci, S. 35f. (nur im Umriß angezeigt).

——

Ms. Barberini lat. 4177. Alte Signatur (Vorderdeckel innen): *XLVII. 48.*

Ital. Git. Tab. 5 Lin. Nur Alfabeto mit Golpes. Mitte des 17. Jh.

40 fol., zuzüglich 1 Vorsatzbl. (f. Iv leer) und 1 Nachsatzbl. (leer). Unbeschrieben f. 4–40 (nur Lin.). 15 × 22 cm. Tab.-Teil: f. 1–3. Für 5saitige Gitarre. Aufzeichnung überwiegend mit ausschließlich großen Buchstaben f. 1–3r (vorkommend *A, B, C, J, O, D, H, G*); vereinzelt (f. 3v, nur eine Zeile) große und kleine Buchstaben gemischt (*B, e, f, d, K*), und zwar nicht wie im übrigen Teil des Ms. im System der 5 Lin., sondern darüber, das Zeichen *e* führt darüber eine *6*, das Zeichen *f* eine *4*. Vorsatzbl. Ir alte Eintragung, Tinte, nicht Hand des Tab.-Schreibers: *Dell^{o} Illmo et Ca^{mo} Sig:^{re} Don Carlo Barberini.* Bezeichnung der Sätze *per A, per C, per B* etc. (nur f. 1–3r). 1 durchtextierter Satz. 1 Schreiber (derselbe wie in Mss. 4145, 4178), Golpes auf unterster Lin. des Systems einheitlich. Pergamentband der Zeit. Auf dem Buchrücken alte Tin-

teneintragung, stark verblaßt: *Sonate per la Chitarra Spagnola.* (Freie Instrumentalsätze, Tänze, ital. Liedsatz.)

Literatur: Baronci, S. 75 (nur im Umriß angezeigt).

Ms. Barberini lat. 4178. Alte Signatur (Vorderdeckel innen): *XLVII. 49.*

Ital. Git. Tab. 5 Lin. Nur Alfabeto mit Golpes (und ein kurzes Fragment in Ital. Lt. Tab. 6 Lin.). Mitte des 17. Jh.

40 fol., zuzüglich 1 Vorsatzbl. (f. Iv leer) und 1 Nachsatzbl. (leer). Unbeschrieben f. 3v, 4v–40 (nur Lin.). 15×22 cm. Tab.-Teil: f. 1–3r, 4r. Für 5saitige Gitarre. Aufzeichnung mit großen Buchstaben (vorkommend *A*, *B*, *C*, *J*, *O*, *H*, *Ɨ*, *G*). Golpes angeordnet wie in Ms. 4177. F. 40v kopfstehend ein kurzes unbezeichnetes Fragment in Ital. Lt. Tab., 6 Lin. (die 6. Lin. ist rot ergänzt), insgesamt nur 10 Ziffern, für 6chörige Laute. Vorsatzbl. Ir alte Eintragung, Tinte, nicht Hand des Tab.-Schreibers (analog Ms. 4177): *Dello Illmo et Ca^{mo} Sig^{re} Don Nicolò Barberini.* Bezeichnung der Sätze *per A*, *per C*, *per B*. 1 Schreiber (derselbe wie in Mss. 4145, 4177), Golpes auf unterster Lin. des Systems einheitlich. Pergamentband der Zeit (analog Ms. 4177). Auf dem Buchrücken – im Gegensatz zu Ms. 4177 – keine Eintragung eines Titels, jedoch Tinte alte Signatur: *49.* (Freie Instrumentalsätze, Tänze.)

Literatur: Baronci, S. 75 (nur im Umriß angezeigt).

ROMA, Biblioteca musicale governativa del Conservatorio di Musica „Santa Cecilia"

Ms. A. 247. Alte Signatur (Vorderdeckel innen, Bleistift): *1321.*

Ital. Git. Tab., nur Alfabeto mit Golpes auf 1 Lin. und ohne Golpes, ohne Lin., ferner Ital. Lt. Tab. 5 Lin. Um 1625–1656 (Datierungen nur im nichtintavolierten Teil).

63 fol. Unbeschrieben f. 8r (1 Lin.); f. 8v–10r, 15v, 22r, 32v, 33r, 50v, 56v–58r, 59v, 63v (leer). 19×13,5 cm. Tab.-Teile: I. Ital. Lt. Tab. 5 Lin. als ausgeschriebene Beispiele von Akkordsiglen (Alfabeto, nur große Buchstaben), Erläuterung in 4 Systemen (diese Siglen werden im übrigen Notentext nicht benutzt, es handelt sich um die Zeichen *A*, *B*, *C*, *Đ*, *D*, *E*, *F*, *G*, *H*, *I*, *K*, *L*, *M*, *N*, *O*, *P*, *Q*, *R*, *S*, *T*, *V*, *X*, *Y*, *Z*, *&*, C_6, *℞*, B^9), die Akkorde sind maximal 5stimmig und für 5saitige Gitarre bestimmt; f. 1v. – II. Nur Alfabeto, ohne literar. Text, mit Golpes auf 1 Lin. (Tänze für 5saitige Gitarre), es handelt sich um die Zeichen *a*, *b*, *c*, *d*, *e*, *f*, *g*, *h*, *i*, *x*, *y*, *z*, *&*, *u*, *m*, *s*, *l*, *o*; f. 2–7. – III. Nur Alfabeto, über ital. Text, nur kleine Buchstaben (wie Tab.-Teil II), aber ohne Golpes, ohne Lin. Die Zeichen erscheinen über dem Text (Rime); f. 14v, 16v, 17v–19. Korrekturen in Tab.-Teil I (die dortigen Griffschemata sind doppelt aufgezeichnet, zuerst flüchtig, sodann sorgfältig). Besondere Hinweise: bei

Gagliarda steht: *del a e del c*, analog später: *del b e del g*, vgl. bei *Rugero, Tenor di napoli, Pass' e mezzo, Mesano, Marcetta, Aria di fiorenza.* Mehrfach Vermerk: *altra* und *mede*[si]*ma*, ferner *Seconda par*^te^ *due uolte* und ähnlich. Das Ms. enthält sonst zahlreiche literar. Aufzeichnungen, die nicht auf den musikalischen Teil bezüglich sind: f. 10v–14r, 15r, 16r, 17r, 20, 21, 22v–32r, 33v–50r, 51–56r, 58v, 59r, 60 (*Gioco, Enigmi*, tagebuchartige Eintragungen, u. a. alchimistische Beobachtungen, Gedichte, durchweg ital.). F. 16v vereinzelt 1 Baßstimme in gew. Notenschrift (instrumental, ohne Textierung). F. 51r außerhalb des Tab.-Teils lautet eine Überschrift: *Aromatico uenuto da / Venetia l'anno 1656.* F. 58v wird unter der Überschrift *Nota del Orloggio* von einer Uhr berichtet, die 1625 gebaut wurde (*terminus post quem*). F. 60v gekritzelte Rechnungen, mit Daten: *15 luglio 1625, 7 Agosto 1625, 17 luglio 1625.* Ebenda: *Dal Sig*^re^ *Gio: Tomasso Sacchi ho hauto delle Beneditione . . . di 4. Aprile 1635 . . .* F. 1 ist das obere Drittel abgeschnitten, auf der Vorderseite ist noch lesbar: . . . *Romanus* (Eigentumsvermerk?). 1 Hauptschreiber (Tab.-Teile und Teile der literar. Aufzeichnungen), 1 Nebenschreiber, dunklere Tinte, offenbar etwas später aufzeichnend, ist an den Tab.-Teilen unbeteiligt, er erscheint f. 55v, 56r, von seiner Hand rührt auch der Index f. 61–63r her, der erst ab f. 22v zählt und die Tab.-Teile nicht erfaßt. Mittelbrauner Pergamentband der Zeit, zufolge Bibliotheksvermerk 1967–1968 restauriert. Auf Vorder- und Rückdeckel außen Tinte, stark verblaßt, zahlreiche Aufschriften (kaum lesbar, augenscheinlich ohne weitere Hinweise auf den musikalischen Teil und ohne Daten). (Freie Instrumentalsätze, Tänze, Aria, ital. Liedsätze.)

Literatur: Fehlend.

ROSTOCK, Universitätsbibliothek

Ms. Mus. saec. XVII. 18. 51. $\frac{1-6}{}$. Alte Signatur (Vorderdeckel außen, weißes Etikett, schwarze Tinte): *VI. III. 45*; andere alte Signatur (ibid., Rötel): *N*[ro] *90.*

Frz. Lt. Tab. 6 Lin. Anfang des 18. Jh.

19 fol. 41,5×25,5 cm. Es handelt sich um ein Konvolut mit 6 Abschnitten. Die ersten 5 enthalten die zur Tab. gehörigen Stimmen in gew. Notenschrift (Flöte, Fagott, Violinen mit Basso Continuo in wechselnder Besetzung). Abschnitt 6 = f. 16–18. Tab.-Teil: f. 16v–18r. F. 18v unbeschrieben (leer). Für 11chörige Laute. Partitur; zwischen *Viola d'amore* und *Cembalo* (bezifferter Baß) erscheint die Tab., bezeichnet *Liuto.* Überschrift f. 16v *Sonata.* Akkoladenklammern rot. 1 Schreiber (nicht identisch mit dem Schreiber der Stimmen in gew. Notenschrift dieser Partitur). Orig. Pappband, Deckel außen grau; Reste von 2 rosa seidenen Schließbändern, Buchrücken schwarzes Leinen (defekt). (Freie Instrumentalsätze, Tänze.)

Literatur: Fehlend. Hinweis BoetticherL, S. 379 [55] (*Ms. Ro 51*).

Ms. Mus. saec. XVII. 18. 52. 2. Alter Bestand. F. 1r Stempel: *Ex Bibliotheca Academiae Rostochiensis*. Alte Signatur (Vorderdeckel innen, Rötel): *52*. – Es ist zu beachten, daß die röm. Ziffer in der neueren Sign. falsch gewählt ist (auf das 17. Jh. verweisend).

Frz. Lt. Tab. 6 Lin. 2. Jahrzehnt des 18. Jh.

92 fol., zuzüglich 1 Vorsatzbl.: f. Iv leer, f. Ir Zeichnungen (Tinte) im 5-Lin.-System, ohne Tab. Neuere Foliierung (Bleistift), das Vorsatzbl. mitzählend. Unbeschrieben f. 5v, 6r, 8r, 46r, 81r, 82v, 83r (nur Lin.). 17,5×28 cm, scharf beschnitten. Tab.-Teil: f. 1–5r, 6v–7, 8v–45, 46v–80, 81v, 82r, 83v–92. Für 11chörige Laute. Datierung auf Vorsatzbl. Ir (Tinte): *H : O : / pinxit homb. d. 20 / apr: 1722*. Das orig. Titelbl. ist zur Zeit nicht mehr erhalten, es lautete (vgl. WolfH und BoetticherL): *Pièces choisies pour le Lut. Pour Son Altesse Serenissime Madame la Princesse Louise de Wurttemberg*. Rasuren f. 2r, 22r, 51r, sonstige Korrekturen f. 8v, 19r, 50r, 77r, 92r etc., z. T. mit dunklerer Tinte, aber von gleicher Hand f. 74r etc. Orig. Numerierung der Sätze f. 1v–91v, es sind die Nrn. *30–39*, *20*, *40–44*, nach nichtnumerierten Sätzen *45*, sodann *26* gestrichen, nach nichtnumerierten Sätzen *47–50*, gleich anschließend *69–74*, sodann *21*, *22*, nach nichtnumerierten Sätzen *24–28*, zuletzt *1*, *51*, *29*. Der orig. Faszikel dürfte demnach mehrfach verheftet und auch nicht vollständig sein. F. 88r, 89r, 90r haben kopfstehende Beschriftung (für 2. Laute, Überschrift: *Contra*), es handelt sich um 3 Sätze. 2 Schreiber (flüchtig), 1 Hauptschreiber. Dunkelbrauner Lederband der Zeit, stark abgeschabt, mit reicher Blindpressung auf den Deckeln und auf dem Buchrücken. Vorderdeckel ist defekt. Orig. Heftung z. T. abgelöst. Vorsatzbl. und f. 1 lose inliegend. (Freie Instrumentalsätze, Tänze, dt. Liedsätze.)

Literatur: WolfH II, S. 105; BoetticherL, S. 373f. [49] (*Ms. Ro 52*); RadkeW, S. IX, Anm. 4.

Ms. Mus. saec. XVII. 18. 53. 1. *A*. Alte Signatur (Vorderdeckel innen, Rötel): *No. 51*.

Frz. Lt. Tab. 6 Lin. Um 1720.

Es handelt sich um ein Volumen mit festem Einband und um 2 lose Blätter; die letzteren sind im folgenden getrennt als Anhang, Bl. 1 und Bl. 2, dargestellt (Format wie Volumen, dessen Hauptschreiber).

81 fol. Unbeschrieben f. 6v–8r, 25v, 27r, 37r, 54r, 66v, 67r, 72r (nur Lin.). 15×19 cm. Tab.-Teil: f. 1–6r, 8v–25r, 26, 27v–36, 37v–53, 54v–66r, 67v–71, 72v–81. Für 11chörige Laute. Orig. Foliierung (Rötel) *3–79*; f. *19*, *54* irrig doppelt gezählt. Vor f. 66 ist 1 Bl. herausgerissen (Falz mit Lin.-Rest). Einstimmangaben: f. 16r, 26r (*Accordo*). Zahlreiche *da-capo*-Vermerke. Streichungen: f. 29v, 30r (2 Seiten gänzlich), f. 45v, 63r, 71r etc. 3 Schreiber; Nebenschreiber B f. 26v ff., Nebenschreiber C f. 34r ff. Pergamentband der Zeit,

Buchrücken reiche Goldpressung (jetzt blind), Deckel mit Goldleistenpressung, Goldschnitt. Heftung locker, defekt. Kein Besitzername. (Freie Instrumentalsätze, Tänze.)

ANHANG:

Blatt 1: Unbeschrieben f. 1v. Tab.-Teil f. 1r. Für 11chörige Laute. (Freier Instrumentalsatz.)

Blatt 2: Tab.-Teil f. 1r, v. Für 11chörige Laute. (Freier Instrumentalsatz, Tanz.)

Literatur: BoetticherL, S. 374 [49] (*Ms. Ro 53* [*Ia*]); KindermannDMA, *Nr. 2/2367*; Klima-RadkeWW, S. 437. (Der Anhang bisher nicht genannt.)

——

Ms. Mus. saec. XVII. 18. 53. 1. *B.* Alte Signatur (Vorderdeckel innen, Rötel): *23.*

Frz. Lt. Tab. 6 Lin. Um 1720.

Es handelt sich um ein Volumen mit festem Einband und um 17 lose Blätter, die letzteren sind im folgenden zusammen als Anhang dargestellt.

42 fol. Unbeschrieben f. 1r, 18r, 19v, 20r, 23v, 24r, 42v (nur Lin.). 17×21 cm. Tab.-Teil: f. 1v–17, 18v, 19r, 20v–23r, 24v–42r. Für 11chörige Laute. Am Ende des Volumens sind mindestens 24 Bll. herausgerissen (Falze, die Tab.-Reste erkennen lassen; eine Zugehörigkeit zu den losen Bll. ist nicht zwingend). 3 Schreiber. Halbpergamentband der Zeit, Buchrücken stark defekt, Heftung beeinträchtigt. Deckel außen mit bunt marmoriertem Papier beklebt. Kein Besitzername. (Freie Instrumentalsätze, Tänze, ital. Arie.)

ANHANG:

17 lose fol., überwiegend im Format des Volumens, f. 6 kleiner, f. 15 ist Doppelbl., quer durchlaufend mit Tab. beschriftet. Papier unterschiedlicher Beschaffenheit, abweichend vom Volumen. Unbeschrieben f. 1r, 6v, 7v, 8v, 9v, 10r, 14v (nur Lin.). Einige Bll. am Rand defekt, Tab.-Verlust. Tab.-Teil: f. 1v–6r, 7r, 8r, 9r, 10v–14r, 15–17. Für 10- bis 12chörige Laute. Mindestens 4 Schreiber. (Freie Instrumentalsätze, Tänze.)

Literatur: BoetticherL, S. 374 [49] (*Ms. Ro 53* [*Ib*]).

——

Ms. Mus. saec. XVII. 18. 53. 2. Alter Bestand. Vom Verfasser 1975 bei Nachforschungen im Magazin nicht mehr angetroffen. (Eingesehen 1936.)

Ital. Lt. Tab. 6 Lin. Ende des 17. Jh.

Zufolge einer Auskunft der Bibliothek (16. 4. 1971) 27 fol. umfassend. Der Verfasser ermittelt in dem hs. Katalog (pag. 142) am Ort (Anfang des 19. Jh.) die Eintragung: *2. Arien u. Gesänge in italiänischer Lauten-Tabulatur / für die Laute eingerichtet. Ein Quartband.* Zufolge BoetticherL Arien, Liedsätze, z. T. auch für Tasteninstrument.

Literatur: BoetticherL, S. 368 [45] (*Ms. Ro 53* [*II*]).

Ms. Mus. saec. XVII. 18. 54. Alter Bestand. F. 1r Stempel: *Ex Bibliotheca Academiae Rostochiensis.*

Frz. Lt. Tab. 6 Lin. 2. Drittel des 17. Jh.

202 fol., zuzüglich 2 Nachsatzbll. (leer). Orig. Paginierung (Tinte) *1–400* (f. 3r–202v). Unbeschrieben f. 1r, 2v (leer); f. 2r, 129v–130, 147r, 160v–162, 169v–171r, 172v, 173r, 182v (nur Lin.). 9,5×17 cm, scharf beschnitten. Tab.-Teil: f. 1v, 3–129r, 131–146, 147v–160r, 163–169r, 171v, 172r, 173v–182r, 183–202. Für 11chörige Laute (*////a* und *4*), vereinzelt für 12chörige Laute (5). Einige Sätze, „*S. C.*" [= Sans Chanterelle] bezeichnet, sind um die oberste Saite reduziert. 1 Schreiber (sorgfältig). Jüngerer Pergamentband, orig. Heftung erhalten. (Freie Instrumentalsätze, Tänze, frz. Chansons, dt. Liedsätze.)

Literatur: WolfH II, S. 105; BoetticherL, S. 366 [42f.] (*Ms. Ro 54*); RollinD, S. XVI; Stęszewska LII, S. 31ff.; RadkeD, S. 137; RadkeG, S. 141; RadkeL, S. 41.

Ms. Mus. saec. XVIII. 13. 2. Alter Bestand. Beiliegend 2 Faszikel Stimmen für die zugehörigen Instrumente, in gew. Notenschrift (4 fol.), überschrieben: *Cembalo* und *Traverso.*

Frz. Lt. Tab. 6 Lin. 3. Viertel des 18. Jh.

2 fol. Alle Seiten beschrieben. 33,5×23 cm. Für 13chörige Laute. Der Lt.-Part ist überschrieben: f. 1r *Liuto.* Titel: auf dem Umschlag (Tinte) *Trio / â / Liuto / Traverso e / Basso. / J.C. / di Sig. Daube.* 1 Schreiber (sorgfältig). Umschlag aus Papier gleicher Beschaffenheit. Einband fehlend. (Freie Instrumentalsätze, Tänze.)

Literatur: WolfH II, S. 105. – Neudruck: NeemannD.

Ms. Mus. saec. XVIII. 13. 2a–c. Alter Bestand. Ältere Signatur: *Mus. saec. XVIII. 65. b.*

Frz. Lt. Tab. 6 Lin. 3. Viertel des 18. Jh.

3 Faszikel: I = Sign. 13.2a; II = Sign. 13.2b; III = Sign. 13.2c. Formate: I, II 21,5×29,5 cm; III 23,5×31,5 cm. I, II gelblichere, von III abweichende Papierart. I, II je 2 fol., III 4 fol. Alle Seiten beschrieben. Sätze für 13chörige Laute, solo. Überschriften: I, f. 1r *Lute Solo, di Daube;* II, f. 1r *Solo per il Liutho, del Daube;* III, f. 1r *Lute Solo, di Daube*, f. 4v *Aria dell' Opera de Tito, del Sig. Hasse.* Rasuren in Fasz. I, f. 2v etc. 1 Schreiber (sorgfältig). Einband fehlend. (Freie Instrumentalsätze, Tänze, Aria.)

Literatur: Fehlend.

Ms. Mus. saec. XVIII. 18. $\underline{10}$.

Frz. Lt. Tab. 6 Lin. Anfang des 18. Jh.

8 fol. Alle Seiten beschrieben, 34×24 cm. Tab.-Teil: f. 6–8. Für 11chörige Laute. Titel: f. 6r *Trio â Liuto, / Flute traversière e Basso.* Als Komponist erscheint im Titel: *Colomba.* Die zugehörigen Stimmen in gew. Notenschrift erhalten. 1 Schreiber. Ohne Einband. (Freie Instrumentalsätze, Tänze.)

Literatur: Fehlend. Hinweis EitnerQL III, S. 15, Art. *Colomba.* Neudruck H. Neemann, Berlin-Lichterfelde s. a. (ca. 1931).

Ms. Mus. saec. XVIII. 18. 78. (1). $\underline{8}$. Jüngere Signatur (Papierumschlag außen, Tinte = ausgestrichen, und f. 1r unten, Tinte = stehen gelassen): *Mus. saec. XVIII. 65.* $\underline{6}$. Alte Signatur (Papierumschlag außen, Rötel): *36.*

Frz. Lt. Tab. 6 Lin. Anfang des 18. Jh.

2 fol., zuzüglich alter Papierumschlag. Alle Seiten beschrieben. 27,5×32 cm. Tab.-Teil: f. 1–2, beide Bll. am oberen rechten Rand defekt (Tab.-Verlust). Für 12chörige Laute. Titel: Papierumschlag außen *Conserto / Ex h, à / Liuto, / Flauto traverso / Violino, Et Basso / par Monsieur Hersdörffer / à Vienne.* Die zugehörigen Stimmen in gew. Notenschrift fehlen. 1 Schreiber. Ohne Einband. (Freie Instrumentalsätze, Tänze.)

Literatur: Fehlend.

Ms. Mus. saec. XVIII. 45. $\underline{1}$. Alter Bestand.

Das Ms. galt seit dem März 1959 (Schreiben der Bibliothek an den Verfasser am 16. 4. 1971) als vermißt. Der Verfasser hat es 1975 am Ort wieder aufgefunden.

Frz. Lt. Tab. 6 Lin. Anfang des 18. Jh.

5 fol., zuzüglich alter Papierumschlag. Alle Seiten beschrieben. 31×23 cm. Tab.-Teil: f. 1–2. Für 12chörige Laute. Fingersatz 1–4 Punkte (sehr sorgfältig). Überschrift: f. 1r *Liuto.* Titel: Papierumschlag außen *Parthie / ex C. ♯. / â / Liuto Obligato / Duoi Violini / e / Basso / del Sig*^{r}*: Hirschtaller.* Die zugehörigen Stimmen in gew. Notenschrift (*Violino Primo, Violino Secondo, Basso*) f. 3–5. 1 Schreiber. Ohne Einband. (Freie Instrumentalsätze, Tänze.)

Literatur: Hinweis EitnerQL V, S. 161, Art. *Hirschtaller.*

Ms. Mus. saec. XVIII. 58. $\underline{26}$. Alter Bestand.

Frz. Lt. Tab. 6 Lin. 4. Jahrzehnt des 18. Jh., Datierung Titel 1743.

3 fol., zuzüglich als Umschlag aus Papier gleicher Beschaffenheit je 1 Vorsatz- und Nachsatzbl. 6 beschriebene Seiten. 31,5×19 cm. Für 11chörige, vereinzelt

12chörige Laute. Titel: Vorsatzbl. Ir (flüchtig) *Piesses des galanderies / dedie / A: Son Alt: Madame / La princesse Louise / de württenberg etc. / par Moy / Jan françois Schwingham*[m]*er / Maitre en haut d'armes et de dance / de La Cour et de L'vniversitaett / de dillinque / pour Lannée 1743.* Tab.-Teil: f. 1–3. Rasuren f. 3r, Korrekturen von gleicher Hand (dunklere Tinte). 1 Schreiber (sorgfältig). Einband fehlend. (Freie Instrumentalsätze, Tänze.)

Literatur: Fehlend.

—

Ms. Mus. saec. XVIII. 59. $\underline{1}$. Alter Bestand. Beiliegend 1 Faszikel mit 3 Stimmen für die zugehörigen Instrumente, in gew. Notenschrift (3 fol.).

Frz. Lt. Tab. 6 Lin. 2. Viertel des 18. Jh.

4 fol. Unbeschrieben f. 4v (leer); f. 3r (nur Lin.). 30×22,5 cm. Für 11chörige Laute. Der Lt.-Part ist überschrieben: f. 1r *Liuto*. Titel: auf dem Umschlag (Tinte): *Parthie / ex G : ♯ / â / Liuto Obligato / Duoi Violini / e / Basso. / del Sig. Spurny.* 1 Schreiber (sorgfältig). Umschlag aus Papier gleicher Beschaffenheit. Einband fehlend. (Freie Instrumentalsätze, Tänze.)

Literatur: Fehlend.

—

Ms. Mus. saec. XVIII. 65. $\underline{6}$. (*a–z*). Keine älteren Signaturen.

Frz. Lt. Tab. 6 Lin. Um 1720–1745.

Es handelt sich um die Faszikel (Teile) *a–z*, *zz*, die großenteils aus losen Bll. bestehen (im folgenden vermerkt). Sie sind z. Z. in einem Papp-Umschlag mit Stoffschließe vereinigt. Im folgenden werden die einzelnen Bll. nach ihrer Zusammengehörigkeit dargestellt: (1) ff.

Faszikel a: (1) 1 fol., unbeschrieben f. 1v (leer). 30×23 cm. Tab.-Teil: f. 1r. Für 12chörige Laute. 1 Schreiber.

(2) 3 fol., davon f. 1 und 2 zusammenhängend, unbeschrieben f. 1v, 2r (leer). 23×30,5 cm. Tab.-Teil: f. 1r, 2v–3. Für 10- bis 12chörige Laute. 2 Schreiber (f. 1r Bleistift und Tinte). Tonartangaben. Streichungen: f. 2v. Einstimmregel f. 2v für 13chörige Laute. Fingersatz: f. 3r 1–4 Punkte (sorgfältig). 2 Schreiber.

(3) 1 fol., 16×18,5 cm. Tab.-Teil: f. 1r, v. Für 10- bis 12chörige Laute. Überschrift: *Acord ordinaire ex f: ex C: ex d mol.* Es handelt sich nur um Einstimm-Vorschriften. 1 Schreiber.

(4) 1 fol. Unbeschrieben f. 1v. 22×20 cm. Tab.-Teil: 1r. Für 12chörige Laute. 1 Schreiber.

Faszikel b: 4 fol. (außer weiteren Bll. mit gew. Notenschrift). Unbeschrieben f. 1v, 2r, 3v, 4r (leer). Doppelblätter: 20×34 cm. Tab.-Teil: f. 1r, 2v, 3r, 4v. Fingersatz 1–4 Punkte (sorgfältig). Für 10chörige Laute. 1 Schreiber.

Faszikel c: 3 fol. (außer weiteren Bll. mit gew. Notenschrift). 27×38 cm. Tab.-Teil: f. 1–3. Für 10- bis 11chörige Laute. Streichungen: f. 2v (1 System). Fingersatz: 1–4 Punkte. 1 Schreiber. Ohne Umschlag.

Faszikel d: 7 fol. (außer 1 Bl. mit gew. Notenschrift). Unbeschrieben f. 1v (leer). 23×30 cm. Tab.-Teil: f. 2–7. Titel: f. 1r *Pieces choisies pour le Lut. / Pour / Son Altesse Serenissime / Madame la Princesse Louise / de Wurttemberg.* Für 11chörige Laute. Fingersatz: 1–4 Punkte. 1 Schreiber.

Faszikel e: 8 fol. Unbeschrieben f. 7–8. 23×30 cm. Tab.-Teil: f. 1–6. Für 11- bis 12chörige Laute. Überschrift: f. 4v *Parthie ex C.* Fingersatz: 1–4 Punkte. 1 Schreiber. Ohne Umschlag.

Faszikel f: 3 fol. Besondere ältere Signatur (Papier-Umschlag außen): *25).* Unbeschrieben f. 2v. 24×29,5 cm. Tab.-Teil: f. 1–2r, 3. Für 11chörige Laute. 1 Schreiber.

Faszikel g: 10 fol. In besonderem, orig. Papier-Umschlag, dieser unbeschriftet. Unbeschrieben f. 5–10 (leer). 17×21 cm. Tab.-Teil: f. 1–4. Für 11chörige Laute. Streichungen: f. 3r. Fingersatz: 1, 2 Punkte. Orig. Numerierung der Sätze: *1–9* (vollständig). 1 Schreiber.

Faszikel h: 6 fol. Format wie Fasz. g. Tab.-Teil: f. 1–6. Für 12- und 13chörige Laute. 1 Schreiber. Ohne Umschlag.

Faszikel i: 4 fol. Unbeschrieben f. 4v. Format wie Fasz. g, h. Tab.-Teil: f. 1–4r. Für 11- und 12chörige Laute. 1 Schreiber. Ohne Umschlag.

Faszikel k: (1) 3 fol. Format wie Fasz. g, h, i. Tab.-Teil: f. 1–3. Für 11chörige Laute. Fingersatz: 1, 2 Punkte. 1 Schreiber. Ohne Umschlag.

(2) 1 fol. Unbeschrieben f. 1v (leer). 22×29,5 cm. Tab.-Teil: f. 1r (nur unteres Viertel), Rest in gew. Notenschrift, letzterer Teil überschrieben: *Elephanten-Marche.* Für 11chörige Laute. Satzbezeichnung fehlt. 1 Schreiber. Ohne Umschlag.

Faszikel l: 2 fol. 21×26 cm. Tab.-Teil: f. 1–2. Für 12chörige Laute. Streichungen: f. 2v. 1 Schreiber. Ohne Umschlag.

Faszikel m: 2 fol. Unbeschrieben f. 2v (leer). 17×20 cm. Tab.-Teil: f. 1–2r. Für 11chörige Laute. 1 Schreiber. Ohne Umschlag.

Faszikel n: 2 fol. Unbeschrieben f. 2v (leer). 21×17,5 cm Tab.-Teil: f. 1–2r. Für 11chörige Laute. 2 Schreiber (Nebenschreiber B nur f. 1r, unten). Hauptschreiber Fingersatz: 1, 2 Punkte. Ohne Umschlag.

Faszikel o: 2 fol. Unbeschrieben f. 1v, 2r (leer): f. 2v (nur Lin.). 23×18 cm. Tab.-Teil: f. 1r. Für 11chörige Laute. 1 Schreiber. Ohne Umschlag.

Teil p: 1 fol. Unbeschrieben f. 1v (leer). 22×18 cm. Tab.-Teil: f. 1r. Für 11-chörige Laute. 1 Schreiber. Ohne Umschlag.

Faszikel q: Alle Teile ohne Umschlag. Derselbe Schreiber. Hauptformat 28×33 cm.

(1) 2 fol. Tab.-Teil: f. 1–2. Für 13chörige Laute.

(2) 2 fol. Tab.-Teil: f. 1–2. Für 11chörige Laute. Korrekturen, Rasuren: f. 2r.

(3) 2 fol. Tab.-Teil: f. 1–2. Für 11chörige Laute. Neben Hauptschreiber 1 Nebenschreiber f. 2v.

(4) 2 fol. Tab.-Teil: f. 1–2. Für 11chörige Laute.

(5) 1 fol. Tab.-Teil: f. 1. Für 11chörige Laute. Korrekturen: f. 1r.

(6) 1 fol. Unbeschrieben f. 1v (nur Lin.). Tab.-Teil: f. 1r. Für 10chörige Laute.

(7) 2 fol. Unbeschrieben f. 1v, 2r (nur Lin.). Tab.-Teil: f. 1r, 2v. Für 11chörige Laute.

Faszikel r: Nur lose Blätter. Derselbe Schreiber. Hauptformat 29 × 31 cm.

(1) 2 fol. Tab.-Teil: f. 1–2. Für 11chörige Laute.

(2) 2 fol. Tab.-Teil: f. 1–2. Für 11chörige Laute.

(3) 2 fol. Tab.-Teil: f. 1–2. Für 11chörige Laute. Einstimmregel (*Accort*).

(4) 1 fol. Tab.-Teil: f. 1. Für 11chörige Laute. Tab.-Verlust (links oben $^1/_6$ abgerissen). Einstimmregel (*stimmung*).

(5) 1 fol. Unbeschrieben f. 1v. (nur Lin.). Tab.-Teil: f. 1r. Für 11chörige Laute.

(6) 1 fol. Unbeschrieben f. 1v (nur Lin.). Tab.-Teil: f. 1r. Für 11chörige Laute.

(7) *a* 2 fol. Unbeschrieben f. 1v, 2r (nur Lin.). Tab.-Teil: f. 1r, 2v. Für 11chörige (vereinzelt 12chörige) Laute.

b 1 fol. Unbeschrieben f. 1v (nur Lin.). Tab.-Teil: f. 1r. Für 12chörige Laute.

(8) 1 fol. Unbeschrieben f. 1v (leer). Tab.-Teil: f. 1r. Für 12chörige Laute.

Faszikel s: 4 fol. (2 Doppelbll.). 35 × 22 cm. Tab.-Teil: f. 1–4 (f. 3v nur obere Hälfte Tab.). Für 11chörige Laute. 1 Schreiber. Ohne Umschlag.

Faszikel t: 2 fol. 33 × 23 cm. Tab.-Teil: f. 1–2. Für 11chörige Laute. 1 Schreiber. Ohne Umschlag.

Faszikel u: 2 fol. 32,5 × 19,5 cm. Tab.-Teil: f. 1–2. Für 11chörige Laute. 1 Schreiber. Ohne Umschlag.

Teil v: 1 fol. Unbeschrieben f. 1v (nur Lin.). 35 × 21 cm. Tab.-Teil: f. 1r. Für 11chörige Laute; es ist auch */b* und *//b* verlangt. 1 Schreiber. Ohne Umschlag.

Teil w: 1 fol. 34 × 20 cm. Tab.-Teil: f. 1. Für 11chörige Laute. Einstimmregel: f. 1r für 13chöriges Instrument. Fingersatz: 1, 2 Punkte. 2 Schreiber. Ohne Umschlag.

Faszikel x: 2 fol. Unbeschrieben f. 2v (leer). 33,5 × 21 cm. Tab.-Teil: f. 1r. Für 11chörige Laute. 1 Schreiber. Ohne Umschlag.

Teil y: 1 fol. 22 × 17 cm. Tab.-Teil: f. 1. Für 11chörige Laute. 1 Schreiber. Ohne Umschlag.

Faszikel z: 2 fol. 27 × 20 cm. Tab.-Teil: f. 1–2. Für 11chörige Laute. 1 Schreiber. Einstimmregel (*acord*). Ohne Umschlag.

Teil zz (überzähliges Blatt): 1 fol. 34×21 cm. Tab.-Teil: f. 1. Für 10chörige Laute. Einstimmregel: f. 1v (*Ordinaire accord*) für 13chöriges Instrument, 3 Stimmungen. 1 Schreiber. Ohne Umschlag.

(Freie Instrumentalsätze, Tänze, dt. Liedsätze.)

Literatur: BoetticherL, S. 374 [49] (*Ms. Ro. 65*); TichotaA, S. 157 (Anm. 18), 166ff.; NeemannF, S. 183f.; Klima-RadkeWW, S. 439. (Darstellung der Fasz. fehlend.) WolfH II, S. 105.

ehemals ROUDNICE (Raudnitz), Bibliothek des Fürsten Lobkowitz
Seit 1945 verschollen
Aufnahme durch den Herausgeber 1938

Ms. II. Kk 36. Das Ms. konnte bei den jüngsten Nachforschungen des Herausgebers (1965, 1968) unter den Beständen der aus Raudnitz nach Prag, Musikabteilung des Nationalmuseums und Handschriftenabteilung der Universitätsbibliothek überführten Tabulaturen nicht wieder aufgefunden werden. Eine Kopie von der Hand W. Tapperts, die Wolf vorlag, ist in dem Nachlaß W. Tappert (Berlin, Stiftung Preußischer Kulturbesitz) nicht enthalten.

Frz. Git. Tab. 4 Lin. für Mandoline. Anfang des 18. Jh., Datierung 1704.

14 fol. 23 mit Tab. beschriebene Seiten. Für 4saitige Mandoline. Überschrift: f. 4v *Sonata al Mandolino solo*. Dunkelbrauner Lederband der Zeit. (Freie Instrumentalsätze, Tänze.)

Literatur: WolfH II, S. 123f.; NettlM, S. 63; hs. Katalog Lobkowitz (1894, 1895), S. 57, hiernach in *Saal II* befindlich; TichotaT, S. 146 (*Nachtrag Nr. 15*).

SALZBURG, Universitätsbibliothek

Ms. M. III. 25. Ältere Signatur (Vorderdeckel innen, Bleistift): *V. 1. B. 25 (2)*. Alter Bestand der K. und K. Studienbibl. Salzburg.

Frz. Lt. Tab. 6 Lin. Um 1715—1735.

141 fol., zuzüglich je 1 Vorsatz- und Nachsatzbl. (leer). Unbeschrieben f. 1v, 4v–5, 25v, 45v, 49v, 53v, 55v, 73v, 81v, 85v, 88r, 91v, 107v, 108v, 120v (leer); f. 18v, 26r, 43v, 77v, 87v, 96v–97, 120r (nur Lin.). Hauptformat 41×26 cm. Abweichende Formate: f. 4 20×20 cm, f. 82–85 38×25 cm, f. 107 9,7×24,2 cm, f. 133–136 37,5×25,5 cm. Mehrere Bll. sind verheftet, f. 26–29 sind kopfstehend und rückwärts zu lesen. F. 100 ist aus 2 Bll. zusammengeklebt, die Rückseite des angeklebten Bl. zeigt ebenfalls Tab., sie sollte nicht gelten (Innenseite des anderen Bl. ist leer). Tab.-Teil: f. 1r, 2–4r, 6–18r, 19–25r, 26–43r, 44r–45r, 46v–49r, 50–53r, 54–55r, 56–73r, 74–77r, 78–81r, 82–85r, 86–87r, 88v–91r, 92–96r, 98–107r, 108r, 109–119, 121–136. Für 13chörige Laute, mehrere Sätze jedoch nur bis zum 12. Chor (f. 6r, 8r, 9r, etc.) oder 11. Chor fortschreitend. Orig. Index f. 137–141, geordnet nach Parthien in

röm. Numerierung, mit Angabe der Incipits bzw. Titel der Einzelsätze, der Tonarten, der Besetzung und der Komponisten, überschrieben: *Index*. Es handelt sich um 50 vollständige Suiten (hiervon 4 abweichend bezeichnet, s. unten) für Lt. mit ensemble-Imstrumenten, geordnet in 50 Faszikeln, die auf der ersten Seite einheitlich jeweils Tonart, Besetzung, Komponistenname (dieser z. T. fehlend) zeigen, oben rechts die röm. Ordnungszahl, diese bei Tab.-Beginn z. T. mit arab. Ziffern wiederholt. Einige Titelseiten blieben frei (dann Angaben bei Tab.-Beginn). Die Angaben des Index sind weniger verläßlich, brechen auch mit *Nr. XLV* ab (orig. Reihe im Notenteil übereinstimmend, *I–L*). Als Zupfinstrument gilt: *Liutho* oder *Mandora*, auch beide gleichzeitig (Nr. II: *Concerto da Camera à 4 / Liutho / Mandora / Violino ô Fluto / con Basso* laut Titelbl. 6r, der Index f. 137r hält nur *Liutho*, *Violino*, *Basso* als Besetzung fest). Als *Basso* gilt zufolge Titelbl. 127r *Violoncello*. Außer Parthia (*Partie*) gilt als Satztitel: *Concerto da Camera* (Nr. II, XXXII, XXXIII) und *Concertino* (Nr. XXXI). Stimmzahl: *à 3* oder *à 4*. Nr. XXII abweichend mit *Violino Solo* zufolge Titelbl. Streichungen f. 7r, 7v, 15v etc. 1 Schreiber (wohl über einen größeren Zeitraum, unterschiedliche Tintenfärbung, vgl. f. 31r, 45r, 51r etc.). Die Faszikel für die zugehörigen Stimmen fehlen. Pappband der Zeit, Vorder- und Rückdeckel außen mit rötlich marmoriert bedrucktem Papier beklebt, Buchrücken Pergament (dessen Beschriftung ist nicht mehr erkennbar, in einer beiliegenden maschr. Beschreibung des Kodex durch K. Prusik [1923] heißt es: *„stark vergilbte Aufschrift „Partie“, dann folgen unleserliche Zeichen, unter denen das Wort „Musica“ erkennbar ist“*). (Freie Instrumentalsätze, Tänze.)

Literatur: WolfH II, S. 105; BoetticherL, S. 375 [51] (*Ms. Sa*); EitnerQL I, S. 417, II, S. 68, III, S. 439, VI, S. 414, IX, S. 146, X, S. 214, 217; FlotzingerB, S. 223ff., 239; Fachkatalog, S. 160, *Nr. 112b* (*Raum XI, Pult X*); Schnürl, S. 110; J. Klima-H. Radke in MGG XIV, S. 437ff., Art. *Weiß*; KlimaL, S. 102ff., 2 Beisp. S. 105. Jüngst KindermannDMA III, *Nr. 3/453*.

SAMEDAN, Bibliothek der Fundaziun Planta

Ms. ohne Sign. (Nr. 1).

Dt. Lt. Tab. Um 1560–1565; Datierung 1563.

28 fol., zuzüglich 1 orig. Vorsatzbl. (leer). Unbeschrieben f. 1, 24v. Neuere Bleistift-Paginierung (korrekt). 15×20 cm. Tab. Teil: f. 24r, 25–27r. Für 6chörige Laute. Ergänzungen der Tab. am Rand: f. 5r. Lat. Sprüche: f. 17v; f. 19v nach einem Satz *Difficilia artificem generant*. Datierung: f. 9v am Ende von *Bourn lied* von gleicher Hand. *Finis. MDLXIII*. Die Niederschrift des Ms. erfolgte augenscheinlich ohne größere Unterbrechungen; das Datum am Ende des ersten Drittels des Ms. läßt auf den Zeitraum 1560–1565 schließen. 1 Schreiber (schweizer. Herkunft). Einband fehlt. (Freie Instrumentalsätze, Tänze, ital. Madrigale, frz. Chansons, dt. Liedsätze.)

Literatur: Fehlend. NACHSCHRIFT: Jüngst M. Staehelin, *Neue Quellen zur mehrstimmigen Musik des 15. und 16. Jh. in der Schweiz*, in: Schweiz. Beitr. z. Musikwiss. III, 1977, S. 57ff., 76ff.

Ms. ohne Sign. (Nr. 2).

Dt. Lt. Tab. Ende des zweiten Drittels des 16. Jh.

2 fol. (Doppelbll., in der Mitte alte Faltung). F. 1–2r mit Tab. beschrieben. 13×20 cm. Ränder defekt und z. T. abgebröckelt, namentlich an den Ecken. Rückdeckel innen von zweiter Hand, aus gleicher Zeit: *Gott sig vnß gnedig Zu allen Zytten. Amen. / Adiuua nos domine Deus.* Es dürfte sich um den Rest eines größeren Faszikels handeln; die im vorliegenden Teil überlieferten Sätze sind nicht Fragment. Für 6chörige Laute. Streichungen: f. 1r etc. 1 Schreiber (bayer. [?] Herkunft, nicht identisch mit dem Schreiber von Ms. Samedan Nr. 1, wesentlich flüchtigere Notierung). Karton der Zeit als Umschlag (ebenfalls im Format eines Doppelbl.). Heftung nicht erhalten. (Freie Instrumentalsätze, dt. Liedsätze.)

Literatur: Fehlend. Jüngst Hinweis Staehelin, S. 28 (Notenbeisp.). (Eine Publikation ist durch M. Staehelin in Vorbereitung.)

SAN FRANCISCO, Calif., Frank V. de Bellis Collection of the California State University and Colleges

Ms. ohne Signatur. Bis 1954 Antiquariat Kenneth Mummery, Bournemouth, England. Sodann Privatbibliothek Frank V. de Bellis.

Ital. Lt. Tab. 6 Lin. Um 1615–1625; Datierung am Beginn 5. 8. 1615.

42 fol., zuzüglich jüngere Vorsatz- und Nachsatzbll. Am Anfang des Volumens wahrscheinlich 6–10 Bll. schon frühzeitig entfernt (dies ist infolge moderner Neuheftung nicht zwingend zu erkennen). Orig. Paginierung *17–95*, entspricht lückenlos dem gegenwärtigen Bestand (f. 3r–41r), einige Ziffern am Rand abgeblättert und z. T. nicht mehr vorhanden. Unbeschrieben f. 1–2 (leer). F. 42v zeigt Lin., doch ohne mus. Notation (nur rhythmische Zeichen). 28×19,5 cm. Tab.-Teil: f. 3–42r. Für 10chörige Laute. F. 31r in 1 System eine Einstimmregel (Schreiber B), bis „*13*" gehend, am Rand: *Regola daccordare il lautto.* Der Tab.-Teil geht über den genannten Typ der Laute nicht hinaus. Überwiegend bezeichnete Sätze. Besitzervermerk, wohl der früheste: f. 1r . . .*Ascania Bentivoglio*; ein vorangehendes Wort ist nicht lesbar (wohl nur Federprobe). Zu Bentivoglio vgl. P. Litta, *Famiglie celebri Italiane*, Mailand 1830. F. 2r, v Additionen. Widmung: f. 3r (Rand, Schönschrift): *Al Al* [sic] *Molto Jll*^o^ *Sig*^e^ *Erchole Corio mio Oss*^mo^ *Milano.* F. 3r vertikal: *Cominciato adi 5 Agosto 1615*, gestrichen: *Adi 6 Agosto 16* (Tinte). F. 42v Rest eines mehrbuchstabigen Schreiberzeichens, das durch scharfen Beschnitt nicht mehr entzifferbar ist (im Tab.-Teil nicht auftretend). Die Widmung zeichnete Schreiber A auf. Auch die Familie Corio ist bekannt, vgl. G. B. Crollalanza, *Dizionario storico-blasonico delle famiglie nobili Italiane*, Pisa 1886. Papier zufolge ReeseF, S. 255 Mailänder Herkunft. Fingersatz: 1–4 Punkte. *echo*-Vorschrift. Streichungen: f. 20v (1 mittleres System). Bezeichnungen *in tenore per bemolle* u. ä. 3 Schreiber: A = f. 3–9r, B = f. 9v–28r, C = f. 28v–35r. Die

Schrift f. 35v–42r verweist wahrscheinlich wieder auf Schreiber A. Moderner Lederband. (Freie Instrumentalsätze, Tänze, Aria, ital. Liedsätze, Aria francese.)

Literatur: ReeseF, S. 253ff., 3 Faksimiles S. 256, 257 von orig. pag. 17, 30, 59.

SAN MARINO, Calif., The Henry E. Huntington Library, Art Gallery and Botanical Gardens; Manuscripts Department

Ms. EL. 25. A. 46[–51]. *Ellesmere Collection.* Alte Signatur (Vorsatzbl. Ir oben rechts): *CL: V. 2/10/4* in der Handschrift des John Egerton, II. Earl of Bridgewater (1623–1688). 1917 erworben aus der Privatbibliothek des Earl of Ellesmere.

Frz. Lt. Tab. 5 und 6 Lin. Für Lyra Viol. Um 1630–1635.

72 fol. Es handelt sich um den ersten Band einer Gruppe von 6 Bänden, in denen ital. und engl. Liedsätze in einzelnen Stimmen, fast ausschließlich in gew. Notation aufgezeichnet sind. Unbeschrieben f. 5v–6, 11r, 32r, 34v–36r, 37v–48, 55r–72 (nur Lin.). 26 × 18 cm. Tab.-Teil: f. 1, 4–5r, 36v, 37r. Für 5- bzw. 6saitige Lyra Viol. 5 Lin. vorgedruckt (ohne Angabe der Offizin), 1 untere (6.) Lin. hs. sehr flüchtig ergänzt: f. 1, 4r nur andeutend jeweils am Systembeginn, f. 4v, 5r, 36v, 37r ganz durchgezogen. Diese 6. Lin. bleibt für die Tab. ungenutzt, jedoch erscheint vereinzelt ersatzweise das Tab.-Zeichen mit Hilfs-Lin. unter dem System im 5-Lin.-Teil. Korrekturen: f. 5r, 36v, 37r; Tinte verschmiert (f. 5r etc.). Doppelstriche (Distinktionsstriche) zur Markierung der Perioden. Der Tab.-Teil ist augenscheinlich unvollständig, da f. 37r der letzte Tab.-Buchstabe mit Kustodenzeichen versehen (kein Satzende). 1 Schreiber (flüchtig). Lederband der Zeit. (Nur unbezeichnete Sätze.)

Literatur: Fehlend. Nicht genannt in der Übersicht RubsamenN, S. 553f.

SCHWERIN, Mecklenburgische Landesbibliothek (Wissenschaftliche Allgemeinbibliothek)

Ms. Mus. 640.

Frz. Lt. Tab. 6 Lin. für Angelica. Um 1675 bis Ende des 17. Jh.

49 fol. (starker Karton), zuzüglich 1 altes Vorsatzbl. (leer) von dünnerer Papierbeschaffenheit, 2 alte Nachsatzbll. (leer) von gleichem Papier wie Notenteil. Alle Seiten mit Tab. beschrieben. Ältere Bleist.-Paginierung, z. T. bei scharfem neueren Beschnitt in Verlust geraten. 21,5 × 29 cm. Für 17saitige Angelica der Stimmung *C D E F G A H c d e f g a h c' d' e'*; die 7 oberen Saiten (*f* bis *e'*) sind in ein System von 6 Lin. eingezeichnet, wobei die Saite *f* unter dem System (ohne Hilfslinie) dargestellt wird. Die restlichen unteren Saiten (*C* bis *e*) werden durch Ziffern *17*, *16*, *15*, *14*, *13*, *12*, *11*, *10*, *9*, *8* bezeichnet und finden unter dem System Platz. 1 Schreiber (Schönschrift). Pergamentband der Zeit in guter Erhaltung (hellgelb). Vorderdeckel außen Bleistift (alt): *Bernardina / Charlotta / Trezier née Blanckenfordt.* Originale Heftung mit Lederbändern unversehrt. Inliegend 2 Zettel mit einigen Erläu-

terungen des Ms. von der Hand W. Tapperts, Berlin (1 Zettel datiert 1883). Buchrücken neuere Aufschrift: *Sammlung von Musikstücken für die Angelique.* (Freie Instrumentalsätze, Tänze, Airs, frz. Satztitel.)

Literatur: WolfH II, S. 128f. (ohne Sign., mit Beispiel *Air*); BoetticherL, S. 369 [45] (*Ms. Schw 3*); Kade II, S. 265ff. (als *Tabulaturbuch a*, mit Faksimile); RollinD, S. XVI; RollinG, S. XVII; RadkeA, S. VI; BoetticherLos, S. 1220.

Ms. 641 (neueres Etikett Vorderdeckel innen), auch geführt als *Ms. Mus. 641.*

Frz. Lt. Tab. 6 Lin. Mitte des 17. Jh., Datierung *1651.*

87 fol., zuzüglich 1 altes Vorsatzbl. (Vorderseite mit literar. Aufzeichnungen), 2 alte Nachsatzbll. (1. Rückseite und 2. Vorderseite analog beschriftet, s. unten). Neuere Bleist.-Paginierung *1–180*, Vorsatz- und Nachsatzbll. mitzählend. Unbeschrieben f. 1v; f. 21–22r, 38v, 47v–58r, 60v–63, 82–83r (nur gedruckte Lin.). 17,3 × 21 cm. Als Titelbl. (f. 1r) ein Druck aus der Offizin Robert Ballard, Paris: *Av Mont Parnasse Rve S. Iean de Beavvois.* 6 vorgedr. Lin. Vorsatzbl. Ir oben, Tinte: *Mens gedeinck Zu starben*, unten: *jovis jollifov;* Nachsatzbl. Iv: *Le dixiesme octobre / 1651*, Hand eines der Hauptschreiber der Tab., in der Mitte der Seite, als abschließender Vermerk der Hs. Nachsatzbl. IIr Bleistift, fremde Hand: *In Waffen Vnd Liebe / Ich mich stets Vbe / In Wehr Vnd Waffen / Will ich einschlaffen.* 2 Siegellack-Reste auf dem Nachsatzbl. IIr verraten, daß hier ein Blatt darübergeklebt war (jetzt fehlend). Tab.-Teil: f. 2–20, 22v-38r, 39–47r, 58v–60r, 64–81, 83v–87. Für 11chörige Laute (*4* und *////a*). Stark unterschiedliche Tintenfärbung. Ergänzungen am unteren Rand mit Lin. ohne Rastral, von gleicher Hand (f. 24r etc.). Mindestens 2 Hauptschreiber, teilweise sehr flüchtige Notierung durch A. Pergamentband der Zeit (stark abgenutzt, nachgedunkelt). Reste und Spuren eines alten Etiketts, das auf dem Buchrücken aufgeklebt war. Von einer alten Sign., die mit Tinte auf dem Buchrücken notiert war, ist noch sichtbar: *NE.* Originalheftung unversehrt. Inliegend Zettel mit Erläuterungen der Tab. von der Hand W. Tapperts, Berlin (undatiert, um 1880). (Freie Instrumentalsätze, Tänze, frz. Satztitel.)

Literatur: WolfH II, S. 105 (ohne Sign.); BoetticherL, S. 361 [38] (*Ms. Schw 2*); Kade II, S. 267ff. (als *Tabulaturbuch b*, mit Faksimile).

SEITENSTETTEN, Stiftsbibliothek

Ms. ohne Signatur.

Frz. Lt. Tab. 6 Lin. Mitte des 18. Jh., Nachträge möglicherweise erst 1760–1765.

89 fol., zuzüglich 1 Vorsatzbl. (leer). Ein Bl. am Schluß (f. 90) ist herausgeschnitten (Falz sichtbar, ohne Tab.-Reste). Unbeschrieben f. 3r, 14v, 37v–39, 57r, 67–76, 82r, 84v–89 (nur Lin.). Als Papier diente starker Karton. 14,6 × 19,5 cm. Tab.-Teil: f. 1, 2, 3v–14r, 15–37r, 40–56, 57v–66, 77–81, 82v–84r. Für 11chörige, vereinzelt auch 12chörige Laute (letztere von Schreiber A f. 24v,

25r etc. und Schreiber B f. 66v verlangt). Titelbl. fehlt. Vorsatzbl. Ir Bleistift-Zeichnung (Muster, ohne Bezug auf die Tab.). Rasuren: f. 31r. F. 51v unten von gleicher Hand der Vermerk: *tota partia rep*[r]*iesante novem folia.* 2 Schreiber (Schreiber B nur f. 66v, möglicherweise später, s. oben). Pappband der Zeit, Vorder- und Rückdeckel außen mit braun-schwarzem Papier beklebt, beide Deckel senkrecht durchgebrochen. Von den 4 Lederbandschließen sind 3 erhalten. Buchrücken Pergament, abgeschabt, ohne sichtbare Beschriftung. Lederecken (am Vorderdeckel abgesprungen). Starker Wurmschaden. Orig. Heftung unversehrt. Vorderdeckel innen: *Ex Bibliotheca / Monasterii / Seitenstettensis.* (Freie Instrumentalsätze, Tänze.)

Literatur: KlimaK, Einleitung; Klima-RadkeWW, S. 437; KlimaL, S. 104; KlimaÖ, S. 4; KlimaS, S. 1–2.

SKARA, Stifts- och Landsbiblioteket, Handskriftsamlingen

Ms. Högre Allmänna Läroverkets musiksamling No. 468. Ältere Signatur (f. 1r, Tinte): No. 4.

Frz. Git. Tab. 5 Lin., ohne Alfabeto. Ende des 17. Jh.; Datierung 1692.

48 fol., zuzüglich je 1 Vorsatz- und Nachsatzbl. (z. T. mit Besitzvermerken), ferner 1 Schmutzbl. am Ende des Volumens (Rückseite mit bunt marmoriert bedrucktem Papier beklebt, das auch auf das Deckelinnere geklebt worden ist). Unbeschrieben f. 1r, 25v–27r, 45v, 46r, 47r, 48 (nur Lin., vorgedruckt). Neuere Foliierung (Bleistift), Vorsatz- und Nachsatzbl. mitzählend. 15×20,3 cm. Tab.-Teil: f. 1v–5r, 11v, 12r. Für 5saitige Gitarre. Vorgedr. Lin., ohne Angabe der Offizin. Der übrige Teil in gew. Notenschrift (einzelne Stimmen für Viola da gamba, ferner Akkoladen zu 2 Systemen mit Tänzen: Aria, Gavotte, Prelude, Sarabande, Menuet, Fantasie, Gavotte en Rondeau, Gigue, Ballet, Courante, Leipziger Marsch, Rondeau, Muzette, La Marsch de jena, La sautillante, Allemande, La Ronde, Pollonoise, Bourree, Charmant Vainqueur, Arlequins Dantzen etc.). Tab.-Teil ist augenscheinlich die älteste Eintragung, mit Datum *1692*, das übrige wohl erst Anfang des 18. Jh. (dunklere Tinte), hier f. 38v bei der Überschrift *Menuette novelle plaisante: Halle d*[en] *1 Dec. 1727;* weitere Überschriften: f. 39r *Gique a viola du gamba Solo. Allemande* und f. 40r *Sonata viola da gamba Solo.* Besitzvermerke: Vorsatzbl. Ir *Hedevig Mörner Commence a / jouer sur la Gittare chez Mons: / Bocthage dans le mois de Novembre / l'an 1692, sur la recommandation / de son fidel Serviteur Ekeblad.* Auf der gleichen Seite (Bleistift): *Ekeblad.* Vorsatzbl. Iv: *Clas Ekeblad d*[en] . . . *Septembr. 1726. Hos Hr Witte* [das Tagesdatum ist durch 2 Striche freigelassen]. Schmutzbl. am Ende Ir flüchtig (Bleistift): Ziffern (u.a. *16873735*, nicht auf Daten bezüglich). Die Komponistenangaben (Hautemand, Buth, Roman à Stockholm, auch f. 46v *Minuetto il Tempo moderato del Sig: Hendel* [= G.F. Händel]) beziehen sich ausschließlich auf den nichtintavolierten Teil. Nachsatzbl. Ir, Iv: 2 Gedichte (*Die Mädkens machens allezeit . . ., Kom heuffe Mein*

leiden, ich sterbe mitt Freuden). Im Tab.-Teil orig. Numerierung der Sätze *1–4* (f. 1v–4r), weitere Sätze ohne solche Angaben. 1 Schreiber (sorgfältig). Dunkelbrauner Lederband der Zeit (abgeschabt), beide Deckel und Buchrücken mit Goldpressung. (Freie Instrumentalsätze, Tänze.)

Literatur: RudénT, S. 10; Bengtsson, S. 106.

——

Ms. Högre Allmänna Läroverkets musiksamling No. 493. Ältere Signatur (Vorderdeckel innen, Tinte): No. 30.

Frz. Lt. Tab. 6 Lin. Um 1730–1740.

27 fol. Unbeschrieben f. 1r (leer); f. 21v–27 (nur Lin.). Vor f. 16 sind (wahrscheinlich vor Beschriftung) 2 Bll. herausgeschnitten (Falze). Neuere Foliierung (Bleistift), mit dem jetzigen Bestand übereinstimmend. 17×21 cm. Tab.-Teil: f. 1v–21r. Für 13chörige Laute (bis „*6*"). Am oberen Rand stark beschnitten, daher Überschrift f. 1v am Beginn der Tab. nur z. T. lesbar, erstes Wort: *CONCERTO*, letztes Wort: *Luth. 2.* Weitere Überschriften: f. 1v, 4v, 15v *Luth.2.*; f. 6v *Liut. II*, f. 10v, 12v *Liuto 2;* es handelt sich durchweg um den Part der Zweiten Laute. Als Satzgruppenbezeichnung treten auf: *Sonata* (4) und *Concerto* (2). 1 Schreiber (sorgfältig). Pappband der Zeit mit bunt marmoriert bedrucktem Papier außen beklebt (zwei Lagen übereinander, mit abweichendem Muster), Buchrücken mit braunem Leder verstärkt. Orig. Heftung unversehrt. (Freie Instrumentalsätze, Tänze.)

Literatur: RudénT, S. 8f.

——

Ms. Högre Allmänna Läroverkets musiksamling No. 493, b. Ältere Signatur (Vorderdeckel innen, Tinte): No. 31.

Frz. Git. Tab. 5 Lin., ohne Alfabeto, z. T. mit golpes. Um 1659–1665 (Datierung im wohl gleichzeitigen Tab.-Teil für Tasteninstrument: 1659).

67 fol., zuzüglich 2 Vorsatzbll. (lose mit der orig. Heftung verbunden) und 1 Nachsatzbl. (beide leer). Neuere Foliierung (Bleistift), die Vorsatz- und Nachsatzbll. mitzählend. Unbeschrieben f. 9v–13r, 36v, 38v, 39v, 44v–63r, 67v (leer); f. 37–38r, 39r, 42–44r (nur Lin.). Vor f. 37 ist 1 Bl. herausgerissen (Falz mit Tab.-Resten auf der Vorderseite ist erhalten). 15×19,5 cm. Überwiegend Orgel-Tab. (Datierung: f. 1r beim ersten Satz *Anno 1659. / den 15 April,* dabei gezeichnet *G.D.* [= Gustav Düben] am Satzende [Preludium], f. 17r *16n xbr. / 1659;* in diesem Teil sind an Komponisten außer G. Düben genannt: Joan. Tresor [J.T.], Gustaff Sparr, Gautier, Pinell, Henrecy, Satzbezeichnungen u.a. Tanieck Rusky, La Mardyck, Gauott D'angu, f. 63v–67r rückwärts laufende, kopfstehende Beschriftung [mit 4 bezeichneten Psalmsätzen Ps. 42, 25, 130, 119]). Gew. Notenschrift fehlend. Tab.-Teil für 5saitige Gitarre: f. 40–41 (insgesamt 4 bezeichnete Sätze); rhythmische Zeichen z. T. nur als golpes innerhalb des Lin.-Systems. 1 Schreiber (flüchtig), nicht identisch mit dem

exakter notierenden Schreiber des Orgeltab.-Teils. Aus der Sammlung Gustav Düben (Hofkapellmeister und Organist an der Dt. Kirche St. Gertraudis in Stockholm). F. 1–14 und 2 Vorsatzbll. z. T. zerstört (Rattenfraß). Pergamentband der Zeit. Rückdeckel außen (Tinte, verblaßt, dem Buchrücken parallel): *14 Musicalisca* . . . (Tänze.)

Literatur: RudénM, S. 51 f. Im hs. *Katalog öfver Musikalier m. m. tillhörande Skara högre allmänna läroverk Höstterminen 1892* nur der Hinweis: *Florabella musicarum Allemanden* . . ; RudénT, S. 9.

ŠKOFJA LOKA (Bischoflack), Kapucinski Samostan (Kapuziner-Kloster)

Ms. Nr. 5.

Frz. Lt. Tab. 6 Lin. Um 1720.

1 fol. beiderseits beschrieben, 16,5 × 19,5 cm, lose in einem Konvolut (neben weiteren 9 losen Bll.), dessen Format abweicht (19,5×16,5 cm): 51 orig. geheftete fol., zuzüglich 1 Vorsatzbl. (leer), neuere Paginierung (Bleistift). Das Konvolut zeigt Vorderdeckel außen die Beschriftung (Tinte): *Der Herrschafft / Lager Casten Vrbarium / Auf daß 1689 : 90 : 91 : / 92 : 93 : 94 : et 95 / Jahr*, ferner Titel f. 2r *Pro Notitia futuri Saeculi. / Processionis in die Parasceues.* Es handelt sich um einen Prozessionsbericht für den Ort Škofja Loka (dt. Bischoflack, Lack, Lakh); slowen., lat., dt. Texte mit Daten: *9. aprila 1715; 1721.* Das Einzelbl. mit Tab. dürfte aus dem Klosterbereich stammen. 1 Schreiber. Für 11chörige Laute. Korrekturen von gleicher Hand. Orig. Numerierung der Sätze (Ziffern *4* und *5*). Das Volumen mit Pergament-Einband der Zeit, Rücken abgeblättert. (Tänze.)

Literatur: Fehlend. Ein kurzer Hinweis findet sich bei MantuaniP, S. 10; CvetkoZ, S. 268.

SKOKLOSTER, Slotts Biblioteket

Ms. ohne Signatur, hier: *Ms. A.* Ältere Signatur (Vorderdeckel innen, Rotstift, um 1725 durch den Bibliothekar der Sammlung): 2130. Alte Signatur (Buchrücken, Etikett, Tinte stark verblaßt): 25.

Frz. Lt. Tab. 6 Lin. Um 1620–1625; Datierung 1620.

197 fol. Unbeschrieben f. 1v–9r, 45v–102r, 178–197 (leer). Vor f. 45 ist 1 Bl. herausgerissen (vor der orig. Beschriftung). 11×19,5 cm. Tab.-Teil: f. 9v–38, 39v–45r. Für 10chörige Laute. Korrekturen: f. 14r, 22r etc. Besitzvermerk: f. 1r *Fiducia et Spe / verum decus in virtute positum / Petrus Brahe C.D. / W 1 jan. Ao: 1620 / Gießae.* Stimmanweisungen: f. 9v in schwed. für 10chöriges Instrument *vå Luthan v Kordelen*, ferner lat. *Claves*. Gew. Notenschrift f. 38v. Gedichtbeigaben: ital. f. 39r, dt. f. 108–111r (Überschrift *More Palatino*, 1. Strophe *Hörtt an* . . .), 111v–114 (Überschrift *Ein schon liedt*), 175v–177 (1. Strophe *Gantz Matt vnnd müth von Reyßen vil* . . .), schwed. f. 102v–107, 115–175r (mit Überschriften und Numerierung der Strophen). 1 Schreiber (unterschiedliche Tinte, wohl Eintragungen in größerem Zeitraum). Perga-

mentband der Zeit mit reicher Blindpressung auf Deckeln und Buchrücken, jedoch ohne Monogramm; Schnitt mit Muster. (Freie Instrumentalsätze, Tänze, dt. und schwed. Liedsätze, lat. Motetten.)

Literatur: WolfH II, S. 105; BoetticherL, S. 354 [32] (*Ms. Sko*); RudénB, S. 11; RudénT, S. 13; RollinV, S. XXIII.

——

Ms. ohne Signatur, hier: *Ms. B.* Ältere Signatur (f. 1r, Rotstift, um 1725 durch den Bibliothekar der Sammlung): 2245. Eine alte Signatur wie im vorgenannten Ms. A fehlt.

Frz. Lt. Tab. 6 Lin. Um 1622; Datierung 1622.

38 fol. Unbeschrieben f. 9r, 15–35r (leer). Vor f. 1 sind nach der Beschriftung mehrere Bll. herausgerissen, der Tab.-Teil in der erhaltenen Fassung beginnt mit dem Schluß eines Satzes. Am Ende des Volumens dürften keine Bll. entfernt worden sein, da frische Tinteneintragungen auf der Innenseite des Rückdeckels, die durch die Datierung festliegen, auf die letzte Seite gekleckst sind. 12×17 cm. Tab.-Teil: f. 1–8, 9v–14, 35v–38. Für 10chörige Laute. F. 35v–38 abweichend rote Rastrierung mit engerem Lin.-Abstand. Vorderdeckel innen Datierung (flüchtig) *1622* inmitten von vielen gekritzelten Worten von verschiedener Hand, erkennbar ist: *Lucas* (mehrmals), *Wittenber*[gensis], . . .*all bin ich. . .*, *Johanneß*, . . .*ist bey. . .*, neben Federübungen; Rückdeckel innen: *Lucas Beckman Wittebergensis*, *Anna Elisabeth*, *Anna Beckm*[an], *Anno 1622* (dreimal), *Beckman*, auch kopfstehende Beschriftung mit dt. und frz. Liedincipits bzw. dessen Fragmenten (*Si fortune*, . . .*tourmente*) neben Federübungen. 2 Schreiber des Tab.-Teils. Dunkelbrauner Lederband der Zeit mit reicher Goldpressung, Vorder- und Rückdeckel mit eingepreßter Rosette und *CANTO*. Schnitt bunt bespritzt. Zur Zeit ist der Buchrücken vom Faszikelblock gänzlich gelöst; die orig. Heftung unversehrt. (Freie Instrumentalsätze, Tänze, dt. Liedsätze.)

Literatur: Fehlend. Das Ms., das um 1725 vom Bibliothekar der Sammlung registriert wurde, ist in dem hs. Katalog (um 1835) nicht mehr erwähnt und erst bei der Revision der Magazine durch den Herausgeber wieder ermittelt worden (1969).

ehemals SORAU (seit 1945: Zary), BIBLIOTHEK DER MARIENKIRCHE UNSERE LIEBEN FRAUEN

Neuer Aufbewahrungsort zur Zeit nicht nachgewiesen.
Aufnahme durch den Herausgeber 1942.

Druck Signatur Nr. 538.
Handschriftlicher Anhang an Drucke P. Certon-G. Morlaye, *Premier livre de psalmes*, Paris 1554 und A. le Roy, *Livre de tablature sur le luth*, Paris 1562.

Frz. Lt. Tab. 6 Lin. Um 1565–1570.

3 fol. an Druck A. le Roy anschließend. Alle Seiten mit Lt. Tab. beschrieben. obl.-12°. Für 6chörige Laute. Im Druck Certon-Morlaye hs. Eintragung eines

lat. Huldigungsgedichtes *Testude Joannis Kosmvsky*. Vorderdeckel innen zeitgenössischer Vermerk, daß ein frz. Aristokrat das Volumen nach Polen gebracht habe. Von dort aus dürfte es in den Besitz eines Vorfahren des Reichsgrafen Balthasar Erdmann von Promnitz gelangt sein, der freundschaftliche Beziehungen zu polnischen Adligen unterhielt. B. E. v. Promnitz verstarb 1703. F. 3v des Tab.-Teils poln. Spottgedicht auf einen alten Mann, der eine junge Frau ehelicht. 1 Schreiber (wohl Pole). Schweinslederband der Zeit, Vorderdeckel eingepreßt *1566* und *ANDREAS BELENCZI*. Innen Bildnis *Joannes Fridericus elector dux saxo*. (Freie Instrumentalsätze, ital. Madrigale, dt. Liedbearbeitungen.)

Literatur: Fehlend (Hinweis WolfH II, S. 105, unter falscher Sign. *536*). Beschreibung auf Grund Autopsie BoetticherL, S. 346 [24] (*Ms. So 538*). Tischer-BurchardS fehlend.

——

Neuer Aufbewahrungsort zur Zeit nicht nachgewiesen.
Aufnahme durch den Herausgeber 1942.

Druck Signatur Nr. 539.

Handschriftlicher Anhang an Drucke Gardanes, Venedig 1546, 1547 (s. u.).

Ital. Lt. Tab. 6 Lin. Um 1550–1570.

21 fol. 38 mit Lt. Tab. beschriebene Seiten. obl.-12°. Für 6chörige Laute. Es handelt sich um ein Konvolut von 8 Drucken Gardanes mit Lt. Tab., nämlich: S. Gintzler (*Libro I*) 1547, F. Vindella (*Libro I*) 1546, Fr. da Milano (*Libro I*) 1546, Fr. da Milano-Perino Fiorentino (*Libro III*) 1547, J. M. da Crema (*Libro I*) 1546, M.-A. de Pifaro (*Libro I*) 1546, D. Bianchini (*Libro I*) 1546, A. Rotta (*Libro I*) 1546. Als 9. Faszikel erscheint der hs. Anhang. Besitzvermerk auf Deckel: *Cavaliero maestro di Roma*. F. 2r *Instructio tradens eiusmodi Tabellatura intelligentiam, qvoad tactum Testudinis . . .*, eine in 3 Regeln lat. und poln. abgefaßte Anleitung zum Übertragen eines Satzes in ital. und dt. Lt. Tab. Aus dem Nachlaß des Reichsgrafen Balthasar Erdmann von Promnitz († 1703) (vgl. vorgenanntes Ms.). 1 Schreiber (wohl Pole). Schweinslederband der Zeit. (Freie Instrumentalsätze, Tänze, poln. Psalmvertonungen.)

Literatur: Fehlend. Hinweis ohne nähere Angaben Tischer-Burchard, S. 159, WolfH II, S. 105. Eine Beschreibung auf Grund Autopsie bei BoetticherL, S. 344 [22] (*Ms. So 539*), S. 151, 156 Beispiel in Übertragung von *Vna Tocada*. Ferner BoetticherHe, S. 14.

——

Neuer Aufbewahrungsort zur Zeit nicht nachgewiesen.
Aufnahme durch den Herausgeber 1942.

Druck Signatur Nr. 1200.

Handschriftlicher Anhang an Druck W.C.Printz, *Kurzer Bericht, wie man einen jungen Knaben könnte singen lehren*, Zittau 1666. Nachgeheftet ist der Druck W.C. Printz, *Compendium musicae*, Guben 1668.

Frz. Lt. Tab. 6 Lin. Um 1670–1680.

3 fol. Unbeschrieben f. 3v. 8°. Tab.-Teil: f. 1–3r. F. 1r Traktat, überschr.: *Wie man auf der Lauten soll lernen sowohl nach der Tabulatur als General Baß spielen.* Der Schreiber (auch des Tab.-Teils) zeichnet als *Fogan Nusdmir.* Mit Abb. das Lautenkragens und der Bundpositionen. 1 Schreiber. Aus dem Nachlaß des Reichsgrafen B. E. v. Promnitz (s.o.), desser Sorauer Kapelle W. C. Printz vorstand. Brauner Lederband der Zeit.

Literatur: Tischer-Burchard, S. 159.

ehemals STANFORD HALL (Rugby), PRIVATBIBLIOTHEK LORD BRAYE

* Ms. ohne Signatur.

Frz. Lt. Tab. 6 Lin. 1. Drittel des 17. Jh.

Ca. 35 fol. Der Verfasser konnte 1968 in Stanford Hall und durch Nachforschungen an anderen Orten über den Verbleib des Ms. nichts ermitteln. Eine zweite Hs. der Sammlung Lord Braye gelangte nach 1955 in den Besitz der Univ. Libr. Yale (s. d.). Die einzige Beschreibung ist geboten in: Anonym, *Historical Manuscript Commission, Xth Report, Appendix, Part I*, London 1887, S. 108. Als Komponisten sind in dem Ms. *Johnson, Allison, Holborne, R. Dowland, T. Robinson* genannt. Das Ms. war auch LumsdenE I, S. 28 und WardSB, S. 31 nicht zugänglich. (Freie Instrumentalsätze, Tänze, engl. Liedsätze, lat. Motetten.)

Literatur: Fehlend. Zu einem weiteren Ms. ehem. Stanford Hall vgl. jüngst Ms. Woodford Green, Privatbibl. R. Spencer, ohne Sign. (III), vgl. S. 367, evtl. identisch.

STOCKHOLM, KUNGLIGA BIBLIOTEKET, HANDSKRIFTSAVDELNINGEN, MUSIKSAMLINGEN

Ms. S. 226.

Dt. Lt. Tab. Um 1544—1560, Datierungen ab 1544.

112 fol., zuzüglich 1 am Rückdeckel angeklebtes Bl. Unbeschrieben f. 8v, 40v–42r, 43v–44v, 45v, 82v, 100v. 12,1×13,8 cm. Ausschließlich Tab. Für 5- und 6chörige Laute. Es handelt sich um eine ziemlich vollständige Kopie der Drucke H. Newsidler, *Ein Newgeordnet künstlich Lautenbuch ...*, Nürnberg 1536 und von demselben, *Das Ander Buch ...*, Nürnberg 1539, bei Umstellung und Ergänzung einiger Sätze. Auch H. Newsidlers *Regelln des Klleyn vnd gering fundament* sind übernommen. Datierung nach den ersten Eintragungen: Rückdeckel, innen aufgeklebtes Blatt *Comparatus Anno á nato Christo. 1544.* Spätere, für die Niederschrift des Ms. nicht verbindliche Datierungen: f. 111v *Anno 1591 in Vigilia 8; ... Scriptu*[m] *in Rytbeholm Suetiae;* f. 45r *Erich Sparr / Sunby 1632.* Zufolge LindgrenL, S. 123 war Sparr ein Enkel von Ebba Sparre, der Tochter Peter Brahes auf Schloß Rydboholm (bei Stockholm), aus deren Kreis die Eintragung *1591* (s. u.) herrührt. Zahlreiche lat. und dt. Sprüche, Gedichte, u. a. f. 109r *Lauten schlagen / mit dürren magen, / thut alle*

Lust veriagen / Lieben vnd nit genießen, / mag dem Teuffel verdrießen. F. 110r *Laudate Dominum in Cytharis, psallite Deo in cantu tubae bene sonantis ...; Vespera nunc venit nobiscum ...; Namq*[ue] *tuum verbum ...* F. 43r *Lectori ... Cum sic in animo ... F.* 42v *Cantica dum multi; ejus habere locum* (mehrmals), Schriftproben, Federübungen f. 42v, 110v, 111r. Ferner die Notiz: *Ferdinand Dei gratia Romanorum imperator* (Ferdinand I. wurde 1556 zum Kaiser gekrönt). F. 111v *Casparus Schaller* (Eintragung neben einem Erinnerungsvers: 29. November 1591). Das Ms. gelangte über die Familie Sparr und deren Nachkomme, Carl G. Tessin (Namenseintragung) in Akerö im frühen 19. Jh. nach Nyköping, der dortige Auditeur Svensson übergab es dann der Kgl. Bibl. Stockholm. Im Tab.-Teil 3 Schreiber: A f. 1–34r, 46–82r, 83–100r, 101–108r mit grünen waagrechten Trennstrichen zwischen den Tab.-Systemen, grüne Satzbezeichnungen in Schönschrift, Tab. schwarz; B f. 34v–40r nur schwarz, flüchtiger; C f. 109v nur schwarz, dickere Feder. B notiert f. 10r, 52v, 53v, 54r, 102v am Rand Varianten zu einzelnen Takten der Tab. des Schreibers A. Dunkelbrauner Lederband der Zeit, Deckel mit reicher Blindpressung, Holzeinlage, Buchrücken stark defekt, von 2 Metallschließen ist die obere noch erhalten. Neue Aufschrift f. 1r *Lute-bok. / Gifven tu Kongl. Bibliotheket / 1846. Febr.* Inliegend Bleistift-Notiz von der Hand Tobias Norlinds (um 1900). Das Ms. besteht ausschließlich aus Pergamentbll. (Freie Instrumentalsätze, Tänze, ital. Madrigal, frz. Chansons, dt. und niederld. Liedsätze, lat. Motette.)

Literatur: BoetticherL, S. 343 [22] (*Ms. Sto 226*); Radecke, S. 318ff.; LindgrenA, S. 465ff.; LindgrenD, S. 147ff.; LindgrenL, S. 121f.; NorlindS, S. 183f.; NorlindSL, S. 5ff.; BoetticherGe, S. 1804.

Ms. S. 253. Ältere Signatur (Buchrücken, rotes Schild): *Riks-Bibliotheket. Stockholm. Handskrifter. Skön Konst Musik N°.*, eine Ziffer fehlt. Vermerk in Tinte f. 1r: Schürer v. Waldheim. Kat.[alog] 104.

Frz. Tab. 4 Lin. für Viola da braccio; Frz. Git. Tab. 5 Lin. Ohne Alfabeto; Frz. Lt. Tab. 6 Lin. Um 1617–1625, Datierungen 1617–1620.

122 fol., zuzüglich 1 Vorsatzbl. (leer). 244 z. T. mit Tab. beschriebene Seiten. 18,9 × 14,8 cm. Überwiegend Aufzeichnung in gew. Notenschrift, neben frz. Texten ein Tanz-Traktat mit Beispielen, Tanzschrift, Ballette, Chansons, Airs. Ein Titel fehlt. F. 68r mehrfach Namenseintragungen und Datierung: *1617, a Brucelle* [à Bruxelles], verschiedene Schreiber, alle frz. Herkunft. Im Tab.-Teil verschiedene Systeme: I. 4 Lin. Frz. Tab. für 4saitige Viola da braccio f. 76v, 77r, Lin. ohne Rastral; II. 5 Lin. Frz. Git. Tab. ohne Alfabeto für 5saitige Gitarre f. 100v, 101r; III. 6 Lin. Frz. Lt. Tab. für 10chörige Laute f. 103r–105r, 106v–113r, 114–116r; Lin. von II und III überwiegend ohne Rastral. Ergänzende Daten außerhalb des Tab.-Teils neben weiteren Namenseintragungen: f. 70r *1620*, ferner *1619, 1620*. Im Tab.-Teil 3 Schreiber, nach I,

II, III getrennt. Hellblauer Pappband der Zeit. (Freie Instrumentalsätze, Tänze, frz. Chanson.)

Literatur: RudénT, S. 8. – Zum nichtintavolierten Teil und dessen Provenienz vgl. P. Brinson, *Background to European Ballett, a notebook from its archives*, Leiden 1966, S. 117f.

——

Ms. ohne Signatur. Übernommen aus Schloß Gripsholm 12. 6. 1867 (zufolge hs. Eingangs-Kat.).

Frz. Lt. Tab. 6 Lin. Um 1640.

2 fol., lose, 4 mit Tab. beschriebene Seiten. 20,2 × 9,8 cm. Für 11chörige Laute. Die beiden Blätter sind eingelegt in das Ms. S. 176, das ausschließlich Aufzeichnungen in Orgel.-Tab. enthält (60 fol., unbeschrieben f. 1–3r, 21v–60, auf buntem Vorsatzbl. alte Sign.: *N°. 97. Gripsholm Bibliotek. Får ej begagnas utom denna Kongl. Borgen* [auf altem gedrucktem Zettel], dunkelbrauner Lederband der Zeit, Deckel außen Goldpressung mit Kgl. Wappen, Buchrücken mit Goldpressung (Leisten]). Die 2 eingelegten Bll. in Lt. Tab. sind als durchaus getrennt zu betrachten, sie entstammen einem anderen Faszikel. 1 Schreiber. Reste einer Heftung nicht sichtbar. (Freier Instrumentalsatz, Tänze.)

Literatur: Fehlend.

STOCKHOLM, Kungl. Musikaliska Akademiens Bibliotek

Ms. Tabulatur N°. 3. Früher Privatbesitz in Westerlösa [Våsterlós] bis 1917, zufolge beiliegendem Brief an C.F. Hennerberg [vom 18. 7. 1917], Bibliothekar der Mus. Akad.

Frz. Lt. Tab. 6 Lin. Um 1693–1700, Datierung 1693 (Deckel).

81 fol., zuzüglich je 1 Vorsatz- und Nachsatzbl. (leer), das erstere zum größten Teil herausgerissen. Unbeschrieben f. 29v, 30r, 39r, 40–56 (z. T. nur mit Lin.). F. 57r schwed. Texte ohne Noten. 7,3 × 20,6 cm. Ausschließlich Tab. Für 6saitige Laute. F. 57v–81 kopfstehend, rückwärts beschriftet. Lin. mit Rastral. 2 Schreiber des Tab.-Teils, beide schwed. Herkunft. Nachsatzbl. Ir Vermerk *1805*. Schwarzbrauner Lederband, Deckel und Buchrücken mit reicher Goldpressung (fast nur noch blind erhalten). Vorderdeckel außen Mitte eingepreßt: *H G;* Rückdeckel eingepreßt: *1693*. (Freie Instrumentalsätze, Tänze, Airs, frz. Chansons, schwed. Liedsätze.)

Literatur: RudénT, S. 8.

STOCKHOLM, Musikhistoriska Museet

Ms. 63/64, A[utograph]. 2. (neuere Signatur, Bleistift, f. 1r).

Frz. Lt. Tab. 6 Lin. Um 1639–1642.

26 fol. Unbeschrieben f. 9v, 10v, 11v, 12–14r, 15, 18 (leer). Orig. Foliierung *2–12*, *23–37*, demnach fehlen die orig. f. 1, 13–22. 31,5 × 20 cm. Tab.-Teil:

f. 21r, 22–23r, 24r (den orig. f. 32r, 33–34r, 35r entsprechend), Beschriftung kopfstehend, ganzseitig (nur f. 24r ist zu $^4/_5$ von Rechnungen ausgefüllt). Es handelt sich um 1 Faszikel aus einem Protokoll- und Rechnungsbuch des *Svea Hofrätt* (Schwed. Hofkanzlei) mit Aufzeichnungen über Ausgaben, Einnahmen, Sachen, z.T. mit Datierungen, letztere treten auf: *1639* f. 1, 2, 4v, 5, 6, 7, 8v, 19v, 20r, 25v; *1636* f. 3, 4r, 6r, 7r, 8r, *1635* f. 6r, 26r, *1640* f. 9r, 17r; *1642* f. 8r, 9r, 20v, 24r; *1641* f. 10r, 14v, 21v, 23v, 24v, 25r; vereinzelt auch *1643*. Streichungen in diesem Aktenteil (Erledigung anzeigend) haben auch im Tab.-Teil gekleckste Striche hinterlassen (von f. 21v auf f. 22r), denen zu entnehmen ist, daß Kanzleibeschriftung und Tab.-Teil ziemlich dem gleichen Zeitraum angehören. Einige Seiten des Tab.-Teils weisen auch Rechnungen auf (mit Daten *1641*, *1640*, *1639*, *1642*). Insgesamt 5 bezeichnete Sätze und 1 unbezeichnetes Fragment (mit Takt 6 abbrechend, dem dann der vollständige Satz in korrigierter Fassung folgt). Für 9chörige Laute. 1 Schreiber. Neuere Numerierung der Sätze nur *1–2*. Einband fehlend. Orig. Heftung unversehrt. (Freie Instrumentalsätze, Tänze.)

Literatur: Fehlend. Hinweis LindgrenD, S. 148; RudénT, S. 14.

STOCKHOLM, Riksarkivet

Ms. Ericsbergarkivet, Nr. 52, Teil c (*Manuscript- och avskriftsamlingen*)

Frz. Git. Tab. 5 Lin. ohne Alfabeto und Frz. Lt. Tab. 5 Lin. Um 1725–1750.

77 fol. Orig. Paginierung *1–29* (korrekt), fehlerhaft weiterzählend *30* (doppelt), *32*, *33*, *35*, abbrechend. Unbeschrieben f. 33r, 77v (leer). 16×20 cm. Tab.-Teile: I. f. 1–21r, 30v, 31r, 32r für 5saitige Gitarre, rhythmische Zeichen im System, 5 Lin.; II. f. 21v–26r für 5chörige Laute bzw. Abkömmling, rhythmische Zeichen über dem System, ohne Köpfe, 5 Lin. Tab. Teil I mit Bogen, x und ,. Gew. Notenschr. f. 26v–30r, 31v, 32v (1stimmig, z. T. durchtextiert). F. 33v–77r kopfstehend, rückwärts beschriftet (frz., ital., schwed. Gedichte und Prosa, ohne Bezug auf die Tab.), Eintragungen: f. 33v *Mademoiselle la Comtesse charlotta / levenhupt la plus belle et plus aimable / et charmente persone que long puis voir . . .*, ibid.: *Ebba Chatarina Cederhielm;* f. 34r *Je suis votre tres humble serventé . . .*, es folgen zwei Namen verkritzelt, Anfangsbuchstabe *E* und *B*. Einige Gedichte sind in frz. und schwed. Fassung notiert (f. 38r, 37v). Zwischen mus. und literar. Teil sind 7 Bll. herausgetrennt (Falze zwischen f. 32, 33). Vereinzelt für 2 Instrumente (f. 22v, 23r), überschr. *Contra dessus.* Wohl kein Tab.-Verlust. Vorschriften *premier*, *double*, *Repetes la premiere partie.* Korrekturen: f. 5r, 16r; Rasuren: f. 19r. Ein *Air* ist f. 22r *de J.A.M.* gezeichnet. 2 Schreiber (fehlerhafte frz. Rechtschreibung), A = Git. Tab., B = Lt. Tab. (dieser wohl zuletzt). Stark abgeschabter hellbrauner Lederband der Zeit, Blindpressung schwarz auf Deckeln und Buchrücken, Vorderdeckel eingepreßt *A.M.L.* Deckelinneres Sigellackreste (2 ehem. aufgeklebte Bll.). Heftung unversehrt (4 Kordelbänder lose). Rückdeckel Schriftproben, zweimal

dan Skiönste filis tänck uppå . . ., ferner (andere Hand) *Cotillion*. (Freie Instrumentalsätze, Tänze, frz., ital. Liedsätze.)

Literatur: Fehlend. Zu den Beständen des Riksarkivet vgl. N.F. Holm und I. Carlsson, *Enskilda arkiv i riksarkivet*, Stockholm 1975 (= Skrifter utgivna av Svenska Riksarkivet 3), S. 7 betr. *Ericsbergarkivet*. Im vervielfältigten Katalog der Eriksberg-Sammlung ist die Tab. nur als *noter* erwähnt.

STOCKHOLM, Stiftelsen Musikkulturens Främjande

Ms. ohne Signatur. – Das Ms. befindet sich z. Z. in der Privatwohnung des Vorstandes der Stiftung, Major a. D. Rudolph Nydahl, Stockholm, Riddargatan 35–37. Nachschrift 1975: Nach Nydahls Tod (1973) ist eine Überführung der Sammlung an anderen Ort vorgesehen (zur Zeit Torstenssohnsgatan 15).

Frz. Lt. Tab. 6 Lin. Anfang des 17. Jh.

67 fol. Unbeschrieben f. 4–64. 14,2 × 16,5 cm. Tab.-Teil f. 1–3. Für 11chörige Laute. 1 Schreiber. Brauner Lederband der Zeit, Buchrücken mit Goldpressung. (Tänze.)

Literatur: Fehlend.

STRASBOURG, Bibliothèque nationale et universitaire

Druck Signatur R. 10. 710. Ältere Signaturen: Bh VI und Bh 14057 sowie 870. (Eintragungen f. 1r).

Handschriftlicher Anhang an Druck J.-B. Besardus, *Isagoge in artem testudinariam . . .*, Augsburg 1617.

Frz. Lt. Tab. 6 Lin. Um 1620–1630.

2 fol. Unbeschrieben f. 2v (leer). Tab.-Teil: f. 1–2r. Für 7- bis 9chörige Laute. Insgesamt 6 Sätze, alle mit Satzbezeichnung. 1 Schreiber. Tinte unterschiedlich, die Niederschrift dürfte in größeren Zeitabständen erfolgt sein. Infolge Beschnitt am Rand ist eine Satzbezeichnung unlesbar. Jüngerer Halbpergamentband, Buchrücken mit älterer Beschriftung mit Namen des Verfassers und Titel des Drucks. Die Fadenheftung ist augenscheinlich unversehrt, so daß ein Tab.-Verlust des hs. Anhangs nicht eingetreten sein dürfte (Beginn mit vollem Satz, letzte Seite leer geblieben). (Tänze, dt. Liedsatz.)

Literatur: BoetticherL, S. 355 [32] (*Ms. Str B*); BoetticherBe, S. 1816. WolfH II, S. 105.

STRASBOURG, Bibliothèque de l'institut de musicologie de l'université

Ms. zur Zeit ohne neue Signatur. Ältere Signaturen: *IV.1.a.32* (Zettel auf Buchrücken, darunter gedruckt *Kurl. Gesellschaft für Literatur u. Kunst*) und *3989* (Vorsatzbl. 1r, Tinte). Die genannte *Kurländische Gesellschaft* befand sich in Riga (Lettland).

Frz. Lt. Tab. 6 Lin. Um 1740–1770 (Datierung Rückdeckel mit Tinte 1740).

60 fol., zuzüglich 1 Vorsatzbl. (f. Iv leer), und 1 Nachsatzbl. (leer). Unbeschrieben f. 40v–48r, 50v, 56r, 57r, 58r, 59r, 60r (nur Lin.); f. 49v, 50r, 51r, 55v, 56v, 57v, 58v, 59v, 60r (leer). 21,5×29 cm. Tab.-Teil: f. 1–40r. In älterer Zeit wurden herausgeschnitten (an den Falzen noch zu bestimmen): 1 Bl. vor f. 41 sowie 22 Bll. nach f. 60. Ein Tab.-Verlust dürfte hierdurch nicht eingetreten sein. Aus dem frühen 19. Jh. stammen eingetragene ital. Worte zum Sprachstudium (f. 48v, 49r); ferner findet sich f. 51v–55r in gew. Notenschrift u. a. 1 Satz von Pixis (Tinte, um 1845). Für 13chörige Laute (bis „*6*"). Bei einer *Allemande* am Schluß der Vermerk: *Volti seq. Cour.* Tonartbezeichnungen bei einigen Sätzen neben dem Satztitel, u. a. bei dem Satz *Harpeg.*[gio] die Angabe: *Dis Dur.* Auch Überschrift: *Partie. pian.*-Vorschriften. 1 Schreiber (sorgfältig). Auf Vorsatzbl. jüngere Eintragungen (Mitte des 19. Jh.): *Lautenbuch*, ferner: *Die Tablatur für die Laute hat / Herr Organist Bartels zugelegt / 1848 / Edr. Trautmann.* Orig. mittelbrauner Lederband mit reicher Goldpressung auf Deckeln und Buchrücken. In der Mitte der Deckel außen dunkleres Leder mit eingepreßten Goldbuchstaben bzw. Ziffern, Vorderdeckel *C. C. V. S.*, Rückdeckel *1. 7. 4. 0.* Goldschnitt. (Freie Instrumentalsätze, Aria, dt. Liedsätze.)

Literatur: Fehlend. Einzelne Sätze aus diesem Ms. teilt PudelkoB mit, ohne die Vorlage zu nennen (nur *Baltisches Lautenbuch*); zufolge Vorwort S. 2 habe Prof. Dr. J. Müller-Blattau 1931 das Ms. entdeckt.

TENBURY WELLS, Worcestershire, St. Michael's College Library

Ms. 340. Im frühen 19. Jh. im Besitz von The Hon. Frederick Lygon. Sodann in der Privatbibliothek von Sir Frederick Ouseley († 1889), der dem St. Michael's College angehörte.

Ital. Lt. Tab. 6 Lin. Um 1590–1600.

90 fol., zuzüglich je 3 Vorsatz- und Nachsatzbll. Unbeschrieben f. 36v, 44r, 71r, 89v–90 (nur Lin.). 24,5×13,5 cm. Tab.-Teil: f. 1–36r, 37–43, 44v–70, 71v–89r. Für 6 chörige Laute. Orig. Foliierung *1–90.* Kein Tab.-Verlust, die Tab. fiel auf den nur liniierten Seiten aus äußeren Gründen fort, dort sind auch keine Satzbezeichnungen vorgesehen. Orig. Index Vorsatzbl. Ir-IIr; Vorsatzbl. IIv nur Lin. für Fortsetzung des Index, der jedoch f. IIr Mitte abgeschlossen ist. Im Index vereinzelt Streichung von Blattzahlen von gleicher Hand (betrifft f. 74, 62); der Index ist vollständig; alfabetisch, in einigen Fällen ist der Komponistenname angefügt. Vorsatzbl. IIIv (jünger, fremde Hand) Verzeichnis der Komponisten. Das Ms. enthält insgesamt 76 Sätze, alle sind mit Satzbezeichnung und Komponistennamen versehen. 1 Schreiber (sehr sorgfältig), wohl *Edward Paston* (vgl. u. zum Einband), der *music master* der Princess (später Queen) Mary war (über diesen vgl. GroveDict 5. Aufl. VI, 1954, S. 589). Wir weisen sein Siegel auf dem Einband von Ms. Royal College of Music (London) *2089* nach (vgl. S. 194). Der Schreiber hat auch die *partes* der

Vokalmodelle genau aufgezeichnet, Vermerke *verte pro secunda parte* (f. 5r etc.); *finis*-Zeichen. Er notiert auch Besonderheiten des Stimmverbands, so f. 54r *Cantiones sequuntur cum duobus superijs*. Satzbezeichnungen in Druckschrift. Rhythmische Zeichen bereits mit Köpfen. Brauner Lederband der Zeit, auf Deckeln eingepreßt die Initialen: *E. P.* Restauration Brit. Mus. London 1921; Heftung unversehrt bei Restauration angetroffen. (Freie Instrumentalsätze, lat. Motetten.)

Literatur: FellowesT, S. 55f. (als *Nr. 340*).

TOKYO, Musashino College of Music, Library; Nerima-ku

Ms. ohne Signatur. (I) Ermittelt 1955 durch Musikantiquariat H. Schneider (s. u.); Vorbesitzer nicht genannt.

Frz. Lt. Tab. 6 Lin. für Theorbe. Um 1675–1680

36 fol. 28 mit Tab. beschriebene Seiten. 18×26 cm. Für 14chörige Theorbe. Überwiegend Suitensätze. *en-redouble*-Vermerke. Als Komponist ist *Mr Otoman* genannt. 1 Schreiber (sorgfältig). Brauner Lederband der Zeit mit reicher Goldpressung auf Deckeln and Buchrücken. (Freie Instrumentalsätze, Tänze.)

Literatur: Fehlend. Hinweis Katalog Schneider 76, S. 40f. (als *Nr. 343*), 1 Faksimile S. 91.

——

Ms. ohne Signatur. (II) Ermittelt 1950 durch Musikantiquariat H. Schneider (s. u.); Vorbesitzer nicht genannt.

Frz. Lt. Tab. 6 Lin. Um 1660–1675.

102 fol. 95 mit Tab. beschriebene Seiten. 13×18 cm. Für 11chörige Laute (bis „*4*"). Satzbezeichnungen seitlich am Rand vertikal. Insgesamt 153 meist unbezeichnete Sätze, die z. T. zu Suiten geordnet sind. Unter den genannten Komponisten überwiegt *Conte de Logi* (*C. L.*). 1 Schreiber (sorgfältig). Brauner Lederband der Zeit mit reicher ornamentaler Blindpressung; seitlich Schließe in Herzmuster, Dreikant-Goldschnitt; Ecken abgestoßen. (Freie Instrumentalsätze, Tänze, Aria.)

Literatur: Fehlend. Hinweis Katalog Schneider 49, S. 12 (als *Nr. 76*), 1 Faksimile S. 77.

TORINO, Biblioteca Nazionale Universitaria

Ms. Fondo Mauro Foà Nr. 9. Alte Signatur (Vorsatzbl. Iv, Tinte): *821 e*, ferner (Buchrücken, Zettel): *99 I*. Früher (Stempel Vorsatzbl. IIr) *Collegio S. Carlo, Borgo S. Martino*. Neuere Aquisitions-Nr.: *180569*.

Ital. Git. Tab. Alfabeto mit Golpes oder über Textzeilen ohne Golpes. Um 1665–1670.

67 fol., zuzüglich 3 Vorsatzbll. (f. I, IIv–III leer) und 1 Nachsatzbl. (leer). Unbeschrieben f. 1v, 7v, 32v–33, 55r, 67v (leer). 24,5×18,5 cm. Tab.-Teile:

I. Nur Alfabeto, große Buchstaben, Golpes unterhalb, ohne Textierung f. 1r, 2–7r, 8–32r; II. nur Alfabeto, große Buchstaben, ohne Golpes, über Textzeilen f. 34r, 35r, 36r, 37r, 38r, 41v, 43r, 44r, 45v, 46r, 47v, 49r, 51r, 52v, 54r, 55v, 56v, 58v, 60r, 62r, 63v, 64r, 65v, 66r. Für 5saitige Gitarre. Fortsetzende Strophen des ital. Textes, ohne Tab.: f. 34v, 35v, 36v, 37v, 38v–41r, 42, 43v, 44v, 45r, 46v, 47r, 48, 49v–50, 51v, 52r, 53, 54v, 56r, 57r–58r, 59, 60v–61, 62v, 63r, 64v, 65r, 66v–67r. F 1r Übersicht des Alfabeto mit ausgeschriebenen Akkorden in Ital. Lt. Tab. 5 Lin., darunter (Schönschrift): *Intauolatura della Chitarra spagn*[uol][a] / *Desiderio Blas.* Große Buchstaben, ferner &, 3 und 𝔛. Vorsatzbl. IIr (Tinte): *Addi p*^{m} *agosto* (stark gekritzelt), darunter sauber: *Adi p.*^{mo} *Agosto.* D. Blas war wohl Intavolator und Besitzer des Volumens. Jahreszahl fehlt. 1 Schreiber (sorgfältig). Orig. Pergamentband, Heftung unversehrt. Schmutzbll. der Zeit, mit rotbraunem Blumenmuster bedruckt. Vorderdeckel innen Exlibris: *In memoria di Mauro Foà. I. Genitori.* (Freie Instrumentalsätze, Tänze, ital. Liedsätze.)

Literatur: Kirkendale, S. 82; Gentili, S. 48; GentiliC, S. 405.

—

Riserva musica IV, 43/2. Alte Sign. (Vorsatzbl. vom Druck Iv, Tinte): *q.*^{m} *IV. 76*, dann korrigiert gemäß jüngerer Sign. (Vorderdeckel innen, Zettel, Tinte): *q.*^{m} *VI. 84.* Alter Bestand (*Regia Biblioteca dell' Università*).

Handschriftlicher Anhang an Druck F. Orso da Celano, *Il primo libro de' madrigali . . . nvovamente posti in luce da Claudio da Coreggio, a cinque voci*, Venedig 1567 (kompl.).

Ital. Lt. Tab. 6 Lin. Um 1590–1605.

47 fol., zuzüglich 1 Vorsatzbl. (= Titelbl. des Anh.), 1 Nachsatzbl. (leer). Unbeschrieben f. 15v (nur Lin.). Vorsatzbl. abweichend vom Druckformat 14×19 cm. Lin. vorgedruckt (ohne Angabe der Offizin). Tab.-Teil: 1–15r, 16–47 (f. 47v nur Fragment). Für 6chörige Laute. Vor f. 9 1 Bl., vor f. 42 3 Bll. herausgerissen (kein Tab.-Verlust). Ergänzungen, Streichungen: f. 19v; 3r, 6v, 16r, 18r, 28v. Fingersatz: 1 Pkt. Rhythmische Zeichen durchweg bereits mit Köpfen. *finis*-Vermerke (Schreiber B). Titel: *Ill*[ustrissi]^{mo} / *et molto R*[everendis]*s*[i]^{mo} / *Il Commend*^{re} / *Don Annibal Caro.* In Seitenmitte Wappen (Schild, Totenkopf, Leiter), Schriftproben: *Il Com.*^{re}; *p*[ro] *nobis; xpus passus est; fem*[m]*e qui prent elle se vent* / *fem*[m]*e qui don*[n]*e elle s'abandon*[n]*e* / *fem*[m]*e qui veult soy convuz* / *Tarder elle ne doibt prendre*; das Inzipit erneut, keine Namen. Stimmregel in Tab. f. 47r *vnison* und *otaue* (Schreiber A, 6chörig). 2 Schreiber: A (unterschiedliche Tinte, frz. fehlerhaft) Hauptteil, B nur f.17v, 32r, 35v, 46v, 47r, möglicherweise 10–15 Jahre später. Sätze z. T. durchtextiert, ohne gew. Notenschrift. Brauner Lederband der Zeit, Buch-

rücken defekt, mit rotem Schild *ORSO / MUSI*, Schnitt rot bespritzt. (Freie Instrumentalsätze, Tänze, frz. und ital. Liedsätze.)

Literatur: Fehlend. (A. Cimbro, *Catalogo delle opere musicali . . ., città di Torino, R. Biblioteca Nazionale, Serie XII*, Parma 1928, S. 21, führt nur den Druck *Ris. mus. IV, 43*; BoetticherLZ non est, obschon *O. di Lasso* namentlich im Ms. geführt.)

TORUŃ (Thorn), BIBLIOTEKA WOJEWÓDZKA KSIĄŻNICA MIEJSKA IM. M. KOPERNIKA (Stadtbibliothek), *Handschriftenabteilung*

Ms. J 4° 34² – 102682. Früher Gymnasialbibl. Thorn, Sign. unverändert. Die Bibl. des 1594 gegründeten Gymnasiums wurde 1923 in die Stadtbibl. überführt. Angebunden ist der Druck S. L. Kärgel, D. J. Lais, *Toppel Cythar*, Straßburg 1578 und das Ms. D. Sammenhammer, *Volgen welsche Galliarden vnd Passamezzo auch schöne Tänze . . .*

Ital. Lt. Tab. 4 Lin. für Cister. Um 1590. Datierung 1590.

59 fol. Unbeschrieben f. 1v, 55–59 (nur Lin.). 15×19 cm. Tab.-Teil: f. 2–54. Für 4chörige Cister (Citter). Auf dem obersten Chor maximale Bundfortschreitung bis „*15*“ (f. 17v, 33r, 44r etc.). Keine gew. Notenschrift. Titel: f. 1r *Schone Psalm vnd Geistliche Lieder / auf der Cither, Zue schlagen / abgesatzt auß des Lobwassers / Psalterio. / Von / Dauid Sammenhammer Olsnensi / Zue Kemnitz im / M.D.LXXXX Jahre.* Am Ende des Tab.-Teils: f. 54v unten *Vollendet den 7 Augusti / Im 1590 Jahr. Zu*[e] *Kemnitz / Dauid Sammenhammer Ol*[s]*nensis.* Ausschließlich Psalmsätze nach ihrer Numerierung, Textinzipit lat., f. 2r, 2v, 5v, 8r auch dt. 5 Systeme pro Seite. Maximal 4stimmig, meist 1stimmig mit akkordischem Schluß. Beischrift: f. 31v, 37r, 38r, 43v *Tenor. finis*-Vermerke. Rhythmische Zeichen ohne Köpfe. 1 Schreiber (Sammenhammer), sorgfältig. Vorlage: A. Lobwasser, *Der Psalter . . . Davids, in deutsche Reime verständlich . . . gebracht . . Und hierüber . . . seine zugehörigen vier Stimmen*, Leipzig 1573. Vermerk im Satz: f. 19v *NB deest.* Heller, abgeschabter Pergamentband der Zeit, Buchrücken defekt. (Psalmsätze, bis 4stimmig, streckenweise 1stimmig, alle bezeichnet.)

Literatur: Fehlend. Hinweis WolfH II, S. 146; TylerC, S. 25ff. Mikrofilm im Besitz des Verf.

TRENTO, BIBLIOTECA COMUNALE

Ms. 1947, No. 5. Alte Sign. (Etikett f. 41v): *396*, ferner: *Musica No. 5.* Alter Bestand der Stadtbibl. Trient.

Ital. Lt. Tab. für Laute und Theorbe. 6 Lin. 1. Drittel des 17. Jh.

41 fol. Orig. Foliierung (Tinte) *5–24*, *30–48*; die Foliierung *4* ist abgeblättert, von den Foliierungen *47*, *48* ist nur die erste Ziffer erhalten. Demnach fehlen die orig. Bll. 1–3. Zwischen den orig. foliierten Bll. *24* und *30* müssen 5 Bll. in Verlust geraten sein, doch ist nur 1 Falz sichtbar. F. *4*, *41* sind lose, der übrige Faszikel wird von unversehrtem Faden zusammengehalten. Unbeschrieben

f. 9v, 21v, 22v–41 (nur Lin.). 33×23,5 cm. Vorgedruckte Lin., ohne Angabe der Offizin. Tab.-Teil: f. 1–9r, 10–21r, 22r; überwiegend für 6- und 7chörige Laute, f. 22r für Theorbe (bis *X*, *XI*). F. 13r am oberen Rand nicht auf den Inhalt bezügliche Eintragung (*Formagio*, ein weiteres Wort gestrichen). Flüchtige Notierung, orig. Streichungen f. 1r, 1v, 3v, 5r, 6v, 8r, 10r, 18v, 22r. 2 Schreiber (B nur f. 22r). Einband fehlt. (Freie Instrumentalsätze, Tänze, ital. Madrigale.)

Literatur: LunelliT, S. 287ff., S. 288f. mit 2 Faksimiles; LunelliM, S. 102ff., S. 104 mit 1 Faksimile (mit vorgenanntem identisch).

TUTZING (Oberbayern), Musikantiquariat Hans Schneider

Ms. ohne Signatur. 1975 vom Verf. als loses Bl. in Druck F. Corbet, *La Guitare Royalle*, Paris s. a. (Privileg 1670), ermittelt.

Frz. Git. Tab. 5 Lin. Ohne Alfabeto. Um 1680–1695.

1 fol. 14,5×16,5 cm. Tab.-Teil: f. 1r, 1v. Für 5saitige Gitarre. Rhythmische Zeichen bei punteado über dem System, bei Akkorden im System auf- und abwärts kaudiert. Sonderzeichen: *x* vor, ‖ nach Tab.-Zeichen. F. 1v Satzschluß (Lin. frei), f. 1r Satzbeginn, mithin wohl nicht Fragment eines Faszikels. 2 Schreiber (A f. 1r 3, 2 Systeme; B f. 1r 2, 8 Systeme, f. 1v 6 Systeme); B blassere Tinte, wahrscheinlich erst 1695. Keine Heftungsreste am Rand. (Freie Instrumentalsätze, Tänze.)

Literatur: Fehlend.

ehemals TUTZING (Oberbayern), Musikantiquariat Hans Schneider

Ms. ohne Signatur. Früher Privatbibliothek A. Bottée de Toulmon, Paris; nach dessen Tod (1850) Privatbibliothek F. Chrysander, Hamburg-Bergedorf; nach dessen Tod (1901) wechselnd in Privatbesitz. Gegenwärtiger Besitzer nicht nachgewiesen.

Frz. Lt. Tab. 6 Lin. für Theorbe. Um 1680.

53 fol., alle S. beschrieben. 13×21 cm. Es handelt sich um einen Traktat des Theorben-Spiels mit zahlreichen intavolierten Beispielen. Für 14chörige Theorbe. Überschr. von Abschnitten: f. 1r *Introduzioni a Note Con Terza Maggiore, e con Terza Minore di cadenze*; f. 48v *Accompagnati. Sopra quasi uoglia Note con ogni accidenti, et in quante forme, modi, e maniere possino trouarsi e formarsi sopra La Tassatura di Tiorba. Con Risolutione di Settime e Seste legate et unite.* 1 Schreiber. F. 1r Stempel *Bibliothèque Bottée de Toulmon.* F. 4 am Rand defekt. Brauner Lederband der Zeit, Goldpressung, ital. Provenienz, Buchrücken restauriert, Heftung beeinträchtigt. (Freie Instrumentalsätze, Tänze, unbezeichnete Beispiele eines Traktats.)

Literatur: Fehlend. Hinweis WolfH II, S. 114ff.; BoetticherL, S. 369 [45] (*Ms. Berg*); geführt in Katalog Schneider 54, S. 22f. (als *Nr. 91*).

UPPSALA, Universitetsbiblioteket, Handskriftsavdelningen, Musiksamlingen

Ms. Instr. musik i h. 8: 3 b.

Frz. Lt. Tab. 6 Lin. Um 1640.

1 fol., lose. 2 mit Tab. beschriebene Seiten. 16,4×20,3 cm. Für 10chörige Laute. 6 Lin. gedruckt, ohne Angabe de Offizin; z. T. am Zeilenende Lin. hs. verlängert. 1 Schreiber (sorgfältig). Das Blatt ist stark beschnitten, keine Reste der Heftung. (Keine Satzbezeichnungen, Überschrift: Suitte.)

Literatur: Fehlend.

——

Ms. Instr. musik i h. 20: 13.

Frz. Lt. Tab. 6 Lin. Um 1730–1740.

4 fol., lose, f. 1 und 2 noch lose mit altem Faden verbunden. Unbeschrieben f. 4v. 19,8×32,3 cm. Tab.-Teil: f. 1–4r. Überwiegend für 11chörige, vereinzelt für 13chörige Laute. Die Anordnung der Sätze verrät, daß es sich um den Rest eines größeren Faszikels handelt. 6 Lin. gedruckt, ohne Angabe der Offizin. 1 Schreiber (sorgfältig). (Freie Instrumentalsätze, Tänze.)

Literatur: Fehlend.

——

Ms. Instr. musik i h. 412.

Frz. Lt. Tab. 6 Lin. Ende des 16. Jh.

36 fol. 72 mit Tab. beschriebene Seiten. 21,8×31,8 cm. Für 6saitige Laute. Korrekturen von fremder Hand, abweichende Tinte: f. 12r etc. Die Blätter sind stark zerfallen, in neuerer Zeit restauriert und auf stützendes Papier geklebt. Ohne Aufzeichnung in gew. Notenschrift. 2 Schreiber. Jüngerer Halblederband, Ecken mit Leder verstärkt. (Freie Instrumentalsätze, Tänze, ital. Madrigale, frz. Chansons, lat. Motetten.)

Literatur: Fehlend.

——

Ms. Vokalmusik i h. 76: b.

Frz. Lt. Tab. 5 Lin. Um 1570–1590.

166 fol. Unbeschrieben f. 1–2r, 163–166 (leer). 27×19 cm. Meist in gew. Notenschrift, Anordnung der Stimmen in Chorbuchform, Durchtextierung, Incipits und auch ohne Text. Neuere Bleistift-Foliierung. Tab.-Teil 5 Lin. (nur z. T. mit Rastral), Tinte stark verblaßt, auf f. 3r, 13v–14, 50r, 60v, 61r, 62r, 86v, 87r, 108v, 109r, 110–112r, 128v, 142v–145, 146v–162. Sätze z. T. kopfstehend, rückwärts notiert. 2 Hauptschreiber: A f. 3r, 13v–14, 60v, 61r,

109r; B f. 62r, 86v, 87r etc. (s. oben). Für 5- und (überwiegend) 6saitige Laute. Rückdeckel innen: *Thomas Gillecon*, analog Vorderdeckel innen: *T. Gillesson . . . possessor.* Das Repertoire der Teile in gew. Notenstr. älter. F. 160v Vermerk: *frottole / lib. 3. fol. / 31. v*[ers]*o*. Kopfstehende Notierung f. 154–157r. Dunkelbrauner, außen gut erhaltener Lederband, Deckel und Buchrücken mit reicher originaler Blindpressung; Buchrücken mit neuerer Goldpressung der Sign. (Freie Instrumentalsätze, ital. Madrigale, frz. Chansons, dt. Liedsatz, span. Villancicos, lat. Motetten.)

Literatur: Fehlend.

Ms. Vokalmusik i h. 76: c.

Frz. Lt. Tab. 5 Lin. Um 1570–1585, Teile (Partiturversuche) um 1600.

157 fol. 27,8×19,7 cm. Überwiegend Aufzeichnung in gew. Notenschrift, Anordnung der Stimmen in Chorbuchform, Durchtextierung, Incipits und auch ohne Text, Analogie zu Ms. 76: b. Tab.-Teil mit 5 Lin. (nur z. T. mit Rastral), Tinte stark verblaßt, auf f. 1r, 36v, 58v–60r, 100r–113r, 114v, 115r, 129v–132v, 135–136r, 139r–142v, 144r, 148r–149, 150v, 151r, 152v–157. Für 5- und (überwiegend) 6saitige Laute. Sätze z. T. kopfstehend, rückwärts notiert. 1 Schreiber: A von Ms. 76: b. F. 141v: *Fin de la chaualiere.* F. 100v Versuche, eine Vokalvorlage in Tab. abzusetzen, wobei jede Stimme in besonderem Tab.-System erscheint, Bezeichnung: *Alt*[us], *tenor* etc. Dunkelbrauner, außen stark abgeschabter Lederband, Deckel und Buchrücken mit reicher Blindpressung. (Ital. Madrigale, frz. Chansons, lat. Motetten.)

Literatur: Fehlend.

Ms. Vocalmusik i h. 87.

Ital., vereinzelt frz. Lt. Tab. 6 Lin. Um 1560–1570.

68 fol. Unbeschrieben f. 40v, 41r, 45–51r, 61–62. Orig. fol. 46, 48, 57, 64, entfernt. 30×20 cm. Tab.-Teile: I. Frz. Lt. Tab. f. 1r, 44v; II. Ital. Lt. Tab. f. 1v–40r, 41v–44r, 51v–60, 63–68. Für 6chörige Laute. Ohne Daten und Herkunftsangaben. Papier frz. Provenienz aus der Mitte des 16. Jh. Vorderdeckel innen sehr flüchtig beschriftet, lesbar 3 Zeilen Text des Ps. 115 in frz. („*Non poinct a nous* [o] *Seigneur . . .*"). Die ersten 19 Sätze sind mit Initialen geschmückt, für die der Intavolator den Raum freiließ. Ohne orig. Numerierung der Sätze. Orig. Beischriften: f. 32r *per cantare el tenore*, f. 40r *manca la seconda parte*, f. 14r nach einem Satz: *divina*, f. 11v nach einem Satz: *perfetta*. Überwiegend Schönschrift, 1 Hauptschreiber. 8 kleine Lederfalze sind an den Seitenrändern erhalten. Starke Gebrauchsspuren. Pergamentband der Zeit. Jüngeres Etikett: *Codex Carminum Gallicorum.* – Moderne Numerierung aller

Sätze: 1–180. (Freie Instrumentalsätze, ital. Madrigale bzw. Villanellen, frz. Chansons, lat. Motetten.)

Literatur: Hambraeus, S. 7ff.; SlimM, 1965, S. 110ff., 126; Blum, S. 133; Cohen, S. 399ff. Faksimiles bei Hambraeus a.a.O.

VALENCIENNES, BIBLIOTHÈQUE MUNICIPALE

Ms. 429.

Frz. Lt. Tab. 6 Lin. Um 1600; mehrere Datierungen (auch im nicht intavolierten Teil des Ms.), älteste 1586, jüngste 1601 bzw. 1602; Tab.-Teil: 1597–1602.

350 fol. Teilweise orig. Paginierung und Foliierung. Mehrere Bll. sind seit langem herausgetrennt (s. u.). Fast alle Seiten beschrieben, überwiegend in gew. Notenschrift. 20,5 × 15,8 cm. Tab.-Teile: f. 2v, 4–10, 12v, 39–49, 340v–343, 347r, 348r, 350r. Für 7chörige Laute. Titel: f. 1v *Libvre de Musicque. Libvre tout escrit de ma propre main appertient à moy, Charles Syre et Duc de Croy et d'Arschot.* Es folgen einzelne persönliche Angaben über den Schreiber, am Schluß datiert f. 2v 1. Jan. 1601 (Birkner, S. 18 rechnet aufgrund der vorausgehenden Angaben mit einem Schreibfehler, es muß *1602* heißen). Dedikation: f. 3r *A Madame Dorothée duchesse de Croy et d'Arschot, ma femme*, gezeichnet von Charles sire et duc de Croy et d'Arschot. Fortschreitende Datierungen der intavolierten Sätze: f. 2v, 4–9r, 10r 7.–20. April, f. 10v, 11v 21., 22., 23. April, f. 12r oben *1592*, nach 5 Strophen einer Chanson (*Baiser tu m'as*) gezeichnet *Philippes de Croy Duc d'Arschot*, am gleichen Ort der Namenszug des duc *Charles* mit Datum *De l'onziesme de janvier 1598.* F. 77r jüngere Eintragung: *Cecy est à M. le Marquis de Moll.* F. 162r Titel: *Livre de chansons escry de la main du Prince de Chymay et appertenant à yceluy*, mit Datum *1586* und Namenszug *Croy.* F. 340r Titel: *Libvre de tabelature contenant tous les hymnes et pseaumes des heures de Nostre Dame, Composées et mis en tabelature par moy Charles, Syre et Duc de Croy et d'Arschot.* F. 331–339 orig. Index für den Teil f. 163–330, überschrieben: *Table des chansons du présent libvre* (alfabetisch, mit *fol.*-Angaben, zusätzliche Ziffern vor den Incipits sind nicht näher zu bestimmen). Es handelt sich um mehrere Faszikel abweichenden Alters, die in jüngerer Zeit zusammengebunden wurden: I. f. 162–330 (alte Foliierung *1–168*) und f. 331–339 (ohne Foliierung) = um 1586; II. f. 54–161 (vor f. 54 fehlen mehrere Bll., die u. a. wahrscheinlich die Überschrift zu diesem Teil des Ms. enthielten) = um 1590; III. f. 1–39, vor f. 12, 14, 15, 30 und 34 fehlen mehrere Bll.) = wahrscheinlich April 1597, jedoch z. T. ergänzt und mit Überschriften versehen Anfang 1602, gemäß der Datierung f. 1v (s. o.); IV. f. 340–350r ohne Datierungen, der Faszikel muß, da das Herzogtum Croy erst 1598 bestätigt wurde, das Ms. aber mit Duc de Croy gezeichnet ist, nach 1598 geschrieben worden sein (um 1599–1602). Der Faszikel IV, ausschließlich geistliche lat. Sätze in Lt. Tab. enthaltend, dürfte eine Kopie aus einer älteren

intavolierten Hs. sein, zumal eine Übereinstimmung mit Sätzen gleicher Herkunft f. 39v–41 auffällt. Als obere Grenze ist für das Ms. 1602 (abschließende Redaktion) geboten. Mindestens 4 Schreiber, Hauptschreiber (auch des Tab.-Teils) Charles, duc de Croy. Texte zu den intavolierten Sätzen z. T. von abweichender Hand. Pergamentband der Zeit. (Frz. Chansons, lat. Motetten.)

Literatur: Mangeart, S. 664f. (*Nr. 409*); Catalogue France XXV, S. 381f.; Birkner, S. 18ff., 2 Faksimiles (von f. 7r, 40r) nach S. 32. Der *Catalogus universalis . . . D. Ducis Croy et Archotani . . .*, Brüssel 19. August 1614, ist als Unikum in Löwen, Bibl. de l'université, im I. Weltkrieg verbrannt; Hinweise auf diese Quelle enthält E. van Even, *Notice sur la bibliothèque de Charles de Croy, duc d'Arschot (1614)*, Brüssel 1852. Zum Schreiber vgl. ferner M. de Villermont, *Le duc Charles de Croy et d'Arschot et ses femmes . . .*, Brüssel-Paris-Tamines 1923, S. 14ff. und S. de Reiffenberg, *Mémoires autographes du Duc Charles de Croy*, Brüssel-Leipzig 1845 (= Publications de la société des Bibliophiles de Belgique III).

VENEZIA, Biblioteca Nazionale (Marciana)

Ms. Italiano classe IV, N°. 1793. Jüngst zweite Signatur: *Ms. 10649*. Zufolge Vermerk auf dem Vorderdeckel innen 1929 vom Ital. Kultusministerium erworben. 1927 versteigert Köln, Sammlung Wilhelm Heyer (s. Lit.).

Ital. Lt. Tab. für Laute und Theorbe 6 Lin. und ital. Git. Tab. nur Alfabeto. Mitte des 17. Jh., Teile erst Ende des 2. Drittels des 17. Jh.; Datierungen 1657, 1658, 1659, 1666.

28 fol., zuzüglich je 1 Vorsatz- und Nachsatzbl. (beschrieben). Neuere Paginierung (Bleistift). Unbeschrieben f. 4r, 6r, 11r, 13r, 14–22 (nur Lin.). 15,5 × 21,5 cm. Tab.-Teile: 1. Ital. Lt. Tab. 6 Lin. ohne Alfabeto, z. T. bis zum 13. Chor fortschreitend, für Laute bzw. 10–13chörige Theorbe: f. 1–3, 4v–5, 6v–10, 11v–12, 13v, 23–28, Nachsatzbl. Ir. 2. Ital. Git. Tab. ohne Lin., nur Alfabeto (Große Buchstaben) mit Colpi, ohne Textierung: Nachsatzbl. Iv (nur 1 Satz), für 5saitige Gitarre. F. 26r eine Übersicht der Baßsaiten *7*, *8*, *9*, *X*, *y*, *12*, *13*, auf Tab.-Art 1 bezüglich, mit Vermerk: *accordatura de bassi*. Gew. Notenschrift: f. 28r, 28v, Nachsatzbl. Ir. Datierungen: Vorsatzbl. Ir (Tinte): *1657/1658*. Vorderdeckel außen (Tinte): *1666*. Rückdeckel außen (Tinte): *1657; 1659*. Vorsatzbl. Iv Übersicht der rhythmischen Zeichen, ferner: *Intauolatura*. Rückdeckel innen Rechnungen. 2 Schreiber (flüchtig). Heller Pappband der Zeit. (Freie Instrumentalsätze, Tänze.)

Literatur: Katalog Venedig, S. 272f.; BoetticherL, S. 361 [39] (*Ms. He*); KinskyH, S. 28f. (*Nr. 50*); KinskyV II, S. 43 (*Nr. 212*); Kirkendale, S. 74.

Ms. Italiano classe IV, N°. 1910. Jüngst zweite Signatur: *Ms. 11701*. Ältere Signatur (Vorderdeckel innen, schwarze Tinte, rot ausgestrichen): *10655*. Zufolge Vermerk auf dem Vorderdeckel innen 1929 vom Ital. Kultusministerium erworben. Als alte Signatur erscheint f. 1r oben links (Tinte): *16*. 1927 versteigert Köln, Sammlung Wilhelm Heyer (s. Lit).

Ital. Git. Tab. Nur Alfabeto mit und ohne Colpi (Golpes). 2. Drittel des 17. Jh.

62 fol. Vorsatz- und Nachsatzbll. jünger. Neuere Foliierung. F. 2 und 4 um ein Drittel abgerissen. Unbeschrieben f. 36v (leer). 12,6 × 18,6 cm. Für 5saitige Gitarre. Tab.-Teile: 1. Alfabeto (Große Buchstaben) und Colpi, ohne unterlegte Texte: f. 1–25, 56v, 58v–59. 2. Alfabeto (kleine Buchstaben) ohne rhythmische Zeichen (Colpi), über fortlaufenden Texten (nachfolgende weitere Strophen ohne Tab.-Zeichen): f. 26r, 27r, 29r, 30r, 32r, 33–34r, 35r, 36r, 37–38r, 39–41r, 42v, 43r, 44–45r, 47r. F. 47r überschrieben: *Madrigale del Marino*. Restliche Texte ohne Tab., mit Überschrift *Aria p*[er] *cantare l'ottaue* [rime] (f. 45v–46), mehrmals *Ottaua* (f. 47v–56r), sodann 1 *Capitolo* (f. 57–58), ohne Überschrift (f. 60–62, z. T. literarisch auf *la chitarra* bezüglich). F. 25v (gekritzelt): *possedit / ab initio* (Namen fehlt). F. 33r: *Finis Coron*[at opus] *Francesco Ricci*[o] (der zu ergänzende Buchstabe *o* des Namens ist fast gänzlich abgerissen). F. 41v Zeichnungen von Händen und einer Ente. 2 Schreiber der Tab.-Teile (A sauber f. 1–25, B flüchtig, Schreiber des Namenszugs *Riccio;* Schreiber A wahrscheinlich sizilianischer oder kalabresischer Abkunft: dialektische Umstellung von *o* in *u*). KinskyH, S. 31 zieht eine Verwandtschaft des Francesco Riccio mit *Giovanni Pietro Ricci* (Verfasser der *Scuola d'intavolatura . . . a suonare la Chitarriglia spagnuola*, Rom 1677, vgl. EitnerQL VIII, S. 210) in Betracht. Ein Bezug auf *Paolo Jacomo Palatio* (Palazzo), vgl. EitnerQL VII, S. 294, den KinskyH, S. 30 aufgrund der Satzbezeichnung *Ballo di Palazzo, Rotta del ballo di Palazzo* erwägt, ist nicht zu bestätigen. Jüngerer Pappeinband. (Freie Instrumentalssätze, Tänze, ital. Madrigale.)

Literatur: Katalog Venedig, S. 373; KinskyH, S. 29ff. (*Nr. 51*); KinskyV II, S. 43 (*Nr. 213*); Kirkendale, S. 74.

VERONA, BIBLIOTECA CIVICA

Ms. 1560, Classe Arti, Ubic. 168.5, Busta LIII^{a} / 4.

Ital. Git. Tab., nur Alfabeto mit Golpes auf 1 Lin. oder in einem 5-Lin.-System; Ital. Lt. Tab. 5 Lin. z.T. kombiniert mit Alfabeto und Golpes. Mitte des 17. Jh., Datierung Verona 1650.

27 fol. Unbeschrieben f. 3v, 4v, 5v, 6v, 8v, 9v, 10v, 12v, 13v, 15v, 16v, 17v, 18r, 20v, 21r, 22v, 24r, v, 25v, 26v (nur Lin.); f. 1v, 2v, 27 (leer). 26 × 17,5 cm. Tab.-Teile: I. Ital. Git. Tab. nur Alfabeto (große Buchstaben) mit Golpes auf 1 Lin. f. 7v, 11v, 14v, 18v, 19v, 21v, 23v; II. analog I, jedoch Golpes auf der untersten Lin. eines 5-Lin.-Systems, ohne Punteado f. 8r, 9r, 10r, 15r, 22r, 26r; III. Alfabeto wie I und II, jedoch kombiniert mit Punteado eines 5-Lin.-Systems f. 3r, 4r, 5r, 6r, 7r, 11r, 13r, 14r, 17r, 19r, 20r, 25r (bei einem *Saltarello in E* f. 25r ist vorgezeichnet: *mezzo battuto, e mezzo Picigato*, was die kombinier-

te Technik ausdrücklich bestätigt); IV. nur ital. Lt. Tab. 5 Lin. im Punteado, ohne Alfabeto f. 12r, 16r, 23r (bei einer *Corrente Francese* f. 16r steht: *cauata dal Liuto*, was bestätigt, daß wahlweise statt 5saitiger Gitarre die Laute vorgesehen war, aus gleichem Grunde sind in diesem Tab.-Teil die rhythmischen Zeichen abweichend nicht in, sondern über dem Lin.-System angeordnet). Vor f. 27 ist 1 Bl. herausgeschnitten (der Falz zeigt literar. Schriftreste und läßt mithin einen Tab.-Verlust ausschließen). Titel: f. 1r *TOCCATE DI / CHITTARIGLIA / DEDICATE AL / MERITO / DEL SIGNO:*[R] */ FELIPPO / GIANFELIPPI.* Das Wort *FELIPPO* ist mit Tinte ohne durchzustreichen überschrieben: *Francesco.* Dedikation: f. 2r *Molto Jll*[o] *Sig:*[r] ... *Padron Oss.*[no] */ Dessideroso di dimostrare à Vs. un picciol segno di quel riue= / renze affetto, ch'io proffesso al suo merito, ecco ch'io gli consa= / cro questi pochi scherzi di penna della mia professione /* ... (weitere 8 Zeilen), gez. *Aff:*[mo] *Maestro / et Seruitore / S: P: / Stefano Pesori.* Von fremder Hand ist flüchtig zwischen Dedikationstext und Unterzeichnung (zeitgenössisch) eingefügt: *Ver:*[a] *1650.* Besonderer Vermerk: Bei einem *Balletto del Seren:*[mo] *di Fiorenza* steht *Auertite Sig:*[i]*, che questo Balletto si douerà fare à Tempo.* 1 Hauptschreiber A (Schönschrift); Nebenschreiber B flüchtig (nur f. 23v). Nebenschreiber ergänzt nur 2 Sätze, ohne Bezeichnung, in Tab.-Art I. Einband nicht überliefert. (Freie Instrumentalsätze, Tänze, ital. Liedsatz.)

Literatur: Fehlend.

VERONA, Biblioteca della Società Accademia Filarmonica

Ms. No. 223. Alte Signatur (Etikett jeweils auf dem Vorderdeckel der Bände): *No. 220.*

Ital. Lt. Tab. 6 Lin. Mitte des 16. Jh., ersterwähnt Ende März 1548.

3 Bände (Stimmbücher) mit der Bezeichnung: *SOPRANO*, *TENORE* und *BASSO*, der *ALTO*-Band fehlt seit längerer Zeit. Jeweils außen Titel: *INTAVOLATVRA DA LIV / TO IL / SOPRANO; INTAVOLATVRA DA LIV / TO IL / TENORE; INTAVOLATVRA DA LIV / TO IL / BASSO.* Einheitliches Format 28×21,5 cm. Für 6chörige Laute. Übereinstimmende Beschriftung von links nach rechts über die Heftnaht: 1 System Tab., darüber 1 System in gew. Notenschrift und mit durchlaufender Textierung. Zahlreiche orig. Streichungen, Rasuren, Ergänzungen. Die Satzfolge ist in den 3 Bänden nicht immer übereinstimmend und vollständig. Mindestens 2 Schreiber. Zufolge TurriniA, S. 21 f., 57 ist das noch vollständige (auch den *ALTO* enthaltende) Ms. in einer Rechnung vom 29. März 1548 erwähnt, die Erwerbung ist bezeichnet: *Quatro libri da notor Intabolatura da Liutti et Canti.* Auch spätere veronesische Inventare führen das Ms. Helle Pergamentbände der Zeit, Heftung (Lederschnüren) unversehrt. Auf den Deckeln der Bände einige alte Beschriftungen ohne Hinweis auf Inhalt und Herkunft (Tinte: Buchstaben,

Ziffern als Federübungen). Der Rückdeckel des *BASSO*-Bandes ist am Rand abgeschabt, teils fehlend (abgebröckelt).

SOPRANO: 40 fol., zuzüglich 2 Vorsatzbll.: f. I, IIv leer, f. IIr Zeichnung (Tinte) von ungeübter Hand: ein Mann mit Hirschgeweih auf dem Kopf tragend im Gespräch mit einer Frau, beide unbekleidet. 2 Nachsatzbll.: f. I, IIr leer, f. IIv Eintragung des Hauptschreibers (Tinte): *Chi non sa sonare e cantare non s'impazza in questo libro.* Auf dem Rückdeckel innen von gleicher Hand (Tinte): *Questo libro sie per sonar.* Orig. Foliierung *1–39*, f. *25* ist fälschlich doppelt gezählt. Unbeschrieben f. 1r, 2v, 3r, 6v–8r, 27v–32r (nur Lin. bzw. Lin. mit Taktstrichen der Tab.). Tab.-Teil: f. 1v, 2r, 4v–6r, 8v–27r, 32v–40. Gew. Notenschrift: f. 3v, 4r.

TENORE: 40 fol., zuzüglich je 2 Vorsatz- und Nachsatzbll. (leer). Auf dem Rückdeckel innen Zeichnung einer männlichen Gestalt in sich vergrößernder Perspektive, Beischrift: *uirtus.* Orig. Foliierung *1–16*, dann aussetzend. Unbeschrieben f. 1r, 6v–9r, 30v–40 (nur Lin.). Tab.-Teil: f. 1v–6r, 9v–10, 11v–30r. Gew. Notenschrift: f. 11r. – Inliegend 3 lose Bll. abweichenden Formats, Hauptschreiber (A). Blatt Nr. 1: 2 mit Tab. beschr. Seiten. 21 × 28 cm. Blatt Nr. 2: 2 mit Tab. beschr. Seiten. 18 × 25,5 cm. Blatt Nr. 3: 17,5 × 50,5 cm. als Doppelbl. in der Mitte gefaltet; unbeschrieben Einzel-f. 1r, 2v (nur Lin.), f. 1v, 2r ist die 6. Lin. hs. ergänzt. Überschrift: *ALTO.* Die beschrifteten Seiten der losen Bll. stimmen in ihrer Anlage (Tab. mit 1 System in gew. Notenschrift) mit den Bänden überein.

BASSO: 40 fol., zuzüglich 2 Vorsatzbll.: f. Iv–II leer, f. Ir Zeichnung (Bleistift, stark verblaßt) eines Grundrisses eines Hauses. Orig. Foliierung *2–39*, f. *39*, *40* fälschlich zweimal mit *39* beschriftet, f. 1 ohne Beschriftung. Unbeschrieben f. 1r, 6v–11r, 14v, 15r, 22v–40 (nur Lin.). Tab.-Teil: f. 1v–3r, 4v–6r, 11v–14r, 15v–22r. – Inliegend 1 loses Bl., übereinstimmend in Format und Beschriftungsart mit dem losen Bl. Nr. 3 des *TENORE*-Bands. Überschrift: *BASSO.* (Freie Instrumentalsätze, ital. Madrigale, lat. Motetten.)

Literatur: Kat. Verona, S. 45, mit Faksimile von f. 1v, 2r des *TENORE*-Bands vor S. 45; TurriniA, S. 230, ferner allgemeinere Hinweise S. 21f., 57, 93, 189, mit Wiedergabe des vorgenannten Faksimiles als *Tavola XI*, als *Tavola IV* ein weiteres Faksimile von f. 28v, 29r des *TENORE*-Bands; TurriniC, S. 176ff., im Separatdruck S. 10ff. (hier ist eine Übersicht des Index geboten).

VESELÍ n. M., ARCHIV DER HAUPTKIRCHE

Ms. IV. D. 25. 1. Re. Zur Zeit (1968) vorübergehend aufbewahrt in BRÜNN, Universitätsbibliothek, unter der vorläufigen Signatur: *Ch 103.*

Frz. Lt. Tab. 6 Lin. Um 1720.

39 fol. Unbeschrieben f. 25r, 30r. 20,3 × 10,5 cm. Ausschließlich Tab. Für 11chörige Laute. Orig. Satznumerierung: *1–38.* 1 Schreiber. Dunkelbrauner

Lederband der Zeit mit einfacher Goldpressung (Rahmen) auf Deckel und Buchrücken. (Freie Instrumentalsätze, Tänze, Aria.)

Literatur: TichotaT, S. 142 (*Nr. 27*).

VESOUL, BIBLIOTHÈQUE MUNICIPALE

Ms. 698. Ältere Signatur: *Ms. 9287.B.*

Das Ms. hat der Verfasser 1952, 1963, 1973 im Magazin der Bibl. vergeblich gesucht. Es dürfte nach 1945 in Verlust geraten sein.

Ital. Lt. Tab. 6 Lin.; Frz. Lt. Tab. 6 Lin. Ende des 16. Jh. und Anfang des 17. Jh. Datierungen 1598 (28., 29. März).

162 fol., zuzüglich je 1 Vorsatz- und Nachsatzbl. Paginierung fehlt. Unbeschrieben f. 31r, 64v, 76v, 128–132, 135v–137, 140v–143, 146v, 151v, 152v (nur Lin., leer). 14,5 × 20,8 cm. Tab.-Teile: I. Frz. Lt. Tab. 6 Lin. (Schreiber B) f. 2v–8, 11v–15, 22v–24r, 29v–30, 31v–32; II. Ital. Lt. Tab. 6 Lin. (Schreiber A) f. 1–2r, 9–11r, 16–22r, 24v–29r, 33–64r, 65–76r, 77–127, 133–135r, 138–140r, 144–146r, 147–151r, 152r, 153–162. Für 7chörige Laute. In der Mitte des Volumens sind mehrere Bll. (alt) herausgerissen, wahrscheinlich Tab.-Verlust. Auf dem Nachsatzbl. Iv die wohl ältesten Eintragungen, nicht intavoliert: Übersicht überschr. *Bons accords*, Regeln zur Satztechnik (frz.), u.a. *Ne mettes jamais deux quintes ny deux octaves lune ap*[re]*s laultre*. Über diesen Regeln erscheint Besitzvermerk *A. Peteris*, wohl noch vor 1600. Mehrfach Vermerk bei Tab.: *un ton plus bas; un ton plus haut;* mehrere Sätze sind dementsprechend in 2 Stimmungen intavoliert (z.B. *Battaile* [Cl. Jannequin] f. 109v und 125r). *Finis*-Vermerke, auch (f. 127v) *finis prim*[a]*e partis*. F. 41v Vermerk: *Ista est XVIIIJ a qua erat incipiend.* F. 31v bei der Chanson O. di Lassos *Rend moy mon cueur* Datierung: *28e mars 1598;* f. 32v bei derselben Chanson (1 Ton tiefer intavoliert): *29e mars 1598.R.* Als Schreiber-Siglen sind von gleicher Hand vertreten: *R.* und *LR.* Durch Schriftvergleich ist wahrscheinlich, daß es sich um den Besitzer des in Vesoul, Bibl. munic. ebenfalls 1945 in Verlust geratenen Drucks V. Bakfark, *L'intabolatvra*, Lyon 1552, handelt, der dort eintrug: *Je suis à Laurten Reismiller d'Augsbourg.* Das Schreiber-Monogramm ist gleichermaßen in Ms. 711 vertreten. (Ein Georg Reismiller aus Augsburg ist 1572 als Lautenspieler in der Kapelle Herzog Christians von Württemberg nachgewiesen.) Pro Seite überwiegend 4 Tab.-Systeme. 2 Schreiber: A (76 Sätze, meist ohne Satzbezeichnung und Komponistennamen), B (18 Sätze, durchweg mit Satzbezeichnung und Komponistennamen), wohl jünger, mit Siglen *R.* und *LR.* Dunkelbrauner Lederband der Zeit, Reste von Lederschnüren. (Freie Instrumentalsätze, Tänze, ital., frz. Liedsätze, lat. Motetten.)

Literatur: BrenetV (als *Ms. 9287. B.*), II, S. 17 f. Beispiel eines Satzes (Cl. Jannequin: *Battaille*) in 2 Bearbeitungen; BrenetL, V, S. 660–663 Beispiel eines Satzes (O. di Lasso: *Si le loing temps*) mit Gegenüberstellung des Vokalmodells; BoetticherL, S. 353 [30] (als *Ms. Ve 698*); BoetticherLZ, S. 835. Hinweis (zugleich auf das folgende Ms.) WolfH II, S. 105.

Ms. 711. Ältere Signatur: *Ms. 9287.A.*

Das Ms. hat der Verfasser 1952, 1963, 1973 im Magazin der Bibl. vergeblich gesucht. Es dürfte nach 1945 in Verlust geraten sein.

Frz. Lt. Tab. 6 Lin.; Ital. Lt. Tab. 6 Lin. Ende des 16. Jh. und Anfang des 17. Jh. Datierungen 1598 (27. Juni, August).

96 fol. Paginierung fehlt. Unbeschrieben f. 13–18r, 21, 22, 42, 43, 56r, 70r, 81r (nur Lin., leer). 20×16 cm. Tab.-Teile: I. Frz. Lt. Tab. 6 Lin. (Schreiber B) f. 1–11, 39–41, 45–55; II. Ital. Lt. Tab. 6 Lin. (Schreiber A) f. 10v–12, 18v–20, 23–38, 44, 45, 49, 53, 56v–69v, 70v–80, 81v–96. Für 7chörige Laute. Schreiber B vermerkt mehrmals genau die Druckvorlagen, z.B. *Tiburtium Massainum liber primus, Andreae Rotae liber secundus*. Zur Datierung ist erkennbar, daß mehrere Sätze nach dem Druck J.-B. Besardus, *Thesaurus harmonicus*, Köln 1603, kopiert sind. Titel, Besitzernamen fehlen. F. 57v Schreiber-Monogramm *R.* und *LR.* (hierzu vgl. Ms. 698). Datierungen f. 56v *27 Juin 1598*, f. 20v *aoust 1598*. *Piano-* und *forte*-Vorschriften. Mehrmals Stimmzahlangabe des Vokalmodells. Pro Seite überwiegend 6 Tab.-Systeme. Orig. Numerierung der *Ricercari* und *Canzoni*. 2 Schreiber: A, B, letzterer (wohl jünger) mit Siglen *R.* und *LR.* Pergamentband der Zeit. (Freie Instrumentalsätze, Tänze, ital., frz. Liedsätze, lat. Motetten.)

Literatur: BrenetV (als *Ms. 9287. A.*), I, S. 446–449 Beispiel von 2 Sätzen (*Passe mezo romanesque* mit 3 nachfolgenden *Gaillarden* und *Canzona undecima La Organistina bella in echo*) nach f. 8f. und f. 91r des Ms.; BoetticherL, S. 345 [23] (als *Ms. Ve 711*); BoetticherLZ, S. 835.

ehemals BAD WARMBRUNN, Freistandesherrliche Bibliothek des Grafen von Schaffgotsch

Aufnahme des Herausgebers 1941
1965 nicht mehr am Bibliotheksort vorhanden

Ms. K 44. Früher Bibl. des Zisterzienser-Klosters Grüssau, dann Majorats-Bibl. des Schaffgottsch'schen Kameralamtes, Hermsdorf (Kynast).

Frz. Lt. Tab. 6 Lin. Um 1740, Nachträge vermutlich erst Mitte des 18. Jh.

292 fol., zuzüglich Anhang 5 fol. und 1 fol. lose. 547 + 9 + 2 mit Tab. beschriebene Seiten. 16×23,5 cm. Für 11chörige Laute. Titel: f. 1r *LIVRE / du / LUTH / Contenant des pieces les plus exquises, et gail- / ardes de quatre Tons de l'Accord françois ordi / naire, sçavoir: C D F et A / et / Des Six Tons des autres Accords / Pour Sa Paternité trés Religieuse, le Pere Her- / mien Kniebandl p. Profé del' Ordre / Sacré et / exempt de Cisteaux: à la / Maison des Graces / à / Grissav.* Traktat: f. 1v, 2r *Declaratio quales claves literae in quovis Choro Testudinis Significent.* H. Kniebandl war Mönch im Zisterzienserkloster zu Grüssau (Schlesien), 1737 Prior der Probstei Warmbrunn. Mindestens 2 Schreiber. Jüngere Foliierung 2–292. Orig. lfde. Numerierung der Sätze nach Abschnitten: *1–34*, *1–12*, die 3. Gruppe ohne Nrn., *1–18*, *1–49* (und 5 unnum.),

1–30, *1–22*, *1–24* (und 2 unnum.), *1–19* (und 2 unnum.), *1–10* (und 9 unnum.). 10 Gruppen mit besonderem Titelbl. und Angaben der Stimmung: f. 6r *Accord françois ordinaire / du / Ton C / avec la tierce dure*; analog f. 43r, 59r, 75r, 107r, 162r, 194r, 223r, 254r, 278r. Schönschrift Hauptschreiber A. Mithin Tab.-Teile: f. 6v–41, 43v–55r, 59v–73, 75v–105, 107v–159, 162–192r, 194v–214r, 223v–248r, 254v–275r, 278v–292. Mehrere S. nur Lin. bzw. leer. Pappband der Zeit. (Freie Instrumentalsätze, Tänze, Airs, dt. geistl. Liedsätze.) NACHSCHRIFT 1975: Neuerdings überführt nach WARSZAWA, Biblioteka Narodowa, neue Sign.: *BN Muz. Rękopis* [= Handschr.] *396*. Erhalten ist der Zettel mit Eingangs-Nr. der ehem. Schaffgottsch-Bibl.: *31.1911 / rote Signatur: 1911. 39*; ferner der Revisionsvermerk v. 25. 5. 1917.

Literatur: WolfH II, S. 105; BoetticherL, S. 376 [51] (*Ms. Warmbr*); TappertM, S. 93f.

ehemals WARSZAWA (Warschau), Privatbibliothek Aleksander Poliński.
Aufnahme durch den Herausgeber nach einer Abschrift aus dem Nachlaß von Dr. Maria Szczepańska (Warschau) 1969.

Ms. ohne Sign.

Frz. Lt. Tab. poln. Version (unterste Lin. = oberste Saite). 6 Lin. Um 1680.

34 fol. Mehrere S. unbeschrieben. 8° – obl. Titel fehlt. Für 10- und 11chörige Laute. 1 Schreiber. Orig. Einband fehlt. (Freie Instrumentalsätze, Tänze, Arien, poln. Satzbezeichnungen.)

Literatur: WolfH II, S. 88; BoetticherL, S. 30 (*Ms. Wa P 1*; hiernach wahrscheinlich 1939 in der Bibl. der Philharmonie in Warschau verbrannt). 1 Faksimile bei Poliński, S. 130, Notenbeisp. WolfH a.a.O.

WASHINGTON (D. C.), Folger Shakespeare Library

Ms. V. a. 159. Eingangs-Nr. 448. 16. Ältere Sign. (Schmutzbl. vorn, Rücks., Bleist.): Calendar No. 805. Zufolge Eintragung Vorsatzbl. Ir erworben aus Antiquariat Sotheby's, London 14. 6. 1887 (*Lot 481*). Sogenanntes Giles Lodge Lute Book.

Frz. Lt. Tab. 6 Lin. Um 1565–1595. Außerhalb Tab.-Teil Datierung 1591.

136 fol., zuzüglich je 2 Vorsatz- und Nachsatzbll. (leer). Unbeschrieben f. 2v, 3v, 21v–49 (leer). Anschließend literar. Teil des Volumens. 9,5×14,5 cm. Tab.-Teil: f. 3r, 4–21r. Für 6chörige Laute. F. 1r orig. Index, lfde. Numerierung *1–26* (unvollständig), mit f. 4r beginnend (Satz f. 3r nicht verzeichnet, es fehlt ferner *A Hornpippe*, Nrn. 24, 25 mit blasserer Tinte, letzte Nr. noch lesbar: *The hu*[n]*te ys vppe*; mithin urspr. nur bis f.12r = *Paul's galiarde* registriert, d. h. fast der von Schreiber A notierte Tab.-Teil, die folgenden 11 Sätze von Schreiber B nicht verzeichnet). Lin. rot f. 9v–18r, sonst schwarz. F. 3r, 4–9r stärker verblaßt. *ffinis-*, *bis*-Vermerke. Korrekturen (blassere

Tinte, 2 Akkorde betr.) f. 4r. Fingersatz: 1 Pkt. F. 1v quer: . . .*Giles Lodge / 1591*. F. 136v *ffrantius mortonus* (zweimal), und: *Richardus mortonus est verus posessor / huius liberi finis Amen*. Folgend: *Apothecarius*, and: *R* (dreimal), *W*. F. 136r *R. Morton*. F. 22r: *Remember man that dy thou / must and after death return to death* (verbessert: *dust*, Federproben); *Sarah* und: *G* (mehrmals). Commonplacebook, literar. Teil ca. 1591–1600. 2 Schreiber (A = f. 3r, 4–13r, B = f. 13v–21r, 6–8 Jahre später). Jüngerer dunkelgrüner Lederbd., Schnitt bespritzt. (Freie Instrumentalsätze, Tänze, engl. Liedsätze.)

Literatur: LumsdenE I, S. 266ff.; Music for the lute I, S. 33 (Faksimile); WardM, S. 117; WardD, S. 111ff.; HudsonF, S. 101; Mumford, S. 319. Im Schrifttum meist unter Eingangs-Nr. geführt. SternfeldM, S. 44ff., Faksimile nach S. 46.

—

Ms. V. b. 280. Ältere Sign. (Rückdeckel, Bleist.): Ms. 1610.1. Sogenanntes James Dowland Lute Book.

Frz. Lt. Tab. 6 Lin. Um 1595–1605, nach 1610.

88 fol. Unbeschrieben f. 24r, 26v–56, 57v–83r, 85r (nur Lin.). 29×19,5 cm. Tab.-Teil: f. 2–23r, 24v, 25r, 57r, 83v, 84v, 85v–87. Für 6- und 7chörige Laute (die ältere Aufzeichnung 6chörig, doch z. T. auf gleicher S. von jüngerem Schreiber für 7chörige Lt. fortgesetzt, z. B. f. 6r). Z. T. für 2 Lt. F. 1, 88 eigentlich Vorsatzbll. (lose, leer), F. 2 defekt (nur 1/5, Tab.-Verlust, f. 2r *queene Maries dumpe*, f. 2v *spanesh pauine*). F. 57r Fragment, wohl nach 1610, nur 2 Tab.-Systeme; f. 57v Tab.-Skizze (10 Zeichen), Fragmente f. 83v, 85v, 86r, 86v. F. 84v Tab. mit gew. Notenschr., unbezeichnet. Fingersatz: 1, selten 2 Pkte. Streichungen: f. 6r, 87r. F. 88r: *Anne Bayldon*, auch: *Ann* (u. ä., Federproben); 2 lat. Sprüche: *Nam vox . . .*; *Arma virumq*[ue]; engl.: . . . *in consideration* . . ., stark verblaßt: *fframe*. Mindestens 6 Schreiber, abweichende Tinte. F. 1v Besitzvermerk: *James Dowland / Cuckney Notts*. Orig. brauner Lederbd., reiche Goldpressung, auch Buchrücken. Stümpfe von 2 Leder-Messingschließen. Heftung locker, mehrere Bll. lose, Ecken defekt. (Freie Instrumentalsätze, Tänze, engl. Liedsätze.)

Literatur: LumsdenE I, S. 268ff.; Newton, S. 76f., 85; RollinV, S. XXIII; HeckmannDMA VII, S. 33, *Nr. 2/553*; DartD, S. 720; Edwards, S. 210; ReeseF, S. 277, Anm. 22; ReeseR, 1 Faksimile nach S. 846. Im Schrifttum meist unter älterer Sign. geführt.

WASHINGTON (D. C.), THE LIBRARY OF CONGRESS, MUSIC DIVISION

Ms. M. 2. 1. C55. Case. Ältere Signatur (Vorderdeckel innen, Bleistift): *No 235. Chansons*. – Aquisitions-Nr. *411289/31* und: *665735*.

Frz. Lt. Tab. 6 Lin. Um 1660–1670.

35 fol., zuzüglich 1 Nachsatzbl. (leer). Das Volumen enthält fast ausschließlich gew. Notenschrift, für 1 Sopranstimme (durchtextiert) und Kanons für 3 und

4 Stimmen etc. Nur 2 Sätze sind intavoliert, als Begleitsatz, unbezeichnet, in Nachbarschaft der nichtintavolierten Sätze: *Air de Cour* und: *Airs aboire* [sic]. Für mehrere weitere Sätze hat der Schreiber 1 System für die Lt. Tab. 6 Lin. vorgesehen, aber nicht beschriftet (f. 2v, 4v, 5v, 6v, 7v, 8v, 11v, 19v, 22v etc.). 17,5 × 21,5 cm. Tab.-Teil: f. 9v, 10v. Für 11chörige Laute; Begleitsatz unter Akkoladen in gew. Notenschrift, durchtextiert. Tab. mit hellerer Tinte (wohl nachträglich). Sonderzeichen: ||. 1 Schreiber. Der Schreiber hinterläßt f. 19v die politische Anspielung: *Esprits chagrins qui souffrez auec peine que Mazarin donn' en france des loix, laissez le dans les grands employs . . .* Pappband der Zeit, außen bunt marmoriertes Papier aufgeklebt. Heftung unversehrt. Moderner Schutz-Karton. (Frz. Lied-Begleitsätze, unbezeichnet.)

Literatur: Fehlend. Kurzer Hinweis EngelR, S. 15; EngelM, S. 221f.

Ms. M. 2. 1. I8. Case. Alte Signatur (Vorderdeckel innen, Bleistift): *G 12* und *G/12*; ferner (ibid., Bleistift): *14783a* und: *A 22.* – Aquisitions-Nr. *422700/31.*

Ital. Git. Tab. Nur Alfabeto. Um 1650.

135 fol. Das Volumen enthält fast ausschließlich gew. Notenschrift, insgesamt 13 Solokantaten und 2 Duette mit Continuo. Nur für die 1. Kantate ist Begleitsatz in Tab. notiert. Bis auf die 12. Kantate (f. 107–116, überschrieben: *Alcina abbandonata*) sind die Sätze unbezeichnet. Auch im nichtintavolierten Teil keine Komponisten-Angaben. 9,5 × 23 cm. Tab.-Teil: f. 1–5r. Für 5saitige Gitarre. Große Buchstaben ohne Lin., ohne Golpes; über der Textierung der Solostimme (diese in gew. Notenschrift). Das Alfabeto zeigt durchweg einen Punkt nachgestellt (um die Tab. graphisch hervorzuheben). Kein Akkord-Verzeichnis. 1 Schreiber. Dunkelbrauner Lederband der Zeit, Buchrücken mit reicher Goldpressung; Goldschnitt. (Begleitsatz einer Solokantate.)

Literatur: Fehlend. Kurzer Hinweis EngelN, S. 156.

Ms. M. 2. 1. T2. 17B. Case. Aquisitions-Nr. *396566/30.* Auf der Titelseite (s. u.) befand sich ein neueres, blauumrandetes Etikett, das eine Signatur enthielt, fast gänzlich entfernt.

Ital. Lt. Tab. und Ital. Git. Tab. in verschiedenen Systemen kombiniert, ohne Lin., 1 Lin. und 5 Lin. Um 1650–1665; Datierung 1657.

46 fol. Unbeschrieben f. 40v–42r, 43v, 44r (nur Lin.). 13,5 × 22 cm. Tab.-Teile: I. Alfabeto mit überwiegend großen, sonst kleinen Buchstaben, Golpes auf 1 Lin., ohne Text f. 1r (Titelseite, nur Fragment), 2v–7r, 17–18, 20v–27, 44v–45; II. Ital. Lt. Tab. 5 Lin., ohne rhythmische Zeichen, kein Alfabeto f. 1v, 2r, 8r, 16r, 16v (Fragment), 39v, 40r; III. Ital. Lt. Tab. 5 Lin. mit Alfabeto

(nur große Buchstaben), Golpes auf der untersten Lin., sonst keine rhythmischen Zeichen f. 7v–15, 35–36, 38–39r; IV. 5 Lin., aber nur mit eingezeichnetem Alfabeto (nur große Buchstaben), Golpes auf der untersten Lin., sonst keine rhythmischen Zeichen f. 11v; V. wie Tab.-Teil III, aber mit rhythmischen Zeichen der Lt. Tab. f. 19–20r; VI. Ital. Lt. Tab. 5 Lin., rhythmische Zeichen innerhalb des Lin.-Systems, dazu eingestreut einige Werte des Alfabeto, diese ohne Golpes f. 28–34, 37; VII. Nur Alfabeto (große und kleine Buchstaben) über Text, ohne Lin., ohne Golpes f. 42v, 43r. Für 5saitige Gitarre. Titelbl. f. 1r obere Hälfte 4 Zeilen literar. Eintragung, mit Tinte energisch ausgestrichen, lesbar noch: *Jacinto Petti di Radicondoli*; f. 2v erneut: *Jacinto Petti*. F. 1r noch: *Mariana Pelori*, darunter Spruch: *Huius si qu*[a]*eris Dominum cognoscere* ... F. 20v Datierung: *Adi 21. Lulio 1657* [Jahreszahl unterstrichen] *se principio il mese*. Mehrere lat. Sprüche (f. 2v etc.). Einstimmregeln f. 1v–2r, überschrieben *Accordature di piu sorti per la chitarra*, Verzeichnis *A–X* und *₮*, Auflösung der Akkorde in Ital. Lt. Tab. 5 Lin., sodann f. 2r *Modo d'imparare à far' de lettere nella Chitarra nella presente faccia posto di chiamando che i numeri daranno notitia à quanti tasti si deue toccare con le dita et oue sarà il numero sarà la corda* ... F. 44r ist eine 6. Lin. gestrichen (ohne Tab.). Tonartbezeichnungen: *p:*[er] *A; p:*[er] *B* etc. F. 1r 4 Alfabeto-Zeichen. Beischriften: *Ritornello* (*rito*[lo]); *in altro modo; da Capo; diminuito* (*diminuto*). In Tab.-Teil II Fingersatz: 1, 2 Punkte. F. 46r 2 Beispiele in gew. Notenschrift (Tonbuchstaben, eingezeichnet auf 6 bzw. 8 Lin.), für Tasteninstrument; überschrieben: *Scala della mano destra* und: *Scala della mano sinistra*. Aufzeichnungen der Art fehlen im Ms. Am Ende des Volumens (bis f. 26v) Traktat über Notenwerte, nichtintavoliert: *Le figure delle note sono noue* ... Mindestens 5 Schreiber. Moderner Einband. (Freie Instrumentalsätze, Tänze, ital. Liedsätze.)

Literatur: Fehlend. Bei EngelR und EngelM nicht geführt.

——

Ms. M. 2. 1. T2. 17C. Case. Aquisitions-Nr. *396563/30*.

Frz. Lt. Tab. 5 Lin. (ausnahmsweise auch mit 1 unteren Hilfslin.). Für Viola. Um 1666–1670; Datierung 1666.

90 fol. zuzüglich je 1 Vorsatz- und Nachsatzbl. (diese jetzt nach neuerer Restaurierung auf den Innenseiten der Deckel aufgeklebt). Mehrere Seiten dieses Ms., das überwiegend Aufzeichnungen in gew. Notenschrift enthält, nur Lin. oder leer. 10×15,5 cm. Tab.-Teil: f. 22v–25r, 89v (nur Fragment). Für 5saitige Viola; f. 24v ausnahmsweise mit 1 unteren Hilfslin. 6saitige Viola vorausgesetzt. Datierung: f. 1v *Le premier Jour De Septembre / 1666*. Weitere Angaben: außerhalb des Lt.-Tab.-Teils f. 89r *A Paris par Jaques Grestiez a la trompe Royalle rue Feronnerie proche / les S.*[ts] *Jnnocens*. Besitzvermerk: Vorderdeckel innen *Du buisson demeure au milieu de La Rue / du pont Leveque*

proche du quay- / de La valée de misere, a lenseigne – / de La pié deuant vn mareschal / ou bien on saura sa demeure a lentrée / de la Rue de la harpe chez / un faiseur de Luyt nommé / monsieur Colichon. Im Tab.-Teil Korrekturen: f. 23r, 23v. Einstimmregel in Tab. fehlt, jedoch f. 2r Übersicht in Tonbuchstaben (für 6saitige Viola). Fingersatz: 1 Strich und 1, 2 Punkte; ferner Ziffern nach Doppelpunkt mit Schrägstrich */:1, /:2, /:3, /:4.* Lin. vorgedruckt (frz. Offizin, ohne Frontispiz, wohl *Ballard*, Paris). Am Ende des Ms. Aufzeichnung in Trompeten (Fanfaren-) Tab. Nur eine einzige Satzbezeichnung. F. 90r Traktat, beginnend: *1. La premiere de deux ou quatre Notes d'esgale valeur tous jours estre jouée en poussant . . .* (Stricharten des Bogens, Fingersatz auf den Bünden etc.). 1 Schreiber (wohl der Vorderdeckel innen genannte *Du Buisson*, sein Signum im Tab.-Teil analog: *D. B.*; zu den Namensträgern *Du Buisson* vgl. MGG III [1954], S. 843 ff.). Dunkelbrauner Lederband der Zeit, stark restauriert, Buchrücken modern. Schnitt orig. rot bespritzt. Falze fehlen, Heftung augenscheinlich unversehrt. (Freie Instrumentalsätze, Tänze, frz. Liedsätze, jedoch bis auf 1 Nr. unbezeichnet.)

Literatur: Fehlend.

Ms. M. 2. 1. T2. 17D. Case. Jüngere Signatur (Vorderdeckel innen, Bleistift): *237.* Lautentabulatur. – Aquisitions-Nr. *411291/31* und: *665736.*

Frz. Lt. Tab. 6 und 5 Lin.; Frz. Git. Tab. 5 Lin., ohne Alfabeto. Um 1660–1670.

33 fol., zuzüglich je 1 Vorsatz- und Nachsatzbl. (leer). Unbeschrieben f. 2r, 11r, 17r, 18r, 21r, 23r, 24r, 28r, 30v–33r (nur Lin.); f. 1v (leer). 17,5 × 21,5 cm. Tab.-Teile: I. Frz. Lt. Tab. 6 Lin. (die unterste Lin. ist hs. ergänzt) f. 10, 11v, 12r, 14v, 15v, 18v, 19r, 20v. Für 7- bis 11chörige Laute (der größte Typus nur f. 10, 11v, 19r vorausgesetzt). II. Frz. Lt. Tab. 5 Lin., rhythmische Zeichen über dem System f. 26v, 27r. Für 5chörigen Lautenabkömmling. III. Frz. Git. Tab. 5 Lin., rhythmische Zeichen im System, ohne Alfabeto, ohne Golpes f. 3v. Für 5saitige Gitarre. Sonderzeichen: || unter Tab.-Zeichen (nur Tab.-Teil I, II). Korrekturen: f. 3v, 10v, 11v, 12r, etc. Vorgedruckte Lin., Frontispiz *Par Robert Ballard . . .* [Paris]. Für mehrere Seiten war Tab. vorgesehen, doch erfolgte keine Beschriftung: f. 12v, 13v, 16v, 17v, 19v, 21v, 22v, 23v, 24v, 25v. Keine Einstimm-Angaben. Überwiegend Aufzeichnung in gew. Notenschrift: durchtextierte Stimmen; die hierauf bezügliche Tab. ist unmittelbar in gleicher Akkolade oder nachgeordnet getrennt notiert; nur Begleitsatz. F. 13r, 33v Mutations- und Solmisationsregeln. Auch für den nichtintavolierten Teil des Ms. sind durch Konkordanz A. Boisset († 1643), M. Lambert († 1696), sowie Sätze aus dem Druck R. Ballard, *Airs . . .* (1659) zu ermitteln. Ausschließlich frz. Repertoire. 3 Schreiber, Hauptschreiber Tab.-Teil I, von den 2 Neben-

schreibern B sehr flüchtig, fehlerhaft. Pergamentband der Zeit, auf beiden Deckeln außen stark verblaßte Beschriftung (Tinte), augenscheinlich nicht auf Tab. bezüglich (*Monsieur Le grand . . .* etc.); Reste von 1 Lederbandschließe. (Frz. durchtextierte Begleitsätze.)

Literatur: Fehlend. Kurzer Hinweis EngelR, S. 15; EngelM, S. 221.

Ms. M. 2. 1. T2. 18B. Case. Erworben 4. 6. 1930 aus Antiquariat Sotheby, London. Früher Privatbibliothek Hornby Castle, Bedale (Yorkshire, England), sodann Privatbibliothek des Duke of Leeds.

Frz. Lt. Tab. 6 Lin. Um 1720.

37 fol. Unbeschrieben f. 36v (nur Lin.). 15×19,8 cm. Tab.-Teile: I. f. 1–33. Für 11chörige Laute. II. f. 33v (untere Hälfte), 34–36r, 37r (unteres Viertel), 37v. Für 11–13chörige Theorbe; ein 13. Chor wird verlangt f. 34r, die Baßsaiten *7, 8, 9, 10* f. 33v (untere Hälfte), vereinzelt *12* f. 35r, *7, 8, 9, 10* erneut f. 35v–36r, nur bis *7* f. 37r (untere Hälfte), die Reihe *7, 8, 9, 10* sodann f. 37v. Aufrecht beschriftet: f. 1–23, 24v, 25v, 26v, 27v–33, 37r (obere Dreiviertel); kopfstehend: f. 24r, 25r, 26r, 27r, 33v (untere Hälfte), 34–36r, 37r (unteres Viertel), 37v. Z. T. Sätze für 2 Lauten. Streichungen: f. 9r, 13r, 17r, 19v, 25r, 37r. Einzelne Satztypen (*Les Folies d'Espagnes*) sind lfd. numeriert: *2 partie* bis „*14*". F. 34 oberes Viertel herausgeschnitten (Tab.-Verlust); das Volumen ist am Anfang augenscheinlich inkomplett (keine Falze), da f. 1r der Satz nur in zweiter Hälfte vorhanden. Übersicht der Stimmungen: f. 34v bis „*13*", bezeichnet *ỷ* [the] *same*, und: *lit* [litera]; eine zweite Stimmung, *grave* genannt, bis „*12*". Tonartbezeichnung: f. 4r *partie du F, ut, Fa*; f. 11v *partie d, a, mi, La*; f. 18v etc. Sonstige Vermerke: f. 14r ♯ *pour la premiere reprise la premiere fois*; f. 14v *pour commencer la seconde. adagio*-Vorzeichnung am Satzende (f. 11r). Fingersatz vereinzelt, nur Tab.-Teil II 1, 2 Punkte (f. 37), 1, 2 Striche (f. 33v, 34r, 35v). *Da capo; La Fin*, ferner: *pour recommencer* (f. 22v). Besondere Namen: f. 1v bei *La Marche* von anderer Hand (hellere Tinte): *My Mother Jones's favorite Tune*, von gleicher Hand f. 14v bei *Menuet: My Lady Carmarthen's favorite Tune*. F. 17r *M. Osborne*; f. 17v *B. Osborne*. Zufolge Bericht von EngelM, S. 223 befand sich auf dem Rückdeckel innen bis 1930 der Namenszug von *Peregrine Hyde Osborne* (des III. Duke of Leeds, 1691–1731); mit Restaurierung des Bds. (ca. 1934) überklebt und z. Z. (1975) nicht mehr erkennbar. F. 7r am unteren Rand (gleiche Hand wie f. 1v und 14v): *B. Carmarthen*. Mindestens 2 Schreiber. Orig. Lederband, dunkelbraun, stark restauriert (nur Vorder- und Rückdeckel außen erhalten, Buchrücken ergänzt), Heftung erneuert. (Freie Instrumentalsätze, Tänze, „*Basse continue*".)

Literatur: Fehlend. Kurzer Hinweis EngelR, S. 15, EngelM, S. 222ff., Katalog Sotheby (1930), als *Nr. 449(a)*.

Ms. M. 140. F675. Case.

Frz. Lt. Tab. 6 Lin. Kopie der Abschrift des verlorenen *Andrew Blaikie Manuscript* von *1692* in *Aberdeen*; die Kopie wurde hergestellt von Alfred Moffat (1866–1950); als Vorlage diente die o. S. 97f. beschriebene Abschrift des Andrew John Wighton (1804–1866).

Frz. Lt. Tab. 6 Lin. Kopie um 1880.

18 fol. Tab.-Teil f. 4–16 (nur vorderseitig beschrieben). F. 3v Index der Incipits, 40 Nrn. enthaltend (übereinstimmend mit Wighton); ungeordnet (Beginn *Nr. 57*, Ende *Nr. 56*). Titel: f. 2r *Forty Scots Tunes from the / „Blaikie" M.S. / 1692 . . . / I have transcribed this manuscript from the copy made by Mr Wighton, / now in the Dundee Public Library . . . / Alfred Moffat.* F. 2r von fremder Hand biographische Hinweise zu Wighton. F. 1v autogr. A. Moffat: *Transcribed when I was very / young and full of enthusiasm. / A. M.* – Blauer Pappband (um 1890).

Literatur: Fehlend. Hinweis TraficanteV, S. 241f. (als *Nr. 35*); Kidson, S. 701; Wooldridge, S. 121.

Ms. M. 140. G67. P5. Case.

Frz. Lt. Tab. 6 Lin. Kopie der Abschrift des verlorenen *Straloch Lute Book* (um 1627–1629) des *Robert Gordon* in *Aberdeen*; die Kopie wurde hergestellt von Alfred Moffat, als Vorlage diente ihm die Kopie des George Farquhar Graham in einer Abschrift von Frank Kidson. Vgl. zu dieser Kopie o. S. 99f.

21 fol., zuzüglich Vorsatz- und Nachsatzbll. Tab.-Teil: f. 3–8r, 9–10r, 11–13r. Kopie autogr. Alfred Moffat um 1885. Vorderdeckel außen: *A Copy of the / Straloch Manuscript. / 1627–1629.* F. 1r: *I have made this copy of the Straloch Manuscript from Mr. Frank Kidson's copy, which was taken from the copy made by George Farquhar Graham, now in the possession of Mr. Taphouse* [Anmerkung Moffats, später, rote Tinte: *Sold at the Taphouse Sale on July 3 and 4^d^, 1905 and purchased by the Leeds Public Library*]. *David Laing, to whom the original M.S. at one time belonged, describes Gordon's work as a small oblong 8°, with the following title: „An Playing Booke for the Lute, wherin ar contained many Currents and other musical things. Musica mentis medicina mœstœ. At Aberdein. Notted and collected by Robert Gordon. In the yere of our Lord 1627. In februaree". At the end in his colophon: „Finis huic liber impositus Anno D. 1629, ad finem Decemb. In Straloch". Alfred Moffat. London.* Die Kopie von der Hand Moffats gibt auch die Notizen Frank Kidson's wieder, ferner die Bemerkung Grahams in dessen Kopie, daß er das Gordon-Lute-Book kopiert habe *„in the beginning of January 1839, when the book was sent me by David Laing Esq."* – Dünner, weißer Einband (um 1890).

Literatur: Fehlend.

WEIMAR, THÜRINGISCHE LANDESBIBLIOTHEK

Ms. Mus. VIII: 12.

Frz. Lt. Tab. 6 Lin. für Viola da Gamba. 1. Viertel des 17. Jh.

84 fol. Unbeschrieben f. 1–6, 57v–68r, 71v–74r, 79v–84; f. 78r (nur Lin.). 10,1×18,9 cm. Tab.-Teil: f. 7–57r, 68v–71r, 74v–77, 78v, 79r, zuzüglich Innenseite des Rückdeckels (aufgeklebtes Blatt). Für Viola da Gamba, die Sätze sind überwiegend 1stimmig, jedoch an Schlüssen 4-, vereinzelt 5stimmig. Originale Numerierung der Sätze *1–88* (f. 7–57r), dann *1–5* (f. 68v–71r), nach 4 unnumerierten Sätzen folgen Nr. *6* und *7*, was auf eine Verheftung in jüngerer Zeit hindeutet (obwohl die Tintenfärbung zwischen Nr. *5* und *6* abweicht). Restliche Sätze unnumeriert. 1 Satz, originale *Nr. 78*, *Sarabande*, ist gänzlich ausgestrichen, die Nr. ist am Satzkopf durch Rasur getilgt, der folgende Satz, *Allemande*, setzt dann mit *Nr. 78* fort. 1 Schreiber, unterschiedliche Tintenfärbung, was auf einen größeren Zeitraum der Niederschrift des Ms. schließen läßt. Pappband der Zeit, Vorder- und Rückdeckel mit bunt marmoriert bedrucktem Papier beklebt, Buchrücken Pergament mit originaler Lederband-Heftung. Buchrücken originale, stark defekte Aufschrift (Tinte) seitlich: *Violdig*[am]*b*.[a] *T*. (Freie Instrumentalsätze, Tänze, Arien, dt. Incipit.)

Literatur: Fehlend.

WIEN, ÖSTERREICHISCHE NATIONALBIBLIOTHEK, *Musiksammlung*

Ms. Mus. 17593.

Frz. Lt. Tab. 6 Lin. 1. Drittel des 18. Jh.

138 fol., zuzüglich je 1 Vorsatz- und Nachsatzbl. (leer). Unbeschrieben f. 1v, 75v, 137, 138 (nur Lin.). 22,5×32 cm. Für 10chörige, vereinzelt 11chörige Laute. Titel: f. 1r *Cantate con / Instromenti / Di Francesco Conti*. Tab.-Teil als 1 System innerhalb einer Partitur: f. 2v–8, 12–17r, 18r–20 (= *Cantata Prima*); 21–25, 26v–30r, 34v–37 (= *Cantata Seconda*); 38–41r, 46–49 (= *Cantata Terza*); 50–55, 60–62 (= *Cantata 4a*); 63–66, 71v–75r (= *Cantata 5a*). Das Zupfinstrument ist bezeichnet als *Leuto* (*Leuti*) oder *Leutti francesi* und wirkt im Ensemble neben *Violini*, *Chaloumaux*, *Flutte Allemand ou Hautbois*, *Violini sordini* und den Singstimmen. Die übrigen Kantaten des Ms. führen keine Lt. 1 Schreiber (abweichende Tinte und Hand gegenüber den übrigen Systemen der Partitur). Brauner Lederband der Zeit, Deckel und Buchrücken mit Blindpressung. (Ital. Arien.)

Literatur: Schnürl, S. 111; B. Paumgartner, Art. *F. Conti*, in: MGG II, S. 1640f.

———

Ms. Mus. 17706.

Frz. Lt. Tab. 6 Lin. für Laute und für Theorbe. Anfang des 18. Jh.

92 fol., zuzüglich je 1 Vorsatz- und Nachsatzbl. (leer). Unbeschrieben f. 27r, 29v–86r. 20,1×29,5 cm. F. 86v–92v sind kopfstehend, rückwärts beschriftet.

Ausschließlich Tab. Der Hauptteil des Ms. ist für 11chörige Laute bestimmt, vereinzelt, z. B. Schlußteil f. 86v–92v für 14chörige Theorbe (bis „7"). 2 Schreiber: A als Hauptschreiber, versteht frz.; B versteht ital. Brauner Lederband der Zeit, Vorder- und Rückdeckel mit Schwarzpressung: schmale Randleisten und in der Mitte Rosette, reiche Schwarzpressung auf dem defekten Buchrücken. (Freie Instrumentalsätze, Tänze, frz. Airs. ital. Satzbezeichnung.)

Literatur: WolfH II, S. 118; BoetticherL, S. 371 [47] (*Ms. Wi 17706*); EitnerQL IV, S. 177 (Art. *D. Gaultier*); KoczirzÖLL, S. 82f.; RollinD, S. XVI; KoczirzWL, Krit. Ber. nach S. 94; TessierGG, S. 35; RollinG, S. XVII; MaierT, S. 19ff., 85ff.

Ms. Mus. 18688. Früher Linz, K. und K. Öffentliche Bibl., als Hs. Anhang zum Druck H. Judenkünig, *Introductio* . . . und *Vnderweisung* (die originale Foliierung des Drucks, bis 56, setzt im Ms. mit f. 57 fort und stammt von Stephan Crauß (s. unten), der im Druck der *Vnderweisung*, Titelbl., am Rand eine biographische Notiz über Judenkünig hinterlassen hat).

Dt. Lt. Tab. für Laute, möglicherweise z. T. für Baß-Viola. Mitte des 16. Jh.

35 fol. Scharf beschnitten. Alte Foliierung mit 57 beginnend (s. oben). 14,3 × 11,4 cm. Tab.-Teil: f. 1v–26, 27v–29, 30v–34r. Für 5chörige Laute. 2 intavolierte Baßstimmen am Schluß des Ms. können auch für Baß-Viola bestimmt sein. F. 26r Schriftproben, u. a.: . . . *frawendlich grues – vnns aller grues – S. Crauß zu Ebenfurt;* f. 26v *Stephani* und f. 28v: *S. Craus.* Mindestens 2 Schreiber: A Hauptschreiber Stephan Crauß, B letzter Teil des Ms. Anfangs saubere, dann zunehmend flüchtige Notierung, Tintenklekse. B (und möglicherweise noch 2 weitere Schreiber) z. T. etwas später. Neuerer Papierband, Rücken: *Introductio ad musicam.* (Freie Instrumentalsätze, Tänze, frz. Chanson, dt. Liedsätze, lat. Motetten.)

Literatur: WolfH II, S. 50; BoetticherL, S. 343 [21] (*Ms. Wi 18688*); KoczirzÖl, S. XLVf., 127f., 1 Faksimile Beisp. *J,K*; DorfmüllerS, S. 40f.; GombosiG, S. 128f.

Ms. Mus. 18760.

Frz. Lt. Tab. 6 Lin. Anfang des 18. Jh.

18 fol., zuzüglich 1 Vorsatzbl., 3 Nachsatzbll. 36 beschriebene Seiten. 18,3 × 26,7 cm. Für 11chörige Laute. Tab.-Teil: f. 3–17. F. 1 Wasserzeichen: Mainzer kurfürstliches Wappen. Widmung: f. 3r *Dem Aller Durchleuchtigsten Großmächtigsten Fürsten und Herrn, Herrn Josepho / erwöhlten Römischen auch zu Hungarn König . . . / Dediciret dieses in aller unterthänigkeit / Johann Theodorus Herold / Churfürstlich Maintzischer Capel Meister.* Titel: f. 4r *Harmonia quadripartita / Serenissimi et Potentissimi Romanorum Regis auribus /*

in Arce Suiccardiana suaviter insonans, post / felicem et gloriosam Landgravij Expugnationem / Anno quo / ReX JosephVs atqVe RegIna pLaVDente JMperIo / aVstraIaCas terras bonIs aVIbVs repetVnt. Arx Suiccardiana ist der sog. Schweizertrakt der Wiener Hofburg. Das Chronostichon der beiden letzten Titelzeilen ergibt das Jahr der Eroberung der Festung Landau, die unter dem Befehl von König Joseph erfolgte (*1702*, 10. September). Entstehung, Überreichung des Ms. wohl in diesem Jahr. 2 Schreiber: A Tab.-Zeichen; B Überschriften, Titel, Widmung. Pappband der Zeit. Vorder- und Rückdeckel außen mit bunt marmoriertem Papier überzogen: goldene Arabesken auf rotgrundierter Decke, Tiergestalten (Wolf, Hirsch, Hund, Adler, Storch, Papagei, Fasan etc.). Goldschnitt. (Freie Instrumentalsätze, Tänze, Airs)

Literatur: BoetticherL, S. 374 [50] (*Ms. Wi 18760*); KoczirzÖLL, S. 86f.; MaierT, S. 22ff., 100ff.

Ms. Mus. 18761.

Frz. Lt. Tab. 6 Lin. 2. Viertel des 18. Jh.

46 fol. Unbeschrieben f. 1v; f. 46v nur Schriftproben in Tab. Neuere Bleistift-Foliierung. 15,3×19,4 cm. Tab.-Teil f. 2–46r. Für 11chörige Laute. F. 1r Kupferstich: Titelrahmen mit 5 musizierenden Engeln, Papier mit vorgedruckten Lin., ohne Angabe der Offizin. 1 Schreiber: er verstand frz., mehrmals bei Seitenende Vermerk *tournez*. Pappband der Zeit, mit mehrfarbig gemustertem, bedruckten Papier beklebt, Buchrücken abgeblättert, Faszikelbindung erhalten. (Freie Instrumentalsätze, Tänze, Airs.)

Literatur: WolfH II, S. 106; BoetticherL, S. 383 [58] (*Ms. Wi 18761*); KoczirzÖLL, S. 82, Anm. 1; PrusikK, S. 25f.; NeemannF, S. 158f.; VoglB, S. 189ff.; PrusikS, S. 36ff.; Klima-RadkeWW, S. 437; MaierT, S. 24, 105ff.

Ms. Mus. 18790. Früher Bibl. Octavianus II. Fugger, Augsburg.

Ital. Lt. Tab. 6 Lin. Um 1560–1565.

10 fol. Unbeschrieben f. 10. 16,2×21,8 cm. Tab.-Teil: f. 1–9. Für 6chörige Laute. Rückdeckel außen kopfstehend, Tinte: *Laütten: buch: herrn Jorgen: függer.* Vorderdeckel innen und f. 1r jeweils jüngerer Bleistift-Vermerk: *quondam Georgij Fugger.* Georg Fugger (31. 12. 1517–25. 8. 1569) war der 3. Sohn des Raymund Fugger und Vater des Octavianus secundus Fugger (aus seiner 1540 mit Ursula von Liechtenstein geschlossenen Ehe). Nach dem Tode Friedrich Fuggers wurde das Ms. mit anderen Musikalien 1655 an Kaiser Ferdinand III. von Österreich verkauft. 1 Schreiber. Weißer Pappband der Zeit. (Ital. Madrigale, lat. Motetten.)

Literatur: WolfH II, S. 71; BoetticherL, S. 350 [28] (*Ms. Wi 18790*); KoczirzÖl, S. XLVII, 1 Faksimile Beisp. *L*; Fachkatalog, S. 155, Nr. *70* (Raum XI, Pult VIII).

Ms. Mus. 18821. Ältere Signatur (f. 1r): *A N 35. H. 24.* Alte Signatur (Vorderdeckel außen, Tinte): *24*, betrifft Bibl. Octavianus II. Fugger, Augsburg, über den Verkauf der Bibl. 1655 an Kaiser Ferdinand III. von Österreich vgl. unter Ms. 18790.

Ital. Lt. Tab. 6 Lin. Um 1562, Datierung 1562.

33 fol., zuzüglich je 1 Vorsatz- und Nachsatzbl. (leer). Unbeschrieben f. 4r, 18v, 19r, 20r, 25–32 (nur Lin.). 13,8 × 20,3 cm. Ausschließlich Tab. Für 6chörige Laute. Besitzvermerk und Datierung: Vorsatzbl. Ir *NB. / das ist mein altt lauttenbuech, / alß ich in dem Welschlandt, In Bononia, / a° 1562 gestudierdt hab.* F. 1r Schriftproben (Ziffern) in ital. Lt. Tab. Teilweise gekritzelte Entwürfe, Satzfragmente f. 33r. F. 33v flüchtiger Vermerk *Sacarus.* Orig. Numerierung der Sätze im ersten Teil des Ms.: *1–20.* Wohl 3 Schreiber des Tab.-Teils: A als Hauptschreiber ist Octavianus secundus Fugger (17. 1. 1549– 31. 8. 1600, Rat Kaiser Rudolphs II., Stadtoberhaupt Augsburgs; zur Zeit der Niederschrift in Bologna, wohl erst 13 Jahre alt, was die ungeübte Notierung mehrerer Sätze erklärt). Heller Pergamentband der Zeit, Vorderdeckel mit Schwarzpressung: Randleisten und in der Mitte *O S F* [= Octavianus Secundus Fugger], Stümpfe von 2 Lederschnüren zum Verschließen. Vorderdeckel außen Tinte originale Beschriftung: *15.62* und *Lauttenbuech.* (Freie Instrumentalsätze, Tänze, ital. Madrigale.)

Literatur: WolfH II, S. 71; BoetticherL, S. 345 [24] (*Ms. Wi 18821*); KoczirzÖl, S. XLVIIf., 2 Faksimiles Beisp. *M*, *N*; Fachkatalog, S. 155, *Nr. 69* (Raum XI, Pult VIII). Ferner HudsonF, S. 101.

Ms. Mus. 18826. Ältere Signatur (f. 1r): *A N 35. H. 25.*

Fr. Lt. Tab. 6 Lin. Um 1672–1675.

11 fol. Unbeschrieben f. 1, 2v, 3r, 9v–11. 14,3 × 19,7 cm. Ausschließlich Tab. Für 11chörige Laute. Titel: f. 2r *Lusus testudine tenoris gallici teutonico / labore textus / Quem / Augustissimo ac Inuictissimo Romano= / rum Imperatori Leopoldo ‚I' Hunga= / riae Bohemiaeq*[ue] *Regi, Archiduci Austriae etc. etc. / Apollini / ac Domino suo clementissimo. / In submississimae Deuotionis argumentu*[m]. */ Concinnauit ac humillimè dedicauit / Jnfimus Vasalus. / Joannes Gottard*[us] *Peyer: S S: Thlga*[e] *sac: Canonumq*[ue] */ candidat*[us] *Presbyter.* F. 4 Wasserzeichen (dreiblätteriges Kleeblatt, aufrecht, langergerader Stil, zwei Antiqua-Lettern unten: *C* und *V*). 1 Schreiber: wohl Peyer selbst, der 1. 7. 1672 – 1678 Hofkaplan bei Kaiser Leopold I. von Österreich an der Wiener Hofkappelle war und der die Sätze in den ersten Jahren seiner Hofkaplanschaft niedergeschrieben und dem Kaiser vorgespielt haben dürfte. Pappband der Zeit, beklebt mit verblaßt-grüner Atlasseide, je 2 rosa Seiden-

bänder zum Verschließen sind bis auf den Stumpf abgerissen. (Freie Instrumentalsätze, Tänze.)

Literatur: BoetticherL, S. 360 [38] (*Ms. Wi 18826*); KoczirzÖLL, S. 79f.; MaierT, S. 24f., 113f.

——— Ms. Mus. 18827. Ältere Signatur (Vorderdeckel außen): *A N 35. H. 26.*
Ital. Lt. Tab. 6 Lin. und Dt. Lt. Tab. Um 1570–1580.

39 fol. Unbeschrieben f. 7r, 13–26, 28v–39r. 14,8×21,3 cm. Rückdeckel innen Schriftproben, darunter z. B.: *Ain gesellen strecken* (zweimal), Zeichnung eines bärtigen Mannes (Brustbild, klein), *Ich Hans Antoni*[us], *Benedicte Ant.*, *adesse nur*. Vorderdeckel flüchtige Bleistift-Notiz: *Nulla*. Überwiegend ital. Lt. Tab. in sauberer Aufzeichnung; f. 9v–12, 39v dt. Lt. Tab. in das Lin.-System eingezeichnet, teilweise auch auf dem freigebliebenen Rand (f. 9v, 39v unten). Ausschließlich Tab. Für 6chörige Laute. Mehrere Sätze mit *finis*-Vermerk. Mindestens 3 Schreiber: A und B ausschließlich ital. Lt. Tab.; C überwiegend dt. Lt. Tab., in ital. Lt. Tab. ungeübt (Korrekturen). F. 1r vor Satzbeginn Bezeichnung der Saiten: *Contra basso*, *Bordo*[ne], *Tenor*, *Mez*[z]*ana*, *Mez*[z]*anina*, *Canto*. Rhythmische Zeichen z. T. sehr flüchtig. Stark vergilbter Pergamentband der Zeit, Rücken defekt, jedoch alte Heftung unversehrt. 1 herausgerissene Lederschnüre (Schließe). (Freie Instrumentalsätze, Tänze, frz. Chansons, ital. Madrigale.)

Literatur: WolfH II, S. 71; BoetticherL, S. 344 [22] (*Ms. Wi 18827*); KoczirzÖl, S. XLVIf., 128; SlimM 1965, S. 126.

——— Ms. Mus. 18829.
Frz. Lt. Tab. 6 Lin. 2. Viertel des 18. Jh.

131 fol., zuzüglich je 1 Vorsatz- und Nachsatzbl. (leer). Unbeschrieben f. 45r, 48v, 49r, 55v–130r (nur Lin.). 14,2×29,3 cm. Ausschließlich Tab. Für 12chörige Laute, vereinzelt Nachtragung eines 13. Chores (s. u.). 3 Schreiber: A und B Hauptschreiber, saubere Notierung; C wohl etwas später, von seiner Hand ist vereinzelt (f. 43r) ein tieferer Chor (*6*) nachgetragen. Dunkelroter Lederband der Zeit, Vorder-, Rückdeckel und Buchrücken mit Goldpressung. Goldschnitt. (Freie Instrumentalsätze, Tänze, frz. und ital. Satzbezeichnungen.)

Literatur: WolfH II, S. 106; BoetticherL, S. 376 [52] (*Ms. Wi 18829*); KoczirzWL, Krit. Bericht nach S. 94; NeemannA, Heft 4, Einleitung; NeemannL, S. 118; NeemannF, S. 157ff.; PrusikK, S. 23ff., PrusikS, S. 36ff; Klima-RadkeWW, S. 437; MaierT, S. 25ff., 115ff.

——— Ms. Mus. 19259.
Frz. Lt. Tab. 5 und 6 Lin., Dt. Lt. Tab. Ende des 16. Jh.

14 fol., zuzüglich je 1 neueres Vorsatz- und Nachsatzbl. Unbeschrieben f. 2r, 8v, 9r, 11r, 13r, 14v (z. T. nur Lin.). 20,8×30,6 cm. Für 5- und 6chörige Laute.

F. 12v, 13v ausschließlich Aufzeichnung in gew. Notenschrift, diese auch an anderen Orten. Tab.-Teil: f. 1, 2v, 3–8r, 9v–10, 11v, 12r, 14r, z. T. nur am Rand unten (f. 14r). Überwiegend frz. Lt. Tab.; daneben f. 1v, 2v–4r auch dt. Lt. Tab. Mehrere Vokalmodelle wurden versuchsweise in Tab. „abgesetzt" (vgl. Bd. 2). Mindestens 4 Schreiber: jeweils 1 Schreiber-Paar in frz. und dt. Tab., das eine saubere Notierung mit Incipits in Schönschrift, das andere flüchtig, Lin. z. T. ohne Rastral im frz. Tab.-Teil. Jüngerer Pappband mit Pergamentrücken. (Freie Instrumentalsätze, Tänze, frz. Chansons, ital. Madrigale, dt. Liedsätze, lat. Motetten.)

Literatur: WolfH II, S. 50; BoetticherL, S. 350 [28] (*Ms. Wi 19259*); KoczirzÖLL, S. XLVIII, 129; BoetticherLZ I, S. 831.

—

Ms. Suppl. Mus. 1078.

Frz. Lt. Tab. 6 Lin. 2. Viertel des 18. Jh.

118 fol., zuzüglich 1 Vorsatzbl. (leer). Unbeschrieben f. 1v–3r, 12v, 22v, 32v, 48v–117. 16,9 × 22,8 cm. Ausschließlich Tab. für 11chörige Laute. Nicht beschriftete, bezeichnete und unbezeichnete Kupferstiche: f. 1r, 12r (*Ambassadeurs de Siam*), 22r (*Porten zu Marseille*), 32r, 87r (*S. Iohann, S. Marci, S. Pauli u. der Schulen zu Venedig*), 98r, 108r (*Lusthaus des Vice Re zu Neapolis*), 113r (*Messine secourue*), 118r (*Ein theil des Pallasts S. Marci zu Venedig*). Mindestens 2 Schreiber, stark unterschiedliche Tintenschwärzung. Jüngerer Halblederband, innen originaler Pappband, dessen Deckel mit bunt bedrucktem Papier beklebt sind, Goldschnitt. (Freie Instrumentalsätze, Tänze, Aria, frz. und ital. Satzbezeichnungen.)

Literatur: WolfH II, S. 106; BoetticherL, S. 377 [53] (*Ms. Wi 1078*); KoczirzWL, Krit. Bericht, nach S. 94; NeemannL, S. 118; PrusikS, S. 36ff.; KoczirzBL, S. 92f.; Klima-RadkeWW, S. 437; MaierT, S. 10ff., 33ff.

—

Ms. Suppl. Mus. 1586. Früher Privatbibl. August Wilhelm Ambros († Wien 1876).

Frz. Lt. Tab. 6 Lin. Um 1710–1715.

53 fol. Unbeschrieben f. 53v (nur Lin.). F. 52, 53 nachträglich eingeklebt (aus Raummangel ist das Ende des Volumens enger mit Tab. beschriftet). F. 1, 2 jünger gefalzt. 21,5 × 28,5 cm. Tab.-Teil: f. 2–53r. Für 11chörige Laute. Vorgedruckte Lin., ohne Angabe der Offizin (Randpressung im Papier); f. 52, 53 Rastral. F. 1r Eintragung mit Erläuterung des Tab.-Systems in roter und schwarzer Tinte mit biographischen Notizen zu St. Luc nach J. G. Walther, *Lexicon* 1732, S. 372 und E. L. Gerber, *Neues hist.-biogr. Lexikon* 1812ff. III, S. 263; gez. *A.W.A.* (Ambros). Korrekturen, Rasuren: f. 19r etc. Tab.-Ergänzung am Rand: f. 10r. Ab f. 37 Wurmschaden, ab f. 52 dadurch Tab.-Ver-

lust. F. 1, 52, 53 Papier gleichen Alters, jedoch am Schluß der Niederschrift angefügt (zur Bestimmung der Wasserzeichen vgl. MaierT, S. 15). *vivace*-Vorschrift im Satzinnern f. 21r. Ausschließlich Sätze von Jacques-Alexandre (oder: Laurent) de Saint Luc junior (* 1663 Brüssel, Hoflautenist Ludwigs XIV., seit 1700 in Wien in Diensten des Prinz Eugen von Savoyen); wahrscheinlich nicht Autograph, sondern Kopie für den Fürsten Lobkowitz (vgl. die aus dessen Besitz überkommenen Tab. in Prag, Nat. Mus. und Univ. Bibl.). Zur Datierung vgl. Satztitel mit Anspielungen auf den Span. Erbfolgekrieg (Neapel, Gaeta, Lille, Barcelona, *L'ariuée Du Prince Eugenne, Le Depart de la flotte, Le Combat Naval*) und f. 42v ein *Tombeau sur la mort De M^r^ françois Ginter* († 1706). Beischriften: f. 20r *Le Prince de L.K.W.* und f. 24v *Le Prince de LoKoWis* (u. ä.). Eine einheitliche Vorlage ist nicht nachzuweisen. Alle Sätze sorgfältige Satzbezeichnung. Für Laute sind auch die Sätze *Scharamouche Dançant auec La Guittarre, ... Pour Les Cor de Casses, ... Pour les fluttes, ...pour les Trompettes*, bestimmt. Fingersatz: Strich, 1, 2 Pkte. 1 Schreiber (letzte 8 Bll. dunklere Tinte). Dunkelbrauner Pergamentband der Zeit, Deckel und Buchrücken mit eingepreßtem Ziermedaillon und Randleiste (urspr. Goldgrund), Goldschnitt. Vorderdeckel aufgeklebter Zettel, Bleist.: *Abgeschrieben am 25 / 9 71 W. Tappert, Berlin.* 1 ehem. mit Siegellack aufgeklebtes Bl. ibid. entfernt, links unten Wappenprägung schwarzer Siegellack; Lackreste auch Rückdeckel. (Freie Instrumentalsätze, Tänze, frz., dt. Liedsätze.)

Literatur: KoczirzÖ, S. 49ff.; KoczirzÖLL, Einleitung; MaierT, S. 13ff., 42ff.; TappertS, S. 114f. (Satz *Jupiter tenant* nach f. 20v). – Edition in Vorbereitung (E. Maier).

Ms. Suppl. Mus. 9659. Früher Aussee (Steiermark), Privatbesitz Karl Hillbrand, Gärtnermeister und Buchdrucker, Am Markt 12 (im Dachboden ca. 1935 aufgefunden). 1938 von der Ö. N. B. Wien erworben.

Frz. Lt. Tab. 5 Lin. für Git. mit Abecedario. 2. Viertel des 18. Jh.

72 fol., zuzüglich je 1 Vorsatz- und Nachsatzbl., letzteres am Rand z. T. abgerissen. Den noch erhaltenen Falzen ist zu entnehmen, daß der Kodex mindestens 93 fol. enthielt; bei vollständiger Zählung dieses Volumens müssen als fehlend gelten: f. 19–24, 29, 35, 37, 43, 63, 77, 80–85, 87, 88, 90, 91. Auf dem Falz des entfernten Bl. 35 sind noch Reste einer Tab. sichtbar. Mithin fehlen wahrscheinlich wesentliche Teile der Aufzeichnung. Unbeschrieben f. 1r, 2v (nur Lin.). 15×22 cm. Für 5saitige Gitarre. Titel: f. 1r *Denz Buch / Angehorig mir Kaspar Fellner / Ich dichte neue Denyze / Aber nicht Vor anden und / Genze, / I*[c]*h dichte sie für Leit die / das danzen Gefreit.* [Steirische Rechtschreibung für „Enten und Gänse".] Tab.-Teil: f. 3–42, 43v–49r. Gew. Notenschrift (Tinte, Bleistift) u. a. mit Beischriften: f. 2r, 9v, 17r, 28r, 29r, 30r, 43r, 49v–72 *Dantz Ex ...* (folgt Tonart), f. 43r *Neue Densz aus dem G*, f. 51r *Denz aus dem C* (analog f. 51v, 53r etc.), f. 23r *Die Töne zum Blasen sind* (Ton-

leiter *g–c'''*), f. 37r *Clarino 1*, *Clarino 2te*, f. 49v *Menuet* (mit: *Auth. Wagenseil*, analog f. 50v). Diese Teile in gew. Notenschrift (und weitere, u. a. *Violino Imo* f. 57v, *Violino 2. sec*[und]*o* (f. 58r bezeichnet) sind wesentlich später als der Tab.-Teil zu datieren: einer der Schreiber in gew. Notenschrift war Kaspar Fellner (zufolge Höllwöger erst 1780 in Aussee geboren), der bezeichnenderweise auch freigebliebene Seiten des Tab.-Teils benutzte; der letztere ist nicht durch einen Schreibernamen ausgewiesen. F. 3r Übersicht des Abecedario: alle großen Buchstaben *A–Z*, im Notenteil werden jedoch nur *A*, *B*, *C*, *G*, *J* verwendet, und zwar vereinzelt, es überwiegt das *punteado*-Spiel. 1 Schreiber (korrekter als die Schreiber der nichtintavolierten Teile). Schwarzbrauner Lederband der Zeit, Buchrücken (defekt) Blindpressung. Goldschnitt. Orig. Heftung unversehrt. (Freie Instrumentalsätze, Tänze, frz. Air, dt. Liedsätze.)

Literatur: KlimaA, S. Vff. des Vorberichts (mit Faksimile von f. 9v, 10r); Höllwöger, S. 195; Suppan, S. 90f.; MaierT, S. 16ff., 69ff.

WIEN, ÖSTERREICHISCHE NATIONALBIBLIOTHEK, *Handschriftenabteilung*

Ms. 960. Alte Signatur (Vorsatzbl. Iv, Bleistift): *Philol. 106.*

Ital. Lt. Tab. 6 Lin. 2. Drittel des 16. Jh.

160 fol. (Pergament). Es handelt sich um eine Sammlung von Briefen, Prologen, Poemata, Epitaphien und sonstigen literarischen Dokumenten in lat. Sprache. Auf der letzten Seite des Volumens, die der Kopist freiließ (f. 160v), findet sich 1 Fragment in Tab., nur 2 Tab.-Takte. Für 6chörige Laute. Daneben und darunter einige Werte in gew. Notenschrift, ohne Text. Auf der gleichen Seite Schriftproben (Briefanreden), ferner 3 Zeilen ital. Text, beginnend: *Jnuictissimo amor* . . . Tab. in flüchtiger Skizze. 1 Schreiber. Pergamentband der Zeitlage des literarischen Inhalts. (Unbezeichnetes Fragment.).

Literatur: Fehlend.

——

Ms. 9704. Alte Signatur (Vorsatzbl. Iv, Bleistift): *Rec. 1711.*

Dt. Lt. Tab. Ende des 1. Viertels des 16. Jh., wahrscheinlich 1522–1524.

30 fol., zuzüglich je 1 Vorsatzbl. (Rückseite leer) und Nachsatzbl. (leer). Unbeschrieben f. 1v–2, 15v, 19, 30v (leer); f. 24r (nur Rahmen für Tab.). 11 × 14,5 cm. Tab.-Teil: f. 3–15r, 22, 23, 24v–30r. Für 6chörige Laute. Gew. Notenschrift f. 1r (1 System, C-Schlüssel auf zweitunterster Lin., ohne Satzbezeichnung, ohne Text). F. 20–21r dt. Liedtexte ohne Notenschrift, beginnend mit *Vngnadt beger Ich nit vonn dier;* f. 21v nur: *Hast du mich genumen. / o P modonna katherina.* Besitzvermerk: Vorsatzbl. Ir *Jacobus Thuerner* (das *Th* des Eigennamens wurde zunächst mit dunklerer Tinte wie der Vornamen aufgezeichnet, sodann von anderer Hand mit blasserer Tinte in der gleichen Zeile, etwas nach oben versetzt, der vollständige Eigenname, wohl etwas später).

Die übrigen Teile des Ms. enthalten Rechnungen (f. 16r, 16v „*diminutio fit aut . . .*“, f. 17r „*Additio*“, f. 17v „*Subtractio*“, f. 18r „*Multipl*[icatio]“, f. 18v „*Diuisio*“), dazwischen dt. Textstrophen (*Nach willen dein* etc.). Es handelt sich im Tab.-Teil nur um 2stimmige Sätze (f. 3–15r, 22, 23, 28v untere Hälfte, 30r) und um einige, als *Ode* bezeichnete 3stimmige Sätze (f. 24v–28v obere Hälfte). F. 27r Streichung der Tab., f. 28r *finis* gestrichen. F. 28v bei dem Satz *Zart Schönste fraw* Vorlagenhinweis: *Folio. B. 2.* (gleicher Schreiber). 2 Schreiber (A = f. 3–15r, 24v–30r, B = f. 22, 23, blassere Tinte). Pergamentband der Zeit (als Einband wurde eine literarische Handschrift schwarz, mit roten und blauen Initialen benutzt); 1 Bandschließe (Stoff) ist erhalten. Orig. Heftung unversehrt. 1 Schreiber: Jacob Thurner (* um 1505); Aufzeichnung wohl in seiner Studentenzeit an der Univ. Wien (immatrikuliert 15. 4. 1522). (Freie Instrumentalsätze, Tänze, ital. Frottolen, dt. Liedsätze, lat. Oden.)

Literatur: Tabulae VI, S. 73 (ohne Identifikation der Tab.). Neuerdings FlotzingerT, S. Vff.; RadkeTHU, S. 273. Vom Verfasser 1963 ermittelt.

Ms. 10248. Alte Signatur (Vorsatzbl. Iv): *Rec. 1277.*

Frz. Lt. Tab. 5 Lin. für Git. mit Alfabeto und Golpes. Um 1665–1690.

4 fol., zuzüglich je 1 Vorsatzbl. (Rückseite leer) und Nachsatzbl. (leer). Als Schmutzbl. je 1 älteres Bl. (leer). Unbeschrieben f. 3, 4 (nur Lin.). 24,5 × 18 cm. Tab.-Teil: f. 1, 2. Für 5saitige Gitarre. Titel: Vorsatzbl. Ir *Della Sa:ra Real Ma:ta Vos:ra / Hum:mo Deu:mo Oss:mo Ser:re / Oratio Clementi Mus:co Del Inst. Ces:o Di Sua . . .* (Rest am unteren Rand abgeschnitten, der Titel ist als Ganzes zu lesen: Della Sacra Real Maestà Vostra Humilissimo Deuotissimo Osseruandissimo Seruitore Oratio Clementi Musico Del Instituto Cesareo Di Sua [Maestà Cesarea]). O. Clementi war zufolge Köchel, S. 64 1663 bis zu seinem Tod 1708 Theorbist am Wiener Hofe. F. 2v Überschrift: *Si Principia Jl Pass*[a]g[agli]*o: Alla Spagnola etc.* Verwendet sind als Alfabeto: *A B C D E H O*, das *punteado* ist spärlich. 1 Schreiber (Tab. und Dedikation, wohl Autograph Orazio Clementi). Jüngerer brauner Pappband mit leerem Etikett auf Buchrücken. (Freie Instrumentalsätze, Tänze.)

Literatur: Tabulae VI, S. 161 (nur „*cum notis musicis*“); KoczirzOC, S. 107ff.; MorphyE I, S. XLV; MaierT, S. 18f., 83f.

WIEN, BIBLIOTHEK DER GESELLSCHAFT DER MUSIKFREUNDE

Ms. 7763/92. Früher Schloß Schwanberg (Kreis Deutsch-Landsberg); einer Eintragung E. Mandyczewskys (auf dem Vorsatzbl. Ir) zufolge sodann Wien, Bibliothek Johann Nepomuk Fuchs.

Frz. Lt. Tab. 6 Lin. Um 1680.

131 fol., zuzüglich 4 Vorsatzbll. (leer) und 5 Nachsatzbll. (leer), letztere von abweichendem Papier. 3 Bll. sind am Ende (f. 132–134) herausgeschnitten

(Falze sichtbar). Unbeschrieben f. 121, 122 (leer); f. 20–38r, 43–44r, 64r, 73–120, 123–131 (nur Lin.). Ausschließlich Tabulatur. Für 10- bis 11chörige Laute. Nur Solosätze. Einige Bleistift-Skizzierungen in Tab.: f. 2r. Streichungen f. 54v etc., Rasuren f. 4v, 5r. 1 Schreiber (unterschiedliche Tintenfärbung, die mit blasserer Tinte überlieferten Teile sind flüchtiger notiert). Dunkelbrauner Lederband der Zeit, Buchrücken mit reicher Goldpressung. Vorder- und Rückdeckel sind mit orig. bunt marmoriert bedrucktem Papier beklebt, das gleiche Buntpapier ist als Schmutzbl. hinten erhalten, vorn herausgerissen). (Freie Instrumentalsätze, Tänze.)

Literatur: BoetticherL, S. 360 [37] (*Ms. Wi G*); RollinG, S. XVII (als *Ms. Schwanberg* unter Bibl. Klima geführt); RadkeG, S. 142.

ehemals WIEN, Privatbibliothek Prof. Max Kalbeck
gegenwärtiger Besitzer nicht nachgewiesen. 1895 erworben aus Antiquariat L. Liepmannssohn, Berlin.

* Ms. ohne Signatur.

Frz. Lt. Tab. 6 Lin. 2. Hälfte des 17. Jh.

Umfang des Ms. ist nicht näher bekannt. Als Format ist *quart-obl.* (Fachkatalog, s. u.) angegeben. Als Satzbezeichnungen werden *Praeludium* (*Prelude*) und frz. Liedbearbeitungen (*Chansons*) genannt, als Komponisten *Galilei*, *Perichon*, *Mezangeau*, *Gauthier*, *Ballard*, *Lepin*. Wahrscheinlich für 11chörige Laute. (Freie Instrumentalsätze, Tänze, frz. Liedsätze.)

Literatur: Fehlend. Hinweis WolfH II, S. 106; BoetticherL, S. 357 [35] (*Ms. Wi K*); Fachkatalog, S. 158f. (*Nr. 98*, Raum *XI*, Pult *X*); RollinM, S. XVII, Anm. 5.

ehemals WIEN, Privatbibliothek Graf Wilczek
gegenwärtiger Besitzer nicht nachgewiesen

* Ms. ohne Signatur. (I)

Ital. und Dt. Lt. Tab. Ende des 16. Jh.; Datierung 1590.

Umfang des Ms. ist nicht näher bekannt. Als Format ist *quart-obl.* (Fachkatalog, s. u.) angegeben. Als Satzbezeichnungen werden *Fantasia*, *Tänze* und *dt. Liedbearbeitungen* (darunter: *Was wollen wir auf den Abendt thuen*) genannt. Das Ms. sei etwa zur Hälfte in Ital. Lt. Tab. 6 Lin. und in Dt. Lt. Tab. geschrieben. Dem Faksimile zufolge (TappertW, s. u.) war Fingersatz (1 Punkt) beigegeben; nach gleicher Reproduktion für 6chörige Laute. Angaben von Komponisten nicht überliefert. (Freie Instrumentalsätze, Tänze, dt. Liedsätze.)

Literatur: Fehlend. Hinweis BoetticherL, S. 350 [28] (*Ms. Wi W* [*I*]); Fachkatalog, S. 156 (*Nr. 75*, Raum *XI*, Pult *VIII*); TappertW, Musikbeilage S. 2f. 1 Faksimile von dem Satz *Was wollen* . . . (s. o.); LaurencieL, S. 154; HamburgerP, S. 38; TappertS, S. 48.

* Ms. ohne Signatur. (II)

Frz. Lt. Tab. 6 Lin. Um 1625; Datierung 1623.

Umfang des Ms. ist nicht näher bekannt. Als Format ist *obl.-8º* (Fachkatalog, s. u.) angegeben. Als Satzbezeichnungen werden ital., frz. und poln. Lied- und Tanzsätze genannt (Fachkatalog: „*u. a. mit mehreren polnischen Stücken*"). Diese Quelle und WolfH bemerken übereinstimmend, daß das Ms. *1623* (Datierung am Anfang) begonnen sei. Angaben von Komponisten sind nicht überliefert. (Freie Instrumentalsätze, Tänze, ital., frz., poln. Liedsätze.)

Literatur: Fehlend. Hinweis WolfH II, S. 106; BoetticherL, S. 356 [34] (*Ms. Wi W* [*II*]); Fachkatalog, S. 158 (*Nr. 97*, Raum *XI*, Pult *X*).

WILLEY PARK (Shrewsbury, Shropshire), Privatbibliothek Lord [Welde-] Forester

Ms. ohne Signatur.

Frz. Lt. Tab. 6 Lin. Um 1600.

43 fol. Unbeschrieben f. 1–4r. 21×15 cm. Tab.-Teil: f. 4v–43. Für 7chörige Laute. Insgesamt 39 Sätze. Der Besitzer (und wohl auch Schreiber) John Welde studierte um 1600 Jurisprudenz, aus dieser Zeit dürfte das Ms. herrühren, spätere Eintragungen fehlen. John Welde war später mehrere Jahrzehnte Town Clerk von London. 1 Schreiber (s.o.). Dunkelbrauner Lederband der Zeit, Goldpressung auf Deckeln, Vorderdeckel in Rahmen in der Mitte *IOHN WELDE*, dazwischen Wappen der Familie. Das Ms. ist durch Familienbesitz überliefert. (Freie Instrumentalsätze, Tänze, engl. Liedbearbeitungen.)

Literatur: SpencerW, S. 661ff., S. 661 Abb. des Vorderdeckels, S. 662 1 Faksimile einer *Paven* von W. Byrd; SpencerL, S. 121f.; Jeffery, S. 25; Stephens, S. 118, Appendix. – Das Ms. war Newton, S. 77 und LumsdenE I, S. 27 nicht zugänglich („*inaccessible sources*"). Hinweis SternfeldM, S. 184ff., Faksimile nach S. 186; KanazawaH I, S. 8; JefferyH, S. 166.

WOLFENBÜTTEL, Herzog-August-Bibliothek, Handschriftenabteilung

Ms. Codex Guelferbytanus 18.7. Augusteus 2° und Guelferbytanus 18.8. Augusteus 2°. Ältere Signatur (in beiden Bänden f. 1r Tinte, in Band I mit Bleistift ausgestrichen): 1.3.1. Mus. und 1.3.2. Mus. Zwei Bände: I, II.

Ital. Lt. Tab. 6 Lin. Anfang des 17. Jh. Datierung 1603, 1604. (Dt. und frz. Lt. Tab. nur in Band I als je 1 einleitendes Exemplum, s. u.).

Band I:

245 fol., zuzüglich je 1 Vorsatz- und Nachsatzbl. auf Deckel festgeklebt (leer). Orig. Foliierung *1–94* (f. 4–91), *1–103* (f. 95–193), *1–50* (f. 194–242). F. 243 bis

245 ohne orig. Foliierung belassen. Die Foliierung entspricht den 3 Teilen (I–III) des Ms. (s. u.). Unbeschrieben f. 1v, 2v–3, 5v, 6r, 7v, 11, 12v, 14v, 16v–19, 21r, 24v, 26v–28r, 31, 44–63, 65v–66, 69–82, 84v–91, 92v, 94v–97, 102r, 114r, 116v, 125v, 128v, 134v, 136–139, 142–143r, 145–193, 194v–195, 227–236, 241–245 (leer); f. 196–199, 215–226 (nur Lin.). 32×20,5 cm. Tab.-Teil: f. 8, 10v, 20, 21v–23, 25, 28v–30, 32, 33v–36r, 37r, 38–39r, 40r, 41, 42v, 64r, 65r, 67–68r, 83r, 84r, 98r, 101v, 102v–106, 107v–108r, 109r, 110–113, 114v–116r, 117–120, 121v–125r, 126–128r, 129–134r, 135, 140r, 141, 143v–144, 200–214, 238–240r. Für 7chörige Laute. F. 237r Traktat, überschrieben: *DE MODO IN TESTVDINE STVDENDJ LJBELLVS / JO: BAPTISTA BESARDO VESONTINO AVTHORE* [ist eine Kopie nach dem Druck J.-B. Besardus, *Thesaurus Harmonicus*, Köln 1603]. Der Schreiber (s. u.) schließt f. 241v: . . . *Ph. Hainhoferj librorum testudinum.* F. 8v 1 Beispiel in dt. Lt. Tab., f. 12v 1 Beispiel in frz. Lt. Tab. Zahlreiche vom Schreiber eingeklebte Kupferstiche wurden in neuerer Zeit entfernt und in einer gesonderten Kupferstich-Sammlung der Bibl. vereinigt (Notiz O. v. Heinemanns auf dem Vorderdeckel innen): es wurden insgesamt 156 Kupferstich-Bll. herausgenommen, und zwar die ersten durch G. E. Lessing, sodann 1862 alle restlichen. Der Tab.-Bestand blieb hiervon unberührt. Die neuere Foliierung (Bleistift) ist inkorrekt (Sprung von f. 215 zu f. 218, hierdurch sind 2 Bll. zuviel gezählt, die Angaben bei Heinemann, S. 226 sind entsprechend zu berichtigen). Vereinzelt gew. Notenschrift: f. 98v–99r (Aufzeichnung in Chorbuchform, 1 4stimmiger Satz *Jauchzen will ich . . .*), f. 101v (eine einzelne Stimme, Chanson *En quelque . . .*). Titel: f. 1r *Erster Thail / Philippi Hainhoferi Lautenbuecher, darinnen begriffen / Gaystliche Hymni, Psalmen, Kürchengesäng vnd / Lieder, so von vilen gueten Maistern, Jn Jtaliani- / scher tabulatur, auf der lauten zuspilen außgesetzt, / vnder Jedliches der text geschrieben, mit schonen ku- / pferstuckhen hin vnd wider gezieret, vnd zur nach- / richtung Volgende Register beygefuegt / sein, so folio 1.7. et 8° zufünden* [diese Angabe bezieht sich auf die orig. Indices f. 4, 12, 13, die diesen Teil *I* betreffen]. / *Anno. 1.6.0.3.* – F. 92r *Anderer Thail / P. H. Lautenbucher, welcher MVTETEN, / MADRIGALJ, CANZONJ, VILLANELLE, / ARIE, vnd sonst vnderschidliche weltliche Lieder Jn sich helt, Als auß vol- / gendem Register zusehen / Jst.* F. 195r *Dritter Thail, / P. H. Lautenbucher darinnen begriffen / PRELVDIO PRAEAMBVLJ PHANTASIAE RJCERCATE PASSIONATE vnd / andere kurtzweilige Musicali- / sche Leufflen. / Mit angehenckhtem tractetlin, auf was weiß / die lauten zulernen ist.* Orig. alfabetisches Register der Incipits: f. 4–5r (für Teil *I*), f. 93–94r (für Teil *II*); Teil *III* ist, wie schon aus dem Titel ersichtlich, ohne Register geblieben (als Ersatz ist die Überschrift zu Teil *III* f. 200r zu verstehen: *Seguono Preludi, Phantasie, ricerchate et passionate*). F. 12r Zusammenstellung von Komponistennamen, mit korrekter Angabe von *liber* (Teil) und *folio*, der Schreiber dürfte dieses Verzeichnis am Ende der Niederschrift beider Bände angelegt haben, da sämtliche Teile (Band *I*, Teil *I–III*, Band *II*, Teil *IV–XII*)

berücksichtigt sind. Überschrift f. 12r: *Register dern Lautenmaister namen, welcher auf der / Lauten zuspilen, componierte Stuckh, in disen / Lautenbuechern begriffen sein.* F. 13r, 13v eine Übersicht der Kupferstiche, mit Überschrift f. 13r: *Register der Künstler vnd mahler namen / von welcher handt, etliche kunstückh in di- / sen Lautenbuchern zusehen sein.* F. 6v ist aufgeklebt ein nach 1862 verbliebener Kupferstich von der Guidonischen Hand, desgleichen f. 7r ein Kupferstich mit der Bezeichnung: *Regola Vniversale facile e sicura di trouar tutte le Note, ouero Muta- / tioni di canto in qual si uoglia CHIAVE.* F. 2r Tintenzeichnung auf grauem Grund (Gouache): Musizierende Engel, in der Mitte Goldbuchstaben *GLORIA IN EXCELSIS DEO*, gezeichnet unten links *DK* (in Ligatur, David Kandel?), mit Datum *AE: 70 / 1604.* F. 8r Zeichnung eines Lautenkragens mit den Zeichen der dt. Tab. auf 6 Chören, 8 Bünden, überschrieben: *Vnderricht, wie die deutsch tabulatur / zuuerstehn.* F. 8v: *Volgt ain Exempel der / Deutschen tabulatur.* F. 9r überschrieben *Frantzösische tabulatur*, mit erläuterndem Text und f. 10v einem Exempel der *frantzösischen tabulatur*, hierbei sind 7 Chöre vorausgesetzt. Zahlreiche lat., dt. Sprüche, auch auf das Lautespiel bezüglich (f. 15–16r etc.). Zahlreiche Illustrationen. 1 Schreiber (sorgfältig, Philipp Hainhofer). Rotbrauner Lederband der Zeit, Goldpressung auf dem Vorderdeckel: *P H A 1 6 0 4.* 4 seidene Bandschließen fehlen gänzlich. Buchrücken mit Goldpressung, im 17. Jh. überklebt mit einem $^3/_4$ der Fläche überdeckenden Etikett, mit Aufschrift (Tinte) der orig. Titel der einzelnen Teile des Ms. (stark abgeblättert).

Band II:

308 fol., zuzüglich je 1 Vorsatz- und Nachsatzbl. auf Deckel festgeklebt (leer). Orig. Foliierung *1, 3, 5–43, 47–79* (f. 1–73), *1–90* (f. 74–163), *1–58* (f. 164–221), *1–18* (f. 222–239), sodann Gruppen *1–12* (f. 240–251), *1–8* (f. 252–259), *1–15* (f. 260–274), *1–11* (f. 275–286), *1–23* (f. 287–308). Diese Foliierung entspricht den 9, Band *I* fortsetzenden Teilen (*IV–XII*) des Ms. Unbeschrieben f. 3–4, 14v, 23r, 24r, 25r, 28r, 36r, 37r, 38v, 39v, 40r, 41v–73, 74v–76, 147–163, 164v–166, 208–221, 222v–223, 236–239, 240v–241, 252v–253, 255r, 260v–261, 263r, 264v–277, 286, 287v–288, 294–308 (leer); f. 22r, 92, 97, 103v, 104r, 112–113, 118v–119, 124–125, 128–146, 189–207, 231v–235, 249v–251, 256–259, 283v–285, 292v–293 (nur Lin.). Format wie Band *I*. Tab.-Teil: f. 5–6r, 7–14r, 15–17, 18v–21, 23v, 24v, 25–26, 27v, 28v, 30v, 31r, 32–33r, 34r, 35, 36v, 37v, 38r, 39r, 40v, 41r, 77–91, 93–96, 98–103r, 104v–111, 114–118r, 120–123, 126–127, 167–188, 224–231r, 242–249r, 254, 255v, 262, 263v, 264r, 278–283r, 289–292r. Für 7chörige Laute. Kupferstiche entfernt wie in Band *I*. Gew. Notenschrift fehlt. Neuere Foliierung (Bleistift). Titel: f. 1r *Vierter Thail / Philippi Hainhoferi Lautenbucher, darinnen / vnderschidliche Deutsche däntz mit ihren / darunder geschrieben*[en] *texten laut vol- / genden Registers fol: 3. zu- / fünden sein.* – F. 74r *Fünffter Thail / P. H. Lautenbucher, welcher Jtalianische*

| PASS' E MEZZJ mit ihren RIPRESE vnd | SALTARELLJ in vnderschidlichen CLA- | UIBVS der Music, Jnn sich haltet. – F. 164r *Sechster Thail | P. H. Lautenbucher, Jn welchem Ita- | lianische vnd frantzösische Gagli- | arde zusehen sein.* – F. 222r *Siebender Thail | P.H. Lautenbucher, darinnen | PAVANE, BATTAGLJE, vnd BAR- | RIERE aufgezaichnet | sein.* – F. 240r *Achtender Thail | P. H. Lautenbucher, mit mehrerlay | Padouanischen däntzen ge- | zieret.* F. 252r *Neundter Thail | P. H. Lautenbucher, darinnen | groser Herrn däntz zufünden.* – F. 260r *Zechender Thail | P. H. Lautenbucher, welcher von c Polln; | SPAGNOLETTE; ENTRATE; vnd | andern Mascharatischen | däntzen tractieret.* – F. 275r *Ailffter Thail | P. H. Lautenbucher, darinnen Englische | BRANDE zufünden sein.* – F. 287r *Zwelffter Thail | P. H. Lautenbucher, Jn welchen Fran- | tzösische COURANTE vnd VOLTE | aufgezaichnet sein* [Heinemann, S. 228 zitiert irrig *LOVPANTE* statt *COURANTE*]. In Teil *XI* sind die Branden orig. numeriert *1–12* (f. 279–282), weitere Sätze dieser Art vor- und nachher ohne Numerierung. Für Teil *IV* orig. alfabetisches Register der Incipits: f. 2r, 2v, überschrieben *Register, der text so vnder Volgende deutsche däntz | componiert, auch dern namen, welchen | etliche däntz zu ehrn sein gemacht word*[en]. Die anschließenden Teile *V–XII* blieben ohne Register. F. 1v ganzseitiges, oval gerahmtes Buntbild eines Mannes, mit in Schild eingelassener Bezeichnung: *Gaspar Duiffoprugcar. | Viua sui, in syluis sum dura occisa securi. | aeta. ann. | XLVIII.* F. 30r ist in jüngerer Zeit ein verbliebener orig. Zettel mit Initialen aufgeklebt: *M. H. D. I. | M. D. M. S.* (große, rote Buchstaben). 1 Schreiber (wie Band *I*, Philipp Hainhofer). Die Sorgfalt der Niederschrift stimmt mit Band *I* überein und läßt erkennen, daß nicht nur fortlaufend, sondern auch jeweils in den einzelnen „Teilen" Sätze eingetragen wurden. Dieser Umstand erklärt, daß zahlreiche Bll. mit Lin. freigeblieben sind. Merkmale des Einbands, auch dessen Datierung in Goldpressung, wie Band *I*. (Freie Instrumentalsätze, Tänze, lat. Motetten, ital. Madrigale, frz. Chansons, dt. Liedsätze.)

Literatur: Spezielle Untersuchung des Tab.-Teils fehlend. Hinweise: TappertH, S. 29f.; BolteT, S. 74f.; BolteF, S. 248ff.; BolteB, S. 55ff.; Heinemann, S. 226ff. (*Nrn. 2213, 2214*); BoetticherL, S. 353 [31] (*Ms. Wo PH*); StęszewskaLI, S. 27ff.; Feicht, S. 387f.; RollinB, S. XXI; EitnerQL V, S. 1, Art. *Hainhofer*. – Das Ms. ist bereits erwähnt bei J.F.A.v. Uffenbach, *Merkwürdige Reisen durch Niedersachsen, Holland und Engelland*, 1753 (Einsicht am 3. 1. 1710 in Wolfenbüttel, er zitiert „*Vierdter Theil Philip Haunhoferi* [sic] *Lauten-Bücher*"), hiernach GerberNTL (1812). Zu Ph. Hainhofer (1578–1647) vgl. Neue Dt. Biogr. VII, Berlin 1966, S. 524ff. Ausg.: AnonymWS, Heft 12, 41, 65, 78, 79, 82, 88, 95. Ferner vgl. RadkeR, S. 995; RadkeC, S. 1382.

Druck Signatur 5 (2). Musica fol.

Handschriftlicher Anhang an den Druck S. Ochsenkun, *Tabulaturbuch auff die Lauten ...*, Heidelberg s.a. (Rückseite des Titelbl. Wappen

Ochsenkuns, Bildnis, mit Jahreszahl 1558). Im gleichen Volumen ist vorangebunden Druck M. Waissel, *Tabvlatvra continens . . .*, Frankfurt/O. 1573.

Dt. Lt. Tab. Um 1560–1575.

2 fol., gegenüber dem Druck in etwas kleinerem Format: 28×19,5 cm. Vom Druck abweichendes, stärkeres Papier, an dessen Rändern grüne Farbreste einer Bespritzung des Schnitts, der am Schnitt des Drucks fehlt. Mithin aus anderem Volumen herübergeheftet. Querfaltung früherer Zeit noch erkennbar, Bll. mit vollem Seitenraum eng beschriftet (9–10 Systeme). Unbeschrieben f. 2v (leer). Tab.-Teil: f. 1–2r. Für 6chörige Laute. Infolge scharfen Beschnitts ist Tab. an oberem Seitenrand beeinträchtigt. Fingersatz: 1 Punkt (f. 1r, 1v). *Finis*-Vermerke. F. 2r Aufzeichnung mit vollem Satz abschließend. 1 Schreiber, sorgfältig. (Lat. Mottette, ital. Madrigal.)

Literatur: Fehlend.

WOLFENBÜTTEL, NIEDERSÄCHSISCHES STAATSARCHIV

Ms. VI. Hs. 13, Nr. 35. Erworben 1912 von Bergingenieur Ernst Meier in Braunschweig (einem Urenkel des Literarhistorikers Prof. Johann Joachim Eschenburg, 1743–1820).

Frz. Lt. Tab. 6 Lin. Datiert 1742.

Es handelt sich um ein Stammbuch (*liber amicorum*) des Theologen und Latinisten Conrad Arnold Schmid (1716–1789), der nach Studien an den Universitäten Kiel, Leipzig und Göttingen als Nachfolger seines Vaters seit 1746 als Rektor des Lüneburger Gymnasiums Johanneum und seit 1761 als Prof. der Religionswissenschaft am Collegium Carolinum in Braunschweig wirkte. Er ist durch seine Freundschaft mit Lessing und als Dichter, gelehrter Schriftsteller bekannt (Meyen, S. 59ff.). Orig. Paginierung *1–617*, mehrere Bll. (alt) herausgeschnitten. 9,5×15,5 cm. Bl. 1: *Conrad Arnold / Schmid / Lüneburgi / MDCCXXXIV.* Am Schluß orig. Index nominorum (inkomplett). Von den 4 mit Notenschrift versehenen Eintragungen finden sich – neben G.Ph. Telemann (dat. 1735), G.W.D. Saxer (dat. 1737), J.J.C. Bode (dat. 1759) und neben einer nur literarischen Eintragung des Leipziger Thomasorganisten J.G. Görner – als einzige intavolierte Aufzeichnung orig. pag. 159 5 Tab. Takte, mit Doppelstrich abgeschlossen, ohne Satzbezeichnung, maximal 4st. Lt.-Satz, überschr.: *arpeg:* und Unterschrift: *Chi sá, ––– L'intèndera,* darunter Einstimmangabe in Tab.: *accordo.* Für 12chörige Lt. (bis „5"). Auf der folgenden Seite, dazugehörig ohne Tab.: *Es lebe stets Vereint / in freündschaffts-harmonie / die Mahlerey musique, und Poesie. / Dres*[d]*en den / 15 augt: 1742. / dem H: Besitzer Zu ge= / horsamen, schrieb dieses / wenige. / Silvius Leopoldus Weiß.* (*Chi sá* ist ein Wortspiel mit dem Eigennamen Weiß.) Tab. und Beischrift autogr. Weiß. Brauner Lederband der Zeit mit Goldpressung auf Vorderdeckel *C A S* und *1734*.

Literatur: WolffG, S. 217ff., 1 Faksimile der Lt. Tab. S. 220.

WOODFORD GREEN (Essex), Privatbibliothek Robert Spencer

Ms. ohne Signatur. (I) Früher Lausanne, Privatbibliothek A. Cortot (inliegend loses Exlibris), Signatur (Vorderdeckel innen, Handschr. Cortots): *MIA. Tablature de luth XVII s*[iècle].

Frz. Lt. Tab. 6 Lin. für Laute und 5 Lin. für Mandora. Um 1720.

66 fol. Unbeschrieben f. 15v, 16r, 27v–29r, 32v, 37v, 41v–66 (nur Lin.). 9,5×19 cm. Tab.-Teile: I. f.1–15r, 16v–27r, 29v–32r, 33–37r 6 Lin. für 11chörige Laute; II. f. 38–41r 5 Lin. für 6chör. Mandora. F. 54 oben rechts $^1/_8$ abgerissen. Korrekturen: f. 10r, 22v, 24r (Ergänzung am Rand in Tab.), 32r. Gekritzel (Buchstabenketten) f. 63r, 65r, etc. F. 38v überschr.: *Pour La Madore.* Bei Satzbezeichnungen *du Ton F.; du Ton naturelle F.; du Ton G.; du Ton D. ordinaire* etc. Die Sätze sind geordnet als *Parthie du Ton naturelle F.* u. ä. Vermerk: *fin dela parthie.* Rückdeckel innen, Tinte: *Natürliche thon – – – D e F beiden den Natürlichen ganz A D Ca / Mol Von Nattur – – – G e B beiden kein E / Dur Natürlich – – – A e C beiden kein b / Mehr als Natürlich dur – – – E. beiden vor der b noch F.* F. 1r Stempel schwarz *Bohusch.* F. 1r am Satzende *GAK* [= Georg Adalbert Kaliwoda, in Prag um 1720 wirkend, vgl. ZuthH, S. 146]. Vorderdeckel innen (frühes 19. Jh.): *Joseph Myslivececk 1737/1781. Rom. / ,Il divino Boëmo'*, darunter: *Venatorini*, ferner: *II . . . Notturno.* Das Ms. stammt augenscheinlich aus böhmischen Besitz. 2 Schreiber. Dunkelbrauner Lederband der Zeit, Blindpressung (Mitte Rosette), Lederbezug defekt, Heftung unversehrt, Schnitt bespritzt. (Freie Instrumentalsätze, Tänze, Air.)

Literatur: Fehlend.

———

Ms. ohne Signatur. (II) 1972 aus Privatbesitz erworben. Vorbesitzer nicht genannt.

Frz. Lt. Tab. 6 Lin. Um 1622–1625, Nachträge 1625–1630 möglich.

83 fol., zuzüglich 1 Nachsatzbl. Unbeschrieben f. 46–83r (nur Lin.). 16×23 cm. Tab.-Teil: f. 1–45, 83v. Für 6- und 8–10chörige Laute. Rückdeckel innen: *Margarett Board* (mehrmals), auch: *Mary Jordan*, von gleicher Hand Gedicht: *True hartes haue eares and eyes . . .* Margaret Board war wahrscheinlich mit John Dowland befreundet. Das Repertoire umfaßt 188 Sätze, überwiegend sorgfältig mit Satzbezeichnung und Angaben des Komponisten (namentlich John und Robert Dowland, R. Johnson, R. Allison); wohl für Unterricht bestimmt (didaktische Notizen, z. T. mehrzeilige Bemerkungen, flüchtig, an den Satzenden f. 34v, 35r, 36r, 38r, 38v, 39v). Da Dowland bereits mit *Dr.*

geführt, Niederschrift nach 1621. F. 32v in Zwischenräumen Erläuterung der Ornamentzeichen. F. 33v Umstimmangabe. Vorderdeckel innen: *Margeret Board her Booke* (analog Nachsatzbl. Ir). Vorsatzbl. nachträglich eingeklebt, Rücks. Tabelle von Griffen mit Saitenbezeichnung *smale meane, meane, Contratenor, Tenor, Basse* (oben Bl. defekt). Nachsatzbl. Ir *Prdne h; Tur; Marge; ffor* (mehrmals); *A hundreth and fiue / with an an . . .; Margarett Board / d her . . .* (verschmiert). Federproben. Mindestens 3 Schreiber (A f. 1–30r oberes $^2/_3$ für 6chör. Lt., Rest wohl erst 1625–1630, bis 10chör. Lt.). Dunkelbrauner Lederband der Zeit, Goldpressung: Rhombus, Rosette, innen: *MB*. (Freie Instrumentalsätze, Tänze, engl. Liedsätze.)

Literatur: SpencerTh, S. 122ff. (S. 123, 124 Faksimile von f. 1v, 12v, 32v); PoultonCh, S. 125; Reproductions IV, Einleitung.

—

Ms. ohne Signatur. (III) Früher Standford Hall (Rugby), Privatbibliothek Lord Braye (bis 1949). 1966 von R. Spencer erworben aus Antiquariat A. Rosenthal, London.

Frz. Lt. Tab. 6 Lin. Um 1600 und 1635–1640. Sogenanntes Browne (vorher: Lord Braye) Bandora- and Lyra Viol-Book.

96 fol. Unbeschrieben f. 6–7r, 8v, 9r, 24–25r, 26v–33, 42–57r, 58r, 59r, 60v–74r, 78r, 79v–81r, 82v–88r, 90v–91 (nur Lin.); f. 1–4, 93–96 (leer). 27,5 × 20,5 cm. Tab.-Teil: f. 5, 8r, 9v–23, 25v, 26r, 34–41, 57v, 58v, 59v, 60r, 74v–77, 78v, 79r, 81v, 82r, 88v–90r, 92. Für 6saitige Bandora und Lyra Viol. F. 37 ist herausgeschnitten (Falz ohne Tab.). 41 Sätze für Bandora (Solo und *Consort* bzw. *Accompaniment*), von Thomas Browne um 1600 geschrieben; 63 Sätze für Lyra Viol, von John Browne um 1635–1640 geschrieben, beide London, letzterer Sohn des Th. B. Kein weiterer Schreiber. Lederband der Zeit, Goldpressung *T. B.* (Freie Instrumentalsätze, Tänze, engl. Liedsätze.)

Literatur: Fehlend.

WROCŁAW (Breslau), DIÖZESANARCHIV (Domkapitel)

Ms. Mf. 2001 a+b. Bis 1945 Breslau, Bibl. des Kirchenmusikalischen Instituts der Universität. Aus einem alten Bestand des Klosters Grissau.

Frz. Lt. Tab. 6 Lin. Beginn des 18. Jh.

Zwei Faszikel: a = 59 fol., 112 mit Lt. Tab. beschriebene Seiten; b = 62 fol., 94 mit Lt. Tab. beschriebene Seiten. obl.-8°. Titel: *Parthies à deux Luths*. Fasz. a: *Pour le Premiêre . . .*, fasz. b: *Pour le Secondiême . . .* Es handelt sich um Suiten für 2 Lauten im Ensemble (Violinen, Jagdhörner, Oboen, Baß). 1 Schreiber (*Mr Thielli*). Brauner Lederband der Zeit. (Freie Instrumentalsätze, Tänze.)

Literatur: BoetticherL, S. 371 [47] (*Ms. Br 2001 a und b*); K. Wilkowska-Chomińska, *Suita Polska Telemanna*, in: Muzyka IV, 2, Warschau 1959, S. 57ff.

Ms. Mf. 2002. Herkunft wie Ms. Mf. 2001 a+b.

Frz. Lt. Tab. 6 Lin. 2. Viertel des 18. Jh.

73 fol. 94 mit Lt. Tab. beschriebene Seiten. obl.–4°. Titel: *Livre du Luth Contenant des pièces le plus exquises, et gaillardes de quatre tons del Accord françois ordinaire, sçavoir G.D. F. et A & . . . pour sa Paternete trés Religieuse, le Pere Hermien Kniebandl. Profe del Ordre Sacre et Exempt de Cisteaux: Ala Maison des Graces a Grissau.* F. 2r *Instruction wie sich Incipienten so der eigendlichen Application nicht erfahren zu vorhalten haben.* Für 13chörige Laute. 1 Schreiber. Brauner Lederband der Zeit. (Freie Instrumentalsätze, Tänze.)

Literatur: BoetticherL, S. 376 [51] (*Ms. Br 2002*); TichotaA, S. 166, Anm. 50; Klima-RadkeWW, S. 437.

Ms. Mf. 2003. Herkunft wie Ms. Mf. 2001 a+b.

Frz. Lt. Tab. 6 Lin. Anfang des 18. Jh. und um 1735.

104 fol. 147 mit Lt. Tab. beschriebene Seiten. obl.-8°. Für 13chörige Laute. F. 1r *Unterweisung für Anfänger.* 1 Schreiber. Brauner Lederband der Zeit. (Freie Instrumentalsätze, Tänze.)

Literatur: BoetticherL, S. 371 [47] (*Ms. Br 2003*); Hławiczka, S. 113f.; Klima-RadkeWW, S. 437.

Ms. Mf. 2004. Herkunft wie Ms. Mf. 2001 a+b.

Frz. Lt. Tab. 6 Lin. Anfang des 18. Jh. und um 1735.

58 fol. 109 mit Lt. Tab. beschriebene Seiten. obl.-8°. Für 11- und 13chörige Laute. Enthält 9 Parthien. Beiliegend 1 loses Doppelbl. mit Anleitung zur Laute (für 11- und 13chörige Laute). 1 Schreiber. Brauner Lederband der Zeit. (Freie Instrumentalsätze, Tänze.)

Literatur: BoetticherL, S. 371 [47] (*Ms. Br 2004*); Klima-RadkeWW, S. 437.

Ms. Mf. 2005. Herkunft wie Ms. Mf. 2001 a+b.

Frz. Lt. Tab. 6 Lin. 2. Drittel des 18. Jh.

81 fol. 126 mit Lt. Tab. beschriebene Seiten. Für 13chörige Laute. Bezeichnungen der Tonart. Vollständige und unvollständige Suiten. 1 Schreiber. Brauner Lederband der Zeit. (Freie Instrumentalsätze, lat. Arien, Tänze.)

Literatur: BoetticherL, S. 371 [47] (*Ms. Br 2005*); Klima-RadkeWW, S. 437.

Ms. Mf. 2006. Herkunft wie Ms. Mf. 2001 a+b.

Frz. Lt. Tab. 6 Lin. 2. Drittel des 18. Jh.

32 fol. 55 mit Lt. Tab. beschriebene Seiten. obl.-4°. Für 10- bis 11chörige Laute. Titel: *Concertus diversi pro testudine cui accedunt varia instrumenta:*

Chalmeau, Viole d'amour, Hautbois, Viol: et Basson. 1 Schreiber. Bunter Pappband der Zeit. (Freie Instrumentalsätze, Tänze.)
Literatur: BoetticherL, S. 360 [56] (*Ms. Br 2006*); Klima-RadkeW, S. 367f.

——

Ms. Mf. 2008. Herkunft wie Ms. Mf. 2001 a+b.
Frz. Lt. Tab. 6 Lin. 2. Drittel des 18. Jh.
104 fol. 170 mit Lt. Tab. beschriebene Seiten. obl.-8°. Für 11chörige Laute. Bezeichnungen der Tonart. 1 Schreiber. Brauner Lederband der Zeit. (Freie Instrumentalsätze, Tänze, lat. Motetten, dt., frz., ital. Liedbearbeitungen.)
Literatur: BoetticherL, S. 370 [46] (*Ms. Br 2008*).

——

Ms. Mf. 2009. Herkunft wie Ms. Mf. 2001 a+b.
Frz. Lt. Tab. 6 Lin. 2. Drittel des 18. Jh.
119 fol. 233 mit Lt. Tab. beschriebene Seiten. obl.–8°. Für 11- bis 13chörige Laute. 1 Schreiber. Brauner Lederband der Zeit. (Freie Instrumentalsätze, Tänze, lat. Motetten, dt., frz., ital. Liedbearbeitungen.)
Literatur: BoetticherL, S. 370 [47] (*Ms. Br 2009*); RollinD, S. XVI.

——

Ms. Mf. 2010. Herkunft wie Ms. 2001 a+b.
Frz. Lt. Tab. 6 Lin. Anfang des 18. Jh. und um 1735.
123 fol. 187 mit Lt. Tab. beschriebene Seiten. obl.-8°. Für 11- bis 13chörige Laute. Bezeichnungen der Tonart. Hinweise auf Stimmung. Vermerk: *in tono arabico*. 1 Schreiber (Intavolatorzeichen: *WB*). Brauner Lederband der Zeit. (Freie Instrumentalsätze, Tänze, dt. Liedbearbeitungen.)
Literatur: BoetticherL, S. 370f. [47] (*Ms. Br 2010*); BoetticherLos, S. 1220.

——

Ms. Mf. 2011. Herkunft wie Ms. 2001 a+b.
Frz. Lt. Tab. 6 Lin. 2. Drittel des 18. Jh.
40 fol. 41 mit Lt. Tab. beschriebene Seiten. obl.-8°. Für 11chörige Laute. Orig. Paginierung (vollständig). Titel: f. 1r *Luth.* 1 Schreiber. Brauner Lederband der Zeit. (Freie Instrumentalsätze, Tänze, dt. geistliche Liedbearbeitungen.)
Literatur: BoetticherL, S. 370 [46f.] (*Ms. Br 2011*).

NACHSCHRIFT 1977: Diese unter Wrocław, Diözesanarchiv verzeichneten Mss. sind jüngst überführt nach Wrocław, *Biblioteka Uniwersytecka, Oddział Zbiorów Muzycznych* (Mf. 2002) und Warszawa, *Biblioteka Uniwersytecka*, Depositum Musikwissenschaftl. Institut (Mf. 2001, 2003–2006, 2008–2011). Nach Restaurierung 1966–1978 gelten neue Signaturen, Formate, Faszikelfolge, Tab.-Teile und sonstige Merkmale gegenüber der Aufnahme durch den Verf. vor dem Wasserschaden (1939–1943): Mf. 2001 a+b (*Rps. Mus. 60/1–2*) 30,5×20,5 cm. *a* = 60 fol. Unbeschr. f. 8v, 17v, 28v, 36v, 39v, 45v, 53v, 54r, 57v, 58r (leer); f. 54v–57r, 58v–60 (nur Lin.). *b* = 53 fol. Unbeschr. f. 8v, 17v, 28v, 36v, 39v, 45v, 53v (leer). Ausschließlich

Tab. für 11chörige Laute. – Mf. 2002 (*60019 Odds. Mus.*) 22,5×37 cm. Orig. Paginierung jetzt *1–103* (f. 2–52r), neue Paginierung 1–143. F. 1r–2 *Instruction*. Tab.-Teil: f. 2–11r, 12–19r, 20–23, 26–35, 39–40r, 45–53r, 58v–61r, 66–67r. – Mf. 2003 (*Rps. Mus. 38*) 21×33,5 cm. Unbeschr. f. 1v (leer); f. 14v, 20v, 23v–29, 40v, 41r, 53v, 54r, 55r, 60v–65r, 68v, 74v, 75r, 76r, 77r, 78v–80r, 84v, 85r, 86–89, 92–94r, 97r, 98v, 99r, 101v–103 (nur Lin.). Ausschließlich Tab., f. 54v Fragment. – Mf. 2004 (*Rps. Mus. 39*) 20×32 cm. Unbeschr. f. 45v, 57 (nur Lin.). Das lose Doppelbl. ist jetzt nachgeheftet; voran orig. Foliierung *1–15, 16, 18–55*, f. 16, 18, 57 unfoliiert. – Mf. 2005 (*Rps. Mus. 13*) 22×36,5 cm. Unbeschr. f. 37–38r, 51r, 52–58r, 64v–72r, 77v–80r. Orig. Paginierung jetzt geordnet *1–160*. F. 80v *Declaratio qvales claves literae in qvovis Choro Testudinis Significant*. – Mf. 2006 (*Rps. Mus. 37*) 32×20 cm. Unbeschr. f. 28v–32 (nur Lin.). Neuere Bleist.-Foliierung fehlerhaft. – Mf. 2008 (*Rps. Mus. 57*) 17×21,5 cm. Unbeschr. f. 87v–98 (nur Lin.). Tab.-Teil: f. 1–87r. Orig. Paginierung jetzt geordnet *1–151*. – Mf. 2009 (*Rps. Mus. 56*) 14,5×19,5 cm. Unbeschr. f. 117r, 118v (leer); f. 35v, 100v, 101r, 116v, 117v, 118r (nur Lin.). Tab.-Teil: f. 1–35r, 36–100r, 101v–116r. Orig. Paginierung inkorrekt *1–167, 170–238*, kein Tab.-Verlust. – Mf. 2010 (*Rps. Mus. 55*) 17,5×21 cm. Unbeschr. f. 77v, 78r, 120v, 123v (leer); f. 83–90r, 106v, 107r (nur Lin.). Tab.-Teil: f. 1–77r, 79–82, 90v–106r, 107v–120r. Orig. Index jetzt f. 121–123r. Orig. Paginierung inkorrekt *1–339* (127–226 übersprungen) = f. 1–120r. – Mf. 2011 (*Rps. Mus. 40*) 16×19,5 cm. Tab.-Teil: f. 1–10, 11v, 12v, 13v, 14v, 15v, 16v, 17v, 18v, 19v, 20v, 21v, 22v, 23v, 24v–38r. Orig. Paginierung *1–64, 96–106* (f. 1–32, 33–38r), 15 Falze für pagg. 65–94 jetzt fehlend. – Die orig. *Lederbände* Mf. 2001 a, b, 2003, 2005, 2008, 2009, 2011 mußten bei Neuheftung durch Pappbände ersetzt werden, bei Mf. 2004 war Konservierung des gesamten Einbandes möglich (1966), bei Mf. 2010 nicht des Buchrückens (1974). Mf. 2009 ist trotz starker Papierzersetzung 1945 dank Stützung mit Seide jetzt ohne Tab.-Verlust erreichbar.

Ms. ohne Signatur. Eingangs-Nr.: *1938.111* des ehemaligen Kirchenmusikalischen Instituts, s. o. Seit 1945 Fundort nicht bekannt.

Frz. Lt. Tab. 6 Lin. Mitte des 18. Jh.; Datierungen 1753, 1754.

49 fol. 76 mit Lt. Tab. beschriebene Seiten. obl.-8°. Für 13chörige Laute im Ensemble. Titel: *I Trastulli D'Apollo in suavi Concerti e Cavate favorite per il Liuto, Violino, Traversiero e Basso 1753*. F. 34v datiert: *Juin 1754*. 1 Schreiber. Dunkelgrüner Schweinslederband der Zeit. Goldpressung und -schnitt. (Freie Instrumentalsätze, Tänze, dt. Programmtitel.)

Literatur: BoetticherL, S. 377 [52] (*Ms. Br Tr*).

---

bis 1943 HIRSCHBERG in Schlesien (seit 1945: Jelenia Góra, Woiwodschaft Wrocław), Bibliothek der Katholischen Pfarrkirche

Ms. ohne Signatur. [1943 in Breslau als Ms. *Hirschberg 352* geführt.]

Ital. und dt. Lt. Tab. 6 Lin. Um 1537–1544; Datierung 1537, 1540, 1544.

77 fol. Unbeschrieben f. 1v–2 (leer). 22,6×14,5 cm. Tab.-Teile: Ital. Lt. Tab. für 6chörige Laute f. 3–37; dt. Lt. Tab. für 6chörige Laute f. 37v–77. Ausschließlich Tab. Orig. Numerierung der Sätze: *1–50* (f. 37v–70, Schreiber C, s. u., 1 Satz ist zwischen Nr. 4 und 5 überschlagen [= f. 38v], die Nachtänze [Hupffauff, Saltarello, Nachlewffel] nicht mitzählend, die Numerierung bricht mit dem siebtletzten Satz ab). Titel und Besitzvermerke: Vorderdeckel oben: *TABVLATVR · AVF · DIE · LAUT*, darunter Darstellung der Lucretia,

die sich ein Schwert in die Brust stößt. F. 1r: *M.D. XXXVII. Sum Joannis huldericij ab Harditsch et Amicor. Audentes fortuna Juvat.* Links daneben (abweichende Hand): *15. ME 40. Hoffnung macht gedult. J.C.* [Jac.?] *Pogkhner.* Darunter (Tinte, ähnliche Hand): *Hofnung vnd Harren Macht Narren, Neidhart, Nemo,* darunter ein nicht näher bestimmbares Sigel: *H J h* [bzw. *L J h*]. Deckel Innenseite (jünger): *15 Ø 44,* darunter von gleicher Hand: *A.D.E.W.* und darunter fortsetzend: *Caßell.* F. 1r über der ältesten Eintragung mit der Datierung *M.D.XXXVII* (s.o.) eine erneute Datierung von anderer Hand: *15. WS. 4.4. E x W x G x W x E · M x Ostermayer.* Darunter noch eine Eintragung einer wohl jüngeren Hand (nicht lesbar). Unter der Eintragung Pogkhners (s.o.) ist von ebenfalls abweichender Hand der scherzhafte Vers eingetragen: *Hoc faciunt stulti quos gloria vexat inanis,* diese Hand fährt am unteren Rand von f. 1r fort: *Tempora longa uoli tibi promittere vitte* [=vitae] *Quocumque ingrederis sequitur mors corporis vmbra.* F. 59r bei einem dt. Liedsatz der Vermerk: *Im abzug, laß das groß A ab das es zu der 2 gleich stimbtt.* F. 26v ist hinter einer *Canzon francese* von gleicher Hand das Urteil hinterlassen: (*bel*). Insgesamt ca. 93 Sätze (z. T. Fragment). 3 Schreiber: A f. 3–36r; B f. 26v–37r; C f. 37v–77. B ist möglicherweise der genannte Huldreich von Harditsch; C ist sehr wahrscheinlich Ostermayer. Dunkelbrauner Lederband der Zeit, reiche ornamentale Blindpressung. (Freie Instrumentalsätze, Tänze, ital. Madrigale, frz. Chansons, lat. Motetten, dt. Liedsätze.)

Literatur: Schneider, S. 176ff.; BoetticherL, S. 343 [22] (*Ms. Hi 352*).

ZAGREB (AGRAM), KNJIŽNICA JUGOSLAVENSKE AKADEMIJE ZNANOSTI I UMJETNOSTI (Bibliothek der Jugoslawischen [ehemals: Kroatischen] Akademie der Wissenschaften und Künste)

Ms. I. a. 44. Im 19. Jh. im Besitz des Historikers Ivan Kukuljević.

Ital. Lt. Tab. 4 Lin. für Tenor-, Alt- und Diskant-Viola. Um 1625–1630.

Es handelt sich um einen Kodex von 107 fol. mit Abschriften von Gedichten der dalmatinischen Dichter Čubranović, Lucić, Zlatarić etc. in serbokroatischer Sprache, ferner sind Texte in Kroatisch und Lateinisch enthalten. Schreiber war wohl ein Franziskaner-Bruder, der im Ms. f. 92v einen Brief des Ordensgenerals vom 30. 9. 1625 (Rom, ital.) aufgezeichnet hat; damit ist eine untere Grenze für die Datierung des Ms. geboten. 15,1×10,2 cm. Tab.-Teil f. 98–99r (3 Seiten). Überschrift f. 98r: *Intauoladure del Violino di Sig*r. *Gabriele Peruaneo da Lesina.* Der Eintragung zufolge war der Schreiber ein Gabriel aus Prvan (Prvanić) in der Provinz Lesina (Hvar), ein musikhistorisch wichtiger Ort (vgl. auch Tommaso Cecchini). Für 4- und 3saitige Viola der Tenor-, Alt- und Diskantlage. Ziffern *0–4*, tiefste Saite = oberste Lin., die Ziffern bedeuten diaton. Fortschreitung, eine Halbtonerhöhung ist (selten, f. 99r) durch X gefordert. F. 99r ist im obersten System eine 5. Lin. ergänzt, die unbeschriftet geblieben ist; f. 99r ebenfalls im Satz *Spagnoletta* die oberste (4.) Lin. freigelassen, so daß eine 3saitige Viola vorausgesetzt werden muß. Rhythmische Zeichen fehlen. Grundform 4 Lin. beschriftet. Insgesamt 6 Sätze mit Satzbezeichnung. Vermerk: *prima* und *seconda parte.* 1 Schreiber (Aufzeichnung wohl in Dalmatien). Orig. Einband. (Freie Instrumentalsätze, Tänze.)

Literatur: Plamenac, S. 144ff., mit Faksimiles von f. 98r, 98v, 99r und Übertragung aller Sätze.

ZÜRICH, ZENTRAL-BIBLIOTHEK, HANDSCHRIFTENABTEILUNG

Ms. Q. 907. Am 9. 3. 1923 erworben aus Antiquariat Ranstein, Zürich. Eingangs-Nr. *K. 421/17.* Über Vorbesitzer ist nichts überliefert.

Frz. Lt. Tab. 6 Lin. Um 1640–1645. Datierungen 1640, 1642.

37 fol., 1 Vorsatzbl. herausgerissen (leerer Falz), 1 Schmutzbl. hinten (Rückseite alt dunkelrot bemalt). Unbeschr. f. 22r, 23v–27r, 28v–31r, 32v–36 (leer). 9,3×14 cm. Tab.-Teil: f. 1–6, 7v–21, 22v, 23r, 27v, 28r, 31v, 32r, 37. Für 10- und (f. 2r, 10v, 12v, 13v, 14r, 15v, 16r, 21r, 27v, 28r, 31v, 37r) 11chörige Laute. Lin. gedruckt, ohne Angabe der Offizin. Literar. Eintragungen: f. 7r *Nuict agreable mere des plaisirs ...* und weitere frz. Gedichte, ohne Noten. F. 10r ist 1 Tab.-System zu $^4/_5$ mit weißem Streifen überklebt (unbeschr.), darunter flüchtiger Vermerk: *Vff deß Fryderichß gsundheit trinkendt wir.* F. 4v ist Tab. fast ganz gestrichen. Vor f. 37 sind 4 Bll. herausgerissen (4 Falze, hiervon 2 mit Schriftresten, Tab.-Verlust wahrscheinlich, doch beginnt f. 37r mit neuem Satz), vor f. 31 ist 1 Bl. herausgerissen (leerer Falz, außerhalb Tab.-Teil). Fingersatz: 1, 2 Punkte. Tonartbezeichnungen: *par Bemol, le mesme ton, sur Bémol,* ferner zur Stimmung: *la huictiesme et la chant*[erell]*e par Bemol,* sowie *cord*-Angaben (f. 21r, 32r, 37r, etc.). *suite-* (*suitte-*) und vereinzelt *fin-*, *finis*-Vermerke. Besitzvermerke und Datierungen: Vorderdeckel innen (Tinte): *Jo. Jttell Reding à Biberegg;* darüber gekritzelte Ziffern (Addition, Rechnungen). Schmutzbl. hinten Vorderseite von anderer Hand (Tinte): *Regiment des guardes suisses / du Roy ---- / L'Année 1642;* f. 6v bei einer *Courante* überschrieben: *Le 13e / Octobre 1640.* 1 Schreiber der Tab., dem Schriftbild zufolge (abweichende Tinte, rhythmische Zeichen etc.) dürfte sich die Aufzeichnung über mehrere Jahre erstreckt haben. Zufolge R. de Castella de Delley, Le régiment des Gardes-Suisses au service de France, Fribourg/Suisse 1964, S. 345, diente ein *Ital de Reding* als *capitaine aux Gardes-Suisses* und verstarb 1651, vgl. dort auch Kap. III, S. 23f. Zur Familie der Reding-Biberegg, die dem Kanton Schwyz entstammt, vgl. Historisch-Biographisches Lexikon der Schweiz, Bd. V, Neuenburg 1929, S. 551ff., Art. Reding von Biberegg, hier ist ein 1651 verstorbener *Ital Reding à Biberegg* als Gardehauptmann, sodann Landvogt im Thurgau 1622, Erbauer einer Münzstätte in Schwyz 1640 verzeichnet. Ferner s. J. B. Kälin, Zur ältesten Familiengeschichte der Reding, in: Mitteilungen des Histor. Vereins des Kantons Schwyz X, 1938, S. 563ff. Der erwähnte Reding ist sehr wahrscheinlich mit

der Person des Schreibers identisch. Aufzeichnung während des Dienstes in Frankreich. Heller Pergamentband der Zeit, von 4 Lederschließen sind noch 2 erhalten. (Freie Instrumentalsätze, Tänze, frz., dt. bzw. schweiz. Liedsätze.)

Literatur: Fehlend.

ZWICKAU, Ratsschulbibliothek

Ms. CXV, 3.

Dt. Lt. Tab. Ende des 16. Jh., Teile wahrscheinlich erst um 1600.

158 fol. Unbeschrieben f. 1r, 2r, 31v, 32v, 34–99, 100v, 130v–142r, 143v–157. F. 159 ist seit langem herausgerissen, ein kleiner Rest bezeugt, daß auf beiden Seiten die Lt. Tab. fortsetzte. Rückdeckel innen ebenfalls mit Tab. beschriftet. 15,8 × 18,3 cm. Für 6chörige Laute. Tab.-Teil: f. 3–31r, 32r, 33, 100r, 101–106, 130r, 142v, 143r, 158. Besitzvermerke: Vorderdeckel innen mit roter und schwarzer Tinte, links oben *Johannes Arpin*[us] . . . neben lat. Sprüchen von Plinius, Cicero etc., ferner *Lauten schlagen ist mein . . ., / wan manns nicht oft vbt so ist . . .* (Schrift stark zerstört); links tiefer: *Vers*[us] *in Testudinem*, lat. Gedicht zur Huldigung der Laute als Akrostichon: die 7 Zeilen ergeben dreimal, in Buchstabenreihe senkrecht gelesen, *TESTUDO* (rote Buchstaben). F 1r gedrucktes großes Siegel mit heraldischem Inhalt, im äußeren Rahmen: *IOHANNES ARPINVS A DORNDORF*. F. 2v *Prima Pars Ta / bellaturae Con- / tinens Choreas / et Galliardas / Tantum* (Schönschrift, Versalien). Anfangs saubere Notierung in roter und schwarzer Tinte, ab f. 22 nur schwarze Tinte und flüchtiger. F. 107–129r: *Anfang / Vom salpeter neu Zu sieden . . .* Traktat über Zubereitung von Schießpulver, Riechstoffen und anderen chemischen Waffen. Beginn des Tab.-Teils f. 3r mit Spruch: *Nympha, Calix, Pietas, Musica noster Amor*, mit kleiner Zeichnung einer Laute. Orig. Paginierung ab f. 3r: *1–53*, anschließend neuere Bleistift-Paginierung 54–61; ab f. 101r erneut alte Paginierung *1–12*. Mindestens 3 Schreiber: A Hauptschreiber verstand poln., dt., gut lat.; B und C flüchtiger, C bereits rhythmische Zeichen mit Köpfen, wahrscheinlich erst um 1600. Das Ms. dürfte zuerst erheblich mehr Blätter umfaßt haben, in der Mitte sind Falze von ca. 23 herausgerissenen Blättern sichtbar. Außerhalb des Tab.-Teils weitere lat. Sprüche von Sallust, Seneca, Erasmus Rudinger, Isidorus, Tacitus etc. Pergamentband der Zeit, Vorder- und Rückdeckel sowie Buchrücken mit Blindpressung, seit langem ist das Pergament auf Vorder- und Rückdeckel außen bis auf ein knappes Drittel abgelöst. (Freie Instrumentalsätze, Tänze, ital. Madrigale, dt. Liedsätze, poln. Incipits.)

Literatur: WolfH II, S. 50; BoetticherL, S. 342 [21] (*Ms. Zw 3*); Vollhardt, S. 55 (*Nr. 50*, nicht als Lt. Tab. geführt); Dieckmann, S. 109f.; Schrade, S. 385f., hierzu HamburgerR, S. 444f.; StęszewskaLI, S. 27ff.; HławiczkaP, S. 123; SzabolcsiT, S. 12ff., 1 Faksimile nach S. 17; GombosiG, S. 128f.; StęszewskaDZ, S. 83ff.; TichotaS, S. 9, Anm. 2; GombosiFF, S. 482 (Notenbeispiel).

ANHANG

I. Ohne Fundort

gegenwärtiger Besitzer nicht nachgewiesen

* Ms. ohne Signatur. (I)

Frz. Git. Tab. 6 Lin. Ohne Alfabeto. Ende des 17. Jh.

Umfang des Ms. ist nicht näher bekannt. Der Herausgeber, GerwigF, Einleitung, bemerkt: „*Aus einem französischen Tabulaturbuch für die 5chörige Gitarre ... Es handelt sich offensichtlich um eine Sammlung von damals bekannten Gitarrekompositionen (u. a. von Rob. de Visée), sowie von Stücken für andere Instrumente, die für die Gitarre gesetzt wurden (von Caix d'Hervelois u. a.).*" (Freie Instrumentalsätze, Tänze, frz. Liedsätze.)

Literatur: Fehlend. Hinweis (s.o.) nur GerwigF, Einleitung (auf Innendeckel), ohne Quellenangabe. [Gerwig † 9. 7. 1966 Bonn.]

———

* Ms. ohne Signatur. (II)

Frz. Lt. Tab. 6 Lin. Anfang des 17. Jh.

Umfang des Ms. ist nicht näher bekannt. Der Herausgeber, GerwigH, Einleitung, bemerkt, als Vorlage habe ihm eine Abschrift gedient, die ein *Herr Hans von Busch* (ohne Anschrift) ihm überlassen habe. Diese Abschrift sei von einer Lt. Tab. eines Christophorus Herholder „(? *der Name ist nicht lesbar*)" hergestellt worden. Zufolge Titel von GerwigH entstammt die Lt. Tab. aus dem Jahre *1602*. Als Komponisten nennt GerwigH *John Dowland* und *Joachim van den Hove*. (Freie Instrumentalsätze, Tänze.)

Literatur: Fehlend. Hinweis (s. o.) nur GerwigH, Einleitung (auf Innendeckel), ohne Quellenangabe. [Zum Herausgeber vgl. o.]

II. Jüngste Zugänge

Erst nach Redaktionsschluß Anfang 1976 (Katalog) konnte der Verfasser folgende Handschriften (bisher unbekannt, unzugänglich, in Restaurierung befindlich) durch Autopsie erfassen. Ihre Darstellung erfolgt (ergänzt mit möglichen vereinzelten weiteren Zugängen) mit dem verkürzten Dépouillement und Gesamtregister. Budapest (Országos Széchényi Könyvtár) *Hs. Anhang Mus. pr. 19;* ibid. (Orszszéché nyi Könyvtár) *K 53/II;* Wien (Ges. d. Musikfreunde) *10.065/127* und *XIV. 3102/Sch;* Freising (Dom-Bibl.) *Fonds Weyarn 662, 663, 664, 682, 692;* Modena (Bibl. Estense) *Mus. E. 323, F. 1528, G. 239, G. 289/2;* Göttingen (Nieders. Staats- und Univ.-Bibl.) *8° Philos. 84 k;* London (Lambeth Palace) *Mus. 1041;* München (Bayer. Staats-Bibl.) *Mus. 10343* (vorläufige Signatur); Wien (Privat-Archiv Graf Harrach) *Nr. 120* (noch tresoriert); Melk (Stifts-Archiv) *ohne Signatur*; Dresden (Sächs. Landesbibl.) *3065/V/3* (1 Bl.); Wrocław (Univ. Bibl.) *Hs. Anhang Muz. 50075;* Warzawa (Bibl. Narodowa) *Mus. 2088.*

Répertoire International des Sources Musicales
B VII

WOLFGANG BOETTICHER

Handschriftlich überlieferte Lauten- und Gitarrentabulaturen des 15. bis 18. Jahrhunderts

Beilage:

Register der Tabulaturgattungen und Namen

zusammengestellt von
CHRISTIAN MEYER

G. HENLE VERLAG MÜNCHEN

VORBEMERKUNG

Das folgende Register will eine knappe, aber vollständige Aufschlüsselung nach Tabulatur-Gattungen geben; letztere sind weiter unterteilt nach den Instrumenten, für die sie bestimmt sind. Dabei wurden die vom Autor gewählten Zuschreibungen und Benennungen so übernommen, wie sie im Kopf jeder Katalogbeschreibung erscheinen. Die chronologische Feinordnung soll bei größeren Gruppen die Orientierung erleichtern.

Im Namensregister findet man alle in den Katalogbeschreibungen vorkommenden Personennamen; ausgenommen sind die unter „Literatur" genannten Autoren. Bewußt wurde – auch bei uneinheitlichen bzw. unklaren Ansetzungen (wie z.B. Baron, Weiß) – darauf verzichtet, die Namen orthographisch zu verbessern oder Vornamen beizufügen.

NOTE

The index that follows is intended to provide a concise, but otherwise complete classification according to tablature categories, these being divided additionally into instrumental subgroups. In compiling the index, both the tablature categories and instrument designations have been adopted as they appear in the headings of each catalog description. The chronological arrangement is designed to facilitate reference in the case of more extensive groups.

The index of names contains those of all persons encountered in the catalog descriptions with the exception of authors quoted under "Literature". In the case of non-uniform or vague spellings (e.g. Baron, Weiß), we have deliberately refrained from subjecting the names to orthographic alteration or adding first names.

AVERTISSEMENT

Cet index est conçu en vue de permettre un repérage sommaire mais exhaustif selon les types de tablatures. Cette classification est diversifiée en fonction des instruments auxquels celles-ci sont destinées. Ce faisant, nous avons respecté les attributions et les dénominations proposées par l'auteur dans la description condensée figurant en tête de chaque notice. Le découpage chronologique ne répond qu'au seul souci de faciliter la lisibilité de cet index.

On trouvera dans l'index des noms l'ensemble des noms propres de personnes cités dans les notices, à l'exclusion des noms d'auteurs figurant dans la bibliographie de l'ouvrage. Nous nous sommes interdit toute restitution orthographique ou attribution de prénoms pour les noms pouvant prêter à équivoque sous ce rapport (p. ex. Baron, Weiß, etc. . . .).

TABULATUR-GATTUNGEN

I Lautentabulaturen

1. Deutsche Lautentabulaturen, für:

- Baß-viola: 352
- Laute:
  Vor 1560: 17, 28, 32, 85, 154, 197, 215, 217, 221, 226, 325, 352, 358, 370
  1560–1600: 6, 12, 14, 29, 32, 34, 37, 39, 40, 42, 87, 136, 150, 163, 170, 209, 214, 215, 217, 223, 224, 316, 317, 355, 360, 365, 373
  Ab 1600: 7, 23, 148, 164, 190, 288, 290, 297, 361
- Viola da braccio: 226
- Viola da gamba: 226

2. Französische Lautentabulaturen

a) 2 Linien, für:
- Laute oder Mandora: 245

b) 4 Linien, für:
- Angelique: 258
- Cister: 93
- Citter: 15, 74, 77, 102, 104, 180, 192, 234, 243, 249
- Gitarre: 278
- Laute: 191, 258, 300
- Mandora: 98, 178, 258
- Theorbe: 258
- Viola: 106, 191, 271
- Viola da braccio: 326

c) 5 Linien, für:
- Bass Viol: 177
- Cister: 23
- Citter: 180
- Colascione: 208
- Gallichon: 87, 88
- Gitarre: 31, 143, 146, 255, 260, 262, 264–267, 275, 304, 357, 359
- Hamburger Cithrinchen: 31, 36
- Laute: 23, 41, 46, 59, 73, 151, 177, 224, 240, 245, 271, 275, 301, 304, 328, 335, 336, 348, 355
- Lyra – Viol: 318
- Mandora: 51, 52, 55, 171, 245, 366
- Viola: 347
- Viola da braccio: 101
- Viola da gamba: 41, 187, 237, 252, 253, 256

d) 6 Linien, für:
- Angelica: 50, 204, 261, 269, 318
- Bandora: 72, 76, 77, 96, 97, 192
- Bariton: 136
- Baß-Viola (Bass Viol): 40, 177
- Cister: 23, 94
- Citter: 96
- Colascione: 207, 208
- Gallichon: 5, 56, 87–92, 299
- Gitarre: 146
- Hamburger Cithrinchen: 31, 130
- Laute:
  Vor 1580: 3, 13, 40, 81, 96, 97, 105, 164, 188, 192, 200, 234, 235, 283, 323, 344
  1580–1600: 3, 25, 72, 73, 75, 76, 78, 81, 95–97, 105, 149, 171, 181, 186, 192–194, 235, 243, 298, 335, 337, 342–345, 355, 361
  1600–1610: 15, 23, 25, 42, 72, 74, 95, 105, 106, 124, 126, 137, 163, 165, 167, 171–173, 175, 181, 244, 288, 325, 329, 337, 345, 361, 367, 374
  1610–1620: 15, 18, 23, 42, 69, 71, 72, 77, 78, 105, 106, 124, 129, 133, 154, 163, 165, 175, 181, 185, 187–189, 193, 196, 236, 240, 244, 325, 326, 329, 345, 361, 367
  1620–1640: 27, 29, 40, 42, 45, 68, 69, 72, 80, 83, 130, 131, 141, 152, 175, 176, 181, 190, 193, 197, 236, 237, 244, 278, 279, 284, 287, 302, 310, 322, 323, 325–327, 329, 335, 361, 366, 367
  1640–1660: 22, 27–29, 31, 36, 40, 42, 45, 81, 82, 103, 130, 131, 136, 141, 152, 158, 190, 192, 241, 251, 254, 255, 258, 272, 284, 310, 319, 327, 360, 372
  1660–1680: 3, 6, 13, 16, 21, 22, 31, 35, 36, 58, 66, 76, 82, 101, 126, 134–136, 141, 156, 159, 164, 165, 186, 191, 192, 204, 206, 213, 224, 229, 231, 242, 256–261, 271–275, 297, 301, 310, 324, 331, 344, 345, 348, 354, 359, 360
  1680–1700: 13, 26, 30, 31, 34–39, 42, 44, 46, 47, 54, 82, 156, 157, 159, 161, 165, 169, 170, 173, 186, 191, 195, 196, 224, 235, 248–250, 256, 260–262, 265, 270, 271, 296, 298, 327, 350–352, 360
  1700–1710: 35, 43, 45, 49, 50, 52, 85, 140, 142, 156, 157, 159, 161, 198–200, 231, 239, 250, 266, 270, 289, 290–297, 307, 311, 367–369
  1710–1720: 45, 49, 50, 64, 67, 85, 140, 156, 160, 179, 230, 231, 239, 244, 286, 287, 291, 296, 308, 309, 315, 322, 341, 349, 351, 356, 366
  1720–1750: 8, 20, 26, 39, 43, 55, 56, 64, 67, 85, 88, 92, 127, 128, 151–153, 156, 160, 166, 167, 169, 170, 179, 185, 206, 213, 225, 237, 239, 244, 247, 285, 291, 310–312, 315, 321, 329, 335, 343, 351, 353, 355, 356, 365, 368, 369

1750–1800: 8, 18–21, 26, 32, 38, 59, 61, 62, 127, 132, 151–153, 166–168, 170, 173, 183, 244, 300, 310, 319, 329, 368–370
– Lyra Viol: 72, 75–78, 97, 132, 134, 135, 188, 206, 233, 258, 284, 318
– Mandora: 7, 8, 55, 94, 128, 130, 169, 209, 218
– Theorbe: 136, 139, 167, 176, 265, 331, 334, 351
– Treble Viol: 189
– Viola: 134, 135, 175, 206, 272
– Viola bastarda: 83
– Viola da braccio: 97
– Viola da gamba: 74, 137–141, 252, 254, 255, 351
– Viola di Bardone: 136

e) 7 Linien, für:
– Laute: 161, 178, 283

f) 8 Linien, für:
– Laute oder Mandora: 245

3. Italienische Lautentabulaturen

a) 4 Linien, für:
– Alt-viola: 246, 371
– Cister: 25, 333
– Diskant-viola: 246, 371
– Tenor-viola: 246, 371
– Viola: 281
– Viola da braccio: 211, 212, 265

b) 5 Linien, für:
– Gitarre: 70, 117-123, 135, 267, 280, 306, 346
– Laute: 111, 135, 339
– Mandora: 268
– Viola da braccio: 211
– Viola da gamba: 211

c) 6 Linien, für:
– Angelica: 33
– Laute:
Vor 1580: 79, 84, 115, 124, 180, 195, 200, 212, 214–220, 223–225, 228, 229, 283, 324, 336, 340, 353–355, 358, 370
1580–1600: 3, 14, 22, 33, 57, 109, 111, 113, 114, 116, 117, 125, 133, 149, 180, 183, 216, 223–225, 227, 229, 269, 283, 301, 330, 332, 342, 343, 360
1600–1620: 3, 74, 108, 110, 124, 133, 155, 177, 189, 210, 227, 244–246, 270, 271, 317, 332, 333, 342, 343, 361
Ab 1620: 22, 29, 41, 53, 108–110, 123, 158, 194, 210, 279, 282, 287, 305, 309, 317, 333, 338, 353
– Lira da braccio: 283
– Mandora: 33
– Musette: 268
– Theorbe: 110, 271, 333, 338
– Viola: 112, 281
– Viola da braccio: 244

d) 7 Linien, für:
– Laute: 22

II Gitarrentabulaturen

1. Französische Gitarrentabulaturen (s. auch: Französische Lautentabulaturen für Gitarre), für:
– Chitarrone: 52
– Colascione: 51
– Gitarre:
a) Nur Linien:
Vor 1700: 24, 28, 30, 36, 37, 43, 79, 86, 182, 204, 240, 241, 252, 273, 275–277, 286, 287, 303, 320, 321, 326, 334, 348, 374
Ab 1700: 21, 25, 42, 47, 51–53, 66, 83, 143, 145, 241, 259, 264, 271, 273, 274, 288, 289, 294, 295, 304, 315, 328
b) Linien und Alfabeto:
41, 51, 204, 252, 286
– Mandoline: 315
– Mandora: 21, 25, 47, 51
– Quinterne: 21

2. Italienische Gitarrentabulaturen (s. auch: Italienische Lautentabulaturen für Gitarre):

a) Nur Linien:
56, 57, 70, 107, 108, 135, 346
b) Nur Alfabeto:
23, 48, 107, 112, 115–123, 184, 201, 202, 211, 222, 280, 282, 299, 305, 306, 311, 338, 339, 346
c) Linien und Alfabeto:
23, 43, 48, 49, 133, 135, 158, 182, 201–204, 222, 280, 339, 346

3. Spanische Gitarrentabulatur
– Vihuela: 208

III Harfentabulatur

Spanische Harfentabulatur: 202, 204

(Ohne weitere Bezeichnung): 174

NAMEN

A., 38
A.D.E.W., 371
A.F.L., 56
A.G., 268
A.H.E., 5
A.M.L. 328
A.M.T., 291
A.P., 210
A.V.D., 5
A.V.E., 292
A.W.A., 356
Aberdeen, J.D., 97
Adair, P., 191
Adelheid v. Savoyen, 222
Adelmann, J., 25
Aguirre, S. de, 208
Alamanni, L., 213
Albarez, J., 182
Albrecht V., Herzog v. Bayern, 213
Alderman Fidge, 181
Aldrich, D., 234
Alexander-MacAlman's Music Book, 104
Alfonso, 284
Alisandra, 281
Allen, H., 171
Allison, R., 175, 325, 366
Alphonsus, 184
Ambros, W., 356
Ambrosio, 113
Amerbach, B., 14
Andreas de Lamis, 116
Andrew Blaikie Manuscript, 1692, 350
Angelo, 283
Angelus, 113
Ann, Prinzessin v. England, 84
Anne-Twice-Book, 237
Antonio de Santa Cruz, 203
Antonius, Hans, 355
Archangelo, 113
Archimedes, 105
Aristoteles, 164, 271
Arpinus, J., 373
Arundel, Th.H. Earl of, 189
Ascoli, 229
Attenboroughs, Fl.G., 134
Ausonius, 70, 251
Awdcorne, Th., 188
Ayme, 240

B. de W., 36
BKSS, 95
BR, 279
BZ, 37
Bacfarc, V., 6, 154, 342
Bach, J.S., p. 166
Bakewell (Baker Well), 172
Baldenotti, F., 123
Baldrey, A., 73
Ballard, 360
Ballard, P., 155, 239, 278
Ballard, R., 24, 28, 261, 262, 278, 319, 348
Ballet lute-book, 96
Balugolè, B., 212
Banez, J. Martin y, s. Martin y Banez
Bang, P., 250
Banks, J., 172
Baptista, 101
Barbe, I.B., 266
Barberini, C., 305
Barberini, N., 306
Barbieri, Fr.A., 71, 202
Barclay-Squire, W., 97
Barierra, 282
Barker, E., 16
Baron, 61, 62, 167
Baron, E.G., 238, 285
Baron, E.Th., 153
Baroni, 135
Baroni-Calvacabo, J. v., 204
Barrell, E., 172
Barry, 183
Bartels, 330
Batolomeo, 116
Basevi, A., 117
Bates, Th., 206
Bataille, G., 155
Bayldon, A., 345
Bechons, 270
Beck, 16, 17
Becker, C.F., 164, 166, 168, 169
Beckman, L., 323
Beckman, A.E., 323
Belenczi, A., 324
Bellis, Fr.V. de, 317
Bender, A.M., 249
Benedetto, 125
Bercacchini, P., 212
Berens, 270
Bern, F., 7
Bernard, Fr., 192
Berner, J.A., 287
Bertelli, Th., 294
Besard, J.-B., 15, 124, 126, 137, 244, 329, 343, 362
Bestune, de, 261
Beyer, J.Ch., 285
Bianchina, 281
Bianchini, D., 324
Bird, 184
Bischoff, Familie, 204
Blaikie, A., 97, 98, 350
Blanc Rocher, de, 270
Blanckenfordt, B.C., 318
Blas, D., 332
Bleditsch, 65
Blohm, 64, 65
Blondi, T., 284
Blouin, J., 205, 297
Blow, J., 174
Board, M., 366, 367
Bochan, 279
Bocthage, 320
Bode, J.J.C., 365
Böhl de Faber, J.N., 204
Böhm, S., 207
Bohn, 132
Bohuetus, G., 173
Bohusch, 366
Boisset, A., 348
Bojardo, 213
Bonnard, 58, 67
Booke of the Common Prayer, 189
Boquet, 270
Borghese, P., 33
Bořita z Martinic, J., 297, 298
Borjon de Scellery, Ch.-E., 268
Boteler, s. Butler, W.
Botnia, Fr. de, 176, 177
Bottée de Toulmon, A., 334
Bottegari, C., 212, 213
Bourgailey, 131
Bourgsaih, 270
Bourne, N., 190
Bowle, R., 192
Bracci, A., 112
Bradgate, E., 172
Bradgate, R., 172
Brahe, P., 322, 325
Braye, Lord, 234, 325
Bred, 198
Bremond, G., 266
Brentano, Cl., 17
Brescianello, 89
Brogyntyn Ms., 3
Brossard, S. de, 259
Browne, J., 367
Browne, Th., 367
Browne Bandora- and Lyra Viol-Book, 367

Bull, J., 96
Bunsold, J.W., 25
Burette, J., 16
Burges, A., 171
Burney, Ch., 100, 173
Burwell, E., 242
Burwell, J., 242
Burwell, M., 242
Busch, H. v., 374
Buth, 320
Butler, J., 76
Butler, W., 15f.
Byrd, W., 181, 185

C.A.A.Pr.D.A., 27
CAS, 366
C.C.V.S., 330
C.G.V.D.R., 195
C.R., 5
C.V.D., 5
Caccini, G., 155
Caccini, M., 268
Caesar, 7
Caix d'Hervelois, de, 374
Caldenbach, Ch., 94
Calvacabo, J. v., s. Baroni-Calvacabo
Camerloher, P. v., 207
Camillo, 113
Campbell, C., of Achnaba, 104
Campbell, J., 101, 102
Campion, Fr., 262, 263
Campion, L.A., 263
Capirola, V., 79, 80
Carbasus, Abbé, 263
Carbonchi, A., 281
Carboni, A., 112
Carissimi, G., 194
Carl & Faber, s. Karl & Faber
Carmarthen, B., 349
Carlo, 57
Caro, Don A., 332
Caron, 270
Caroso, F., 158
Cartwright, F., of Langeley, 188
Casalotti, G., 184
Castella de Delley, R. de, 372
Castillon, de, 54, 66
Castle, H., 349
Cato, M.P., 291
Cattarina, 281
Cavalcanti, R., 58
Cavalli, F., 194
Cederhielm, E.C., 328
Celli da Pistoia, A., 116
Celli da Pistoia, D., 116
Certon, P., 323
Cesarino, G., 108
Chalmers, J., 100
Chapell, W., 100
Charles, Duc de Croy et d'Arschot, 337
Charles I. v. England, 174, 182, 187
Charlotta, Comtesse, 328
Charlotte Amalie v. Dänemark, 144, 146
Cherbury, Lord of, s. Herbert, E.
Chevalier, 270
Child, W., 185
Chomel, M., 275
Christian VI. v. Dänemark, 146
Christian II. v. Sachsen, 94
Christian, Herzog v. Württemberg, 342
Christian Franz, Graf v. Wolckenstein und Rodenegg, s. Wolckenstein
Christopher Lowther Lute Book, 68
Chrysander, F., 334
Chymay, Prince de, 337
Cicero, 7, 373
Clarke, S., 134
Claudian, 251
Clayton, 101
Clemens, Herzog v. Bayern, 90
Clementi, O., 359
Codex Milleran, 270
Codex Nauclerus, 23f.
Coldham, Rookwood of, s. Rookwood
Cole, W., 173
Coleman, M., 252
Colichon, 348
Colman, Ch., 206
Colomba, 311
Compère, L., 112
Comprecht, s. Gumprecht
Congreve, J., 176
Congreve, M., 176
Conti, Fr., 351
Cooke, H., 174
Cooper, E.E., 206
Corbet (Corbetta), Fr., 66, 334
Corbett, W., 194
Coreggio, Cl. da, 332
Corelli (Coreli), A., 183, 208
Corigniani, 65
Corio, E., 317
Cortot, A., 80, 193, 366
Cosimo II, Gran Duca, 244, 245
Cotillion, 329
Courteville, R., 101
Coussemaker, Ch.E.H. de, 57, 58
Cozens Lute-book, 78
Crauß, St., 352
Crevecoeur, 259
Creyghton, R., 185
Crockett, Th., 171
Crollalanza, G.B., 317
Cromwell, E., 79
Čubranović, 371
Cumberland, Earl of, 186
Cummings, W.H., 180, 187, 303

D.C.A., 5
D.M.F., 23
Dalhousie, Earl of, 101–103
Dallis, Th., 96
Dallis lute-book, 96
Danby, Lord, 301
Daube, J.F., 310
Davies, R., 285
Davis, C., 206
Deckert, 39
De Lamis, A., s. Lamis
De Launey, s. Launey
Della Casa, 213
Delley, R. de Castella de, s. Castella
Democrit, 291
De Monchy, s. Monchy
De Neufville-Villeroi, s. Neufville-Villeroi
Denholm, 233
Derosier, N., 54, 66
Des Guerre, 276
Deutekom, W., 138, 139
Diesel, N., 143–147
Dillon, Viscount, 186
Diruta, G., 155
Dlugorai, A., 164, 165
Döremberg, J.C., 24
Dörnberg, Freiherr v., 24, 28
Dohna, A. zu, 154
Dohna-Lauck, Graf, 154
Dolmetsch, A., p. 131, 132
Doni, G.A., 280
Dorothy, 72
Dowland, James, 345
Dowland, John, 73, 366, 374
Dowland, Robert, 325, 366
Downes, R., 188
Downshire, Lord of, 298
Dozell, 101
Drexel, J., 236, 237

Drusina, B. de, 164
Du Buisson, 279, 347, 348
Du But, 34, 36, 42, 270
Ducis, B., 226
Düben, G., 321, 322
Du Fault, 21, 270
Du Granges, 236
Duiffoprugcar, G., 364
Dunger, H., 31
Dupilli (Du Pille), 276
Du Port, M., 236
Dupré, 270
Durant, P.C., 9, 60
Duras, Marquise de, 273
Dusiack, S.C.R., 27
Duysen, 270

E.H., 70
E.P., 331
E.S.M.R., 24
Eards, 270
Eberlin, D., 139
Ebner, W., 230
Ecorcheville, J.A., 231
Edelmann-Kistner (Antiquariat), 248
Edward, R., 102
Egerton, J., II. Earl of Bridgewater, 318
Ekeblad, 320
Elisabeth, Prinzessin v. Hessen, 137
Elizabeth I. v. England, 186
Ellesmere, Earl of, 318
Emond, 270
Epila, A. de, 71
Erasmus Ripensis, J., 149
Erasmus Ripensis, N., 149
Erasmus v. Rotterdam, 291
Erlach, G.A. v., 45
Eschenburg, J.J., 365
Espon, 270
Este, Th., 76, 78
Etaretto, Fr., 109
Eugen, Prinz v. Savoyen, 357
Euing lute-book, 126

F.G., 84
F.E.R., 160
FW., 243
Faber, J.N. Böhl de, 204
Fabritius, P., 148
Falckmann, 198
Falconett, 261, 265
Falkenhagen, A., 9, 60, 153, 168
Falmonth, Lord, 303
Fariñas del Corral, M., 204
Farmer, Th., 16
Fell, Dr., 255
Fellner, K., 357
Ferdinand I., Kaiser, 326
Ferdinand III., Kaiser, 229, 353, 354
Ferdinand Maria, Kurfürst v. Bayern, 222
Ferrabosco, A., 285
Ferrutio, H., 302
Fétis, F.-J., 59, 61, 62, 64
Feyrer, B., 156
Fibiger, J.P., 198
Fidge, s. Alderman
Filanaza, Fr., 281
Finaly, 115, 116
Finckenstein-Garden, Gräfin v., 153
Finlasone, J., 106
Fischer, F., 157
Fischett, H., 176
Fitzherbet, M., 79
Floyd, H., 175
Foà, M., 332
Fowke, Th., 176
Francesco da Milano, 269, 324
Franciscus, 116
Franco da Pistoia, 116
Frei, H., 285
Friesing, A., 239
Fuchs, Comte, 136
Fuchs, J.N., 359
Fürst, J., 198
Fugger, J., 353, 354
Fuhrmann, G.L., 137

G., 345
G.A., 291
G.V.D., 95
G.V.H., 199
Gabriel, 371
Gabrieli, G., 228
Gage of Hengrave, 134
Galilei, M., 193, 360
Galilei, V., 114, 115, 124
Galletti, G.G., 116
Gallot, 16, 132, 252, 270, 294, 296
Garcia de Lague, Fr. Martin, s. Martin
Gardano, A., 324
Garsi, A., 27
Garsi, D., 27
Gast, S., 156
Gaultier, 12, 17, 34, 35, 42, 103, 131, 187, 196, 243, 270, 321, 360
Gay, 294
Geer, L. de, 240, 241
Gehema, V.R. v., 31
George II. v. England, 84
George IV. von England, 69
Gerber, E.L., 356
Gerhard, J.W., 247
Gerle, H., 163, 269
Giacomo, 125
Gianfelippi, F., 340
Giannini, C.A., 212
Gibbon, R., 181
Gibbons, O., 101, 185
Giesbert, F.J., 81, 156, 157, 159, 160
Giles Lodge Lute Book, 344f.
Gillecon (Gillesson), Th., 336
Ginter, Fr., 357
Gintzler, S., 324
Giovanni, 113, 114, 117
Giovanni Maria da Crema, 324
Giunto, G., 228
Gleitsmann, 238
Glen, J., 234
Godwin, Fr., 172
Görner, J.J., 365
Gonzaga, F., 154
Gordon, R., 100, 350
Gores, R., 256
Gorzani, J., 218, 219
Gostling, W., 181
Grabu, L., 101
Grässe, 40
Graham, G.F., 99, 100, 234, 350
Granata, J.-B., 66
Granville, B., 185
Gratiani, B., 194
Gray Wynne, M., 235
Greaves, Th., 72
Gregory, W., 174
Grestiez, J., 347
Grieve, D., 16
Grimes, R., 188
Grimm, J. u. W., 17
Gryffith ap Cynan, Prince of Wales, 174
Guedron, P., 155
Guerrero, J., 204
Guido v. Arezzo, 102
Gumprecht, 34, 42, 270
Gunter, F., 126
Guthrie, J., 106

H., 70
H.B., 239
H.D., 221
H.G., 250, 327
HK., 210

H.O., 193, 308
H.S., 38
Haas, O., (Antiquariat), 80, 83, 235, 279, 301, 304
Haendel, G.F., 320
Hagen, A. v. der, 152
Hagen, B.J., 9
Hainhofer, Ph., 362, 364
Hallwil (Halwiyl), J.S., 158
Hallyards, John Skene of, s. Skene, J.
Hamilton, C., 187
Hamond, A., 242
Hans Antonius, 355
Hans D. v. Mentz, 221
Harditsch, H., 371
Hardwigk, 95
Harling, W.C. v., 197
Hart, J., 176
Hartig, Cajetan Baron d', 179
Haselewood, J., 188
Hasse, J.A., 167, 168, 310
Haßler, 136
Hauß (Haß), 129
Hautemand, s. Hotman
Hay, A., 105
Haydn, F.J., 62
Heck, J., 31
Heckel, W., 6
Heinemann, O. v., 362, 364
Hellich, E., 285
Hellich, J., 285
Hender, R., 131
Hender-Robarts-Lutebook, 130
Hennerberg, C.F., 327
Henrecy, 321
Henry IV., König v. England, 192
Henry VI., König v. England, 192
Henry VIII., König v. England, 194
Henry, Prince of Wales, 285
Heppe, J.F., 56
Herbert, E., Lord of Cherbury, 69
Herholder, C., 374
Herold, T., 352
Herrick, R., 78
Hersdörffer, 311
Herwart, J.H., 214–220, 223, 224, 269
Herwart, U., 219
Hes(s), W., 253, 255, 256
Heusler, N., 14
Heyer, W., 33, 338
Hierschmentzl, K., 250
Higgin, A., 300
Higgin, E.C.M., 206
Hill, J., 272
Hillbrand, K., 357
Hilton, A., 195
Hirschtaller, 311
Hofhaimer, P., 226
Holborne, A., 298, 325
Holland, J.B., 235
Holtz, D., 199, 200
Hoper, W., 76
Horaz, 213, 251
Hornsaye, J., 190
Hotham, H., 249
Hotman (Hautemand, Otoman), 320, 331
Hove, J. Van den, s. Van den Hove
Hudson, C.G., 206
Hültz, A.C., 35
Humphreys, P., 174

I.B., 106
I.B.R., 272
IM., 177
India, S. d', 155
Issac, H., 112, 226
Iselin, L., 12
Isidorus, 373
Isles, W., 252
Ives, S., 133

J.A., 25
J.A.K., 191
J.A.M., 328
J.B., 84
J.M. da Crema, s. Giovanni Maria da Crema
J.N.J., 170
J.R., 181
Jacobi, 238
Jacobus, 113, 116
Jacson (Jacquesson), 47, 270
James-Dowland-Lute-Book, 345
James-Guthrie-Music-Book, 106
James Marshall Osborn Esq. lutebook, 234
Janequin, Cl., 342
Jassève, 270
Jelinek, J., 287
Jenkins, J., 101, 133, 176, 242
Jenkinson, F., 78
Jennings, M., 172
Jennings, W., 172
Jobin, B., 39, 136, 170
Johann Friedrich v. Sachsen, 324
Johann Georg I., Kurfürst v. Sachsen, 94
Johannes, 116, 323
John-Leyden-Lyra-Viol-Book, 234
John-Skene-of-Hallyards Lute Book, 98
John Sturt's Lute Book, 185
Johnson, J., 97, 98, 235, 325
Johnson, R., 366
Jones, E., 69
Jordan, M., 366
Joseph I., Kaiser, 352
Jossef hn, 52
Josquin Desprez, 112
Judenkünig, H., 352
Jurgenson, J., 181
Juvenal, 70

Kälin, J.B., 372
Kämpfer, E., 191
Kärgel, S.L., 333
Kajlink, J., 298
Kaliwoda, C.A., 67, 366
Kargel, S., 223
Karl & Faber (Antiquariat), 85
Kein, Th.B., 367
Keller, J.D., 230
Kernsthok, H., 201
Kerr, W., 232
Keyes, J.M., 71
Kidson, F., 350
Kieckens, R.P., 59
Kirchperg, C. de, 26
Kirchring, J., 196
Kitson, 134
Klein, B., 19, 20
Kleinknecht, 9
Knapp, O.G., 235
Kniebandl, H., 343, 368
Königsteiner Liederbuch, 17
Kohaut, K., 9, 19, 60
Konnett, B., 105
Kosmusky, J., 324
Kotterowsky, A., 287
Kraus, H. (Antiquariat), 81
Krebs, J.L., 19, 20
Kremberg, J., 270, 287
Kresch, 132
Kropffgans, J., 20, 62, 63, 168
Kühnel, A., 9, 44, 45, 64, 85, 132, 140
Kühnhold, 85

L.C.J. de M., 67
L.J., 134
L.J.R., 272

L.J.V., 134
L.R., 342, 343
La Baule, 270
Lady-Jeane-Campbell's Music Book, 101
La Flale, 279
Laget, A., 56
Laing, D., 98, 106, 232, 350
Laing, W., 236
Lais, D.J., 333
Lambardi, F., 155
Lambert, M., 348
Lamis, A. de, 116
Land, J.N.P., 6, 80, 84
Landau, H. de, 7, 115, 116
Langhenhove, I. van, 86
Laniere, N., 174
Laquila, M. de, 214
Lassus, O. de, 22, 102, 163, 342
Lauffensteiner, 9, 65
Launey, de, 270
Laurenberg (Laurimontius), P., 148
Lautenbuch des Albert Dlugorai, 165
Lautenbuch des Casimir Wenceslaus Comes a Verdenberg et Namischt, 50
Lawes, H., 174
Lawes, W., 78, 133, 181
Lawrence, 187
Lawrence-Smith of Wickhambrook, D., 235
Lebe, N., 235
Le Blond, 257
Lechler, B., 155
Le Cocq, F., 54, 66
Lee, H., 186
Leeds, Duke of, 349
Leenaerts, A., 18
Le Fevre, 270
Le Grand, 349
Lelio, 66
Leopold I., Kaiser, 354
Lepin, 360
Le Roy, A., 155, 278, 323
Lesina, G. Peruano da, s. Gabriel
Lessing, G.E., 362, 365
Lesslie, 16
Levin, 197
Leyden, J., 234
Leyden, M., 233
Leyden, R., 234
Liederbuch Heck, 31
Liepmannssohn, L. (Antiquariat), 29, 40–53, 86, 300, 302, 360
Lillie, 206
Limbeth, D., 72
Limbeth, F., 72
Lindenman, D., 85
Lionne, de, 236
Lobkowitz (Fürstenhaus), 92, 287–289, 291–297, 315, 357
Lobwasser, A., 333
Locatelli, 9
Locke, M., 101, 174, 185, 186
Lodge, G., 344f.
Logis (Logi, Logy), Comte de, 132, 179, 295, 331
Lonsdale, Earl of, 68
Lord Braye Bandora – and Lyra Viol-Book, 367
Lord Herbert of Cherbury Lute Book, 69
Lord Middleton's Lute Book, 243
Lorenzo de Medici, 213
Losses, J.J., 80, 88
Louise v. Württemberg, 308, 312, 313
Lowther, C., 68
Lowther, Sir J., 68
Lucić, 371
Lucio, F., 194
Ludwig XIV., König v. Frankreich, 176, 357
Lully, J.-B., 101
Lumley, Baron J., 189
Lute Book Method of Miss Mary Burwell, 242
Luther, M., 154, 164
Lygon, F., 330
Lyllingworth, C., 189
Lyttelton, E., 243

M., Goacino[!], 196
M.A.V.K.U.F., 286
M.B., 367
M B K M, 136
M.D.M.S., 364
M.E.d.V., 204
M.H.D.I., 364
M R, 187
M.W.S., 34
Mac Alman, Alexander, 104
Mace, J., 76
Mace, Th., 172
Machyn, Rich., 162
McLaughlan (Mackachland), 16
Maggs Brothers (Antiquariat), 70, 79, 187
Mainwaring, M., 172
Maldéghem, R.J. van, 270
MalZue, 81
Mandelsloh, D. v., 196
Mandyczewsky, E., 359
Mansell (Familie), 284, 285, 287
Mantua, Herzog v., 27
Ms. Bethune, 269
Ms. Bross, 259
Ms. Dalhousie, 103
Ms. Edward Paston Lute Book, 194
Ms. Grässe, 40
Ms. Lute Codex Vincenzo Capirola, 79
Ms. E. Marshall Johnson Esq., 235
Ms. Sir William Boteler (oder Butler) of Biddenham, 15f.
Ms. Skene, 98
Ms. Straloch, 100
Ms. Turpyn, 71
Ms. Vaudry de Saisenay, 46f.
Manwaringe, 187
Mareschall, S., 150
Margarita, 281
Maria, Groß-Herzogin v. Österreich, 244, 245
Marie, 181, 345
Marmi, H., 109
Marschall, 25
Marschallk, 197
Marshall, J., 180–183
Marshall Johnson, E., 235
Martial, 251
Martin y Banez, J., 71
Martin Garcia de Lague, Fr., 71
Martinic, Bovita z, s. Bořita z Martinic
Martinozzi, L., 48, 49
Mary, Prinzessin v. England, 194, 330
Mascron, 276
Massainum, T., 343
Mathewes, M., 79
Matteis, N., 303, 304
Mazarin, 346
Meccoli, 268
Medici (Familie), 133
Medici, G., 110
Meier, E., 365
Melanchton, Ph., 164
Mell, D., 176
Mendelssohn-Bartholdy, F., 236
Mengand, 45
Menica, 281
Mercure, 17, 242
Meres, F., 96
Merro, J., 253

Merville (Méuill), 270, 279
Mesangeau, R., 270, 279, 360
Mettenleiter, D., 298, 299
Metzner, J., 197
Méuill, s. Merville
Meusebach, 17
Meussel (Meusel), 64, 238
Michaelis, 193, 197
Michel, 266
Mickleton, J., of Grays, 188
Micolay, 200
Middleton, Lord, 243
Millar, E., 104
Milleran, 270
Millioni, P., 49
Miranda, J. de, 203
Mitchell, A.F., 300
Moe, I., 250
Mörner, H., 320
Möst, 87
Moffat, A., 350
Monchy, de, 205
Monin, J., 261
Monin, M., 261
Montbuysson, V. de, 137
Montfort, M.C.U. Comtesse de, 136
More, J., 16
Moreau, 273
Morison, J., 16
Moritz, Landgraf v. Hessen, 137
Morlaye, G., 323
Morley, Th., 249
Morton(us), F., 345
Morton, R., 345
Motherwill, W., 236
Mouton, Ch., 17, 67, 132, 270, 296
Mouton, J., 112
Mozart, 21
Muir Wood, J., 100
Mulliner, Th., 180
Mulliner-Book, 180
Mummery, Kenneth (Antiquariat), 317
Mure, W., 105
Murray, 104
Mutanus, F.A., 269
Mynshall, R., 171
Myslivececk, J., 366

NE., 319
N.H., 13
Nagel, J.D., 230
Nauclerus, J., 23f., 34
Naumann, J.G., 20
Naylors, E.W., 73
Neckhein, J., 142
Nemours, Duc de, 126
Neruda, J.B.G., 63
Neuen, F.M., 230
Neufville-Villeroi, Duchesse de, 265
Newsidler, H., 85, 325
Newton, R., 24
Nicchi, H. di, 269
Niccolo, 113
Nithard, 152
Nivers, G.G., 270
Nollÿ, H., 125
Norlinds, T., 236
Nostitz, Graf v., 286
Novello, V., 174
Nusdmir, F., 325
Nydahl, R., 329

Obrecht, J., 112
Ochsenkun, S., 39, 136, 163, 364, 365
Okolitsáyi Zsedény, E. v., 170
Olibia, 281
Oliphant, Th., 194, 237
Olivier, R., 190
Olschki, L. (Antiquariat), 79, 228
Orlandini, G.M., 170
Orléans, Mme d', 182
Orso da Celano, Fr., 332
Osborn, J.M., 234
Osborne, B., 349
Osborne, M., 349
Ostermayer, 371
Otoman, s. Hotman
Otto, 270
Ouseley, F., 330
Ovid, 7, 70, 251

P., 292–294, 297
P.A.R., 59
P.C.B., 7
P.H.A., 363
Pachelbel, J., 248
Pacolini, G., 201
Paisley, 98
Palazzo, (Palatio) P.J., 339
Pallady, D., 129
Paston, E., 184, 194, 330
Paul, 344
Paulli, S., 269
Paulo, P., 268
Peason (Antiquariat), 235
Pedruel, P.J., 48, 49
Pelori, M., 347
Penllyn, W., 174
Pereille, N., 127
Perelle, 257
Perez de Zavala, M., 54, 66
Peri, J., 155
Perichon, J., 360
Perino Fiorentino, 324
Perrine, 285
Peruaneo da Lesina, G., s. Gabriel
Pesori, S., 340
Peteris, A., 342
Petronius, 251
Petti di Radicondoli, J., 347
Peyer, J.G., 354
Pfeiffer, 9
Phalèse, P., 46
Philip, 181
Pichler, 65, 132
Pickeringe, J., 187
Piepler, 132
Pierce, E., 73
Piero, D., 113
Pifaro, M.-A. de, 324
Pignatelli, S., 33
Pilgrum, G., 150
Pilkington, F., 73
Pilsen, F., 66
Pinell (Pinels), 58[?], 270, 321
Piquet, J.-B., 4
Pirro, A., 265
Pisano, B., 112
Platin, P.P., p. 200
Plinius, 373
Pölzer, J., 230
Pötsch, S., 158
Pogkhner, J.C., 371
Poilly, 66
Poliński, A., 230
Porion, L., 270
Porter, W.J., 187
Poser, Ch.G., 196
Pouille, P. de, 270
Poulton, D., 24
Pourells, 199
Prieger, E., 19
Printz, W.C., 324
Promnitz, B. v., 324, 325
Prunières, H., 228, 266
Prusik, K., 316
Puttichs & Co. (Antiquariat), 186

Q.S.H., 5
Quaritch, B. (Antiquariat), 79

R., 167, 342, 343
R.B., 249
R.C., 185
Radicondoli, J. Petti di, s. Petti
Ranstein (Antiquariat), 372

R[aschka], 38
Rasponi, G., 110
Raveneau, 270
Red, J., 16
Reding, J.I., 372
Regnart, J., 198
Reismiller, G., 342
Reismiller, L., 342
Reno, D., 268
Reusner, E., 21, 157, 270, 274
Reynaud, 4
Reynes, B., 279
Rhodes, R., 254
Ricci, G.P., 339
Riccio, Fr., 339
Richard Mynshall lute-book, 171
Rimbault, E.F., 106, 237
Rinck, H., 230
Robarts, Hender, 130
Robert ap Huw, 174
Robinson, T., 325
Robinson, W.H. (Antiquariat), 249
Rocher, s. Blanc Rocher
Rodd, Th., 175, 176
Rodel, Th., 177
Rodenegg, s. Wolckenstein
Rogers, J., 243
Roman, J.H., 320
Romani, 153
Romani, D., 299
Rookwood of Coldham, 134
Rosalia, 281
Rosenthal, M.-L., 80
Rosenthal (Antiquariat), 194
Rossi, L., 194
Rotta, A., 324, 325, 343
Rous, A.J., 249
Rous, J.E.C., II. Earl of Stradbroke, 249
Rowallan, William Mure, 105
Rudinger, E., 373
Rudolph II., Kaiser, 354
Ruff, A., 25
Rugero, 307
Rumain, Comtesse du, 264
Rundnagel, K., 141
Rust, F.W., 18
Ruthwen, P., 272
Ruvio, Fr. de Paula, 202

S.O., 5
Sacarus, 354
Sacchi, G.T., 307
Sacripante, J., 281
Saisenay, J.S. (J.E. Vaudry de), 46, 47
Saint Luc, J.A. de, 357
Sallust, 373
Salomon, 25
Sammenhammer, D., 333
Sampson, H., 133
Sampson, Th., 189
Sanear, 174
San Sorlino, Marchese di, 126
Sarah, 345
Sargonson, J., 105
Saxer, G.W.D., 365
Saxo, 229
Scaramouche, 357
Scellery, Ch.E., s. Borjon de Scellery
Schaller, C., 326
Scheidler, 21
Schele, E., 129
Schendelius, J., 150
Scheurleer, D.F., 83, 84, 86
Schickard, 147
Schiffelholz, J.P., 90, 91
Schletterer, H.M., 7, 8
Schmall, N., 297
Schmid, B., 223
Schmid, C.A., 365
Schmöger(in), M.Th., 87
Schmögger, F.J., 87
Schneider, H. (Antiquariat), 6, 66, 331, 334
Schönfelder, G., 226
Schöniger, H., 7
Schünemann, G., 146
Schürer v. Waldheim, 326
Schutz, 301
Schwartz, A., 201
Schweiden, 34
Schwinghammer, J.Fr., 312
Sciurus, J.M., 26
Scotto, G., 115, 124
Scottus, Fr., 154
Seckendorff, S. Baron v., 9
Segesser, Fr.W., 230
Seidel, F., 152
Seneca, 291, 373
Senfl, L., 222, 226
Seupel, J.A., 269
Seydel, J.A., 287
Shatterton, J., 256
Shield, W., 84
Shinton, R., 176
Shinton, Th., 176
Sidney, Fr., 249
Sidney, Ph., 186
Simons, W., 186
Skene, E., 99
Skene, G., 100
Skene (Skeine, Skine) J., 98, 99
Smal, M., 297
Smith, J., 84
Smith, J.S., 236
Smith, R., 101
Smith, Th., 171
Smout(ius), A.J., 162
Sobieski, A., 232
Solerat, 270
Sollnitz, A.W., 9
Sotheby (Antiquariat), 7, 69, 134, 183, 185, 235, 344
Southgate, Th.L., 206
Sparr, G., 321
Sparre, E., 325
Spencer, R., 134, 172
Spurny, 312
Stammbuch der Burggrafen Achatius zu Dohna, 154
Stammbuch Davids von Mandelsloh, 196
Statius, 251
Steffkins (Stebkens, Stöbkens), 138, 139
Steinwick, G., 152
Stenbocke, Comtesse de, 198
Sternberk, 298
Stiehl, C., 31
Stobaeus, J., 190
Stockman, M.E., 35
Stöbkens, s. Steffkins
Stradbroke, Earl of, s. Rous
Straloch-Lute Book, 99f., 350
Straminej, Otto, J.C., 15
Straube, R., 183
Streitt, Fr.-R., 230
Strniště, G., 291
Strobel, V., 82, 270
Strozzi, B., 194
Strzeskowski, 200
Stürtzell, H.Fr., 230
Stuhl, J.A., 165
Sturt, J., 185
Svensson, 326
Swarland, J., 175
Szczepánska, M., 344

T.B., 367
Tabulatur Nauclerus-Bac farc, 34
Tacitus, 373
Talbot, J., 205, 258
Tallis, T., 185
Tallovi, M., 124
Taphouse, T.W., 132, 185, 350
Tappert, W., 20, 26, 28, 29, 30, 86, 141, 165, 169, 247, 272, 275, 315, 319, 357, 360
Taxio, Comte de, 26
Taylor, R., 72

Telfer, J., 234
Telemann, G.Ph., 365
Tessin, C.G., 326
Thico, G., 197
Thielli, 367
Thislethwaite, 106
Thomson, E., 188
Thorne, J., 300
Thuerner, J., 358, 359
Thys, J., 162
Tielke (Tielche), G., 137, 139
Toeschi, 9
Tollap, R., 78
Tollemache, Lord, 134
Tomy, 16
Trapero, J., 202
Tratkott, J., 201
Trautmann, E., 330
Trend, J.B., 70
Trent, S., 208
Treschow, G., 250
Tresor, J., 321
Trezier, B.C., 318
Triphook, R., 181
Trubner, N. (Antiquariat), 79
Turpyn (Turpin), Familie, 71f.
Tvenhuysen, 129
Twice, A., 237

Ucellius, M., 302
Ursprung, O., 225

V.O.P.A., 5
Vallas, L., 231
Vallet, N., 154, 302
Van den Hove, J., 18, 374
Vander Burgk, 129
Vander Linden, 129
Van der Meer, J.H., 84
Van Duysen, s. Duysen
Vatielli, Fr., 48
Vaudry de Saisenay, s. Saisenay
Vaughan, J., 188
Vaugine, 266
Verdenberg, C.W., 50
Vergil, 7, 291
Vhagon, Fr. 71
Vignon, 270
Vindella, F., 324
Visée, R. de, 47, 54, 66, 374
Viviani, G., 210
Voltaire, 275
Von der Hagen, A., 152

W., B. de, 36
W., Giovanni Antonio, 117
WB, 369
W H, 126
W.I.E.S., 95
W.M.S., 34
Wagener, 56, 170
Wagenseil, 358
Waissel, M., 6, 365
Waldheim, Schürer v., s. Schürer
Walker, 132
Wallenrod, G. v., 154
Walpole, H., 69
Walpole, R., 242
Walsingham, Sir Fr., 249
Walther, E., 93, 94
Walther, J.G., 356
Wanley, H., 188
Warmuth, C., 250
Warren, J., 178
Watson, H., 206
Weckerlin, J.-B., 272
Weichemberger, J.G., 49
Weichenberg, 132, 238
Weiß, 9, 57, 132, 152, 153, 179, 214, 232
Weiß, Sigismond, 92, 179
Weiß, Silvius Leopold, 9, 67, 92, 93, 179, 365
Weißer, C., 282
Welde, J., 361
Weller, 150
Weltzell, J., 226
Wenceslas, 286
Wenck, J., 226
Wenster, E.Ch., 198–200
Werdenberg, s. Verdenberg
Werl, A., 193
Weyrauch, J.C., 166
White, 133
White, R., 233, 234
White Pickering, 6, 233
Whittal, W.J.H., 303
Wickambrook, Graf v., 235
Wieser, 142
Wighton, A.J., 97, 350
Wilbraham, R., 170
Wilhelm IV. v. Bayern, 222
William Mure of Rowallan Lute Book, 105
Wilson, 237
Wilson, J., 251
Witte, 320
Wodzicki, Comte, 195
Wolckenstein (Wolchenstain), Graf v., 22, 26, 27, 245
Wolff, M., 226
Wolffheim, W., 34, 35, 37–39, 43–45, 92, 163, 165, 167, 168
Wood, J., 134
Wood, J. Muir, 100
Wotquenne, A., 53
Wylloughbye, 243
Wyssenbach, R., 40, 164

Yndern, M., 151
Younge, 206

Zavala, M. Perez de, s. Perez
Zechner, G., 127
Zlatarić, 371
Zondondari, 23
Zonto, s. Giunto
Zuccho, G., 227
Zwixtmeyer, B., 37

Printed in Germany